ullstein

SIDDHARTHA MUKHERJEE

Das Gen

Eine sehr persönliche Geschichte

Aus dem Amerikanischen
von Ulrike Bischoff

Ullstein

Besuchen Sie uns im Internet:
www.ullstein.de

Wir verpflichten uns zu Nachhaltigkeit

• Klimaneutrales Produkt
• Papiere aus nachhaltiger
  Waldwirtschaft und anderen
  kontrollierten Quellen
• ullstein.de/nachhaltigkeit

MIX
Papier
FSC   FSC® C083411

Neuausgabe im Ullstein Taschenbuch
1. Auflage Februar 2023
© 2016 Siddhartha Mukherjee
© für die deutsche Ausgabe Ullstein Buchverlage GmbH 2023
© der deutschen Übersetzung S. Fischer Verlag, Frankfurt 2019
S. Fischer Verlag GmbH, Frankfurt am Main, 2022
Aus dem Amerikanischen von Ulrike Bischoff
Titel der amerikanischen Originalausgabe:
The Gene: An Intimate History (Scribner, New York)
Umschlaggestaltung: zero-media.net, München nach einer Vorlage von Jaya Miceli
Umschlagmotiv: © By Jaya Miceli, Jacket Art: Gabriel Orozco:
»Light Signs #3 (Korea)« (1995) light box, plastic sheet, vinyl decals,
100.01 × 100.01 × 19.69 cm, Collection Walker Art Center, Minneapolis,
T. B. Walker Acquisition Fund, 1996, © FinePic®, München
Satz: Dörlemann Satz, Lemförde
Gesetzt aus der Plantin Light und Gill Sans
Druck und Bindearbeiten: CPI books GmbH, Leck
ISBN 978-3-548-06553-3

Für Priyabala Mukherjee (1906–1985), die die Gefahren kannte;
und für Carrie Buck (1906–1983), die sie erlebte.

Eine genaue Bestimmung der Vererbungs-
gesetze wird die Weltsicht des Menschen und
seine Macht über die Natur vermutlich stärker
verändern als jeder andere Fortschritt in der
Naturerkenntnis, der absehbar ist.
  William Bateson[1]

Wir Menschen sind letztlich nur Träger von
Genen. Auf ihrem Weg reiten sie auf uns von
Generation zu Generation, gerade so, wie man
Pferde zu Tode reitet. Die Gene denken nicht in
Kategorien von Gut und Schlecht. Wir haben
Glück oder Pech mit ihnen, aber sie wissen
nichts davon. Denn wir sind nicht mehr als ein
Mittel zum Zweck. Für die Gene zählt nur, was
für sie selbst den größten Nutzen bringt.
  Haruki Murakami, *1Q84*[2]

INHALT

DAS GEN

PROLOG

Familien

… mit euch beiden geht nämlich der Stamm
eurer Eltern nicht zu Ende …
    Menelaos in Homer, *Odyssee*[1]

They fuck you up, your mum and dad.
They may not mean to, but they do.
They fill you with the faults they had
And add some extra, just for you.
    Philip Larkin, »This Be The Verse«[2]

Im Winter 2012 fuhr ich von Delhi nach Kalkutta, um meinen Cousin Moni zu besuchen. Mein Vater kam als Begleiter und Reiseführer mit, aber er brütete finster vor sich hin, versunken in einem geheimen Kummer, den ich nur vage ahnte. Mein Vater ist der jüngste von fünf Brüdern, und Moni ist der erstgeborene Sohn seines ältesten Bruders. Im Alter von vierzig Jahren wurde Moni 2004 mit der Diagnose Schizophrenie in eine psychiatrische Klinik eingewiesen (eine »Irrenanstalt«, wie mein Vater es nennt). Ständig steht er unter Medikamenten – schwimmt in einem Meer diverser Antipsychotika und Beruhigungsmittel – und wird von Pflegern gebadet, gefüttert und rund um die Uhr beaufsichtigt.

Mein Vater hat Monis Diagnose nie akzeptiert. Jahrelang hat er einen einsamen Kampf gegen die behandelnden Psychiater seines Neffen geführt in der Hoffnung, dass er sie von ihrer kolossalen Fehldiagnose überzeugen könne oder Monis zerrüttete Psyche auf wundersame Weise von selbst heilen würde. Zweimal hat mein Vater die Klinik in Kalkutta aufgesucht – einmal ohne Vorankündigung, weil er hoffte, seinen Neffen verwandelt vorzufinden, wie er insgeheim hinter den verschlossenen Türen ein ganz normales Leben führte.

Aber mein Vater wusste – ebenso wie ich –, dass hinter diesen Besuchen mehr steckte als nur verwandtschaftliche Zuneigung. Denn Moni ist in der Familie meines Vaters nicht der einzige mit einer psychischen Erkrankung. Von den vier Brüdern meines Vaters haben zwei – zwar nicht Monis Vater, aber zwei seiner Onkel – diverse psychische Zusammenbrüche erlitten. Offenbar kommt bei den Mukherjees Wahnsinn schon mindestens seit zwei Generationen vor, und die Weigerung meines Vaters, Monis Diagnose zu akzeptieren, beruht zumindest teilweise auf der grauenvollen Erkenntnis, dass ein Keim dieser Krankheit auch in ihm schlummern könnte wie Giftmüll.

Rajesh, der drittälteste Bruder meines Vaters, starb 1946 im Alter von erst zweiundzwanzig Jahren in Kalkutta. Angeblich bekam er eine Lungenentzündung, nachdem er zwei Abende im Winterregen trainiert hatte – aber diese Infektion war lediglich der Höhepunkt einer anderen Erkrankung. Rajesh war einst der verheißungsvollste der Brüder gewesen – der geschickteste, geschmeidigste, charismatischste, dynamischste, von meinem Vater und seiner Familie meistgeliebte und -vergötterte.

Zehn Jahre zuvor, 1936, war mein Großvater gestorben – ermordet nach einem Streit über Glimmerbergwerke –, und meine Großmutter hatte allein fünf Jungen aufziehen müssen. Rajesh war zwar nicht der Älteste, war aber recht mühelos in die Fußstapfen seines Vaters getreten. Obwohl er damals erst zwölf Jahre alt war, hätte man ihn für 22 halten können: Schon damals dämpfte Ernsthaftigkeit seine stürmische Intelligenz, wandelte sich die prekäre Selbstsicherheit des Jugendlichen zum Selbstvertrauen eines Erwachsenen.

Im Sommer 1946 hatte Rajesh jedoch begonnen, sich seltsam zu benehmen, wie mein Vater sich erinnerte, ganz so, als ob in seinem Ge-

hirn etwas durchgebrannt wäre. Die auffallendste Persönlichkeitsver-
änderung waren seine Stimmungsschwankungen: Gute Neuigkeiten
lösten unbändige Freudenausbrüche aus, die er nur in immer akroba-
tischeren sportlichen Übungen austoben konnte, während schlechte
Nachrichten ihn in tiefe Verzweiflung stürzten. Die Gefühle waren
im jeweiligen Kontext durchaus normal, nicht aber ihre extreme Ausprägung. Bis zum Winter verstärkten sich Häufigkeit und Ausschlag
dieser Stimmungsschwankungen. Die in Rage und Überschwang aus-
artenden Energieausbrüche wurden ebenso häufiger und heftiger wie
der anschließende starke Trübsalssog. Er verfiel ins Okkulte, organisierte zu Hause Séancen und Planchettesitzungen oder traf sich mit
Freunden um Mitternacht zum Meditieren in einem Krematorium.
Ich weiß nicht, ob er Drogen nahm – in den 1940er Jahren gab es in
Kalkuttas Chinatown reichlich Opium aus Birma und afghanisches
Haschisch, womit ein junger Mann seine Nerven beruhigen konnte –,
aber mein Vater erinnert sich, dass sein Bruder völlig verändert war:
mal ängstlich, mal draufgängerisch, mal himmelhochjauchzend, mal
zu Tode betrübt, an einem Morgen gereizt, am nächsten überglücklich. (Das Wort *überglücklich* bedeutet umgangssprachlich etwas recht
Harmloses: eine Steigerung von Glück. Es kennzeichnet aber auch eine
Grenze, eine Warnung, einen Randbereich der Besonnenheit: Jenseits
von *überglücklich* gibt es, wie wir noch sehen werden, kein *Über-über-
glücklichsein*, sondern nur noch Wahnsinn und Manie.)

Bevor Rajesh die Lungenentzündung bekam, hatte er von seinem
außergewöhnlich erfolgreichen Abschneiden bei den Collegeprüfun-
gen erfahren und war in Hochstimmung für zwei Tage und Nächte
verschwunden, angeblich um zu »trainieren«. Bei seiner Rückkehr
hatte er hohes Fieber und Halluzinationen.

Erst Jahre später wurde mir während des Medizinstudiums klar,
dass Rajesh sich damals wahrscheinlich in einer akuten manischen
Phase befunden hatte. Sein Nervenzusammenbruch war die Folge
eines beinahe lehrbuchmäßigen Falles von manischer Depression –
einer bipolaren Störung.

• • •

Jagu, der zweitjüngste Bruder meines Vaters, zog 1975 zu uns nach Delhi, als ich fünf Jahre alt war. Auch seine psychische Verfassung war labil. Er war groß und spindeldürr, hatte etwas Düsteres im Blick, eine verfilzte Mähne und ähnelte einem bengalischen Jim Morrison. Anders als Rajesh, bei dem sich seine Erkrankung erst im Alter von über zwanzig Jahren gezeigt hatte, war Jagu von Kind an verhaltensauffällig. Er war im Umgang mit Menschen unbeholfen, gegenüber allen außer meiner Großmutter verschlossen und konnte weder einer Arbeit nachgehen noch allein leben. Bis 1975 kamen tiefgreifendere, kognitive Probleme hinzu: Erscheinungen, Wahnvorstellungen und Stimmen im Kopf, die ihm sagten, was er zu tun habe. Er entwickelte unzählige Verschwörungstheorien: Ein Bananenverkäufer, der seine Früchte vor unserem Haus anbot, mache heimlich Aufzeichnungen über sein Verhalten, glaubte Jagu. Häufig sprach er mit sich selbst und leierte wie besessen erfundene Zugverbindungen herunter (»Von Shimla nach Howrah mit Kalka Mail, umsteigen in Howrah in den Shri Jagannath Express nach Puri«). Gelegentlich war er noch zu außerordentlichen Ausbrüchen von Zuneigung fähig – als ich zu Hause einmal versehentlich eine venezianische Vase zerbrach, an der meine Mutter sehr hing, verbarg er mich unter seinem Bettzeug und erklärte ihr, er habe »einen Haufen Geld« versteckt, wovon er »tausend« Vasen als Ersatz kaufen könne. Diese Episode war symptomatisch: Psychose und Konfabulationen reichten selbst bis in seine Zuneigung zu mir hinein.

Anders als bei Rajesh, bei dem es nie eine medizinische Diagnose gab, stellte ein Arzt Ende der 1970er Jahre bei Jagu Schizophrenie fest, verordnete ihm aber keine Medikamente. Jagu blieb weiterhin zu Hause, halb versteckt im Zimmer meiner Großmutter (die bei uns wohnte, wie es in vielen indischen Familien üblich war). Wieder einmal – und diesmal doppelt grausam – gefordert, machte meine Großmutter sich zu Jagus Beschützerin. Nahezu zehn Jahre lang herrschte zwischen meinem Vater und ihr ein brüchiger Waffenstillstand, und Jagu lebte unter ihrer Obhut, nahm seine Mahlzeiten in ihrem Zimmer ein und trug Kleidung, die sie für ihn nähte. Abends, wenn er besonders unruhig und von seinen Ängsten und Wahnvorstellungen geplagt war, brachte sie ihn zu Bett wie ein Kind und legte ihm die Hand auf die Stirn. Nach ihrem Tod 1985 verschwand er aus unserem Haus und ließ sich nicht mehr zur Rückkehr überreden. Bis zu seinem Tod 1998 lebte er in einer Sekte in Delhi.

. . .

Mein Vater wie auch meine Großmutter waren überzeugt, Jagus und Rajeshs psychische Erkrankungen seien durch die apokalyptische Teilung Indiens und Pakistans ausgelöst, vielleicht sogar verursacht worden – ein traumatisches politisches Ereignis, das sich in ihrem persönlichen psychischen Trauma niedergeschlagen habe. Für sie war klar, dass die Teilung nicht nur Nationen, sondern auch Seelen hatte zerbrechen lassen. Auch in Saadat Hasan Mantos »Toba Tek Singh« – der wohl bekanntesten Kurzgeschichte über die Teilung – lebte der verrückte, an der indisch-pakistanischen Grenze erwischte Held in einem Niemandsland zwischen klarem Verstand und Wahnsinn.[3] In Jagus und Rajeshs Fall glaubte meine Großmutter, die Unruhen und die Entwurzelung durch die Übersiedlung von Ostbengalen nach Kalkutta habe sie ihren seelischen Halt verlieren lassen, wenn auch auf spektakulär unterschiedliche Art und Weise.

Rajesh war 1946 nach Kalkutta gekommen, als die Stadt gerade den Verstand verloren hatte – und am Ende ihrer Nerven, Liebe und Geduld angelangt war. Damals füllte bereits ein stetiger Zustrom von Männern und Frauen aus Ostbengalen – die diese politischen Erschütterungen früher zu spüren bekommen hatten als ihre Nachbarn – die niedrigen Mietshäuser in der Umgebung des Bahnhofs Sealdah. Zu dieser armseligen Schar gehörte auch meine Großmutter: Sie hatte eine Dreizimmerwohnung auf der Hayat Khan Lane, nur wenige Gehminuten vom Bahnhof entfernt, ergattert. Die Miete von 55 Rupien – nach heutigen Maßstäben nur 1 US-Dollar – hatte für ihre Familie ein Vermögen bedeutet. Von den übereinander liegenden Zimmern schaute man auf eine Müllhalde. Aber die winzige Wohnung hatte immerhin Fenster und eine Dachterrasse, von der die Jungen die Geburt einer neuen Stadt und einer neuen Nation miterleben konnten.

An den Straßenecken flammten leicht Unruhen auf. Im August 1946 kam es zu einem besonders heftigen Gewaltausbruch zwischen Hindus und Muslimen (später als Great Calcutta Killing bezeichnet), bei dem fünftausend Menschen getötet und Hunderttausende vertrieben wurden.

In diesem Sommer hatte Rajesh die Welle der Gewalt bei den aufgebrachten Menschenmassen miterlebt. Hindus hatten Muslime aus ihren Läden und Büros in Lalbazar gezerrt und ihnen auf der Straße bei lebendigem Leib die Eingeweide herausgerissen, und Muslime hatten sich auf den Fischmärkten in der Nähe vom Rajabazar und der Harrison Road mit ebenso unbändiger Grausamkeit revanchiert. Kurz nach diesen Unruhen hatte Rajesh einen Nervenzusammenbruch erlitten. Die Stadt hatte sich stabilisiert und erholt, aber Rajesh hatte bleibende Schäden davongetragen. Kurz nach den August-Massakern trat bei ihm ein Schub von Wahnvorstellungen auf. Er wurde immer ängstlicher und ging häufiger abends zum Sport. Darauf folgten die manischen Phasen, die gespenstischen Fieberschübe und seine fatale letzte Erkrankung.

Meine Großmutter war der festen Überzeugung, dass der Wahnsinn bei Rajesh auf seine Ankunft in der Stadt und bei Jagu auf den Verlust seiner Heimat zurückzuführen sei. In seinem Dorf Dehergoti bei Barisal hatte Jagu bei Freunden und Familie seelischen Halt gefunden. Wenn er durch die Reisfelder gelaufen oder in den Teichen geschwommen war, hatte er so unbekümmert und verspielt wirken können wie alle anderen Kinder – beinahe normal. In Kalkutta war er verkümmert wie eine aus ihrem natürlichen Lebensraum gerissene, entwurzelte Pflanze. Er hatte das College abgebrochen, nur noch in der Wohnung am Fenster gesessen und ins Leere gestarrt. Sein Denken war immer wirrer, sein Reden immer unzusammenhängender geworden. Während Rajesh sich in Extreme geflüchtet hatte und nachts in der Stadt umhergeschweift war, hatte Jagu sich stumm in sein Zimmer zurückgezogen und sich freiwillig zu Hause eingeschlossen.

• • •

Diese seltsame Klassifizierung psychischer Erkrankungen (Rajesh als Stadtvariante und Jagu als Landvariante seelischen Zusammenbruchs) war bequem, so lange sie sich aufrechterhalten ließ – geriet jedoch ins Wanken, als auch Monis psychische Gesundheit nachließ. Er war kein »Teilungskind«, war nie entwurzelt worden, sondern hatte sein ganzes Leben in der Geborgenheit seines Zuhauses in Kalkutta verbracht. Dennoch nahm seine seelische Entwicklung ähnliche Formen an wie bei Jagu. In seiner Jugend traten erste Wahnvorstellungen auf, und er begann Stimmen zu hören. Sein Isolationsbedürfnis, seine ungeheuerlichen Konfabulationen, sein Orientierungsverlust und seine Verwirrtheit – all das erinnerte gespenstisch an den Niedergang seines Onkels. Als Jugendlicher besuchte Moni uns einmal in Delhi. Wir sollten zusammen ins Kino gehen, aber er schloss sich oben im Badezimmer ein und weigerte sich fast eine Stunde lang, herauszukommen, bis meine Großmutter ihn schließlich herausholte. Als sie ins Badezimmer kam, versteckte er sich zusammengekauert in einer Ecke.

Eine Gruppe von Schlägern verprügelte Moni 2004 – angeblich weil er in einem öffentlichen Park uriniert hatte (mir erklärte er, eine innere Stimme habe ihm befohlen: »Pinkele hier, pinkele hier«). Einige Wochen später beging er ein »Verbrechen«, das so skurril und seltsam war, dass man es nur als Beleg für den Verlust seiner geistigen Gesundheit werten konnte: Man erwischte ihn beim Flirten mit der Schwester eines dieser Schläger (wieder erklärte er, die Stimmen hätten es ihm befohlen). Sein Vater bemühte sich vergebens, einzugreifen; diesmal wurde Moni so heftig verprügelt, dass er Platzwunden an Lippe und Stirn davontrug und im Krankenhaus behandelt werden musste.

Die Prügel sollten eine läuternde Wirkung haben (seine Peiniger behaupteten bei der polizeilichen Vernehmung, sie hätten lediglich »die Dämonen aus Moni« austreiben wollen), aber die krankhaften Stimmen in seinem Kopf wurden nur noch kühner und nachdrücklicher. Nach einem weiteren Zusammenbruch mit Halluzinationen und zischenden inneren Stimmen wurde er im Winter desselben Jahres in eine psychiatrische Klinik eingewiesen.

Die Unterbringung in einer geschlossenen Abteilung erfolgte teilweise freiwillig, wie Moni mir sagte: Ihm ging es weniger um seelische Gesundung als um einen Zufluchtsort. Diverse Psychopharmaka bewirkten allmählich eine Besserung, die offenbar aber nie ausreichte, um seine Entlassung zu rechtfertigen. Einige Monate nach Monis Einweisung starb sein Vater. Seine Mutter war bereits seit einigen Jahren tot, und seine einzige Schwester lebte weit entfernt. Daher beschloss er, in der Anstalt zu bleiben, teils wohl, weil er nicht wusste, wohin er sonst hätte gehen sollen. Für Moni war die längst veraltete Bezeichnung »Irrenasyl« erschreckend zutreffend: Es war der einzige Ort, der ihm die in seinem Leben fehlende Geborgenheit und Sicherheit bot. Er war ein Vogel, der sich freiwillig in einen Käfig geflüchtet hatte.

Als mein Vater und ich ihn 2012 besuchten, hatte ich Moni seit nahezu zwanzig Jahren nicht mehr gesehen. Trotzdem erwartete ich, dass ich ihn wiedererkennen würde. Aber der Mann, den ich im Besuchsraum traf, hatte so wenig Ähnlichkeit mit meiner Erinnerung an meinen Cousin, dass es sich auch um einen Fremden gehandelt haben könnte – wenn der Pfleger nicht seinen Namen bestätigt hätte. Er war übermäßig gealtert und wirkte mit 48 ganze zehn Jahre älter. Die Psychopharmaka hatten ihn körperlich verändert, er ging unsicher und schwankend wie ein Kind und sprach nicht mehr schnell und überschwänglich wie früher, sondern zögernd und stoßweise. Er spie die Worte so plötzlich und überraschend heftig aus wie einen unappetitlichen Bissen Essen, den man ihm in den Mund gesteckt hatte. An meinen Vater oder mich erinnerte er sich kaum. Als ich meine Schwester erwähnte, fragte er, ob ich sie geheiratet habe. Unser Gespräch verlief so, als ob ich ein Reporter gewesen wäre, der aus heiterem Himmel aufgetaucht war, um ihn zu interviewen.

Das Auffallendste an seiner Krankheit war jedoch nicht der Sturm in seinem Kopf, sondern sein stumpfer Blick. Das bengalische Wort *Moni* bedeutet »Juwel« und bezeichnet gemeinhin etwas unbeschreiblich Schönes: das Funkeln im Auge. Aber genau das war bei Moni erloschen. Die beiden funkelnden Lichtpunkte in seinen Augen waren matt geworden und beinahe völlig verschwunden, als hätte jemand sie mit einem winzigen Pinsel grau übermalt.

• • •

Während meiner gesamten Kindheit und Jugend spielten Moni, Jagu und Rajesh in der Vorstellungswelt meiner Familie eine übergroße Rolle. In einem halbjährigen Flirt mit jugendlicher Angst hörte ich auf, mit meinen Eltern zu sprechen, weigerte mich, Hausaufgaben zu machen, und warf meine alten Bücher fort. Zutiefst beunruhigt schleppte mein Vater mich zu dem Arzt, der bei Jagu Schizophrenie diagnostiziert hatte. *Verlor jetzt auch sein Sohn den Verstand?* Als bei meiner Großmutter zu Beginn der 1980er Jahre das Gedächtnis nachließ, nannte sie mich oft versehentlich Rajeshwar – Rajesh. Anfangs korrigierte sie sich noch, rot vor Verlegenheit, aber nachdem sie ihre letzten Bindungen zur Realität gelöst hatte, schien sie diesen Fehler beinahe absichtlich zu machen, als ob sie den Reiz des Verbotenen dieser Phantasie entdeckt hätte. Bei der vierten oder fünften Verabredung mit meiner jetzigen Frau Sarah erzählte ich ihr von den gespaltenen Persönlichkeiten meines Cousins und meiner beiden Onkel. Gegenüber einer zukünftigen Partnerin war es nur fair, sie zu warnen.

Mittlerweile waren in meiner Familie Vererbung, Krankheit, Normalität, Familie und Identität wiederkehrende Gesprächsthemen geworden. Obwohl meine Eltern wie die meisten Bengalen Verdrängung und Verleugnung zu einer Kunst erhoben hatten, waren Fragen zu dieser besonderen Geschichte unvermeidlich. Moni, Rajesh, Jagu – drei Leben, geprägt von verschiedenen Geisteskrankheiten. Es war kaum vorstellbar, dass hinter dieser Familiengeschichte keine erbliche Komponente steckte. Hatte Moni ein Gen oder mehrere Gene geerbt, die ihn anfällig gemacht hatten – dieselben Anlagen, aufgrund derer unsere Onkel erkrankt waren? Gab es weitere Verwandte mit anderen Varianten psychischer Erkrankungen? Mein Vater hatte mindestens zweimal in seinem Leben psychotische Episoden erlebt – beide Male ausgelöst durch den Verzehr von *Bhang* (in Fett gelösten, zerstoßenen Cannabisblüten, die zu religiösen Festen in ein schäumendes Getränk gerührt werden). Standen diese Episoden in einem Zusammenhang mit der Familiengeschichte?

• • •

Schwedische Forscher veröffentlichten 2009 eine umfangreiche internationale Studie, die Tausende Familien und zigtausend Männer und Frauen einbezog. Sie hatten Familien mit einer generationenübergreifenden Geschichte psychischer Erkrankungen untersucht und eindrucksvolle Belege dafür gefunden, dass bei bipolaren Störungen und Schizophrenie ein starker genetischer Zusammenhang bestand. In einigen der beschriebenen Familien gab es eine ganz ähnliche Geschichte psychischer Krankheiten wie in meiner: Ein Kind litt an Schizophrenie, eines seiner Geschwister an einer bipolaren Störung und ein Neffe oder eine Nichte ebenfalls an Schizophrenie. Weitere Studien untermauerten 2012 diese Ergebnisse, erhärteten den Zusammenhang zwischen diesen psychischen Erkrankungen und der Familiengeschichte und warfen tiefgreifende Fragen nach deren Entstehung, Epidemiologie, Auslösern und Ursachen auf.[4]

Zwei dieser Studien las ich einige Monate nach meiner Rückkehr aus Kalkutta an einem Wintermorgen in der New Yorker U-Bahn. Auf der anderen Seite des Mittelgangs drängte ein Mann in grauer Pelzmütze seinen Sohn, eine graue Pelzmütze aufzusetzen. In der 95. Straße schob eine Mutter einen Kinderwagen mit Zwillingen herein, die nach meinem Empfinden in der gleichen Tonlage schrien.

Die Studie war auf merkwürdige Art tröstlich und beantwortete einige der Fragen, die meinen Vater und meine Großmutter so gequält hatten, warf aber auch eine Fülle neuer Fragen auf: Wenn Monis Krankheit genetisch bedingt war, warum waren mein Vater und seine Schwester verschont geblieben? Welche »Auslöser« hatten diese Prädispositionen zum Tragen gebracht? Inwieweit erwuchsen Jagus und Monis Erkrankungen aus »natürlicher Veranlagung« (also einer genetischen Disposition) beziehungsweise aus »äußeren Faktoren« (wie Unruhen, Konflikten und traumatischen Erlebnissen)? Könnte mein Vater Träger dieser Krankheitsdisposition sein? Und ich ebenfalls? Was wäre, wenn ich genau über diesen Gendefekt Bescheid wissen könnte? Würde ich mich oder meine beiden Töchter testen lassen? Würde ich sie über die Resultate informieren? Was wäre, wenn sich herausstellen sollte, dass nur eine von ihnen Trägerin dieses Merkmals wäre?

...

Während sich meine Familiengeschichte psychischer Erkrankungen wie ein roter Faden durch mein Denken zog, lief auch meine wissenschaftliche Arbeit als Krebsforscher auf die Normalität und Anomalität von Genen hinaus. Krebs ist vielleicht eine völlige Perversion der Genetik – ein Genom, das sich mit krankhafter Besessenheit vermehrt. Dieses Genom als selbstreplizierende Maschinerie vereinnahmt die Physiologie einer Zelle und führt zu einer gestaltverändernden Krankheit, die wir trotz erheblicher Fortschritte nach wie vor nicht zu behandeln oder zu heilen vermögen.

Den Krebs zu erforschen bedeutet jedoch auch, sein Gegenteil zu erforschen, wie mir klar wurde. Welcher Code steht für Normalität, bevor er durch den Krebs korrumpiert wird? Was leistet das normale Genom? Wie erhält es die Konstanz, die uns erkennbar ähnlich macht, und die Variation, die uns erkennbar unterschiedlich macht? Wie sind Konstanz und Variation oder Normalität und Anomalität definiert und im Genom festgeschrieben?

Was wäre, wenn wir lernen würden, unseren genetischen Code gezielt zu verändern? Wenn es solche Technologien gäbe, wer würde sie kontrollieren, wer ihre Sicherheit gewährleisten? Wer wären die Herren und wer die Opfer dieser Technik? Wie würde die Aneignung und Kontrolle dieses Wissens – und sein unvermeidliches Eindringen in unser privates und gesellschaftliches Leben – unsere Sicht der Gesellschaft und unserer Kinder sowie unser Selbstverständnis verändern?

...

Dieses Buch befasst sich mit Entstehung, Ausbreitung und Zukunft einer der wirkmächtigsten und gefährlichsten Ideen der Wissenschaftsgeschichte: des Gens, der Grundeinheit der Vererbung und sämtlicher biologischen Informationen.

Ich verwende hier das Adjektiv »gefährlich« mit Bedacht. Drei grundlegend destabilisierende wissenschaftliche Begriffe schwirren durch das 20. Jahrhundert und teilen es in drei ungleiche Teile: Atom, Byte und Gen.[5] Jeder von ihnen warf bereits im 19. Jahrhundert seine Schatten voraus, trat aber erst im 20. Jahrhundert voll zutage. Jeder begann als abstraktes wissenschaftliches Konzept, das sich ausweitete und in vielfältige menschliche Diskursbereiche eindrang – und dabei Kultur, Gesellschaft, Politik und Sprache veränderte. Die mit Abstand wichtigste Parallele zwischen diesen drei Begriffen ist jedoch konzeptioneller Art: Jeder steht für eine nicht weiter reduzierbare Einheit – den Baustein, die grundlegende Organisationseinheit – eines größeren Ganzen: Das Atom ist die Grundeinheit der Materie, das Byte (oder »Bit«) die der digitalisierten Information und das Gen die der Vererbung und der biologischen Information.*

Wieso verleiht dieses Merkmal – die kleinste Teileinheit eines größeren Ganzen zu sein – diesen speziellen Ideen eine solche Macht und Kraft? Die einfache Antwort lautet: Materie, Information und Biologie sind hierarchisch organisiert, den kleinsten Teil zu kennen ist daher

---

* Unter Byte verstehe ich eine recht komplexe Idee, die über das bekannte Computerbyte hinaus auch die allgemeinere, rätselhafte Vorstellung umfasst, dass *sämtliche* komplexen Informationen der natürlichen Welt sich als Summierung aus Einzelteilen beschreiben oder codieren lassen, die nicht mehr als einen »An-« und »Aus-Status« beinhalten. Eine eingehendere Beschreibung dieser Idee und ihrer Auswirkungen auf Naturwissenschaften und Philosophie bietet James Gleick, *Information: Geschichte, Theorie, Flut.* Besonders plastisch vertrat der Physiker John Wheeler diese Theorie in den 1990er Jahren: »... jedes ›Es‹ – jedes Elementarteilchen, jedes Kraftfeld und selbst das Raum-Zeit-Kontinuum – leitet seine Funktion, seine Bedeutung und seine Existenz ... aus Ja-Nein-Antworten, binären Alternativen, Bits ab ...; kurz, alle physischen Dinge sind informationstheoretischen Ursprungs.« (John A. Wheeler, »It from Bit«, in: ders., *At Home in the Universe*, New York 1994, S. 296). Das Byte oder Bit ist eine Erfindung des Menschen, aber die zugrundeliegende Theorie digitalisierter Information ist ein wunderbares Naturgesetz.

entscheidend für das Verständnis des Ganzen. Wenn der Dichter Wallace Stevens schreibt:»In der Summe der Teile gibt es nur die Teile«, meint er damit das grundlegende Strukturgeheimnis der Sprache: Man kann die Bedeutung eines Satzes nur entschlüsseln, indem man jedes einzelne Wort entziffert – aber ein Satz enthält mehr Bedeutung als jedes einzelne Wort.[6] Ebenso ist es bei Genen. Ein Organismus ist natürlich wesentlich mehr als seine Gene, um ihn aber zu begreifen, muss man zunächst seine Gene verstehen. Als der niederländische Biologe Hugo de Vries in den 1890er Jahren auf die Vorstellung des Gens stieß, erfasste er sofort intuitiv, dass dieses Konzept unser gesamtes Verständnis der natürlichen Welt umwälzen würde. »Jede Art erscheint uns … als ein äußerst komplizirtes Bild, die ganze Organismenwelt aber als das Ergebnis unzähliger verschiedener Kombinationen und Permutationen von relativ wenigen Faktoren. … Wie Physik und Chemie auf die Moleküle und Atome zurückgehen, so haben die biologischen Wissenschaften zu diesen Einheiten durchzudringen, um aus ihren Verbindungen die Erscheinungen der lebenden Welt zu erklären.«[7]

Atom, Byte und Gen vermitteln ein grundlegend neues wissenschaftliches und technisches Verständnis ihres jeweiligen Systems. Das Verhalten der Materie – warum Gold glänzt und Wasserstoff sich mit Sauerstoff verbindet – lässt sich ohne ihre atomare Beschaffenheit nicht erklären. Ebenso wenig begreift man die komplexe Computertechnik – die Beschaffenheit von Algorithmen oder die Speicherung oder Verstümmelung von Daten –, ohne den Strukturaufbau digitalisierter Informationen zu verstehen. »Aus Alchimie konnte erst Chemie werden, als man deren Grundeinheiten entdeckt hatte«, erklärte ein Wissenschaftler im 19. Jahrhundert.[8] In diesem Buch vertrete ich, dass es ebenso unmöglich ist, die Biologie und Evolution von Organismen und Zellen – oder auch Krankheiten, Verhalten, Temperament, ethnische Unterschiede, Identität oder Geschicke des Menschen – zu verstehen, ohne sich zunächst mit dem Konzept des Gens auseinanderzusetzen.

Hier geht es noch um ein zweites Problem. Die Atomphysik zu verstehen war eine notwendige Voraussetzung, um die Materie zu manipulieren (und so die Atombombe zu erfinden). Unser Verständnis der Gene hat es uns ermöglicht, mit beispielloser Geschicklichkeit und Macht Organismen zu manipulieren. Der genetische Code ist, wie sich herausgestellt hat, erstaunlich simpel: Es gibt nur ein Molekül, das unsere Erbinformation trägt, und nur einen Code. »Daß die fundamentalen Erscheinungen der Vererbung sich als so außerordentlich einfach erwiesen haben, bestärkt uns in der Hoffnung, es möge schließlich doch noch gelingen, ins Innere der Natur einzudringen«, schrieb der einflussreiche Genetiker Thomas Morgan. »Ihre vielzitierte Unergründlichkeit hat sich als eine Illusion erwiesen, die hervorgerufen wurde durch unsere Unwissenheit.«[9]

Unser Wissen über Gene ist mittlerweile so ausgereift und profund, dass wir sie nicht mehr nur im Reagenzglas untersuchen und verändern können, sondern auch im angestammten Umfeld menschlicher Zellen. Gene befinden sich in Chromosomen, langen, strangartigen Gebilden, die in Zellen enthalten sind und zigtausend zu Ketten aneinandergereihte Gene aufweisen.* Menschen besitzen insgesamt 46 solcher Chromosomen, jeweils 23 von jedem Elternteil. Die gesamten Erbinformationen eines Organismus bezeichnet man als Genom (das man sich vorstellen kann wie eine Enzyklopädie sämtlicher Gene mit Fußnoten, Anmerkungen, Anweisungen und Verweisen). Das menschliche Genom umfasst 21 000 bis 23 000 Gene mit den Grundanweisungen für die Entwicklung, Reparatur und Erhaltung des menschlichen Körpers. In den vergangenen zwanzig Jahren hat sich die Gentechnik so schnell weiterentwickelt, dass wir mittlerweile entschlüsseln können, wie mehrere dieser Gene räumlich und zeitlich operieren, um diese komplexen Funktionen zu ermöglichen. Gelegentlich schaffen wir es auch, manche Gene gezielt so zu manipulieren, dass sich ihre Funktion verändert, was zu anderen menschlichen Zuständen, physiologischen Merkmalen und somit anderen Menschen führt.

---

* Bei manchen Bakterien können Chromosomen kreisförmig sein.

Eben durch diesen Übergang – von Erklärung zu Manipulation – findet die Genetik weit über Wissenschaftskreise hinaus Widerhall. Die Forschung, wie Gene die menschliche Identität, Sexualität oder Persönlichkeit beeinflussen, ist eine Sache. Die Vorstellung, durch Genmanipulation Identität, Sexualität oder Verhalten zu verändern, ist etwas völlig anderes. Das Erstere beschäftigt vielleicht Psychologieprofessoren und ihre Kollegen der Neurowissenschaften. Das zweite, mit Verheißung und Gefahren befrachtete Anliegen sollte uns alle beschäftigen.

•••

Während ich dieses Buch schreibe, lernen mit Genomen ausgestattete Organismen, die Erbmerkmale der mit Genomen ausgestatteten Organismen zu manipulieren. Damit meine ich Folgendes: Allein in den letzten vier Jahren von 2012 bis 2016 haben wir Technologien entwickelt, die es uns ermöglichen, das menschliche Genom gezielt und dauerhaft zu verändern (die sorgfältige Evaluierung dieser »Genomtechnologie« auf Sicherheit und Zuverlässigkeit steht allerdings noch aus). Gleichzeitig haben die Fähigkeiten, die Zukunft und den Werdegang eines Individuums auf der Grundlage des Genoms vorherzusagen, dramatische Fortschritte gemacht (die tatsächliche Vorhersagekraft dieser Techniken ist jedoch noch nicht bekannt). Mittlerweile können wir menschliche Genome »lesen« und »schreiben«, wie es vor drei bis vier Jahren noch unvorstellbar war.

Man muss nicht Molekularbiologie, Philosophie oder Geschichte studiert haben, um zu erkennen, dass ein Zusammentreffen dieser beiden Ereignisse einem Sprung in den Abgrund gleichkommt. Sobald wir das in einzelnen Genomen codierte Schicksal verstehen (auch wenn wir es nur mit Wahrscheinlichkeit, nicht mit Sicherheit vorhersagen können) und über die Technologie zur gezielten Veränderung dieser Wahrscheinlichkeiten verfügen (selbst wenn sie ineffizient und mühsam ist), verändert sich unsere Zukunft grundlegend. George Orwell schrieb einmal, wenn ein Kritiker das Wort *Mensch* benutze, beraube er es seiner Bedeutung. Ich halte es nicht für Übertreibung, zu sagen: Unsere Fähigkeit, menschliche Genome zu verstehen und zu manipulieren, verändert unsere Vorstellung davon, was es bedeutet, »Mensch« zu sein.

Das Atom liefert ein Organisationsprinzip der modernen Physik – und eröffnet uns die verlockende Aussicht, Materie und Energie zu kontrollieren. Das Gen liefert ein Organisationsprinzip der modernen Biologie – und eröffnet uns die verlockende Aussicht, unseren Körper und unser Schicksal zu kontrollieren. Eingebettet in die Geschichte des Gens ist das »Streben nach ewiger Jugend, der faustische Mythos einer abrupten Schicksalswende und der Flirt unseres Jahrhunderts mit der Vervollkommnung des Menschen«.[10] Eben *das* steht im Zentrum dieser Geschichte.

• • •

Dieses Buch ist sowohl chronologisch als auch thematisch gegliedert. Der große Bogen ist historisch. Es beginnt 1864 mit den Erbsen in Mendels Gemüsegarten in einem mährischen Kloster, wo das »Gen« entdeckt wurde, aber bald wieder in Vergessenheit geriet (das Wort *Gen* tauchte erst Jahrzehnte später auf). Diese Geschichte überschneidet sich mit Darwins Evolutionstheorie. Das Gen faszinierte britische und US-amerikanische Reformer, die durch genetische Manipulation die Evolution und Emanzipation des Menschen zu beschleunigen hofften. Diese Vorstellung eskalierte bis zu ihrem makabren Zenith im national-sozialistischen Deutschland in den 1940er Jahren, wo die Eugenik als Rechtfertigung für abscheuliche Experimente missbraucht wurde und in Freiheitsentzug, Zwangssterilisation, Euthanasie und Massenmord gipfelte.

Nach dem Zweiten Weltkrieg revolutionierte eine Reihe von Entdeckungen die Biologie. Die DNA wurde als Träger der Erbinformation identifiziert und das »Wirken« eines Gens mechanistisch beschrieben: *Gene codieren chemische Botschaften für die Produktion von Proteinen, die letztlich Form und Funktion ermöglichen.* James Watson, Francis Crick, Maurice Wilkins und Rosalind Franklin entdeckten die dreidimensionale Struktur der DNA und erstellten das ikonenhafte Bild der Doppelhelix. Der aus drei Buchstaben bestehende genetische Code wurde entschlüsselt.

In den 1970er Jahren führten zwei Technologien zu Umwälzungen in der Genetik: die Gensequenzierung und das Klonieren – das »Lesen« und »Schreiben« von Genen (Klonieren umfasst eine Fülle von Verfahren, um Gene aus Organismen zu extrahieren, im Reagenzglas zu manipulieren, Genhybriden zu erzeugen und diese millionenfach in lebenden Zellen zu kopieren). Ab den 1980er Jahren nutzten Humangenetiker diese Technologien zur Kartierung und Identifizierung von Genen, die mit Krankheiten wie Chorea Huntington und Mukoviszidose in Zusammenhang stehen. Die Identifizierung dieser mit Krankheiten verknüpften Gene läutete eine neue Ära genetischen Managements ein, da sie entsprechende Untersuchungen des Fötus und im Fall von gesundheitsschädlichen Mutationen eine Abtreibung ermöglichten. (Eltern, die ihr ungeborenes Kind auf Down-Syndrom, Mukoviszidose, Tay-Sachs-Syndrom haben testen lassen, und Frauen, die sich selbst beispielsweise auf die Tumorsuppressorgene *BRCA1* oder *BRCA2* haben untersuchen lassen, sind bereits in dieser Ära angekommen. Gendiagnosen, genetisches Management und Genoptimierung liegen keineswegs in ferner Zukunft, sondern sind schon jetzt in unserer Gegenwart verankert.)

Bei menschlichen Krebsarten wurden zahlreiche Genmutationen festgestellt, was zu einem tiefgreifenderen Verständnis dieser Krankheit führte. Diese Bemühungen gipfelten im Humangenomprojekt, einem internationalen Forschungsprojekt zur Kartierung und Sequenzierung des gesamten menschlichen Genoms. Eine vorläufige Sequenz des menschlichen Genoms wurde 2001 veröffentlicht. Das Genomprojekt inspirierte wiederum Bestrebungen, genetische Grundlagen für Variationen und das »Normalverhalten« von Menschen zu erforschen.

Zugleich drang das Gen in Diskurse über Rasse, Rassendiskriminierung und »Rassenintelligenz« vor und lieferte erstaunliche Antworten auf einige der wichtigsten Fragen, die in unserer Politik und Kultur kursierten. Es bewirkte einen Wandel in unserem Verständnis von Sexualität, Identität und Entscheidungsmöglichkeiten und berührte damit manche der drängendsten Fragen im Privatbereich.*

Hinter all diesen Entwicklungen verstecken sich weitere Geschichten, aber in diesem Buch geht es auch um ganz persönliche Erfahrungen – um meine eigene Geschichte. Vererbung ist für mich kein abstrakter Begriff. Rajesh und Jagu sind tot. Moni lebt in einer psychiatrischen Einrichtung in Kalkutta. Aber ihr Leben und ihr Tod hatten auf mein Denken als Wissenschaftler, Gelehrter, Historiker, Arzt, Sohn und Vater einen größeren Einfluss, als ich es mir je hätte vorstellen können. Es vergeht kaum ein Tag, an dem ich nicht über Vererbung und Familie nachdenke.

Besonderen Dank schulde ich meiner Großmutter. Sie überlebte den Kummer über ihr Vermächtnis nicht – konnte ihn nicht überleben –, aber sie akzeptierte das schwächste ihrer Kinder und beschützte es vor dem Willen der Starken. Mit unverwüstlicher Widerstandskraft überstand sie die Wechselfälle der Geschichte – den Wechselfällen der Vererbung setzte sie jedoch mehr als das entgegen: einen Anstand, dem nachzueifern wir, ihre Nachfahren, nur hoffen können. Ihr ist dieses Buch gewidmet.

---

* Manche Themen wie gentechnisch veränderte Organismen (GMOs), die Zukunft von Genpatenten, der Einsatz von Genen in Arzneimittelforschung und Biosynthese und die Entwicklung neuer genetischer Spezies verdienen eine eigene Behandlung und liegen außerhalb des Rahmens dieses Buches.

TEIL I

Die »fehlende Vererbungslehre«

Die Entdeckung und
Wiederentdeckung der Gene
(1865–1935)

Diese fehlende Vererbungslehre, diese unerschlossene Wissensquelle im Grenzbereich der Biologie und Anthropologie, die bis heute praktisch ebenso unerschlossen ist wie zu Platons Zeiten, ist für die Menschheit in Wahrheit zehnmal wichtiger als die gesamte Chemie und Physik und jede in Technik und Industrie angewandte Wissenschaft, die jemals entdeckt wurde und entdeckt werden wird.

Herbert G. Wells, *Mankind in the Making*[1]

Jack: Ja, aber du sagtest selbst, eine ernste Erkältung sei nicht erblich.
Algernon: Früher war sie es nicht, ich weiß – jetzt ist sie's. Die Wissenschaft verbessert die Dinge fortwährend …

Oscar Wilde, *Bunbury*[2]

Der Klostergarten

Nun kennen sich gerade die Erforscher der
Vererbung bestens auf ihrem Gebiet aus,
abgesehen davon, daß sie nicht wissen, was ihr
Gebiet ist. Sie kamen, so vermute ich, in jenem
Unterholz zur Welt und haben dort ihr ganzes
Leben zugebracht und es gründlich durchstöbert, ohne an sein Ende zu gelangen. Das
heißt, sie haben alles erforscht bis auf die Frage,
was sie da eigentlich erforschen.

Gilbert K. Chesterton,
Eugenik und andere Übel[3]

Frage ... die Sträucher der Erde, die werden
dich's lehren ...
Hiob 12,8

Ursprünglich hatte das Kloster Nonnen beherbergt, und die Augus-
tinermönche hatten – wie sie oft beklagten – in wesentlich üppigeren
Verhältnissen und großzügigeren Räumlichkeiten in einer großen Abtei auf der Anhöhe im Herzen der mittelalterlichen Stadt Brünn (Brno)
gelebt. Die Stadt war im Laufe von vier Jahrhunderten rund um das
Kloster gewachsen und hatte sich an den Hängen und darüber hinaus
im Flachland mit Bauernhöfen und Weiden ausgebreitet. Die Mönche

waren 1783 bei Kaiser Joseph II. in Ungnade gefallen: Er hatte rundheraus erklärt, die Immobilie mitten in der Stadt sei viel zu wertvoll für sie – und hatte ihnen ein baufälliges Gemäuer am Fuß des Hügels in Altbrünn zugewiesen. Die Ungeheuerlichkeit dieser Umsiedlung wurde noch durch den Umstand verschlimmert, dass die Mönche in ein ursprünglich für Frauen errichtetes Kloster ziehen mussten. In den Sälen hing der dumpfe Geruch feuchten Mörtels, und das Gelände war von Gras, Dornengestrüpp und Unkraut überwuchert. Der einzige Vorzug dieser Anlage aus dem 14. Jahrhundert – die kalt wie ein Schlachthaus und karg wie ein Gefängnis war – bestand in einem rechteckigen Garten mit schattenspendenden Bäumen, Steintreppen und einer langen Allee, wo die Mönche in stiller Abgeschiedenheit spazieren gehen und meditieren konnten.

Die Ordensbrüder machten das Beste aus ihrer neuen Unterkunft. Sie richteten im zweiten Stock wieder eine Bibliothek mit angrenzendem Studierzimmer ein und statteten sie mit Lesetischen, einigen Lampen und einer wachsenden Sammlung von annähernd zehntausend Büchern aus, darunter auch die neuesten Werke zu Naturgeschichte, Geologie und Astronomie (die Augustiner sahen glücklicherweise keinen Konflikt zwischen Religion und weiten Teilen der Naturwissenschaften; sie begrüßten diese vielmehr als weiteren Beleg für das Wirken der göttlichen Ordnung in der Welt).[4] Zudem legten sie einen Weinkeller an und bauten darüber ein bescheidenes Refektorium mit Deckengewölbe. Im zweiten Stock schliefen die Mönche in einem Schlafsaal mit abgetrennten Zellen.

Im Oktober 1843 trat ein junger Mann aus einer schlesischen Bauernfamilie in das Kloster ein.[5] Er war klein, kurzsichtig, hatte ein ernstes Gesicht und neigte zur Korpulenz. Am geistlichen Leben bekundete er kein sonderliches Interesse – war aber wissbegierig, handwerklich geschickt und ein begabter Gärtner. Das Kloster bot ihm ein Zuhause und einen Ort, an dem er lesen und lernen konnte. Am 6. August 1847 empfing er die Priesterweihe. Sein Taufname war Johann, aber die Mönche gaben ihm den Ordensnamen Gregor Johann Mendel.

Der junge Novize fand bald in die gleichmäßige Routine des Klosterlebens. Im Rahmen seiner Ausbildung studierte er 1845 an der Theologischen Lehranstalt Brünn Theologie, Geschichte und Naturwissenschaften. Die Unruhen von 1848 – die blutigen Revolutionen, die die gesellschaftliche, politische und religiöse Ordnung in Frankreich, Dänemark und Deutschland erschütterten – gingen weitgehend an ihm vorüber wie fernes Donnergrollen.[6] Nichts in Mendels Anfangsjahren deutete auch nur im Entferntesten auf den revolutionären Naturwissenschaftler hin, zu dem er sich entwickeln sollte. Er war diszipliniert, fleißig und ehrerbietig – ein Mann, der sich an die Gepflogenheiten der Ordensleute anpasste. Das einzige Anzeichen von Auflehnung gegen Autoritäten bestand in seiner gelegentlichen Weigerung, in Studentenmütze zum Unterricht zu erscheinen. Auf Ermahnung seiner Oberen beugte er sich jedoch.

Im Sommer 1848 nahm Mendel seine seelsorgerische Arbeit in einer Brünner Pfarrei auf, die er nach allen Berichten äußerst unbefriedigend erledigte. Mendel war von »einer unüberwindlichen Scheu«, wie sein Abt erklärte, brachte auf Tschechisch (der Sprache der meisten Pfarrkinder) kaum ein Wort heraus, war als Priester wenig inspirierend und zu empfindsam, um die Arbeit mit den Armen emotional zu verkraften.[7] Noch im selben Jahr hatte Mendel einen perfekten Ausweg gefunden: Er bewarb sich als Lehrer für Mathematik, Naturwissenschaften und Griechisch am Gymnasium in Znaim (Znojmo) und erhielt die Stelle auf hilfreiches Drängen seiner Abtei – allerdings hatte die Sache einen Haken.[8] Da die Schule wusste, dass er keine Lehrerausbildung genossen hatte, verlangte sie, dass Mendel die externe Lehramtsprüfung in Naturwissenschaften absolvieren solle.

Im Frühjahr 1850 legte Mendel voller Eifer die schriftliche Prüfung in Brünn ab – und reichte in Geologie eine ausgesprochen miserable Arbeit ein (als »trocken, unklar und verschwimmend« bezeichnete ein Prüfer Mendels Leistung in diesem Fach).[9] Anfang August reiste er während einer Hitzewelle von Brünn nach Wien, um sich dort der mündlichen Prüfung zu stellen.[10] Am 16. August erschien er vor seinen Prüfern in den Naturwissenschaften. Diesmal schnitt er noch schlechter ab – in Biologie. Als er die Säugetiere beschreiben und klassifizieren

sollte, kritzelte er eine unvollständige und absurde Taxonomie hin, in
der er Gattungen ausließ, andere erfand, Kängurus mit Bibern und
Schweine mit Elefanten in einen Topf warf. Einer der Prüfer monierte:
»… von einer Kunstsprache macht er keinen Gebrauch, indem er alle
Tiere bloß mit dem deutschen Familiennamen bezeichnet, ohne irgendeiner systematischen Nomenklatur sich zu bedienen.«[11] Mendel
fiel durch.

Mit diesen Prüfungsergebnissen kehrte er nach Brünn zurück. Das
Verdikt der Prüfer war eindeutig: Wenn Mendel die Lehrerlaubnis erhalten wollte, brauchte er eine weitergehende naturwissenschaftliche
Ausbildung – ein umfangreicheres Studium, als sein Kloster es ihm
in Bibliothek oder Garten vermitteln konnte. Unterstützt von Emp-
fehlungs- und Bittbriefen seiner Abtei bewarb Mendel sich um einen
Studienplatz an der Universität Wien und wurde angenommen.

Im Winter 1851 stieg Mendel in den Zug, um sich an der Universität
einzuschreiben. Damit begannen seine Probleme mit der Biologie –
und die der Biologie mit ihm.

• • •

Der Nachtzug von Brünn nach Wien fuhr durch eine atemberaubend
kahle Winterlandschaft – gefrorene Äcker und Weingärten, zu eis-
blauen Venen erstarrte Kanäle und vereinzelte Bauernhäuser in der
mitteleuropäischen Finsternis. Die halb von Eis bedeckte Thaya zog
sich träge durch das Land, und allmählich kamen die Donauinseln in
Sicht. Zu Mendels Zeit dauerte die knapp 150 Kilometer weite Fahrt
etwa vier Stunden. Aber am Morgen seiner Ankunft war es, als sei er
in einem neuen Kosmos aufgewacht.

Die Naturwissenschaften waren damals in Wien von knisternder
Spannung und Leben erfüllt. An der Universität, nur wenige Kilometer von seiner Unterkunft in der Invalidenstraße entfernt, erfuhr
Mendel die geistige Taufe, die er in Brünn so eifrig angestrebt hatte.
Physik lehrte der Respekt einflößende Österreicher Christian Doppler,
der Mendels Mentor, Professor und Idol wurde. Der hagere, scharf-
züngige Physiker hatte als Neununddreißigjähriger 1842 aufgrund

mathematischer Überlegungen erklärt, die Tonhöhe (oder Lichtfarbe) sei nicht konstant, sondern hänge von Standort und Geschwindigkeit des Beobachters und der Signalquelle ab.[12] Ein Geräusch von einer Quelle, die sich schnell auf den Hörer zubewege, werde komprimiert und als höherer Ton wahrgenommen, während das Geräusch einer sich schnell entfernenden Quelle sich tiefer anhöre. Skeptiker hatten eingewandt: Wie könne dasselbe Licht derselben Lampe von unterschiedlichen Betrachtern in unterschiedlichen Farben wahrgenommen werden? Aber Doppler platzierte 1845 einige Trompeter auf einem Eisenbahnzug und ließ sie während der Fahrt einen bestimmten Ton spielen.[13] Ungläubig lauschte das auf dem Bahnsteig versammelte Publikum, als es von dem schnell herannahenden Zug einen höheren Ton und von dem sich entfernenden Fahrzeug einen tieferen Ton hörte.

Doppler behauptete, Schall und Licht verhielten sich nach universellen Naturgesetzen – auch wenn diese der Intuition gewöhnlicher Betrachter oder Hörer zutiefst zuwiderliefen. Wenn man genau hinschaue, seien all die chaotischen, komplexen Phänomene der Welt das Ergebnis höchst organisierter Naturgesetze, die wir nur gelegentlich durch Intuition oder Wahrnehmung erkennen könnten. Häufiger sei aber ein durch und durch künstliches Experiment – wie Trompeter auf einem vorbeifahrenden Zug – erforderlich, um diese Gesetzmäßigkeiten zu verstehen und zu demonstrieren.

Mendel fand Dopplers Experimente und Demonstrationen gleichermaßen faszinierend wie frustrierend. Sein Hauptfach, Biologie, erschien ihm als wilder, überwucherter Garten ohne jegliche systematische Organisationsprinzipien. Oberflächlich betrachtet, gab es Ordnung in Hülle und Fülle – vielmehr eine Fülle von Ordnungen. Die vorherrschende Disziplin der Biologie war die Taxonomie, ein ausgeklügelter Versuch, alle Lebewesen in verschiedene Kategorien einzuordnen: Reiche, Stämme, Klassen, Ordnungen, Familien, Gattungen und Arten. Dieses ursprünglich Mitte des 18. Jahrhunderts von dem schwedischen Botaniker Carl von Linné entwickelte System war rein deskriptiv, nicht mechanistisch.[14] Es beschrieb, wie man die Lebewesen auf der Erde klassifizieren konnte, ohne ihrer Organisation eine zugrundeliegende Logik zuzuschreiben. Ein Biologe mochte sich dagegen fragen, warum Lebewesen auf diese Art kategorisiert wurden. Was sorgte für ihre Konstanz: Was hielt Elefanten oder Kängurus davon ab, sich in Schweine oder Biber zu verwandeln? Welchen Mechanismen folgte die Vererbung? Warum oder wie brachte Gleiches Gleiches hervor?

...

Diese Frage hatte Naturwissenschaftler und Philosophen seit Jahrhunderten beschäftigt. Bereits der griechische Gelehrte Pythagoras – halb Wissenschaftler, halb Mystiker –, der um 530 v. Chr. in Kroton lebte, hatte eine der frühesten und weithin anerkannten Theorien aufgestellt, um die Ähnlichkeit zwischen Eltern und Kindern zu erklären. Im Kern behauptete er, der männliche Samen sei Hauptträger der Erbinformation (»Gleichheit«). Diese Information sammele der Samen, indem er durch den Körper eines Mannes fließe und dabei mystische Ausdünstungen aus jedem Körperteil aufnehme (die Augen trügen ihre Farbe bei, die Haut ihre Textur, die Knochen ihre Länge usw.). Im Laufe seines Lebens entwickele sich der Samen eines Mannes zu einer mobilen Bibliothek eines jeden Körperteils – zu einem kondensierten Destillat seiner selbst.

Diese – buchstäblich fruchtbare – Selbstinformation gebe der Mann beim Geschlechtsverkehr in den weiblichen Körper ab. Im Schoß der Mutter reife der von ihr genährte Samen zu einem Fötus heran. Bei der Fortpflanzung (wie bei jeder anderen Form der Produktion) herrschte nach Pythagoras' Ansicht eine klare Aufgabenteilung zwischen Mann und Frau. Der Vater trug die wesentliche Information zur Entstehung eines Fötus bei, der Mutterleib lieferte die Nahrung, damit diese Information an ein Kind weitergegeben werden konnte. Diese Theorie bezeichnete man später als Spermismus und betonte damit die zentrale Rolle des Spermiums für die Festlegung sämtlicher Merkmale eines Fötus.

Einige Jahrzehnte nach Pythagoras' Tod nutzte der Dichter Aischylos diese seltsame Logik für eine der ungewöhnlichsten Rechtfertigungen von Muttermord. Das zentrale Thema seines Stückes *Die Eumeniden* ist der Prozess gegen Orest, den König von Argos, wegen Mord an seiner Mutter Klytaimnestra. In den meisten Kulturen galt Muttermord als Akt höchster moralischer Verderbtheit. In den *Eumeniden* führt Apollo, der Orest in dessen Mordprozess verteidigt, ein erstaunlich originelles Argument an: Er erklärt, die Mutter sei für Orest nicht mehr als eine Fremde. Eine Schwangere sei lediglich ein glorifizierter Brutapparat, ein Infusionsbeutel, aus dem Nährstoffe durch die Nabelschnur in das Kind tropfen. Der eigentliche Ahn aller Menschen sei der Vater, dessen Samen »Ähnlichkeit« übertrage. »Nicht ist die Mutter ihres Kindes Zeugerin, / Sie hegt und trägt den eingesäten Samen nur; / Es zeugt der Vater, aber sie bewahrt das Pfand, / Dem Freund die Freundin.«[15]

Die offenkundige Asymmetrie dieser Vererbungstheorie – wonach der Vater sämtliche »Erbanlagen« beiträgt und die Mutter in ihrem Schoß die anfängliche »Hege und Pflege« leistet – störte die Anhänger des Pythagoras offenbar nicht; vielleicht gefiel sie ihnen sogar. Pythagoräer waren geradezu besessen von der mystischen Geometrie des Dreiecks. Der Satz des Pythagoras – nach dem sich im rechtwinkligen Dreieck die Länge der Hypotenuse mathematisch aus der Länge der beiden anderen Seiten ableiten lässt – war bereits indischen und babylonischen Geometern bekannt, war aber später untrennbar mit Pythagoras verbunden (nach dem er benannt wurde).[16] Seine Schüler sahen darin den Beweis, dass solche geheimen mathematischen Muster – »Harmonien« – überall in der Natur schlummerten. Eifrig bemüht, die Welt durch dreieckige Linsen zu sehen, behaupteten sie, auch bei der Vererbung sei die Dreiecksharmonie am Werk. Mutter und Vater bildeten zwei unabhängige Seiten und das Kind die dritte – die biologische Hypotenuse zu den Linien der Eltern. Und ebenso wie sich die dritte Seite des Dreiecks nach einer strengen mathematischen Formel arithmetisch aus den beiden anderen Seiten ableiten lasse, erwachse ein Kind aus den Einzelbeiträgen der Eltern: den Erbanlagen des Vaters und der Hege und Pflege der Mutter.

Ein Jahrhundert nach Pythagoras' Tod griff Platon 380 v. Chr. diese

Metapher auf.[17] In einer der faszinierendsten Passagen seines Werkes *Der Staat* – die er teils bei Pythagoras entlehnte – argumentierte er, wenn Kinder die arithmetischen Ableitungen ihrer Eltern seien, ließe sich die Formel zumindest prinzipiell knacken: Aus perfekten Elternkombinationen, die sich zu perfekt abgestimmten Zeiten paarten, könnten vollkommene Kinder hervorgehen. Es gebe also einen »Vererbungssatz«, der lediglich auf seine Entdeckung warte. Wenn eine Gesellschaft diese Gesetzmäßigkeit aufdecke und die demnach ratsamen Kombinationen durchsetze, könne sie die Produktion der fähigsten Kinder gewährleisten – und eine Art numerologischer Eugenik in Gang setzen: »Und wenn eure Wächter diese nicht kennen und die Bräute den Jünglingen zur unrechten Zeit zugesellen, so wird das weder schöne noch glückliche Kinder geben«, schloss Platon.[18] Sobald die Wächter seines Staates, dessen herrschende Elite, die »Gesetze der Geburt« erst einmal entschlüsselt hätten, würden sie sicherstellen, dass in Zukunft nur noch solche harmonischen »glücklichen« Verbindungen zustande kämen. Aus der genetischen Utopie würde sich eine politische Utopie entwickeln.

• • •

Es bedurfte eines so präzisen analytischen Denkers wie Aristoteles, um Pythagoras' Vererbungstheorie systematisch zu zerpflücken. Aristoteles war zwar kein sonderlich glühender Verehrer der Frauen, glaubte jedoch fest daran, Beweise als Grundlage der Theoriebildung zu nutzen. Also schickte er sich an, die Vorzüge und Probleme des »Spermismus« anhand experimenteller Daten aus der biologischen Welt zu überprüfen. Das Ergebnis, eine kompakte Abhandlung mit dem Titel *Von der Zeugung und Entwicklung der Tiere* wurde für die Humangenetik ebenso grundlegend wie Platons *Der Staat* für die politische Philosophie.[19]

Aristoteles verwarf die Idee, nur der männliche Samen, also das Sperma, trage die Erbanlagen. Scharfsinnig stellte er fest, dass Kinder Merkmale ihrer Mutter und Großmütter (wie auch ihres Vaters und ihrer Großväter) erben und diese Merkmale sogar Generationen über-

springen, also in einer Generation verschwinden, aber in der nächsten wieder auftauchen können. »Es werden auch von Krüppelhaften
Krüppelhafte erzeugt, so von Hinkenden Hinkende, von Blinden
Blinde und überhaupt in widernatürlichen Dingen ähnliche, oft auch
mit angeborenen Zeichen, wie mit Malen und Narben behaftete. Sogar
schon bis in's dritte Glied hat sich derartiges gezeigt; so hatte einer
ein Mal am Arme, der Sohn besaß es nicht, der Enkel aber hatte es
an derselben Stelle, wenngleich undeutlich. ... Es zeigt sich dies auch
nach mehreren Geschlechtern, wie bei einer, welche in Elis mit einem
Mohren sich einließ; die Tochter wurde nämlich keine Mohrin, wohl
aber deren Kind.«[20] Ein Enkel konnte mit der Nase oder Hautfarbe
der Großmutter zur Welt kommen, obgleich keiner seiner Eltern dieses
Merkmal besaß – ein Phänomen, das sich durch Pythagoras' Schema
rein patrilinearer Vererbung praktisch nicht erklären ließ.

Zudem stellte Aristoteles Pythagoras' Vorstellung einer »Wander-
bibliothek« in Frage, wonach der Samen auf dem Weg durch den Körper Erbinformationen sammele und von jedem Körperteil geheime
»Anweisungen« erhalte. »Manches haben auch die Eltern noch nicht
zu der Zeit, wo sie erzeugen, zum Beispiel die grauen Haare oder den
Bart«, stellte Aristoteles scharfsichtig fest – dennoch geben sie diese
Merkmale an ihre Kinder weiter.[21] Zuweilen handelte es sich bei den
vererbten Eigenheiten nicht einmal um körperliche Merkmale, sondern beispielsweise um eine bestimmte Art zu gehen, ins Leere zu
starren oder sogar um eine Gemütsverfassung. Aristoteles argumentierte, solche – nicht materiellen – Züge könnten sich nicht im Samen
materialisieren. Und schließlich brachte er gegen Pythagoras' Theorie
noch ein Argument vor, das vielleicht das offenkundigste und selbst-
verständlichste war: sie könne die weibliche Anatomie nicht erklären.
Wie solle das Sperma des Vaters die Anweisungen »absorbieren«, die
Geschlechtsteile seiner Tochter hervorzubringen, obwohl doch in seinem Körper keines dieser Teile vorhanden sei, fragte er. Pythagoras'
Theorie konnte jeden Aspekt der Genese erklären bis auf den wichtigsten: die Genitalien.

Aristoteles bot eine alternative Erklärung an, die für seine Zeit erstaunlich radikal war: Vielleicht trügen weibliche ebenso wie männliche Individuen tatsächlich Stoff zu einem Fötus bei – eine Art weiblichen Samens. Und vielleicht entstehe der Fötus durch gemeinsame Beiträge männlicher und weiblicher Teile. Auf der Suche nach Analogien bezeichnete Aristoteles den männlichen Beitrag als »Anstoß der Bewegung« und meinte dies nicht wörtlich, sondern eher im Sinne von Anweisung, Information – oder *Code*, um einen modernen Begriff zu verwenden. Der tatsächliche stoffliche Austausch beim Geschlechtsverkehr stehe lediglich für einen obskureren, rätselhafteren Austausch. Eigentlich spiele der Stoff keine Rolle, denn was vom Mann an die Frau überginge, sei nicht Materie, sondern eine *Botschaft*. Der männliche Samen enthalte die Anweisungen zur Entstehung eines Kindes, wie der Bauplan eines Architekten die Vorgaben für ein Gebäude oder die Handwerkskunst eines Zimmermanns die Kenntnisse zur Bearbeitung eines Holzstücks beitrügen. »Ebenso geht auch von dem Zimmermann kein Theil hinweg und zu dem als Stoff dienenden Holz hin, noch befindet sich ein Theil der Zimmermannskunst in dem werdenden Werke, sondern die Gestalt und die Form kommt von jenem vermittelst der Bewegung in den Stoff hinein ... Auf ähnliche Weise gebraucht die Natur in den Männchen, die da Samen von sich geben, den Samen wie ein Werkzeug.«[22]

Der weibliche Samen liefere dagegen den physischen Rohstoff für den Fötus – das Holz für den Zimmermann, den Mörtel für den Bau: Stoff und Füllmaterial des Lebens. Nach Aristoteles' Ansicht bestand das weibliche Material aus dem Menstruationsblut, aus dem der männliche Samen ein Kind forme. (Heutzutage mag diese Behauptung abwegig klingen, aber auch sie erwuchs aus Aristoteles' gründlicher Logik. Da das Ausbleiben der Menstruation mit der Empfängnis zusammenfiel, vermutete er, der Fötus müsse aus dem Regelblut gemacht werden.)

In seiner Aufteilung des männlichen und weiblichen Beitrags in »Stoff« und »Botschaft« irrte Aristoteles zwar, aber abstrakt hatte er eine der grundlegenden Wahrheiten der Vererbung durchaus erfasst. Die Vererbung, wie Aristoteles sie sah, bestand im Wesentlichen aus der Weitergabe von Informationen, die dann genutzt wurden, um einen Organismus von Grund auf aufzubauen: Aus Botschaft *entstand* Stoff. Und wenn ein Organismus heranreifte, brachte er wiederum männliche oder weibliche Keimzellen hervor – verwandelte also Stoff wieder in Botschaft. Statt des pythagoräischen Dreiecks war hier also ein Kreis oder Zyklus die Basis: Form zeugte Information, die wiederum Form hervorbrachte. Jahrhunderte später scherzte der Biologe Max Delbrück, Aristoteles hätte posthum den Nobelpreis verdient – für die Entdeckung der DNA.[23]

• • •

Wenn die Erbanlagen aber als Information weitergegeben wurden, wie war diese dann codiert? Das Wort *Code* ist abgeleitet vom lateinischen *caudex*, der Bezeichnung für die hölzernen Wachstafeln, in die Schreiber ihre Texte ritzten. Worin bestand nun der *caudex* der Vererbung? Was wurde wie transkribiert? Wie wurde der Stoff verpackt und von einem Körper in den anderen transportiert? Wer verschlüsselte den Code und wer übersetzte ihn so, dass ein Kind daraus entstand?

Die einfallsreichste Antwort auf diese Fragen war zugleich die einfachste: Sie verzichtete vollständig auf einen Code und behauptete, das Sperma enthalte bereits einen Miniaturmenschen, einen voll ausgebildeten, aber eingeschrumpften Fötus, der, in einem winzigen Paket zusammengekauert, darauf warte, nach und nach zu einem Baby anzuschwellen. Variationen dieser Theorie finden sich in mittelalterlichen Mythen und Volksweisheiten. So nutzte der deutsch-schweizerische Alchemist Paracelsus die Minimensch-im-Sperma-Theorie zu der Behauptung, wenn man menschlichen Samen mit Pferdedung erwärme und über die normale Gestationszeit von vierzig Wochen in Morast vergrabe, erwachse daraus letztlich ein Mensch, wenngleich mit einigen monströsen Merkmalen.[24] Die Empfängnis eines normalen Kindes sei lediglich die Übertragung dieses Minimenschen vom Sperma des Vaters in den Mutterleib. Dort dehne sich der Homunculus zur Größe des Fötus aus. Es gebe keinen Code, sondern nur eine Verkleinerung.

Der seltsame Reiz dieser Vorstellung – der sogenannten *Präforma-*

tionslehre – beruhte auf ihrer endlosen Rekursivität. Da der Homunculus heranreifen und eigene Kinder hervorbringen würde, musste er vorgeformte Mini-Homunculi in sich tragen, in Menschen enthaltene winzige Menschen wie eine endlose Reihe russischer Puppen (Matrjoschka), eine lange Kette, die von der Gegenwart zurück bis zu Adam, dem ersten Menschen, und bis weit in die Zukunft reichte. Den Christen des Mittelalters vermittelte die Existenz einer solchen Menschenkette ein äußerst wirkmächtiges und ursprüngliches Verständnis der Erbsünde. Da in den gegenwärtigen Menschen bereits alle zukünftigen vorhanden waren, musste jeder von uns im entscheidenden Moment der Erbsünde in Adams Körper präsent gewesen sein – »in den Lenden unserer Ureltern schwimmend«, wie ein Theologe schrieb.[25] Sündhaftigkeit war also schon Tausende Jahre vor unserer Geburt in uns eingebettet – unmittelbar von Adam an seine Nachkommen weitergegeben. Wir alle tragen diesen Makel – nicht etwa, weil unser früher Urahn in jenem fernen Paradiesgarten in Versuchung geraten war, sondern weil jeder von uns in Adams Körper tatsächlich die verbotene Frucht gekostet hatte.

Die Präformationstheorie besaß zudem den Reiz, dass sie das Problem der Dechiffrierung umging. Selbst wenn frühe Biologen eine Verschlüsselung – die Umwandlung eines menschlichen Körpers in eine Art Code (durch Osmose im Sinne von Pythagoras) – für möglich halten konnten, überstieg der umgekehrte Vorgang, die Entschlüsselung dieses Codes, jegliches Vorstellungsvermögen. Wie konnte etwas so Komplexes wie ein Mensch aus der Verschmelzung von Samen und Eizelle hervorgehen? Dieses gedankliche Problem erübrigte sich durch den Homunculus. Wenn ein Kind bereits vorgeformt war, bestand seine Entstehung lediglich in einer Expansion – in der biologischen Variante einer aufblasbaren Puppe. Es bedurfte keines Schlüssels und keiner Chiffre zu seiner Entschlüsselung. Für die Genese eines Menschen war nicht mehr erforderlich, als Wasser zuzugeben.

Die Theorie war so verlockend – so anschaulich –, dass selbst die Erfindung des Mikroskops dem Homunculus nicht den erwarteten Todesstoß versetzen konnte. Der niederländische Physiker und Mikroskopentwickler Nicolas Hartsoeker entwarf 1694 das Bild eines solchen Miniwesens mit großem Kopf, das in Embryonalhaltung im Spermium kauerte.[26] Ein anderer niederländischer Mikroskopist behauptete 1699, er habe in menschlichem Sperma eine Fülle von Homunculi entdeckt. Wie bei jeder anthropomorphen Phantasie – etwa dem menschlichen Gesicht, das im Mond zu erkennen ist – vergrößerten die Linsen der Vorstellungskraft die Theorie nur noch weiter: Im 17. Jahrhundert mehrten sich die Bilder von Homunculi, die im Schwanz des Spermiums das menschliche Haar und in dessen Kopfteil einen winzigen menschlichen Schädel sahen. Gegen Ende des 17. Jahrhunderts galt die Präformationstheorie als logischste und stimmigste Erklärung für die Vererbung bei Mensch und Tier. Menschen erwuchsen aus kleinen Menschen wie große Bäume aus kleinen Ablegern. »In der Natur gibt es keine Zeugung«, schrieb der niederländische Wissenschaftler Jan Swammerdam 1669, »es gibt nur Vermehrung.«[27]

• • •

Allerdings ließ sich nicht jeder davon überzeugen, dass in Menschen endlos viele Miniaturmenschen eingebettet seien. Der Haupteinwand gegen die Präformationstheorie war, dass während der Embryogenese etwas vorgehen musste, was im Embryo völlig *neue* Teile entstehen ließ. Menschen warteten nicht vorgefertigt und eingeschrumpft auf ihre Expansion. Sie mussten sich von Grund auf entwickeln und dabei spezifische Anweisungen nutzen, die in Spermium und Eizelle enthalten waren. Gliedmaßen, Torso, Gehirn, Augen, Gesicht – sogar Temperament und ererbte Neigungen – mussten jedes Mal, wenn ein Embryo sich zu einem Fötus entfaltete, neu geschaffen werden. Die Genese erfolgte … nun ja – eben durch Genese.

Welcher Impuls oder welche Anweisung ließ aus Samen und Eizelle den Embryo und den fertigen Organismus entstehen? Der Berliner Embryologe Caspar Wolff bemühte sich 1768 um eine raffinierte Antwort und brütete ein Leitprinzip aus – *vis essentialis corporis* nannte er es –, das die Reifung eines befruchteten Eis zum Menschen progressiv lenkte.[28] Wie Aristoteles stellte auch Wolff sich vor, ein Embryo

enthalte eine Art verschlüsselter Information – einen *Code* –, bei der
es sich nicht bloß um eine Miniaturversion eines Menschen, sondern
um Anweisungen handele, einen solchen von Grund auf zu erzeugen. Abgesehen von einem lateinischen Namen für ein vages Prinzip
konnte Wolff keine genaueren Angaben machen. Die Anweisungen
verschmölzen irgendwie in der befruchteten Eizelle, argumentierte er
blumig. Dann käme die *vis essentialis* ins Spiel und forme wie eine unsichtbare Hand aus dieser Masse eine menschliche Gestalt.

• • •

Während Biologen, Philosophen, Theologen und Embryologen über
weite Teile des 18. Jahrhunderts heftige Debatten über Präformationstheorie und die »unsichtbare Hand« führten, mochte es verzeih-
lich sein, dass flüchtige Betrachter von alledem recht unbeeindruckt
blieben. Schließlich war das alles nichts Neues. »Schon in früheren
Jahrhunderten haben die jetzt wieder zutage getretenen Gegensätze
bestanden«, klagte ein Biologe im 19. Jahrhundert zu Recht.[29] Tatsächlich griff die Präformationstheorie weitgehend die Annahme des Pythagoras auf, dass im Sperma sämtliche Informationen für die Entwicklung eines neuen Menschen enthalten seien. Und die »unsichtbare
Hand« war wiederum nur eine aufpolierte Variante der aristotelischen
Idee, dass die Vererbung in Form von Botschaften zur Hervorbringung
von Stoffen erfolge (die »Hand« übertrug die Anweisungen, einen Embryo zu formen).

Mit der Zeit sollten sich beide Theorien auf spektakuläre Weise
zugleich als richtig und falsch erweisen. Sowohl Aristoteles als auch
Pythagoras hatten teils recht und unrecht. Aber im frühen 19. Jahrhundert hatte es den Anschein, als ob alle Bemühungen auf dem gesamten Gebiet der Vererbung und Embryogenese in einer Sackgasse
endeten. Die größten Naturkundler und Biologen der Welt, die über
das Problem der Vererbung nachgedacht hatten, waren kaum über
die kryptischen Überlegungen zweier Männer hinausgekommen, die
zweitausend Jahre zuvor gelebt hatten.

»Das Geheimnis der Geheimnisse«

… They mean to tell us all was rolling blind
Till accidentally it hit on mind
In an albino monkey in a jungle,
And even then it had to grope and bungle,
Till Darwin came to earth upon a year …
Robert Frost, »Accidentally on Purpose«[30]

Im Winter 1831, als Mendel noch die Schule besuchte, ging der junge Theologe Charles Darwin an Bord der Zehn-Kanonen-Brigg HMS *Beagle*, die in der Bucht von Plymouth an der Südwestküste Englands lag.[31] Der damals zweiundzwanzigjährige Darwin war der Sohn und Enkel prominenter Ärzte und Naturforscher. Er hatte das kantige, gut geschnittene Gesicht seines Vaters, den Porzellanteint seiner Mutter und die buschigen Augenbrauen, die seit Generationen in der Familie Darwin zu finden waren. Sein Medizinstudium in Edinburgh hatte er schon bald abgebrochen – entsetzt über die Schreie eines Kindes, das in einem Operationssaal inmitten von Blut und Sägespänen angeschnallt gewesen war – und war ans Christ's College in Cambridge gewechselt, um Theologie zu studieren.[32] Darwins Interessen reichten jedoch weit über die Theologie hinaus. In seiner Kammer über einem Tabakladen in der Sydney Street sammelte er Käfer, studierte Botanik und Geologie, Geometrie und Physik und debattierte hitzig über Gott, göttliches Eingreifen und die Erschaffung der Tiere. Stärker als zu Theologie und Philosophie zog es Darwin jedoch zur Naturgeschichte – zum Studium der natürlichen Welt auf der Grundlage systematischer wissenschaftlicher Prinzipien.[33] Er studierte bei dem Geistlichen, Botaniker und Geologen John Henslow, der den Botanischen Garten in Cambridge als ausgedehntes Freilichtmuseum der Naturgeschichte angelegt hatte.[34] Dort lernte Darwin, Pflanzen und Tiere zu sammeln, zu identifizieren und zu klassifizieren.

Während seiner Studienjahre regten zwei Bücher Darwins Phantasie besonders an. Die 1802 erschienene *Natural Theology* von William Paley, dem ehemaligen Pfarrer von Dalston, beeindruckte Darwin zutiefst mit seiner Argumentation:[35] Man stelle sich vor, ein Mann gehe über eine Heide und sehe dort eine Taschenuhr auf der Erde liegen. Er hebe sie auf, öffne sie und finde darin ein kunstvolles Gebilde aus verschiedensten Zahnrädern, die sich drehten und ein mechanisches Gerät ergäben, das die Zeit anzeigen könne. Dränge sich da nicht die logische Schlussfolgerung auf, dass nur ein Uhrmacher ein solches Gerät hergestellt haben könne? Dieselbe Logik müsse man auf die natürliche Welt anwenden, forderte Paley. Die kunstvolle Konstruktion der Organismen und des menschlichen Körpers – des Gelenks, auf dem sich der Kopf dreht, des Bandes in der Pfanne des Hüftgelenks – könne nur auf eine Tatsache hindeuten: dass sämtliche Organismen von einem überaus fähigen Geist, einem himmlischen Uhrmacher geschaffen worden seien: Gott.

Das zweite Buch, *A Preliminary Discourse on the Study of Natural Philosophy* (1830) des Astronomen Sir John Herschel, vertrat eine radikal andere Sicht.[36] Auf den ersten Blick erscheine die natürliche Welt unglaublich komplex, räumte Herschel ein. Aber die Naturwissenschaft könne scheinbar komplexe Phänomene auf Ursachen und Wirkungen reduzieren: Bewegung sei das Ergebnis einer Kraft, die auf einen Gegenstand einwirke; Hitze erfordere die Übertragung von Energie; Schall werde durch Vibration der Luft erzeugt. Für Herschel bestand kaum ein Zweifel daran, dass chemische und letztlich auch biologische Phänomene sich ebenfalls auf solche Mechanismen von Ursache und Wirkung zurückführen ließen.

Herschels besonderes Interesse galt der Entstehung von Organismen – und dieses Problem gliederte er mit seinem methodischen Denken in zwei Grundkomponenten: Die erste war die Entstehung von Leben aus Nichtleben – die Genese aus dem Nichts. In diesem Punkt konnte er sich nicht dazu durchringen, die göttliche Schöpfungslehre in Frage zu stellen. »Aber zum Ursprung der Dinge hinaufzusteigen und über die Schöpfung nachzusinnen ist nicht das Geschäft des Naturforschers«, schrieb er.[37] Organe und Organismen mochten sich nach den Gesetzen der Physik und Chemie verhalten – aber die Entstehung des Lebens selbst lasse sich durch diese Gesetze niemals begreifen. Es war, als habe Gott Adam ein hübsches kleines Labor im Garten Eden gegeben, ihm dann aber verboten, über die Mauern zu schauen.

Das zweite Problem war nach Herschels Ansicht leichter zu fassen: Welche Prozesse erzeugten die beobachtete Vielfalt der natürlichen Welt, sobald das Leben erst einmal entstanden war? Wie ging beispielsweise eine neue Spezies aus einer anderen hervor? Anthropologen hatten in Sprachforschungen nachgewiesen, dass durch Abwandlung von Wörtern aus alten Sprachen neue entstanden. So ließen sich Wörter im Sanskrit und im Lateinischen auf Sprachverschiebungen und Variationen einer alten indo-europäischen Sprache zurückführen, und Englisch und Flämisch besaßen gemeinsame Wurzeln. Geologen hatten die Vermutung angestellt, die gegenwärtige Form der Erde – ihre Felsen, Schluchten und Berge – sei durch die Umwandlung früherer Elemente entstanden. »Verwitterte Relikte früherer Zeitalter enthalten … unauslöschliche Spuren, die sich verständlich auslegen lassen«, schrieb Herschel – eine erhellende Erkenntnis: Wissenschaftler konnten Gegenwart und Zukunft verstehen, indem sie die »verwitterten Relikte« der Vergangenheit untersuchten.[38] Herschel kannte zwar nicht die richtigen Mechanismen des Ursprungs der Arten, aber er stellte die richtigen Fragen. Dies nannte er das »Geheimnis der Geheimnisse«.[39]

• • •

Die Naturgeschichte, die Darwin in Cambridge faszinierte, zeigte keine sonderliche Bereitschaft, Herschels »Geheimnis der Geheimnisse« aufzudecken. Für die äußerst wissbegierigen Griechen hing das Studium der Lebewesen eng mit der Frage nach dem Ursprung der natürlichen Welt zusammen. Die Christen im Mittelalter erkannten jedoch bald, dass diese Fragestellung nur zu unbequemen Theorien führen konnte. Die »Natur« war Gottes Schöpfung – und um in sicherer Übereinstimmung mit der christlichen Lehre zu bleiben, mussten Naturhistoriker die Geschichte der Natur nach der Genesis erzählen.

Eine deskriptive Herangehensweise an die Natur – also die Identifizierung, Benennung und Klassifizierung von Pflanzen und Tieren – war durchaus akzeptabel: Die Beschreibung der Naturwunder feierte schließlich die immense Vielfalt der von einem allmächtigen Gott geschaffenen Lebewesen. Aber eine *mechanistische* Sicht der Natur drohte die Grundlage der Schöpfungslehre in Zweifel zu ziehen. Allein schon die Frage, warum und wann – durch welche Mechanismen oder Kräfte – Tiere entstanden waren, bedeutete, den göttlichen Schöpfungsmythos in Frage zu stellen und sich in gefährliche Nähe zur Ketzerei zu begeben. Im ausgehenden 18. Jahrhundert wurde das Gebiet der Naturgeschichte, vielleicht wenig überraschend, von sogenannten geistlichen Naturkundlern dominiert, von Vikaren, Pfarrern, Äbten, Diakonen und Mönchen, die ihre Gärten bestellten und Pflanzen und Tiere im Dienste der Wunder göttlicher Schöpfung sammelten, in der Regel aber davor zurückscheuten, deren Grundannahmen in Zweifel zu ziehen.[40] Die Kirche bot diesen Wissenschaftlern einen sicheren Hafen und dämpfte zugleich wirkungsvoll ihre Neugier. Die Verbote von missliebigen Forschungen waren so stark, dass die geistlichen Naturkundler den Schöpfungsmythos nicht einmal kritisch hinterfragten; es war die perfekte Trennung von Kirche und Geistesverfassung. Das Ergebnis war eine seltsame Verzerrung dieses Wissensgebietes. Selbst als die Taxonomie – die Klassifizierung von Pflanzen- und Tierarten – eine Hochblüte erlebte, blieben Fragen nach dem Ursprung der Lebewesen verboten. So entwickelte sich die Naturkunde zum Studium einer Natur ohne Geschichte.

Eben diese statische Natursicht störte Darwin. Ein Naturkundler sollte die natürliche Welt unter dem Aspekt von Ursachen und Wirkungen beschreiben können wie ein Physiker die Bewegung eines Balles in der Luft, fand er. Darwins revolutionäre Genialität beruhte im Grunde auf seiner Fähigkeit, die Natur nicht als gegebene Tatsache zu betrachten, sondern als Prozess, als Fortschritt, als Geschichte. Diese Eigenschaft hatte er mit Mendel gemeinsam. Beide waren obsessive Naturbeobachter und erzielten ihre entscheidenden Fortschritte, indem sie sich dieselbe Frage in verschiedenen Abwandlungen stellten: Wie entsteht »Natur«? Mendels Fragestellung bezog sich auf den mikroskopischen Bereich: Wie überträgt ein einzelner Organismus Informationen an seine Nachkommen der nächsten Generation? Darwins Fragestellung betraf den makroskopischen Bereich: Wie wandeln Organismen Informationen über ihre Merkmale im Laufe von Tausenden Generationen um? Mit der Zeit fanden beide Sichtweisen zusammen und brachten die wichtigste Synthese der modernen Biologie und das wesentliche Verständnis menschlicher Vererbung hervor.

• • •

Im August 1831, zwei Monate nach seinem Studienabschluss in Cambridge, erhielt Darwin einen Brief von seinem Mentor John Henslow.[41] Für eine Forschungsexpedition zur Vermessung Südamerikas wurde ein »Gentleman« und »Naturforscher« gesucht, der Proben sammeln sollte. Obwohl Darwin eher Gentleman als Wissenschaftler war (da er noch keine bedeutende wissenschaftliche Arbeit veröffentlicht hatte), fand er sich für diese Aufgabe geeignet. Er sollte nicht als »vollendeter Naturforscher« auf der *Beagle* mitreisen, sondern als angehender Wissenschaftler, der ausreichend qualifiziert sei, »zu sammeln, zu beobachten und Alles, was einer Aufzeichnung auf dem Gebiete der Naturgeschichte werth ist, aufzuzeichnen«.[42]

Am 27. Dezember 1831 lief die *Beagle* mit 73 Mann Besatzung aus, nachdem sie zuvor Stürme hatte abwarten müssen, und segelte südwärts nach Teneriffa.[43] Anfang Januar 1832 war sie unterwegs zu den Kapverdischen Inseln. Das Schiff war kleiner, als Darwin erwartet hatte, und der Wind tückischer. Ständig war das Meer aufgewühlt. Er war einsam, seekrank, dehydriert und ernährte sich von Rosinen und Brot. In jenem Monat begann er mit seinen Tagebuchaufzeichnungen. In einer Hängematte, die über die vom Salz steifen Land- und Seekarten gespannt war, las er die wenigen Bücher, die er mitgenommen hatte: Miltons *Das verlorene Paradies* (das in seiner Lage nur allzu passend erschien) und Charles Lyells *Grundsätze der Geologie*.[44]

Dieses Werk beeindruckte ihn nachhaltig. Lyell vertrat die (für seine Zeit radikale) Auffassung, dass komplexe geologische Formationen wie Felsen und Berge nicht durch die Hand Gottes, sondern über lange Zeiträume hinweg durch langsame natürliche Prozesse wie Erosion, Sedimentation und Ablagerung entstanden seien.[45] Statt einer einzigen biblischen Sintflut habe es unzählige Überflutungen gegeben; Gott habe die Erde nicht durch einmalige Katastrophen geformt, sondern durch Millionen Einschnitte. Für Darwin sollte sich Lyells zentrale Idee – von der langsamen Einwirkung natürlicher Kräfte, die Erde und Natur formten und umgestalteten – als starker geistiger Ansporn erweisen. Im Februar 1832 segelte Darwin, der sich immer noch »empfindlich und unwohl« fühlte, über den Äquator auf die Südhalbkugel. Wind und Strömung änderten ihre Richtung und eröffneten ihm eine neue Welt.

• • •

Wie seine Mentoren vorausgesagt hatten, erwies Darwin sich als hervorragender Beobachter und Sammler. Während die *Beagle* an der Ostküste Südamerikas entlangsegelte und Montevideo, Bahia Blanca und Puerto Deseado anlief, durchkämmte er die Buchten, Regenwälder und Klippen und schleppte eine umfangreiche Kollektion von Skeletten, Pflanzen, Bälgen, Steinen und Muscheln an Bord – »Ladungen von offensichtlichem Schutt«, wie der Kapitän beklagte. Das Land lieferte nicht nur eine Fülle lebender Exemplare, sondern auch Fossilien. Als Darwin sie an Deck in einer langen Reihe auslegte, war es, als habe er ein eigenes Museum für vergleichende Anatomie geschaffen. Im September 1832 erkundete er die grauen Klippen und tiefliegenden Schlammbuchten bei Punta Alta und entdeckte dort einen erstaunlichen natürlichen Friedhof mit versteinerten Knochen großer ausgestorbener Säugetiere.[46] Wie ein verrückter Zahnarzt löste er den Kiefer eines Fossils aus dem Felsen. Zwei Wochen später kehrte er zurück und holte einen riesigen Schädel aus dem Quarzsand. Er gehörte einem Megatherium, einem Riesenfaultier.[47] In diesem Monat fand Darwin noch weitere Knochen, verstreut in Kies und Felsen. Im November bezahlte er einem Bauern in Uruguay 18 Pence für ein Fragment eines riesigen Schädels, der von einem weiteren ausgestorbenen Säugetier stammte, vom nashornähnlichen Toxodon, das riesige Eichhörnchenzähne besaß und einst durch die Niederungen gestreift war. »Ich hatte großes Glück«, schrieb er nach Hause. Manche der Säugetiere seien gigantisch und »viele davon völlig neu.«[48] Er sammelte Fragmente eines schweinegroßen Meerschweinchens, Panzerteile einer Art Gürteltier sowie weitere Knochen von Riesenfaultieren, packte sie in Kisten und schickte sie nach England.

Die *Beagle* umsegelte Feuerland und folgte dann der südamerikanischen Westküste nordwärts. Von Lima an der peruanischen Küste nahm das Schiff 1835 Kurs auf eine abgelegene Gruppe vulkanischer Inseln westlich von Ecuador – die Galapagosinseln.[49] Der Archipel bestand aus »schwarzen, trostlos aussehenden Haufen zerborstener Lava; sie bildeten eine Küste, die sich als Pandämonium eignete«, schrieb der Kapitän.[50] Es war ein höllischer Garten Eden: isoliert, unberührt, verdorrt und felsig – Haufen erstarrter Lava voller »grässlicher Leguane«, Schildkröten und Vögel. Das Schiff segelte von Insel zu Insel – insgesamt waren es achtzehn –, und Darwin ging an Land, kletterte über den Tuffstein und sammelte Vögel, Pflanzen und Echsen. Die Besatzung ernährte sich überwiegend von Schildkröten, von denen auf jeder Insel eine anscheinend einmalige Art zu finden war. Fünf Wochen lang sammelte Darwin tote Finken, Spottdrosseln, Amseln, Kernbeißer, Zaunkönige, Albatrosse, Leguane und eine Fülle von Meeres- und Landpflanzen. Der Kapitän verzog kopfschüttelnd das Gesicht.

Am 20. Oktober nahm die *Beagle* Kurs auf Tahiti.[51] Darwin begann nun in seiner Kajüte, die gesammelten Vogelbälge systematisch zu untersuchen. Vor allem die Spottdrosseln überraschten ihn. Von ihnen gab es zwei oder drei Varietäten, aber jede hatte auffallende Eigenheiten und kam jeweils nur auf einer bestimmten Insel vor. Beiläufig notierte er einen der wichtigsten wissenschaftlichen Sätze, den er je schreiben sollte: »Alle diese Spezies sind diesem Archipel eigentümlich.«[52] Galt dasselbe Muster auch für andere Tiere, beispielsweise für Schildkröten? Hatte jede Insel ihre eigene Schildkrötenart? Zu spät versuchte er, dieses Phänomen anhand der Schildkröten zu überprüfen: Er und die Besatzung hatten die Exemplare bereits verspeist.

• • •

Als Darwin nach fünf Jahren auf See wieder nach England zurückkehrte, hatte er unter Naturkundlern bereits einen gewissen Ruhm erlangt. Seine umfangreiche Fossilienausbeute aus Südamerika wurde ausgepackt, konserviert, katalogisiert und organisiert; damit ließen sich ganze Museen füllen. Der Präparator und Vogelmaler John Gould hatte die Klassifizierung der Vögel übernommen. Lyell persönlich präsentierte Darwins Exemplare während seiner Antrittsrede als Präsident der Geological Society. Der Paläontologe Richard Owen, der wie ein edler Falke über Englands Naturkundlern schwebte, stieg vom Royal College of Surgeons herab, um Darwins Fossilienskelette zu verifizieren und zu katalogisieren.

Während Owen, Gould und Lyell die südamerikanischen Schätze benannten und klassifizierten, befasste Darwin sich mit anderen Problemen. Ihm war nicht am Zergliedern, sondern am großen Ganzen gelegen, an der Suche nach der zugrundeliegenden Anatomie. Taxonomie und Nomenklatur waren für ihn lediglich Mittel zum Zweck. Seine instinktive Genialität bestand darin, jenseits der gesammelten Exemplare *Muster* – Organisationssysteme – aufzuspüren, nicht in Reichen und Ordnungen, sondern in Reichen der Ordnung, die sich durch die biologische Welt zogen. Dieselbe Frage, die Mendel in seiner Lehramtsprüfung in Wien so frustrieren sollte – warum waren Lebewesen auf *diese* Weise organisiert? –, beschäftigte Darwin 1836 vorrangig.

In jenem Jahr traten zwei erstaunliche Tatsachen zutage. Als Erstes entdeckten Owen und Lyell bei der Untersuchung der Fossilienproben ein zugrundeliegendes Muster. Es handelte sich durchweg um Skelette ausgestorbener Großtiere, die es in kleinen Varianten immer noch an den Fundorten dieser Fossilien gab. Einst hatten Riesengürteltiere in eben jenem Tal gelebt, in dem nun kleine Gürteltiere das Gebüsch durchstöberten. Und wo nun kleine Echsen zu finden waren, hatte es einst Riesenechsen gegeben. Die großen Oberschenkelknochen, die Darwin ausgegraben hatte, gehörten zu einem elefantengroßen Lama, dessen heutige kleinere Variante nur in Südamerika vorkommt.

Auf die zweite merkwürdige Tatsache stieß Gould. Er teilte Darwin im Frühjahr 1837 mit, dass die diversen Exemplare von Zaunkönigen, Grasmücken, Amseln und Kernbeißern, die dieser ihm geschickt hatte, keineswegs unterschiedlichen Familien angehörten. Darwin hatte sie falsch eingeordnet: Alle waren Finken und gliederten sich in erstaunliche dreizehn Arten. Schnäbel, Klauen und Gefieder wiesen so große Unterschiede auf, dass nur ein geübtes Auge die Gemeinsamkeiten erkennen konnte. Der dem Zaunkönig ähnliche Waldsängerfink mit dem schlanken Hals und der amselähnliche Darwinfink mit seinem kräftigen Hals und dem zangenförmigen Schnabel waren anatomische Verwandte – Spezies derselben Singvogelgruppe. Grundfinken leben am Boden und knacken mit ihrem kräftigen Schnabel (der einem Nussknacker ähnelt) Samen. Und die Spottdrosseln, die jeweils auf einer der Inseln lebten, bildeten ebenfalls drei verschiedene Arten. Finken, überall Finken. Es war, als ob jeder Ort seine eigene Variante hervorgebracht hätte – einen mit eigenem Code versehenen Vogel für jede Insel.

Wie konnte Darwin diese beiden Tatsachen miteinander vereinbaren? In seinem Kopf zeichnete sich bereits in groben Umrissen eine Idee ab – eine so simple und doch so radikale Vorstellung, dass kein Biologe es gewagt hatte, sie eingehend zu erforschen: *Was wäre, wenn alle diese Finken von einem gemeinsamen Vorfahren abstammten?* Was wäre, wenn die heutigen kleinen Gürteltiere aus einem früheren Riesengürteltier hervorgegangen wären? Lyell hatte die Auffassung vertreten, die gegenwärtigen Landschaften der Erde seien die Folge natürlicher Kräfte, die über Jahrmillionen auf sie eingewirkt hätten. Der französische Physiker Pierre-Simon Laplace hatte vermutet, sogar das heutige Sonnensystem sei über Jahrmillionen hinweg aus der allmählichen Abkühlung und Verdichtung von Materie entstanden (auf Napoleons Frage, wieso in seiner Theorie Gott so auffallend fehle, hatte Laplace mit unglaublicher Frechheit geantwortet: »Sire, diese Hypothese brauchte ich nicht.«) Was wäre, wenn die heutige Gestalt der Tiere ebenfalls die Folge natürlicher Kräfte wäre, die über Jahrtausende hinweg gewirkt hätten?

· · ·

Im Juli 1837 begann Darwin in seinem stickig heißen Arbeitszimmer in der Marlborough Street, seine Ideen, wie Tiere sich im Laufe der Zeit verändern könnten, in einem neuen Notizbuch (dem sogenannten Notizbuch B) festzuhalten. Es waren kryptische, spontane und unfertige Notizen. Auf einer Seite zeichnete er ein Diagramm, das ihn immer wieder beschäftigen sollte: Vielleicht gingen alle Spezies nicht strahlenförmig von einem zentralen Punkt göttlicher Schöpfung aus, sondern wie die Äste eines »Baums« oder die Seitenarme eines Flusses von einem Ahnenstamm, der sich immer weiter verzweigte bis hin zu den zahllosen heutigen Abkömmlingen.[53] Vielleicht stammten Tiere und Pflanzen von früheren Formen ab, aus denen sie sich in einem Prozess allmählichen, fortwährenden Wandels entwickelt hatten wie Sprachen, Landschaften und der sich langsam abkühlende Kosmos.

Darwin war klar, dass dieses Diagramm ausgesprochen weltlich war. In der christlichen Vorstellung stand Gott als Schöpfer aller Arten unverrückbar im Zentrum. In Darwins Skizze gab es aber keinen Mittelpunkt. Die dreizehn Finkenarten waren nicht aus einer göttlichen Laune entstanden, sondern aus »natürlicher Abstammung« – die von einem Finkenurahn kaskadenförmig und sich verästelnd bis zu ihnen führte. Ebenso war das heutige Lama in einer Abstammungslinie aus einem Riesentier der Urzeit hervorgegangen. Nachträglich fügte Darwin oben auf der Seite hinzu: »Ich denke«, als wolle er den Moment kenntlich machen, an dem er den festen Boden des herrschenden biologischen und theologischen Denkens verließ.[54]

Aber welche treibende Kraft – von Gott abgesehen – stand hinter dem Ursprung der Arten? Welcher Impuls ließ auf den Verästelungen der Artenbildung beispielsweise dreizehn Finkenspezies entstehen? Im Frühjahr 1838, als Darwin ein neues Notizbuch anfing – das weinrote Notizbuch C –, dachte er eingehender über die Beschaffenheit dieser Kraft nach.[55]

Der erste Teil der Antwort befand sich seit seiner Kindheit im landwirtschaftlich geprägten Shrewsbury und Hereford direkt vor seiner Nase; Darwin war knapp 13 000 Kilometer rund um die Welt gereist, um sie wiederzuentdecken. Den Umstand, dass Tiere gelegentlich Nachkommen mit Merkmalen hervorbrachten, die von denen der Eltern abwichen, bezeichnete man als Variation. Seit Jahrtausenden nutzten Bauern dieses Phänomen bei der Zucht und Kreuzung von Tieren, um natürliche Varianten hervorzubringen und diese durch Auslese über mehrere Generationen hinweg zu fördern. In England hatten Viehzüchter die Züchtung neuer Rassen und Varianten zu einer hochentwickelten Kunst verfeinert. Die Kurzhorn-Bullen in Hereford hatten wenig Ähnlichkeit mit den Langhorn-Rindern in Craven. Wäre ein neugieriger Naturforscher von den Galapagosinseln nach England gereist – wie ein Darwin der Neuen Welt –, hätte er sich wohl gewundert, dass in jeder Region eine eigene Rinderart zu finden war. Diese Rassen waren jedoch nicht zufällig entstanden, wie Darwin und jeder Rinderzüchter bestätigen konnten, sondern vom Menschen durch selektive Zucht in Hinblick auf bestimmte Varianten gezielt herbeigeführt worden.

Die geschickte Kombination aus Variation und künstlicher Auslese konnte außerordentliche Resultate zeitigen, wie Darwin wusste. So ließen sich hahn- oder pfauenähnliche Tauben und kurz- oder langhaarige, haarlose, gescheckte, gefleckte, krummbeinige, stummelrutige, bösartige, gutmütige, zurückhaltende, vorsichtige und kampflustige Hunde züchten. Bei Kühen, Hunden und Tauben war die Auswahl von Menschenhand erfolgt. Aber welche Kraft hatte die Entstehung so verschiedener Finken auf diesen abgelegenen Vulkaninseln gelenkt oder aus Riesenvorfahren auf den südamerikanischen Ebenen kleine Gürteltiere gemacht? Darwin war klar, dass er sich nun am gefährlichen Rand der bekannten Welt bewegte und haarscharf an der Ketzerei entlanglavierte. Er hätte diese unsichtbare Hand ohne weiteres Gott zuschreiben können. Aber die Antwort, auf die er im Oktober 1838 im Buch des Geistlichen Thomas Malthus stieß, hatte nichts mit Gott zu tun.[56]

• • •

Thomas Malthus arbeitete tagsüber als Hilfspfarrer an der Okewood Chapel in Surrey, aber abends heimlich als Ökonom. Seine wahre Passion galt der Erforschung des Bevölkerungswachstums. Er hatte 1798 unter einem Pseudonym die aufrührerische *Abhandlung über das Bevölkerungsgesetz* veröffentlicht und darin die Ansicht vertreten, die menschliche Bevölkerung ringe fortwährend mit ihren begrenzten Ressourcen.[57] Mit zunehmendem Bevölkerungswachstum würde sich der Ressourcenvorrat erschöpfen und die Konkurrenz zwischen den Menschen verschärfen. Die naturgegebene Wachstumstendenz einer Bevölkerung finde ein starkes Gegengewicht in den begrenzten Ressourcen, ihrem natürlichen Drang wirke die natürliche Not entgegen: »Sollten sie aber versagen in diesem Vernichtungskrieg, dann dringen Krankheitsperioden, Seuchen und Pest in schrecklichem Aufgebot vor und raffen Tausende und Abertausende hinweg« und »bringen mit einem mächtigen Schlag die Bevölkerungszahl und die Nahrungsmenge der Welt auf den gleichen Stand«.[58] Diejenigen, die diese »natürliche Auslese« überlebt hatten, würden den grausamen Zyklus erneut durchlaufen – eine Sisyphusaufgabe.

Darwin sah in Malthus' Abhandlung auf Anhieb eine Lösung für sein Dilemma. Dieser Kampf ums Überleben war die gestaltende Hand. Der Tod traf die Auslese und formte damit unerbittlich die Natur. Und da »ein Kampf ums Dasein überall stattfindet, wurde mir sofort deutlich, daß unter solchen Bedingungen vorteilhafte Variationen eher erhalten bleiben und unvorteilhafte eher vernichtet werden«, schrieb er. »Das Ergebnis dieser Tendenz mußte die Bildung neuer Arten sein.«[59] *

Damit hatte Darwin das Grundgerüst seiner Haupttheorie entworfen. Wenn Tiere sich fortpflanzen, bringen sie Varianten hervor, die sich von den Eltern unterscheiden.** Die einzelnen Vertreter einer Spezies konkurrieren ständig um knappe Ressourcen. Kommt es bei der Nahrung zu einem kritischen Engpass – etwa durch eine Dürre –, findet eine »natürliche Auslese« zugunsten einer Variante statt, die besser an die jeweilige Umgebung angepasst ist. Die Bestangepassten – die »Fittesten« – überleben (der Ausdruck *survival of the fittest*, Überleben der am besten Angepassten, ist bei dem Malthus'schen Ökonomen Herbert Spencer entlehnt).[60] Diese Überlebenden vermehren sich und treiben so die evolutionäre Veränderung innerhalb einer Spezies voran.

An den salzigen Stränden von Punta Alta und auf den Galapagos-inseln hatte Darwin diesen Prozess beinahe *beobachten* können wie in einem Film, der Äonen im Zeitraffer abspulte und ein Jahrtausend auf eine Minute komprimierte. Scharen von Finken ernährten sich von Früchten, bis ihre Population explosionsartig wuchs. Als die Insel eine schlechte Saison erlebte – einen verheerenden Monsun oder einen extrem trockenen Sommer –, ging die Menge der Früchte drastisch zurück. Irgendwo in dem riesigen Vogelschwarm wurde eine Variante mit übergroßem Schnabel geboren, der sich zum Knacken von Kernen eignete. Während der Hunger in der Finkenwelt wütete, überlebte

---

* Hier entging Darwin ein entscheidender Schritt. Variation und natürliche Auslese liefern überzeugende Erklärungen für die Mechanismen, durch die es zur Evolution innerhalb einer Spezies kommen kann, nicht aber für die Entstehung der Arten an sich. Damit eine neue Spezies entstehen kann, dürfen Organismen nicht mehr in der Lage sein, lebensfähige Nachkommen miteinander zu zeugen. Dazu kommt es in der Regel, wenn Tiere durch eine physische Barriere oder eine andere permanente Trennung voneinander isoliert sind, was letztlich zu einer Fortpflanzungsschranke führt (darauf kommen wir an späterer Stelle zurück).

** Darwin war sich nicht sicher, wie diese Varianten zustande kommen; auch darauf kommen wir später eingehender zurück.

diese großschnabelige Variante, indem sie sich von Fruchtkernen ernährte. Als sie sich vermehrte, entstand eine neue Finkenart. Die Missbildung wurde zur Norm. Wenn neue Malthus'sche Begrenzungen auftauchten – Krankheiten, Hungersnöte, Parasiten –, fassten neue Varianten Fuß, und die Population veränderte sich wieder. Fehlbildungen wurden zur Norm, und die frühere Norm starb aus. Missgeburt für Missgeburt schritt die Evolution voran.

• • •

Im Winter 1839 hatte Darwin seine Theorie in den wesentlichen Grundzügen umrissen. In den folgenden Jahren bastelte er wie besessen an seinen Ideen herum – ordnete »unschöne Fakten« immer wieder um wie seine Fossiliensammlung, rang sich aber nie zur Veröffentlichung seiner Vorstellungen durch. Schließlich fasste er die wesentlichen Teile seiner Thesen in einer 255 Seiten umfassenden Abhandlung zusammen und schickte sie zur privaten Lektüre an seine Freunde.[61] Ihm lag jedoch nicht daran, diesen Essay in Druck zu geben. Er erforschte vielmehr Seepocken, schrieb geologische Aufsätze, sezierte Meerestiere und kümmerte sich um seine Familie. Als seine älteste und liebste Tochter Annie an einer Infektionskrankheit starb, war er wie betäubt vor Kummer. Dann brach auf der Krim ein brutaler, verheerender Krieg aus. Männer mussten an die Front, und Europa versank in einer Depression. Es war, als wäre Malthus' Kampf ums Dasein Realität geworden.

Im Sommer 1855, mehr als fünfzehn Jahre, nachdem Darwin Malthus' Abhandlung gelesen und seine Vorstellungen zur Artenbildung herauskristallisiert hatte, veröffentlichte der junge Naturkundler Alfred Russel Wallace in der Zeitschrift *Annals and Magazine of Natural History* einen Beitrag, der Darwins bis dahin unveröffentlichter Theorie gefährlich nahekam.[62] Wallace und Darwin stammten aus völlig verschiedenen gesellschaftlichen Schichten und hatten sehr unterschiedliche ideologische Hintergründe. Anders als Darwin, der Gentleman und Privatgelehrte, der bald Englands meistgefeierter Naturforscher sein sollte, kam Wallace aus einer Mittelschichtfamilie in Monmouthshire.[63] Auch er hatte Malthus' Werk über Bevölkerungsentwicklung gelesen – wenn auch nicht in einem Lehnstuhl in seinem Arbeitszimmer, sondern auf einer der harten Holzbänke der öffentlichen Bibliothek in Leicester (Malthus' Buch war in britischen Intellektuellenkreisen weitverbreitet).[64] Ebenso wie Darwin hatte auch Wallace an einer Forschungsreise – nach Brasilien – teilgenommen, Tier- und Pflanzenproben sowie Fossilien gesammelt und war völlig verändert zurückgekehrt.[65]

Nachdem Wallace auf der Rückreise das wenige Geld, das er besaß, und sämtliche gesammelten Exemplare bei einer Schiffshavarie verloren hatte, brach der nun völlig mittellose Forscher 1854 zur Erkundung einiger weitgestreuter Vulkaninseln am Rande Südostasiens – zum Malaiischen Archipel – auf.[66] Dort beobachtete er wie Darwin erstaunliche Unterschiede zwischen eng verwandten Spezies, die durch Wasserstraßen getrennt gelebt hatten. Bis zum Winter 1857 hatte Wallace eine anfängliche allgemeine Theorie der Mechanismen formuliert, die eine Variation auf diesen Inseln vorantrieb. Als er in diesem Frühjahr krank zu Bett lag, stolperte er in seinen Fieberhalluzinationen über das letzte fehlende Glied seiner Theorie. Ihm fiel Malthus' Abhandlung ein. »Die Antwort war eindeutig …, dass die am besten Angepassten überleben … Auf diese Weise konnte jeder Teil der Organisation eines Tieres genau nach den Erfordernissen modifiziert werden.«[67] Selbst der sprachliche Ausdruck seiner Gedanken – Variation, Mutation, Überleben und Auslese – wies auffallende Ähnlichkeiten zu Darwins auf. Getrennt durch Ozeane und Kontinente und von äußerst unterschiedlichen geistigen Strömungen getragen, waren die beiden Männer doch zu denselben Schlüssen gelangt.

Im Juni 1858 schickte Wallace Darwin den vorläufigen Entwurf seiner Abhandlung, in der er seine allgemeine Evolutionstheorie durch natürliche Auslese umriss.[68] Verblüfft über die Übereinstimmungen zwischen Wallace' und seiner Theorie sandte Darwin in panischem Schrecken sein eigenes Manuskript umgehend an seinen alten Freund Lyell. Dieser gab ihm den gewieften Rat, beide Schriften gleichzeitig bei der Sitzung der Linnean Society im Sommer zu präsentieren, damit sowohl Darwin als auch Wallace für ihre Entdeckungen gewürdigt werden könnten. So wurden denn am 1. Juli 1858 beide Aufsätze in London nacheinander verlesen und öffentlich diskutiert.[69] Das Publikum war von keinem der beiden Werke sonderlich angetan. Im Mai des Folgejahres erwähnte der Präsident der Linnean Society beiläufig, im Vorjahr habe es keine bemerkenswerten Entdeckungen gegeben.[70]

• • •

Darwin beeilte sich nun, das Monumentalwerk fertigzustellen, das er ursprünglich mit seinen sämtlichen Forschungsergebnissen hatte veröffentlichen wollen. Zögernd schrieb er 1859 an den Verleger John Murray: »Ob aber das Buch bis zu einem Grade Erfolg haben wird, daß Sie damit zufrieden sind, das kann ich wirklich nicht muthmaßen. Ich hoffe von Herzen, daß es so sein möchte.«[71] Am 24. November 1859, einem winterlichen Donnerstagmorgen, erschien Charles Darwins Buch *On the Origin of Species by Means of Natural Selection* zum Preis von 15 Schilling in den Buchhandlungen Englands. Der Verleger hatte 1250 Exemplare drucken lassen. Verblüfft notierte Darwin: »Diesen Morgen habe ich auch von Murray gehört, daß er die ganze Auflage am ersten Tage für den Handel verkauft hat.«[72]

Auf Anhieb löste es eine Flut begeisterter Rezensionen aus. Schon die ersten Leser des Buches waren sich der Tragweite bewusst. »Die von Darwin gezogenen Schlussfolgerungen sind dergestalt, dass sie im Fall ihrer Bestätigung zu einer völligen Revolution in den grundlegenden Lehren der Naturgeschichte führen würden«, schrieb ein Rezensent. »Wir gehen davon aus, dass sein Werk eines der bedeutendsten ist, die seit langer Zeit veröffentlicht worden sind.«[73]

Darwin hatte jedoch auch seinen Kritikern Munition geliefert. Vielleicht war es klug von ihm, dass er sich zu den Auswirkungen seiner Theorie in Hinblick auf die menschliche Evolution bewusst nicht äußerte. Die einzige Zeile seines Buches zur Abstammung des Menschen – »Licht wird auf den Ursprung der Menschheit und ihre Geschichte fallen« – könnte durchaus als wissenschaftliche Untertreibung des Jahrhunderts gelten.[74] Richard Owen – Darwins Freund

und Gegner, der die taxonomische Einordnung der Fossilien besorgt hatte – erkannte jedoch bald die philosophischen Folgerungen, die aus Darwins Theorie erwuchsen. Wenn die Entstehung der Arten so ablief, wie Darwin behauptete, lagen die Schlussfolgerungen für die menschliche Evolution auf der Hand: »Der Mensch könnte ein mutierter Affe sein« – eine so zutiefst abstoßende Vorstellung, dass Owen es nicht ertragen konnte, sie auch nur in Erwägung zu ziehen. Darwin habe die gewagteste neue Theorie der Biologie vorgebracht, ohne sie durch angemessene experimentelle Beweise zu untermauern, schrieb Owen; statt Früchten habe er »geistige Hülsen« geliefert.[75] »Die Phantasie muß viele weite Lücken ausfüllen«, beklagte Owen (mit einem Darwin-Zitat).[76]

»Viele weite Lücken«[77]

Ich frage mich, ob Herr Darwin sich je die
Mühe gemacht hat, darüber nachzudenken,
wie lange es dauern würde, bis ein vorhandener
Originalbestand an ... Keimchen erschöpft
wäre ... Ich habe den Eindruck, wenn er auch
nur einen beiläufigen Gedanken daran ver-
schwendet hätte, wäre er sicher nicht einmal
im Traum auf ›Pangenesis‹ gekommen.

Alexander Wilford Hall, 1880[78]

Es zeugt von Darwins wissenschaftlicher Kühnheit, dass er sich keine
sonderlichen Sorgen um eine mögliche Abstammung des Menschen
von affenartigen Vorfahren machte, und von seiner wissenschaftlichen
Integrität, dass ihn die stimmige innere Logik seiner eigenen Theorie
weitaus stärker beschäftigte. Vor allem galt es, eine besonders »weite
Lücke« zu schließen: die Vererbung.

Für die Evolutionstheorie war eine Theorie der Vererbung keineswegs nebensächlich, sondern von zentraler Bedeutung, wie Darwin
klar war. Damit auf einer Galapagosinsel durch natürliche Selektion
eine Finkenvariante mit kräftigem Schnabel entstehen konnte, mussten zwei scheinbar widersprüchliche Tatsachen gleichzeitig eintreten.
Zunächst musste ein »normaler« kurzschnabeliger Fink imstande sein,
gelegentlich eine großschnabelige Variante hervorzubringen – eine
Missbildung oder Monstrosität (von Darwin *Spielart* genannt – ein

anschaulicher Begriff, der die unendliche Launenhaftigkeit der Natur erkennen ließ. Nach Darwins Ansicht war die entscheidende Triebkraft der Evolution nicht etwa die Zielstrebigkeit der Natur, sondern ihr Humor). Und zweitens musste dieser großschnabelige Fink, wenn er erst einmal geschlüpft war, dieses Merkmal an seine Nachkommen *weitergeben* und damit die Variation für kommende Generationen festschreiben. Falls einer dieser Faktoren fehlte – falls die Vermehrung keine Varianten hervorbringen sollte oder die Variationen bei der Vererbung nicht weitergegeben würden –, wäre das Räderwerk der Evolution blockiert. Damit Darwins Theorie funktionierte, musste die Vererbung zugleich Konstanz und Inkonstanz, Stabilität und Mutation besitzen.

Darwin suchte unablässig nach einem Vererbungsmechanismus, der ein ausgewogenes Verhältnis dieser gegensätzlichen Eigenschaften erzielen könnte. Die zu seiner Zeit weithin akzeptierte Ansicht zum Vererbungsmechanismus basierte auf einer Theorie des französischen Biologen Jean-Baptiste Lamarck aus dem 18. Jahrhundert. Demnach gaben Eltern Erbmerkmale auf dieselbe Art und Weise an ihre Nachkommen weiter wie eine Botschaft oder Erzählung – also durch Erziehung. Lamarck war überzeugt, dass Tiere sich an ihre Umwelt anpassten, indem sie bestimmte Merkmale stärkten oder abschwächten – und zwar »in einer Stärke, die proportional zur Dauer ihres entsprechenden Gebrauchs ist«.[79] Ein Fink, der gezwungen ist, sich von Kernen zu ernähren, passt sich an, indem er seinen Schnabel »stärkt«. Im Laufe der Zeit wird sein Schnabel härter und nimmt eine Zangenform an. Dieses angepasste Merkmal gibt er dann über die Erziehung an seine Nachkommen weiter, deren Schnäbel ebenfalls kräftiger werden, da sie von den Eltern bereits an die härteren Kerne vorangepasst sind. Nach der gleichen Logik finden Antilopen beim Fressen an hohen Bäumen heraus, dass sie ihre Hälse recken müssen, um an das Laub im oberen Teil zu gelangen. Durch »Nutzung und Nichtnutzung«, wie Lamarck es ausdrückte, dehnen und verlängern sich ihre Hälse, und schließlich bringen diese Antilopen Nachkommen mit langen Hälsen hervor und dadurch entstehen Giraffen (auffallend sind die Ähnlichkeiten zwischen Lamarcks Theorie – vom Körper, der das Sperma »erzieht« – und Pythagoras' Vorstellung von Vererbung, wonach das Sperma Informationen von allen Organen sammelt).

Lamarcks Hypothese hatte den unmittelbaren Reiz, dass sie eine beruhigende Fortschrittsgeschichte lieferte: Alle Tiere passten sich zunehmend an ihre Umwelt an und krochen so allmählich eine Leiter der Evolution in Richtung Perfektion hinauf. Evolution und Anpassung waren zu einem einzigen kontinuierlichen Mechanismus gebündelt: Anpassung war Evolution. Dieses Schema entsprach nicht nur der Intuition, sondern praktischerweise auch der göttlichen Schöpfungsgeschichte – zumindest weit genug für die Arbeit eines Biologen. Gott hatte zwar ursprünglich die Tiere geschaffen, aber sie besaßen dennoch eine Chance, ihre Form in der sich wandelnden Natur zu verändern. Die göttliche Lebenskette hatte weiterhin Bestand, ja, war sogar gestärkt: Am Ende der langen Kette adaptiver Evolution stand das gut angepasste, bestens aufgerichtete, perfekteste Säugetier von allen: der Mensch.

Offensichtlich hatte Darwin sich von Lamarcks Evolutionsideen verabschiedet. Giraffen waren nicht aus Antilopen erwachsen, die ihren Hals so weit gereckt hatten, dass sie Skeletthalskrausen brauchten. Sie waren vielmehr entstanden, weil eine Urantilope – salopp gesagt – eine Variante mit langem Hals hervorgebracht hatte, die sich durch eine Naturgewalt wie eine Dürre auf dem Wege natürlicher Auslese zunehmend durchgesetzt hatte. Darwin kam jedoch immer wieder auf den Vererbungsmechanismus zurück: Was hatte die langhalsige Antilope überhaupt erst entstehen lassen?

Darwin versuchte, sich eine Vererbungstheorie vorzustellen, die mit der Evolution vereinbar wäre. Hier zeigte sich jedoch sein entscheidender Mangel: Er war kein sonderlich begabter Empiriker. Dagegen war Mendel, wie sich noch zeigen wird, ein instinktiver Gärtner – züchtete Pflanzen, zählte Samenkörner, isolierte einzelne Merkmale; Darwin war ein Gartennutzer – klassifizierte Pflanzen, ordnete Arten ein und befasste sich mit Taxonomie. Mendels Talent war das Experimentieren – die Manipulation von Organismen, die Kreuzung sorgfältig ausgewählter Züchtungen, die Überprüfung von Hypothesen. Darwins Begabung lag auf dem Gebiet der Naturgeschichte – der Rekonstruktion von Geschichte durch Naturbeobachtung. Der Mönch Mendel konzentrierte sich auf die Isolation, der zum Pfarrer ausgebildete Darwin auf die Synthese.

Naturbeobachtung war, wie sich herausstellte, jedoch etwas völlig anderes als Naturexperimente. Auf den ersten Blick weist nichts in der Natur auf die Existenz eines Gens hin; man muss sogar recht abstruse, verdrehte Experimente durchführen, um die Idee eigenständiger Erbteilchen aufzudecken. Da Darwin nicht auf experimentellem Weg zu einer Theorie der Vererbung gelangen konnte, musste er sie auf rein gedanklicher Grundlage entwickeln. Nahezu zwei Jahre lang rang er mit diesem Problem und trieb sich an den Rand eines Nervenzusammenbruchs, bevor er meinte, auf ein adäquates Modell gestoßen zu sein.[80] Nach seiner Vorstellung produzierten die Zellen sämtlicher Organismen winzige Teilchen, welche die Erbinformation enthielten – *Keimchen* nannte er sie.[81] Diese Keimchen zirkulierten im Körper der Eltern. Wenn Tiere oder Pflanzen das fortpflanzungsfähige Alter erreichten, gaben sie die in den Keimchen enthaltenen Informationen an die Keimzellen (Spermien und Eizellen) weiter. So wurde die Information über den »Zustand« des Körpers bei der Zeugung von den Eltern an die Nachkommen übertragen. Wie Pythagoras ging Darwin von einem Modell aus, in dem jeder Organismus die Information für den Aufbau von Organen und Strukturen in Miniaturform in sich trug – nur hielt er diese Information für dezentralisiert. Ein Organismus entstand demnach durch eine Art parlamentarischer Abstimmung. Von der Hand abgesonderte Keimchen trugen die Anweisungen zum Aufbau einer neuen Hand in sich, vom Ohr verbreitete Keimchen übertrugen den Code zum Bau eines neuen Ohres.

Wie kamen nun die Anweisungen dieser väterlichen und mütterlichen Keimchen beim entstehenden Fötus zur Anwendung? Hier griff Darwin auf eine uralte Vorstellung zurück: Sie trafen im Embryo zusammen und mischten sich wie Farben. Diese Idee einer Mischung der Erbanlagen war den meisten Biologen bereits vertraut:[82] Sie entsprach der aristotelischen Theorie von der Verschmelzung männlicher und weiblicher Merkmale. Offenbar war Darwin eine weitere wunderbare Synthese gegensätzlicher Pole der Biologie gelungen. Er hatte den Homunculus des Pythagoras (Keimchen) mit der aristotelischen Vorstellung von Botschaft und Mischung (Verschmelzung) zu einer neuen Vererbungstheorie vereint.

Diese Theorie nannte Darwin Pangenesis, die »Genese von allem« (da alle Organe Keimchen beitrugen).[83] Fast zehn Jahre nach der Veröffentlichung seines Werkes *Über die Entstehung der Arten* stellte Darwin 1867 ein neues Manuskript fertig, *Das Variieren der Thiere und Pflanzen im Zustande der Domestication*, in dem er diese Sicht der Vererbung ausführlich darlegte.[84] »Es ist dies eine sehr kühne und unreife Hypothese«, gestand er, »doch ist sie für meinen Sinn eine beträchtliche Erleichterung gewesen«.[85] Seinem Freund Asa Gray schrieb er: »Das Capitel über das, was ich Pangenesis nenne, wird ein verrückter Traum genannt werden; ... aber im Grunde meiner Seele glaube ich, daß es eine große Wahrheit enthält.«[86]

• • •

Darwins »beträchtliche Erleichterung« kann nicht lange angehalten haben, denn schon bald dürfte er aus seinem »verrückten Traum« erwacht sein. Noch während er *Das Variieren* zu einem Buch zusammenstellte, erschien im Sommer in der Zeitschrift *North British Review* eine Rezension seines Werkes *Über die Entstehung der Arten*. Darin fand sich das stärkste Argument gegen die Pangenesistheorie, dem Darwin zu seinen Lebzeiten begegnen sollte.

Der Autor der Rezension bot sich nicht gerade als sachkundiger Kritiker von Darwins Werk an: ein Mathematiker, Ingenieur und Erfinder aus Edinburgh namens Fleeming Jenkin, der kaum je etwas über Biologie geschrieben hatte. Er war brillant, scharfzüngig, vielseitig interessiert an Linguistik, Elektronik, Mechanik, Arithmetik, Physik, Chemie und Ökonomie und äußerst belesen – seine Lektüre umfasste unter anderem Dickens, Dumas, Austen, Eliot, Newton, Malthus und Lamarck. Jenkin war zufällig auf Darwins Buch gestoßen, hatte es gründlich gelesen, die Schlussfolgerungen schnell durchdacht und hatte auf Anhieb einen fatalen Fehler in der Argumentation entdeckt. Jenkins zentrales Problem mit Darwins Theorie war folgendes: Wenn vererbte Merkmale sich in jeder Generation miteinander »mischten«, was verhinderte dann, dass eine Variation durch Kreuzung sofort wieder verwässert wurde? »Die [Variante] wird von der zahlenmäßigen Überlegenheit überschwemmt«, schrieb Jenkin, »und nach einigen wenigen Generationen wird ihre Eigenheit ausgelöscht sein.«[87] Als Beispiel führte er eine – zutiefst vom beiläufigen Rassismus seiner Zeit geprägte – Geschichte an: »Angenommen, ein weißer Mann landet nach einem Schiffbruch auf einer von Negern bewohnten Insel … Unser Schiffbrüchiger würde wahrscheinlich König werden; er würde im Kampf ums Dasein viele Schwarze töten und hätte zahlreiche Frauen und Kinder.«

Wenn Erbanlagen sich aber miteinander mischten, war Jenkins »weißer Mann« im Grunde – zumindest genetisch – zum Untergang verurteilt. Bei seinen Kindern – mit schwarzen Frauen – wäre wahrscheinlich die Hälfte der Erbanlagen von ihm, bei seinen Enkeln ein Viertel, bei seinen Urenkeln ein Achtel, bei seinen Ururenkeln ein Sechzehntel und so weiter – bis sein Erbteil innerhalb weniger Generationen so verwässert worden wäre, dass man es vernachlässigen könnte. Selbst wenn »weiße Erbanlagen« tatsächlich überlegen – die am besten angepassten, um mit Darwin zu sprechen – seien, könne sie nichts vor dem unausweichlichen Untergang durch Vermischung bewahren. Letzten Endes würde der einsame weiße König auf der Insel aus deren Erbgeschichte verschwinden – obgleich er mehr Kinder gezeugt habe als jeder andere Mann seiner Generation und obwohl seine Erbanlagen die für ein Überleben besten gewesen seien.

Jenkins Geschichte war in ihren Details – vielleicht bewusst – abstoßend, aber ihre konzeptionelle Stoßrichtung war klar. Wenn Vererbung keinerlei Mittel besaß, Varianz zu *erhalten* – das veränderte Merkmal zu fixieren –, dann würden sämtliche abgewandelten Eigenschaften durch die Mischung letztlich in grauer Bedeutungslosigkeit verschwinden. Missbildungen würden immer Missbildungen bleiben – es sei denn, sie könnten die Weitergabe ihrer Merkmale an die nächste Generation gewährleisten. Prospero konnte es sich gefahrlos leisten, auf einer einsamen Insel einen einzelnen Caliban zu zeugen und frei umherstreifen zu lassen. Die Mischung der Erbanlagen würde als natürliches genetisches Gefängnis wirken: Selbst wenn – genauer: sobald – er sich paaren sollte, würden seine Erbanlagen sofort in einem Meer der Normalität untergehen. Die Vermischung entspräche einer unendlichen Verdünnung, und angesichts einer solchen Verdünnung könnte sich keine evolutionäre Information auf Dauer halten. Wenn ein Maler zu malen beginnt und den Pinsel gelegentlich eintaucht, um die Pigmente zu verdünnen, färbt sich das Wasser anfangs vielleicht blau oder gelb. In dem Maße, in dem immer mehr Farben im Wasser verdünnt werden, geht die Farbe des Wassers unweigerlich in ein schmutziges Grau über. Auch wenn man weitere bunte Farbe zufügt, bleibt es unangenehm grau. Sollte das gleiche Prinzip für Tiere und Vererbung gelten, welche Kraft könnte dann ein Unterscheidungsmerkmal eines von der Norm abweichenden Organismus bewahren? Wieso wurden nicht alle Darwinfinken nach und nach grau, könnte Jenkin fragen.*

• • •

Darwin war von Jenkins Überlegungen zutiefst betroffen. »Fleeming Jenkins [sic] hat mir viel Mühe bereitet«, schrieb er, »war mir aber von größerem Nutzen als jeder andere Essay oder jede andere Kritik.«[88] Jenkins unausweichliche Logik ließ sich nicht leugnen: Um seine Evolutionstheorie zu retten, brauchte Darwin eine schlüssige Vererbungstheorie.[89]

Aber welche Merkmale der Vererbung konnten Darwins Problem lösen? Damit eine Evolution, wie er sie annahm, funktionieren konnte, musste der Vererbungsmechanismus die Fähigkeit besitzen, Informa-

---

* Geographische Isolation könnte das »Graufinkenproblem« teilweise lösen – indem sie die Kreuzung bestimmter Varianten einschränkt. Dadurch ließe sich aber immer noch nicht erklären, warum nicht sämtliche Finken einer Insel nach und nach die gleichen Merkmale aufweisen.

tionen zu bewahren, ohne sie zu verwässern oder zu streuen. Vermischung leistete dies nicht. Es mussten Informations*atome* – eigenständige, unlösliche, unauslöschliche Teilchen – existieren, die von den Eltern auf das Kind übergingen.

Gab es in der Vererbung Belege für eine derartige Konstanz? Hätte Darwin die Bücher in seiner umfangreichen Bibliothek sorgfältig durchgesehen, hätte er vielleicht einen Hinweis auf den obskuren Aufsatz eines kaum bekannten Botanikers aus Brünn entdeckt. Der 1866 unter dem bescheidenen Titel »Versuche über Pflanzen-Hybriden« in einer kaum beachteten Zeitschrift erschienene Beitrag war in schwerfälligem Deutsch abgefasst und vollgepackt mit Zahlen und Tabellen, was Darwin besonders verabscheute.[90] Um Haaresbreite wäre er beinahe dennoch auf diese Schrift gestoßen, als er in den 1870er Jahren ein Buch über Pflanzenhybriden eingehend studierte: Auf den Seiten 50, 51, 53 und 54 machte er ausführliche handschriftliche Notizen – überging aber seltsamerweise Seite 52, auf der dieser Aufsatz über Erbsenhybriden detailliert erörtert wurde.

Hätte Darwin ihn gelesen – besonders als er sein Werk *Das Variieren* schrieb und die Pangenesistheorie formulierte –, hätte die Lektüre ihm die letzte entscheidende Erkenntnis liefern können, um seine eigene Evolutionstheorie zu verstehen. Er wäre fasziniert gewesen von den Implikationen dieses Beitrags, gerührt über die liebevolle Kleinarbeit und verblüfft über den seltsamen Erklärungsgehalt. Darwins scharfer Geist hätte sehr bald erfasst, was diese Arbeit für das Verständnis der Evolution bedeutete. Vielleicht hätte er auch erfreut festgestellt, dass der Autor ebenfalls ein Geistlicher war, der ebenfalls einen Weg von der Theologie zur Biologie gefunden und Neuland betreten hatte: der Augustinermönch Gregor Johann Mendel.

»Blumen machten ihn froh«[91]

Wir wollen nur den Stoff und seine Kraft
ergründen. Die Metaphysik bleibt ganz aus dem
Spiel.
    Aus den Zielsetzungen des naturforschen-
    den Vereins, Brünn, dem Mendel seinen
    Aufsatz 1865 erstmals präsentierte.[92]

Jede Art erscheint uns bei dieser Betrachtungsweise als ein äusserst komplizirtes Bild, die
ganze Organismenwelt aber als das Ergebnis
unzähliger verschiedener Kombinationen und
Permutationen von relativ wenigen Faktoren.
Diese Faktoren sind die Einheiten, welche die
Wissenschaft von der Vererbung zu erforschen
hat. Wie die Physik und die Chemie auf die Moleküle und die Atome zurückgehen, so haben die
biologischen Wissenschaften zu diesen Einheiten
durchzudringen, um aus ihren Verbindungen die
Erscheinungen der lebenden Welt zu erklären.
    Hugo de Vries[93]

Während Darwin im Frühjahr 1856 sein Werk über Evolution zu
schreiben begann, beschloss Gregor Mendel nach Wien zurückzukehren, um erneut die Lehramtsprüfung zu versuchen, die er 1850 nicht

bestanden hatte.[94] Diesmal war er zuversichtlicher. Zwei Jahre lang hatte Mendel an der Universität Wien Physik, Chemie, Geologie, Botanik und Zoologie studiert, war 1853 ins Kloster zurückgekehrt und hatte als Aushilfslehrer an der Oberrealschule Brünn unterrichtet. Da die Mönche, die diese Schule leiteten, es mit Prüfungen und Qualifikationen genau nahmen, war es an der Zeit, das Examen noch einmal zu versuchen. Mendel meldete sich also zur Prüfung an.

Unglücklicherweise verlief auch dieser zweite Versuch katastrophal. Mendel war krank, wahrscheinlich vor Angst. Er traf mit Kopfschmerzen und schlecht gelaunt in Wien ein – und stritt sich schon am ersten der drei Prüfungstage mit dem Botanikprüfer. Worum es bei dieser Auseinandersetzung ging, ist nicht bekannt, wahrscheinlich um Artenbildung, Variation und Vererbung. Mendel beendete die Prüfung gar nicht erst, sondern kehrte nach Brünn zurück und fand sich mit seinem Los als Hilfslehrer ab. Er versuchte nie wieder, die Zulassung zum Lehramt zu erwerben.

• • •

Im Spätsommer beschloss Mendel, von der nicht bestandenen Prüfung immer noch angeschlagen, Erbsen zu säen. Es war nicht das erste Mal, denn er hatte schon seit drei Jahren Erbsen im Treibhaus gezüchtet. Aus Samenhandlungen hatte er 34 Erbsensorten bezogen und durch Proben »reinerbige« Sorten ausgewählt, das heißt solche, deren Erbsenpflanzen jeweils identische Nachkommen mit derselben Blütenfarbe und Samenbeschaffenheit hervorbrachten. Ein seit langem bestehendes Interesse der Bauern in Brünn und Umgebung an Züchtungen half Mendel bei seinen Forschungen. Auch Abt Cyril Knapp interessierte sich für die Kreuzungsversuche. Diese Sorten »gaben durchaus gleiche und constante Nachkommen«, schrieb er.[95] Gleiches brachte also Gleiches hervor. Damit verfügte er über das Grundmaterial für sein Experiment.

Die reinerbigen Erbsenpflanzen besaßen klar unterscheidbare Merkmale, die erblich und variant waren. Separat gezüchtet brachten langstängelige Sorten nur hohe Pflanzen hervor, kurzstängelige nur niedrige. Manche Sorten produzierten nur glatte Samen, andere nur kantige, runzelige. Die unreifen Hülsen waren entweder grün oder lebhaft gelb, die reifen gleichmäßig gewölbt oder tief eingeschnürt. Mendel führte sieben solcher Merkmale reinerbiger Pflanzen auf:

1. Samengestalt (glatt oder runzelig);
2. Samenfarbe (gelb oder grün);
3. Blütenfarbe (weiß oder violett);
4. Blütenstellung (endständig oder achsenständig);
5. Hülsenfarbe (grün oder gelb);
6. Hülsenform (glatt oder eingeschnürt);
7. Pflanzenhöhe (hoch oder niedrig).

Jedes Merkmal kam in mindestens zwei Ausprägungen vor, wie Mendel anmerkte. Es war, als ob es dasselbe Wort in zwei alternativen Schreibweisen oder eine Jacke in zwei verschiedenen Farben gebe. (Mendel experimentierte nur mit zwei Varianten für jedes Merkmal, obwohl es in der Natur möglicherweise mehr Ausprägungen gab, etwa Pflanzen, die weiße, purpurrote, malvenfarbene oder gelbe Blüten haben konnten.) Später bezeichneten Biologen diese Varianten als *Allele* (abgeleitet von dem griechischen Wort *allos*), die, grob ausgedrückt, für zwei verschiedene Untertypen derselben übergeordneten Kategorie stehen. Purpur und Weiß sind zwei Allele desselben Merkmals: der Blütenfarbe. Lang und kurz sind Allele einer anderen Eigenschaft: der Pflanzenhöhe.

Die reinerbigen Pflanzen waren jedoch nur der Ausgangspunkt seiner Experimente. Mendel wusste, dass er Hybriden züchten musste, wenn er die Vererbungsmechanismen aufklären wollte; denn nur ein »Bastard« (wie deutsche Botaniker experimentelle Hybriden früher nannten) konnte die Beschaffenheit der Reinerbigkeit offenbaren. Entgegen späteren Einschätzungen war er sich der weitreichenden Auswirkungen seiner Studie vollauf bewusst:[96] Sie schien ihm »der einzig richtige Weg zu sein, auf dem endlich die Lösung einer Frage erreicht werden kann, welche für die Entwicklungs-Geschichte der organischen Formen von nicht zu unterschätzender Bedeutung ist«.[97]

Innerhalb von zwei Jahren hatte Mendel erstaunlicherweise so viele Proben produziert, dass er einige der wichtigsten Erbmerkmale untersuchen konnte. Mendels Frage lautete, einfach ausgedrückt: Wenn er eine hohe Pflanze mit einer niedrigen kreuzte, würde daraus eine mittelgroße Pflanze erwachsen? Würden die beiden Allele – für kurze und lange Stängel – verschmelzen?

Die Zucht von Hybriden war eine mühsame Arbeit. Erbsen sind in der Regel selbstbestäubend. Die Staubgefäße reifen im spangenförmigen Schiffchen der Blüte, und die Pollen aus den Staubgefäßen bestäuben direkt die eigene Narbe. Die für Kreuzungen notwendige Fremdbefruchtung erfolgte völlig anders. Um Hybriden zu züchten, musste Mendel zunächst jede Blüte durch Entfernen der Staubbeutel sterilisieren und dann den orangeroten Pollenstaub von einer Blüte auf eine andere übertragen. Er arbeitete allein und beschnitt und bestäubte die Blüten mit Pinzette und Pinsel. Seinen Hut hängte er an eine Äolsharfe, so dass bei jedem seiner Aufenthalte im Garten ein einzelner kristallklarer Ton erklang. Das war seine einzige Musik.

Es ist schwer abzuschätzen, wie viel die anderen Mönche der Abtei über Mendels Experimente wussten oder inwieweit sie sich dafür interessierten. Anfang der 1850er Jahre hatte Mendel eine gewagtere Variation dieses Experiments mit weißen und grauen Feldmäusen in Angriff genommen. Er hatte in seiner Zelle – meist im Geheimen – Mäusehybriden zu züchten versucht. Aber der Abt, der Mendels Launen im Allgemeinen tolerant gegenüberstand, hatte interveniert: Ein Mönch, der Mäuse zur Paarung animierte, um die Vererbung zu erforschen, war selbst für die Augustiner ein bisschen zu gewagt. So hatte Mendel sich den Pflanzen zugewandt und seine Experimente ins Gewächshaus verlegt. Der Abt hatte es gebilligt. Bei Mäusen zog er eine Grenze, aber gegen Erbsen hatte er nichts einzuwenden.

• • •

Im Spätsommer 1857 blühten im Klostergarten die ersten Hybriden üppig violett und weiß.[98] Mendel notierte die Blütenfarben, und als die Schoten an den Ranken hingen, schnitt er sie auf und untersuchte die Samen. Nun versuchte Mendel es mit neuen Kreuzungen – aus hohen mit niedrigen, gelben mit grünen, glatten mit runzeligen Sorten. In einem weiteren Geistesblitz kreuzte er einige Hybriden miteinander und machte Hybriden aus Hybriden. Diese Experimente setzte er acht Jahre lang fort. Mittlerweile hatten sich die Erbsenpflanzen vom Gewächshaus auf ein Stück Land neben dem Kloster ausgedehnt – ein dreißig mal sechs Meter großes Beet gleich neben dem Refektorium, das er von seiner Zelle aus im Blick hatte. Wenn der Wind die Läden vor seinem Fenster aufwehte, war es, als ob seine ganze Zelle sich in ein Riesenmikroskop verwandelte. Mendels Notizbuch füllte sich mit Tabellen, Daten und Aufzeichnungen über Tausende von Kreuzungen. Vom Aushülsen der Erbsen wurden seine Daumen taub.

»Welch ein kleiner Gedanke doch ein ganzes Leben füllen kann«, schrieb der Philosoph Ludwig Wittgenstein.[99] Auf den ersten Blick schien Mendels Leben tatsächlich von den kleinsten Gedanken erfüllt zu sein. Säen, bestäuben, pflücken, aushülsen, zählen und wieder von vorn anfangen – ein unendlich langweiliger Prozess. Aber kleine Gedanken erblühten oft zu großen Prinzipien, wie Mendel wusste. Wenn die wissenschaftliche Revolution, die im 18. Jahrhundert durch Europa gefegt war, ein Vermächtnis hinterlassen hatte, dann war es die Erkenntnis, dass die Gesetze, die sich durch die Natur zogen, gleichbleibend und allgemeingültig waren. Die Kraft, die Newtons Apfel vom Ast auf seinen Kopf beförderte, war dieselbe, die Planeten auf ihrer Himmelsbahn lenkte. Wenn auch die Vererbung einem universellen Naturgesetz folgte, dann beeinflusste sie wahrscheinlich die Entstehung von Erbsen ebenso wie die der Menschen. Mendels Gartenbeet mochte klein sein – aber er setzte dessen Größe nicht mit der seiner wissenschaftlichen Ambitionen gleich.

»Die Versuche gehen, wie es nicht anders sein kann, nur langsam vorwärts«, schrieb Mendel. »Anfangs gehört einige Geduld dazu, doch später macht sich die Sache schon besser, wenn mehrere Versuche gleichzeitig im Gange sind.«[100] Die parallele Züchtung zahlreicher verschiedener Kreuzungen beschleunigte das Sammeln der Daten, und nach und nach zeichneten sich Muster ab – unerwartete Konstanz, gleichbleibende Verhältnisse, numerische Rhythmen. Endlich war er der inneren Logik der Vererbung auf der Spur.

• • •

Das erste Muster war leicht zu erkennen. In der ersten Hybridengeneration mischten sich die einzelnen erblichen Merkmale – lange oder kurze Stängel und grüne oder gelbe Samen – gar nicht. Eine hohe Erbsensorte, die mit einer niedrigen gekreuzt wurde, brachte *ausnahmslos* hohe Pflanzen hervor. Aus rundsamigen Sorten, die mit solchen mit runzeligen Samen gekreuzt wurden, gingen *ausschließlich* Pflanzen mit runden Erbsen hervor. Alle sieben untersuchten Merkmale folgten diesem Muster, statt eine Mittelform auszubilden. »Jedes von den 7 Hybriden-Merkmalen gleicht dem einen der beiden Stamm-Merkmale«, schrieb Mendel. Diese sich durchsetzenden Merkmale bezeichnete er als *dominierend* (oder *dominant*, wie man es mittlerweile nennt), die verschwundenen als *rezessiv*.[101] Hätte Mendel seine Versuche an diesem Punkt eingestellt, hätte er bereits einen wesentlichen Beitrag zu einer Vererbungstheorie geleistet. Die Existenz dominanter und rezessiver Allele eines Merkmals widersprach den im 19. Jahrhundert vorherrschenden Theorien einer mischenden Vererbung: Die von Mendel gezüchteten Hybriden wiesen keine Mischformen der untersuchten Merkmale auf. Bei ihnen hatte sich jeweils nur ein Allel durchgesetzt und die andere Variante verdrängt.

Aber wohin war das rezessive Merkmal verschwunden? Hatte das dominante Allel es vernichtet oder eliminiert? Mendel vertiefte seine Analyse durch einen weiteren Versuch. Er züchtete aus zwei Kurz-lang-Hybriden eine dritte Pflanzengeneration. Da bei der Stängellänge die lange Variante dominant war, waren die Stammpflanzen bei diesem Experiment ausnahmslos hochwüchsig, während das rezessive Merkmal verschwunden war. Als Mendel sie miteinander kreuzte, erhielt er jedoch ein völlig unerwartetes Resultat. Bei manchen Kreuzungen dieser dritten Generation tauchte die kurze Stängelform – klar ausgeprägt – wieder auf, nachdem sie in der vorigen Generation verschwunden war.[102] Dasselbe Muster war bei allen sieben untersuchten Merkmalen zu beobachten. Weiße Blüten fehlten in der zweiten Generation, also bei den ersten Hybriden, waren aber in der dritten bei manchen Pflanzen wieder zu finden. Mendel erkannte, dass ein »hybrider« Organismus sich tatsächlich aus einem sichtbaren, dominanten Allel und einem latenten rezessiven Allel zusammensetzte (er bezeichnete diese Varianten als *Formen*; das Wort *Allel* prägten Genetiker erst im 20. Jahrhundert).

Anhand der Mengenverhältnisse zwischen den verschiedenen Ausformungen von Nachkommen, die jede Kreuzung hervorbrachte, begann Mendel, ein Modell zu entwickeln, das die Vererbung der Merkmale erklärte.* Jedes Merkmal wurde nach Mendels Modell von einem unabhängigen, unteilbaren Informationspartikel bestimmt. Diese Teilchen gab es jeweils in zwei Varianten oder Allelen: kurz oder lang (für die Stängellänge), weiß oder violett (für die Blütenfarbe) usw. Jede Pflanze erbte von jeder Elternpflanze jeweils ein Allel – eines vom Vater über das Spermium und eines von der Mutter über die Eizelle. Wenn eine Hybride gezeugt wurde, blieben beide Formen des Merkmals vollständig erhalten, auch wenn sich nur eines in der Ausprägung durchsetzte.

• • •

Von 1857 bis 1864 hülste Mendel einen Scheffel Erbsen nach dem anderen aus und erfasste die Merkmale jeder Hybridkreuzung gewissenhaft in Tabellen (»gelbe Samen, grüne Keimblätter, weiße Blü-

---

* Mehrere Statistiker, die Mendels Originaldaten überprüften, warfen ihm vor, die Daten gefälscht zu haben. Seine Zahlen und Verhältnisse waren nicht nur akkurat, sondern allzu perfekt. Es war, als sei er bei seinen Versuchen auf keinerlei statistische oder natürliche Fehler gestoßen – eine Unmöglichkeit. Rückblickend ist es unwahrscheinlich, dass Mendel seine Studien gezielt fälschte. Wahrscheinlicher ist, dass er aufgrund frühester Experimente eine Hypothese entwickelte und spätere Versuche nutzte, um diese zu erhärten: Sobald Versuche die erwarteten Werte und Verhältnisse bestätigt hatten, hörte er einfach auf, die Erbsen zu zählen und zu erfassen. Diese unkonventionelle, aber zu seiner Zeit keineswegs unübliche Methode spiegelte Mendels wissenschaftliche Naivität wider.

ten«). Die Ergebnisse blieben auffallend stimmig. Das kleine Beet im Klostergarten produzierte eine überwältigende Datenfülle, die es zu analysieren galt – 28000 Pflanzen, 40000 Blüten und annähernd 400000 Samen. »Es gehört allerdings einiger Muth dazu, sich einer so weit reichenden Arbeit zu unterziehen«, schrieb Mendel später.[103] *Mut* ist hier wohl nicht das richtige Wort. Mehr noch als Mut tritt in dieser Arbeit eine andere Eigenschaft zutage, die man nur als *Fürsorglichkeit* beschreiben kann.

Dieser Begriff wird gewöhnlich nicht mit Wissenschaft und Wissenschaftlern in Verbindung gebracht. In ihm schwingt sowohl die hegende und pflegende Tätigkeit des Bauern oder Gärtners mit, der sich um seine Pflanzen kümmert, als auch die Sorge, mit der er eine Erbsenranke zur Sonne wendet oder an einem Rankgitter ausrichtet. Mendel war in erster Linie Gärtner. Sein genialer Geist war nicht von eingehenden Kenntnissen der biologischen Konventionen getrieben (zum Glück war er zweimal durch die Prüfung gefallen). Vielmehr brachte ihn sein Gespür für den Garten, gepaart mit einer scharfen Beobachtungsgabe – die mühevolle Bestäubung bei den Kreuzungsversuchen, die sorgfältige Auflistung der Keimblattfarben –, bald zu Ergebnissen, die sich durch die traditionelle Vererbungslehre nicht erklären ließen.

Mendels Versuche zeigten, dass die Vererbung nur durch die Weitergabe *eigenständiger Informationsteilchen von den Eltern an die Nachkommen* zu erklären war. Das Spermium trug ein Exemplar dieser Information (ein Allel) bei, die Eizelle das andere; ein Organismus erbte also von jedem Elternteil ein Allel. Wenn dieser Organismus Spermien und Eizellen produzierte, wurden die Allele wieder aufgeteilt – eines gab er an das Spermium weiter, das andere an die Eizelle –, nur um sie in der nächsten Generation wieder zu verbinden. Waren beide Allele vorhanden, so konnte eines das andere »dominieren«. Neben dem dominanten Allel schien das rezessive zu verschwinden, erhielt eine Pflanze aber zwei rezessive Allele, prägte sich dessen Merkmalsform wieder aus. Die in einem einzelnen Allel enthaltene Information war durchgängig unteilbar. Die Teilchen selbst blieben intakt.

Dopplers Beispiel fiel Mendel wieder ein: Hinter Lärm steckte Musik, hinter scheinbarer Gesetzlosigkeit standen Gesetze, und nur ein zutiefst künstliches Experiment – Hybriden aus reinerbigen Sorten mit einfachen Merkmalen zu züchten – konnte diese zugrundeliegenden Muster zutage fördern. Hinter der enormen Variantenvielfalt natürlicher Organismen – lang, kurz, runzelig, glatt, grün, gelb, braun – standen Korpuskel der Erbanlagen, die von einer Generation an die nächste weitergegeben wurden. Jedes Merkmal entsprach einer – eigenständigen, separaten und unauslöschlichen – Einheit der Vererbung. Mendel gab ihr zwar keinen Namen, hatte aber die grundlegenden Merkmale eines Gens entdeckt.*

• • •

Am 8. Februar 1865, sieben Jahre nachdem Darwin und Wallace ihre Aufsätze zur Evolutionstheorie der Linnean Society in London präsentiert hatten, trug Mendel seine Arbeit in zwei Teilen einem erheblich weniger illustren Forum vor:[104] Er sprach zu den Bauern, Botanikern und Biologen des naturforschenden Vereins in Brünn (den zweiten Teil verlas er einen Monat später, am 8. März). Über diesen historischen Moment gibt es nur wenige Aufzeichnungen. In dem kleinen Saal waren etwa vierzig Zuhörer versammelt. Mit Dutzenden Tabellen und obskuren Symbolen für Merkmale und Varianten war dieser Aufsatz selbst für Statistiker eine Herausforderung. Biologen mag er als Kau-

---

* War Mendel klar, dass er allgemeine Gesetzmäßigkeiten der Vererbung aufzudecken versuchte? Oder wollte er lediglich die Beschaffenheit von Erbsenhybriden verstehen, wie manche behaupten? Die Antwort ist möglicherweise in Mendels Papieren zu finden. Unstrittig ist, dass ihm die Existenz eines »Gens« völlig unbekannt war. Nach seinen eigenen Darlegungen dienten die Experimente dazu, »die Beziehungen zu erkennen, in welchen die Hybridformen zu einander selbst und zu ihren Stammarten stehen« und die »Einheit im Entwicklungsplane des organischen Lebens« zu begreifen. Wenn ich dies lese, kann ich das Argument nicht nachvollziehen, er sei sich der weitreichenden Implikationen seiner Studie nicht bewusst gewesen: Vielmehr versuchte er, die stoffliche Grundlage und die Gesetzmäßigkeiten der Vererbung zu entschlüsseln.

derwelsch erschienen sein. Botaniker befassten sich in der Regel mit Morphologie, nicht mit Numerologie. Samen- und Blütenvarianten bei zigtausend Hybridpflanzen zu zählen muss Mendels Zeitgenossen verwirrt haben; die Vorstellung versteckter mystischer »Zahlenharmonien« in der Natur war mit Pythagoras aus der Mode gekommen. Kaum hatte Mendel seinen Vortrag beendet, erhob sich ein Botanikprofessor, um Darwins *Entstehung der Arten* und die Evolutionstheorie zu erörtern. Niemand im Publikum sah einen Zusammenhang zwischen den beiden Themen. Selbst wenn Mendel sich über eine mögliche Verbindung zwischen seinen »Elementen der Vererbung« und der Evolution im Klaren gewesen sein sollte – seine früheren Notizen enthielten eindeutige Hinweise, dass er einen solchen Zusammenhang gesucht hatte –, machte er zu diesem Thema keine ausdrücklichen Aussagen.

Mendels Aufsatz wurde in den jährlich erscheinenden *Verhandlungen des naturforschenden Vereins* veröffentlicht. Der wortkarge Mendel fasste sich in seiner Schrift knapp und präzise: Die Arbeit von nahezu zehn Jahren verdichtete er auf einen bemerkenswert langweiligen Text von 47 Seiten. Die Royal Society und die Linnean Society in London erhielten ebenso Exemplare wie die Smithsonian Institution in Washington und Dutzende weitere Einrichtungen. Mendel forderte selbst vierzig nachgedruckte Exemplare an, die er mit ausführlichen Anmerkungen versah und an zahlreiche Wissenschaftler schickte. Wahrscheinlich sandte er auch eines an Darwin, es gibt jedoch keinerlei Nachweis, dass dieser den Aufsatz gelesen hätte.[105]

Es folgte »die seltsamste Stille in der Geschichte der Biologie«, wie ein Genetiker es ausdrückte.[106] Von 1866 bis 1900 wurde Mendels Aufsatz lediglich viermal zitiert und ging damit in der Fachliteratur praktisch unter. Obwohl Fragen zur und Sorgen um die menschliche Vererbung und deren Manipulation von 1890 bis 1900 Politiker in den Vereinigten Staaten und Europa vermehrt beschäftigten, blieben Mendels Name und Werk der Welt unbekannt. Die grundlegende Studie der modernen Biologie lag vergraben in einer obskuren Zeitschrift eines ebenso obskuren Naturforschervereins, die überwiegend von

Pflanzenzüchtern in einer niedergehenden mitteleuropäischen Stadt
gelesen wurde.

...

Am Silvestertag 1866 schrieb Mendel dem Schweizer Botaniker Carl
von Nägeli in München einen Brief mit einer Beschreibung seiner
Versuche. Nägeli antwortete erst nach zwei Monaten – schon diese
Verzögerung signalisierte Distanz – höflich, aber unterkühlt. Der renommierte Botaniker hielt nicht viel von Mendels Arbeit. Er stand
Amateurforschern instinktiv misstrauisch gegenüber und machte zu
Mendels Brief die erstaunlich abfällige Randbemerkung: »Die Formeln
dürften Sie wohl ebenfalls für empirisch halten, da dieselben als ratio-
nelle nicht zu erweisen wären« – als ob empirisch abgeleitete Gesetze
schlechter seien als durch menschliche »Vernunft« neu erdachte.[107]
Mendel hakte in weiteren Briefen nach. Nägeli war der Fachkollege,
an dessen Respekt Mendel am meisten gelegen war – und seine Briefe
an ihn nahmen einen beinahe inständigen, verzweifelten Ton an: »Es
war mir nicht unbekannt, dass das erhaltene Resultat mit dem heutigen Stande der Wissenschaft nicht leicht in Einklang zu bringen sei,
und dass bei diesem Umstande die Veröffentlichung eines vereinzelt
stehenden Experimentes doppelt gefährlich werden könne.«[108] Nägeli
blieb jedoch vorsichtig, abschätzig und häufig brüsk. Die Möglichkeit,
dass Mendel durch tabellarische Erfassung von Erbsenhybriden ein
grundlegendes Naturgesetz hergeleitet haben könnte, erschien ihm
absurd und geradezu abwegig. Wenn Mendel an die Priesterschaft
glaubte, sollte er dabei bleiben; Nägeli glaubte an die Priesterschaft
der Wissenschaft.

Nägeli erforschte eine andere Pflanze – das gelb blühende Habichtskraut *(Hieracium)* – und drängte Mendel, seine Ergebnisse daran zu reproduzieren. Die Wahl dieses Forschungsobjekts erwies sich
als katastrophal. Mendel hatte sich nach reiflicher Überlegung für
Erbsen entschieden: Sie pflanzten sich geschlechtlich fort, brachten
klar erkennbare Merkmalsvarianten hervor und ließen sich mit der
gebotenen Sorgfalt bestäuben, um sie zu kreuzen. Das Habichtskraut

konnte sich ungeschlechtlich fortpflanzen – was Mendel wie auch Nägeli nicht wussten. Eine gezielte Fremdbestäubung war praktisch unmöglich, und Hybriden kamen nur selten zustande. Die Resultate der Kreuzungsversuche waren, wie nicht anders zu erwarten, ein Fiasko.

Mendel versuchte, einen Sinn in den Daten der Habichtskrauthybriden (die keine waren) zu finden, konnte aber keines der bei Erbsen beobachteten Muster entdecken. Von 1867 bis 1871 strengte er sich mehr an, baute auf einem anderen Beet Tausende Habichtskräuter an, sterilisierte die Blüten mit derselben Pinzette und bestäubte sie mit demselben Pinsel. Seine Briefe an Nägeli klangen immer entmutigter. Gelegentlich antwortete Nägeli ihm, aber nur selten und in herablassendem Ton. Ihm stand nicht der Sinn nach dem zunehmend verrückter werdenden Gefasel eines autodidaktischen Mönchs aus Brünn.

Im November 1873 schrieb Mendel einen letzten Brief an Nägeli.[109] Voller Bedauern teilte er ihm mit, er habe die Versuche nicht abschließen können. Da er mittlerweile Abt des Klosters in Brünn geworden sei, machten Verwaltungspflichten es ihm unmöglich, seine Pflanzenstudien fortzusetzen: »Ich fühle mich wahrhaft unglücklich, dass ich meine Pflanzen ... so gänzlich vernachlässigen muss.«[110] Die Wissenschaft geriet ins Hintertreffen. Abgaben lasteten auf dem Kloster. Neue Prälaten waren zu ernennen. Rechnung für Rechnung, Brief für Brief erstickte Mendels Forschergeist allmählich in der Verwaltungsarbeit.

Mendel schrieb nur einen bedeutenden Aufsatz über Erbsenhybriden. In den 1880er Jahren ließ seine Gesundheit nach, und er schränkte sein Arbeitspensum allmählich ein – nicht aber seine geliebte Gartenarbeit. Am 6. Januar 1884 starb er in Brünn an Nierenversagen.[111] In der örtlichen Tageszeitung erschien ein Nachruf, der seine empirischen Studien jedoch mit keinem Wort erwähnte. Treffender war vielleicht die kurze Notiz eines jüngeren Klosterbruders:»Milde mit offener Hand und liebreich zu allen, die kamen, ... Blumen machten ihn froh.«[112]

»Ein gewisser Mendel«

Die Entstehung der Arten ist ein Natur-
phänomen.

Jean-Baptiste Lamarck[113]

Die Entstehung der Arten ist ein Unter-
suchungsgegenstand.

Charles Darwin

Die Entstehung der Arten ist ein Gegenstand experimenteller Forschung.

Hugo de Vries

Im Sommer 1878 reiste ein dreißigjähriger niederländischer Botaniker namens Hugo de Vries nach England, um Darwin aufzusuchen.[114] Es handelte sich eher um eine Wallfahrt als um den Besuch eines Fachkollegen. Darwin verbrachte gerade einen Urlaub auf dem Landsitz seiner Schwester in Dorking, aber de Vries machte ihn ausfindig und reiste ihm nach. Schon damals sah de Vries aus wie eine jüngere Version seines Idols: hager, ernst, reizbar, mit stechendem Rasputin-Blick und einem ähnlichen Bart, wie Darwin ihn trug. Auch besaß er Darwins Beharrlichkeit. Die Begegnung verlief wohl anstrengend, denn nach nur zwei Stunden musste Darwin sich entschuldigen, um sich auszuruhen. Aber de Vries verließ England als anderer Mensch. Dieses eine kurze Gespräch mit Darwin hatte genügt, seinem blitzenden Geist für immer eine andere Ausrichtung zu geben. Zurück in Amsterdam beendete de Vries abrupt seine Arbeiten zur Rankenbewegung von Pflanzen und stürzte sich in die Erforschung der Geheimnisse der Vererbung.

Im ausgehenden 19. Jahrhundert war das Problem der Vererbung für Biologen von einer ähnlich mystisch-glamourösen Aura umgeben wie Fermats letzter Satz für Mathematiker. Der seltsame französische Mathematiker hatte in einer handschriftlichen Randnotiz in einem Buch vermerkt, er habe einen »wunderbaren Beweis« für sein Theorem gefunden, hatte ihn aber nicht aufgeschrieben, weil »dieser Rand hier zu schmal« sei;[115] ganz ähnlich hatte Darwin beiläufig angemerkt, er habe eine Lösung des Vererbungsproblems gefunden, die er jedoch nie veröffentlicht hatte. »In einem zweiten Werke werde ich die Variabilität organischer Wesen im Naturzustande erörtern«, hatte er 1868 angekündigt.[116]

Darwin war sich darüber im Klaren, dass eine Vererbungstheorie entscheidend für die Evolutionstheorie war: Ohne eine Möglichkeit, Variationen hervorzubringen und über Generationen hinweg zu fixieren, gäbe es keinen Mechanismus, über den ein Organismus neue Merkmale ausbilden könnte. Aber ein weiteres Jahrzehnt war vergangen, und Darwin hatte das angekündigte Werk über die Entstehung der »Variabilität organischer Wesen« nie veröffentlicht. Er starb 1882, vier Jahre nach dem Besuch von Hugo de Vries.[117] Eine Generation junger Biologen durchstöberte nun Darwins Werke auf der Suche nach Hinweisen auf diese verlorengegangene Theorie.

Auch de Vries studierte eingehend Darwins Werke und stieß auf die Pangenesistheorie, gemäß der »Informationspartikel« des Körpers irgendwie gesammelt und in Sperma und Eizellen zusammengetragen würden. Die Vorstellung, dass von Zellen Botschaften ausgingen und in Spermien wie ein Handbuch zum Bau eines Organismus zusammengestellt würden, erschien jedoch äußerst abwegig; es war geradezu, als ob Spermien das Buch des Menschen zu schreiben versuchten, indem sie Telegramme sammelten.

Zudem mehrten sich experimentelle Belege, die gegen die Pangenesis und die Keimchen sprachen. Mit grimmiger Entschlossenheit hatte der deutsche Embryologe August Weismann in den 1880er Jahren ein Experiment durchgeführt, das sich unmittelbar gegen Darwins Keimchentheorie der Vererbung richtete.[118] Weismann hatte über fünf Generationen hinweg Mäusen chirurgisch die Schwänze entfernt und sie gezüchtet, um festzustellen, ob die Nachkommen schwanzlos zur Welt kämen. Aber die Mäuse waren – mit gleichbleibender Hartnäckigkeit – Generation für Generation mit vollständigen Schwänzen geboren worden. Falls es solche Keimchen gäbe, müsste eine Maus mit chirurgisch entferntem Schwanz eine schwanzlose Maus hervorbringen. Insgesamt hatte Weismann nacheinander 901 Tieren den Schwanz entfernt, die immer wieder Mäuse mit völlig normalem – gegenüber den ursprünglichen Tieren nicht einmal geringfügig kürzerem – Schwanz hervorgebracht hatten. So schaurig dieses Experiment auch gewesen sein mag, belegte es doch, dass Darwin und Lamarck nicht recht haben konnten.

Weismann hatte eine radikale Alternative vorgeschlagen: Vielleicht war die Erbinformation *ausschließlich* in Samen- und Eizellen enthalten, ohne dass es einen unmittelbaren Mechanismus zur Weitergabe eines erworbenen Merkmals an die Keimzellen gab. So sehr die Vorfahren der Giraffen ihren Hals auch gereckt haben mochten, hatten sie diese Information doch nicht an ihr Erbmaterial weitergeben können. Weismann bezeichnete dieses Erbmaterial als *Keimplasma* und vertrat die Ansicht, nur auf diesem Wege könne ein Organismus einen anderen Organismus hervorbringen.[119] Tatsächlich lasse sich die gesamte Evolution als vertikale Weitergabe von Keimplasma von einer Generation an die nächste sehen: Ein Ei sei die einzige Möglichkeit, wie ein Huhn Information an ein anderes weitergeben könne.

• • •

Aber wie war das Keimplasma materiell beschaffen, fragte sich de Vries. War es wie Farbe, ließ es sich mischen und verdünnen? Oder wurde die Information im Keimplasma in separaten Päckchen weitergegeben wie eine ungebrochene und nicht aufzubrechende Botschaft? De Vries war damals noch nicht auf Mendels Aufsatz gestoßen, begann aber in der Umgebung von Amsterdam, ebenso wie Mendel merkwürdige Pflanzenvarianten zu sammeln – nicht nur Erbsen, sondern ein umfangreiches Herbarium von Exemplaren mit gewundenen Stängeln, geteilten Blättern, gefleckten Blüten, behaarten Staubbeuteln und keulenförmigen Samen: ein Monstrositätenkabinett. Als er diese Varietäten mit normalen Pflanzen kreuzte, stellte er wie Mendel fest, dass abweichende Merkmale nicht durch Mischung nach und nach verschwanden, sondern in unterscheidbarer, eigenständiger Form von einer Generation zur nächsten erhalten blieben. Jede Pflanze schien eine ganze Kollektion von Merkmalen – Blütenfarbe, Blattform, Samengestalt – zu besitzen, die jeweils in einem eigenständigen, unterscheidbaren Informationsteilchen codiert waren und von einer Generation an die nächste weitergegeben wurden.

Noch immer fehlte de Vries Mendels entscheidende Erkenntnis – jener mathematische Geistesblitz, der Mendels Versuche mit Erbsenhybriden 1865 geprägt hatte. Anhand seiner eigenen Pflanzenhybriden konnte de Vries grob herleiten, dass variante Merkmale wie die Stängelgröße durch unteilbare Informationsteilchen codiert waren. Aber wie viele Partikel waren für die Codierung eines abweichenden Merkmals notwendig? Eins? Hundert? Tausend?

In den 1880er Jahren ging de Vries – der Mendels Arbeit immer noch nicht kannte – allmählich dazu über, seine Pflanzenexperimente stärker quantitativ zu beschreiben. In seinem bahnbrechenden Aufsatz über »erbliche Monstrositäten« analysierte de Vries seine Daten und schloss daraus, dass jedes Merkmal von einem einzigen Informationspartikel bestimmt werde.[120] Jede Hybride erbte zwei solcher Teilchen, eines vom Spermium, das andere von der Eizelle, und gab sie über die Keimzellen intakt an die nächste Generation weiter. Es kam nie zu einer Mischung, und keine Information ging verloren. Diese Partikel nannte er »Pangene«, ein Begriff, der seiner Herkunft widersprach:[121] Obwohl de Vries Darwins Pangenesistheorie gründlich widerlegt hatte, huldigte er seinem Mentor damit ein letztes Mal.

• • •

Als de Vries noch knietief in der Erforschung von Pflanzenhybriden steckte, schickte ein Freund ihm im Frühjahr 1900 eine alte Zeitschrift, die er in seiner Bibliothek ausgegraben hatte:»Ich weiß, dass Sie Hybriden untersuchen«, schrieb er,»daher ist der beiliegende Artikel eines gewissen Mendel von 1865 ... für Sie vielleicht noch von einem gewissen Interesse.«[122]

Man kann sich unschwer vorstellen, wie de Vries an einem grauen Märzmorgen in seinem Arbeitszimmer in Amsterdam den Artikel aufschlug und den ersten Absatz überflog. Beim Lesen muss ihm jener unausweichliche kalte Schauer eines Déjà-vu-Erlebnisses über den Rücken gelaufen sein: Dieser »gewisse Mendel« war ihm eindeutig um mehr als dreißig Jahre zuvorgekommen. In Mendels Aufsatz entdeckte de Vries eine Antwort auf seine Frage, eine vollkommene Untermauerung seiner eigenen Experimente – und sah seine Originalität in Frage gestellt. Offenbar musste er die gleiche alte Geschichte erleben wie Darwin und Wallace: Ein anderer hatte bereits die wissenschaftliche Entdeckung gemacht, von der de Vries gehofft hatte, sie für sich beanspruchen zu können. In einem Anflug von Panik gab er im März 1900 in aller Eile seine Schrift über Pflanzenhybriden in Druck und unterließ es dezidiert, Mendels frühere Arbeit zu erwähnen. Vielleicht hatte ja die Welt einen »gewissen Mendel« und seine Arbeit mit Erbsenhybriden in Brünn vergessen.»Bescheidenheit ist eine Tugend«, schrieb de Vries später,»aber ohne sie kommt man weiter.«[123]

• • •

De Vries war nicht der einzige, der Mendels Idee unabhängiger, unteilbarer Erbinformationen wiederentdeckte. Im selben Jahr, in dem de Vries seine umfangreiche Studie zu Pflanzenhybriden veröffentlichte, brachte der Botaniker Carl Correns in Tübingen eine Untersuchung zu Erbsen- und Maishybriden heraus, die Mendels Ergebnisse präzise rekapitulierte.[124] Ironischerweise hatte Correns bei Nägeli in München studiert. Aber sein Professor – der Mendel für einen versponnenen

Dilettanten hielt – hatte ihm nie von den umfangreichen Briefen über Erbsenhybriden erzählt, die er von einem »gewissen Mendel« erhalten hatte.

So züchtete Correns in seinen Versuchsgärten in München und Tübingen mühsam Kreuzungen aus hohen und niedrigen Pflanzen und aus deren Hybriden – ohne zu ahnen, dass er lediglich Mendels frühere Arbeit systematisch wiederholte. Als Correns seine Versuche abgeschlossen hatte und bereit war, seine Arbeit zu veröffentlichen, durchstöberte er erneut die Bibliothek und fand Hinweise auf seine wissenschaftlichen Vorläufer. Dabei stolperte er über Mendels Aufsatz in der Zeitschrift aus Brünn.

In Wien – jener Stadt, in der Mendel 1856 seine Prüfung nicht bestanden hatte – entdeckte ein weiterer junger Botaniker, Erich von Tschermak-Seysenegg, ebenfalls Mendels Regeln wieder. Tschermak hatte in Halle und Gent studiert und dort bei seinen Forschungen über Erbsenhybriden ebenfalls Erbmerkmale beobachtet, die sich unabhängig und klar unterscheidbar wie Partikel über Generationen von Hybriden fortpflanzten. Er war der jüngste dieser drei Forscher und hatte von zwei Parallelstudien erfahren, die seine Ergebnisse erhärteten. Bei der erneuten Durchsicht der Fachliteratur war er dann auf Mendel gestoßen und auch ihm war der Schauer eines Déjà-vu-Erlebnisses über den Rücken gekrochen, als er die einleitenden Passagen von Mendels Aufsatz gelesen hatte. »Ich habe das alles für etwas Neues gehalten«, schrieb er später mit mehr als einem Anflug von Neid und Enttäuschung.[125]

Einmal wiederentdeckt zu werden, zeugt von wissenschaftlicher Voraussicht; dreimal wiederentdeckt zu werden, ist eine Beleidigung. Dass im Jahr 1900 innerhalb von nur drei Monaten drei Schriften unabhängig voneinander die gleichen Ergebnisse präsentierten wie Mendels Arbeit, demonstrierte die anhaltende Kurzsichtigkeit von Biologen, die sein Werk nahezu vierzig Jahre lang ignoriert hatten. Selbst de Vries, der in seiner ersten Studie Mendel zu erwähnen »vergessen« hatte, musste schließlich dessen Beitrag anerkennen. Im Frühjahr 1900, kurz nachdem de Vries seinen Beitrag veröffentlicht hatte, deutete Carl Correns an, dieser habe sich Mendels Arbeit bewusst angeeignet – und damit eine Art wissenschaftlichen Plagiats betrieben (de Vries habe sogar »durch einen merkwürdigen Zufall« dasselbe Vokabular wie Mendel verwendet).[126] Schließlich lenkte de Vries ein, erwähnte in einem späteren Bericht über seine Untersuchungen zu Pflanzenhybriden Mendel überschwänglich und räumte ein, er habe dessen frühere Arbeit lediglich »erweitert«.

Allerdings ging de Vries in seinen Versuchen auch über Mendel hinaus. Bei der Entdeckung von Erbteilchen mag Mendel ihm zuvorgekommen sein, aber als de Vries sich eingehender mit Vererbung und Evolution beschäftigte, kam ihm ein Gedanke, der auch Mendel stutzig gemacht haben musste: *Wie kam es überhaupt zur Entstehung von Varianten?* Welche Kraft brachte hohe oder niedrige Erbsensorten und violette oder weiße Blüten hervor?

Auch die Antwort auf diese Frage war im Garten zu finden. Bei einer seiner Exkursionen über Land, bei denen er Proben sammelte, stieß de Vries auf eine ausgedehnte, invasive Fläche mit wildwachsenden Nachtkerzen – einer Art, die (ironischerweise, wie er bald feststellen sollte) nach Lamarck benannt war: *Oenothera lamarckiana*.[127] De Vries erntete auf diesem Feld fünfzigtausend Samen und säte sie aus. Als die kräftigen Nachtkerzen sich im Laufe der folgenden Jahre vermehrten, stellte er fest, dass spontan achthundert neue Varianten entstanden waren – Pflanzen mit riesigen Blättern, mit behaarten Stängeln oder mit seltsamen Blütenformen. Die Natur hatte von sich aus seltene Spielarten hervorgebracht – nach eben jenem Mechanismus, den Darwin als ersten Schritt der Evolution vermutet hatte. Darwin hatte diese Varianten »Sports« genannt und damit der Natur etwas Launenhaftes unterstellt. De Vries wählte einen seriöser klingenden Begriff: *Mutanten*, abgeleitet von dem lateinischen Wort für *Veränderung*.[128]*

---

* Bei den von de Vries beobachteten »Mutanten« könnte es sich in Wirklichkeit um Rückkreuzungen, nicht um spontan entstandene Varianten gehandelt haben.

Die Bedeutung seiner Entdeckung wurde de Vries sehr bald klar: Diese Mutanten mussten das fehlende Puzzleteil in Darwins Theorie sein. Kombinierte man die Entstehung spontaner Mutanten – etwa der großblättrigen Nachtkerze – mit der natürlichen Selektion, so wurde Darwins unermüdliche Maschinerie automatisch in Gang gesetzt. Mutationen schufen Varianten in der Natur: Langhalsige Antilopen, kurzschnabelige Finken und großblättrige Pflanzen entstanden spontan innerhalb der großen Fülle normaler Exemplare (anders als Lamarck glaubte, brachte die Natur diese Mutanten nicht gezielt, sondern zufällig hervor). Diese abweichenden Merkmale waren erblich und als eigenständige Anweisungen in Spermien und Eizellen enthalten. Im Überlebenskampf der Tiere und Pflanzen wurden nacheinander die bestangepassten Varianten – die geeignetsten Mutationen – durch natürliche Auslese bevorzugt. Ihre Nachkommen erbten diese Mutationen, brachten so neue Arten hervor und trieben die Evolution voran. Die natürliche Selektion wirkte nicht auf Organismen, sondern auf ihre Erbteilchen. Ein Huhn, erkannte de Vries, stellte lediglich eine Möglichkeit für das Ei dar, ein besseres Ei hervorzubringen.

• • •

Hugo de Vries hatte zwei quälend lange Jahrzehnte gebraucht, bis er sich zu Mendels Vorstellungen von Vererbung hatte bekehren lassen. Bei dem englischen Biologen William Bateson dauerte diese Bekehrung etwa eine Stunde – nämlich die Fahrzeit eines Eilzugs von Cambridge nach London im Mai 1900.[129]* An jenem Abend fuhr Bateson in die Hauptstadt, um bei der Royal Horticultural Society einen Vortrag über Vererbung zu halten. Während der Zug in der Dämmerung durch die Sumpfgebiete zockelte, las Bateson den Aufsatz von de Vries – und

---

* Bei manchen Historikern war die Anekdote umstritten, dass Batesons »Bekehrung« zu Mendels Theorie während einer Zugfahrt stattgefunden habe. Diese Geschichte taucht in seiner Biographie häufig auf, mag aber auch von einigen seiner Schüler um der dramatischen Wirkung willen ausgeschmückt worden sein.

war auf Anhieb fasziniert von Mendels Idee eigenständiger Erbteilchen. Es sollte eine schicksalhafte Fahrt für Bateson werden: Als er den Sitz der Gesellschaft am Vincent Square erreichte, schwirrte ihm der Kopf. »Wir stehen vor einem neuen Prinzip von höchster Bedeutung«, erklärte er dem Publikum im Saal. »Zu welchen weiteren Schlussfolgerungen es uns führen mag, lässt sich noch nicht absehen.«[130] Im August desselben Jahres schrieb Bateson an seinen Freund Francis Galton: »Ich möchte Dich bitten, dass du Dir den Aufsatz von Mendl *[sic]* ansiehst, [der] mir eine der bemerkenswertesten bislang zur Vererbung durchgeführten Untersuchungen zu sein scheint; es ist erstaunlich, dass er in Vergessenheit geraten ist.«[131]

Bateson machte es sich zum persönlichen Anliegen, dafür zu sorgen, dass der einmal in Vergessenheit geratene Mendel nie wieder ignoriert würde. Zunächst bestätigte er unabhängig in Cambridge Mendels Arbeit über Pflanzenhybriden.[132] Er traf sich in London mit de Vries und war beeindruckt von dessen sorgfältigen Experimenten und seiner wissenschaftlichen Lebendigkeit (allerdings nicht von dessen kontinentalen Gewohnheiten. De Vries weigere sich, vor dem Abendessen zu baden, beklagte Bateson: »Seine Wäsche ist schmutzig. Ich wage zu behaupten, dass er nur einmal in der Woche ein frisches Hemd anzieht.«)[133] Durch Mendels Versuchsdaten und seine eigenen Belege doppelt überzeugt, machte Bateson sich an die Missionierung und erwarb sich den Spitznamen »Mendels Bulldogge« – wobei er diesem Tier sowohl in der Haltung als auch im Temperament ähnelte.[134] Er fuhr nach Deutschland, Frankreich, Italien und in die Vereinigten Staaten und hielt Vorträge über Vererbung, die Mendels Entdeckung hervorhoben. Bateson wusste, dass er die Geburt einer tiefgreifenden Revolution in der Biologie miterlebte oder besser: als Geburtshelfer unterstützte. Die Gesetzmäßigkeiten der Vererbung zu entschlüsseln werde »die Weltsicht des Menschen und seine Macht über die Natur« stärker verändern »als jeder andere absehbare Fortschritt in der Naturerkenntnis«, schrieb er.[135]

In Cambridge scharte sich eine Gruppe junger Studenten um Bateson, die das neue Fachgebiet der Vererbungslehre studieren wollten.

Bateson war klar, dass er einen Namen für die Disziplin brauchte, die um ihn herum entstand. *Pangenetik* bot sich an – als Erweiterung des Wortes *Pangen*, mit dem de Vries die Erbeinheiten bezeichnet hatte. Dieser Begriff war jedoch mit dem Ballast von Darwins irriger Theorie der Erbanlagen befrachtet. »Kein einziges gebräuchliches Wort gibt diese Bedeutung treffend wieder, [aber] ein solches Wort wird dringend gebraucht«, schrieb Bateson.[136]

Auf der Suche nach einem passenden Namen prägte er 1905 den Begriff *Genetik* für die Erforschung der Vererbung und der Variation – letztlich abgeleitet vom Griechischen *genno*, gebären.[137]

Bateson war sich über die potentiellen gesellschaftlichen und politischen Auswirkungen des neugeschaffenen Fachgebietes durchaus im Klaren. »Was wird geschehen …, wenn es tatsächlich zur Aufklärung kommt und die Fakten der Vererbung … allgemein bekannt werden«, schrieb er 1905 in bemerkenswerter Voraussicht. »Eines ist sicher: Die Menschheit wird anfangen, sich einzumischen; vielleicht nicht in England, aber in einem Land, das eher bereit ist, mit der Vergangenheit zu brechen, und ›nationale Effizienz‹ anstrebt … Die Unkenntnis über die ferneren Konsequenzen einer Einmischung hat solche Experimente nie lange hinausgezögert.«[138]

Mehr als jeder andere Wissenschaftler vor ihm begriff Bateson auch, dass die Diskontinuität der genetischen Information weitreichende Folgen für die Zukunft der Humangenetik haben würde. *Wenn Gene tatsächlich eigenständige Informationspartikel waren, müsste es möglich sein, sie unabhängig voneinander zu selektieren, zu isolieren und zu manipulieren.* Gene »wünschenswerter« Merkmale ließen sich selektiv vermehren und unerwünschte Gene aus dem Genpool eliminieren. Wissenschaftler wären im Grunde imstande, die »Komposition einzelner Menschen« und ganzer Nationen zu verändern und der menschlichen Identität einen dauerhaften Stempel aufzudrücken.

»Wenn Macht entdeckt wird, greift der Mensch immer danach«, schrieb Bateson finster. »Die Wissenschaft der Vererbung wird bald ein gewaltiges Maß an Macht liefern; und in irgendeinem Land wird man diese Macht vielleicht in nicht allzu ferner Zukunft nutzen, um die

Zusammensetzung einer Nation zu steuern. Ob die Einführung einer solchen Steuerung für diese Nation oder für die gesamte Menschheit letztlich gut oder schlecht sein wird, ist eine andere Frage.« Bateson sah das Jahrhundert des Gens voraus.

Eugenik

Ein verbessertes Umfeld und bessere Bildung mögen
die bereits geborene Generation bessern. Besseres Blut
wird jede kommende Generation verbessern.

Herbert Walter, *Genetics*[139]

Die meisten Eugeniker sind Euphemiker. Das soll nur
heißen, daß sie sich vor kurzen Sätzen erschrecken,
während sie sich von langen Erörterungen einlullen
lassen. Und sie sind gänzlich unfähig, letztere in erstere
zu übersetzen, auch wenn sie offensichtlich dasselbe
bedeuten. Wenn wir zu ihnen sagen: ›Mit Hilfe seiner
Beredsamkeit und notfalls auch anderer Einflußnahme
sollte es jedem Bürger möglich sein, dafür zu sorgen, daß
die Bürde der Betagtheit bei den älteren Generationen
insbesondere auch für die Frauen keine unverhältnis-
mäßigen und unerträglichen Ausmaße annimmt‹; wenn
wir dies zu ihnen sagen, räkeln sie sich wie Säuglinge,
die man in die Wiege gelegt hat. Rufen wir ihnen zu:
›Tötet eure Mütter!‹, fahren sie abrupt hoch.

G. K. Chesterton, *Eugenik und andere Übel*[140]

Ein Jahr nach Darwins Tod veröffentlichte sein Vetter Francis Galton
1883 ein provozierendes Buch – *Inquiries into Human Faculty and Its
Development* –, in dem er eine Strategie zur Verbesserung der mensch-

lichen Spezies darlegte.[141] Seine Idee war ganz einfach: Er wollte die
Mechanismen der natürlichen Selektion nachahmen. Da die Natur
durch Überlebenskampf und Auslese so erstaunliche Ergebnisse bei
Tierpopulationen erzielen konnte, schwebte Galton vor, die Weiterent-
wicklung des Menschen durch menschliches Eingreifen zu beschleu-
nigen. Die gezielte Züchtung der stärksten, klügsten, »geeignetsten«
Menschen – also *unnatürliche* Selektion – könne innerhalb weniger
Jahrzehnte bewirken, was die Natur seit Urzeiten versuche.

Für diese Strategie suchte Galton einen Begriff. »Wir brauchen unbedingt ein kurzes Wort für die Wissenschaft der Bestandsverbesse-
rung, die den geeigneteren Rassen oder Blutlinien eine bessere Chance
verschafft, schnell die Oberhand über die weniger geeigneten zu erlangen«, schrieb er.[142] Galton fand *Eugenik* passend – »zumindest ein
eleganteres Wort ... als *Virikultur,* das ich mir einmal zu verwenden
erlaubt habe«. Es verband die griechische Vorsilbe *eu* – »gut« – mit *Genesis:* »aus gutem Bestand, mit vorzüglichen Erbanlagen versehen«.[143]
Galton – der sich nie scheute, seine eigene Genialität herauszustel-
len – war mit seiner Wortwahl äußerst zufrieden: »Da ich überzeugt
bin, dass die menschliche Eugenik schon bald als Forschungsgebiet
von höchster praktischer Bedeutung anerkannt sein wird, sollte man
meiner Ansicht nach keine Zeit verlieren, ... persönliche und familiäre
Geschichten zusammenzutragen.«[144]

• • •

Galton wurde im Winter 1822 geboren – im selben Jahr wie Gregor
Mendel und dreizehn Jahre nach seinem Vetter Charles Darwin. Zwischen diesen beiden Giganten der modernen Biologie litt Galton unweigerlich unter einem Gefühl wissenschaftlicher Unzulänglichkeit.
Möglicherweise ärgerte ihn dies umso mehr, als aus ihm eigentlich
ebenfalls eine Geistesgröße hätte werden sollen. Sein Vater war ein
wohlhabender Bankier in Birmingham, seine Mutter die Tochter des
Universalgelehrten, Dichters und Arztes Erasmus Darwin, der auch
Charles Darwins Großvater war. Das Wunderkind Francis Galton
lernte mit zwei Jahren lesen, sprach mit fünf fließend Griechisch und

Latein und löste als Achtjähriger quadratische Gleichungen.[145] Wie Darwin sammelte er Käfer, besaß aber nicht die Ausdauer und das taxonomische Interesse seines Vetters und gab seine Sammeltätigkeit bald zugunsten ehrgeizigerer Ziele auf. Er begann ein Medizinstudium, wechselte aber in Cambridge zur Mathematik.[146] Als er 1843 eine Mathematikprüfung mit Auszeichnung zu bestehen versuchte, erlitt er einen Nervenzusammenbruch und kehrte zur Erholung nach Hause zurück.

Im Sommer 1844, als Charles Darwin gerade an seiner ersten Schrift über Evolution arbeitete, verließ Galton England und bereiste Ägypten und den Sudan – seine erste von vielen Afrikareisen. Aber während die Begegnungen mit den »Eingeborenen« Südamerikas in den 1830er Jahren Darwin im Glauben an die gemeinsamen Vorfahren der Menschen bestärkt hatten, sah Galton nur die Unterschiede: »Ich habe genug wilde Rassen gesehen, um so viel Material zu erhalten, dass ich den Rest meines Lebens darüber nachdenken kann.«[147]

Im Jahr 1859 las Galton Darwins *Über die Entstehung der Arten*, vielmehr: Er verschlang das Buch, das ihn traf wie ein Blitzschlag und ihn zugleich lähmte und aufrüttelte. In ihm brodelten Neid, Stolz und Bewunderung, und begeistert schrieb er Darwin, es habe ihn in »ein völlig neues Wissensgebiet eingeführt«.[148]

Das »Wissensgebiet«, zu dem Galton sich besonders hingezogen fühlte, war die Vererbung. Wie Fleeming Jenkin wurde auch Galton bald klar, dass sein Vetter das Prinzip, nicht aber den Mechanismus richtig erkannt hatte: Der Vorgang der Vererbung war entscheidend für das Verständnis von Darwins Theorie. Die Vererbung war das Yin zum Yang der Evolution. Die beiden Theorien mussten eng verknüpft werden, so dass sie sich gegenseitig stützten und ergänzten. Hatte »Vetter Darwin« die eine Hälfte des Rätsels gelöst, so war es nun »Vetter Galton« bestimmt, die andere Hälfte zu knacken.

Galton begann Mitte der 1860er Jahre mit seinen Forschungen zur Vererbung. Darwins »Keimchentheorie« – dass alle Zellen Erbinformationen abgäben, die dann wie Millionen Flaschenpostsendungen im Blut trieben – legte den Schluss nahe, dass Bluttransfusionen Keimchen übertragen und somit die Erbanlagen verändern könnten. Galton versuchte also, Kaninchen durch Bluttransfusion die Keimchen von Artgenossen zu übertragen.[149] Er arbeitete auch mit Pflanzen – ausgerechnet mit Erbsen –, um die Grundlagen der Erbinformationen zu begreifen. Allerdings war er ein miserabler Experimentator; ihm fehlte Mendels instinktives Geschick. Die Kaninchen starben an Schock, und die Erbsen welkten im Garten. Frustriert wandte Galton sich der Erforschung des Menschen zu. Modellorganismen hatten den Vererbungsmechanismus nicht offenbart. Nun wollte Galton das Geheimnis lüften, indem er Variationsbreite und Vererbung bei Menschen erhob. Dieser Entschluss war von seinem brennenden Ehrgeiz geprägt: Er wollte von oben nach unten vorgehen und bei den denkbar komplexesten und variantenreichsten Merkmalen anfangen – Intelligenz, Temperament, körperliche Leistungsfähigkeit, Größe. Durch diese Entscheidung sollte er in einen ausgewachsenen Streit mit der Genetik als Wissenschaft geraten.

Galton war nicht der Erste, der durch Messung der Variationen bei Menschen die menschliche Vererbung zu ergründen versuchte. Bereits in den 1830er und 1840er Jahren hatte der belgische Wissenschaftler Adolphe Quetelet – ein zur Biologie gewechselter Astronom – begonnen, Merkmale von Menschen systematisch zu messen und mit statistischen Methoden zu analysieren. Dabei war er äußerst gründlich und umfassend vorgegangen. »Die Geburt, die Entwicklung und der Tod des Menschen erfolgen nach gewissen Gesetzen, die bis jetzt nie gemeinschaftlich und in ihrer Wechselwirkung auf einander untersucht worden sind«, schrieb Quetelet.[150] Er erfasste Brustumfang und Größe von 5738 Soldaten in Tabellen, um zu demonstrieren, dass die Verteilung bei beiden Merkmalen eine gleichmäßige, stetige Glockenkurve beschrieb.[151] Wohin Quetelet auch schaute, überall fand er ein wiederkehrendes Muster: Die Merkmale der Menschen – selbst ihr Verhalten – verteilten sich in Form von Glockenkurven.

Inspiriert von Quetelets Messungen vertiefte Galton die Erfassung menschlicher Variationsbreiten. Gab es bei komplexen Merkmalen wie Intelligenz, geistiger Leistung oder Schönheit eine ähnliche Verteilung? Galton war klar, dass es für keine dieser Eigenschaften gebräuchliche Messverfahren gab. Wo Verfahren fehlten, entwickelte er sie selbst (»Wann immer es geht, zählen«, schrieb er).[152] Als Indikator für Intelligenz besorgte er sich die Noten der Abschlussprüfungen in Mathematik aus Cambridge – ironischerweise also eben jenes Examen, das er nicht bestanden hatte – und demonstrierte, dass selbst diese Ergebnisse der Normalverteilung entsprachen. Er streifte durch England und Schottland und stellte Tabellen zur »Schönheit« auf: Dabei stufte er die Frauen, denen er begegnete, heimlich als »attraktiv«, »unscheinbar« oder »abstoßend« ein und markierte das Ergebnis mit Nadelstichen auf einer Karte, die er in seiner Tasche versteckt hatte. Offenbar entging keine menschliche Eigenschaft Galtons sorgfältiger Prüfung, Beurteilung, Zählung und Erfassung: »Schärfe des Sehvermögens und Gehörs; Farbsinn; Augenmaß; Atmung; Reaktionszeit; Stärke und Zugkraft des Händedrucks; Schlagkraft; Spannweite der Arme; Größe ... Gewicht.«[153]

Nach den Messungen wandte Galton sich den Mechanismen zu. Waren diese Variationen bei Menschen erblich? Auf welche Weise? Wieder übersprang er die einfachen Organismen in der Hoffnung, gleich beim Menschen anfangen zu können. War sein eigener hervorragender Stammbaum – sein Großvater Erasmus, sein Vetter Darwin – nicht ein Beweis, dass Genialität in der Familie lag? Auf der Suche nach weiteren Belegen rekonstruierte Galton die Stammbäume berühmter Männer.[154] So stellte er fest, dass von 605 bekannten Männern, die zwischen 1453 und 1853 gelebt hatten, 102 miteinander verwandt waren: Jeder Sechste dieser Berühmtheiten stand in einem Verwandtschaftsverhältnis zu einem der anderen. Ein Sohn eines solchen Mannes hatte nach Galtons Schätzung eine Chance von eins zu zwölf, selbst berühmt zu werden. Dagegen erlangte in einer »Zufallsauswahl« nur einer unter dreitausend solche Auszeichnungen. Berühmtheit sei erblich, schloss Galton. Lords brachten Lords hervor – nicht weil der Adelstitel erblich war, sondern weil Intelligenz erblich sei.

Galton zog die offenkundige Möglichkeit zwar in Betracht, dass Söhne berühmter Männer vielleicht ebenfalls zu Ansehen kämen,

weil sie »in einer für den Aufstieg günstigeren Lage« seien – von ihm
stammt auch die einprägsame Wendung *nature versus nurture* für die
Unterscheidung von Erbanlagen und Umwelteinflüssen –, seine Sorgen um Schichtzugehörigkeit und Stellung waren jedoch so tief ver-
wurzelt, dass er den Gedanken nicht ertrug, seine eigene Intelligenz
könne lediglich ein Nebenprodukt von Privilegien und Chancen sein.
Genialität musste einfach in den Genen angelegt sein. So schottete
er die anfälligste seiner Überzeugungen – dass sich solche Leistungs-
muster ausschließlich aus Erbanlagen erklären ließen – gegen jegliche
wissenschaftliche Infragestellung ab.

Einen Großteil seiner Daten veröffentlichte Galton in einem ehrgeizigen, weitschweifigen und oftmals zusammenhanglosen Buch: *Genie
und Vererbung.*[155] Es wurde nicht gut aufgenommen. Darwin las das
Werk, war aber nicht sonderlich angetan davon und bedachte seinen
Vetter mit einem vernichtend schwachen Lob: »In einer Hinsicht hast
Du aus einem Gegner einen Bekehrten gemacht, denn ich war immer
der Ansicht, dass die Menschen, abgesehen von Dummköpfen, sich
in ihrem Intellekt nicht sehr unterscheiden, nur in Eifer und harter
Arbeit.«[156] Galton schluckte seinen Stolz hinunter und versuchte sich
nicht an weiteren genealogischen Studien.

• • •

Galton muss wohl die inhärenten Grenzen seines Stammbaumprojekts
erkannt haben, denn schon bald gab er es zugunsten eines aussichts-
reicheren empirischen Ansatzes auf. Mitte der 1880er Jahre startete er
eine »Umfrage« unter Männern und Frauen und bat sie, ihre Familien-
unterlagen zu überprüfen, die Daten in einer Tabelle zu erfassen und
ihm detaillierte Angaben zu Größe, Gewicht, Augenfarbe, Intelligenz
und künstlerischen Fähigkeiten der Eltern, Großeltern und Kinder zu
schicken (hier kam Galton das Familienvermögen – sein greifbarstes
Erbe – zupass, denn er bot jedem, der zufriedenstellende Angaben
zusandte, eine ansehnliche Vergütung an). Gerüstet mit realen Zahlen
konnte Galton nun das schwer zu fassende »Vererbungsgesetz« aufspüren, dem er jahrzehntelang so eifrig nachgejagt war.

Vieles von dem, was er fand, war relativ intuitiv – enthielt jedoch auch Überraschendes. Große Eltern bekamen tendenziell große Kinder, stellte er fest – was allerdings nur *durchschnittlich* galt. Die Kinder großer Männer und Frauen waren zwar eindeutig größer als der Bevölkerungsdurchschnitt, die Variationsbreite beschrieb aber ebenfalls eine Glockenkurve, da manche kleiner und manche größer waren als ihre Eltern.* Wenn hinter den Daten eine allgemeine Vererbungsregel lauerte, dann war es die Tatsache, dass die Verteilung der Merkmale bei Menschen einer stetigen Kurve folgte und kontinuierliche Variationen wiederum kontinuierliche Variationen hervorbrachten.

Aber lag der Entstehung von Varianten eine Gesetzmäßigkeit – ein Muster – zugrunde? Ende der 1880er Jahre fasste Galton seine gesamten Beobachtungen in seiner ausgereiftesten Hypothese zur Vererbung zusammen. Er vertrat die These, dass jedes Merkmal des Menschen – Größe, Gewicht, Intelligenz, Schönheit – eine zusammengesetzte Eigenschaft sei, erzeugt von einem konservierten Vererbungsmuster aller Vorfahren. Die Eltern eines Kindes trügen im Durchschnitt die Hälfte zu diesem Merkmal bei, die Großeltern ein Viertel, die Urgroßeltern ein Achtel – und so fort bis zurück zu den entferntesten Urahnen. Die Summe aller Beiträge lasse sich als Reihe $^1/_2 + {}^1/_4 + {}^1/_8$ … beschreiben, deren Summe praktischerweise immer 1 betrage. Diese Regel bezeichnete Galton als Ahnengesetz der Vererbung.[157] Es war eine Art mathematischer Homunculus, eine von Pythagoras und Platon entlehnte Idee, die sich mit Brüchen und Formeln als modern klingendes Gesetz ausgab.

Galton war klar, dass es die krönende Bestätigung dieses Gesetzes wäre, wenn es ein reales Vererbungsmuster treffend voraussagen

---

* Tatsächlich lag die *mittlere* Größe bei Söhnen ungewöhnlich großer Väter tendenziell etwas unter der des Vaters und näher an der des Bevölkerungsdurchschnitts, als ob eine unsichtbare Kraft extreme Merkmale immer wieder zur Mitte hinzöge. Diese Entdeckung – Regression zur Mitte genannt – sollte erhebliche Auswirkungen auf die wissenschaftliche Auswertung von Messwerten und auf den Begriff der Varianz haben. Es war Galtons wichtigster Beitrag zur Statistik.

könnte. Seinen idealen Testfall fand er 1897, wobei er sich einen weiteren englischen Stammbaumspleen zunutze machen konnte: den von Hunden. Galton entdeckte eine Schrift von unschätzbarem Wert: die *Basset Hound Club Rules*, ein von Sir Everett Millais 1896 veröffentlichtes Kompendium, das die Fellfärbung von Bassets über mehrere Generationen hinweg dokumentierte.[158] Zu seiner großen Erleichterung stellte Galton fest, dass sich mit Hilfe seines Gesetzes die Fellfarbe jeder Generation genau vorhersagen ließ. Endlich hatte er den Vererbungscode gefunden.

So zufriedenstellend die Lösung auch sein mochte, sie war nur von kurzer Dauer. Von 1901 bis 1905 lag Galton sich mit seinem erbittertsten Gegner in den Haaren, dem Genetiker William Bateson aus Cambridge, der einer der glühendsten Verfechter der Mendel'schen Theorie war. Der sture, herrische Bateson, dessen Schnäuzer jedes Lächeln in eine mürrische Miene zu verwandeln schien, ließ sich von mathematischen Gleichungen nicht beeindrucken. Die Daten seien entweder Ausreißer oder falsch. Schöne Gesetze würden häufig durch hässliche Fakten zunichte gemacht – und so ansprechend Galtons unendliche Reihen auch aussehen mochten, deuteten Batesons eigene Experimente doch eindeutig auf eine Tatsache hin: dass nämlich die Träger der Erbanlagen aus einzelnen Informationseinheiten, nicht aber aus halbierten und geviertelten Botschaften geisterhafter Ahnen bestünden. Mendel habe trotz seiner merkwürdigen wissenschaftlichen Herkunft und de Vries trotz seiner zweifelhaften persönlichen Hygiene recht gehabt. Ein Kind sei tatsächlich eine Kombination aus seinen Vorfahren, die allerdings äußerst einfach sei: eine Hälfte stamme von der Mutter, die andere vom Vater. Jeder Elternteil trage einen Satz Erbanlagen bei, aus deren Entschlüsselung ein Kind hervorgehe.

Galton verteidigte seine Theorie gegen Batesons Kritik. Zwei prominente Biologen – Walter Weldon und Arthur Darbishire – sowie der berühmte Mathematiker Karl Pearson schlossen sich seinen Bemühungen zur Verteidigung des »Ahnengesetzes« an, und schon bald wuchs sich die Debatte zu einem regelrechten Krieg aus.[159] Weldon, einst Batesons Lehrer in Cambridge, wurde zu seinem entschiedensten

Gegner. Er bezeichnete dessen Experimente als »äußerst unzulänglich« und weigerte sich, den Studien von de Vries zu glauben. Unterdessen gründete Pearson die Fachzeitschrift *Biometrika* (benannt nach Galtons Vorstellung von biologischen Messungen), die er zum Sprachrohr von Galtons Theorie machte.

Darbishire startete 1902 eigene Versuchsreihen, mit denen er Mendels Hypothese ein für alle Mal widerlegen wollte. Er züchtete Tausende von Mäusen in der Hoffnung, Galtons Theorie zu beweisen. Als er jedoch seine erste eigene Hybridgeneration und die Kreuzungen aus diesen Hybriden untersuchte, zeigte sich ein eindeutiges Muster: Die Daten ließen sich nur durch die Mendel'schen Vererbungsregeln erklären, wonach unteilbare Merkmale vertikal von Generation zu Generation weitergegeben wurden.[160] Anfangs sperrte Darbishire sich gegen diese Erkenntnis, konnte aber die Daten nicht länger verleugnen; letztlich gab er sich geschlagen.

Im Frühjahr 1905 schleppte Weldon die Studien von Bateson und Darbishire auf einer Romreise mit und versuchte, kochend vor Wut, die Daten wie ein »kleiner Buchhalter« so umzuarbeiten, dass sie zu Galtons Theorie passten.[161] Im Sommer kehrte er nach England zurück und hoffte, mit seiner Analyse diese Studien widerlegen zu können, erkrankte aber an einer Lungenentzündung und starb zu Hause im Alter von nur sechsundvierzig Jahren. Bateson schrieb einen rührenden Nachruf auf seinen alten Freund und Lehrer. »Weldon verdanke ich die wichtigste Erweckung meines Lebens«, erinnerte er sich, »aber das ist die persönliche, private Verpflichtung meiner eigenen Seele.«[162]

• • •

Batesons »Erweckung« war nicht im Geringsten privat. Zwischen 1900 und 1910 – als sich die Belege für Mendels »Erbeinheiten« mehrten – waren Biologen mit den Auswirkungen der neuen Theorie konfrontiert. Sie hatte tiefgreifende Weiterungen. Aristoteles hatte die Vererbung als Informationsfluss aufgefasst, als Code, der von der Eizelle auf den Embryo übergeht. Jahrhunderte später war Mendel über die

Grundstruktur dieser Information gestolpert, über das Alphabet dieses Codes. Hatte Aristoteles einen Informationsfluss beschrieben, der sich über Generationen erstreckte, so hatte Mendel dessen Träger gefunden. Aber vielleicht ging es um ein noch größeres Prinzip, überlegte Bateson. Der biologische Informationsfluss beschränkte sich nicht auf die Vererbung, sondern zog sich durch die gesamte Biologie. Die Weitergabe erblicher Merkmale war lediglich ein Beispiel für einen Informationsfluss, wenn man aber genau hinschaute und seinen Blick schärfte, konnte man sich unschwer vorstellen, dass Information überall durch die gesamte lebende Welt floss. Die Entwicklung eines Embryos, die Ausrichtung einer Pflanze zum Sonnenlicht, der Tanz der Bienen – jede biologische Aktivität erforderte die Entschlüsselung codierter Anweisungen. Könnte Mendel also auch über die Grundstruktur dieser Instruktionen gestolpert sein? Steuerten Informationseinheiten jeden dieser Prozesse? »Jeder von uns, der sich sein eigenes Arbeitsfeld ansieht, findet darin durchgängig Mendels Hinweise«, erklärte Bateson. »Wir haben jenes Neuland, das sich vor uns erstreckt, erst am Rande berührt … Die experimentelle Erforschung der Vererbung … steht im Ausmaß der Ergebnisse, die sie liefert, hinter keinem Wissenschaftszweig zurück.«[163]

Dieses »Neuland« verlangte eine neue Sprache: Mendels »Erbeinheiten« brauchten einen Namen. Das Wort *Atom* in der modernen Bedeutung fand mit John Daltons Werk 1808 Eingang ins wissenschaftliche Vokabular. Gut hundert Jahre später, im Sommer 1909, prägte der Botaniker Wilhelm Johannsen eine eigene Bezeichnung für eine Erbeinheit. Anfangs überlegte er, de Vries' Begriff *Pangen* mit seiner Hommage an Darwin zu übernehmen. Aber Darwins Vorstellung beruhte auf einer irrigen Auffassung, und daher würde *Pangen* immer mit der Erinnerung an diese falsche Vorstellung behaftet bleiben. Johannsen verkürzte das Wort auf *Gen* (engl.: *gene*).[164]

Bateson und Johannsen hatten – ebenso wie Dalton bezüglich des Atoms – keine Ahnung, was ein Gen eigentlich war. Sie konnten sich seine materielle Form, seine physikalische oder chemische Struktur,

seinen Ort im Körper oder in der Zelle und nicht einmal seine Wirk-
mechanismen vorstellen. Das Wort entstand als Bezeichnung für eine
Funktion und war eine Abstraktion. Ein Gen war durch seine Tätigkeit
definiert: Es war Träger der Erbinformation. »Sprache ist nicht nur
Diener«, schrieb Johannsen, »sie kann auch unser Lehrmeister sein. Es
ist erstrebenswert, in allen Fällen, in denen neue, revidierte Konzeptionen entwickelt werden, eine neue Terminologie zu schaffen. Daher
habe ich das Wort ›Gen‹ vorgeschlagen. Das ›Gen‹ ist nichts anderes
als ein vielseitig verwendbares kleines Wort. Es kann hilfreich sein als
Ausdruck für die ›Erbanlagen‹ …, die moderne Mendel'sche Forscher
nachgewiesen haben.«[165] Johannsen führte aus: »Das Wort Gen ist völlig frei von jeder Hypothese; es drückt nur die sichergestellte Tatsache
aus, daß jedenfalls viele Eigenschaften des Organismus durch in den
Gameten vorkommende besondere, trennbare und somit selbständige
›Zustände‹, ›Grundlagen‹, ›Anlagen‹ – kurz, was wir eben Gene nennen
wollen – bedingt sind.«[166]

In den Naturwissenschaften beinhaltet ein Wort jedoch eine Hypothese. In der Umgangssprache vermittelt ein Wort eine Idee. In der
wissenschaftlichen Fachsprache vermittelt ein Wort mehr als das,
nämlich einen Mechanismus, eine Konsequenz, eine Vorhersage. Ein
wissenschaftlicher Begriff kann Tausende Fragen aufwerfen – und genau das tat die Idee des »Gens«. Welche chemische und physikalische
Beschaffenheit hatte das Gen? Wie wurde der Satz genetischer Anweisungen, der *Genotyp*, in die tatsächlichen physischen Ausprägungen
eines Organismus, also in seinen Phänotyp, übersetzt? Wie wurden
Gene weitergegeben? Wo war ihr Sitz? Wie wurden sie reguliert? Wenn
Gene eigenständige Partikel waren, die ein Merkmal bedingten, wie
ließ sich diese Eigenschaft dann mit der Tatsache vereinbaren, dass
menschliche Merkmale wie Größe oder Hautfarbe in einer Normalverteilung vorkamen? Auf welche Weise ermöglichte das Gen die Genese?

»Die Wissenschaft der Genetik ist so neu, dass sich unmöglich sagen
lässt … wo ihre Grenzen liegen mögen«, schrieb ein Botaniker 1914. »In
der Forschung kommen wie bei allen Erkundungen die bewegenden

Zeiten dann, wenn die Entdeckung eines neuen Schlüssels eine neue
Region erschließt.«[167]

. . .

Francis Galton blieb in der fast klösterlichen Abgeschiedenheit seines weitläufigen Stadthauses am Rutland Gate seltsam unberührt von
diesen »bewegenden Zeiten«. Während Biologen sich auf die Mendel'schen Regeln stürzten und sich mit deren Konsequenzen herum-
schlugen, legte er eine huldvolle Gleichgültigkeit an den Tag. Ob Erbfaktoren teilbar oder unteilbar waren, kümmerte ihn nicht sonderlich;
was ihn interessierte, war, ob Vererbung *beeinflussbar* war oder nicht,
ob man das menschliche Erbgut zum Wohle der Menschheit manipulieren könnte.

»Rundherum bestätigte die Technik der industriellen Revolution die
Beherrschung der Natur durch den Menschen«, schrieb der Historiker
Daniel Kevles.[168] Die Gene hatte Galton zwar nicht entdecken können,
aber die Entwicklung genetischer Technologien wollte er sich nicht
entgehen lassen. Für diese Bestrebungen hatte er bereits einen Namen
gefunden: *Eugenik*, die Verbesserung des Menschen durch künstliche
Auslese genetischer Merkmale und gezielte Züchtung menschlicher
Erbträger. Für Galton war die Eugenik lediglich angewandte Genetik, wie die Landwirtschaft angewandte Botanik war. »Was die Natur
blind, langsam und rücksichtslos tut, kann der Mensch vorsorglich,
schnell und sanft leisten. Da es in seiner Macht liegt, wird es zu seiner Pflicht, in diese Richtung zu arbeiten«, schrieb Galton.[169] Dieses
Konzept hatte er erstmals bereits 1869 in *Genie und Vererbung* vorgeschlagen – also dreißig Jahre vor der Wiederentdeckung Mendels –,
hatte den Gedanken aber nicht eingehender verfolgt, sondern sich
auf die Mechanismen der Vererbung konzentriert.[170] Als Bateson und
de Vries Galtons Hypothese über »Ahnenvererbung« Stück für Stück
zerpflückt hatten, hatte er jedoch eine Kehrtwende von einem rein
deskriptiven Ansatz zu einem präskriptiven vollzogen. In Hinblick auf
die biologischen Grundlagen menschlicher Vererbung mochte er sich
geirrt haben – aber zumindest hatte er begriffen, was praktisch zu tun

war. »Dies ist keine Frage für das Mikroskop«, schrieb einer seiner Protegés – eine spitze Bemerkung gegen Bateson, Morgan und de Vries. »Sie beinhaltet vielmehr eine Erforschung von … Kräften, die der Gesellschaft Größe verleihen.«[171]

Im Frühjahr 1904 präsentierte Galton seine Argumente für die Eugenik in einem öffentlichen Vortrag an der London School of Economics.[172] Es war ein für den Intellektuellenzirkel der Bloomsbury Group typischer Abend. Herausgeputzt und glanzvoll strömte die parfümierte Elite der Stadt in den Saal, um Galtons Vortrag zu hören: George Bernard Shaw, H.G.Wells, die Sozialreformerin Alice Drysdale-Vickery, die Sprachphilosophin Lady Welby, der Soziologe Benjamin Kidd, der Psychiater Henry Maudsley. Pearson, Weldon und Bateson kamen erst spät und suchten sich getrennte Plätze, da in ihnen immer noch das gegenseitige Misstrauen brodelte.

Galtons Ausführungen dauerten zehn Minuten. Die Eugenik müsse »ins nationale Bewusstsein eindringen wie eine neue Religion«, forderte er.[173] Die Grundsätze waren bei Darwin entlehnt, sie pfropften aber die Logik der natürlichen Selektion der menschlichen Gesellschaft auf. »Alle Kreaturen würden zustimmen, dass es besser sei, gesund statt krank, kräftig statt schwach, für ihre Rolle im Leben gut statt schlecht gerüstet zu sein; kurz: dass es besser sei, gute statt schlechte Vertreter ihrer Art zu sein, um welche es sich auch handeln mag. So ist es auch bei Menschen.«[174]

Aufgabe der Eugenik sei es, die Auslese der Geeigneten gegenüber den weniger Geeigneten und der Gesunden gegenüber den Kranken zu beschleunigen. Um dies zu erreichen, schlug Galton vor, selektiv die Starken zu vermehren. Für diesen Zweck könne man ohne weiteres die Ehe nutzen, allerdings nur, wenn ausreichend gesellschaftlicher Druck ausgeübt werde: »Wenn unter eugenischen Gesichtspunkten unpassende Eheschließungen gesellschaftlich geächtet wären, … würden nur sehr wenige geschlossen.«[175] Nach Galtons Vorstellung könne die Gesellschaft ein Verzeichnis der besten Merkmale in den besten Familien führen – und so eine Art Zuchtbuch für Menschen anlegen. Nach diesem »goldenen Buch«, wie er es nannte, würde man ähnlich

wie bei Hunden und Pferden Männer und Frauen auswählen, die dann
die besten Nachkommen hervorbringen würden.

• • •

Galtons Ausführungen waren kurz, aber im Publikum entstand schnell
Unruhe. Der Psychiater Henry Maudsley übte als erster scharfe Kritik
und stellte Galtons Annahmen zur Vererbung in Frage.[176] Maudsley
hatte sich eingehend mit Geisteskrankheiten in Familien beschäftigt
und war zu dem Schluss gekommen, dass die Vererbungsmuster erheblich komplexer waren als Galton vermutete. Normale Väter zeugten schizophrene Söhne. Aus ganz gewöhnlichen Familien gingen
ungewöhnliche Kinder hervor. Aus dem Kind eines kaum bekannten
Handschuhmachers aus den Midlands – »von Eltern, die sich nicht
von ihren Nachbarn unterschieden« – konnte der prominenteste eng-
lischsprachige Schriftsteller werden: William Shakespeare. »Er hatte
fünf Brüder«, merkte Maudsley an, während William es »zu außerordentlicher Berühmtheit brachte, zeichnete sich keiner seiner Brüder
in irgendeiner Weise aus«.[177] Die Liste der »mit Mängeln behafteten«
Genies ließ sich endlos fortführen: Newton war ein kränkliches Kind;
John Calvin hatte schweres Asthma; Darwin litt an wiederkehrendem
schweren Durchfall und lähmenden Depressionen. Herbert Spencer –
der Philosoph, der die Wendung *survival of the fittest* geprägt hatte –
war über weite Phasen seines Lebens wegen verschiedener Krankheiten ans Bett gefesselt und hatte mit seiner eigenen *fitness* zu kämpfen.
    Während Maudsley zur Vorsicht mahnte, drängten andere zur Eile.
Für den Schriftsteller H. G. Wells war Eugenik nichts Neues. In seinem
1895 erschienenen Buch *Die Zeitmaschine* hatte er sich eine zukünftige
Menschheit ausgemalt, die Ahnungslosigkeit und Tugendhaftigkeit
als erstrebenswerte Merkmale ausgewählt und bis ins Extrem durch
Inzucht gefördert hatte – und dabei zu einer verweichlichten, kind-
lichen Rasse ohne jede Neugier oder Leidenschaft degeneriert war.
Wells war mit Galtons Bestrebungen einverstanden, Einfluss auf die
Vererbung zu nehmen, um eine »geeignetere Gesellschaft« zu schaffen.
Er befürchtete jedoch, dass eine selektive Inzucht mit Hilfe der Ehe

paradoxerweise schwächere und dümmere Generationen hervorbringen könne. Die einzige Lösung sah er in einer makabren Alternative: der selektiven Eliminierung der Schwachen. »In der Sterilisierung der Versager und nicht in der Auswahl der Erfolgreichen für die Zucht liegt die Möglichkeit einer Verbesserung des Menschenbestandes.«[178]

Als letzter sprach Bateson und lieferte den finstersten, wissenschaftlich fundiertesten Beitrag dieser Veranstaltung. Galton hatte vorgeschlagen, anhand körperlicher und geistiger Merkmale – des Phänotyps der Menschen – die besten zur Zucht auszuwählen. Bateson wandte ein, dass die eigentliche Information nicht etwa in den äußeren Merkmalen, sondern in der Kombination der Gene enthalten sei, die diese Ausprägungen bestimmten – also im *Genotyp*. Die körperlichen und geistigen Eigenschaften, die Galton so fasziniert hatten – Größe, Gewicht, Schönheit, Intelligenz – seien lediglich äußere Schatten der zugrunde liegenden genetischen Merkmale. Die wahre Macht der Eugenik läge in der Manipulation der Gene, nicht in der Selektion der äußeren Ausprägungen. Galton mochte sich über das »Mikroskop« der experimentellen Genetiker lustig machen, dieses Instrument sei jedoch wesentlich wirkungsvoller als Galton annehme, denn es könne durch die äußere Schale der Vererbung zu deren eigentlichen Mechanismen vordringen. Schon bald werde sich zeigen, dass die Vererbung »einem präzisen Gesetz von verblüffender Einfachheit folgt«, sagte Bateson voraus. Wenn die Eugeniker diese Gesetze erkennen und herausfinden würden, wie man sie manipulieren könne – à la Platon –, würden sie beispiellose Macht erlangen. Durch Manipulation der Gene könnten sie die Zukunft beeinflussen.

Galtons Vortrag fand vielleicht nicht die überschwängliche Zustimmung, die er erwartet hatte – später murrte er, sein Publikum lebe »vierzig Jahre hinter der Zeit« –, aber offensichtlich hatte er einen Nerv getroffen. Galton und seine Freunde fürchteten wie viele Angehörige der viktorianischen Oberschicht eine genetische Degeneration (Galtons Begegnung mit den »Wilden«, die symptomatisch war für Kontakte der Briten zu den Einheimischen der Kolonien im 17. und 18. Jahrhundert, hatte ihn zudem zu der Überzeugung gebracht, dass man die Rassenreinheit der Weißen gegen die Kräfte der Vermischung erhalten und schützen müsse). Die männlichen Arbeiter Großbritanniens hatten mit der Gesetzesreform von 1867 das Wahlrecht erhalten und bis 1906 selbst die bestgeschützten politischen Bastionen gestürmt – 29 Sitze im Unterhaus waren an die Labour Party gefallen –, was die englische Oberschicht vor Sorge erzittern ließ. Der politische Machtzuwachs der Arbeiterklasse würde nach Galtons Ansicht ihren genetischen Einfluss noch stärken: Sie würden Scharen von Kindern zeugen, den Genpool dominieren und die Nation in die Mittelmäßigkeit hinabziehen. Der *homme moyen*, der mittlere Mensch als Idealtyp, würde degenerieren und der »gemeine Mann« noch gemeiner werden.

»So 'ne einfache gutmütige Frau, da werden die Jungens dumm und die Mädchen gescheit. Reinweg die verkehrte Welt!«, hatte George Eliot 1860 geschrieben.[179] Galton sah in der fortwährenden Vermehrung gutmütiger Frauen und Männer eine schwerwiegende genetische Bedrohung der Nation. Thomas Hobbes hatte sich Gedanken über den Naturzustand gemacht und war zu dem Schluss gekommen, darin sei das Leben des Menschen »einsam, armselig, widerwärtig, vertiert und kurz«.[180] Galton machte sich Sorgen um einen zukünftigen Staat, der voller genetisch unterlegener Menschen wäre: armseligen, widerwärtigen und kleinen Briten. Die brütenden Massen seien es, die sich vermehrten, befürchtete er, und wenn man sie sich selbst überließe, würden sie unweigerlich eine riesige, ungewaschene, minderwertige Brut hervorbringen (diesen Prozess nannte er *Kakogenik*, »von schlechten Genen«).

Tatsächlich hatte Wells nur zum Ausdruck gebracht, was viele in Galtons engstem Kreis im tiefsten Inneren dachten, aber nicht offen auszusprechen gewagt hatten: dass Eugenik nur funktionieren würde, wenn die Selektion der Starken (die sogenannte positive Eugenik) durch selektive Sterilisation der Schwachen (negative Eugenik) unterstützt würde. Galtons Kollege Havelock Ellis unterstrich 1911 seine Begeisterung für die Sterilisation mit einem verzerrten Bild von Mendel als einsamem Gärtner: »Im großen Garten des Lebens ist es nicht anders als in unseren öffentlichen Parks. Wir beschneiden die Bewegungsfreiheit derer, die zur Befriedigung ihrer eigenen kindischen oder abartigen Gelüste Büsche ausreißen oder Blumen zertrampeln würden, erzielen damit aber Freiheit und Freude für alle ... Wir sind bestrebt, den Ordnungssinn zu kultivieren, Mitgefühl und Voraussicht zu fördern, Rassenunkraut mitsamt den Wurzeln auszureißen ... In diesen Dingen ist der Gärtner in seinem Garten tatsächlich unser Symbol und Leitbild.«[181]

· · ·

In seinen letzten Lebensjahren rang Galton mit der Vorstellung einer negativen Eugenik, mit der er nie ganz seinen Frieden schließen konnte. Die »Sterilisation von Versagern« – das Aussortieren und Jäten im genetischen Garten der Menschheit – verfolgte ihn mit ihren unzähligen moralischen Gefahren. Letzten Endes siegte jedoch sein Wunsch, die Eugenik zu einer »Nationalreligion« zu machen, über seine Bedenken gegenüber negativer Eugenik. Er gründete 1909 die Zeitschrift *Eugenics Review*, die nicht nur für selektive Zucht, sondern auch für selektive Sterilisation eintrat. In einem seltsamen Roman mit dem Titel *Kantsaywhere* entwarf er 1911 ein zukünftiges Utopia, in dem etwa die Hälfte der Bevölkerung als »ungeeignet« eingestuft und in ihrer Fortpflanzungsfähigkeit streng eingeschränkt wäre. Eine Abschrift gab er seiner Nichte in Verwahrung, die den Text jedoch so peinlich fand, dass sie große Teile verbrannte.

Am 24. Juli 1912, ein Jahr nach Galtons Tod, begann im Cecil Hotel in London die erste internationale Eugeniktagung.[182] Der Veranstaltungsort besaß Symbolkraft. Mit seinen annähernd achthundert Zimmern und der monolithischen Fassade zur Themse war das Cecil das größte, wenn nicht gar grandioseste Hotel Europas – eine Stätte, die in der Regel diplomatischen und nationalen Ereignissen vorbehalten war. Koryphäen aus zwölf Ländern und diversen Fachgebieten nahmen an der Tagung teil, darunter Winston Churchill, Lord Balfour, der Oberbürgermeister von London, der Gerichtspräsident, Alexander Graham Bell, der Rektor der Harvard University Charles Eliot, der Embryologe August Weismann. Darwins Sohn Leonard leitete die Konferenz; Karl

Pearson arbeitete bei der Programmgestaltung eng mit ihm zusammen. Nachdem die Teilnehmer durch die überkuppelte, marmorverkleidete Eingangshalle gegangen waren, in der an prominenter Stelle eine gerahmte Ahnentafel Galtons prangte, gab es Vorträge über genetische Manipulationen zur Steigerung der Durchschnittsgröße von Kindern, über die Erblichkeit von Epilepsie, die Paarungsmuster von Alkoholikern und die genetischen Grundlagen der Kriminalität. Zwei Beiträge zeichneten sich durch besonders erschreckenden Eifer aus. Der erste war ein enthusiastisches, präzises Plädoyer der Deutschen für »Rassenhygiene« – eine düstere Vorahnung kommender Zeiten. Alfred Ploetz, ein Arzt, Wissenschaftler und glühender Verfechter der Rassenhygiene, trat in einer flammenden Rede für eine rassische Säuberung in Deutschland ein. Die zweite – noch weitreichendere und ehrgeizigere – Präsentation kam von den amerikanischen Vertretern. War die Eugenik in Deutschland noch auf dem Stand eines Heimgewerbes, so hatte sie sich in den Vereinigten Staaten bereits zu einem regelrechten Staatsunternehmen entwickelt. Der Begründer der US-amerikanischen Bewegung, der aus der Oberschicht stammende und in Harvard ausgebildete Zoologe Charles Davenport, hatte 1910 ein auf Eugenik spezialisiertes Forschungszentrum gegründet, das Eugenics Record Office. Sein 1911 veröffentlichtes Buch *Heredity in Relation to Eugenics* galt als Bibel der Bewegung und kam an vielen Hochschulen des Landes als Lehrbuch der Genetik zum Einsatz.[183]

Davenport nahm an dem Kongress 1912 zwar nicht teil, wohl aber sein Protegé Bleecker Van Wagenen, der junge Präsident der American Breeders Association, der einen mitreißenden Vortrag hielt. Anders als bei den Europäern, die noch in Theorie und Spekulationen steckten, war Van Wagenens Beitrag durch und durch vom Pragmatismus der US-Amerikaner geprägt. Er schilderte überschwänglich die praktischen Bestrebungen, »mangelhafte Stämme« in den Vereinigten Staaten zu eliminieren. Eine Zwangsunterbringung genetisch ungeeigneter Personen in »Kolonien« war bereits geplant. Man hatte schon Gutachterkommissionen für die Sterilisierung ungeeigneter Männer und Frauen gebildet – für Epileptiker, Kriminelle, Taubstumme,

Schwachsinnige und Menschen, die an Augenkrankheiten, Knochen-
deformationen, Kleinwuchs, Schizophrenie, manischen Depressionen
oder Wahnsinn litten.

»Annähernd zehn Prozent der Gesamtbevölkerung ... sind von
minderwertigem Blut«, behauptete Van Wagenen, »sie sind völlig ungeeignet, Eltern nützlicher Bürger zu werden ... In acht Bundesstaaten
der Union gibt es Gesetze, die eine Sterilisation erlauben oder vor-
schreiben.« In Pennsylvania, Kansas, Idaho und Virginia »wurde eine
beträchtliche Personenzahl sterilisiert ... Chirurgen haben Tausende
Sterilisationen in Privatpraxen und öffentlichen Einrichtungen vorgenommen. In der Regel erfolgten diese Eingriffe aus rein pathologischen Gründen, und es erwies sich als schwierig, authentische Berichte
über die ferneren Auswirkungen dieser Operationen zu erhalten.«[184]

»Wir sind bemüht, Kontakt zu den Entlassenen zu halten und von
Zeit zu Zeit Berichte zu bekommen«, erklärte der Leiter des California State Hospital 1912 und schloss zuversichtlich: »Wir haben keine
nachteiligen Auswirkungen festgestellt.«[185]

»Drei Generationen Schwachsinniger sind genug.«

Hier besteht also ein Dilemma – wenn wir die
Schwachen und Mißgebildeten dazu befähigen,
am Leben zu bleiben und ihre Art fortzupflanzen, stehen wir in einem genetischen Zwielicht;
wenn wir sie aber sterben oder leiden lassen,
während wir sie retten oder ihnen helfen
könnten, stehen wir mit Sicherheit in einem
moralischen Zwielicht.
Theodosius Grigorievich Dobzhansky,
Vererbung und Menschenbild[186]

Es werden auch von Krüppelhaften Krüppel-
hafte erzeugt, so von Hinkenden Hinkende, von
Blinden Blinde und überhaupt in widernatür-
lichen Dingen ähnliche, oft auch mit angebornen
Zeichen, wie mit Malen und Narben Behaftete.
Sogar schon bis in's dritte Glied hat sich der-
artiges gezeigt.
Aristoteles, *Naturgeschichte der Tiere*[187]

Im Frühjahr 1920 wurde Emmett Adaline Buck – kurz Emma genannt – in die Virginia State Colony for Epileptics and Feebleminded,
eine Einrichtung für Epileptiker und geistig Behinderte in Lynchburg,

Virginia, eingewiesen.[188] Ihr Ehemann, der Metallarbeiter Frank Buck, hatte entweder seine Familie verlassen oder war tödlich verunglückt und hatte Emma allein mit ihrer kleinen Tochter Carrie Buck zurückgelassen.[189]

Emma und Carrie lebten in ärmlichen Verhältnissen und waren auf Wohlfahrt, Lebensmittelspenden und Gelegenheitsarbeiten angewiesen, um ihren kärglichen Lebensunterhalt zu bestreiten. Gerüchte behaupteten, Emma habe sich als Prostituierte verkauft, mit Syphilis angesteckt und an Wochenenden ihren Lohn vertrunken. Im März 1920 hatte man sie auf der Straße aufgegriffen, wegen Stadtstreicherei oder Prostitution angeklagt und vor Gericht gestellt. Zwei Ärzte untersuchten am 1. April 1920 oberflächlich ihren Geisteszustand und stuften sie als »schwachsinnig« ein.[190] Daraufhin brachte man Buck in die Einrichtung in Lynchburg.

»Schwachsinn« wurde 1924 in drei verschiedene Stufen unterteilt: Idiotie, Imbezillität und Debilität. Davon war die Idiotie am einfachsten einzuordnen – nach der Definition der US-Volkszählungsbehörde (US Bureau of Census) war ein Idiot »eine geistesschwache Person, deren geistiger Entwicklungsstand nicht über den eines 35 Monate alten Kindes hinausreicht«; dagegen waren die Grenzen bei Imbezillität und Debilität fließender.[191] Auf dem Papier bezogen sich diese Begriffe auf weniger schwere Formen geistiger Behinderung, in der Praxis dienten sie als semantische Klappe, durch die man eine vielschichtige Gruppe von Männern und Frauen allzu leicht in eine Schublade einordnen konnte. Das galt keineswegs nur für geistig Behinderte, sondern auch für Prostituierte, Waisen, Depressive, Obdachlose, Kleinkriminelle, Schizophrene, Legastheniker, Feministinnen, rebellische Jugendliche – also für alle, deren Verhalten, Bedürfnisse, Vorlieben oder Erscheinungsbild von der geltenden Norm abwichen.

Schwachsinnige Frauen sperrte man in der Virginia State Colony ein, um sicherzustellen, dass sie keine weiteren Kinder bekommen und die Bevölkerung mit Debilen oder Idioten kontaminieren konnten. Schon das Wort *Colony* verriet den Zweck dieser Einrichtung: Sie war nie als Klinik oder Heim gedacht, sondern von Anfang an als Siche-

rungsanlage konzipiert. Die achtzig Hektar große Kolonie an der Süd-
westseite der Blueridge Mountains, eineinhalb Kilometer vom sump-
figen Ufer des James River entfernt, besaß ein eigenes Postamt, ein
Kraftwerk, ein Kohlelager und einen Bahnanschluss für Güterzüge,
um Fracht abzuladen. Sie hatte jedoch keine Anbindung an den öffentlichen Nahverkehr. Es war ein Hotel California für Geisteskranke:
Patienten, die dort hinkamen, verließen die Einrichtung nur in seltenen
Fällen.

Nach ihrer Ankunft wusch und badete man Emma Buck, warf ihre
Kleider weg und spülte ihre Genitalien zur Desinfektion mit Quecksil-
berlösung aus. Ein Intelligenztest, dem ein Psychiater sie unterzog, bestätigte die erste Diagnose einer »geringfügigen Debilität«. Sie wurde
in die Kolonie aufgenommen und blieb dort für den Rest ihres Lebens
eingesperrt.

• • •

Bevor ihre Mutter 1920 in Lynchburg eingewiesen wurde, hatte Carrie
Buck eine, trotz Armut, normale Kindheit verbracht. Ein Schulzeugnis
von 1918 – sie war damals zwölf Jahre alt – bescheinigte ihr in Betragen
und Unterricht ein »Sehr gut«. Sie war schlaksig, jungenhaft, ungestüm, groß für ihr Alter, linkisch, hatte dunkle Ponyfransen und ein
offenes Lächeln, schrieb Jungen in der Schule gern Zettelchen und
fing Frösche und Fische im Weiher des Ortes. Nachdem Emma fort
war, geriet ihr Leben aus den Fugen. Carrie kam in eine Pflegefamilie,
wurde vom Neffen ihrer Pflegeeltern vergewaltigt und merkte bald,
dass sie schwanger war.

Um sich der peinlichen Lage zu entziehen, handelten Carries Pflegeeltern umgehend und brachten sie vor dasselbe Amtsgericht, das
ihre Mutter Emma nach Lynchburg geschickt hatte. Sie hatten vor,
Carrie ebenfalls als schwachsinnig hinzustellen: Nach ihren Angaben
entwickelte sie sich zu einem schwachköpfigen Sonderling, neigte
zu »Wahnvorstellungen und Wutausbrüchen«, war impulsiv, psycho-
tisch und sexuell leichtfertig. Wie nicht anders zu erwarten, bestätigte
der Richter – ein Freund von Carries Pflegeeltern – die Diagnose

»Schwachsinn«: wie die Mutter, so die Tochter. Am 23. Januar 1924, nicht einmal vier Jahre nach Emmas Gerichtsverfahren, wurde auch Carrie in die Kolonie eingewiesen.[192] Während Carrie auf ihre Überstellung nach Lynchburg wartete, brachte sie am 28. März 1924 eine Tochter, Vivian Elaine, zur Welt, die auf behördliche Anordnung ebenfalls in einer Pflegefamilie untergebracht wurde.[193] Am 4. Juni 1924 traf Carrie in der Virginia State Colony ein. »Es gibt keinen Hinweis auf eine Psychose – sie liest, schreibt und hält sich selbst in ordentlichem Zustand«, heißt es in ihrer Akte. Ihre praktischen Kenntnisse und Fertigkeiten wurden für normal befunden. Trotz aller gegenteiligen Belege lautete der Befund »mittelschwere Debilität«, und sie blieb interniert.[194]

• • •

Im August 1924, einige Monate nach ihrer Ankunft in Lynchburg, bat man Carrie Buck, auf Anweisung von Dr. Albert Priddy vor dem Verwaltungsrat der Kolonie zu erscheinen.[195]

Albert Priddy, ein Arzt aus der Kleinstadt Keysville, Virginia, leitete die Kolonie seit 1910. Ohne dass Carrie und Emma Buck etwas davon ahnten, befand Priddy sich mitten in einer heftigen politischen Kampagne. Sein Lieblingsprojekt war die »eugenische Sterilisation« geistig Behinderter. Priddy, der in seiner Kolonie über ähnlich unbeschränkte Macht verfügte wie der Elfenbeinhändler Kurtz in Joseph Conrads Novelle *Herz der Finsternis*, war überzeugt, dass die Unterbringung »Geistesgestörter« in geschlossenen Einrichtungen nur eine vorübergehende Lösung gegen die Fortpflanzung ihres »schlechten Erbguts« sei. Sobald man sie freiließe, würden sie sich wieder vermehren und den Genpool kontaminieren und verderben. Eine Sterilisation wäre eine endgültige und daher bessere Lösung.

Was Priddy brauchte, war eine generelle rechtliche Regelung, die es ihm erlauben würde, eine Frau explizit aus eugenischen Gründen zu sterilisieren; ein einziger Testfall würde einen Maßstab für Tausende setzen. Als er dieses Thema ansprach, stellte er fest, dass hochrangige Juristen und Politiker seinen Ideen weitgehend wohlwollend gegenüberstanden. Am 20. März 1924 genehmigte der Senat von Virginia mit Priddys Unterstützung per Gesetz die eugenische Sterilisation in seinem Bundesstaat, sofern die »Leitungsgremien der psychiatrischen Einrichtungen« eine sorgfältige Prüfung des betreffenden Falles vornähmen.[196] Am 10. September überprüfte der Verwaltungsrat der Virginia State Colony auf Priddys Drängen Bucks Fall erneut im Rahmen einer regulären Sitzung. Während der Anhörung stellte man Carrie Buck eine einzige Frage: »Möchten Sie etwas dazu sagen, dass dieser Eingriff an Ihnen vorgenommen wird?« Sie sagte lediglich zwei Sätze: »Nein, Sir. Das liegt bei meinen Leuten.«[197] Ihre »Leute«, wer immer das sein mochte, unternahmen nichts zu ihrer Verteidigung. Das Gremium genehmigte Priddys Antrag, Buck zu sterilisieren.

Priddy befürchtete jedoch, dass seine Bemühungen um eugenische Sterilisationen nach wie vor auf Widerstand der Staats- und Bundesbehörden stoßen könnten. Also brachte er Bucks Fall in Virginia vor Gericht. Wenn eine gerichtliche Bestätigung des Gesetzes erfolgen würde, hätte er eine unanfechtbare Genehmigung, seine eugenischen Bestrebungen in der Kolonie fortzusetzen und sogar auf andere Einrichtungen auszudehnen. Im Oktober 1924 wurde das Verfahren *Buck v. Priddy* am Bezirksgericht von Amherst County eingeleitet.

Am 17. November 1925 erschien Carrie Buck zur Verhandlung im Gerichtsaal in Lynchburg und musste feststellen, dass Priddy annähernd ein dutzend Zeugen hatte laden lassen. Die erste, eine Bezirkskrankenschwester aus Charlotteville, sagte aus, Emma und Carrie seien impulsiv, »geistig verantwortungslos und … schwachsinnig«. Auf die Bitte, Beispiele für Carries auffälliges Verhalten zu nennen, erklärte sie, man habe Carrie dabei erwischt, dass sie »Jungen Briefchen geschrieben« habe. Vier weitere Frauen machten Aussagen über Emma und Carrie. Aber Priddys wichtigste Zeugin stand noch aus. Ohne Carries und Emmas Wissen hatte er eine Fürsorgerin vom Roten Kreuz beauftragt, Carries acht Monate alte Tochter Vivian bei deren Pflegeeltern zu untersuchen. Falls sich belegen ließe, dass sie ebenfalls schwachsinnig war, wäre der Fall entschieden, überlegte Priddy. Bei einem über drei Generationen – Emma, Carrie und Vivian – auftretenden Schwachsinn ließen sich schwerlich Argumente gegen die Erblichkeit dieses geistigen Defizits finden.

Die Zeugenaussage verlief jedoch nicht ganz so reibungslos, wie Priddy geplant hatte. Die Sozialarbeiterin räumte – völlig unplanmäßig – gleich zu Beginn eine gewisse Voreingenommenheit ein: »Es kann sein, dass ich durch meine Kenntnis der Mutter Vorurteile habe.«

»Haben Sie sich einen Eindruck von dem Kind gemacht?«, fragte der Staatsanwalt.

Wieder zögerte die Sozialarbeiterin. »Es ist schwierig, die wahrscheinliche Entwicklung eines so kleinen Kindes einzuschätzen, aber mir scheint, dass es kein ganz normales Baby ist ...«

»Sie würden das Kind also nicht als normales Baby einstufen?«

»Es hat etwas an sich, was nicht ganz normal ist, aber ich kann nicht sagen, was es genau ist.«

Eine Zeitlang hatte es den Anschein, als hinge die Zukunft der eugenischen Sterilisation in den Vereinigten Staaten von den nebulösen Eindrücken einer Fürsorgerin ab, der man ein unleidliches Baby ohne Spielzeug übergeben hatte.

Die Verhandlung dauerte, einschließlich Mittagspause, fünf Stunden. Die Beratung war kurz und das Urteil emotionslos. Das Gericht bestätigte Priddys Entscheidung, Carrie Buck zu sterilisieren. »Das Gesetz entspricht den Anforderungen eines rechtsstaatlichen Verfahrens«, hieß es in der Begründung. »Es handelt sich nicht um ein Strafgesetz. Man kann nicht sagen, wie von der Klägerin behauptet, dass dieses Gesetz eine natürliche Personengruppe in zwei Klassen teilt.«

Bucks Anwälte legten gegen das Urteil Berufung ein. Der Fall ging bis vor den Obersten Gerichtshof von Virginia, der Priddys Antrag auf Bucks Sterilisation ebenfalls genehmigte. Im Frühjahr 1927 befasste sich das Bundesgericht der Vereinigten Staaten mit dem Fall. Da Priddy mittlerweile gestorben war, richtete sich die Klage nun gegen seinen Nachfolger, den neuen Leiter der Kolonie John Bell.

• • •

Die Hauptverhandlung im Verfahren *Buck v. Bell* fand im Frühjahr 1927 statt. Von Anfang an ging es in diesem Fall weder um Buck noch um Bell. Es herrschten spannungsgeladene Zeiten; die ganze Nation war in Sorge um ihre Geschichte und ihr Erbe. Die Goldenen Zwanziger Jahre standen am Ende einer historisch beispiellosen Einwanderungswelle in die Vereinigten Staaten. Zwischen 1890 und 1924 waren annähernd zehn Millionen Einwanderer – jüdische, italienische, irische und polnische Arbeitskräfte – nach New York, San Francisco und Chicago geströmt, hatten die Straßen und Mietshäuser bevölkert und die Märkte mit fremden Sprachen, Sitten und Nahrungsmitteln überschwemmt (in New York und Chicago bestand die Bevölkerung 1927 zu 40 Prozent aus Neuzuwanderern). Hatte sich in England in den 1890er Jahren die Eugenik aus der Sorge um die Klassengesellschaft gespeist, so wurden in den Vereinigten Staaten in den 1920er Jahren die »Rassenängste« zur Triebkraft solcher Bestrebungen.* Galton mochte die große ungewaschene Masse verachtet haben, aber immerhin handelte es sich dabei um *englische* Massen. In den Vereinigten Staaten bestanden diese ungewaschenen Massen dagegen zunehmend aus Ausländern – und deren Gene waren ebenso wie ihr Akzent unverkennbar fremd.

Eugeniker wie Priddy hegten schon lange Befürchtungen, die Einwanderer würden den »Rassenselbstmord« in den Vereinigten Staaten beschleunigen. Ihrer Ansicht nach würden die richtigen Leute von den falschen überrannt und die richtigen Gene von den falschen verdorben. Wenn Gene grundsätzlich unteilbar waren – wie Mendel nach-

---

* Das historische Erbe der Sklaverei war ohne Zweifel ebenfalls ein wesentlicher Motor der US-amerikanischen Eugenik. Dort waren weiße Eugeniker schon lange von der Furcht getrieben, afrikanische Sklaven könnten Weiße heiraten und den Genpool mit ihren »minderwertigen« Genen »kontaminieren« – allerdings hatte das in den 1860er Jahren erfolgte gesetzliche Verbot solcher »Mischehen« diese Ängste weitgehend beruhigt. Dagegen waren weiße Einwanderer schwieriger zu identifizieren und auszugrenzen, was die Befürchtungen vor einer ethnischen Kontaminierung und Vermischung in den 1920er Jahren verstärkte.

gewiesen hatte –, dann ließe sich ein schädlicher genetischer Einfluss nie wieder beheben, nachdem er sich erst einmal ausgebreitet hätte (eine Kreuzung zwischen einer Rasse und einem Juden sei ein Jude, schrieb Madison Grant).[198] Die einzige Möglichkeit,»das mangelhafte Keimplasma auszuschalten«, sei es, das Keimplasma produzierende Organ zu entfernen – also an genetisch untauglichen Menschen wie Carrie Buck eine Zwangssterilisation vorzunehmen, wie ein Eugeniker schrieb. Um die Nation vor »der Gefahr eines Rassenverfalls« zu bewahren, müsse man radikale gesellschaftliche Eingriffe vornehmen.[199] »Die eugenischen Raben krächzen nach Reform«, schrieb Bateson 1926 mit offenkundigem Abscheu über England.[200] Die amerikanischen Raben krächzten noch lauter.

Das Gegenstück zum Mythos des »Rassenselbstmords« und »Rassenverfalls« bildete der Mythos der rassischen und genetischen Reinheit. Zu den populärsten Romanen, die Millionen von US-Amerikanern Anfang der 1920er Jahre verschlangen, gehörte *Tarzan bei den Affen* von Edward Rice Burroughs, die Geschichte eines englischen Aristokraten, der als verwaistes Kleinkind von Affen in Afrika aufgezogen wird und sich nicht nur Teint, Auftreten und Erscheinungsbild seiner Eltern bewahrt, sondern auch ihre Rechtschaffenheit, ihre angelsächsischen Werte und sogar den instinktiv richtigen Gebrauch des Bestecks bei Tisch. Tarzan – »seine aufrechte und vollkommene Gestalt, ebenso mit Muskeln ausgestattet wie die besten der alten römischen Gladiatoren gewesen sein mussten« – stand beispielhaft für den Sieg der natürlichen Anlagen über die Einflüsse der Umwelt.[201] Wenn ein Weißer, der von Affen im Dschungel aufgezogen wurde, die Integrität eines weißen Mannes im Flanellanzug bewahren konnte, dann ließ sich ja wohl die Rassenreinheit unter jedweden Umständen erhalten.

Vor diesem Hintergrund brauchte das US-Bundesgericht nicht lange, bis es im Verfahren *Buck v. Bell* zu einer Entscheidung kam. Am 2. Mai 1927, nur wenige Wochen vor Carrie Bucks 21. Geburtstag, wurde das Urteil gesprochen. Oliver Wendell Holmes Jr. führte die Mehrheitsmeinung von acht der neun Richter aus: »Es ist für alle besser, wenn die Gesellschaft die offenkundig Untauglichen an der

weiteren Fortpflanzung hindern kann, statt abzuwarten, bis sie dege-
nerierte Nachkommen wegen Verbrechen verurteilt oder aufgrund ihres Schwachsinns verhungern lässt. Der Rechtsgrundsatz, auf den sich
die Zwangsimpfung stützt, ist weit genug gefasst, um die Durchtrennung der Eileiter abzudecken.«[202] Holmes – ein Arztsohn, Humanist,
Historiker und weithin für seine Skepsis gegenüber gesellschaftlichen
Dogmen gefeierter Mann, der sich schon bald als einer der wortgewaltigsten Verfechter einer maßvollen Politik und Justiz in den Vereinigten
Staaten hervortun sollte – war die Bucks und ihre Babys offensichtlich
leid. »Drei Generationen Schwachsinniger sind genug«, schrieb er.[203]

• • •

Am 19. Oktober 1927 wurde Carrie Buck durch Durchtrennung der
Eileiter sterilisiert. Gegen neun Uhr morgens brachte man sie auf die
Krankenstation der Kolonie. Nachdem man ihr Morphium und At-
ropin verabreicht hatte, legte sie sich um zehn Uhr im Operationssaal
auf einen OP-Tisch. Eine Krankenschwester betäubte sie, und Buck
dämmerte ein. Zwei Ärzte und zwei Krankenschwestern waren bei
der Operation anwesend – ungewöhnlich für einen solchen Routine-
eingriff, aber dies war ein besonderer Fall. John Bell, der Leiter der
Kolonie, öffnete ihren Unterleib mit einem Schnitt an der Mittellinie.
Er entfernte jeweils ein Teilstück beider Eileiter, band die Enden ab
und verschloss sie. Die Wunden wurden mit Phenol ausgebrannt und
mit Alkohol desinfiziert. Die Operation verlief ohne Komplikationen.

Die Vererbungskette war unterbrochen. »Der erste nach dem Sterilisationsgesetz operierte Fall« war planmäßig verlaufen, und die Patientin wurde bei bester Gesundheit entlassen, wie Bell schrieb. Buck
erholte sich in ihrem Zimmer ohne weitere Zwischenfälle.

• • •

Zweiundsechzig Jahre, kaum mehr als ein flüchtiger Augenblick, lagen zwischen Mendels ersten Experimenten mit Erbsen und Carrie
Bucks gerichtlich angeordneter Sterilisation. Doch in diesen kurzen
sechs Jahrzehnten hatte sich das Gen von einem abstrakten Denkmo-

dell in einem botanischen Versuch in ein mächtiges Instrument sozialer Kontrolle verwandelt. Mit der Verhandlung im Verfahren *Buck v. Bell* vor dem US-Bundesgericht 1927 drang die Rhetorik der Genetiker und Eugeniker in den Vereinigten Staaten in die gesellschaftlichen, politischen und persönlichen Diskurse vor. Der Bundesstaat Indiana verabschiedete 1927 Gesetzesänderungen, die eine Sterilisation »nachweislicher Krimineller, Idioten, Schwachsinniger und Vergewaltiger« ermöglichten.[204] Andere Bundesstaaten schlossen sich dem Beispiel an und führten noch drakonischere gesetzliche Regelungen ein, um als genetisch »minderwertig« eingestufte Männer und Frauen zu sterilisieren und einzusperren.

Während in den Vereinigten Staaten die Zahl der staatlich finanzierten Sterilisationsprogramme zunahm, gewann eine breite Bewegung für eine persönliche genetische Auslese an Popularität. In den 1920er Jahren besuchten Millionen von US-Amerikanern Landwirtschaftsmessen, die neben Vorführungen zum Zähneputzen, Popcorn-Maschinen und Heuwagenfahrten auch Wettbewerbe für Babys, sogenannte Better Babies Contests, veranstalteten.[205] Stolz wurden Kinder, die häufig nicht älter als ein oder zwei Jahre waren, auf Tischen und Podesten präsentiert wie Hunde oder Rinder, und Ärzte, Psychiater, Zahnärzte und Krankenschwestern in weißen Kitteln untersuchten ihre Augen und Zähne, tasteten ihre Haut ab, maßen Größe, Gewicht und Schädelumfang und testeten ihr Temperament, um die Gesündesten und Tauglichsten auszuwählen, die anschließend auf einer Messe nach der anderen vorgeführt wurden. Ihre Bilder prangten auf Plakaten, in Zeitungen und Zeitschriften – und erzeugten passive Unterstützung für eine nationale Eugenikbewegung. Der in Harvard ausgebildete Zoologe Davenport, der berühmt-berüchtigte Gründer des Eugenics Record Office, entwickelte einen standardisierten Beurteilungsbogen zur Bestimmung der tauglichsten Babys. Die Juroren wies er an, vor den Kindern die Eltern zu begutachten: »Bevor Sie ein Baby untersuchen, sollten Sie 50 Prozent der Vererbung zuschreiben.«[206] Zudem warnte er: »Ein zweijähriger Preisträger könnte mit zehn ein Epileptiker sein.« Häufig gab es auf solchen Messen sogenannte Mendelstände, die an-

hand von Puppen die Grundzüge der Genetik und die Gesetzmäßigkeiten der Vererbung demonstrierten.

Überall in den Vereinigten Staaten wurde 1927 in vollbesetzten Sälen
der Film *Are You Fit to Marry?* von Harry Haiselden gezeigt, einem
weiteren eugenikbesessenen Arzt.[207] In diesem Remake des Films *The
Black Stork* weigert sich ein Arzt, gespielt von Haiselden, an behinderten Kleinkindern lebensrettende Operationen vorzunehmen, weil er
die Nation von »mangelhaften« Kindern »säubern« will. Der Film endet
mit dem Albtraum einer Frau, sie trage ein geistig behindertes Kind
aus. Nach dem Aufwachen beschließt sie, dass sie und ihr Verlobter vor
der Heirat ihre genetische Kompatibilität überprüfen lassen müssen
(Ende der 1920er Jahre wurden in den Vereinigten Staaten voreheliche
genetische Tauglichkeitstests mit Überprüfung der Familiengeschichte
auf geistige Behinderungen, Epilepsie, Taubheit, Knochenerkrankun-
gen, Kleinwüchsigkeit und Blindheit weithin propagiert). Haiselden
hatte den Ehrgeiz, seinen Film als geeignete Abendunterhaltung für
Liebespaare zu vermarkten: Schließlich ging es darin um Liebe, Ro-
mantik, Spannung und Humor – und nebenbei auch ein bisschen um
Kindesmord.

Während die Eugenikbewegung in den Vereinigten Staaten vom
Wegsperren über Sterilisation bis hin zum Mord fortschritt, beobachteten europäische Eugeniker diese Eskalation mit einer Mischung aus
Eifer und Neid. Kaum ein Jahrzehnt nach dem Prozess *Buck v. Bell*
erfasste Europa 1936 eine erheblich bösartigere Form »genetischer
Säuberung« wie eine hochansteckende Krankheit, die Begriffe der Genetik und Vererbung zu ihrer wirkmächtigsten und makabersten Form
verschmolz.

TEIL 2

»In der Summe der Teile gibt es nur die Teile«

Die Entschlüsselung
der Vererbungsmechanismen
(1930–1970)

Worte sind nicht Formen eines einzigen Wortes.
In der Summe der Teile gibt es nur die Teile.
Die Welt muss mit dem Auge ausgemessen
werden.

Wallace Stevens, »Auf der Straße nach Hause«[1]

»Abhed«

Genio y hechura, hasta sepultura.
(Charakter und Körperbau währen
bis ins Grab.)
  Spanisches Sprichwort

I am the family face:
Flesh perishes, I live on,
Projecting trait and trace
Through time to times anon,
And leaping from place to place
Over oblivion.
  Thomas Hardy, »Heredity«[2]

Einen Tag vor unserem Besuch bei Moni machten mein Vater und ich einen Spaziergang durch Kalkutta. Wir brachen in der Nähe des Bahnhofs Sealdah auf, wo meine Großmutter 1946 mit fünf Jungen und vier Blechkoffern aus dem Zug von Barisal gestiegen war. Vom Bahnhof nahmen wir denselben Weg wie sie: die Prafulla Chandra Road entlang, vorbei am quirligen Bauernmarkt mit den Fisch- und Gemüseständen zur Linken und dem Teich mit Wasserhyazinthen zur Rechten, und bogen schließlich links ab Richtung Innenstadt.

Als die Straße sich abrupt verengte, wurde das Gedränge dichter. In den Mietshäusern zu beiden Seiten der Straße teilten sich die

Wohnungen wie von einem wilden biologischen Prozess getrieben: aus einem Zimmer wurden zwei, aus zweien vier, aus vieren acht. Die Straßen verzweigten sich zu einem dichten Gewirr, und der Himmel verschwand. Kochgeschirr klapperte, und der Geruch nach Kohlefeuern lag in der Luft. An einer Apotheke bogen wir in die Hayat Khan Lane ein und gingen zu dem Haus, in dem mein Vater und seine Familie gewohnt hatten. Die Müllhalde war immer noch da und brachte Generationen wilder Hunde hervor. Der Hauseingang führte in einen kleinen Innenhof. In der Küche im Erdgeschoss schickte eine Frau sich an, mit einer Sichel eine Kokosnuss zu köpfen.

»Sind Sie Bibhutis Tochter«, fragte mein Vater unvermittelt auf Bengalisch. Das Haus hatte Bibhuti Mukhopadhyay gehört, der es meiner Großmutter vermietet hatte. Er lebte nicht mehr, aber mein Vater erinnerte sich, dass er zwei Kinder hatte, einen Sohn und eine Tochter.

Die Frau musterte meinen Vater argwöhnisch. Er war bereits über die Schwelle getreten und hatte sich auf der erhöhten Veranda bis auf wenige Schritte der Küche genähert. »Wohnt Bibhutis Familie noch hier?«, fragte er ohne Einleitung. Mir fiel sein veränderter Akzent auf: der weichere Klang der Konsonanten, das dentale *chh* des Westbengalischen, das zum weicheren *ss* des Ostbengalischen wurde. Ich wusste, dass jeder Akzent in Kalkutta so etwas wie eine Testsonde war. Bengalen schicken ihre Vokale und Konsonanten aus wie Beobachtungsdrohnen, um Identität, Sympathien und Zugehörigkeit ihres Gegenübers zu erkunden.

»Nein, ich bin die Schwiegertochter seines Bruders«, erklärte die Frau. »Wir wohnen hier, seit Bibhutis Sohn gestorben ist.«

Was dann passierte, ist schwer zu beschreiben – etwas, was ausschließlich in der Geschichte von Flüchtlingen vorkommt. Zwischen ihnen blitzte plötzliches Verstehen auf. Die Frau erkannte meinen Vater – nicht ihn persönlich, da sie ihm nie begegnet war, sondern den Jungen, der nach Hause zurückkehrte. In Kalkutta – wie auch in Berlin, Peschawar, Delhi oder Dhaka – tauchen täglich solche Männer wie aus dem Nichts auf, kommen von der Straße unangemeldet in ein Haus und treten zwanglos über die Schwelle in ihre Vergangenheit.

Sie zeigte sich sichtlich herzlicher. »Gehören Sie zu der Familie, die früher hier gewohnt hat? Gab es da nicht viele Brüder?«, fragte sie sachlich, als sei sein Besuch längst überfällig.

Ihr etwa zwölfjähriger Sohn schaute mit einem Schulbuch in der Hand aus einem Fenster im Obergeschoss. Ich kannte dieses Fenster. Dort hatte Jagu tagelang gesessen und in den Hof gestarrt. »Schon gut«, sagte sie mit einer Handbewegung zu ihrem Sohn und wandte sich an meinen Vater. »Sie können gern hinaufgehen, wenn Sie möchten. Schauen Sie sich ruhig um, aber lassen Sie Ihre Schuhe auf der Treppe stehen.«

Ich zog meine Sneakers aus und spürte sofort den vertrauten Boden unter meinen Fußsohlen, als ob ich immer hier gelebt hätte.

Mein Vater ging mit mir durchs Haus. Es war kleiner, als ich erwartet hatte – wie es bei Orten immer der Fall ist, die man sich nach geborgten Erinnerungen ausmalt –, aber auch düsterer und schmuddeliger. Erinnerungen lassen die Vergangenheit schärfer hervortreten; es ist die Realität, die dem Verfall ausgesetzt ist. Über die schmale Stiege gingen wir hinauf in zwei kleine Zimmer. Eines davon hatten sich die vier jüngeren Brüder, Rajesh, Nakul, Jagu und mein Vater, geteilt. Der Älteste, Ratan – Monis Vater – und meine Großmutter hatten das Nachbarzimmer bewohnt, bis Jagu seinem Wahn verfallen war und sie Ratan bei seinen Brüdern einquartiert und Jagu zu sich genommen hatte. Er sollte ihr Zimmer nie wieder verlassen.

Wir stiegen hinauf auf die Dachterrasse. Endlich weitete sich der Himmel. Die Abenddämmerung brach so schnell herein, dass man förmlich zu spüren meinte, wie die Erde sich von der Sonne fort drehte. Mein Vater schaute zu den Bahnhofslichtern hinüber. Das ferne Pfeifen eines Zuges klang wie der trostlose Ruf eines Vogels. Er wusste, dass ich ein Buch über Vererbung schrieb.

»Gene«, sagte er stirnrunzelnd.

»Gibt es dafür ein bengalisches Wort?«, fragte ich.

Er überlegte lange. Es gab kein Wort dafür – aber vielleicht konnte er eine Entsprechung finden.

»*Abhed*«, schlug er vor. Diesen Begriff hatte ich noch nie von ihm gehört. Er bedeutet »unteilbar« oder »undurchdringlich«, bezeichnet aber auch »Identität« im weitesten Sinne. Ich dachte über diese Wortwahl nach. Der Begriff hatte etwas von einer Echokammer. Mendel und Bateson hätten Gefallen an den zahlreichen Bedeutungen gefunden, die darin mitschwangen: unteilbar, undurchdringlich, untrennbar, Identität.

Ich fragte meinen Vater nach seiner Ansicht zu Moni, Rajesh und Jagu.

»*Abheder dosh*«, antwortete er.

Eine Identitätsschwäche, eine Erbkrankheit, ein untrennbar mit der Persönlichkeit verbundener Makel – ein und derselbe Ausdruck deckte alle diese Bedeutungen ab. Er hatte seinen Frieden mit dessen Unteilbarkeit gemacht.

• • •

Obwohl Ende der 1920er Jahre viel über die Verknüpfungen zwischen Genen und Identität diskutiert wurde, besaß das Gen selbst offenbar kaum eine eigene Identität. Hätte man einen Wissenschaftler gefragt, woraus ein Gen bestehe, wie es seine Funktion erfülle oder wo es in der Zelle angesiedelt sei, hätte er kaum zufriedenstellende Antworten geben können. Selbst als die Genetik zur Rechtfertigung drastischer rechtlicher und gesellschaftlicher Veränderungen herangezogen wurde, blieb das Gen ein hartnäckig abstraktes Etwas, ein Geist, der in einem biologischen Mechanismus lauerte.

Den Zugang zu dieser Blackbox der Genetik eröffnete überraschend und fast zufällig ein Wissenschaftler mit Forschungen zu einem Organismus, von dem sich kaum jemand Aufschlüsse erwartet hätte. Als William Bateson 1907 durch die Vereinigten Staaten reiste, um Vorträge über Mendels Entdeckung zu halten, traf er in New York den Zellbiologen Thomas Hunt Morgan, der ihn nicht sonderlich beeindruckte.[3] »Morgan ist ein Schwachkopf«, schrieb er seiner Frau. »Ständig wirbelt er herum – ist sehr aktiv und macht viel Lärm.«[4]

Thomas Morgan – laut, aktiv, besessen, exzentrisch, mit einem Geist, der wie ein Derwisch von einer wissenschaftlichen Frage zur nächsten wirbelte – war Professor der Zoologie an der Columbia University. Sein Spezialgebiet war die Embryologie. Anfangs interessierte es ihn nicht einmal, ob Erbteilchen überhaupt existierten oder wie und wo sie ihren Sitz hatten. Ihn beschäftigte in erster Linie die Frage der Entwicklung: Wie entsteht ein Organismus aus einer einzigen Zelle?

Zunächst hatte Morgan Mendels Vererbungstheorie mit der Begründung abgelehnt, es sei unwahrscheinlich, dass komplexe embryologische Informationen in eigenständigen Einheiten in der Zelle gespeichert sein könnten (deshalb hatte Bateson ihn als »Schwachkopf« bezeichnet). Letztlich hatte Batesons Beweisführung ihn jedoch überzeugt, denn es fiel schwer, gegen »Mendels Bulldogge« zu argumentieren, die, mit Datentabellen bewaffnet, anrückte. Doch selbst nachdem er die Existenz von Genen akzeptiert hatte, blieb er in Bezug auf deren materielle Form ratlos. Zellbiologen schauen; Genetiker zählen; Biochemiker reinigen, erklärte der Wissenschaftler Arthur Kornberg einmal.[5] Tatsächlich hatten sich Zellbiologen mit ihren Mikroskopen an eine zellulare Welt gewöhnt, in der sichtbare Strukturen erkennbare Funktionen innerhalb der Zellen erfüllten. Bis dahin war das Gen jedoch nur in statistischem Sinne »sichtbar« geworden. Morgan wollte die physische Grundlage der Vererbung entdecken. »Wir interessieren uns für Vererbung nicht in erster Linie als *mathematischem* Ansatz, sondern als Problem, das die Zelle, das Ei und das Spermium betrifft«, schrieb er.[6]

Aber wo mochten in Zellen Gene zu finden sein? Intuitiv hatten Biologen lange vermutet, dass man sich ein Gen am ehesten im Embryo vorstellen könne. In den 1890er Jahren hatte der deutsche Embryologe Theodor Boveri, der in Neapel Seeigel erforschte, die These aufgestellt, dass sich Gene in *Chromosomen* befänden, also in fadenartigen Gebilden, die sich in Anilin blau färbten und spiralförmig gewunden wie eine Sprungfeder im Zellkern existierten (den Begriff *Chromosom* prägte Boveris Kollege Wilhelm von Waldeyer-Hartz).

Zwei Wissenschaftler erhärteten Boveris Hypothese. Walter Sutton, ein Bauernsohn aus der Prärie von Kansas, der schon als Kind Grashüpfer gesammelt hatte, wurde zu einem Grashüpfer sammelnden Wissenschaftler in New York.[7] Als er im Sommer 1902 Sperma- und Eizellen von Heupferdchen erforschte – die besonders große Chromosomen besitzen –, vermutete auch er, dass Chromosomen die stofflichen Träger der Gene seien. Boveris Schülerin, die Biologin Nettie Stevens, spezialisierte sich auf Geschlechtsbestimmung und wies 1905 anhand des Mehlwurms nach, dass das Geschlecht bei diesen Käfern nur von einem einzigen Erbfaktor abhing: Das Y-Chromosom war ausschließlich bei männlichen Embryonen zu finden, nie bei weiblichen (unter dem Mikroskop erscheint es wie jedes andere Chromosom als leuchtend blau eingefärbtes DNA-Geschlängel, ist aber kürzer und dicker als das X-Chromosom).[8] Nachdem Stevens ein einzelnes Chromosom als Sitz der geschlechtsbestimmenden Gene ausgemacht hatte, stellte sie die These auf, die Chromosomen seien Träger aller Gene.

• • •

Thomas Morgan bewunderte Boveris, Suttons und Stevens' Forschungsarbeiten, suchte aber weiterhin nach einer konkreteren Beschreibung des Gens. Boveri hatte zwar das Chromosom als physischen Sitz der Gene identifiziert, aber nach wie vor war die Architektur dieser beiden Strukturen ungeklärt. Wie waren Gene in Chromosomen organisiert? Waren Gene in den Chromosomenfäden aneinandergereiht wie Perlen auf einer Kette? Besaß jedes Gen eine feste »Chromosomenadresse«? Gab es Überlappungen von Genen? War die Verbindung zwischen zwei Genen physikalischer oder chemischer Art?

Diese Fragen ging Morgan an, indem er einen weiteren Modellorganismus erforschte: Fruchtfliegen. Um 1905 begann er Fliegen zu züchten (später behaupteten einige seiner Kollegen, die ersten Exemplare habe er über einem Haufen überreifer Früchte in einem Lebensmittelgeschäft in Woods Hole, Massachusetts, eingefangen; nach den Angaben anderer bekam er seine ersten Fliegen von einem Kollegen in New York). Ein Jahr später züchtete er in einem Labor der Columbia University Fliegenmaden zu Tausenden in Milchflaschen mit faulenden Früchten.* An Stangen hingen Büschel überreifer Bananen, ein durchdringender Geruch nach gärendem Obst lag in der Luft, und sobald Morgan sich bewegte, schwärmten entwischte Fliegen von den Tischen auf wie ein sirrender Schleier. Bei den Studenten hieß sein Labor nur das Fliegenzimmer.[9] Es hatte etwa die gleiche Größe und Form wie Mendels Garten – und mit der Zeit sollte es zu einer ebenso symbolträchtigen Stätte in der Geschichte der Genetik werden.

Wie Mendel identifizierte auch Morgan zunächst vererbliche Merkmale – erkennbare Varianten, die sich über Generationen hinweg verfolgen ließen. In den frühen 1900er Jahren hatte er Hugo de Vries' Garten in Amsterdam besucht und sich vor allem für dessen Pflanzenmutanten interessiert.[10] Gab es auch bei Fruchtfliegen Mutationen? Er untersuchte Tausend Fliegen unter dem Mikroskop und erfasste Dutzende mutierter Exemplare. So tauchte unter den normalerweise rotäugigen Fliegen eine seltene weißäugige Variante auf. Andere hatten gegabelte Borsten, zobelbraune Körper, krumme Beine, gebogene, fledermausartige Flügel, einen zergliederten Unterleib oder deformierte Augen – eine Halloween-Parade von Kuriositäten.

In New York schlossen sich Morgan einige Studenten an, die jeweils ihre besonderen Eigenheiten besaßen: ein verspannter, penibler Mann aus dem Mittelwesten namens Alfred Sturtevant; Calvin Bridges, ein brillanter junger Mann mit Phantasien von freier Liebe und Promiskuität; und der paranoide, obsessive Hermann Muller, der täglich um Morgans Aufmerksamkeit buhlte. Der von Morgan klar favorisierte Bridges, der als Student im Grundstudium mit dem Spülen der Flaschen betraut war, hatte unter Hunderten von rotäugigen Fliegen die weißäugige Mutante entdeckt, die Morgan als Grundlage zahlreicher wichtiger Experimente dienen sollte. Für Sturtevants Disziplin und Arbeitsmoral empfand Morgan Bewunderung, Muller stand am wenigsten in seiner Gunst, da er ihn durchtrieben, lakonisch und von den anderen Mitarbeitern des Labors distanziert fand. Letzten Endes

---

* Einen Teil dieser Forschungen führte Morgan in seinem Labor in Woods Hole durch, wo er jeden Sommer verbrachte.

kam es zwischen seinen drei Schülern zu heftigen Auseinandersetzungen und zu einer Spirale von Neid und Destruktivität, die das Fachgebiet der Genetik in Mitleidenschaft zog. Aber vorerst stürzten sie sich in einem brüchigen, von Fliegenbrummen dominierten Frieden in Gen- und Chromosomenexperimente. Durch Kreuzung normaler Fliegen mit Mutanten – etwa weißäugiger Männchen mit rotäugigen Weibchen – konnten Morgan und seine Studenten die Vererbung von Merkmalen über mehrere Generationen hinweg verfolgen. Auch hier erwiesen sich die Mutanten als entscheidend für die Versuchsreihen, denn nur Ausreißer konnten den normalen Ablauf der Vererbung erhellen.

• • •

Um die Bedeutung von Morgans Erkenntnissen zu begreifen, müssen wir noch einmal auf Mendel zurückkommen. In Mendels Versuchsreihen hatte sich jedes Gen wie eine unabhängige Einheit, wie ein freier Agent verhalten. So stand die Blütenfarbe in keinem Zusammenhang zur Samenbeschaffenheit und zur Stängelhöhe. Jedes Merkmal wurde unabhängig vererbt und konnte in allen erdenklichen Kombinationen vorkommen. Das Resultat einer jeden Kreuzung war somit ein genetisches Roulettespiel: Kreuzte man eine hohe Pflanze mit violetten Blüten mit einer niedrigen mit weißen Blüten, entstanden letztlich alle möglichen Mischformen: hohe Pflanzen mit weißen Blüten, niedrige mit violetten Blüten und so weiter.

Morgans Fruchtfliegengene verhielten sich jedoch nicht immer unabhängig. Zwischen 1910 und 1912 kreuzten er und seine Studenten Tausende von Fruchtfliegenmutanten miteinander, züchteten so Tausende Nachkommen und zeichneten das Ergebnis jeder Kreuzung sorgfältig auf: weißäugig, zobelbraun, borstig, kurzflügelig. Als Morgan die in Dutzenden Notizbüchern tabellarisch erfassten Kreuzungen untersuchte, stellte er ein überraschendes Muster fest: Manche Gene verhielten sich, als ob sie aneinander »gekoppelt« wären. So war beispielsweise das für weiße Augen verantwortliche Gen ausnahmslos mit dem X-Chromosom verknüpft: So viele Fliegen Morgan auch kreuzte, weiße Augen waren mit diesem Chromosom verknüpft. Ebenso war das Gen für die zobelbraune Farbe mit dem der Flügelform gekoppelt. Diese genetische Kopplung konnte nach Morgans Ansicht nur eines bedeuten:[11] Gene mussten *physisch* miteinander verbunden sein.[12] Bei Fliegen wurde das Gen für die zobelbraune Farbe nie (oder nur selten) unabhängig vom Gen für kleine Flügel vererbt, weil beide sich auf demselben Chromosom befanden. Zwei auf derselben Schnur aufgereihte Perlen sind immer aneinander gebunden, so sehr man auch versuchen mag, Ketten zu mischen und zu kreuzen. Das Gleiche gilt für zwei Gene auf demselben Chromosom: Es gibt keine einfache Möglichkeit, das Gen für gespaltene Borstenhaare von dem der Haarfarbe zu trennen. Die Untrennbarkeit mancher Merkmale hatte also eine materielle Basis: Das Chromosom war eine »Kette«, auf der bestimmte Gene dauerhaft miteinander gekoppelt waren.

• • •

Morgan hatte eine wichtige Modifikation der Mendel'schen Regeln entdeckt. Gene wurden nicht einzeln, sondern in Paketen weitergegeben. Diese Informationspakete waren wiederum zu Chromosomen und letztlich zu Zellen gebündelt. Aus dieser Erkenntnis erwuchs jedoch eine wichtigere Konsequenz: Auf konzeptioneller Ebene hatte Morgan nicht nur Gene verbunden, sondern Fachgebiete: Zellbiologie und Genetik. Das Gen war keine »rein abstrakte Einheit«, sondern etwas *Stoffliches*, was an einem bestimmten Ort in einer bestimmten Form in einer Zelle existierte. »Da wir sie [die Gene] nun auf Chromosomen verorten, können wir sie da begründet als stoffliche Einheiten betrachten, als chemische Gebilde einer höheren Ordnung als Moleküle?«, fragte sich Morgan.[13]

• • •

Der Nachweis der Genkopplung führte zu einer zweiten und einer dritten Entdeckung. Kehren wir zur Kopplung zurück: Morgans Experimente hatten gezeigt, dass Gene, die auf demselben Chromosom physisch verbunden waren, zusammen vererbt wurden. Wenn das Gen

für blaue Augen (nennen wir es *B*) mit einem Gen für blondes Haar
(Bl) gekoppelt ist, erben blonde Kinder unweigerlich blaue Augen (das
Beispiel ist hypothetisch, verdeutlicht aber ein geltendes Prinzip).

Es gab bei der Kopplung jedoch eine Ausnahme: Gelegentlich, ganz
selten, konnte sich ein Gen von seinen Partnergenen entkoppeln und
seinen Platz vom väterlichen Chromosom zum mütterlichen tauschen
mit dem Ergebnis, dass ein äußerst seltenes blauäugiges, dunkelhaariges Kind oder umgekehrt ein dunkeläugiges blondes Kind entstand.
Dieses Phänomen nannte Morgan »Crossing-over«. Mit der Zeit sollte
dieser kreuzweise Genaustausch zu einer Revolution in der Biologie
führen und das Prinzip belegen, dass genetische Informationen sich
mischen, paaren und austauschen ließen – und zwar nicht nur zwischen Chromosomenpaaren, sondern auch zwischen Organismen und
Arten.

• • •

Die letzte Erkenntnis aus Morgans Forschung resultierte unter anderem aus einer systematischen Erforschung des Crossing-over. Manche Gene waren so fest gekoppelt, dass es nie zu einem kreuzweisen
Austausch kam. Morgans Schüler stellten die Hypothese auf, dass sie
auf dem Chromosom am dichtesten beieinander lagen. Andere waren
zwar gekoppelt, neigten aber eher dazu, sich zu trennen. Sie mussten
daher auf dem Chromosom weiter auseinander liegen. Gene, zwischen
denen gar keine Kopplung bestand, mussten auf verschiedenen Chromosomen angesiedelt sein. Die Festigkeit der Genkopplung war somit
ein Indikator für die räumliche Nähe der Gene auf Chromosomen:
Wenn man erfasste, wie häufig zwei Merkmale – blondes Haar und
blaue Augen – gekoppelt oder ungekoppelt waren, konnte man damit
den Abstand zwischen den entsprechenden Genen auf dem Chromosom messen.

An einem Winterabend 1911 nahm Sturtevant, der damals 21 Jahre
alt war und als Student in Morgans Labor arbeitete, sämtliche verfügbaren Versuchsdaten über die Genkopplung bei Fruchtfliegen *(Drosophila)* mit auf sein Zimmer, vernachlässigte seine Mathematikhausauf-

gaben und verbrachte die ganze Nacht damit, die erste Genkarte zu Fliegen zu erstellen. Wenn *A* fest mit *B* gekoppelt war, aber nur sehr locker mit C, dann mussten diese drei Gene in dieser Reihenfolge und mit proportionalem Abstand auf dem Chromosom positioniert sein, überlegte er:

A.B..........C.

Wenn ein Allel, das gekerbte Flügel hervorbrachte *(N)*, tendenziell zusammen mit einem Allel für kurze Borstenhaare *(KB)* vererbt wurde, dann mussten die beiden Gene *N* und *KB* auf demselben Chromosom liegen, während das nicht mit diesen Merkmalen gekoppelte Gen für die Augenfarbe sich auf einem anderen Chromosom befinden musste. Am Ende dieser Nacht hatte Sturtevant die erste lineare Genkarte zu einem halben dutzend Genen eines *Drosophila*-Chromosoms angefertigt.

Seine rudimentäre Genkarte ließ die enormen, aufwendigen Anstrengungen erahnen, die in den 1990er Jahren in die Kartierung des menschlichen Genoms fließen sollten. Indem Sturtevant anhand der Kopplung die relativen Genpositionen auf dem Chromosom bestimmte, schuf er auch die Grundlagen für das zukünftige Klonieren von Genen, die mit komplexen familiären Erkrankungen wie Brustkrebs, Schizophrenie und Alzheimer in Zusammenhang standen. Innerhalb von zwölf Stunden hatte er im Zimmer eines Studentenwohnheims in New York den Grundstein für das Humangenomprojekt gelegt.

• • •

Von 1905 bis 1925 war das Fliegenzimmer der Columbia University das Epizentrum der Genetik, eine Katalysekammer der neuen Wissenschaft. Ideen prallten auf Ideen wie Atome, die andere Atome spalteten. Die Kettenreaktion der Entdeckungen – Kopplung, Crossing-over, Linearität der Genkarten, Abstand zwischen Genen – brach sich mit solcher Wucht Bahn, dass es zuweilen den Anschein erweckte, als sei die Genetik mit einem Schlag in die Welt gekommen. Im Laufe der folgenden Jahrzehnte wurden die Forscher des Fliegenzimmers mit Nobelpreisen überhäuft: Morgan, seine Studenten und selbst deren Studenten erhielten ausnahmslos diese Ehrung für ihre Entdeckungen.

Jenseits von Genkopplung und Genkartierung hatte jedoch selbst Morgan Schwierigkeiten, sich eine stoffliche Form der Gene vorzustellen oder zu beschreiben: Welche Chemikalie konnte als Träger von Informationen in »Fäden« oder »Karten« dienen? Es zeugt von der Fähigkeit von Wissenschaftlern, Abstraktionen als Wahrheiten zu akzeptieren, dass Biologen nach der Veröffentlichung von Mendels Aufsatz fünfzig Jahre lang – von 1865 bis 1915 – Gene lediglich anhand der von ihnen hervorgebrachten Eigenschaften kannten: Gene bestimmten die Ausprägung von Merkmalen; sie konnten mutieren und damit alternative Merkmale hervorbringen; und sie waren tendenziell physikalisch oder chemisch miteinander gekoppelt. Wie durch einen Schleier entwickelten Genetiker erste verschwommene Vorstellungen von Mustern und Themen: Fäden, Ketten, Karten, Kreuzungen, durchbrochene und durchgehende Linien, Chromosomen als Träger von Informationen in codierter oder komprimierter Form. Aber keiner hatte je ein Gen in Aktion gesehen oder kannte seine stoffliche Beschaffenheit. Der zentrale Gegenstand der Vererbungsforschung zeichnete sich wie ein Schattenriss ab, blieb aber für die Wissenschaft quälend unsichtbar.

• • •

Mochten Seeigel, Mehlwürmer und Fruchtfliegen von der Welt der Menschen auch weit entfernt scheinen – und die konkrete Relevanz von Morgans und Mendels Entdeckungen je bezweifelt worden sein –, so bewiesen die Ereignisse im gewaltgeprägten Frühjahr 1917 das Gegenteil. Während Morgan im März dieses Jahres in seinem Fliegenzimmer in New York seine Arbeiten über Genkopplung schrieb, erschütterte Russland eine Welle brutaler Volksaufstände, die im Sturz der Monarchie und in der Schaffung des bolschewistischen Regimes gipfelten.

Auf den ersten Blick hatte die Russische Revolution wenig mit Genen zu tun. Der Erste Weltkrieg hatte eine hungernde, zermürbte Bevölkerung vor Unzufriedenheit in mörderische Raserei getrieben. Der Zar galt als schwach und ineffektiv. Die Armee war rebellisch, die Fabrikarbeiter waren aufgebracht, und es herrschte eine galoppierende Inflation. Im März 1917 wurde Zar Nikolaus II. zur Abdankung gezwungen. An dieser Geschichte waren Gene – und Genkopplung – jedoch sicher als starke Kräfte beteiligt. Die russische Zarin Alexandra war die Enkelin Königin Viktorias von England und von diesem Erbe geprägt: Sie hatte von ihr nicht nur die Form ihrer Nase und den zarten Porzellanteint geerbt, sondern auch ein Gen, das zur Hämophilie B führen konnte, einer tödlichen Gerinnungsstörung des Blutes, die unter Viktorias Nachkommen verbreitet war.[14]

Hämophilie entsteht durch eine Mutation, welche die Produktion eines für die Blutgerinnung erforderlichen Proteins verhindert. Ohne dieses Protein kann das Blut wesentlich schlechter gerinnen, und schon kleine Verletzungen oder Wunden können zum Verbluten führen. Der Name der Krankheit – aus den griechischen Worten *haima* (Blut) und *philia* (Neigung) – beschreibt nüchtern deren Tragik: Bluter neigen allzu leicht zu Blutungen.

Hämophilie ist – wie die weißen Augen bei Fruchtfliegen – ein Merkmal, das genetisch an das Geschlechtschromosom gebunden ist. Frauen können das Gen in sich tragen und vererben, aber üblicherweise sind nur Männer von der Erbkrankheit betroffen. Die Mutation des Hämophiliegens, das die Blutgerinnung beeinträchtigt, war vermutlich bei Königin Viktoria spontan aufgetreten. Ihr achtes Kind, Leopold, hatte es geerbt und starb mit dreißig Jahren an einer Hirnblutung. Viktoria hatte dieses Gen auch an ihre zweite Tochter, Alice, weitergegeben, die es wiederum ihrer Tochter Alexandra, der russischen Zarin, vererbt hatte.

Im Sommer 1904 brachte Alexandra – damals noch ahnungslose Trägerin dieses Gens – Alexei, den Zarewitsch von Russland zur Welt. Über die Krankengeschichte seiner Kindheit ist wenig bekannt, aber seinen Betreuern muss aufgefallen sein, dass etwas mit ihm nicht stimmte: dass der junge Prinz allzu leicht Blutergüsse bekam oder häufig unstillbares Nasenbluten hatte. Man hielt zwar die Einzelheiten seiner Erkrankung geheim, aber Alexei war ein blasser, kränklicher Junge. Er litt unter häufigen, spontanen Blutungen. Ein Sturz beim Spielen, eine kleine Verletzung – schon ein holperiger Ritt – konnten katastrophale Folgen haben. Mit zunehmendem Alter wurden die Blutungen für Alexei immer lebensbedrohlicher. Alexandra vertraute zunehmend auf einen legendär salbungsvollen russischen Mönch, Grigori Rasputin, der den Zarewitsch zu heilen versprach.[15] Rasputin behauptete, Alexei mit diversen Kräutern, Salben und gezielten Gebeten am Leben zu halten, aber die meisten Russen hielten ihn für einen opportunistischen Betrüger (Gerüchte sagten ihm eine Affäre mit der Zarin nach). Seine ständige Anwesenheit bei der Zarenfamilie und sein wachsender Einfluss auf Alexandra galten als Beleg einer bröckelnden Monarchie, die völlig verrückt geworden war.

Die auf den Straßen von Petersburg entfesselten wirtschaftlichen, politischen und gesellschaftlichen Kräfte, die zur Russischen Revolution führten, waren weitaus komplexer als Alexeis Bluterkrankheit oder Rasputins Machenschaften. Geschichte lässt sich nicht auf die Krankengeschichte eines Einzelnen zurückführen – allerdings kann man diese auch nicht völlig außer Acht lassen. Bei der Russischen Revolution mag es nicht um Gene gegangen sein, wohl aber um Vererbung. Für die Kritiker der Monarchie muss das Auseinanderklaffen des allzu menschlichen genetischen und des allzu exaltierten politischen Erbes des Zarewitschs besonders augenfällig gewesen sein. Zudem besaß Alexeis Krankheit eine unleugbare metaphorische Wirkmacht – als Symptom eines kranken Reiches, das von Bandagen und Gebeten abhängig war und im Innersten verblutete. Die Franzosen waren einer Kuchen essenden Königin überdrüssig geworden. Die Russen hatten genug von einem kranken Thronfolger, der seltsame Kräuter gegen eine rätselhafte Krankheit nahm.

Rasputin wurde am 30. Dezember 1916 von seinen Rivalen vergiftet, erschossen, aufgeschlitzt, erschlagen und ertränkt.[16] Selbst nach den grausigen Maßstäben russischer Attentate zeugte die Brutalität dieses Mordes von dem abgrundtiefen Hass, den er bei seinen Gegnern ausgelöst hatte. Im Frühsommer 1918 brachte man die Zarenfamilie nach Jekaterinburg und stellte sie unter Hausarrest. Am Abend des 17. Juli 1918, einen Monat vor Alexeis 14. Geburtstag, stürmte ein von den Bolschewisten angestiftetes Erschießungskommando das Haus und ermordete die gesamte Familie.[17] Alexei wurde durch zwei Kopfschüsse getötet. Angeblich wurden die Leichen der Kinder in der Nähe vergraben, aber Alexeis Leichnam wurde nicht gefunden.

Ein Archäologe exhumierte 2007 zwei teilweise verbrannte Skelette an einer Feuerstelle in der Nähe des Hauses, in dem Alexei ermordet worden war.[18] Eines der Skelette stammte von einem dreizehnjährigen Jungen. Gentests der Knochen bestätigten, dass es sich um Alexeis Leichnam handelte. Hätte man die Gensequenz des Skeletts vollständig analysiert, hätte man möglicherweise das für die Hämophilie B verantwortliche Gen entdeckt – die Mutation, die einen Kontinent durchquert, vier Generationen überdauert hatte und sich in einen entscheidenden politischen Augenblick des 20. Jahrhunderts eingeschlichen hatte.

Wahrheiten und Vereinbarkeiten

Alles änderte sich vollständig.
Furchtbare Schönheit entstand.
William Butler Yeats, »Ostern 1916«[19]

Das Gen trat insofern »außerhalb« der Biologie ans Licht, als die Vererbung in den großen Fragen, die dieses Fachgebiet im ausgehenden 19. Jahrhundert bewegten, nicht sonderlich weit oben rangierte. Wissenschaftler, die lebende Organismen erforschten, waren in erster Linie mit anderen Dingen beschäftigt: Embryologie, Zellbiologie, dem Ursprung der Arten und der Evolution. Wie funktionieren Zellen? Wie entsteht aus einem Embryo ein Organismus? Wie entstehen Arten? Was bringt die Vielfalt der Natur hervor?

Alle Versuche, diese Fragen zu beantworten, waren jedoch an derselben kritischen Stelle gescheitert. Das fehlende Bindeglied war die *Information*. Jede Zelle, jeder Organismus braucht Informationen, um seine physiologische Funktion zu erfüllen – aber woher kommt diese Information? Ein Embryo muss eine Botschaft haben, um sich zu einem ausgewachsenen Organismus zu entwickeln – aber was ist der Träger dieser Botschaft? Und woher »weiß« ein Organismus, dass er einer bestimmten Spezies und nicht einer anderen angehört?

Das Gen hatte die geniale Eigenschaft, für alle diese Probleme auf einen Schlag eine potentielle Lösung zu bieten. Die Information einer Zelle, eine Stoffwechselfunktion zu erfüllen? Sie kam selbstverständlich aus deren Genen. Die in einem Embryo enthaltene Botschaft? Auch sie war vollständig in Genen codiert. Bei der Reproduktion gibt ein Organismus die Anweisungen weiter, Embryos zu entwickeln, Zellfunktionen zu erfüllen, den Stoffwechsel zu ermöglichen, rituelle Paarungstänze aufzuführen, Hochzeitsansprachen zu halten und zukünftige Organismen derselben Spezies hervorzubringen – und das alles auf einmal. Vererbung kann in der Biologie kein nebensächliches Thema sein, sondern gehört zwangsläufig zu ihren zentralen Fragen.

Bei Vererbung im landläufigen Sinne denken wir an die Weitergabe einzigartiger oder besonderer Merkmale über Generationen hinweg: die auffallende Nasenform des Vaters, die ausgeprägte familiäre Anfälligkeit für eine ungewöhnliche Krankheit. Das eigentliche Rätsel, das die Vererbung löst, ist jedoch weitaus allgemeiner: Wie ist die Anweisung beschaffen, die es einem Organismus ermöglicht, überhaupt eine – irgendeine – Nase auszubilden?

• • •

Die späte Anerkennung des Gens als Antwort auf das zentrale Problem der Biologie hatte merkwürdige Folgen: Nachträglich musste die Genetik mit anderen großen Bereichen der Biologie unter einen Hut gebracht werden. Wenn das Gen die zentrale Währung biologischer Information war, dann mussten sich auch andere wesentliche Merkmale der organischen Welt – nicht nur die Vererbung – auf Gene zurückführen lassen. Zunächst mussten Gene eine Erklärung für das Phänomen der Variation liefern: Wie konnten unabhängige Erbfaktoren erklären, dass es beim menschlichen Auge nicht nur beispielsweise sechs klar unterschiedene Formen, sondern offenbar ein Kontinuum von sechs Milliarden Varianten gab? Zweitens mussten Gene eine Erklärung für die Evolution liefern: Wie ließ sich durch die Vererbung solcher Faktoren erklären, dass Organismen im Laufe der Zeit völlig unterschiedliche Formen und Merkmale entwickelten? Drittens mussten Gene eine Erklärung für die Entwicklung des einzelnen Lebewesens liefern: Wie konnten individuelle Erbfaktoren den Code vorgeben, aus einem Embryo einen ausgewachsenen Organismus hervorzubringen?

Diese drei Bereiche miteinander zu vereinbaren lässt sich als Versuch sehen, Vergangenheit, Gegenwart und Zukunft der Natur aus genetischer Sicht zu erklären. Die Evolution beschreibt die Vergangenheit der Natur: *Wie sind Lebewesen entstanden?* Die Variation beschreibt ihre Gegenwart: *Warum sehen sie jetzt so aus?* Und die Embryogenese versucht die Zukunft zu erfassen: *Wie bringt eine einzelne Zelle ein Lebewesen hervor, das schließlich seine spezielle Gestalt annehmen wird?*

In den umwälzenden Jahrzehnten von 1920 bis 1940 wurden die beiden ersten Fragen – Variation und Evolution – durch eine einzigartige Allianz von Genetikern, Anatomen, Zellbiologen, Statistikern und Mathematikern gelöst. Zur Klärung der dritten Frage – der Embryonalentwicklung – bedurfte es einer weitaus umfangreicheren gemeinsamen Anstrengung. Obwohl das Fachgebiet der modernen Genetik aus der Embryologie hervorgegangen war, erwies es sich ironischerweise als erheblich anspruchsvolleres wissenschaftliches Problem, Gene und Genese miteinander in Einklang zu bringen.

Der junge Mathematiker Ronald Fisher kam 1909 an das Caius College in Cambridge.[20] Von Geburt an litt er an einer erblichen Augenkrankheit, durch die er schon als Jugendlicher fast erblindet war. Daher hatte er Mathematik weitgehend ohne Papier und Stift gelernt und die Fähigkeit erworben, Probleme im Kopf zu visualisieren, bevor er Gleichungen aufschrieb. Als Oberschüler hatte er in Mathematik geglänzt, aber in Cambridge erwies sich seine Sehbehinderung als Belastung. Von seinen Tutoren gedemütigt, die von seinen mathematischen Lese- und Schreibfähigkeiten enttäuscht waren, wechselte er zur Medizin, fiel aber durch die Prüfungen (wie Darwin, Mendel und Galton – das Scheitern an herkömmlichen Karrierestufen zieht sich offenbar wie ein roter Faden durch diese Geschichte). Als 1914 in Europa Krieg ausbrach, nahm er eine Stelle als Statistiker in der Londoner City an.

Tagsüber analysierte Fisher Statistiken für Versicherungen. Nachts, wenn die Welt für ihn nahezu vollständig unsichtbar war, beschäftigte er sich mit theoretischen Aspekten der Biologie. Das wissenschaftliche Problem, das Fisher fesselte, hatte unter anderem damit zu tun, »Kopf« und »Auge« der Biologie zu vereinbaren. Bis 1910 hatten die herausragendsten Biologen akzeptiert, dass eigenständige Informationspartikel auf Chromosomen Träger der Erbanlagen waren. Aber alles in der biologischen Welt *Sichtbare* deutete auf eine nahezu vollständige Kontinuität hin: Biometriker wie Quetelet und Galton hatten im 19. Jahrhundert nachgewiesen, dass die Verteilung menschlicher Merkmale wie Größe, Gewicht und sogar Intelligenz einer glatten, stetigen Glockenkurve entsprach. Selbst die Entwicklung eines Organismus – die am offenkundigsten ererbte Informationskette – verlief anscheinend in glatten, kontinuierlichen Stadien und nicht in einzelnen Schüben. Ein Schmetterling entsteht nicht in stockenden Schritten aus einer Raupe. Erfasste man die Schnabelgröße von Finken in einem Diagramm, so ergaben die Daten eine stetige Kurve. Wie konnte aus »Informationspartikeln« – Erbteilchen – die beobachtbare Stetigkeit der organischen Welt hervorgehen?

Fisher erkannte, dass sich diese Diskrepanz möglicherweise durch sorgfältige mathematische Modelle für Erbmerkmale lösen ließ. Ihm war klar, dass Mendel die diskontinuierliche Beschaffenheit der Gene entdeckt hatte, weil er gezielt äußerst unterschiedliche Merkmale ausgewählt und zu Beginn nur reinerbige Pflanzen gekreuzt hatte. Was wäre jedoch, wenn in der realen Welt Merkmale wie Größe oder Hautfarbe nicht von einem einzelnen Gen mit nur zwei Zuständen – »groß« und »klein«, »an« und »aus« –, sondern von mehreren Genen bestimmt würden? Was wäre, wenn beispielsweise fünf Gene die Größe oder sieben die Nasenform steuerten?

Ein von fünf oder sieben Genen gesteuertes Merkmal erforderte keine allzu komplexen mathematischen Modelle, stellte Fisher fest. Wenn nur drei Gene in Frage kamen, gab es insgesamt sechs Allele oder Genvarianten – drei von der Mutter und drei vom Vater. Nach einfacher kombinatorischer Mathematik waren demnach 27 einzigartige Kombinationen dieser sechs Genvarianten möglich. Wenn jede Kombination eine spezifische Auswirkung auf die Größe zeitigte, ergab sich ein stetigeres Resultat, wie Fisher feststellte.

Legte er fünf Gene zugrunde, gab es noch mehr Kombinationsmöglichkeiten und die von diesen Permutationen gesteuerten Größenun-

terschiede wirkten annähernd kontinuierlich. Nahm Fisher noch die
Umwelteinflüsse hinzu – die Auswirkungen der Ernährung auf die
Größe oder der Sonnenexposition auf die Hautfarbe –, so konnte er
sich noch mehr einzigartige Kombinationen und Effekte vorstellen,
die letztlich vollkommen glatte Kurven ergaben. Man stelle sich sieben Blatt Transparentpapier in den sieben Regenbogenfarben vor.
Hält man sie so nebeneinander, dass eine Farbe die andere überlagert,
dann lässt sich nahezu jeder Farbton erzeugen. Die »Information« des
einzelnen Papierblattes bleibt eigenständig erhalten, die Farben mischen sich nicht miteinander – aber durch ihre Überlagerung entsteht
ein Farbenspektrum, das praktisch kontinuierlich erscheint.

Fisher veröffentlichte 1918 seine Analysen in einem Aufsatz mit dem
Titel »The Correlation between Relatives on the Supposition of Mendelian Inheritance«.[21] Hinter der weitschweifigen Überschrift verbarg
sich eine knappe Botschaft: Mischte man die Auswirkungen von drei
bis fünf Genvarianten auf ein Merkmal, so ließ sich beim Phänotyp
nahezu völlige Kontinuität erreichen. »Das tatsächliche Ausmaß der
menschlichen Variabilität« lasse sich durch recht offenkundige Erweiterungen der Mendel'schen Vererbungsregeln erklären, schrieb er. Die
jeweilige Auswirkung eines Gens sei wie ein Punkt in einem pointilis-
tischen Gemälde, so Fisher. Ginge man nahe genug an das Bild heran,
sehe man den einzelnen, eigenständigen Punkt. Von Ferne beobachteten und erlebten wir jedoch in der Natur nur eine Ansammlung von
Punkten: Pixel, die zu einem lückenlosen Bild verschmölzen.

• • •

Die zweite Herausforderung, nämlich Genetik und Evolution zu vereinbaren, erforderte mehr als mathematische Modelle: Es hing von
empirischen Daten ab. Darwin war zu der Schlussfolgerung gelangt,
die Evolution erfolge durch natürliche Selektion – damit diese funktionieren konnte, musste in der Natur eine Auswahl vorhanden sein.
Eine Wildpopulation von Organismen muss genügend natürliche Variationen aufweisen, damit überhaupt eine Auslese zwischen Gewin-
nern und Verlierern stattfinden kann. So muss beispielsweise in einem

Schwarm Finken auf einer Insel genügend Vielfalt bei der Schnabelgröße vorhanden sein, damit etwa eine Dürreperiode Vögel mit dem härtesten oder längsten Schnabel bevorzugen kann. Ist diese Vielfalt nicht gegeben – haben alle Finken also den gleichen Schnabel –, dann fehlt die Grundlage für eine natürliche Auslese. Diese Vögel sterben auf einen Schlag aus.

Aber welche Triebkraft bringt in der Wildnis natürliche Variationen hervor? Hugo de Vries hatte die These aufgestellt, Mutationen seien für die Variationen verantwortlich:[22] Veränderungen der Gene brächten veränderte Erscheinungsformen hervor, die durch natürliche Kräfte selektiert werden könnten. Seine These entstand jedoch vor der molekularen Definition des Gens. Gab es experimentelle Beweise, dass erkennbare Mutationen realer Gene für Variationen verantwortlich waren? Traten Mutationen spontan und unvermittelt auf, oder gab es in Wildpopulationen bereits genügend natürliche genetische Variationen? Und was passierte bei der natürlichen Selektion mit den Genen?

In den 1930er Jahren machte der in die Vereinigten Staaten ausgewanderte russische Biologe Theodosius Dobzhansky sich daran, das Ausmaß genetischer Variationen bei Wildpopulationen zu erfassen.[23] Er hatte bei Thomas Morgan im Fliegenzimmer in Columbia studiert, war sich jedoch darüber im Klaren, dass er sich in die freie Natur hinausbegeben musste, wenn er Gene in Wildpopulationen beschreiben wollte. Mit Netzen, Fliegenkäfigen und faulendem Obst bewaffnet, begann er im Freien Fliegen zu fangen, zunächst in der Nähe seines Labors am California Institute of Technology, dann auf dem Mount San Jacinto und auf der Sierra Nevada in Kalifornien und schließlich in Wäldern und Bergregionen in den gesamten Vereinigten Staaten. Seine Kollegen, die an ihre Labortische gebunden waren, hielten ihn für völlig verrückt. Ebenso gut hätte er sich auch auf die Galapagosinseln absetzen können.

Der Entschluss, Jagd auf Variationen bei Wildfliegen zu machen, erwies sich als wichtiger Schritt. So entdeckte Dobzhansky bei einer Wildfliegenart namens *Drosophila pseudoobscura* zahlreiche Genvarianten, die komplexe Merkmale wie Lebensdauer, Augenstruktur,

Borsten und Flügelgröße beeinflussten. Die auffallendsten Variationen fand er bei Fliegen, die er in derselben Region gefangen hatte und die zwei radikal unterschiedliche Konfigurationen der gleichen Gene aufwiesen. Diese genetischen Varianten nannte er »Rassen«. Mit Morgans Verfahren, Gene anhand ihrer Position auf dem Chromosom zu kartieren, erstellte Dobzhansky eine Karte von drei Genen: A, B und C. Bei manchen Fliegen waren sie auf dem fünften Chromosom in der Reihenfolge A-B-C angeordnet. Bei anderen fand er die umgekehrte Konfiguration C-B-A. Der Unterschied zwischen zwei »Fliegenrassen« aufgrund einer einzigen chromosomalen Umkehrung war das drastischste Beispiel einer genetischen Variation, die ein Genetiker je bei einer Wildpopulation beobachtet hatte.

Es sollte noch mehr folgen. Im September 1943 begann Dobzhansky mit dem Versuch, Variation, Selektion und Evolution in einem einzigen Experiment zu belegen – also die Bedingungen der Galapagosinseln in einem Karton nachzubilden.[24] Er sperrte zwei Gruppen, die jeweils zu gleichen Teil aus Fliegen zweier Stämme – ABC und CBA – bestanden, in zwei versiegelte und belüftete Kartons, setzte den einen kalten Temperaturen aus und ließ den anderen bei Zimmertemperatur stehen. In diesen geschlossenen Behältern, die regelmäßig gereinigt wurden, bekamen die Fliegen Generation für Generation Futter und Wasser. Die Populationen wurden größer und wieder kleiner, neue Larven entstanden, entwickelten sich zu Fliegen und starben in dem Karton. Abstammungslinien und Familien – Fliegenreiche – wurden gegründet und starben aus. Als Dobzhansky nach vier Monaten die Populationen beider Kartons untersuchte, stellte er fest, dass sie sich drastisch verändert hatten. In dem »kalten Karton« hatte sich der ABC-Stamm nahezu verdoppelt, während der CBA-Stamm geschrumpft war. In dem bei Zimmertemperatur aufbewahrten Karton war das Verhältnis der beiden Fliegenstämme genau umgekehrt.

Er hatte alle entscheidenden Voraussetzungen der Evolution erfasst. Ausgehend von einer Population mit natürlicher Variation der Genkonfigurationen, hatte er eine Triebkraft der natürlichen Selektion hinzugefügt: Temperatur. Die »geeignetsten« Organismen – die, die sich niedrigen oder hohen Temperaturen am besten anpassten – hatten überlebt. Als neue Fliegen schlüpften, selektiert wurden und sich vermehrten, änderte sich die Genverteilung, und es entstanden Populationen mit neuer genetischer Zusammensetzung.

• • •

Um die Überschneidung von Genetik, natürlicher Auslese und Evolution formal zu erklären, ließ Dobzhansky zwei wichtige Begriffe wiederaufleben: *Genotyp* und *Phänotyp*. Der Genotyp bezeichnet die genetische Ausstattung eines Organismus und kann sich auf ein Gen, eine Genkombination oder auch auf das gesamte Genom beziehen. Der Phänotyp bezeichnet dagegen die physischen oder biologischen Eigenschaften und Merkmale eines Organismus – wie Augenfarbe, Flügelform oder Widerstandsfähigkeit gegen heiße oder kalte Temperaturen.

Dobzhansky konnte nun die fundamentale Wahrheit von Mendels Entdeckung – *ein Gen bestimmt ein körperliches Merkmal* – bestätigen und auf viele Gene und viele Merkmale ausweiten:

Ein Genotyp *bestimmt* einen Phänotyp.

Zu dieser Regel waren jedoch zwei wichtige Einschränkungen zu machen. Erstens, so Dobzhansky, waren Genotypen nicht die einzigen Determinanten der Phänotypen. Offensichtlich trägt die Umwelt oder das Milieu eines Organismus ebenfalls zu seinen physischen Merkmalen bei. Die Nasenform eines Boxers ist nicht nur Folge seiner Erbanlagen, sondern auch des von ihm gewählten Berufs und der Anzahl der Schläge auf den Nasenknorpel. Hätte Dobzhansky mutwillig die Flügel sämtlicher Fliegen in einem Karton gestutzt, hätte er damit ihren Phänotyp – die Flügelform – verändert, ohne ihre Gene anzurühren. Anders ausgedrückt:

Genotyp + *Umwelt* = Phänotyp

Zweitens werden manche Gene durch externe Auslöser oder durch Zufall aktiviert. So ist bei Fliegen ein Gen, das über die Größe eines verkümmerten Flügels bestimmt, temperaturabhängig: Die Flügelform lässt sich nicht allein aufgrund der Gene oder der Umwelt vorhersagen; man muss vielmehr beide Informationen zusammennehmen. Bei solchen Genen ist weder der Genotyp noch die Umwelt der alleinige Faktor, nach dem sich das Ergebnis vorhersagen ließe: Vielmehr ist es das Zusammenspiel von Genen, Umwelt und Zufall.

Bei Menschen erhöht eine Mutante des Gens *BRCA1* das Brustkrebsrisiko – aber nicht alle Trägerinnen dieser Mutation bekommen Krebs. Solche von Auslösern oder Zufall abhängigen Gene besitzen eine partielle oder unvollständige »Penetranz«, also nur eine bedingte Fähigkeit, ein Merkmal tatsächlich auszubilden. Ein Gen kann auch eine variable »Expressivität« besitzen, das heißt, wenn es vererbt wurde, variiert seine Fähigkeit, sich in einem tatsächlichen Merkmal auszuprägen, von einem Individuum zum anderen. Eine Frau mit der *BRCA1*-Mutation kann mit dreißig Jahren eine aggressive, metastasierende Brustkrebsvariante entwickeln, während bei einer anderen mit derselben Mutation eine langsam fortschreitende Form auftritt und eine dritte gar nicht an Brustkrebs erkrankt.

Bislang sind die Ursachen für die unterschiedlichen Auswirkungen dieses Gens bei Frauen nicht bekannt – es handelt sich jedoch um eine Kombination aus Alter, Umwelteinflüssen, anderen Genen und Pech. Allein aufgrund des Genotyps – der *BRCA1*-Mutation – lässt sich das Endergebnis nicht gesichert voraussagen.

Die letzte Modifikation der Vererbungsregeln könnte demnach lauten:

$$\text{Genotyp} + \text{Umwelt} + \textit{Auslöser} + \textit{Zufall} = \text{Phänotyp}$$

Kurz und bündig, aber dennoch treffend erfasst diese Formel den Kern des Wechselspiels zwischen Vererbung, Zufall, Umwelteinflüssen, Variation und Evolution, das über Form und Werdegang eines Organismus bestimmt. In der Natur gibt es bei Wildpopulationen Variationen des Genotyps. Im Zusammenwirken mit unterschiedlichen Umweltbedingungen, Auslösern und Zufall bestimmen diese Variationen die Merkmale eines Organismus (etwa die mehr oder weniger ausgeprägte Widerstandsfähigkeit einer Fliege gegenüber Temperaturen). Unter starkem Selektionsdruck – einem Temperaturanstieg oder einer erheblichen Einschränkung des Nahrungsangebots – sind Organismen mit dem »am besten angepassten« Phänotyp begünstigt. Das selektive Überleben solcher Fliegen bewirkt, dass sie mehr Larven hervorbringen können, die einen Teil des elterlichen Genotyps erben und letztlich besser an diesen Selektionsdruck angepasst sind. Der Prozess der Auslese richtet sich vor allem nach einem *körperlichen oder biologischen* Merkmal – und die Auslese der zugrundeliegenden Gene erfolgt lediglich passiv. So mag eine deformierte Nase das Ergebnis eines besonders schlechten Tags im Boxring sein – also nichts mit Genen zu tun haben –, wenn es aber bei der Partnerwahl ausschließlich nach der Symmetrie der Nase geht, wird der Träger der falschen Nasenform durchfallen. Selbst wenn er zahlreiche Gene besitzt, die langfristig vorteilhaft sind – ein Gen für Zähigkeit oder die Fähigkeit, starke Schmerzen auszuhalten –, werden diese gesamten Erbanlagen nur wegen dieser krummen Nase bei der Partnerwahl zum Aussterben verdammt.

Kurz: Der Phänotyp schleppt Genotypen hinter sich her wie ein Karren, der ein Pferd zieht. Es ist das ewige Rätsel der natürlichen Selektion, dass sie eines sucht (Tauglichkeit) und zufällig etwas anderes findet (Gene, die Tauglichkeit hervorbringen). Durch die Selektion von Phänotypen sind nach und nach Gene, die Tauglichkeit produzieren, in Populationen überrepräsentiert und erlauben es Organismen, sich ihrer Umwelt mehr und mehr anzupassen. So etwas wie Perfektion gibt es nicht, nur eine unermüdliche, begierige Anpassung eines Organismus an seine Umwelt – *das* ist die Triebkraft der Evolution.

• • •

Dobzhanskys letzter Paukenschlag war, dass er Darwins »Geheimnis der Geheimnisse« lüftete: den Ursprung der Arten. Mit seinem Ga-

lapagosinseln-im-Karton-Experiment hatte er demonstriert, wie eine
Population sich kreuzender Organismen – in diesem Fall Fliegen – sich
im Laufe der Zeit entwickelte.* Ihm war jedoch klar, dass aus der
Kreuzung von Wildpopulationen mit Variationen des Genotyps niemals eine neue Spezies hervorgehen konnte: Schließlich definiert sich
eine Spezies grundlegend durch ihre Unfähigkeit, sich mit einer anderen Art zu kreuzen.

Für die Entstehung einer neuen Spezies musste also ein Faktor
auftauchen, der eine Fortpflanzung unmöglich machte. Dobzhansky
fragte sich, ob dieser fehlende Faktor die geographische Isolation sein
könnte. Man stelle sich eine Population von Organismen mit Genvarianten vor, die imstande sind, sich zu kreuzen. Plötzlich wird diese
Population durch irgendeine geographische Kluft getrennt. Ein Vogelschwarm wird durch einen Sturm von einer Insel auf eine weitentfernte
andere Insel abgetrieben und kann nicht zu seinem Ursprungsort zurückkehren. Nun entwickeln sich die beiden Populationen nach Darwin'scher Manier unabhängig voneinander – bis sich an beiden Orten
durch natürliche Selektion bestimmte Genvarianten durchsetzen, die
biologisch unvereinbar sind. Selbst wenn die neuen Vögel – etwa auf
Schiffen – auf ihre Herkunftsinsel zurückkehren würden, könnten sie
sich nicht mehr mit ihren vor langer Zeit verlorenen Verwandten fortpflanzen: Gemeinsame Nachkommen der beiden Vogelpopulationen
besitzen unvereinbare Erbanlagen – verstümmelte Informationen –,
die es ihnen unmöglich machen, zu überleben oder fruchtbar zu sein.
Geographische Isolation führt zu genetischer Isolation und schließlich
zu Fortpflanzungsschranken.

Dieser Mechanismus der Artenbildung war keine bloße Spekula-
tion, sondern konnte von Dobzhansky experimentell belegt werden.[25]
Er sperrte zwei Fliegenpopulationen aus entfernten Teilen der Erde

---

* Die ersten Experimente zu Fortpflanzungsschranken und Artenentstehung
  wurden bereits vor den Experimenten zur Selektion vorgenommen, aber Dobzhansky und seine Studenten beschäftigten sich weiterhin in den 1940er und
  1950er Jahren mit beiden Fragen.

zusammen in einen Käfig. Sie paarten sich und brachten Nachkommen hervor – aus den Larven erwuchsen jedoch unfruchtbare Fliegen. Durch Kopplungsanalyse konnten Genetiker sogar eine Genkonfiguration ausmachen, die den Nachwuchs unfruchtbar machte. Das war das fehlende Bindeglied in Darwins Theorie: Die reproduktive Unvereinbarkeit, die letztlich aus genetischer Unvereinbarkeit erwuchs, führte zur Entstehung neuer Arten.

Ende der 1930er Jahre wurde Dobzhansky allmählich klar, dass seine Erkenntnisse über Gene, Variation und natürliche Selektion Auswirkungen hatten, die weit über die Biologie hinausreichten. Die blutige Revolution, die 1917 Russland erschüttert hatte, hatte alle individuellen Unterschiede zugunsten des Gemeinwohls auszulöschen versucht. Dagegen übertrieb und dämonisierte eine monströse Form von Rassismus, die in Europa aufkam, individuelle Unterschiede. In beiden Fällen ging es, wie Dobzhansky feststellte, im Grunde um biologische Fragen. Was definiert das Individuum? Wie trägt Variation zur Individualität bei? Was ist »gut« für eine Spezies?

• • •

In den 1940er Jahren nahm Dobzhansky diese Fragen unmittelbar in Angriff: Letztlich entwickelte er sich zu einem der schärfsten wissenschaftlichen Kritiker der nationalsozialistischen Eugenik, der sowjetischen Kollektivierung und des europäischen Rassismus. Seine Forschungen zu Wildpopulationen, Variation und natürlicher Auslese hatten indes bereits wesentliche Erkenntnisse zu diesen Fragen geliefert.

Erstens war offenkundig, dass genetische Variation in der Natur die Regel und nicht die Ausnahme war. US-amerikanische und europäische Eugeniker setzten sich nachdrücklich für eine künstliche Selektion ein, um das menschliche »Wohl« zu fördern – in der Natur gab es jedoch nicht nur ein »Wohl«. Unterschiedliche Populationen hatten äußerst unterschiedliche Genotypen, die in der Wildnis koexistierten und sich sogar überlappten. Die Natur war nicht so versessen auf die Homogenisierung genetischer Variationen, wie menschliche Eugeniker vermuteten. Tatsächlich erkannte Dobzhansky, dass die natürliche Variation für einen Organismus ein lebenswichtiges Reservoir darstellte – eine Bereicherung, deren Vorzüge die Nachteile weit überwogen. Ohne diese Variation – ohne tiefgreifende genetische Vielfalt – könnte ein Organismus letzten Endes seine Fähigkeit zur Weiterentwicklung verlieren.

Zweitens ist Mutation nur eine andere Bezeichnung für eine Variation. Bei Wildfliegen war kein Genotyp von sich aus überlegen, stellte Dobzhansky fest: Ob der ABC-Stamm oder der BCA-Stamm überlebte, hing von der Umgebung und dem Wechselspiel zwischen Genen und Umwelt ab. Was für den einen eine »Mutante« war, war für den anderen eine »genetische Variante«. Eine Winternacht konnte eine Fliegenart begünstigen, ein Sommertag eine ganz andere. Keine Variante war moralisch oder biologisch überlegen; jede war lediglich mehr oder weniger an eine bestimmte Umwelt angepasst.

Drittens war die Beziehung zwischen den physischen oder mentalen Merkmalen eines Organismus und der Vererbung wesentlich komplexer, als man vermutet hatte. Eugeniker wie Galton hatten gehofft, die Selektion komplexer phänotypischer Merkmale – Intelligenz, Größe, Schönheit und Redlichkeit – als biologischen Kurzweg nutzen zu können, um die Erbanlagen für diese Eigenschaften anzureichern. Aber ein phänotypisches Merkmal wurde nicht eins zu eins durch ein Gen gesteuert. Die Selektion nach Phänotypen war ein mangelhafter Mechanismus, um eine bestimmte genetische Auslese zu gewährleisten. Wenn Gene, Umwelteinflüsse, Auslöser und Zufall für die letztlich ausgebildeten Eigenschaften eines Organismus verantwortlich waren, mussten Eugeniker in ihren Bestrebungen scheitern, über Generationen hinweg Intelligenz oder Schönheit zu fördern, wenn sie nicht zuvor die relativen Auswirkungen eines jeden dieser Faktoren entwirrten.

Jede einzelne von Dobzhanskys Erkenntnissen war ein triftiges Argument gegen den Missbrauch von Genetik und Humaneugenik. Gene, Phänotypen, Selektion und Evolution waren durch relativ grundlegende Gesetzmäßigkeiten verbunden – allerdings waren diese Gesetzmäßigkeiten leicht misszuverstehen und zu verzerren. »Strebe nach Einfachheit, aber misstraue ihr«, hatte der Mathematiker und Philosoph Alfred North Whitehead seinen Studenten einst geraten. Dobzhansky hatte diesen Rat befolgt – aber er warnte auch eindringlich davor, die Logik der Genetik allzu sehr zu vereinfachen. Diese in Lehrbüchern und wissenschaftlichen Aufsätzen verborgenen Einsichten wurden allerdings von mächtigen politischen Kräften ignoriert, die schon bald humangenetische Manipulationen in ihrer perversesten Form betreiben sollten.

Transformation

Wer ein ›Akademikerleben‹ als Rückzug von
der Realität vorzieht, sollte nicht in die Biologie
gehen. Das ist ein Fachgebiet für Männer oder
Frauen, die noch näher an das Leben heran-
kommen wollen.

Hermann J. Muller[26]

Aber wir bestreiten, daß die Genetiker zusammen mit den Zytologen im Mikroskop die
Gene sehen können. ... Die Erbgrundlage ist
niemals eine besondere, vom Körper getrennte
und nach eigenen Gesetzen sich vermehrende
Substanz.

Trofim Lyssenko[27]

Die Vereinbarkeit von Genetik und Evolution wurde als Moderne
Synthese oder großartiger als Große Synthese bezeichnet.[28] Doch ob-
schon Genetiker die Verknüpfung von Vererbung, Evolution und natürlicher Auslese feierten, blieb die stoffliche Grundlage des Gens ein
ungelöstes Rätsel. Man hatte Gene »Erbfaktoren« genannt, aber diese
Bezeichnung enthielt keinerlei Hinweis auf die chemische oder physikalische Beschaffenheit dieser »Faktoren«. Morgan stellte sich Gene

als »Perlen auf einer Kette« vor, aber selbst er wusste nicht, was das in stofflicher Form bedeutete. Woraus bestanden diese »Perlen«? Und wie war die »Kette« beschaffen?

Die stoffliche Zusammensetzung des Gens entzog sich einer Identifikation teils, weil Biologen Gene nie in ihrer chemischen Form ausgemacht hatten. In der gesamten biologischen Welt werden Gene *vertikal* weitergegeben – also von Eltern an Kinder oder von Mutter- an Tochterzellen. Die vertikale Weitergabe von Mutationen hatte es Mendel und Morgan ermöglicht, die Wirkung von Genen zu untersuchen, indem sie Vererbungsmuster analysierten (beispielsweise die Weitergabe des Merkmals »weiße Augen« von Elternfliegen an ihre Nachkommen). Die vertikale Transformation birgt jedoch das Problem, dass die Gene den lebenden Organismus oder die Zelle nie verlassen. Teilt sich eine Zelle, so teilt sich das genetische Material in ihr und wird auf ihre Tochterzellen aufgeteilt. In diesem gesamten Prozess bleiben die Gene zwar biologisch sichtbar, chemisch aber undurchdringlich – eingeschlossen in der Blackbox der Zelle.

Ganz selten kann das genetische Material jedoch von einem Organismus auf einen anderen übergehen – nicht von Eltern auf ihre Kinder, sondern von einem Lebewesen auf einen völlig fremden, nicht verwandten Organismus. Diesen horizontalen Genaustausch bezeichnet man als *Transformation*. Allein schon dieser Begriff lässt unsere Verwunderung erkennen: Menschen geben Erbinformation gewöhnlich nur durch Fortpflanzung weiter – bei der Transformation scheint sich ein Organismus jedoch in einen anderen zu verwandeln wie die Nymphe Daphne, die zu einem Lorbeerbaum wurde (vielmehr *transformiert* die Genübertragung die Merkmale eines Organismus in die eines anderen; in der genetischen Version des griechischen Mythos müssen also die für das Wachstum von Ästen zuständigen Gene irgendwie in Daphnes Genom eingedrungen sein und es ermöglicht haben, aus menschlicher Haut Rinde und Holz auszubilden).

Bei Säugetieren kommt Transformation so gut wie nie vor. Dagegen können Bakterien, die in den rauen Randgebieten der biologischen Welt angesiedelt sind, Gene horizontal austauschen (um nachzuvoll-

ziehen, wie seltsam dieser Vorgang ist, kann man sich vorstellen, dass
zwei Freunde, ein blauäugiger und ein braunäugiger, gemeinsam einen
Abendspaziergang machen und mit der Augenfarbe des anderen zurückkommen, nachdem sie beiläufig ihre Gene ausgetauscht haben).
Der Moment des Genaustauschs ist besonders seltsam und erstaunlich. Beim Übergang von einem Organismus auf den anderen existiert
ein Gen vorübergehend als reine Chemikalie. Für einen Chemiker, der
das Gen erforschen will, gibt es keinen günstigeren Augenblick.

• • •

Entdeckt wurde die Transformation von einem englischen Bakteriologen namens Frederick Griffith.[29] Als er in den frühen 1920er Jahren beim britischen Gesundheitsministerium arbeitete, begann er, das
Bakterium *Streptococcus pneumoniae* oder Pneumococcus zu untersuchen. In Europa hatte 1918 die Spanische Grippe gewütet, die weltweit
annähernd zwanzig Millionen Menschen getötet hatte und damit zu
den verheerendsten Naturkatastrophen der Geschichte zählte. Häufig
hatten die Grippeopfer eine durch Pneumokokken verursachte sekun-
däre Lungenentzündung entwickelt – eine so schnell fortschreitende
tödliche Erkrankung, dass Ärzte sie als »Anführer der Todbringer«
bezeichneten. Die Pneumokokken-Lungenentzündung nach einer
Grippeinfektion – die Epidemie innerhalb der Epidemie – war so be-
sorgniserregend, dass das britische Gesundheitsministerium eigens
Wissenschaftlerteams eingestellt hatte, die das Bakterium erforschen
und einen Impfstoff dagegen entwickeln sollten.

Griffith nahm das Problem in Angriff, indem er sich auf das Bakterium konzentrierte: Warum waren Pneumokokken für Tiere derart
tödlich? Auf der Grundlage von Forschungen deutscher Wissenschaftler fand er heraus, dass dieses Bakterium in zwei Stämmen vorkam.
Ein mit »S« (*smooth*, glatt) bezeichneter Stamm besaß an der Zell-
oberfläche eine zuckrige Schleimkapsel und konnte dem Immunsystem entwischen wie ein Molch. Der mit »R« (*rough*, rau) bezeichnete
Stamm hatte diese Schleimkapsel nicht und war anfällig für Angriffe
der Immunabwehr. Eine Maus, der man den S-Stamm injizierte, starb

innerhalb kurzer Zeit an Lungenentzündung, mit dem R-Stamm infizierte Mäuse aktivierten dagegen eine Immunreaktion und überlebten. Griffith führte Experimente durch, die unbeabsichtigt eine Revolution der Molekularbiologie nach sich zogen.[30] Zunächst tötete er die virulenten glatten Bakterien unter Hitzeeinwirkung ab und injizierte sie Mäusen. Wie erwartet hatten die so behandelten Bakterien keine Auswirkung auf die Tiere: Sie waren abgetötet und lösten keine Infektion aus. Mischte er aber das abgetötete Material des infektiösen Stammes mit lebenden Bakterien des R-Stammes, starben die Mäuse innerhalb kurzer Zeit. Bei der Obduktion der Tiere stellte Griffith fest, dass die Bakterien des R-Stammes sich verändert hatten: Allein durch den Kontakt mit den Überresten der abgetöteten Bakterien hatten sie die Schleimkapsel – den für die Infektion entscheidenden Faktor – *übernommen*. Irgendwie hatten sich die harmlosen Bakterien in die virulente Form »verwandelt«.

Wie konnten die Überreste der durch Hitze abgetöteten Bakterien – also lediglich eine lauwarme Brühe mikrobieller Chemikalien – durch bloßen Kontakt ein genetisches Merkmal an ein lebendes Bakterium weitergeben? Griffith war ratlos. Anfangs überlegte er, ob die lebenden Bakterien die toten gefressen und dadurch ihren Zellmantel verändert haben könnten wie durch ein Voodoo-Ritual, bei dem sich der Mut und die Vitalität eines tapferen Mannes angeblich auf den überträgt, der dessen Herz isst. Nach der Umwandlung behielten die Bakterien ihre neue Schleimkapsel jedoch über mehrere Generationen – also noch lange, nachdem ein etwaiger Nahrungsvorrat erschöpft sein musste. Die einfachste Erklärung war daher, dass die Erbinformation chemisch von dem einen auf den anderen Stamm übergegangen sein musste. Bei der »Transformation« war das für die Virulenz zuständige Gen – das statt des rauen Zellmantels die glatte Schleimkapsel hervorbrachte – irgendwie aus dem Bakterium in die chemische Lösung und von dort in das lebende Bakterium übergegangen, das es in sein Genom eingegliedert hatte. Anders gesagt: Gene konnten ohne irgendeine Form der Fortpflanzung von einem Organismus an einen anderen übertragen werden. Sie waren autonome – *stoffliche* – Einheiten, die

Informationen trugen. Erbinformationen wurden nicht durch ätherische Pangene oder Keimchen flüsternd zwischen Zellen ausgetauscht, sondern durch ein Molekül, das in chemischer Form außerhalb einer Zelle existieren und Informationen von Zelle zu Zelle, von Organismus zu Organismus und von Eltern zu Kindern übertragen konnte.

Hätte Griffith dieses verblüffende Forschungsergebnis veröffentlicht, hätte es die gesamte Biologie in Aufruhr versetzt. In den 1920er Jahren fingen Wissenschaftler gerade an, lebende Systeme chemisch zu verstehen. Biochemiker sahen die Zelle als Behälter voller Chemikalien, als eine von einer Membran umhüllte Menge chemischer Verbindungen, die miteinander reagierten und ein als »Leben« bezeichnetes Phänomen hervorbrachten. Griffiths Entdeckung einer Chemikalie, die als Träger von Erbinformationen zwischen Organismen fungieren konnte, – eines »Genmoleküls« – hätte unzählige Spekulationen entfacht und die chemische Theorie des Lebens völlig neu strukturiert.

Aber von Griffith, einem bescheidenen, äußerst schüchternen Wissenschaftler – »dieser winzige Mann, der … kaum je lauter als im Flüsterton sprach«[31] – war nicht zu erwarten, dass er die weitreichende Bedeutung oder den Reiz seiner Forschungsergebnisse hinausposaunte. »Engländer tun alles aus Prinzip«, stellte George Bernard Shaw einmal fest – und der Grundsatz, nach dem Griffith lebte, war höchste Bescheidenheit. In London lebte er allein in einer unscheinbaren Wohnung in der Nähe seines Labors, und in Brighton hatte er sich ein spartanisches, weißes, modernistisches Haus gebaut. Gene mochten zwischen Organismen wandern, aber Griffith ließ sich nicht zwingen, sein Labor zu verlassen, um Vorträge zu halten. Freunde versuchten mit List und Tücke, ihn zu wissenschaftlichen Vorträgen zu bewegen, indem sie ihn in ein Taxi setzten und die Fahrt zum Veranstaltungsort bezahlten.

Nach monatelangem Zögern (»Gott hat keine Eile, warum sollte ich es eilig haben?«) veröffentlichte Griffith seine Forschungsergebnisse schließlich im Januar 1928 im *Journal of Hygiene*, einer Fachzeitschrift, deren Nischendasein selbst Mendel beeindruckt haben dürfte.[32] Griffith schrieb in demütig entschuldigendem Ton, als ob es ihm aufrichtig leidtue, die Genetik in ihren Grundfesten zu erschüttern. In seiner Studie behandelte er die Transformation wie eine Kuriosität der Mikrobenbiologie, erwähnte aber an keiner Stelle die Entdeckung einer potentiellen chemischen Grundlage der Vererbung. Die folgenschwerste Schlussfolgerung des wichtigsten biochemischen Beitrags dieses Jahrzehnts war in seinem Text wie unter einem Bergmassiv vergraben.

• • •

Während Frederick Griffiths Experiment den eindeutigen Beleg lieferte, dass das Gen eine Chemikalie war, waren andere Wissenschaftler diesem Gedanken ebenfalls nahe gekommen. Hermann Muller, ein ehemaliger Schüler von Thomas Morgan, ging 1920 von New York nach Texas, um die Genetik von Fliegen weiter zu erforschen.[33] Wie Morgan hoffte er, anhand von Mutanten die Vererbung zu ergründen. Natürlich auftretende Mutanten – die Grundlage der Fruchtfliegengenetik – waren jedoch viel zu selten. Die Fliegen mit weißen Augen oder braunem Körper, die Morgan und seine Studenten in New York entdeckt hatten, hatten sie im Laufe von dreißig Jahren mühsam aus umfangreichen Fliegenschwärmen herausgesucht. Da Muller die Mutantenjagd leid war, überlegte er, ob sich die Entstehung von Mutanten beschleunigen ließe – etwa indem er Fliegen Hitze, Licht oder noch energiereicherer Strahlung aussetzte.

In der Theorie klang das einfach, in der Praxis war es jedoch knifflig. Als Muller erstmals Fliegen Röntgenstrahlung aussetzte, tötete er sämtliche Exemplare. Frustriert senkte er die Dosis – und stellte fest, dass er nun alle sterilisiert hatte. Statt Mutanten hatte er riesige Schwärme toter beziehungsweise unfruchtbarer Fliegen hervorgebracht. Im Winter 1926 setzte er aus einer Eingebung heraus eine Gruppe Fliegen einer noch geringeren Strahlendosis aus. Die bestrahlten Männchen und Weibchen ließ er sich paaren und beobachtete die Maden in den Milchflaschen.

Schon ein flüchtiger Blick offenbarte ein erstaunliches Ergebnis: Die neugeschlüpften Fliegen wiesen Mutationen auf – Dutzende, vielleicht sogar Hunderte.[34] Am späten Abend befand sich im Haus nur noch ein einzelner Botaniker, der ein Stockwerk tiefer arbeitete, dem er die bahnbrechende Neuigkeit mitteilen konnte. Jedes Mal, wenn Muller eine neue Mutante entdeckte, rief er durch das Fenster: »Ich habe noch einen.« Morgan und seine Studenten hatten annähernd drei Jahrzehnte gebraucht, um in New York etwa fünfzig Fliegenmutanten zu sammeln. Muller hatte in einer einzigen Nacht nahezu halb so viele entdeckt, wie der Botaniker, leicht bekümmert, anmerkte.

Diese Entdeckung katapultierte Muller zu internationalem Ruhm. Die Wirkung der Bestrahlung auf die Mutationsrate bei Fliegen ließ zwei unmittelbare Schlussfolgerungen zu. Erstens mussten Gene etwas Stoffliches sein, denn Strahlung besteht schließlich nur aus Energie. Frederick Griffith hatte Gene zwischen Organismen wandern lassen. Muller hatte Gene durch Einsatz von Energie verändert. Was immer ein Gen auch sein mochte, es war zu Bewegung, Übertragung und Veränderung durch Energieeinwirkung fähig – Eigenschaften, die man in der Regel mit chemischen Stoffen verband.

Mehr noch als die stoffliche Beschaffenheit des Gens verblüffte Wissenschaftler die Formbarkeit des Genoms – dass Röntgenstrahlen geradezu eine Knetmasse aus Genen machen konnten. Selbst Darwin, der zu den eifrigsten frühen Verfechtern der grundlegenden Wandlungsfähigkeit der Natur gehörte, hätte diese Mutationsrate erstaunlich gefunden. Nach Darwins Vorstellungen besaß ein Organismus generell eine feste Veränderungsrate, wohingegen sich die Geschwindigkeit der natürlichen Selektion erhöhen oder dämpfen ließ, um die Evolution zu beschleunigen oder zu verlangsamen.[35] Mullers Experimente belegten jedoch, dass die Vererbung sich relativ einfach manipulieren ließ: Die Mutationsrate war veränderlich. »In der Natur gibt es keinen Status quo«, schrieb Muller später. »Alles ist ein Prozess der Anpassung und Neuanpassung oder ansonsten des letztlichen Scheiterns.«[36] Ihm schwebte vor, durch Veränderung der Mutationsraten und Auswahl von Varianten den Evolutionszyklus massiv beschleunigen und in seinem Labor sogar völlig neue Spezies und Unterarten schaffen zu können – als Herr der Fliegen.

Muller war klar, dass sein Experiment weitreichende Folgen für die Humaneugenik hatte. Wenn Fliegengene sich mit so kleinen Strahlendosen verändern ließen, konnte dann die Veränderung menschlicher Gene weit dahinter zurückbleiben? Wenn man genetische Veränderungen »künstlich herbeiführen« könne, dann sei die Vererbung nicht länger das ausschließliche Privileg eines »unerreichbaren Gottes, der uns Streiche spielt«, schrieb er.[37]

Wie viele Natur- und Sozialwissenschaftler seiner Zeit war auch Muller seit den 1920er Jahren von Eugenik fasziniert. Schon im Grundstudium hatte er an der Columbia University eine biologische Gesellschaft zur Erforschung und Förderung »positiver Eugenik« gegründet. Als er jedoch den bedrohlichen Aufstieg der Eugenikbewegung in den Vereinigten Staaten beobachtete, überdachte er seine Begeisterung Ende der 1920er Jahre. Das Eugenics Record Office mit seiner Ausrichtung auf Rassenreinheit und seinem Drang, Einwanderer, »Verhaltensauffällige« und »Gestörte« zu beseitigen, empfand Muller als rundweg unheimlich und dessen Propheten – Davenport, Priddy und Bell – als versponnene, pseudowissenschaftliche Widerlinge.[38]

Als Muller über die Zukunft der Eugenik und die Möglichkeit zur Veränderung des menschlichen Genoms nachdachte, fragte er sich, ob Galton und dessen Mitarbeiter einen grundlegenden Denkfehler begangen hätten. Ebenso wie Galton und Pearson sympathisierte auch Muller mit dem Wunsch, die Genetik zur Linderung von Leid zu nutzen. Aber im Gegensatz zu Galton erkannte Muller allmählich, dass positive Eugenik nur in einer Gesellschaft erreichbar wäre, die radikale Gleichberechtigung bereits verwirklicht hätte. Eugenik konnte nicht der Auftakt zu Gleichberechtigung und Chancengleichheit sein, sondern setzte diese voraus. Ansonsten würde sie unweigerlich an der falschen Prämisse scheitern, gesellschaftliche Übel wie Obdachlosigkeit, Armut, Devianz, Alkoholismus und Schwachsinn seien *Erbkrankheiten* – während sie in Wirklichkeit lediglich die Ungleichheit widerspiegelten. Frauen wie Carrie Buck waren nicht genetisch schwachsinnig, sondern arm, ungebildet, ungesund und machtlos – Opfer ihres gesellschaftlichen Loses, nicht der genetischen Lotterie. Die Galton-Anhänger waren überzeugt, die Eugenik werde letztlich radikale Gleichheit schaffen und die Schwachen in Starke verwandeln. Muller stellte diese Argumentation auf den Kopf. Ohne Gleichheit werde Eugenik zu einem weiteren Mechanismus verkommen, durch den die Mächtigen die Schwachen kontrollieren könnten, erklärte er.

. . .

Während Mullers Forschungsarbeit in Texas ihren Höhepunkt erreichte, brach sein persönliches Leben zusammen. Seine Ehe ging in die Brüche. Seine Rivalität mit Bridges und Sturtevant, seinen ehemaligen Laborkollegen an der Columbia University, gipfelte im endgültigen Bruch, und seine nie sonderlich herzliche Beziehung zu Morgan schlug in frostige Feindseligkeit um.

Zudem geriet Muller wegen seiner politischen Ausrichtung unter Beschuss. In New York war er mehreren sozialistischen Gruppen beigetreten, hatte Zeitungen herausgegeben, Studenten rekrutiert und sich mit dem Schriftsteller und Gesellschaftsaktivisten Theodore Dreiser angefreundet.[39] In Texas begann der aufsteigende Star der Genetik, eine sozialistische Untergrundzeitung herauszugeben, *The Spark* (benannt nach Lenins *Iskra*), die für Bürgerrechte für Afroamerikaner, Frauenwahlrecht, Bildung für Einwanderer und eine Sozialversicherung für Arbeiter eintrat – nach heutigen Maßstäben keine sonderlich radikalen Forderungen, sie reichten jedoch aus, seine Kollegen gegen ihn aufzubringen und die Behörden zu ärgern. Das FBI leitete Ermittlungen zu seinen Aktivitäten ein.[40] Die Presse brandmarkte ihn als Subversiven, Kommunisten, roten Spinner, Sympathisanten der Sowjets und Fanatiker.

Muller war isoliert, verbittert, zunehmend paranoid und deprimiert. Eines Morgens verschwand er aus seinem Labor und war auch in seinem Seminarraum nicht zu finden. Stunden später entdeckte ihn ein Suchtrupp von Studenten in den Wäldern am Stadtrand von Austin. Er wankte benommen in zerknitterten Kleidern, mit Schlammspritzern im Gesicht und zerkratzten Schienbeinen durch den Nieselregen. Nachdem er eine Packung Schlafmittel geschluckt hatte, um sich das

Leben zu nehmen, hatte er an einem Baum geschlafen. Am nächsten Morgen stand er verlegen wieder vor seinen Studenten.

Der Suizidversuch war zwar fehlgeschlagen, war aber durchaus symptomatisch für Mullers Malaise. Er hatte genug von den Vereinigten Staaten, ihrem schmutzigen Wissenschaftsbetrieb, ihrer verkommenen Politik und ihrer selbstsüchtigen Gesellschaft. Er wollte an einen Ort, an dem er Wissenschaft und Sozialismus besser vereinbaren könnte. Radikale genetische Eingriffe waren für ihn nur in radikal egalitären Gesellschaften denkbar. In Berlin schüttelte eine ehrgeizige liberale Demokratie mit sozialdemokratischen Tendenzen, wie er wusste, in den frühen 1930er Jahren gerade den Ballast ihrer Vergangenheit ab und leitete die Geburt einer neuen Republik ein. Berlin sei die »neueste Stadt« der Welt, hatte Mark Twain geschrieben[41] – ein Ort, wo Wissenschaftler, Schriftsteller, Philosophen und Intellektuelle sich in Cafés und Salons trafen, um eine freie, futuristische Gesellschaft zu schaffen. Muller war überzeugt, wenn die moderne Wissenschaft der Genetik ihr volles Potential entfalten sollte, dann in Berlin.

Im Winter 1932 packte Muller seine Sachen, verschiffte mehrere hundert Fliegenstämme, zehntausend Reagenzgläser, tausend Glasflaschen, ein Mikroskop, zwei Fahrräder und einen brandneuen Ford und brach auf an das Kaiser-Wilhelm-Institut in Berlin. Er konnte nicht ahnen, dass die Stadt, die er zu seiner Wahlheimat machte, tatsächlich die Entfesselung der neuen Wissenschaft der Genetik erleben sollte – allerdings in ihrer grauenhaftesten Form in der Geschichte.

»Lebensunwertes Leben«

Wer körperlich und geistig nicht gesund und würdig ist,
darf sein Leid nicht im Körper seines Kindes verewigen.
Der völkische Staat hat hier die ungeheuerste Erziehungs-
arbeit zu leisten. Sie wird aber dereinst auch als eine
größere Tat erscheinen, als es die siegreichsten Kriege
unseres heutigen bürgerlichen Zeitalters sind.
Adolf Hitler, *Mein Kampf*[42]

Er wollte Gott sein – und eine neue Rasse erschaffen.
Ein Häftlingsarzt über die Ziele Josef Mengeles[43]

Ein Erbkranker kostet bis zur Erreichung des 60. Lebens-
jahres im Durchschnitt 50000 Reichsmark.
Mahnung in einem Biologiebuch der NS-Zeit[44]

Nationalsozialismus sei nichts anderes als »angewandte Biologie«, sagte
der Biologe Fritz Lenz einmal.[45]

Als Hermann Muller im Frühjahr 1933 seine Arbeit im Kaiser-Wilhelm-Institut in Berlin aufnahm, beobachtete er, wie die »angewandte
Biologie« der Nationalsozialisten zum Einsatz kam. Im Januar dieses
Jahres war Adolf Hitler, der Parteivorsitzende der NSDAP, zum deutschen Reichskanzler ernannt worden. Jubelnd hatten SA und SS, die

paramilitärischen Verbände der Nationalsozialisten, ihren Sieg mit einem Fackelzug durch Berlin gefeiert. Im März verabschiedete der Reichstag das Ermächtigungsgesetz, das Hitler beispiellose Befugnisse einräumte, Gesetze ohne Beteiligung des Parlaments zu erlassen.

Die »angewandte Biologie«, wie die Nationalsozialisten sie verstanden, war eigentlich angewandte Genetik und sollte der »Rassenhygiene« dienen. Dieser Begriff stammte nicht von ihnen, sondern von dem deutschen Arzt und Biologen Alfred Ploetz, der ihn bereits 1895 geprägt hatte (man denke nur an seine unheilverkündende leidenschaftliche Rede auf der ersten internationalen Eugeniktagung 1912 in London; siehe Kapitel 6).[46] Unter »Rassenhygiene« verstand Ploetz eine genetische Säuberung der Rasse, die genetischen »Ausschuss« beseitigen sollte, wie die persönliche Körperpflege den Körper regelmäßig von Schmutz und Exkrementen reinigte, und damit zur Schaffung einer gesünderen und reineren Rasse führen würde.* Sein Kollege Heinrich Poll schrieb 1914: »Wie der Organismus schonungslos entartete Zellen opfert, wie der Chirurg ein krankhaftes Organ schonungslos entfernt, beide, um das Ganze zu retten: so sollten auch die höheren organischen Einheiten, der Sippschaftsverband, der Staatsverband sich nicht in übergroßer Ängstlichkeit vor dem Eingriff in die persönliche Freiheit scheuen, die Träger krankhaften Erbgutes daran zu verhindern, schädigende Keime durch die Generationen hindurch weiterzuschleppen.«[47]

Ploetz und Poll orientierten sich an britischen und US-amerikanischen Eugenikern wie Galton, Priddy und Davenport als Pionieren dieser neuen »Wissenschaft«. Die Virginia State Colony for Epileptics and Feebleminded war nach ihrer Ansicht ein ideales Experiment genetischer Säuberung. Anfang der 1920er Jahre, als man in den Vereinigten Staaten Frauen wie Carrie Buck ausmachte und in eugenische Lager steckte, verstärkten deutsche Eugeniker ihre Bemühungen um ein staatliches Programm, »genetisch minderwertige« Menschen einzusperren, zu sterilisieren oder zu beseitigen. An deutschen Uni-

* In den 1930er Jahren trat Ploetz in die NSDAP ein.

versitäten entstanden Lehrstühle für »Rassenbiologie« und Rassenhygiene, und an medizinischen Fakultäten stand Rassenkunde auf dem Lehrplan. Das akademische Zentrum für »Rassenkunde« war das Kaiser-Wilhelm-Institut für Anthropologie, menschliche Erblehre und Eugenik – nur einen Steinwurf von Mullers neuer Wirkungsstätte in Berlin entfernt.[48]

• • •

Als Hitler in den 1920er Jahren wegen seiner führenden Rolle beim fehlgeschlagenen Bürgerbräu-Putsch in München in Festungshaft saß, las er über Ploetz und die Rassenkunde und war auf Anhieb davon fasziniert.[49] Ebenso wie Ploetz war auch Hitler überzeugt, dass mangelhafte Gene das Volk nach und nach vergifteten und die Wiedergeburt eines starken, gesunden Staates behinderten. Nach der Machtergreifung der Nationalsozialisten in den 1930er Jahren sah Hitler die Möglichkeit, diese Ideen umzusetzen, und schritt umgehend zur Tat: Nicht einmal fünf Monate nach Verabschiedung des Ermächtigungsgesetzes beschlossen die Nationalsozialisten 1933 das »Gesetz zur Verhütung erbkranken Nachwuchses«, kurz Sterilisationsgesetz genannt.[50] In den Grundzügen orientierte es sich ausdrücklich am US-amerikanischen Eugenikprogramm – allerdings um der Effektivität willen erweitert. »Wer erbkrank ist, kann durch chirurgischen Eingriff unfruchtbar gemacht (sterilisiert) werden«, hieß es in Paragraph 1 des Gesetzes. Die Liste der aufgeführten »Erbkrankheiten« umfasste unter anderem »angeborenen Schwachsinn«, Schizophrenie, Epilepsie, Depressionen, Blindheit, Taubheit und schwere Missbildungen. Für die Sterilisation eines Mannes oder einer Frau war ein Antrag an das Erbgesundheitsgericht zu stellen. »Hat das Gericht die Unfruchtbarmachung endgültig beschlossen, so ist sie auch gegen den Willen des Unfruchtbarzumachenden auszuführen … Der beamtete Arzt hat bei der Polizeibehörde die erforderlichen Maßnahmen zu beantragen.«

Um die Unterstützung der Öffentlichkeit für das Gesetz zu mobilisieren, untermauerten die Nationalsozialisten die rechtlichen Regelungen durch heimtückische Propaganda – ein Vorgehen, das sie letztlich mit grauenhafter Perfektion beherrschen sollten. Filme wie *Das Erbe* (1935) und *Erbkrank* (1936), produziert vom Rassenpolitischen Amt der NSDAP, wurden im ganzen Land in vollbesetzten Kinos gezeigt, um die schlimmen Leiden »Geistesgestörter« und »Untauglicher« zu demonstrieren.[51] In *Erbkrank* nestelt eine Geisteskranke während eines Zusammenbruchs unablässig an ihren Händen und Haaren; ein missgebildetes Kind liegt teilnahmslos im Bett; eine Frau mit verkürzten Gliedmaßen kriecht auf allen vieren wie ein Packesel über den Boden. Den trostlosen Bildern dieser Propagandastreifen waren filmische Oden an den vollkommenen arischen Körper gegenübergestellt: In Leni Riefenstahls Film *Olympia*, der deutsche Sportler feiern sollte, präsentierten junge Männer mit Freiübungen ihre glänzenden muskulösen Körper als Muster genetischer Perfektion.[52] Das Publikum starrte voller Abscheu auf die »Gestörten« und Behinderten – und voller Neid und Bewunderung auf die übermenschlichen Athleten.

Während die staatliche Propagandamaschinerie auf Hochtouren daran arbeitete, der eugenischen Sterilisation passive Zustimmung zu verschaffen, sorgten die Nazis dafür, dass der Staatsapparat die rechtlichen Grenzen der rassischen Säuberung weiter ausdehnte. Im November 1933 erlaubte ein neues Gesetz dem Staat die Zwangssterilisation »gefährlicher Gewohnheitsverbrecher« (wozu auch politische Dissidenten, Schriftsteller und Journalisten zählten).[53] Im September 1935 trat im Rahmen der Nürnberger Rassengesetze das »Gesetz zum Schutze des deutschen Blutes und der deutschen Ehre« in Kraft und im Oktober das »Gesetz zum Schutze der Erbgesundheit des deutschen Volkes«; beide sollten eine genetische Mischung einschränken, indem sie Juden die Ehe mit Bürgern »deutschen Blutes« und sexuelle Beziehungen zu Ariern verboten.[54] Es gab wohl keine abstrusere Illustration für die Verknüpfung von Sauberkeit und rassischer Säuberung als ein Gesetz, das Juden die Beschäftigung »deutscher Dienstmädchen« untersagte.

Die umfangreichen Sterilisations- und Internierungsprogramme erforderten einen ebenso umfangreichen Verwaltungsapparat. Bereits 1934 wurden monatlich fast fünftausend Erwachsene sterilisiert, und mehr als zweihundert Erbgesundheitsgerichte waren mit der Bearbeitung von Sterilisationsanträgen voll ausgelastet.[55] Jenseits des Atlantiks lobten US-amerikanische Eugeniker diese Bestrebungen und beklagten häufig, dass sie derart effiziente Maßnahmen nicht durchzusetzen vermochten. Lothrop Stoddard, ein weiterer Protegé von Charles Davenport, besuchte Ende der 1930er Jahre ein solches Gericht und beschrieb voller Bewunderung dessen Effizienz. Während seines Besuchs verhandelte das Gericht über eine manisch-depressive Frau, ein taubstummes Mädchen, ein geistig zurückgebliebenes Mädchen und einen »affenartigen« Mann, der eine jüdische Frau geheiratet hatte und zudem anscheinend homosexuell war – ein dreifaches Vergehen. Aus Stoddards Notizen geht nicht hervor, wie festgestellt wurde, ob diese Symptome erblich waren. Dennoch wurde in allen Fällen die Sterilisation zügig beschlossen.

• • •

Der Schritt von der Sterilisation zur Ermordung vollzog sich praktisch ohne Vorankündigung und nahezu unbemerkt. Bereits 1935 hatte Hitler im kleinen Kreis überlegt, seine genetischen Säuberungsbestrebungen von der Sterilisation auf Euthanasie auszuweiten – welchen schnelleren Weg konnte es zur Säuberung des Genpools geben, als die Mängelbehafteten »auszumerzen« –, aber die Reaktion der Öffentlichkeit hatte ihm Sorgen bereitet. Ende der 1930er Jahre machte der kalte Gleichmut, mit dem die deutsche Öffentlichkeit auf das Sterilisationsprogramm reagierte, die Nationalsozialisten kühner. Eine Gelegenheit bot sich im Sommer 1939, als ein Ehepaar sich mit der Bitte an Hitler wandte, seinem Kind den »Gnadentod« zu gewähren.[56] Dieses Kind war blind und mit Missbildungen der Gliedmaßen geboren worden. Die Eltern – begeisterte Nazis – hofften, ihrem Land einen Dienst zu erweisen, indem sie ihr Kind aus dem genetischen Erbe des Volkes eliminierten.

Hitler sah seine Chance gekommen, genehmigte die Tötung des Jungen und weitete das Programm bald auf andere Kinder aus. Gemeinsam mit seinem Leibarzt Karl Brandt richtete er den »Reichsausschuß zur wissenschaftlichen Erfassung von erb- und anlagebedingten schweren Leiden« ein, um ein erheblich umfangreicheres landesweites Euthanasieprogramm zur Vernichtung »Erbkranker« umzusetzen.[57] Zur Rechtfertigung der Tötungen hatten die Nationalsozialisten bereits begonnen, die Opfer beschönigend als »lebensunwertes Leben« zu bezeichnen. Dieser gespenstische Ausdruck zeugte von einer Eskalation in der Logik der Eugenik: Es genügte nicht, »Erbkranke« zu sterilisieren, um den zukünftigen Staat zu säubern, vielmehr war es notwendig, sie zu töten, um den gegenwärtigen Staat zu reinigen – eine genetische »Endlösung«.

Die Tötungen betrafen zunächst »erbkranke« Kinder unter drei Jahren, wurden aber bis September 1939 reibungslos auf Heranwachsende ausgeweitet. Als Nächstes kamen jugendliche Straftäter an die Reihe. Unverhältnismäßig häufig richteten sich die Maßnahmen gegen jüdische Kinder, die von Amtsärzten untersucht, als »erbkrank« eingestuft und oft unter fadenscheinigen Vorwänden getötet wurden. Ab Oktober 1939 dehnte man das Euthanasieprogramm auf Erwachsene aus und machte eine prachtvoll ausgestattete Villa in der Berliner Tiergartenstraße 4 zum offiziellen Sitz der Verwaltungsstelle.[58] Nach dieser Adresse erhielt das Programm später die Bezeichnung »Aktion T4«.

Im ganzen Land entstanden Vernichtungszentren. Besonders aktiv waren die Tötungsanstalt Hadamar, die in der festungsartigen Klinikanlage auf dem Mönchberg untergebracht war, und die »Landes-Pflegeanstalt Brandenburg an der Havel«, im Backsteinbau des alten Zuchthauses. In den Kellern dieser Anstalten richtete man luftdichte Räume ein, in denen die Opfer mit Kohlenmonoxid getötet wurden. Sorgsam behielt man die Aura der Wissenschaftlichkeit und medizinischen Forschung aufrecht und inszenierte sie häufig noch, um in der öffentlichen Vorstellung eine stärkere Wirkung zu erzielen. Busse mit verhängten Fenstern, oft begleitet von SS-Leuten in weißen Kitteln, brachten die Opfer in die Tötungsanstalten. Neben den Gaskammern lagen Sezierräume mit improvisierten Betontischen, die von tiefen Abflussrinnen umgeben waren; dort konnten Ärzte den Leichen nach der Tötung Gewebeproben und Gehirne für spätere genetische Forschungen entnehmen. »Lebensunwertes Leben« war also offenbar von erheblichem Wert für den wissenschaftlichen Fortschritt.

Um Familien zu beruhigen und den Eindruck zu vermitteln, dass ihre Eltern oder Kinder angemessen behandelt und einer Sichtung unterzogen würden, verlegte man Patienten häufig zunächst in sogenannte Zwischenanstalten und brachte sie später heimlich zur Tötung nach Hadamar oder Brandenburg. Anschließend stellten Ärzte Tausende von Totenscheinen mit falschen – teils absurden – Angaben zur Todesursache aus. So wurde Maria Raus Mutter, die an einer psychotischen Depression litt, 1939 in Hadamar getötet. Ihrer Familie teilte man mit, sie sei an den Folgen eines »Lippenfurunkels« gestorben.[59] Bis 1941 wurden im Zuge der Aktion T4 annähernd eine Viertel Million Männer, Frauen und Kinder ermordet. Zwischen 1933 und 1943 erfolgten etwa vierhunderttausend Zwangssterilisationen aufgrund des Sterilisationsgesetzes.[60]

• • •

Als die bedeutende Kulturkritikerin Hannah Arendt später die perversen Exzesse des Nationalsozialismus dokumentierte, sprach sie von der »Banalität des Bösen«, von der die deutsche Kultur in der Zeit des Nationalsozialismus durchdrungen gewesen sei.[61] Ebenso weitverbreitet war offenbar auch die Leichtgläubigkeit des Bösen. Die Überzeugung, dass es in den Genen angelegt und erblich sei, »Jude« oder »Zigeuner« zu sein, und somit einer genetischen Säuberung unterworfen werden könnte, bedurfte außerordentlicher Glaubensverrenkungen – aber Skepsis auszuschalten gehörte zum prägenden Credo dieser Kultur. Tatsächlich plapperten Scharen führender »Wissenschaftler« – Genetiker, Mediziner, Psychologen, Anthropologen und Linguisten – munter Studien nach, die wissenschaftliche Begründungen für das Eugenikprogramm lieferten. So argumentierte Otmar von Verschuer, der spätere Direktor des Kaiser-Wilhelm-Instituts für Anthropologie in Berlin, in einer weitschweifigen Abhandlung, Neurosen und Hysterie seien bei Juden genetisch angelegt.[62] Darin führte er aus, dass die Suizidrate unter Juden sich zwischen 1849 und 1907 versiebenfacht habe, und folgerte erstaunlicherweise, die Ursache sei nicht etwa die systematische Verfolgung der Juden in Europa, sondern ihre neurotische Überreaktion darauf: »Nur in besonderem Maße psychopathisch und neurotisch veranlagte Menschen werden jedoch auf einen derartigen Wechsel in den äußeren Bedingungen in solcher Weise reagieren.«[63] Die von Hitler großzügig mit Finanzmitteln ausgestattete Ludwig-Maximilians-Universität in München verlieh 1936 einem jungen Mediziner den Doktortitel für seine Dissertation »Rassenmorphologische Untersuchung des vorderen Unterkieferabschnittes bei vier rassischen Gruppen« – eine Arbeit, die belegen sollte, dass die Unterkieferanatomie rassisch bestimmt und erblich sei. Ihr Verfasser, der frischgebackene »Humangenetiker« Josef Mengele, sollte schon bald zum berüchtigtsten nationalsozialistischen Forscher aufsteigen; seine Experimente an Häftlingen trugen ihm den Beinamen Todesengel ein.

Letztlich waren die nationalsozialistischen Säuberungen gegen »Erbkranke« lediglich ein Vorspiel zu weitaus umfangreicheren Vernichtungsmaßnahmen. So grauenvoll die Tötung tauber, stummer, gelähmter Menschen und sonstiger körperlich und geistig Behinderter auch war, stellten die bevorstehenden unvorstellbaren Gräuel sie doch zahlenmäßig weit in den Schatten: die Ermordung von sechs Millionen Juden in den Konzentrationslagern und Gaskammern während des Holocaust, von zweihunderttausend Sinti und Roma, von mehreren Millionen sowjetischen und polnischen Bürgern sowie von einer unbekannten Zahl von Homosexuellen, Intellektuellen, Schriftstellern, Künstlern und politischen Dissidenten. Diese Lehrzeit der Grausamkeit lässt sich nicht von ihrer voll ausgereiften Form trennen. In dieser Vorschule eugenischer Barbarei lernten die Nationalsozialisten das Rüstzeug ihres Handwerks. Nicht ohne Grund hat das Wort *Genozid* dieselbe Wurzel wie der Begriff *Gen*: Die Nationalsozialisten benutzten das Vokabular der Gene und der Genetik, um ihre Vorhaben zu rechtfertigen und zu untermauern. Die Sprache genetischer Diskriminierung ließ sich ohne weiteres in die der Rassenvernichtung ausweiten. Die Entmenschlichung psychisch kranker und körperlich behinderter Menschen (»sie können nicht denken oder handeln wie wir«)

war eine Aufwärmübung für die Entmenschlichung von Juden (»sie
denken und handeln nicht wie wir«). Nie zuvor in der Geschichte und
nie mit solcher Heimtücke hatte man Gene so mühelos mit Identität,
Identität mit Mangelhaftigkeit und Mangelhaftigkeit mit Vernichtung
verknüpft. Der Theologe Martin Niemöller fasste den abschüssigen
Weg des Bösen in seiner viel zitierten Äußerung zusammen:

»Als die Nazis die Kommunisten holten,
    habe ich geschwiegen, ich war ja kein Kommunist.
Als sie die Sozialdemokraten einsperrten,
    habe ich geschwiegen, ich war ja kein Sozialdemokrat.
Als sie die Gewerkschafter holten,
    habe ich geschwiegen, ich war ja kein Gewerkschafter.
Als sie mich holten, gab es keinen mehr, der protestieren konnte.«[64]

• • •

Während die Nationalsozialisten in den 1930er Jahren lernten, die
Sprache der Vererbung zu verbiegen, um ein staatliches Sterilisations-
und Vernichtungsprogramm zu untermauern, verdrehte ein anderer
mächtiger europäischer Staat die Logik der Vererbung und der Gene
ebenfalls, um seine politische Agenda zu rechtfertigen – allerdings in
der entgegengesetzten Richtung. Machten die Nationalsozialisten sich
die Genetik als Instrument rassischer Säuberung zu eigen, so behaupteten linke Wissenschaftler und Intellektuelle in der Sowjetunion in den
1930er Jahren, bei der Vererbung sei gar nichts genetisch festgelegt. In
der Natur sei alles – und *jeder* – veränderbar. Gene seien eine Schi-
märe, erfunden von der Bourgeoisie, um zu erhärten, dass individuelle
Unterschiede festgeschrieben seien; in Wirklichkeit seien Merkmale,
Identität, Entscheidungen oder Schicksale keineswegs unveränderlich.
Wenn der Staat einer Säuberung bedürfe, werde sie nicht durch genetische Auslese erreicht, sondern durch Umerziehung aller Bürger und
Auslöschung ihrer früheren Persönlichkeit. Gehirne – nicht Gene –
bedürften der Säuberung.
    Wie die Nationalsozialisten untermauerten und stützten auch die

Sowjets ihre Lehre durch Pseudowissenschaft. Trofim Lyssenko, ein ernster Agronom mit harten Zügen – ein Journalist schrieb über ihn, er vermittle einem »das Gefühl von Zahnschmerzen« –, behauptete 1928, er habe einen Weg gefunden, Erbeinflüsse bei Pflanzen und Tieren »aufzubrechen« und zu verändern.[65] Bei Versuchen auf abgelegenen sibirischen Bauernhöfen hatte Lyssenko Weizensaatgut angeblich starker Kälte und Trockenheit ausgesetzt und dadurch veranlasst, eine erbliche Widerstandsfähigkeit gegen ungünstige Witterungsbedingungen zu entwickeln (später stellte sich heraus, dass Lyssenkos Behauptungen entweder auf Fälschungen oder auf Experimenten von geringem wissenschaftlichen Wert basierten). Nach eigenen Angaben konnte Lyssenko durch eine solche »Schockbehandlung« dafür sorgen, dass die Pflanzen im Frühjahr kräftiger blühten und im Sommer höhere Erträge brachten.

Die »Schockbehandlung« war aber offenkundig nicht mit der Genetik vereinbar. Weizensamen Kälte oder Trockenheit auszusetzen konnte ebenso wenig dauerhafte erbliche Veränderungen in den Genen bewirken, wie das reihenweise Beschneiden von Mäuseschwänzen eine schwanzlose Mäuserasse oder das Strecken eines Antilopenhalses eine Giraffe hervorzubringen vermochte. Um solche Veränderungen bei seinen Pflanzen zu erzielen, hätte Lyssenko durch Mutation kälteresistente Gene erzeugen (nach Art von Morgan oder Muller), die Mutanten durch natürliche oder künstliche Auslese isolieren (nach Darwin) und miteinander kreuzen müssen, um die Mutation zu fixieren (nach Mendel und de Vries). Er redete sich und seinen sowjetischen Vorgesetzten jedoch ein, er habe die Getreidesorten allein durch Konditionierung unter veränderten Klimabedingungen »umerzogen« und dadurch ihre natürlichen Merkmale verändert. Den Begriff der Gene lehnte er ab als »Erfindung von Genetikern« zur Stützung einer »verfallenden, bürgerlichen« Wissenschaft, »deren Zeit zu Ende geht«. »Die Erbgrundlage ist niemals eine besondere, vom Körper getrennte und nach eigenen Gesetzen sich vermehrende Substanz.«[66] Es war eine Wiederauflage der veralteten Idee Lamarcks – dass Anpassung sich unmittelbar in Veränderungen der Erbanlagen umwandele –, Jahrzehnte nachdem Genetiker die Denkfehler des Lamarckismus aufgezeigt hatten. Der sowjetische Politapparat griff Lyssenkos Theorie umgehend auf. Sie versprach eine neue Methode, die landwirtschaftlichen Erträge eines Landes, das am Rande einer Hungersnot stand, erheblich zu steigern: Durch »Umerziehung« von Weizen und Reis ließe sich unter allen Bedingungen Getreide anbauen, auch in den strengsten Wintern und trockensten Sommern. Ebenso wichtig war vielleicht, dass Josef Stalin und seine Landsleute die Aussicht, durch Schockbehandlung Gene »aufzubrechen« und »umzuerziehen«, ideologisch ansprechend fanden. Während Lyssenko Pflanzen umerzog, um sie von ihrer Abhängigkeit von Bodenverhältnissen und Witterungsbedingungen zu befreien, waren sowjetische Parteifunktionäre eifrig bestrebt, politische Dissidenten umzuerziehen, um sie von ihrer tiefverwurzelten Abhängigkeit von falschem Bewusstsein und materiellen Gütern zu befreien. Die Nationalsozialisten – die an absolute genetische Unveränderlichkeit glaubten (»ein Jude ist ein Jude«) – bedienten sich der Eugenik, um die Zusammensetzung ihrer Bevölkerung zu ändern. Die Sowjets – die an absolute genetische Umprogrammierbarkeit glaubten (»jeder ist alle«) – wollten sämtliche Unterschiede beseitigen und so ein radikales Kollektivgut schaffen.

Lyssenko entledigte sich 1940 seiner Kritiker, übernahm die Leitung des Instituts für Genetik der sowjetischen Akademie der Wissenschaften und errichtete sein eigenes totalitäres Regime über die sowjetische Biologie.[67] Jede von seinen wissenschaftlichen Theorien abweichende Meinung – besonders das Vertreten der Mendel'schen Genetik und der Darwin'schen Evolutionstheorie – war in der Sowjetunion verboten. Wissenschaftler wurden in Gulags geschickt, um sie zu Lyssenkos Ideen »umzuerziehen« (wie beim Weizen sollte diese »Schocktherapie« dissidente Professoren zur Meinungsänderung bewegen). Mitte August 1940 wurde der renommierte Mendel'sche Genetiker Nikolai Wawilow festgenommen und in dem berüchtigten Gefängnis Saratow inhaftiert, weil er seine »bourgeoisen« Ansichten zur Biologie verbreitet hatte (Wawilow hatte zu behaupten gewagt, Gene seien nicht so leicht zu beeinflussen). Während Wawilow und andere Genetiker im Gefängnis saßen, starteten Lyssenkos Anhänger eine energische Kampagne, die Genetik als Wissenschaft in Misskredit zu bringen. Im Januar 1943 verlegte man den völlig ausgemergelten und unterernährten Wawilow in ein Gefängniskrankenhaus. »Ich bin nur noch Dung«, sagte er zu seinen Wärtern; wenige Wochen später starb er.[68]

Nationalsozialismus und Lyssenkoismus stützten sich auf drastisch entgegengesetzte Vorstellungen zur Vererbung, dennoch gibt es zwischen den beiden Bewegungen auffallende Parallelen. Auch wenn die nationalsozialistische Doktrin in ihrer Bösartigkeit unübertroffen war, hatte sie mit dem Lyssenkoismus doch eines gemeinsam: Beide nutzten eine Vererbungstheorie, um eine Auffassung von menschlicher Identität zu konstruieren, die sie wiederum im Dienste ihrer politischen Agenda entstellten. Die beiden Vererbungstheorien mochten zwar völlig entgegengesetzt sein – die Nationalsozialisten waren von der Unveränderlichkeit der Identität ebenso besessen wie die Sowjets von ihrer Formbarkeit –, aber bei beiden war die Sprache der Gene und der Vererbung von zentraler Bedeutung für Staatswesen und Fortschritt: Der Nationalsozialismus ist ohne den Glauben an die Unveränderlichkeit der Erbmasse ebenso wenig vorstellbar wie ein sowjetischer Staat ohne den Glauben an deren völlige Auslöschung. Beide verzerrten, wenig überraschend, gezielt die Wissenschaft, um staatliche »Säuberungsmaßnahmen« zu untermauern. Indem sie sich die Sprache der Gene und der Vererbung zu eigen machten, rechtfertigten und stützten sie ganze Macht- und Staatsgefüge. Bis zur Mitte des 20. Jahrhunderts hatte sich das Gen – oder die Leugnung seiner Existenz – bereits zu einem potenten politischen und kulturellen Instrument und zu einer der gefährlichsten Ideen der Geschichte entwickelt.

• • •

Minderwissenschaft (Junk Science) stützt totalitäre Regime, die wiederum Minderwissenschaft produzieren. Leisteten nationalsozialistische Genetiker irgendeinen brauchbaren wissenschaftlichen Beitrag zur Genetik?

In der umfangreichen Spreu stechen zwei Beiträge heraus. Der Erste war methodischer Art: Nationalsozialistische Wissenschaftler entwickelten die Zwillingsstudien weiter – obwohl sie diese typischerweise schon bald in ihrer grauenvollsten Form betrieben. Als Erster hatte Francis Galton Zwillingsstudien in seinen Arbeiten in den 1890er Jahren eingesetzt. Nachdem er den Ausdruck *nature versus nurture* (Veranlagung oder Umwelteinfluss) geprägt hatte, fragte er sich, wie Wissenschaftler die Auswirkung des einen von der des anderen Faktors unterscheiden könnten.[69] Wie ließ sich feststellen, ob ein bestimmtes Merkmal – wie Größe oder Intelligenz – das Ergebnis der Veranlagung oder der Umwelt war? Wie konnte man Vererbung und Umwelt entflechten?

Galton schlug vor, sich ein natürliches Experiment zunutze zu machen. Da Zwillinge dasselbe Erbgut haben, könne man alle wesentlichen Übereinstimmungen zwischen ihnen auf die Gene zurückführen, während alle Unterschiede eine Folge der Umwelt seien, überlegte er. Wenn ein Genetiker nun bei Zwillingen Übereinstimmungen und Unterschiede vergliche, könne er den genauen Beitrag der Veranlagung und der Umwelt zu wichtigen Merkmalen bestimmen.

Galton war auf der richtigen Fährte – bis auf einen entscheidenden Fehler: Er unterschied nicht zwischen eineiigen und zweieiigen Zwillingen (eineiige Zwillinge entstehen aus der Teilung einer einzigen befruchteten Eizelle und haben daher identische Genome, während zweieiige Zwillinge aus der gleichzeitigen Befruchtung von zwei Eizellen durch zwei Spermien hervorgehen und daher keine identischen Genome besitzen). Frühe Zwillingsstudien waren von dieser Vermengung geprägt und lieferten daher keine eindeutigen Ergebnisse. Der deutsche Eugeniker und NS-Sympathisant Hermann Werner Siemens schlug 1924 eine Zwillingsstudie vor, die Galtons Ansatz weiterentwickelte und sorgfältig zwischen eineiigen und zweieiigen Zwillingen unterschied.*[70]

---

* Der US-amerikanische Psychologe Curtis Merriman und der deutsche Augenarzt Walter Jablonski führten in den 1920er Jahren ähnliche Zwillingsstudien durch.

Siemens war in erster Linie Dermatologe, hatte bei Ploetz studiert und sprach sich bereits früh für Rassenhygiene aus. Ihm war ebenso wie Ploetz klar, dass eine genetische Säuberung nur zu rechtfertigen wäre, wenn Wissenschaftler die Erblichkeit von Merkmalen nachweisen könnten: Die Sterilisation eines Blinden ließ sich nur rechtfertigen, wenn man belegen könnte, dass seine Blindheit erblich war. Bei Merkmalen wie Hämophilie war die Lage eindeutig: In diesem Fall bedurfte es keiner Zwillingsstudien, um die Erblichkeit zu beweisen. Bei komplexeren Merkmalen wie Intelligenz oder Geisteskrankheiten war der Nachweis der Erblichkeit erheblich schwieriger. Um die Auswirkungen von Vererbung und Umwelt zu entflechten, schlug Siemens einen Vergleich zwischen eineiigen und zweieiigen Zwillingen vor. Als Schlüsseltest der Erblichkeit galt die *Konkordanz* – eine Maßzahl für die Übereinstimmung eines Merkmals bei Zwillingen. Haben Zwillinge in 100 Prozent der Fälle die gleiche Augenfarbe, so beträgt die Konkordanz 1, ist die Übereinstimmung nur in 50 Prozent der Fälle vorhanden, so ist die Konkordanz 0,5. Die Konkordanz ist ein geeignetes Maß, um festzustellen, ob ein Merkmal genetisch beeinflusst ist. Weisen eineiige Zwillinge beispielsweise eine hohe Konkordanz für Schizophrenie auf, während sie bei zweieiigen Zwillingen – die in derselben Umgebung zur Welt gekommen und aufgewachsen sind – gering ist, so lassen sich die Ursachen dieser Erkrankung eindeutig auf die Erbanlagen zurückführen.

Nationalsozialistischen Genetikern dienten diese frühen Studien als Antrieb zu drastischeren Experimenten. Der energischste Verfechter solcher Versuche war der Anthropologe, Arzt und SS-Offizier Josef Mengele, der im Arztkittel die Konzentrationslager Auschwitz und Birkenau heimsuchte. Er hatte ein morbides Interesse an Genetik und medizinischer Forschung und führte als leitender Lagerarzt in Auschwitz eine Reihe ungeheuerlicher Zwillingsversuche durch. 1943 bis 1945 unterzog Mengele mehr als tausend Zwillinge seinen Experimenten.*[71] Angestachelt von seinem Mentor Otmar von Verschuer in

---

* Die genaue Zahl ist schwer festzustellen.

Berlin, suchte Mengele Zwillinge für seine Studien aus, indem er die Reihen eintreffender KZ-Häftlinge durchkämmte und einen Befehl rief, der sich den Lagerinsassen ins Gedächtnis brannte: »Zwillinge heraus« oder »Zwillinge heraustreten«.

Zwillinge wurden von der Rampe weggezerrt, mit speziellen Tätowierungen markiert, in separaten Blocks untergebracht und systematisch den Experimenten Mengeles und seiner Assistenten unterworfen (als Versuchsobjekte hatten Zwillinge im Konzentrationslager ironischerweise höhere Überlebenschancen als andere Kinder, die eher getötet wurden). Mengele vermaß wie besessen ihre Körperteile, um genetische Einflüsse auf das Wachstum zu vergleichen. »Zuerst hat man uns gewogen, dann gemessen und verglichen – kein Körperteil, der nicht gemessen und verglichen worden wäre«, erinnerte sich eine Zwillingsschwester. »Wir saßen immer nebeneinander – immer nackt«.[72] Andere Zwillinge wurden vergast und ihre Leichen anschließend seziert, um die Größe der inneren Organe zu vergleichen. Wieder andere wurden getötet, indem man ihnen Chloroform ins Herz injizierte. Manchen verabreichte man nicht auf Verträglichkeit untersuchte Bluttransfusionen, amputierte ihnen Gliedmaßen oder operierte sie ohne Narkose. Zwillinge wurden mit Typhus infiziert, um genetische Variationen in der Reaktion auf bakterielle Infektionen festzustellen. In einem besonders grausamen Experiment nähte man Zwillinge – von denen einer an einer Wirbelsäulenverkrümmung litt – in einem chirurgischen Eingriff aneinander, um festzustellen, ob eine gemeinsame Wirbelsäule zu einer Korrektur dieser Behinderung führen würde. Nach dem Eingriff kam es zu einem Wundbrand, an dem beide kurze Zeit später starben.

Trotz des pseudowissenschaftlichen Anstrichs war Mengeles Arbeit wissenschaftlich von minderwertiger Qualität. Nachdem er Hunderte Opfer Experimenten ausgesetzt hatte, brachte er lediglich ein hingekritzeltes, mit spärlichen Anmerkungen versehenes Notizbuch ohne bemerkenswerte Resultate zustande. Ein Forscher, der die unzusammenhängenden Notizen im Auschwitz-Museum untersuchte, kam zu dem Schluss: »Kein Wissenschaftler könnte [sie] ernstnehmen.« Welche frühen Fortschritte die Zwillingsforschung in Deutschland auch erzielt haben mochte, Mengeles Experimente sorgten dafür, dass dieses Forschungsgebiet so nachhaltig vergiftet und mit Hass bedacht wurde, dass es Jahrzehnte dauern sollte, bis die Welt es wieder ernstnahm.

• • •

Der zweite Beitrag der Nationalsozialisten zur Genetik war keineswegs beabsichtigt. Nach Hitlers Machtergreifung verließen Wissenschaftler, die eine wachsende Gefahr von der politischen Agenda der Nationalsozialisten ausgehen sahen, Mitte der 1930er Jahre in Scharen Deutschland. Zu Beginn des 20. Jahrhunderts hatte Deutschland eine führende Stellung in den Naturwissenschaften innegehabt und entscheidende Beiträge zu Atomphysik, Quantenmechanik, Kernchemie, Physiologie und Biochemie geleistet. Von den hundert Nobelpreisen für Physik, Chemie und Medizin, die von 1901 bis 1932 verliehen wurden, gingen 32 an deutsche Wissenschaftler (die Briten bekamen 18, die US-Amerikaner nur sechs). Als Hermann Muller 1932 nach Berlin kam, beherbergte die Stadt die bedeutendsten Wissenschaftler der Welt. Albert Einstein schrieb Gleichungen an die Tafeln des Kaiser-Wilhelm-Instituts für Physik. Der Chemiker Otto Hahn spaltete Atome, um ihre subatomaren Teilchen zu verstehen. Der Biochemiker Hans Krebs brach Zellen auf, um ihre chemischen Bestandteile zu identifizieren.

Die Machtergreifung der Nationalsozialisten löste auf Anhieb Schrecken in der deutschen Wissenschaftselite aus. Im April 1933 wurden jüdische Professoren aufgrund des Berufsbeamtengesetzes aus den Universitäten entfernt.[73] Tausende jüdische Wissenschaftler ahnten die drohende Gefahr und wanderten aus. Einstein fuhr 1933 zu einer Tagung und weigerte sich klugerweise, zurückzukehren. Im selben Jahr flohen Hans Krebs, der Biochemiker Ernst Boris Chain und der Physiologe Wilhelm Feldburg. Der Physiker Max Perutz ging 1937 an die Universität Cambridge. Manche Nichtjuden wie der Physiker Erwin Schrödinger und der Biophysiker Max Delbrück empfanden die Situation als moralisch untragbar. Viele kündigten aus Abscheu und gingen ins Ausland. Hermann Muller verließ Berlin – von einem weiteren falschen Utopia enttäuscht –, um seine Suche nach einer Verbindung von Wissenschaft und Sozialismus in der Sowjetunion fortzusetzen. (Um keine Missverständnisse hinsichtlich der Reaktion von Wissenschaftlern auf die Machtergreifung der Nationalsozialisten aufkommen zu lassen, sei hier angemerkt, dass viele deutsche Wissenschaftler darauf mit Totenstille reagierten. »Hitler mag die langfristigen Aussichten der deutschen Wissenschaft ruiniert haben«, schrieb George Orwell 1946, aber es gab in Deutschland keinen Mangel an »begabten Männern für die nötigen Forschungen zu Gebieten wie synthetischem Öl, Düsenflugzeugen, Raketenflugkörpern und der Atombombe.«)[74]

Deutschlands Verlust war für die Genetik ein Gewinn. Der Exodus aus Deutschland ließ Wissenschaftler nicht nur nationale Grenzen überschreiten, sondern auch die zwischen wissenschaftlichen Disziplinen. In ihren neuen Wahlheimatländern fanden sie Gelegenheit, sich neuen Problemen zuzuwenden. Atomphysiker interessierten sich besonders für Biologie, das unerforschte Grenzgebiet der Naturwissenschaften. Nachdem sie die Materie auf grundlegende Einheiten reduziert hatten, versuchten sie, auch das Leben auf ähnliche stoffliche Teile zurückzuführen. Das Ethos der Atomphysik – der unermüdliche Drang, nicht reduzierbare Teilchen, universelle Mechanismen und systematische Erklärungen zu finden – breitete sich schon bald auch in der Biologie aus und trieb sie zur Entwicklung neuer Methoden und neuer Fragestellungen. Die Auswirkungen dieser Einstellung machten sich in den folgenden Jahrzehnten bemerkbar: Als Physiker und Chemiker sich der Biologie zuwandten, versuchten sie Lebewesen chemisch und physikalisch zu ergründen – anhand von Molekülen, Kräften, Strukturen, Aktionen und Reaktionen. Mit der Zeit sollten diese Emigranten den von ihnen entdeckten Kontinent neu kartieren.

Die größte Aufmerksamkeit erfuhren die Gene. Woraus bestanden sie und wie funktionierten sie? Morgan hatte mit seiner Arbeit ihre Position auf dem Chromosom bestimmt, auf dem sie angeblich aufgereiht waren wie Perlen auf einer Kette. Die Experimente von Griffith und Muller hatten auf eine materielle Substanz hingedeutet, auf eine

Chemikalie, die zwischen Organismen weitergegeben werden konnte und sich relativ leicht durch Röntgenstrahlen verändern ließ.

Biologen wären davor zurückgeschreckt, das »Genmolekül« auf rein hypothetischer Grundlage beschreiben zu wollen – aber welcher Physiker konnte der Versuchung widerstehen, sich auf unbekanntes, riskantes Terrain vorzuwagen? Der Quantentheoretiker Erwin Schrödinger unternahm bei einem Vortrag 1944 in Dublin den gewagten Versuch, die molekulare Beschaffenheit des Gens allein aufgrund theoretischer Prinzipien zu beschreiben (der Vortrag erschien später als Buch unter dem Titel *What is Life?*).[75] Darin vermutete er, das Gen müsse aus einer merkwürdigen Chemikalie bestehen und ein Molekül voller Widersprüche sein. Es müsse chemische Regelmäßigkeit besitzen – sonst würden Routineprozesse wie Kopieren und Weitergabe nicht funktionieren –, aber auch zu außergewöhnlicher Unregelmäßigkeit imstande sein – sonst ließe sich die enorme Vielfalt der Erbanlagen nicht erklären. Zudem könne das Molekül enorme Informationsmengen tragen, sei aber kompakt genug, dass es in eine Zelle passe.

Schrödinger schwebte eine Chemikalie mit zahlreichen chemischen Bindungen vor, die sich über die gesamte Länge der »Chromosomenfaser« erstrecke. Vielleicht war der Code in der Abfolge der Bindungen niedergelegt – und schuf die »Mannigfaltigkeit des in den Miniaturcodes komprimierten Inhalts«. Vielleicht enthielt die *Anordnung* der Perlen auf der Kette den Geheimcode des Lebens.

Ähnlichkeit und Unterschiedlichkeit, Ordnung und Vielfalt, Botschaft und Materie. Schrödinger versuchte, sich eine Chemikalie vorzustellen, die diese unterschiedlichen, widersprüchlichen Eigenschaften der Vererbung besäße – ein Molekül, das Aristoteles zufriedengestellt hätte. Für ihn war es beinahe, als habe er die DNA vor Augen gehabt.

»Dieses stupide Molekül«

Man sollte nie die ungeheure Macht der ...
Dummheit unterschätzen.
Robert A. Heinlein,
Die Leben des Lazarus Long.[76]

Oswald Avery war 55 Jahre alt, als er 1933 von Frederick Griffith' Transformationsexperiment erfuhr, sah allerdings erheblich älter aus: klein, schmächtig, mit Brille, beginnender Glatze, piepsiger Stimme und hängenden Armen, die an Zweige im Winter erinnerten. Avery war Professor an der Rockefeller University in New York, wo er sein Leben lang Bakterien erforscht hatte, vor allem Pneumokokken. Er war sicher, dass Griffith bei seinen Versuchen ein schwerwiegender Fehler unterlaufen sein müsse. Wie sollten Zelltrümmer, also chemischer Abfall, genetische Informationen von einer Zelle auf eine andere übertragen?

Wissenschaftler erleben wie Musiker, Mathematiker – und Spitzensportler – die Hochblüte ihres Schaffens in frühen Jahren und lassen dann rasch nach. Nicht etwa ihre Kreativität nimmt ab, sondern ihr Durchhaltevermögen. Wissenschaft ist ein Ausdauersport. Um ein einziges erhellendes Experiment zu schaffen, müssen sie tausend ergebnislose Versuche in die Mülltonne werfen – ein Kampf zwischen Natur und Nerven. Avery hatte sich als kompetenter Mikrobiologe etabliert, aber nie in Erwägung gezogen, sich in die neue Welt der Gene und Chromosomen zu begeben. »The Fess«, »der Prof« – wie seine Studenten ihn liebevoll nannten (als Kurzform von Professor) – war ein guter Wissenschaftler, bot aber nur geringe Aussichten, je revolutionäre Erkenntnisse zu liefern.[77] Griffith' Experiment mochte die Genetik rasant in eine ungewisse Zukunft geschickt haben – Avery widerstrebte es jedoch, auf diesen Zug aufzuspringen.

• • •

Die DNA war als »Genmolekül« ebenso zurückhaltend wie der Prof als Genetiker. Griffith' Experiment hatte weithin Spekulationen über die molekulare Beschaffenheit des Gens ausgelöst. Anfang der 1940er Jahre hatten Biochemiker Zellen aufgebrochen, um ihre chemischen Bestandteile aufzudecken, und bei Lebewesen verschiedene Moleküle identifiziert – aber das Trägermolekül für den genetischen Code war nach wie vor unbekannt.

Von Chromatin – dem biologischen Gebilde, das Gene beherbergt – wusste man, dass es aus zwei Arten von chemischen Stoffen bestand: aus Proteinen und Nukleinsäuren. Die chemische Struktur des Chromatins kannte niemand, aber von den beiden »eng verbundenen« Komponenten waren die Proteine – den Biologen wesentlich vertrauter – erheblich vielseitiger und als Genträger mit Abstand wahrscheinlicher als die Nukleinsäuren.[78] Es war bekannt, dass Proteine den Großteil der Zellfunktionen verrichten. Zellen brauchen zum Leben chemische Reaktionen: So entstehen bei der Atmung aus der chemischen Verbindung von Zucker und Sauerstoff Kohlendioxid und Energie. Keine dieser Reaktionen erfolgt spontan (sonst würde unser Körper ständig glühen und nach flambiertem Zucker riechen). Vielmehr bewirken und steuern Proteine diese grundlegenden chemischen Prozesse in der Zelle – beschleunigen manche, verlangsamen andere und stimmen deren Geschwindigkeit so ab, dass sie mit dem Leben vereinbar sind. Leben mag Chemie sein, allerdings Chemie unter besonderen Bedingungen. Organismen existieren nicht aufgrund von Reaktionen, die möglich sind, sondern aufgrund von Reaktionen, die gerade noch möglich sind. Bei zu viel Reaktivität würden wir spontan in Flammen aufgehen, bei zu wenig würden wir auskühlen und sterben. Proteine ermöglichen diese gerade noch möglichen Reaktionen und die gefährliche Gratwanderung, am Rande chemischer Entropie zu leben, aber nie in sie zu verfallen.

Zudem bilden Proteine die Bauteile der Zelle: die Filamente der Haare, Finger- und Fußnägel und des Knorpelgewebes oder die Matrix, die Zellen aneinander bindet und zusammenhält. In wieder anderen Formen bilden sie Rezeptoren, Hormone und Signalmoleküle, die den Zellen die Kommunikation miteinander ermöglichen. Nahezu jede Zellfunktion – Stoffwechsel, Atmung, Zellteilung, Immunabwehr, Ausscheidung, Sekretion, Signalisierung, Wachstum und sogar Zelltod – erfordert Proteine. Sie sind die Arbeitstiere der biochemischen Welt.

Dagegen waren Nukleinsäuren die unbekannten Größen der biochemischen Welt. Vier Jahre, nachdem Mendel dem naturforschenden Verein Brünn seine Forschungsarbeit vorgetragen hatte, hatte der Schweizer Biochemiker Friedrich Miescher 1869 diese neue Molekülgruppe in Zellen entdeckt.[79] Wie die meisten seiner Kollegen versuchte auch Miescher, die molekularen Zellbestandteile zu klassifizieren, indem er Zellen aufbrach und die freigesetzten chemischen Stoffe isolierte. Unter den verschiedenen Komponenten faszinierte ihn vor allem ein chemischer Stoff: dichte, gewundene Stränge, ausgefällt aus weißen Blutkörperchen, die er aus menschlichem Eiter in Verbandmaterial gewonnen hatte. Den gleichen weißen, gewundenen Stoff hatte er auch in Lachssperma gefunden. Er nannte das Molekül *Nuklein*, weil es konzentriert im Zellkern vorkam. Und da es sich um eine Säure handelte, wandelte man den Namen später ab in *Nukleinsäuren* – ihre Zellfunktion blieb allerdings rätselhaft.

Bis zum Anfang der 1920er Jahre hatten Biochemiker bereits mehr über die Struktur der Nukleinsäuren herausgefunden. Sie kamen in zwei verwandten Formen vor: DNA und RNA. Beide bestanden aus langen Ketten aus jeweils vier Bausteinen, Basen genannt, die an einem kettenartigen Gebilde oder Rückgrat entlang zusammengefügt waren. Die vier Basen ragten aus dem Rückgrat heraus wie Blätter an Efeuranken. Bei der DNA waren die vier »Blätter« (oder Basen) Adenin, Guanin, Cytosin und Thymin – abgekürzt A, G, C und T. Bei der RNA trat anstelle des Thymin Uracil, also A, C, G und U.* Über diese rudimentären Details hinaus war über die Struktur und Funktion der DNA und der RNA nichts bekannt.

Für den Biochemiker Phoebus Levene, einen Kollegen Averys an der Rockefeller University, deutete die lächerlich einfache chemische Zusammensetzung der DNA – vier Basen an einer Kette – auf eine äußerst »unkomplizierte« Struktur hin.[80] Die DNA müsse ein langes, monotones Polymer sein, vermutete Levene. Nach seiner Vorstellung wiederholten sich die Basen in einer festgelegten Reihenfolge: AGCT-AGCT-AGCT-AGCT und immer so weiter – repetitiv, rhythmisch, regelmäßig, streng, ein chemischer Stoff wie vom Fließband, das Nylon der chemischen Welt. Der Wissenschaftler Max Delbrück bezeichnete es als »stupides Molekül«.[81]

Schon ein flüchtiger Blick auf die von Levene vermutete Struktur der DNA disqualifizierte diesen Stoff als Träger der Erbinformation. Dumme Moleküle konnten keine klugen Botschaften tragen. Die extrem monotone DNA war offenbar das genaue Gegenteil des chemischen Stoffes, den Schrödinger sich vorstellte – nicht nur ein stupides Molekül, sondern schlimmer noch: ein langweiliges. Dagegen waren Proteine – die vielfältig, mitteilsam, wandlungsfähig und zu so mannigfaltigen Formen und Funktionen imstande waren wie Woody Allens Leonard Zelig – als potentielle Genträger erheblich attraktiver. Wenn Chromatin, wie von Morgan vermutet, eine Perlenkette wäre, müssten Proteine die aktiven Komponenten – die Perlen – sein, während die DNA wohl die Kette wäre. Die Nukleinsäure in einem Chromosom wäre lediglich die »strukturbildende Stützsubstanz«, wie ein Bioche-

---

* Das Rückgrat der DNA und der RNA besteht aus einer Kette von Zuckern und Phosphaten. Bei der RNA ist der Zucker Ribose, daher der Name Ribonukleinsäure (RNS oder engl. RNA). Bei der DNA ist es die Desoxyribose, daher die Bezeichnung Desoxyribonukleinsäure (DNS, engl. DNA).

miker es formulierte, also ein besseres molekulares Gerüst für Gene.[82] Träger der eigentlichen Erbsubstanz wären die Proteine, die DNA wäre nur das Füllmaterial.

• • •

Im Frühjahr 1940 bestätigte Avery das entscheidende Resultat von Griffith' Experiment. Er mischte abgetötete Bakterien des virulenten glatten Pneumokokkenstammes mit lebenden Bakterien des nichtvirulenten rauen Stammes und injizierte Mäusen diese Mischung. Wie erwartet, entstanden virulente Bakterien mit glatter Schleimkapsel – und töteten die Mäuse. Das »Transformationsprinzip« hatte funktioniert. Ebenso wie Griffith beobachtete Avery, dass die Bakterien mit glatter Schleimkapsel nach der Transformation ihre Virulenz Generation für Generation beibehielten. Die Erbinformation musste also von einem Organismus an den anderen in rein chemischer Form weitergegeben worden sein, die diesen Übergang von dem glatten auf den rauen Stamm ermöglicht hatte.

Aber um welchen chemischen Stoff handelte es sich? Avery verfeinerte das Experiment, wie es nur ein Mikrobiologe tun konnte: Er züchtete verschiedene Bakterienkulturen in Kolonien auf Schalen, gab Rinderbrühe zu und entfernte kontaminierende Zucker. Seine Assistenten, Colin MacLeod und Maclyn McCarty, halfen ihm bei den Experimenten. Der frühe technische Aufwand war entscheidend; bis Anfang August gelang es den Dreien, die Transformationsreaktion im Reagenzglas durchzuführen und die »transformierende Substanz« *(Transforming Principle)* in hochkonzentrierter Form zu gewinnen. Im Oktober 1940 begannen sie, die hochkonzentrierten Bakterientrümmer durchzusieben, sorgfältig die einzelnen chemischen Komponenten zu isolieren und auf ihre Fähigkeit zur Weitergabe genetischer Information zu testen.

Zunächst entfernten sie aus abgetöteten Bakterien sämtliche Überreste der Schleimkapseln, aber die Transformationsaktivität blieb erhalten. Dann lösten sie die Lipide in Alkohol – was keine Veränderung der Transformation bewirkte. Sie lösten das Material in Chloroform, um die Proteine zu isolieren. Die transformierende Substanz blieb unversehrt. Sie behandelten die Proteine mit verschiedenen Enzymen, was die Transformationsaktivität jedoch nicht beeinträchtigte. Dann erhitzten sie das Material auf 65 °C– genug, um die meisten Proteine zu denaturieren – und fügten Säuren zu, um sie gerinnen zu lassen, aber die Gene wurden nach wie vor unverändert weitergegeben. Die Experimente waren umfassend, sorgfältig ausgeführt und klar umrissen. Welche chemischen Komponenten die transformierende Substanz auch haben mochte, aus Zuckern, Lipiden oder Proteinen bestand sie nicht.

Woraus dann? Sie ließ sich einfrieren und wieder auftauen. Löste man sie in Alkohol, so fällte sie als weiße »fasrige Substanz aus, … die sich um einen Glasstab wickelt wie ein Faden um eine Spule«. Hätte Avery die Fasern gekostet, hätte er einen leicht sauren Geschmack festgestellt, gefolgt von einem Hauch Zucker und der metallischen Note von Salz – wie der Geschmack der »Ursuppe«, beschrieb ihn ein Autor.[83] Ein Enzym, das RNA abbaute, hatte keine Wirkung. Die einzige Möglichkeit, die Transformation zu unterbinden, war ausgerechnet ein Enzym, das DNA abbaute.

DNA? War etwa DNA der Träger der Erbinformation? Konnte dieses »stupide Molekül« der Träger der komplexesten Information der Biologie sein? Avery, MacLeod und McCarty entfesselten eine ganze Flut von Experimenten und untersuchten die transformierende Substanz mit UV-Licht, chemischen Analysen, Elektrophorese. In allen Fällen war das Ergebnis eindeutig: Der transformierende Stoff war zweifellos DNA. »Wer hätte das gedacht?«, schrieb Avery seinem Bruder 1943. »Wenn wir recht haben – und das ist natürlich noch nicht erwiesen –, dann sind Nukleinsäuren nicht nur strukturell wichtige, sondern auch funktionell aktive Substanzen …, die vorhersagbare und erbliche Veränderungen in Zellen hervorrufen«.[84]

Avery wollte sich doppelt absichern, bevor er Ergebnisse veröffentlichte: »Es wäre riskant, mit Halbgarem herauszukommen, und peinlich, es später zurücknehmen zu müssen.«[85] Ihm waren die Konsequenzen seiner bahnbrechenden Experimente jedoch vollauf bewusst:

»Das Problem steckt voller Weiterungen ... Das ist etwas, wovon Genetiker lange geträumt haben.« Ein Forscher schrieb später, Avery habe »die materielle Substanz des Gens« entdeckt – den »Stoff, aus dem Gene sind«.[86]

• • •

Oswald Averys Aufsatz über DNA erschien 1944[87] – im selben Jahr, als in Deutschland die nationalsozialistischen Vernichtungsmaßnahmen ihren grauenvollen Höhepunkt erreichten.[88] Monat für Monat luden Güterzüge Tausende deportierter Juden in den Konzentrationslagern ab. Die Zahlen stiegen: Allein 1944 wurden annähernd 500 000 Männer, Frauen und Kinder nach Auschwitz transportiert. Es entstanden Außenlager, neue Gaskammern und Krematorien. Massengräber quollen über von Leichen. In diesem Jahr starben schätzungsweise 450 000 Menschen in den Gaskammern. Bis 1945 wurden in Auschwitz 960 000 Juden, 74 000 Polen, 21 000 Roma und 15 000 politische Gefangene getötet.[89]

Als die Soldaten der Roten Armee im Frühjahr 1945 durch die gefrorene Landschaft auf Auschwitz und Birkenau vorrückten, versuchten die Nationalsozialisten, annähernd sechzigtausend Häftlinge aus den Konzentrations- und Außenlagern zu evakuieren. Viele der ausgemergelten, frierenden und völlig unterernährten Häftlinge starben auf diesen »Todesmärschen«. Am Morgen des 27. Januar 1945 drangen sowjetische Soldaten in das Lager vor und befreiten die verbliebenen siebentausend Häftlinge – ein winziger Rest der unzähligen Deportierten, die dort getötet und vergraben worden waren. Zu dieser Zeit war die Sprache der Eugenik schon lange hinter die böswilligere Sprache des Rassenhasses zurückgetreten. Der Vorwand genetischer Säuberung war weitgehend in deren Steigerung zur ethnischen Säuberung aufgegangen. Dennoch hielt sich der Makel nationalsozialistischer Genetik wie eine unauslöschliche Narbe. Unter den verwunderten, abgemagerten Häftlingen, die an jenem Morgen aus dem Lager kamen, befanden sich eine kleinwüchsige Familie und mehrere Zwillingspaare – die wenigen Überlebenden der genetischen Experimente Mengeles.

• • •

Darin bestand vielleicht der letzte Beitrag der Nationalsozialisten zur Genetik: Sie drückten der Eugenik endgültig den Stempel der Schande auf. Die Gräuel nationalsozialistischer Eugenik waren eine Mahnung, die weltweit zu einem Überdenken der hinter diesen Bestrebungen stehenden Ambitionen führte. Dem Eugenics Record Office in den Vereinigten Staaten hatte man 1939 einen Großteil seiner Finanzmittel gekürzt, und nach 1945 wurde es drastisch verkleinert.[90] Viele seiner glühendsten Verfechter erlitten praktischerweise einen kollektiven Gedächtnisverlust in Bezug auf ihre Ermunterung deutscher Eugeniker und distanzierten sich völlig von der Bewegung.

»Wichtige biologische Objekte treten paarweise auf«

Überhaupt konnte man nicht erfolgreich
Wissenschaft treiben, ohne sich darüber klar zu
sein, daß die Wissenschaftler – im Gegensatz zu
der allgemeinen Auffassung, wie sie auch von
Zeitungen und von Müttern mancher Forscher
verbreitet wird – zu einem beträchtlichen Teil
nicht nur engstirnig und langweilig, sondern
auch einfach dumm sind.
James Watson[91]

… dem Molekül gebührt der Ruhm, nicht den
Wissenschaftlern.
Francis Crick[92]

Wissenschaft wäre ruiniert, wenn sie – wie
der Sport – den Wettbewerb über alles andere
stellen würde.
Benoît Mandelbrot[93]

Oswald Averys Experiment bewirkte noch eine weitere »Transformation«. Die DNA, einst das Stiefkind aller biologischen Moleküle, rückte ins Rampenlicht. Auch wenn manche Wissenschaftler sich anfangs gegen die Vorstellung sträubten, dass Gene aus DNA bestünden, waren Averys Belege nur schwer von der Hand zu weisen (obwohl Avery mehrfach für den Nobelpreis nominiert wurde, erhielt er ihn nie, weil der einflussreiche schwedische Chemiker Einar Hammarsten sich zu glauben weigerte, dass die DNA Träger der Erbinformation sein könne).[94] Als sich in den 1950er Jahren Belege anderer Labors und Experimente mehrten, mussten selbst die hartnäckigsten Skeptiker sich überzeugen lassen.* Die Gewichtung verschob sich: Die Zofe des Chromatins wurde plötzlich zur Königin.

Unter den frühen Konvertiten zur DNA-Religion war ein junger neuseeländischer Physiker namens Maurice Wilkins.[95] Wilkins, der Sohn eines Landarztes, hatte in den 1930er Jahren in Cambridge Physik studiert. Neuseeland, die abgelegene und raue Grenzregion der Antipoden hatte bereits einen Wissenschaftler hervorgebracht, der die Physik des 20. Jahrhunderts auf den Kopf gestellt hatte: Ernest Rutherford war als junger Mann 1895 ebenfalls als Stipendiat nach Cambridge gekommen und durch die Atomphysik gewirbelt wie ein wild gewordener Neutronenstrahl.[96] In einem beispiellosen Experimentierrausch hatte er die Eigenschaften der Radioaktivität hergeleitet, ein stichhaltiges Atommodell entwickelt, das Atom in seine subatomaren Bestandteile zertrümmert und den neuen Grenzbereich der Teilchenphysik begründet. Rutherford war es 1919 gelungen, als erster Wissenschaftler den mittelalterlichen Traum einer chemischen Transformation zu verwirklichen: Er hatte Stickstoffatome durch Beschuss mit radioaktiven Strahlen in Sauerstoff umgewandelt. Damit hatte er nachgewiesen, dass selbst Elemente nicht sonderlich elementar waren. Das Atom – der Grundbaustein der Materie – bestand in Wirklichkeit aus noch grundlegenderen Teilchen: Elektronen, Protonen und Neutronen.

Wilkins war in Rutherfords Fußstapfen getreten und hatte Atomphysik und Radioaktivität studiert. In den 1940er Jahren war er nach Berkeley gegangen und hatte für kurze Zeit mit anderen Wissenschaftlern

---

* Experimente, die Alfred Hershey und Martha Chase 1952 und 1953 durchführten, bestätigten ebenfalls die DNA als Träger der genetischen Information.

für das Manhattan Project Isotope isoliert und gereinigt. Nach seiner Rückkehr nach Großbritannien wandte er sich – wie damals viele Physiker – der Biologie zu. Schrödingers Buch *Was ist Leben?* faszinierte ihn auf Anhieb. Das Gen – der Grundbaustein der Vererbung – müsse ebenfalls aus Untereinheiten bestehen, überlegte er, und die Struktur der DNA sollte über diese Teilchen Aufschluss geben. Hier bot sich einem Physiker die Chance, das verlockendste Mysterium der Biologie zu lösen. Wilkins wurde 1946 zum stellvertretenden Leiter der neugeschaffenen Abteilung für Biophysik am King's College in London ernannt.

• • •

Biophysik. Schon diese seltsame Bezeichnung, ein Mischmasch zweier Disziplinen, signalisierte neue Zeiten. Die im 19. Jahrhundert gewonnene Erkenntnis, dass die lebende Zelle nicht mehr als ein Sack voller untereinander verbundener chemischer Reaktionen war, hatte eine wirkmächtige Disziplin hervorgebracht, eine Fusion von Biologie und Chemie: die Biochemie. »Das Leben ist … ein chemischer Vorgang«, hatte der Chemiker Paul Ehrlich einmal gesagt.[97] Und wie nicht anders zu erwarten, hatten Biochemiker begonnen, Zellen aufzubrechen und die »lebendigen chemischen Bestandteile« nach Klassen und Funktionen einzuordnen. Zucker lieferten Energie. Fette speicherten sie. Proteine ermöglichten chemische Reaktionen, beschleunigten und steuerten die Geschwindigkeit biochemischer Prozesse und dienten somit als Schalttafeln der biochemischen Welt.

Aber *wie* ermöglichten Proteine physiologische Reaktionen? So erfüllt zum Beispiel Hämoglobin, der Sauerstoffträger im Blut, eine der einfachsten und doch physiologisch lebenswichtigsten Aufgaben. Ist es großen Mengen Sauerstoff ausgesetzt, bindet es Sauerstoff. In einer sauerstoffarmen Umgebung gibt es den gebundenen Sauerstoff leicht wieder ab. Dank dieser Eigenschaft transportiert Hämoglobin Sauerstoff von der Lunge in das Herz und das Gehirn. Aber welches Merkmal macht Hämoglobin zu einem so effizienten molekularen Transportmittel?

Die Antwort liegt in der Molekülstruktur. Hämoglobin A, die best-erforschte Version dieses Moleküls, hat die Form eines vierblättrigen Kleeblatts. Zwei der »Blätter« bestehen aus einem Protein namens α-Globin, die beiden anderen aus dem verwandten Protein β-Globin.* Jedes dieser Blätter umschließt wie eine Tasche einen eisenhaltigen Stoff namens Häm, der Sauerstoff binden kann – eine Reaktion, die entfernt Ähnlichkeit mit einer kontrollierten Rostbildung hat. Sobald die Häme mit Sauerstoff beladen sind, legen sich die vier Blätter des Hämoglobins fest wie eine Schließe um den Sauerstoff. Beim Ent-laden lockern sich diese Schließmechanismen. Die Freisetzung eines Sauerstoffmoleküls löst koordiniert auch alle anderen Verschlüsse. Nun öffnen sich die vier Blätter des Kleeblatts, und das Hämoglobin entlädt seine Sauerstoff-Fracht. Die kontrollierte Bindung und Spal-tung von Eisen und Sauerstoff – das zyklische Rosten und Entrosten des Blutes – ermöglicht den effizienten Sauerstofftransport in das Ge-webe. Dank des Hämoglobins kann Blut das Siebzigfache an Sauer-stoff transportieren, als sich ansonsten in flüssigem Blut lösen ließe. Der Körperbau von Wirbeltieren ist auf diese Eigenschaft angewie-sen: Ohne die Fähigkeit des Hämoglobins, abgelegene Körperteile mit Sauerstoff zu versorgen, wäre unser Körper zwangsläufig klein und kalt. Möglicherweise würden wir aufwachen und feststellen, dass wir uns in Insekten verwandelt hätten.

Es ist also die *Form*, die es dem Hämoglobin erlaubt, seine Funk-tion zu erfüllen. Die physikalische Struktur des Moleküls ermöglicht dessen chemische Beschaffenheit, die wiederum seine physiologi-sche Funktion und somit letztlich seine biologische Aktivität möglich macht. Die komplexen Vorgänge bei Lebewesen lassen sich als Ketten sehen: Ihre Physik ermöglicht ihre Chemie, und ihre Chemie ermög-licht ihre Physiologie. Auf Schrödingers Frage »Was ist Leben?« könnte ein Biochemiker antworten: »Was sonst als Chemikalien«. Und auf die

---

* Hämoglobin hat zahlreiche Varianten, darunter auch einige, die ausschließlich bei Föten vorkommen. Hier wird die am weitesten verbreitete und am besten erforschte Variante beschrieben, die in großen Mengen im Blut enthalten ist.

Frage, was Chemikalien sind, könnte ein Biophysiker antworten: »Was sonst als Moleküle?«

Diese Darstellung der Physiologie – als feinste Abstimmung von Form und Funktion bis hinunter auf die molekulare Ebene – reicht zurück bis zu Aristoteles. Für ihn waren lebende Organismen nichts anderes als raffinierte Maschinen. Von dieser Tradition war die Biologie im Mittelalter abgerückt und hatte »Lebenskräfte« und mystische Säfte beschworen, die irgendwie einzigartig für Lebewesen seien – eine Art Deus ex Machina, um die mysteriösen Vorgänge in Organismen zu erklären (und die Existenz Gottes zu belegen). Biophysiker waren jedoch bestrebt, wieder zu einer rigoros mechanistischen Darstellung der Biologie zurückzukehren. Die Physiologie des Lebendigen müsse physikalisch erklärbar sein, betonten sie – also durch Kräfte, Bewegungen, Aktionen, Motoren, Maschinen, Hebel, Flaschenzüge, Druck. Die Gesetze, die Newtons Äpfel zu Boden zogen, müssten auch für das Wachstum des Apfelbaums gelten. Es sei nicht notwendig, spezielle Lebenskräfte heranzuziehen oder mystische Säfte zu erfinden, um das Leben zu erklären. Biologie sei Physik. Machina *en* deus.

• • •

Wilkins' Lieblingsprojekt am King's College war, die dreidimensionale Struktur der DNA herauszufinden. Wenn die DNA tatsächlich Träger der Gene sei, müsse ihre Struktur Aufschluss über die Beschaffenheit der Gene geben, überlegte er. Dieselbe erschreckende Wirtschaftlichkeit der Evolution, die den Hals der Giraffe gestreckt und den vierarmigen Verschluss des Hämoglobins perfektioniert hatte, müsse auch ein DNA-Molekül hervorgebracht haben, dessen Form hervorragend an seine Funktion angepasst sei. Das Genmolekül müsse also irgendwie auch aussehen wie ein Genmolekül.

Wilkins beschloss, zur Erforschung der DNA-Struktur eine Reihe biophysikalischer Verfahren einzusetzen, die im nahen Cambridge entwickelt worden waren – Kristallographie und Röntgenbeugung (auch Röntgendiffraktion). Um diese Verfahren in ihren Grundzügen zu verstehen, kann man sich vorstellen, man solle die Form eines winzigen dreidimensionalen Gegenstandes – beispielsweise eines Würfels – aus seinem Schattenwurf ableiten. Man kann diesen Würfel weder »sehen«, noch seine Kanten ertasten – er besitzt jedoch eine Eigenschaft, die alle physikalischen Gegenstände haben müssen: Er wirft Schatten. Nun kann man diesen Würfel aus verschiedenen Winkeln beleuchten und die entstandenen Schattenformen aufzeichnen. Steht ein Würfel mit einer Seite gerade vor einer Lichtquelle, wirft er einen quadratischen Schatten, wird er schräg beleuchtet, ist der Schatten rautenförmig. Rückt man die Lichtquelle noch weiter zur Seite, ist der Schatten trapezförmig. Dieses Vorgehen ist überaus mühsam – als müsse man aus unzähligen Silhouetten ein Gesicht formen –, aber es funktioniert: Stück für Stück lassen sich zweidimensionale Bilder in eine dreidimensionale Form überführen.

Röntgenbeugung beruht auf den gleichen Prinzipien – die »Schatten« sind die Streuungsmuster von Röntgenstrahlen an einem Kristall –, nur braucht man zur Beleuchtung von Molekülen und zur Erzeugung von Streuungsmustern in der Welt der Moleküle die stärkste Lichtquelle: Röntgenstrahlen. Zudem gibt es noch ein Problem: In der Regel weigern Moleküle sich, für Porträts still zu sitzen. In flüssiger Form oder im Gaszustand wirbeln sie ungeordnet durch den Raum wie Staubpartikel. Beleuchtet man eine Million sich bewegender Würfel, so erhält man nur einen verschwommenen, sich bewegenden Schatten, eine molekulare Version des Bildrauschens. Die einzige Lösung für dieses Problem ist genial: Verwandelt man ein Molekül in einen Kristall, dann verharren seine Atome augenblicklich in ihrer jeweiligen Position. Die Schatten werden regelmäßig, die Kristallgitter erzeugen geordnete, erkennbare Silhouetten. Setzt ein Physiker einen Kristall Röntgenstrahlen aus, kann er dessen räumliche Struktur entschlüsseln. Mit diesem Verfahren hatten die Chemiker Linus Pauling und Robert Corey am California Institute of Technology (Caltech) die Strukturen mehrerer Proteinfragmente aufgeklärt – eine Leistung, für die Pauling 1954 den Nobelpreis erhielt.

Auf dieselbe Weise hoffte Wilkins, auch die Struktur der DNA zu ergründen. Dazu bedurfte es keiner besonderen Neuerungen oder Spe-

zialkenntnisse. In der chemischen Fakultät fand Wilkins einen Rönt-
gendiffraktometer und brachte ihn – »in einsamer Herrlichkeit« – in
dem Gebäudetrakt am Themseufer in einem mit Blei isolierten Raum
unter, der knapp unter dem Wasserspiegel des Flusses lag.[98] Damit
hatte er alles Nötige für sein Experiment zusammen. Sein Hauptproblem war nun, die DNA zum Stillhalten zu bringen.

• • •

Wilkins verfolgte seine Forschungsarbeit Anfang der 1950er Jahre
systematisch, als er von einer unwillkommenen Kraft gestört wurde.
Im Winter 1950 rekrutierte der Leiter der Abteilung für Biophysik,
J.T. Randall, eine weitere junge Wissenschaftlerin für die Arbeit zur
Kristallographie. Randall war ein kleiner, adeliger, cricketversessener
Dandy, der seine Abteilung jedoch mit napoleonischer Autorität leitete. Die neue Mitarbeiterin, Rosalind Franklin, hatte gerade ihre Forschungen zu Kohlekristallen in Paris abgeschlossen. Im Januar 1951
kam sie zu Randall nach London.

Wilkins befand sich damals gerade mit seiner Verlobten im Urlaub –
eine Entscheidung, die er später bereuen sollte. Es ist nicht klar, inwieweit Randall zukünftige Kollisionen voraussahnte, als er Franklin ein
Projekt vorschlug. »Wilkins hat bereits festgestellt, dass DNA-Fasern
erstaunlich gute Diagramme ergeben«, erzählte er ihr. Vielleicht könne
Franklin in Erwägung ziehen, die Beugungsmuster dieser Fasern zu
untersuchen und eine Struktur abzuleiten? Damit hatte er ihr die
DNA angeboten.

Als Wilkins aus dem Urlaub zurückkehrte, erwartete er, dass Franklin als Assistentin mit ihm zusammenarbeiten würde, schließlich war
die DNA von Anfang an *sein* Projekt gewesen. Das entsprach jedoch
ganz und gar nicht Franklins Vorstellungen. Die dunkelhaarige, dunkel-
äugige Tochter eines prominenten englischen Bankiers, die ihr Gegenüber mit Blicken wie Röntgenstrahlen durchbohren konnte, war eine
Ausnahmeerscheinung im Labor – eine unabhängige Wissenschaftlerin in einer von Männern dominierten Welt. Franklin wuchs in einer
Familie mit einem »dogmatischen, fordernden Vater« auf, wie Wilkins

später schreiben sollte, und »ihre Brüder und ihr Vater verübelten R. F. ihre größere Intelligenz«. Sie hatte nicht vor, für irgendjemanden die Assistentin zu spielen – schon gar nicht für Maurice Wilkins, dessen sanfte Art sie nicht mochte, dessen Wertvorstellungen ihrer Ansicht nach hoffnungslos »kleinbürgerlich« waren und dessen Projekt – die Entschlüsselung der DNA – mit ihrem unmittelbar kollidierte. Ein Freund Franklins erklärte später, es sei »Hass auf den ersten Blick« gewesen.[99]

Anfangs war das Arbeitsklima zwischen Wilkins und Franklin kollegial, gelegentlich tranken sie sogar zusammen Kaffee im Strand Palace Hotel, aber schon bald wurde ihr Verhältnis frostig und offen feindselig.[100] Aus ihrer geistigen Verwandtschaft erwuchs allmählich brodelnde Verachtung; innerhalb weniger Monate sprachen sie kaum noch miteinander. (Sie »bellt, schafft es aber nicht, mich zu beißen«, schrieb Wilkins später.)[101] Eines Morgens begegneten sie sich während einer Bootsfahrt mit Freunden auf dem Cam. Als Franklin flussabwärts auf Wilkins zusteuerte, kamen ihre Boote sich so nahe, dass sie zusammenzustoßen drohten. »Jetzt versucht sie mich zu ertränken!«, rief er in gespieltem Entsetzen.[102] Es gab nervöses Gekicher – wie es entsteht, wenn ein Witz die Wahrheit allzu gut trifft.

Was sie eigentlich zu ertränken versuchte, war der Lärm: das Klirren von Bierkrügen in von Männern dominierten Pubs; die beiläufige Kameraderie unter Männern, die in einem ihnen vorbehaltenen Aufenthaltsraum am King's College über Wissenschaft diskutierten. Franklin fand die meisten ihrer männlichen Kollegen »ausgesprochen abstoßend«.[103] Nicht nur der unverhohlene Sexismus war anstrengend, sondern auch die versteckten sexistischen Anspielungen: die Energie, die es kostete, die kleinen Beleidigungen zu erkennen oder unbeabsichtigte Kalauer zu entschlüsseln.[104] Lieber arbeitete sie an anderen Codes – der Natur, der Kristalle, der unsichtbaren Strukturen. Es war für die damalige Zeit ungewöhnlich, dass Randall nichts dagegen hatte, Wissenschaftlerinnen einzustellen. Am King's College arbeiteten außer Franklin noch weitere Frauen. Und vor ihr hatte es bereits mehrere Wegbereiterinnen gegeben: die ernste, leidenschaftliche Marie Curie mit ihren rissigen Händen und schwarzen Kleidern, die aus einem Kessel schwarzen Schlamms Radium isoliert und nicht nur einen, sondern gleich zwei Nobelpreise bekommen hatte;[105] die matronenhafte Dorothy Hodgkin in Oxford, die später den Nobelpreis für die Entdeckung der Kristallstruktur des Penicillins erhielt (und die eine Zeitung als »umgänglich wirkende Hausfrau« beschrieb).[106] Franklin passte jedoch in keines dieser Muster: Sie war weder die umgängliche Hausfrau noch die im Kessel rührende Praktikerin im Wollkleid, war weder Madonna noch Hexe.

Der Lärm, der Franklin am meisten störte, war das verschwommene Bildrauschen in den DNA-Aufnahmen. Wilkins hatte aus einem Schweizer Labor besonders reine DNA bekommen, die er zu dünnen, einheitlichen Fasern zog. Wenn man sie über eine Metallschlaufe – eine Büroklammer eignete sich bestens – spannte, hoffte er, bei der Röntgenbeugung brauchbare Bilder zu erzielen. Es hatte sich jedoch herausgestellt, dass das Material schwierig zu fotografieren war und auf dem Film verstreute, verschwommene Punkte erzeugte. Was machte es so schwierig, ein gereinigtes Molekül abzubilden, fragte sich Franklin. Schon bald stolperte sie über die Antwort. Die gereinigte DNA kam in zwei Formen vor. In Anwesenheit von Wasser zeigte das Molekül eine Konfiguration, aber eine andere, sobald es austrocknete. Die DNA-Moleküle spannten und entspannten sich mit den Feuchtigkeitsschwankungen in der Versuchskammer – sie atmeten förmlich ein und aus wie das Leben selbst. Der Wechsel zwischen diesen beiden Formen war teils für das Bildrauschen verantwortlich, das Wilkins zu minimieren versucht hatte.

Franklin regulierte die Feuchtigkeit in der Versuchskammer durch einen genialen Apparat, der Wasserstoff durch eine Salzlösung leitete.[107] Als sie die Feuchtigkeit der DNA in der Kammer erhöhte, entspannten sich die Fasern offenbar dauerhaft. Endlich hatte sie sie gezähmt. Innerhalb einiger Wochen machte sie DNA-Aufnahmen von einer Qualität und Klarheit, wie man sie noch nie gesehen hatte. Der Kristallograph J. D. Bernal bezeichnete sie später als »die schönsten Röntgenaufnahmen einer Substanz, die je gemacht wurden«.[108]

• • •

Im Frühjahr 1951 hielt Maurice Wilkins einen wissenschaftlichen Vortrag in der Zoologischen Station Neapel – in dem Labor, in dem Boveri und Morgan einst Seeigel erforscht hatten. Allmählich wurde es wärmer, auch wenn vom Meer her immer noch gelegentlich ein kalter Wind durch die Gassen wehte. An diesem Morgen befand sich unter den Zuhörern ein Biologe, von dem Wilkins noch nie gehört hatte, ein erregbarer, redegewandter junger Mann namens James Watson – »das Hemd aus der Hose, Knie in der Luft, Socken unten auf den Knöcheln ... den Kopf gereckt wie ein Hahn«.[109] Wilkins' Vortrag über die Struktur der DNA war trocken und akademisch. Als eines der letzten Dias präsentierte er eine frühe Röntgenbeugungsaufnahme der DNA. Das Bild erschien am Ende einer langen Rede auf der Leinwand, und Wilkins zeigte, wenn überhaupt, nur wenig Begeisterung für die verschwommene Abbildung.[110] Das Muster war verworren – Wilkins kämpfte nach wie vor mit der schlechten Qualität seiner Probe und der Trockenheit der Kammer –, aber Watson war auf Anhieb gebannt davon. Die Schlussfolgerung war eindeutig: Im Prinzip ließ sich DNA in eine Form kristallisieren, die der Röntgenbeugung zugänglich war. »Vor Maurices Vortrag hatte ich mir Sorgen gemacht, die Gene seien womöglich phantastisch unregelmäßig«, schrieb Watson später.[111] Die Aufnahme überzeugte ihn jedoch vom Gegenteil: »Plötzlich fand ich die Chemie ungeheuer aufregend.« Er versuchte mit Wilkins über das Bild zu sprechen, aber »Maurice war Engländer und sprach nicht viel mit Fremden«.[112] Also schlich Watson sich davon.

Watson »hatte keine Ahnung von den Techniken der Röntgenbeugung«, erkannte aber mit unfehlbarer Intuition die Bedeutung bestimmter biologischer Probleme.[113] Während seines Ornithologiestudiums an der University of Chicago hatte er »jeden Chemie- und Physikkurs, der auch nur mittlere Schwierigkeiten zu bieten schien«, erfolgreich gemieden. Aber irgendein Instinkt hatte ihn zielsicher zur DNA geführt. Auch er hatte fasziniert Schrödingers Buch *Was ist Leben?* gelesen und in Kopenhagen zur Chemie der Nukleinsäuren geforscht – ein

»völliger Fehlschlag«, wie er später schrieb –, aber Wilkins' Aufnahme fesselte ihn.[114] »Meine völlige Unfähigkeit, es zu interpretieren, störte mich nicht weiter. Es war bestimmt besser, ich malte mir aus, daß ich berühmt werden würde, als daß ich zu einem in alltäglicher Routine erstickten Akademiker heranreifte, der nie einen eigenen Gedanken riskiert hatte.«[115]

Nach seiner Rückkehr nach Kopenhagen bat er umgehend um seine Versetzung an das Labor von Max Perutz in Cambridge (der österreichische Biophysiker war während des Exodus aus dem nationalsozialistischen Deutschland in den 1930er Jahren nach England geflüchtet). Perutz erforschte Molekularstrukturen und stellte für Watson die beste Möglichkeit dar, sich Wilkins' Röntgenaufnahme zu nähern, deren unvergessliche, prophetische Schatten er nicht aus dem Kopf bekam. Watson hatte beschlossen, die Struktur der DNA aufzuklären – den »Stein von Rosetta für die Entschlüsselung des wahren Geheimnisses des Lebens«.[116] Später erklärte er: »Für einen Genetiker war es das einzige Problem, das zu lösen sich lohnte.« Er war damals gerade einmal 23 Jahre alt.

• • •

Watson war aus Faszination für ein Foto nach Cambridge gegangen.[117] Als er dort ankam, überwältigte ihn gleich am ersten Tag eine andere Faszination – für einen Mann namens Francis Crick, der ebenfalls in Perutz' Labor arbeitete. Diese Faszination hatte nichts Erotisches, sondern betraf ihre gemeinsame Besessenheit, ihre spannungsgeladenen, grenzenlosen Gespräche und ihren alle Realitäten übersteigenden Ehrgeiz.* »Uns beiden war jugendliche Arroganz, Skrupellosigkeit

---

* Lange bevor James Watson weltweit Bekanntheit erlangte, unternahm die Schriftstellerin Doris Lessing 1951 einen dreistündigen Spaziergang mit dem jungen Mann, den sie über den Bekannten eines Freundes kennengelernt hatte. Während dieses Spaziergangs durch die Moor- und Heidelandschaft um Cambridge redete nur Lessing, während Watson kein Wort sagte. Am Ende des Spaziergangs, als Lessing »erschöpft war und nur noch weg wollte«, hörte sie von

und Ungeduld gegenüber nachlässigem Denken eigen«, schrieb Crick später.[118] Crick war damals 35, also zwölf Jahre älter als Watson, und hatte noch immer keinen Doktortitel (teils weil er während des Krieges für die Admiralität gearbeitet hatte). Er war kein »Akademiker« im herkömmlichen Sinne und schon gar nicht »in alltäglicher Routine erstickt«. Der Physiker mit seiner extrovertierten Art und der donnernden Stimme, die seine Kollegen oft Deckung und eine Packung Aspirin suchen ließ, hatte ebenfalls Schrödingers *Was ist Leben?* gelesen – jenes »Büchlein, das eine Revolution ausgelöst hatte« – und eine Faszination für Biologie entwickelt.

Engländer hassen vieles, aber nichts so sehr wie den Sitznachbarn, der morgens im Zug ihr Kreuzworträtsel löst. Doch Cricks Intelligenz war ebenso weit tragend und kühn wie seine Stimme, und er fand nichts dabei, sich in die Probleme anderer zu mischen und Lösungen vorzuschlagen. Das Schlimmste war, dass er gewöhnlich recht hatte. Als er Ende der 1940er Jahre von der Physik zur Biologie gewechselt hatte, um zu promovieren, hatte er sich die mathematischen Grundlagen der Kristallographie angeeignet – also jene Fülle geschachtelter Gleichungen, die es ermöglichte, Silhouetten in dreidimensionale Strukturen zu verwandeln. Wie die meisten seiner Kollegen in Perutz' Labor konzentrierte sich auch Crick in seiner Forschung zunächst auf Proteine. Im Gegensatz zu anderen war er jedoch von Anfang an von der DNA fasziniert. Wie Watson, Wilkins und Franklin fühlte auch er sich instinktiv zur Struktur eines Moleküls hingezogen, das imstande war, Erbinformation zu tragen.

Watson und Crick redeten unablässig miteinander wie Kinder im Spielzimmer, so dass man ihnen schließlich einen eigenen Raum zuwies, eine Kammer mit gelben Backsteinwänden und sichtbaren Deckenbalken, wo sie sich selbst, ihren Träumen und ihren »irren Un-

---

ihrem Begleiter endlich eine menschliche Äußerung: »Sehen Sie, das Problem ist, dass es nur einen Menschen auf der Welt gibt, mit dem ich reden kann.« Watson, *Annotated and Illustrated Double Helix*, S. 107.

ternehmen« überlassen waren. Sie waren wie zwei komplementäre Stränge, die durch Respektlosigkeit, Verrücktheit und hitzige Brillanz verzahnt waren. Sie verachteten Autoritäten, sehnten sich aber nach deren Bestätigung. Das wissenschaftliche Establishment fanden sie lächerlich und schwerfällig, verstanden es aber, sich ihren Weg hinein zu bahnen. Sie hielten sich für völlige Außenseiter, hatten aber nichts dagegen, behaglich in den ummauerten Höfen der Colleges von Cambridge zu sitzen.

Der einzige Wissenschaftler, den sie, wenn auch widerstrebend, verehrten, war Linus Pauling, der legendäre Chemiker am Caltech, der kurze Zeit zuvor verkündet hatte, er habe ein wichtiges Rätsel in der Struktur von Proteinen gelöst. Proteine bestehen aus Ketten von Aminosäuren. Diese Ketten falten sich zu Substrukturen, die wiederum größere Gebilde formen (man denke etwa an eine Kette, die eine Spirale bildet, wobei die Spirale eine Kugelform annimmt). Bei der Arbeit mit Kristallen hatte Pauling herausgefunden, dass Proteine sich häufig zu einer bestimmten Grundform falteten – einer einfachen Helix oder Schraube. Sein Modell hatte er bei einer Tagung am Caltech mit der Dramatik eines Magiers präsentiert, der ein molekulares Kaninchen aus dem Hut zauberte: Bis zum Ende seines Vortrag war das Modell hinter einem Vorhang verborgen geblieben und dann – simsalabim! – vor einem verblüfften, applaudierenden Publikum enthüllt worden. Gerüchte behaupteten, Pauling habe seine Aufmerksamkeit nun von den Proteinen auf die Struktur der DNA verlagert. Achttausend Kilometer entfernt spürten Watson und Crick förmlich Paulings Atem in ihrem Nacken.

Paulings bahnbrechende Arbeit über die Proteinhelix erschien im April 1951.[119] Sie war mit Gleichungen und Zahlenmaterial gespickt und selbst für Fachleute schwierig zu lesen. Aber Crick, der sich mit mathematischen Formeln bestens auskannte, hatte den Eindruck, dass Pauling seine eigentliche Methode hinter den Berechnungen verschleiert habe. Er erklärte Watson, »daß Paulings Leistung ein Produkt des gesunden Menschenverstandes und nicht das Ergebnis komplizierter mathematischer Überlegungen war«. Die wahre Magie liege in

der Phantasie. »Hier und da hatte sich eine Gleichung in seine Beweisführung verirrt, aber in den meisten Fällen hätten Worte es auch
getan ... Die Alphahelix war nicht etwa durch ewiges Anstarren von
Beugungsaufnahmen gefunden worden. Der entscheidende Trick bestand vielmehr darin, sich zu fragen, welche Atome gern nebeneinander sitzen. Statt Bleistift und Papier war das wichtigste Werkzeug bei
dieser Arbeit ein Satz von Molekülmodellen, die auf den ersten Blick
dem Spielzeug in Kindergärten glichen.«[120]

An diesem Punkt machten Watson und Crick ihren intuitivsten wissenschaftlichen Sprung nach vorn. Was wäre, wenn die Aufklärung
der DNA-Struktur sich mit denselben »Tricks« erreichen ließe, die
Pauling angewandt hatte? Röntgendiagramme würden sicher helfen –
aber der Versuch, die Struktur biologischer Moleküle mit experimentellen Verfahren zu bestimmen, sei unsinnig aufwendig, argumentierte
Crick, ganz so »als wolle man die Struktur eines Klaviers anhand der
Geräusche bestimmen, die entstünden, wenn es eine Treppe hinunter
geworfen würde«.[121] Was wäre, wenn die DNA-Struktur so simpel –
so elegant – wäre, dass sie sich mit »gesundem Menschenverstand«
herleiten ließe? Was wäre, wenn ein einfaches Baukastenmodell die
DNA-Struktur aufklären könnte?

• • •

Am achtzig Kilometer entfernten King's College in London hatte
Franklin keinerlei Interesse, Spielzeugmodelle zu basteln. Mit ihrer
laserscharfen Fokussierung auf experimentelle Forschung hatte sie
eine Röntgenaufnahme nach der anderen von DNA gemacht – eine
schärfer als die andere. Die Bilder würden die Antwort liefern, glaubte
Franklin, Raterei sei nicht nötig. Die Versuchsdaten würden zu Model-
len führen, nicht umgekehrt.[122] Von den beiden DNA-Formen – der
»trockenen« kristallinen und der »nassen – besaß die nasse offenbar
eine weniger komplizierte Struktur. Als Wilkins ihr eine Zusammenarbeit vorschlug, um diese aufzuklären, wollte sie nichts davon wissen.
Nach ihrem Empfinden wäre eine Zusammenarbeit einer schlecht
kaschierten Kapitulation gleichkommen. Schon bald musste Randall

eingreifen, um die beiden offiziell zu trennen wie streitende Kinder. Wilkins sollte weiter an der nassen Form arbeiten und Franklin sich auf die trockene Form konzentrieren.

Die Trennung war für beide hinderlich. Wilkins' DNA-Präparate waren von schlechter Qualität und ergaben keine guten Aufnahmen. Franklin besaß zwar brauchbare Bilder, hatte aber Schwierigkeiten, sie zu interpretieren. (»Wie können Sie es wagen, meine Daten zu interpretieren?«, fuhr sie ihn einmal an.)[123] Obwohl sie nur einige hundert Meter voneinander entfernt arbeiteten, hätten sie ebenso gut auf sich gegenseitig bekriegenden Kontinenten leben können.

Am 21. November 1951 hielt Franklin einen Vortrag am King's College, zu dem Wilkins auch Watson einlud. Der dichte Londoner Nebel verdarb den grauen Nachmittag. Der alte, feuchte Hörsaal in den Tiefen der Universitätsgebäude ähnelte einem tristen Kontor in einem Dickens-Roman. Etwa 15 Zuhörer stellten sich ein, darunter auch Watson – »hager und linkisch … glotzäugig und schrieb nichts auf«.

Franklin sprach »in einem raschen, nervösen Stil … In ihren Worten war keine Spur von Wärme oder Frivolität«, schrieb Watson später. »Einen Augenblick überlegte ich, wie sie wohl aussehen würde, wenn sie ihre Brille abnähme und irgend etwas Neues mit ihrem Haar versuchte.«[124] Ihre Vortragsweise hatte etwas bewusst Ernstes und Abweisendes. Sie sprach, als läse sie die sowjetischen Abendnachrichten vor. Hätte jemand ihrem Thema Aufmerksamkeit geschenkt – statt auf ihre Frisur zu achten –, hätte er vielleicht bemerkt, dass sie bewusst ausweichend um einen gedanklichen Riesenfortschritt herumredete. »Große Helix mit mehreren Ketten, Phosphate außen«,[125] hatte sie in ihren Notizen vermerkt.* Sie hatte in groben Zügen das Skelett einer raffinierten Struktur erkannt, erwähnte aber nur beiläufig einige Mess-

---

* In ihren anfänglichen Forschungen zur DNA war Franklin nicht überzeugt, dass die Röntgendiagramme auf eine Helix hindeuteten, vermutlich weil sie damals mit der trockenen DNA-Form arbeitete. Tatsächlich hatten sie und ihr Student einmal in einer frechen Rundmitteilung den »Tod der Helix« angekündigt. In dem Maße, wie die Röntgenbilder besser wurden, zeichnete sich

ergebnisse, lehnte es ausdrücklich ab, auf Details der Struktur einzugehen, und beendete dann ihre quälend langweilige Rede.

Am nächsten Morgen berichtete Watson seinem Kollegen Crick
aufgeregt von Franklins Vortrag. Sie saßen im Zug nach Oxford, um
Dorothy Hodgkin, die Grande Dame der Kristallographie, zu treffen.
Rosalind Franklin hatte in ihrem Vortrag außer ein paar vorläufigen
Messergebnissen kaum Angaben gemacht. Als Crick nun Watson nach
den genauen Zahlen fragte, konnte dieser nur vage Antworten geben.
Er hatte sich nicht einmal die Mühe gemacht, ein paar Zahlen auf eine
Serviette zu kritzeln. Watson hatte eine der wichtigsten Vorlesungen
seines Wissenschaftlerlebens gehört – und hatte sich keine Notizen
gemacht.

Dennoch hatte Crick einen ausreichenden Eindruck von Franklins
vorläufigen Vorstellungen bekommen, so dass er umgehend nach
Cambridge zurückkehrte und anfing, ein Modell zu bauen. Sie begannen am nächsten Tag bei einem Mittagessen und Stachelbeerkuchen
im nahen Eagle Pub. »Auf den ersten Blick waren die Röntgenbefunde
mit zwei, drei oder vier Strängen vereinbar«, erkannten sie.[126] Die
Frage war nur, wie sie die Stränge zusammensetzten und ein Modell
eines rätselhaften Moleküls entwerfen sollten.

• • •

Ein einzelner DNA-Strang besteht aus einem Rückgrat aus Zuckern
und Phosphaten, von dem vier Basen – A, T, G und C – ausgehen wie
die Zähne eines Reißverschlusses. Um die DNA-Struktur zu klären,
mussten Watson und Crick zunächst herausfinden, wie viele Reißver-
schluss-Stränge sich in jedem DNA-Molekül befanden, welche Teile
im Zentrum und welche an der Außenseite saßen. Es sah nach einer
relativ simplen Aufgabe aus – aber es erwies sich als teuflisch schwie-

allmählich die Helix mit den Phosphaten an der Außenseite ab, wie ihre Notizen zeigen. Watson erklärte einem Journalisten einmal, Franklins Fehler sei ihr
leidenschaftsloses Herangehen an ihre eigenen Daten gewesen. »Sie lebte die
DNA nicht.«

rig, ein einfaches Modell zu bauen. »Obwohl nur etwa 15 Atome im Spiel waren, fielen sie immer wieder aus den verfluchten Klammern, die sie in der richtigen Entfernung voneinander halten sollten.«[127]

Bis zum Spätnachmittag bastelten sie an einem sperrigen Modell herum und hatten schließlich eine anscheinend befriedigende Lösung gefunden: drei zu einer Helix verschlungene Ketten, deren Zucker-Phosphat-Rückgrate zusammen im Zentrum lagen. Eine Tripelhelix mit Phosphaten an der Innenseite. »Einige Atomkontakte waren zugegebenermaßen noch etwas zu nah«, räumten sie ein – aber das ließe sich möglicherweise durch weitere Bastelei beheben. Es war keine sonderlich elegante Struktur, was vielleicht zu viel verlangt war. Im nächsten Schritt galt es, das Modell »anhand von Rosys quantitativen Messergebnissen zu überprüfen«.[128] Aus einer plötzlichen Eingebung heraus riefen sie Wilkins und Franklin an, zu kommen und sich das Modell anzusehen – ein Fehler, den sie später bereuen sollten.

Am nächsten Morgen fuhren Wilkins, Franklin und ihr Student Ray Gosling mit dem Zug nach Cambridge, um Watsons und Cricks Modell zu begutachten.[129] Die Fahrt war mit Erwartungen befrachtet, und Franklin saß gedankenverloren da.

Als das Modell endlich enthüllt wurde, entpuppte es sich als Riesenfehlschlag. Wilkins fand es »enttäuschend«, hielt aber den Mund. Franklin war nicht so diplomatisch. Ein Blick hatte genügt, sie zu überzeugen, dass es unsinnig war. Es war mehr als falsch: unschön, eine einzige hässliche, auseinanderfallende Katastrophe, ein Wolkenkratzer nach einem Erdbeben. Gosling erinnerte sich: »Rosalind legte in ihrem besten Oberlehrerton los: ›Aus folgenden Gründen ist Ihr Modell falsch‹ … und sie zählte sie einen nach dem anderen auf, als sie ihren Vorschlag zerpflückte.«[130] Ebenso gut hätte sie das Modell mit Füßen treten können.

Crick hatte die »wackeligen, instabilen Ketten« zu stabilisieren versucht, indem er das Phosphatrückgrat in die Mitte gesetzt hatte. Aber Phosphate sind negativ geladen. Wenn sie nach innen ausgerichtet wären, würden sie sich gegenseitig abstoßen und die Moleküle innerhalb einer Nanosekunde auseinandersprengen. Um das Problem der

Abstoßung zu lösen, hatte Crick ins Zentrum der Helix ein positiv geladenes Magnesiumion gesetzt – eine Art von molekularem Leim, der die Struktur zusammenhalten sollte. Franklins Messungen belegten jedoch, dass im Zentrum kein Magnesium sein konnte. Vor allem aber war Watsons und Cricks Modell so vollgepackt, dass es keine großen Mengen von Wassermolekülen aufnehmen konnte. In ihrem hektischen Bestreben, ein Modell zu bauen, hatten sie Franklins *erste* Entdeckung völlig vergessen: die erstaunliche »Nässe« der DNA.

Die Besichtigung geriet zur Inquisition. Als Franklin das Modell Molekül für Molekül auseinandernahm, war es, als würde sie ihnen einen Knochen nach dem anderen aus dem Leib ziehen. Crick sank immer mehr in sich zusammen, »seine Stimmung war inzwischen nicht mehr die eines selbstsicheren Schulmeisters vor unglücklichen Kolonialkindern«, erinnerte sich Watson.[131] Mittlerweile war Franklin unverhohlen verärgert über dieses »unreife Geschwafel«. Die Jungs und ihr Spielzeug hatten sich als Riesenzeitverschwendung erwiesen. Sie fuhr mit dem Zug um 15 Uhr 40 nach Hause.

• • •

Unterdessen bemühte sich Linus Pauling in Pasadena ebenfalls, die DNA-Struktur aufzuklären. Sein »Angriff auf die DNA« würde respekteinflößend ausfallen, das war Watson klar. Er würde die Lösung mit einem Knalleffekt präsentieren, nachdem er sein tiefgreifendes Verständnis der Chemie, Mathematik und Kristallographie und vor allem sein instinktives Gespür für die Modellentwicklung eingesetzt hätte. Watson und Crick fürchteten, dass sie eines Morgens aufwachen, ein Fachmagazin aufschlagen und darin die Lösung für die DNA-Struktur finden würden. Unter dem Artikel würde Paulings Name stehen – nicht ihre Namen.

Anfang Januar 1953 schien dieser Albtraum wahr zu werden: Pauling und Robert Corey veröffentlichten einen Artikel mit einem Vorschlag zur DNA-Struktur und schickten ein Vorabexemplar nach Cambridge.[132] Es war eine Bombe, die sie beiläufig über den Atlantik lupften. Einen Moment lang hatte Watson das Gefühl, »daß nun alles verloren sei«. Wie ein Verrückter blätterte er das Magazin durch, bis er die entscheidende Abbildung gefunden hatte. Als Watson die vorgeschlagene Struktur sah, wusste er auf Anhieb,»dass irgend etwas nicht stimmte«.[133] Zufällig hatten Pauling und Corey ebenfalls eine Tripelhelix mit den Basen A, C, G und T an der Außenseite vorgeschlagen. Das Phosphatrückgrat wand sich im Zentrum wie die Spindel einer Wendeltreppe mit außen liegenden Stufen. Aber Paulings Vorschlag enthielt kein Magnesium, das die Phosphate zusammengehalten hätte, sondern sah den Zusammenhalt durch wesentlich schwächere Bindungen gegeben. Dieser Taschenspielertrick blieb nicht unbemerkt. Watson erkannte sofort, dass die Struktur nicht funktionieren konnte: Sie war energetisch instabil. Ein Kollege Paulings schrieb später:»Wenn das die Struktur der DNA wäre, würde sie explodieren.« Pauling hatte keinen Knalleffekt produziert, sondern einen molekularen Big Bang.

»Der Schnitzer war so unglaublich, daß wir ihn nach ein paar Minuten einfach nicht mehr für uns zu behalten konnten«, fand Watson. Er stürmte hinüber zu einem befreundeten Chemiker in einem benachbarten Labor, um ihm Paulings Strukturvorschlag zu zeigen. Der Chemiker bestätigte,»daß ein Geistesriese seine elementare College-Chemie vergessen hatte.«[134] Watson erzählte Crick die Neuigkeit, und die beiden machten sich auf in ihren Lieblingspub, wo sie Paulings Scheitern voller Schadenfreude mit Whisky feierten.

• • •

Ende Januar 1953 fuhr Watson nach London zu Wilkins. Auf dem Weg schaute er in Franklins Labor, um sie zu begrüßen. Sie arbeitete an ihrem Schreibtisch, auf dem Dutzende Fotos ausgebreitet waren und ein Buch voller Notizen und Gleichungen lag. Sie unterhielten sich steif über Paulings Artikel. Einmal kam Franklin so verärgert auf Watson zu, dass er fürchtete,»sie könnte mich in ihrer Wut schlagen«, und schnell den Rückzug antrat.[135]

Immerhin begrüßte Wilkins ihn freundlicher. Als die beiden sich gegenseitig wegen Franklins explosiven Temperaments bedauerten, öffnete Wilkins sich Watson mehr denn je. Was dann passierte, ist ein verzwicktes Geflecht aus gemischten Signalen, Misstrauen, Missverständnissen und Mutmaßungen. Wilkins erzählte Watson, Franklin habe im Laufe des Sommers eine Reihe neuer Aufnahmen von der nassen DNA-Form gemacht – so verblüffend scharf, dass einem daraus praktisch das Grundskelett der Struktur entgegenspringe. Am 2. Mai 1952, einem Freitagabend, hatten Franklin und Gosling eine DNA-Faser über Nacht Röntgenstrahlen ausgesetzt. Das Bild war technisch perfekt – auch wenn die Kamera sich leicht aus der Zentrierung geneigt hatte. »S. Gut. Nassfoto«, hatte Franklin in ihrem roten Notizbuch vermerkt.[136] Am folgenden Abend gegen 18 Uhr 30 – sie arbeitete selbstverständlich auch samstagabends, wenn die Kollegen in den Pub gingen – richtete sie mit Goslings Hilfe die Kamera erneut ein. Am Dienstagnachmittag entwickelte sie die Aufnahme, die noch schärfer war als die vorige. Es war das perfekteste Bild, das sie je gesehen hatte. Sie versah es mit der Aufschrift: »Fotografie 51.«

Wilkins ging in den angrenzenden Raum, holte das besagte Foto aus einer Schublade und zeigte es Watson. Franklin saß immer noch verärgert in ihrem Labor und hatte keine Ahnung, dass Wilkins gerade Watson ihre kostbarste Forschungsunterlage präsentierte.* (»Vielleicht hätte ich Rosalind um Erlaubnis bitten sollen, das habe ich nicht getan«, schrieb Wilkins später zerknirscht. »Es war damals sehr schwierig … Unter halbwegs normalen Umständen hätte ich sie natürlich um Erlaubnis gebeten, obwohl sich die ganze Frage einer Erlaubnis unter halbwegs normalen Umständen gar nicht gestellt hätte … Ich hatte diese Aufnahme, und auf dem Bild war eine Helix, das war unverkennbar.«)[137]

Watson war wie gebannt. »In dem Augenblick, als ich das Bild sah, klappte mir der Unterkiefer herunter, und mein Puls flatterte. Das

---

* Handelte es sich tatsächlich um *ihre* Aufnahme? Wilkins behauptete später, Franklins Student Gosling habe ihm das Foto gegeben – daher habe er damit machen können, was er wollte. Franklin stand unmittelbar vor einem Wechsel vom King's College an das Birkbeck College, und Wilkins dachte, sie gebe das DNA-Projekt auf.

Schema war unvergleichlich viel einfacher als alle, die man bis dahin erhalten hatte (›A‹-Form). Darüber hinaus konnte das schwarze Kreuz von Reflexen, das sich in dem Bild deutlich abhob, nur von einer Helixstruktur herrühren. … Es war durchaus denkbar, daß sich durch Berechnungen von wenigen Minuten Dauer die Anzahl der Ketten in dem Molekül bestimmen ließ.«[138]

Auf der Rückfahrt durch die Heide nach Cambridge skizzierte Watson in dem eiskalten Zugabteil das Bild, soweit er es in Erinnerung hatte, auf dem Rand einer Zeitung. Das erste Mal war er ohne Notizen aus London zurückgekommen, diesen Fehler wollte er nicht noch einmal begehen. Als er in Cambridge über das rückwärtige Törchen zum College sprang, war er überzeugt, die DNA müsse aus zwei verschlungenen Helixketten bestehen. Denn ihm war klar, »daß wichtige biologische Objekte paarweise auftreten«.[139]

• • •

Am nächsten Morgen gingen Watson und Crick umgehend ins Labor und machten sich ernsthaft an die Modellentwicklung. Genetiker zählen, Biochemiker reinigen. Watson und Crick spielten. Dabei gingen sie systematisch, gewissenhaft und sorgfältig vor – ließen aber genügend Raum für ihre größte Stärke: Leichtigkeit. Falls sie dieses Rennen gewinnen sollten, dann durch verrückte Einfälle und Intuition; sie würden den Weg zur DNA lachend finden. Zunächst versuchten sie, die Grundzüge ihres ersten Modells zu retten, und platzierten das Phosphatrückgrat im Zentrum und die Basen an der Außenseite. Das Modell war wackelig, und die Moleküle lagen viel zu dicht gedrängt beieinander. Nach dem Kaffee kapitulierte Watson: Vielleicht war das Rückgrat ja an der Außenseite und die Basen – A, T, G und C – lagen innen einander gegenüber. Aber die Lösung eines Problems schuf nur ein noch größeres. Wenn die Basen sich außen befanden, ließen sie sich mühelos unterbringen: Sie würden sich einfach um das zentrale Rückgrat gruppieren wie eine Spiralrosette. Lagen sie aber innen, mussten sie dicht gedrängt einander gegenüber gepackt sein und wie die Zähne eines Reißverschlusses ineinander greifen. Falls A, T, G und C tatsächlich im Inneren der DNA-Doppelhelix saßen, musste es also irgendein Zusammenspiel, eine Beziehung zwischen ihnen geben. Aber was verband eine Base mit der anderen? Nur ein einziger Chemiker hatte nachdrücklich behauptet, die Basen der DNA müssten etwas miteinander zu tun haben. Der in Österreich geborene Biochemiker Erwin Chargaff, der an der Columbia University in New York arbeitete, hatte ein seltsames Muster entdeckt. Beim Aufschluss der DNA und der Analyse der Basenzusammensetzung hatte er festgestellt, dass das Mengenverhältnis von A und T sowie von G und C immer gleich war. Etwas Rätselhaftes bewirkte also, dass A und T sowie G und C jeweils paarweise auftraten, als ob es zwischen diesen chemischen Stoffen eine natürliche Verknüpfung gäbe. Obwohl Watson und Crick diese Regel kannten, hatten sie keine Ahnung, welche Bedeutung sie für die endgültige DNA-Struktur haben könnte.

Wenn die Basen sich ins Innere der Helix einfügen mussten, ergab sich ein weiteres Problem: Damit wurden die genauen Abmessungen des äußeren Rückgrats wichtig. Es handelte sich um ein Packing-Problem, bei dem die räumlichen Dimensionen offenbar begrenzt waren. Wieder einmal halfen Franklins Daten ohne ihr Wissen weiter. Im Winter 1952 hatte eine externe Kommission die Arbeit am King's College begutachtet. Zu diesem Zweck hatten Wilkins und Franklin einen Bericht über ihre aktuellen DNA-Forschungen erstellt, in den sie viele ihrer vorläufigen Messdaten einbezogen hatten. Max Perutz hatte als Mitglied dieser Kommission ein Exemplar des Berichts erhalten und an Watson und Crick weitergegeben, obwohl an keiner Stelle ersichtlich war, dass er anderen frei zugänglich gemacht werden durfte – schon gar nicht Franklins Konkurrenten –, auch wenn er nicht ausdrücklich als »vertraulich« gekennzeichnet war.

Perutz' Absichten und seine vorgebliche Naivität in Bezug auf wissenschaftliche Konkurrenz haben bis heute Rätsel aufgegeben (später schrieb er abwehrend: »Ich war in Verwaltungsdingen unerfahren und nachlässig, und da der Bericht nicht ›vertraulich‹ war, sah ich keinen Grund, ihn zurückzuhalten.«)[140] Gleichwie, es war passiert: Franklins

Bericht war in Watsons und Cricks Hände gelangt. Und nachdem sie nun das Zucker-Phosphat-Rückgrat nach außen verlegt und die allgemeinen Parameter durch Messungen bestätigt gefunden hatten, konnten sie die anspruchsvollste Phase der Modellentwicklung in Angriff nehmen. Zunächst versuchte Watson, die Helices so zusammenzufügen, dass die Paarungen beider Stränge aus jeweils gleichen Basen bestanden – also das A eines Stranges auf das A des anderen Stranges traf. Das ergab jedoch eine Helix, die unschöne Wölbungen und Einschnürungen aufwies wie ein Michelinmännchen im Taucheranzug. Watson versuchte, das Modell zurechtzubiegen, aber es passte einfach nicht. Am folgenden Morgen musste er es aufgeben.

Irgendwann am Vormittag des 28. Februar 1953 kam Watson, während er immer noch mit den Pappmodellen in Basenform herumspielte, der Gedanke, dass im Inneren der Helix vielleicht jeweils ungleiche Basen gegenüberlägen. Was wäre, wenn A mit T und C mit G ein Paar bildeten? »Plötzlich merkte ich, daß ein durch zwei Wasserstoffbindungen zusammengehaltenes Adenin-Thymin-Paar dieselbe Gestalt hatte wie ein Guanin-Cytosin-Paar. … Es waren keine Schwindeleien nötig, um diese zwei Typen von Basenpaaren in eine identische Form zu bringen.«[141]

Nun ließen sich die Basenpaare ohne weiteres so übereinander stapeln, dass sie ins Helixzentrum wiesen. Rückblickend zeigte sich auch die Bedeutung der Chargaff-Regeln – A und T sowie G und C mussten im gleichen Mengenverhältnis vorhanden sein, weil sie immer komplementär waren: Sie bildeten die ineinander greifenden Zähne des Reißverschlusses. Die wichtigsten biologischen Objekte mussten paarweise vorkommen. Watson konnte kaum abwarten, bis Crick ins Büro kam. »Als Francis erschien und noch nicht einmal ganz im Zimmer war, rückte ich auch schon damit heraus, daß wir die Antwort auf alle unsere Fragen in der Hand hatten.«[142]

Ein einziger Blick auf die gegenüberliegenden Basen überzeugte Crick. Noch immer waren die genauen Details des Modells auszuarbeiten – die Basenpaare A-T und G-C mussten in das Helixskelett eingefügt werden –, aber es war klar, dass damit der Durchbruch erreicht war. Die Lösung war von solcher Schönheit, dass sie unmöglich falsch sein konnte. Watson erinnerte sich später, dass »Francis in den ›Eagle‹ hinüberflatterte und allen, die sich in Hörweite befanden, verkündete, wir hätten das Geheimnis des Lebens entdeckt«.[143]

Die Doppelhelix der DNA ist ein ikonenhaftes Bild, das sich in Geschichte und Gedächtnis der Menschheit eingebrannt hat wie das rechtwinklige Dreieck des Pythagoras, die Höhlenmalereien von Lascaux, die Pyramiden von Gizeh oder das Bild des blauen Planeten, vom Weltraum aus gesehen. In Texten verwende ich nur selten biologische Diagramme – denn gewöhnlich sieht das geistige Auge detailreicher. Manchmal muss man jedoch ausnahmsweise mit Regeln brechen:

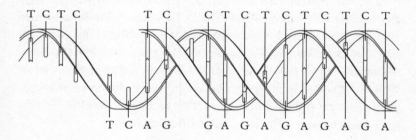

Die Doppelhelix enthält zwei miteinander verschlungene DNA-Stränge und ist rechtshändig, also im Uhrzeigersinn drehend wie eine Schraube mit Rechtsgewinde. Die Gesamtlänge des DNA-Moleküls beträgt 23 Ångström – also einige Zehntausendstel eines tausendstel Millimeters. Eine Million Helices nebeneinander würden in diesen Buchstaben passen: o. Der Biologe John Sulston schrieb: »Wir sehen die Doppelhelix als recht kurz und dick, weil man ihre anderen auffallenden Merkmale selten zeigt: Sie ist ungeheuer lang und dünn. In jeder Zelle unseres Körpers befinden sich zwei Meter davon; würden wir eine vergrößerte Darstellung der DNA zeichnen, in der sie so dick wie ein Faden Nähgarn wäre, hätte die DNA einer Zelle eine Länge von etwa zweihundert Kilometern.«[144]

Jeder DNA-Strang besteht, wie gesagt, aus einer langen Sequenz von »Basen« – A, T, G und C –, die durch das Zucker-Phosphat-Rückgrat verbunden sind. Dieses Rückgrat windet sich spiralförmig an der Außenseite, während die Basen nach innen weisen. Der gegenläufige Strang enthält die komplementären Basen: A paart sich mit T und G mit C. Somit enthalten beide Stränge dieselbe Information – allerdings in komplementärer Abfolge: Jeder ist eine »Spiegelung« oder ein Echo auf den anderen (treffender ist der Vergleich mit einer Yin-und-Yang-Struktur). Molekulare Kräfte zwischen den A-T- und G-C-Paaren verbinden die beiden Stränge wie bei einem Reißverschluss. Man kann sich die Doppelhelix der DNA also vorstellen wie einen Code aus vier Buchstaben – ATGCCCTACGGGCCCATCG –, der für immer mit seinem spiegelbildlichen Code verknüpft ist.

»Sehen heißt, den Namen der Dinge vergessen, die man sieht«, sagte der Dichter Paul Valéry einmal. Die DNA sehen, heißt ihren Namen und ihre chemische Formel vergessen. Die Funktion des Moleküls erschließt sich wie bei den einfachsten Werkzeugen der Menschen – Hammer, Sichel, Blasebalg, Leiter, Schere – vollständig aus seiner Struktur. Die DNA zu »sehen« bedeutet, ihre Funktion als Informationsträger auf Anhieb zu erkennen. Das wichtigste Molekül der Biologie braucht keinen Namen, um begriffen zu werden.

• • •

Watson und Crick bauten ihr erstes vollständiges DNA-Modell in der ersten Märzwoche 1953. Watson beauftragte die Metallwerkstatt im Keller des Cavendish-Labors, die Modellteile anzufertigen. Das Hämmern, Löten und Polieren dauerte Stunden. Unterdessen lief Crick oben ungeduldig auf und ab. Sobald sie die glänzenden Metallteile in Händen hielten, fingen sie an, das Modell Stück für Stück zusammenzusetzen wie ein Kartenhaus. Jedes Teil musste passen – und den bekannten Molekularmessungen entsprechen. Wenn Crick stirnrunzelnd eine weitere Komponente einsetze, drehte sich Watson jedes Mal der Magen um – aber letzten Endes fügte sich alles zusammen wie ein perfekt gelöstes Puzzle. Am nächsten Tag überprüften sie mit Lot und Metermaß die Abstände zwischen allen Bauteilen. Sämtliche Maße –

jeder Winkel, Durchmesser und Abstand zwischen den Molekülen – waren nahezu perfekt.

Am folgenden Morgen kam Maurice Wilkins, um einen Blick auf das Modell zu werfen.[145] Er brauchte es »nur eine Minute anzusehen, um zu dem Ergebnis zu kommen, daß es ihm gefiel«.[146] Wilkins erinnerte sich später: »Das Modell stand auf einem Labortisch. … [Es] besaß ein Eigenleben – als ob man ein gerade geborenes Baby anschaute … Das Modell schien für sich zu sprechen und zu sagen: ›Es ist mit egal, was ihr denkt – ich weiß, dass ich richtig bin.«[147] Sobald er wieder in London war, bestätigte er, dass sowohl seine als auch Franklins neueste kristallographische Daten eindeutig für eine Doppelhelix sprachen. »Ich halte Euch für zwei alte Schlawiner, aber es könnte durchaus was dran sein«, schrieb er am 18. März 1953 aus London.[148] »Mir gefällt die Idee.«[149]

Franklin sah das Modell keine zwei Wochen später und ließ sich ebenfalls auf Anhieb überzeugen. Anfangs fürchtete Watson, sie würde Einwände dagegen erheben, »nachdem ihr scharfsinniger, verbohrter Geist in die sich selbst gestellte Antihelixfalle getappt war«. Aber Franklin bedurfte keiner weiteren Überzeugungsarbeit. Ihr messerscharfer Verstand erkannte eine elegante Lösung auf den ersten Blick. »Die Platzierung des Rückgrats auf der Außenseite des Moleküls habe sich aus ihren Experimenten ergeben, und angesichts der Notwendigkeit, die Basen mittels Wasserstoffbindungen zu vereinen, sei die Einzigartigkeit der Adenin-Thymin- und der Guanin-Cytosin-Paare eine Tatsache, gegen die sie nichts einzuwenden habe.« Nach Watsons Darstellung, »fand sie sich damit ab, daß die Struktur zu schön war, um nicht richtig zu sein«.[150]

Am 25. April 1953 veröffentlichten Watson und Crick in der Zeitschrift Nature ihren Artikel »Molecular Structure of the Nucleic Acids: A Structure for Deoxyribose Nucleic Acid«.[151] Im selben Heft erschien ein Beitrag von Gosling und Franklin, der triftige kristallographische Belege für die Doppelhelixstruktur lieferte. In einem dritten Beitrag untermauerte Wilkins die Indizien durch experimentelle Daten von DNA-Kristallen.

In Einklang mit der großartigen Tradition, die bedeutendsten Entdeckungen der Biologie mit extremer Tiefstapelei zu präsentieren – man denke nur an Mendel, Avery und Griffith –, beendeten Watson und Crick ihren Artikel mit dem Satz:»Es ist unserer Aufmerksamkeit nicht entgangen, daß die spezifische Paarbildung, die wir hier voraussetzen, sogleich an einen möglichen Kopiermechanismus für das genetische Material denken läßt.«[152] Die wichtigste Funktion der DNA – ihre Fähigkeit, Informationen in Kopien von Zelle zu Zelle, von Organismus zu Organismus weiterzugeben – beruhte auf der Struktur. Botschaft; Bewegung; Information; Form; Darwin; Mendel; Morgan: Das alles war in dieses prekäre Molekülgefüge eingeschrieben.

Watson und Crick erhielten 1962 den Nobelpreis für ihre Entdeckung. Franklin war nicht in die Ehrung einbezogen. Sie war 1958 im Alter von 37 Jahren an einem metastasierenden Eierstockkrebs verstorben – eine Krankheit, die letztlich mit Genmutationen zusammenhängt.

• • •

Einen Spaziergang in London könnte man in der Nähe von Belgravia beginnen, wo die Themse eine Biegung nach Süden macht, genauer an dem trapezförmigen Park am Vincent Square, der an das Verwaltungsgebäude der Royal Horticultural Society grenzt. Hier lenkte William Bateson 1900 die Aufmerksamkeit der Wissenschaftswelt auf Mendels Aufsatz und läutete damit die Ära der modernen Genetik ein. Von dort geht es zügigen Schrittes am Südende des Buckingham Palace vorbei zu den eleganten Häusern am Rutland Gate, wo Francis Galton um 1900 die Theorie der Eugenik in der Hoffnung entwickelte, genetische Verfahren so zu manipulieren, dass man menschliche Perfektion erreichen könne.

Knapp fünf Kilometer östlich liegt jenseits der Themse das Gelände des ehemaligen Pathologie-Labors des britischen Gesundheitsministeriums, wo Frederick Griffith in den frühen 1920er Jahren die Transformation entdeckte, also die Weitergabe genetischen Materials von einem Organismus an einen anderen in einem Experiment, das zur Identifikation der DNA als »Genmolekül« führte. Nördlich der

Themse findet man die Laboratorien des King's College, in denen Rosalind Franklin und Maurice Wilkins Anfang der 1950er Jahre ihre Forschungen an DNA-Kristallen begannen. Wendet man sich wieder nach Südwesten, begegnet man im Science Museum an der Exhibition Road dem »Genmolekül«: Dort steht in einer Vitrine das Originalmodell der DNA von Watson und Crick mit seinen gehämmerten Blechplatten und wackeligen Stangen, die sich prekär um ein Laborstativ winden. Es wirkt wie ein von einem Verrückten erfundener filigraner Korkenzieher oder eine unglaublich fragile Wendeltreppe, die Vergangenheit und Zukunft des Menschen verbinden könnte. Noch immer zieren Cricks handgeschriebene Beschriftungen – A, C, G und T – die Blechplatten.

Die Entdeckung der DNA-Struktur durch Watson, Crick, Wilkins und Franklin brachte einen Weg zu den Genen zum Abschluss und eröffnete zugleich neue Horizonte für Forschungen und Entdeckungen. »Sobald bekannt wurde, dass die DNA eine überaus regelmäßige Struktur besitzt, musste das Rätsel gelöst werden, wie die riesigen Mengen von Erbinformationen, die notwendig waren, um sämtliche Merkmale eines Lebewesens zu spezifizieren, in einer derart regelmäßigen Struktur gespeichert werden konnten«, schrieb Watson 1954.[153] An die Stelle alter Fragen traten neue. Welche Eigenschaften der Doppelhelix ermöglichten es ihr, den Code des Lebens zu tragen? Wie wurde dieser Code transkribiert und in die tatsächliche Form und Funktion eines Organismus übersetzt? Warum gab es zwei Helices und nicht eine, drei oder vier? Warum waren die beiden Stränge komplementär zueinander – A mit T gepaart und G mit C – wie ein molekulares Yin und Yang? Warum diente unter allen möglichen Strukturen ausgerechnet diese als zentraler Speicher sämtlicher biologischer Informationen? »Es ist nicht, dass [DNA] so schön aussieht«, bemerkte Crick später. »Es ist die *Vorstellung*, was sie leistet.«

In Bildern kristallisieren sich Ideen heraus – und in dem Bild eines Doppelhelixmoleküls, das die Anweisungen in sich trägt, Menschen zu erzeugen, am Leben zu halten, zu reparieren und zu vermehren, verdichteten sich der Optimismus und das Staunen der 1950er Jahre.

In diesem Molekül waren die Orte der Vervollkommnungsfähigkeit und die Schwachstellen des Menschen codiert: Wenn wir erst einmal gelernt hätten, diesen chemischen Stoff zu manipulieren, würden wir die Natur umschreiben, Krankheiten heilen, Schicksale verändern, die Zukunft umgestalten.

Das DNA-Modell von Watson und Crick markierte das Ende einer Konzeption des Gens – als mysteriöser Träger von Botschaften über Generationen hinweg – und den Beginn einer anderen: als chemische Substanz oder Molekül, das imstande ist, Informationen zu codieren, zu speichern und von einem Organismus an den anderen weiterzugeben. War das Schlüsselwort der Genetik des frühen 20. Jahrhunderts *Botschaft*, so lautete es gegen Ende dieses Jahrhunderts *Code*. Dass Gene Botschaften übermitteln, war seit einem halben Jahrhundert hinlänglich klar. Die Frage war, ob Menschen ihren Code entschlüsseln konnten.

»Dieser verdammt schwer fassbare Pimpernel«

> Mit dem Proteinmolekül hat die Natur ein
> Instrument entwickelt, das die zugrundeliegende
> Einfachheit nutzt, um große Raffinesse und
> Wandlungsfähigkeit zum Ausdruck zu bringen;
> es ist unmöglich, die Molekularbiologie aus dem
> richtigen Blickwinkel zu sehen, bevor man diese
> eigentümliche Kombination von Vorzügen klar
> erfasst hat.
>
> Francis Crick[154]

Das Wort Code geht, wie gesagt, auf das lateinische *caudex* (codex) zurück, das Holz, aus dem man frühe Schreibtafeln machte. Die Vorstellung, dass dieses zum Schreiben verwendete Material zum Begriff für das Geschriebene wurde, hat etwas Anschauliches: Form wird zur Funktion. Auch bei der DNA müsse die Form des Moleküls in einem inneren Zusammenhang zur Funktion stehen, erkannten Watson und Crick. Der genetische Code musste in das Material der DNA geschrieben sein wie Schriftzeichen auf die hölzernen Wachstafeln.

Aber was war der genetische Code? Wie bestimmten vier Basen in einer Molekülkette der DNA – A, C, G und T (oder A, C, G und U bei der RNA) – die Beschaffenheit der Haare, die Augenfarbe und die Eigenschaft der Hülle bei einem Bakterium (oder auch die Neigung zu psychischen Erkrankungen oder zur tödlichen Bluterkrankheit in einer

Familie)? Wie manifestierten sich Mendels abstrakte »Erbteilchen« als körperliche Merkmale?

• • •

Drei Jahre vor Averys bahnbrechendem Experiment hatten die Wissenschaftler George Beadle und Edward Tatum 1941 in einem Labor im Keller der Stanford University das fehlende Bindeglied zwischen Genen und physischen Merkmalen entdeckt.[155] Beadle – oder »Beets«, wie seine Kollegen ihn nannten – hatte bei Thomas Morgan am Caltech studiert.[156] Die rotäugigen Fliegen und die weißäugigen Mutanten irritierten ihn. Soweit Beadle wusste, war ein »Gen für Rotäugigkeit« eine Erbinformationseinheit, die ein Elternteil in der DNA in unteilbarer Form – in Genen, in Chromosomen – an seine Nachkommen weitergab. Das körperliche Merkmal »Rotäugigkeit« war dagegen Folge eines chemischen Pigments im Auge. Aber wie verwandelte sich ein Erbteilchen in ein Augenpigment? Welche Verbindung bestand zwischen einem »Gen für Rotäugigkeit« und der »Rotäugigkeit« – zwischen der Information und ihrer anatomischen Ausprägung?

Fruchtfliegen hatten dank seltener Mutanten zu umwälzenden Entwicklungen in der Genetik geführt. Eben weil die Mutanten selten waren, hatten sie es ermöglicht, »das Wirken eines Gens« über Generationen hinweg zu verfolgen, wie Morgan es formulierte.[157] Eben dieses »Wirken« eines Gens – nach wie vor ein vages, mystisches Konzept – faszinierte Beadle. Ende der 1930er Jahre überlegten er und Tatum, das Rätsel müsse sich lösen lassen, wenn sie das Augenpigment einer Fruchtfliege isolierten. Aber die Arbeit stockte; die Verbindung zwischen Genen und Pigmenten erwies sich als viel zu komplex, um eine brauchbare Hypothese zu liefern. Daher versuchten Beadle und Tatum 1937 an der Stanford University, die rätselhafte Verbindung zwischen Gen und Merkmal anhand eines noch einfacheren Organismus zu klären, des Brotschimmels *Neurospora crassa*, den man als Verunreinigung erstmals in einer Pariser Bäckerei entdeckt hatte.

Brotschimmelpilze sind zähe Wesen, die sich in einer reichhaltigen Nährlösung in Petrischalen züchten lassen – eigentlich aber nicht viel brauchen, um zu überleben. Als Beadle dem Medium systematisch nahezu sämtliche Nährstoffe entzog, stellte er fest, dass die Schimmelpilzstämme in einer Minimallösung, die kaum mehr als Zucker und ein Vitamin namens Biotin enthielt, immer noch wachsen konnten. Offensichtlich konnten die Schimmelzellen alle Moleküle, die sie zum Überleben brauchten, aus Grundstoffen produzieren – Lipide aus Glukose, DNA und RNA aus chemischen Vorprodukten und komplexe Kohlehydrate aus einfachen Zuckern.

Beadle fand heraus, dass diese Fähigkeit Enzymen in der Zelle zu verdanken war, Proteinen, die als Baumeister fungierten und aus Grundstoffen komplexe biologische Makromoleküle synthetisierten. Damit Brotschimmel in einem Minimalmedium wachsen konnte, mussten alle seine molekülbildenden Stoffwechselfunktionen intakt sein. Wäre auch nur eine dieser Funktionen durch eine Mutation gestört, könnte er nicht wachsen – es sei denn, man gäbe den fehlenden Nährstoff der Nährlösung bei. Beadle und Tatum konnten dieses Verfahren nutzen, um bei jeder Mutante die fehlende Stoffwechselfunktion auszumachen. Brauchte eine Mutante die Substanz X, um in dem Minimalmedium zu wachsen, dann fehlte ihr das Enzym, diesen Stoff X zu synthetisieren. Dieses Vorgehen war ausgesprochen mühselig – aber Geduld war eine Tugend, die Beadle hinlänglich besaß.

Die Versuche zum »fehlenden Bestandteil« brachten Beadle und Tatum zu einem neuen Verständnis des Gens. Ihnen fiel auf, dass jeder Mutante eine bestimmte Stoffwechselfunktion fehlte, die der Aktivität eines einzigen Enzyms entsprach. Genetische Kreuzungen zeigten, dass bei jeder Mutante nur ein Gen defekt war.

Wenn eine Mutation die Funktion eines Enzyms störte, dann musste das normale Gen die Information enthalten, das normale Enzym zu produzieren. Ein Erbteilchen musste also *den Code in sich tragen*, eine von einem Protein spezifizierte Stoffwechsel- oder Zellfunktion hervorzubringen. »Man kann sich ein Gen so vorstellen, dass es die endgültige Konfiguration eines Proteinmoleküls steuert«, schrieb Beadle 1945.[158] Darin bestand also das »Wirken eines Gens«, das eine ganze Biologengeneration zu begreifen versucht hatte: *Ein Gen* *»wirkt«, indem es Informationen für die Produktion eines Proteins codiert, und das Protein setzt die Form oder Funktion des Organismus praktisch um.*[*]

Der Informationsfluss lässt sich folgendermaßen darstellen:

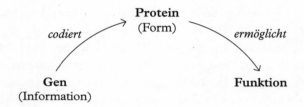

Für ihre Entdeckung erhielten Beadle und Tatum 1958 den Nobelpreis. Allerdings warf ihr Experiment eine entscheidende Frage auf, die unbeantwortet blieb: Wie »codierte« ein Gen die Information für die Bildung eines Proteins? Proteine werden aus zwanzig einfachen chemischen Stoffen, *Aminosäuren* genannt – Methionin, Glycin, Leucin und so weiter –, gebildet, die zu einer Kette verbunden sind. Anders als die DNA, die hauptsächlich in Doppelhelixform vorkommt, kann eine Proteinkette sich zu einer ihr eigenen räumlichen Struktur drehen und winden wie ein Draht, der zu einer einzigartigen Form gebogen wird. Diese Fähigkeit ermöglicht es den Proteinen, verschiedene Funktionen in der Zelle zu erfüllen. Sie können als lange, dehnbare Muskelfasern (Myosin) vorkommen. Sie können eine Kugelform annehmen und chemische Reaktionen ermöglichen wie Enzyme (DNA-Polymerase). Sie können farbige Chemikalien binden und zu Pigmenten in Augen oder Blüten werden. Zu Taschen gefaltet können sie andere Moleküle transportieren (Hämoglobin). Sie können regeln, wie eine Nervenzelle

---

[*] Diese Vorstellung wird im Folgenden noch modifiziert und erweitert. Ein Gen ist mehr als nur ein Satz von Anweisungen zur Proteinsynthese, aber Beadles und Tatums Experiment lieferte eine mechanistische Grundlage für die Funktion eines Gens.

mit anderen kommuniziert, und so zu Vermittlern normaler Wahrnehmung und neuraler Entwicklung werden.

Aber wie konnte eine DNA-Sequenz – ATGCCCC ... – Instruktionen für die Bildung eines Proteins übertragen? Watson hatte immer schon vermutet, dass die DNA zunächst in eine Zwischenbotschaft konvertiert würde. Dieses »Botenmolekül«, wie er es nannte, übertrug die Anweisungen zur Produktion eines Proteins, gestützt auf den Code eines Gens. Schon 1953 hatte er geschrieben: »Bereits seit mehr als einem Jahr behauptete ich Francis [Crick] gegenüber, die genetische Information der DNA-Stränge müsse zuerst in die der komplementären RNA-Stränge kopiert werden«, die dann als »Botschaften« dienten, Proteine zu bilden.[159]

Der in Russland geborene Physiker und Biologe George Gamow tat sich 1954 mit Watson zu einem wissenschaftlichen »Club« zusammen, um die Mechanismen der Proteinsynthese zu entschlüsseln. Im selben Jahr schrieb Gamow an Linus Pauling und teilte ihm in der für ihn typischen freien Auslegung von Grammatik und Rechtschreibung mit: »Lieber Pauling, ich spiele zurzeit mit komplexen organischen Molekülen (was ich nie zuvor gemacht habe!) und bekome [sic] einige amüsante Resultate und würde gern Ihre Meihnung [sic] dazu erfahren.«[160]

Gamow nannte den Zusammenschluss »RNA Tie Club«.[161] Crick erinnerte sich: »Der Club kam nie als Ganzes zusammen. Er führte immer eine recht ätherische Existenz.«[162] Es gab keine offiziellen Sitzungen oder Regeln und nicht einmal grundlegende Organisationsprinzipien. Der RNA Tie Club, das war vielmehr eine lockere Folge informeller Gespräche. Treffen kamen, wenn überhaupt, nur zufällig zustande. Die Mitglieder tauschten Briefe mit verrückten, unveröffentlichten Ideen aus, die oft mit handschriftlichem Zahlenmaterial versehen waren – eine Art Blog, bevor es Blogs gab. Watson ließ bei einem Schneider in Los Angeles Wollkrawatten mit einem RNA-Strang besticken, und Gamow schickte jedem seiner Freunde, die er als Clubmitglieder ausgewählt hatte, eine Krawatte und eine Anstecknadel. Außerdem ließ er einen Briefkopf drucken, den er mit seinem Motto versah: »Do or die, or don't try.«[163]

• • •

Mitte der 1950er Jahre hatten die beiden Bakteriengenetiker Jacques Monod und François Jacob in Paris ebenfalls Experimente durchgeführt, die vage darauf hindeuteten, dass für die Übersetzung der DNA in Proteine ein Zwischenmolekül – ein Bote – notwendig war.[164] Nach ihrer Ansicht gaben die Gene nicht unmittelbar die Anweisungen zur Bildung von Proteinen. Vielmehr wurde die in der DNA enthaltene genetische Information zunächst in eine Kopie – einen Entwurf – umgewandelt und diese – nicht das Original in der DNA – wurde dann in ein Protein übersetzt.

Im April 1960 trafen sich Francis Crick und Jacob mit Sydney Brenner in dessen beengtem Apartment in Cambridge, um über die Beschaffenheit dieses mysteriösen Mittlers zu diskutieren. Brenner, der Sohn eines Schusters aus Südafrika, war als Stipendiat nach England gekommen, um Biologie zu studieren, und hatte sich wie Watson und Crick in den Bann von Watsons »Religion der Gene« und der DNA ziehen lassen. Sie hatten ihr Mittagessen noch nicht einmal verdaut, als den drei Wissenschaftlern klar wurde, dass dieses Botenmolekül vom Zellkern, der die Gene beherbergte, in das Zytoplasma wandern musste, wo Proteine synthetisiert wurden.

Aber welche chemische Beschaffenheit hatte diese »Botschaft«, die aus einem Gen hervorging? War es ein Protein, eine Nukleinsäure oder ein Molekül anderer Art? In welcher Beziehung stand sie zur Gensequenz? Obwohl sie noch keine konkreten Belege besaßen, vermuteten Brenner und Crick, dass es sich um RNA – die molekulare Verwandte der DNA – handeln musste. Crick schrieb 1959 ein Gedicht für den Tie Club, das er jedoch nie abschickte:

> Welche Eigenarten hat die genetische RNA?
> Ist er im Himmel, ist er in der Höll'
> dieser verdammt schwer fassbare Pimpernel.[165]

• • •

Im Frühjahr 1960 flog Jacob in die Vereinigten Staaten, um am Caltech mit Matthew Meselson den »verdammt schwer fassbaren Pimpernel« zu jagen. Einige Wochen später, Anfang Juni, kam Brenner nach. Brenner und Jacob wussten, dass Proteine in der Zelle von speziellen Partikeln, den sogenannten *Ribosomen* synthetisiert werden. Das zuverlässigste Mittel, den Botenstoff zu isolieren, war, die Proteinsynthese – mit einer Art biochemischer kalter Dusche – abrupt zu stoppen, die mit den Ribosomen verbundenen Moleküle zu reinigen und den schwer fassbaren Pimpernel dadurch einzufangen.

Das Prinzip schien klar zu sein, in der Praxis erwies sich dieser Versuch jedoch als verblüffend kniffelig. Anfangs berichtete Brenner, er sehe bei diesem Experiment lediglich das chemische Pendant zu dichtem »kalifornischem Nebel – nass, kalt, still.« Der heikle biochemische Versuchsaufbau hatte Wochen in Anspruch genommen – jedes Mal, wenn sie die Ribosomen eingefangen hatten, waren sie zerfallen. Im Inneren der Zellen hielten die Ribosomen anscheinend völlig gleichbleibend zusammen. Warum zerfielen sie dann außerhalb der Zellen wie Nebel, der einem durch die Finger glitt?

Die Antwort kam buchstäblich aus dem Nebel. Eines Morgens saßen Brenner und Jacob am Strand, und Brenner dachte über sein biochemisches Grundwissen nach, als ihm eine ganz simple Tatsache einfiel: Ihren Lösungen musste ein wesentlicher chemischer Faktor fehlen, der Ribosomen innerhalb der Zellen zusammenhielt. Aber welcher? Es musste etwas Kleines, Gewöhnliches und Allgegenwärtiges sein – ein winziger Tropfen molekularen Klebers. Plötzlich sprang er auf – mit wehenden Haaren und aus seinen Taschen rieselndem Sand –, und rief: *»Es ist Magnesium. Es ist Magnesium.«*[166]

Es war tatsächlich Magnesium. Die Zugabe dieses Ions erwies sich als entscheidend: Nachdem sie der Lösung Magnesium zugesetzt hatten, blieb das Ribosom stabil, und Brenner und Jacob konnten endlich eine winzige Menge des Botenmoleküls aus Bakterienzellen isolieren. Es handelte sich, wie erwartet, um RNA – allerdings um eine besondere

Art von RNA.* Der Botenstoff wurde jeweils bei der Translation eines Gens neu gebildet. Diese RNA-Moleküle bestanden wie die DNA aus einer Kette von vier Basen – A, G, C und U (bei der RNA-Kopie eines Gens wird das in der DNA vorhandene T, wie gesagt, durch U ersetzt).[167] Später entdeckten Brenner und Jacob, dass die Boten-RNA (engl.: messenger RNA, kurz mRNA) ein *Faksimile* der DNA-Kette war – eine Kopie des Originals. Vom Zellkern wanderte die RNA-Kopie eines Gens in das Zytosol, wo dessen Botschaft für die Bildung eines Proteins entschlüsselt wurde. Die Boten-RNA war also weder im Himmel, noch in der Hölle beheimatet, sondern war ein professioneller Mittelsmann. Die Herstellung der RNA-Kopie eines Gens bezeichnet man als *Transkription* – wie die Umschrift eines Wortes oder Satzes in eine Sprache, die dem Original nahekommt. Der Code eines Gens (ATGG GCC …) wird umgeschrieben in einen RNA-Code (AUGGGCC …).

Dieser Vorgang hat Ähnlichkeit mit einer Bibliothek seltener Bücher, die für Übersetzungen zugänglich gemacht werden. Das Originalexemplar der Information – das Gen – ist dauerhaft in einem Archiv oder Gewölbe gelagert. Wenn eine »Übersetzungsanfrage« von einer Zelle eintrifft, wird eine Fotokopie des Originals aus den Tiefen des Zellkerns bestellt. Das Faksimile eines Gens (also die RNA) dient als Arbeitsvorlage für die Übersetzung in ein Protein. Dieser Prozess ermöglicht es, dass gleichzeitig mehrere Kopien eines Gens in Umlauf sind und deren Anzahl nach Bedarf vermehrt oder verringert wird – Tatsachen, die sich schon bald als wesentlich für das Verständnis der Wirkung und Funktion eines Gens erweisen sollten.

Die Transkription löste das Problem der Proteinsynthese jedoch nur zur Hälfte. Die andere Hälfte blieb rätselhaft: Wie wurde die RNA-»Botschaft« entschlüsselt und in ein Protein umgesetzt? Um eine RNA-Kopie eines Gens herzustellen, nutzte die Zelle eine recht ein-

---

* In Harvard entdeckte ein Team unter der Leitung von James Watson und Walter Gilbert 1960 ebenfalls den »RNA-Mittler«. Die entsprechenden Artikel von Watson und Gilbert sowie von Brenner und Jacob erschienen in derselben Ausgabe der Zeitschrift *Nature*.

fache Transponierung: Jedes A, C, T und G eines Gens kopierte sie in der Boten-RNA in ein A, C, U und G (z. B. ACT CCT GGG → ACU CCU GGG). Der einzige Unterschied zwischen dem Originalcode des Gens und der RNA-Kopie bestand im Austausch des Thymins durch Uracil (T → U). *Aber wie wurde die »Botschaft« eines Gens in ein Protein decodiert, nachdem sie in RNA transponiert war?*

Watson und Crick war auf Anhieb klar, dass keine der vier Basen – A, C, T und G – allein genügend genetische Informationen tragen konnte, um auch nur einen Teil eines Proteins zu bilden. Es gibt insgesamt zwanzig Aminosäuren, und vier Buchstaben konnten sie nicht einzeln spezifizieren. Das Geheimnis musste in der Kombination der Basen liegen. »Es erscheint wahrscheinlich, dass die genaue Sequenz der Basen der Code ist, der die genetische Information trägt«, schrieben sie.[168]

Ein Vergleich mit der gesprochenen Sprache verdeutlicht diesen Punkt. Die Buchstaben A, G und T haben für sich kaum eine Bedeutung, lassen sich aber so kombinieren, dass sie völlig unterschiedliche Botschaften vermitteln. Auch hier ist die Abfolge der Träger der Botschaft: So bestehen die englischen Worte ACT, TAC und CAT aus denselben drei Buchstaben, haben aber eine völlig unterschiedliche Bedeutung. Der Schlüssel zur Klärung des tatsächlichen genetischen Codes bestand darin, die Elemente einer RNA-Sequenz der entsprechenden Sequenz einer Proteinkette zuzuordnen. Es war wie eine Entschlüsselung des Rosetta-Steins der Genetik: Welche Buchstabenkombination (der RNA) bestimmte welche Buchstabenkombination (in einem Protein)? Oder graphisch dargestellt:

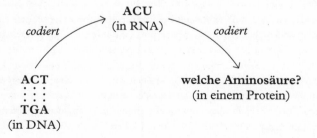

In einer Reihe einfallsreicher Experimente fanden Crick und Brenner heraus, dass der genetische Code in Form von »Tripletts« auftreten musste – dass also jeweils drei Basen der DNA (z. B. ACT) eine Aminosäure in einem Protein codieren mussten.* Aber welches Triplett codierte welche Aminosäure? Bis 1961 hatten sich weltweit mehrere Laboratorien der Jagd nach der Entschlüsselung des genetischen Codes angeschlossen. Am National Institute of Health in Bethesda, Maryland, versuchten Marshall Nirenberg, Heinrich Matthaei und Philip Leder, den Code mit einem biochemischen Ansatz zu knacken. Der in Indien geborene Chemiker Har Khorana trug wichtige chemische Reagenzien bei, die das Aufbrechen des Codes ermöglichten. Gleichzeitig versuchte auch der spanische Biochemiker Severo Ochoa, die Triplettcodes den entsprechenden Aminosäuren zuzuordnen.

Wie bei der Entschlüsselung eines jeden Codes schritt die Arbeit von Irrtum zu Irrtum voran. Anfangs sah es so aus, als würden sich die Tripletts überlappen – was die Aussicht auf einen einfachen Code zunichtemachte. Dann schien es eine Zeitlang so, als ob manche Tripletts gar nicht funktionierten. Bis 1965 hatten alle diese Studien – und besonders die von Nirenberg – jedoch jedes DNA-Triplett erfolgreich einer entsprechenden Aminosäure zugeordnet. So codierte ACT die Aminosäure Threonin, CAT die Aminosäure Histidin und CGT Arginin. Eine bestimmte DNA-Sequenz – ACT-GAC-CAC-GTG – diente also dazu, eine RNA-Kette zu bilden, die wiederum in eine Aminosäurenkette übersetzt wurde, was letztlich zur Bildung eines Proteins

* Diese »Triplettcode«-Hypothese wurde auch von der Elementarmathematik gestützt. Bei einem Code aus zwei Buchstaben – wenn also eine Sequenz aus zwei Basen (AC oder TG) eine Aminosäure in einem Protein codieren würden – käme man lediglich auf 16 Kombinationen, die offensichtlich nicht ausreichen, um alle zwanzig Aminosäuren zu spezifizieren. Ein auf Tripletts basierender Code bietet 64 Kombinationen – genug für die zwanzig Aminosäuren und weitere Möglichkeiten, um andere Funktionen wie den »Stopp« oder »Start« einer Proteinkette zu codieren. Ein Quadrupelcode hätte 256 Kombinationsmöglichkeiten, also erheblich mehr, als für die Codierung von zwanzig Aminosäuren erforderlich sind. Die Natur ist zwar verschwenderisch, aber nicht so dekadent.

führte. Ein Triplett (ATG) war der Code für den Start der Proteinsynthese, und drei Tripletts (TAA, TAG, TGA) dienten als Stoppcodes. Damit war das elementare Alphabet des genetischen Codes komplett. Der Informationsfluss lässt sich einfach darstellen:

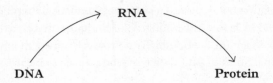

Konzeptionell stellt sich der Vorgang folgendermaßen dar:

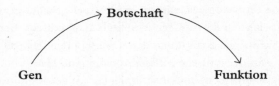

Anders ausgedrückt:

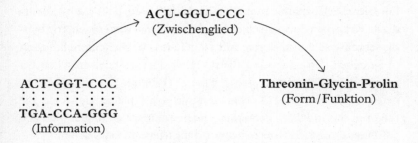

Francis Crick bezeichnete diesen Informationsfluss als »zentrales Dogma« biologischer Information. *Dogma* war in diesem Zusammenhang eine merkwürdige Wortwahl (Crick räumte später ein, er habe nicht verstanden, dass in der Bedeutung dieses Begriffes eine feste, unumstößliche Glaubenslehre mitschwinge) – aber *zentral* war eine durchaus zutreffende Beschreibung. Crick bezog sich damit auf die Tatsache, dass der genetische Informationsfluss in der gesamten Biologie auffallend allgegenwärtig ist.* Von Bakterien bis hin zu Elefanten, von rotäugigen Fliegen bis hin zu blaublütigen Prinzen fließt die biologische Information bei Lebewesen auf eine systematische, archetypische Weise: Die DNA liefert Anweisungen zur Bildung von RNA, die wiederum Anweisungen für die Bildung von Proteinen gibt. Proteine ermöglichen letztlich Struktur und Funktion – und setzen Gene in Leben um.

• • •

Wohl keine Krankheit veranschaulicht die Beschaffenheit dieses Informationsflusses und seine durchdringenden Auswirkungen auf die menschliche Physiologie so eindrucksvoll wie die Sichelzellenanämie. Schon im 6. Jahrhundert v. Chr. erkannten ayurvedische Ärzte in Indien die allgemeinen Symptome der Anämie – den Mangel an roten Blutzellen – an der typischen Blässe von Lippen, Haut und Fingern. Sie teilten die Anämien, im Sanskrit *pandu roga* genannt, in verschiedene Kategorien ein. Von manchen Varianten dieser Krankheit wusste man, dass sie durch Mangelernährung verursacht wurden. Von anderen glaubte man, sie würden durch episodische Blutverluste ausgelöst. Die Sichelzellenanämie muss den Menschen jedoch als die merkwürdigste Krankheitsform erschienen sein – denn sie war erblich, trat häufig schubweise auf und ging mit plötzlichen, stechenden Schmerzen in Knochen, Gelenken und Brust einher. Die westafrikanischen Ga nannte diese Schmerzen *chwechweechwe* (Prügel). Die Ewe bezeichneten sie als *nuiduidui* (Körperwindung) – lautmalerische Worte, die schon in ihrem Klang den anhaltenden Schmerz einfingen, der sich anfühlte, als ob sich Korkenzieher bis ins Mark hineinbohrten.

---

* Nach Cricks ursprünglicher Formulierung konnte Information auch »rückwärts« von RNA zu DNA fließen. Watson vereinfachte das Diagramm jedoch auf den Informationsfluss von RNA zu DNA zu Protein, den man später als »zentrales Dogma« bezeichnete.

Ein einziges Mikroskopbild offenbarte 1904 eine gemeinsame Ursache dieser scheinbar grundverschiedenen Symptome.[169] In jenem Jahr kam in Chicago ein junger Student der Zahnmedizin namens Walter Noel mit einer akuten anämischen Krise, begleitet von den typischen Brust- und Knochenschmerzen, zu seinem Arzt. Noel, der aus der Karibik stammte und westafrikanische Wurzeln besaß, hatte in den vorangegangenen Jahren mehrfach unter solchen Episoden gelitten. Nachdem der Kardiologe James Herrick einen Herzinfarkt ausgeschlossen hatte, übergab er den Fall beiläufig einem Assistenzarzt namens Ernest Irons. Aus einer Eingebung heraus beschloss Irons, sich Noels Blut unter dem Mikroskop anzusehen.

Dabei stellte Irons eine erstaunliche Veränderung fest. Normale rote Blutkörperchen haben die Form flacher runder Scheiben, die es ihnen erlaubt, sich übereinander zu stapeln und sich schnell durch das Netz von Arterien, Kapillaren und Venen zu bewegen, um Leber, Herz und Gehirn mit Sauerstoff zu versorgen. In Noels Blut hatten die roten Blutkörperchen eine rätselhafte Form, die an verschrumpelte Mondsicheln erinnerte – »Sichelzellen« nannte Irons sie später.

Was ließ ein rotes Blutkörperchen sichelförmig werden? Und warum war die Krankheit erblich? Schuld war eine Anomalie beim Gen für Hämoglobin, also dem Protein, das Sauerstoff transportiert und in roten Blutkörperchen reichlich vorhanden ist. Linus Pauling wies 1951 in Zusammenarbeit mit Harvey Itano am Caltech nach, dass die Hämoglobinvariante in Sichelzellen sich von der in normalen Zellen unterschied.[170] Fünf Jahre später konnten Wissenschaftler in Cambridge den Unterschied zwischen der Proteinkette im normalen Hämoglobin und der im Hämoglobin der Sichelzellen auf den Austausch einer einzigen Aminosäure zurückführen.*

Wenn die Proteinkette um genau *eine Aminosäure* verändert war, dann musste sich das Gen in genau *einem Triplett* unterscheiden (»ein Triplett codiert eine Aminosäure«). Als das Gen, das die Hämoglo-

---

* Die Abweichung bei einer Aminosäure entdeckte Vernon Ingram, ein ehemaliger Student von Max Perutz.

bin-B-Kette codiert, später identifiziert und bei Sichelzellenanämiepatienten sequenziert wurde, stellte sich tatsächlich heraus, dass es eine einzige Abweichung gab: Ein Basentriplett der DNA – GAG – hatte sich in ein anderes verwandelt – GTG. Das führte zum Ersatz einer Aminosäure durch eine andere: An die Stelle von Glutamat trat Valin. Dieser Wechsel veränderte die Faltung der Hämoglobinkette: Statt seine fein ausgeprägte Taschenstruktur anzunehmen, sammelte sich das mutierte Hämoglobinprotein als faserige Klumpen in den roten Blutkörperchen an. Diese Klumpen wurden, besonders bei Sauerstoffmangel, so groß, dass sie die Membran des roten Blutkörperchens ausdehnten, bis sich die normale Scheibenform in eine unregelmäßige, halbmondförmige »Sichelzelle« krümmte. Da die sichelförmigen roten Blutkörperchen nicht mehr reibungslos durch Kapillaren und Venen gleiten konnten, kam es im ganzen Körper zu mikroskopisch kleinen Verklumpungen, die den Blutfluss hemmten und zu quälenden Schmerzen führten.

Diese Krankheit hatte Ähnlichkeit mit einer Rube-Goldberg-Maschine. Eine Veränderung in einer Gensequenz bewirkte eine Änderung in einer Proteinsequenz, was wiederum die Form des Proteins veränderte; dadurch schrumpften Zellen, verstopften Venen, der Blutfluss wurde gehemmt und der Körper (den Gene hervorbrachten) gequält. Gen, Protein, Funktion und Schicksal bildeten eine Kette: Eine chemische Abwandlung in einem Basenpaar der DNA genügte, um eine radikale Veränderung des menschlichen Schicksals zu »codieren«.

Regulation, Replikation, Rekombination

Unbedingte Notwendigkeit: Ursache dieser
Scherereien finden.

Jacques Monod[171]

Ebenso wie die bestimmte Anordnung einiger weniger Atome den
Keim für die Entstehung eines riesigen Kristalls zu bilden vermag,
kann auch die Verknüpfung einiger entscheidender Konzepte zum
Kern für die Geburt eines großen Wissenschaftszweigs werden. Vor
Newton hatten Generationen von Physikern über Phänomene wie
Kraft, Beschleunigung, Masse und Geschwindigkeit nachgedacht.
Newtons geniale Leistung bestand unter anderem darin, diese Begriffe
streng zu definieren und in einer Reihe von Gleichungen miteinan-
der zu verbinden – und damit die Wissenschaft der Mechanik zu begründen.

Nach einer ähnlichen Logik stellte die Verknüpfung einiger entscheidender Konzepte die Genetik auf neue Grundlagen:

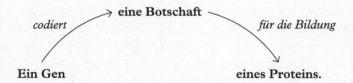

Im Laufe der Zeit sollte das »zentrale Dogma« der Genetik ebenso wie die Newton'sche Mechanik erheblich verfeinert, modifiziert und umformuliert werden. Dennoch hatte es tiefgreifende Auswirkungen auf den entstehenden Wissenschaftszweig: Es verankerte ein Denksystem. Als Johannsen 1909 den Begriff *Gen* prägte, hatte er erklärt, er sei »völlig frei von jeder Hypothese«. Bis Anfang der 1960er Jahre hatte das Gen jedoch weit die Hypothese übertroffen. Die Genetik hatte eine Möglichkeit gefunden, den Informationsfluss von einem Organismus zum anderen sowie – innerhalb eines Organismus – von der Verschlüsselung bis zur ausgeprägten Form zu beschreiben. Dabei hatte sich ein *Mechanismus* der Vererbung herauskristallisiert.

Aber wie erzeugte dieser biologische Informationsfluss die beobachtete Komplexität der Lebewesen? Man kann als einschlägiges Beispiel die Sichelzellenanämie nehmen. Walter Noel hatte zwei abnormale Kopien des Hämoglobin-B-Gens geerbt. Jede seiner Körperzellen trug diese beiden abnormalen Kopien in sich (jede Körperzelle erbt dasselbe Genom). Von den veränderten Genen waren aber *nur* die roten Blutkörperchen betroffen – nicht Noels Neuronen, Nieren, Leberzellen oder Muskelzellen. Was ermöglichte die selektive »Wirkung« des Hämoglobins in roten Blutkörperchen? Warum gab es in seinen Augen oder seiner Haut kein Hämoglobin – obwohl Augen- und Hautzellen wie jede Zelle im menschlichen Körper identische Kopien desselben Gens aufwiesen? Wie kamen »die in Genen angelegten Eigenschaften in [unterschiedlichen] Zellen zum Ausdruck«, wie Thomas Morgan es formulierte.[172]

• • •

Den ersten entscheidenden Hinweis zur Beantwortung dieser Frage lieferte 1940 ein Experiment mit dem einfachsten Organismus – einem mikroskopisch kleinen, stäbchenförmigen Bakterium, das im Darm vorkommt: *Escherichia coli*. Kolibakterien können von zwei sehr unterschiedlichen Zuckern leben, von Glukose und Laktose. Züchtet man sie auf nur einer dieser Zuckerarten, beginnen sie schnell, sich zu teilen, und verdoppeln sich etwa alle zwanzig Minuten. Die Wachstumskurve einer solchen Bakterienpopulation lässt sich als exponentiell steigende Linie darstellen – 1, 2, 4, 8, 16 –, bis die Kultur trüb wird und der Zuckervorrat verbraucht ist.

Diese gleichmäßige Wachstumskurve faszinierte den französischen Biologen Jacques Monod.[173] Er war 1937 nach Paris zurückgekehrt, nachdem er ein Jahr lang mit Thomas Morgan am Caltech Fliegen erforscht hatte. Sein Kalifornienaufenthalt war nicht sonderlich fruchtbar verlaufen – meist hatte er mit dem örtlichen Orchester Bach gespielt und Dixie und Jazz gelernt –, aber Paris war äußerst deprimierend. Im September 1939 besetzten die Deutschen Polen, im Frühsommer 1940 nahmen sie Belgien ein und im Juni unterzeichnete Frankreich nach verheerenden Verlusten auf dem Schlachtfeld einen Waffenstillstand, der den Deutschen die Besatzung Nord- und Westfrankreichs erlaubte.

Paris wurde zur »offenen Stadt« erklärt – was ihr Bomben und Zerstörung ersparte, aber den nationalsozialistischen Truppen freien Zugang gewährte. Man evakuierte die Kinder, schaffte Gemälde aus den Museen und schloss die Läden. »Paris sera toujours Paris«, hatte Maurice Chevalier 1939, wenn auch flehentlich, gesungen – aber die Stadt der Lichter war nur noch spärlich beleuchtet. Die Straßen waren gespenstisch leer. Nachts tauchten die Verdunklungsmaßnahmen sie regelmäßig in trostlose Finsternis.

Als im Herbst 1940 auf sämtlichen Amtsgebäuden die Hakenkreuzflagge wehte und deutsche Truppen über Lautsprecher auf den Champs-Élysées Ausgangssperren verkündeten, betrieb Monod weiter in einem stickigen, schlecht beleuchteten Mansardenraum der Sorbonne seine Forschungen zu Kolibakterien (in diesem Jahr schloss er sich heimlich der französischen Résistance an, viele seiner Kollegen erfuhren allerdings nie von seiner politischen Ausrichtung). In diesem Winter wiederholte Monod in seinem nun eiskalten Labor – zu seinem Bedauern musste er bis mittags warten und sich die Nazipropaganda auf der Straße anhören, bis die Essigsäure aufgetaut war – die Wachstumsexperimente mit Bakterien, allerdings mit einer strategischen Änderung: Diesmal gab er sowohl Glukose als auch Laktose – also zwei verschiedene Zuckerarten – in die Nährlösung.

Wenn ein Zucker war wie der andere – der Laktosestoffwechsel sich also nicht vom Glukosestoffwechsel unterschied –, hätte man erwarten sollen, dass die mit der Glukose-Laktose-Mischung gefütterten Bakterien eine ebenso gleichmäßige Wachstumskurve aufwiesen. Monod stolperte jedoch über einen Knick in seinen Ergebnissen – und zwar buchstäblich. Anfangs vermehrte sich die Bakterienpopulation, wie erwartet, exponentiell, doch dann stockte das Wachstum eine Zeitlang, bevor es sich weiter fortsetzte. Als Monod diese Unterbrechung eingehender untersuchte, stieß er auf ein ungewöhnliches Phänomen. Statt sich gleichermaßen von beiden Zuckern zu ernähren, hatten die Kolibakterien zuerst nur die Glukose verzehrt und dann ihr Wachstum eingestellt. Dann, als ob sie ihre Ernährungsweise überdacht hätten, waren sie zur Laktose übergegangen und hatten ihr Wachstum wiederaufgenommen. Monod nannte dieses Phänomen »Diauxie« – »zweiphasiges Wachstum«.

Dieser Knick in der Wachstumskurve, so klein er auch war, verblüffte Monod. Er störte ihn wie ein Sandkorn im Auge. Bakterien, die sich von Zuckern ernährten, müssten eigentlich eine glatte Wachstumskurve aufweisen. Warum sollte ein Wechsel der verzehrten Zuckerart einen Wachstumsstillstand bewirken? Wie konnte ein Bakterium überhaupt »wissen« oder spüren, dass die Zuckerquelle gewechselt hatte? Und warum verzehrten sie zuerst eine Zuckerart und erst anschließend die zweite wie bei einem Zwei-Gänge-Menü?

Bis zum Ende der 1940er Jahre fand Monod heraus, dass der Knick die Folge einer Stoffwechselanpassung war. Wenn Bakterien in ihrer Ernährung von Glukose auf Laktose wechselten, leiteten sie die Bildung spezifischer Enzyme ein, die für den Abbau von Laktose erforderlich sind. Sobald sie wieder zu Glukose übergingen, verschwanden diese Enzyme und die Glukose abbauenden Enzyme tauchten wieder auf. Da die Induktion dieser Enzyme während des Wechsels einige Minuten dauerte – wie der Besteckwechsel zwischen zwei Gängen eines Menüs (Fischmesser abräumen, Dessertgabel decken) –, kam es zu der beobachteten Wachstumspause.

Für Monod deutete die Diauxie darauf hin, dass sich Gene durch

Stoffwechselsignale steuern ließen. Wenn Enzyme – also Proteine – angeregt werden konnten, in einer Zelle zu erscheinen und zu verschwinden, dann mussten *Gene* an- und abgeschaltet werden wie molekulare Schalter (schließlich werden Enzyme von Genen codiert).

Anfang der 1950er Jahre begann Monod gemeinsam mit François Jacob in Paris, die Regulation von Genen bei Kolibakterien systematisch zu erforschen, indem er Mutanten züchtete – eine Methode, die Morgan mit so spektakulären Erfolgen bei Fruchtfliegen angewandt hatte.*

Die bakteriellen Mutanten erwiesen sich als ebenso erhellend wie die der Fliegen. In Zusammenarbeit mit dem US-amerikanischen Mikrobengenetiker Arthur Pardee entdeckten Monod und Jacob drei Grundprinzipien der Genregulation. Erstens: Wenn ein Gen an- oder abgeschaltet wurde, blieb das DNA-Original in einer Zelle immer intakt. *Die eigentliche Aktivität fand in der RNA statt*: Wenn ein Gen angeschaltet wurde, wurde es angeregt, mehr RNA-Botschaften und dadurch mehr Zucker abbauende Enzyme zu produzieren. Die Stoffwechselart einer Zelle – ob sie also Laktose oder Glukose verbraucht – ließ sich nicht anhand der Gensequenz feststellen, die immer konstant blieb, sondern anhand der RNA-Menge, die ein Gen produzierte. Beim Laktosestoffwechsel waren reichlich RNAs für Laktose abbauende Enzyme vorhanden. Beim Glukosestoffwechsel wurden diese Botschaften unterdrückt, und es waren vermehrt die RNAs für Glukose abbauende Enzyme vorhanden.

Zweitens: *Die Produktion von RNA-Botschaften wurde koordiniert reguliert.* Wenn die Zuckerquelle auf Laktose umgestellt wurde, schalteten

---

* Monod und Jacob kannten sich flüchtig; beide waren enge Mitarbeiter des Genetikers André Lwoff. Jacob experimentierte am anderen Ende des Dachgeschosses mit einem Virus, das *Escherichia coli* infizierte. Ihre Versuchsstrategien waren zwar, oberflächlich betrachtet, verschieden, aber beide erforschten die Genregulation. Monod und Jacob hatten Aufzeichnungen verglichen und erstaunt festgestellt, dass beide an zwei Aspekten desselben Problems arbeiteten, und hatten daher ihre Forschungen in den 1950er Jahren teilweise kombiniert.

die Bakterien für die Verarbeitung der Laktose ein ganzes Genmodul an – mehrere Laktose abbauende Gene. In diesem Modul gab es ein Gen für ein »Transportprotein«, das die Aufnahme der Laktose in die Bakterienzelle ermöglichte. Ein anderes codierte ein Enzym, das Laktose in Komponenten aufspaltete. Ein Drittes codierte ein Enzym, das diese chemischen Bestandteile noch weiter zerlegte. Erstaunlicherweise befanden sich alle Gene, die zu einem bestimmten Stoffwechselweg gehörten, auf dem bakteriellen Chromosom räumlich nebeneinander – wie Bücher in einer thematisch sortierten Bibliothek – und wurden in den Zellen gleichzeitig aktiviert. Der Metabolismuswechsel führte zu einer tiefgreifenden Veränderung der Genaktivität. Nicht nur das Besteck wurde ausgetauscht, sondern zugleich auch das gesamte Essgeschirr. Ein genetischer Funktionskreis wurde an- und abgeschaltet, als ob er über eine gemeinsame Leitung oder einen Zentralschalter gesteuert würde. Monod bezeichnete ein solches Genmodul als *Operon*.*

Die Proteinsynthese war also perfekt auf die Umgebungsanforderungen abgestimmt: War die entsprechende Zuckerart vorhanden, wurde ein ganzer Satz von Genen für den Zuckerstoffwechsel zusammen aktiviert. Wieder einmal hatte die beeindruckende Wirtschaftlichkeit der Evolution die eleganteste Lösung für die Genregulation hervorgebracht. Kein Gen, keine Botschaft und kein Protein arbeiteten vergebens.

---

* Pardee, Monod und Jacob entdeckten 1957, dass das Laktose-Operon von einem einzigen Zentralschalter gesteuert wurde: von einem Protein, das man später als Repressor bezeichnete. Dieser Repressor wirkte wie ein molekularer Riegel. Befand sich in der Nährlösung Laktose, so veränderte sie die Molekülstruktur des Repressorproteins und »entriegelte« dadurch die Gene für den Abbau und Transport von Laktose (erlaubte also die Aktivierung dieser Gene) und ermöglichte der Zelle den Laktosestoffwechsel. War ein anderer Zucker wie Glukose vorhanden, blieb der Riegel unverändert und es wurden keine Gene für den Laktose-Abbau aktiviert. Walter Gilbert und Benno Muller-Hill isolierten 1966 das Repressorprotein aus Bakterienzellen – und bewiesen damit zweifelsfrei Monods Operon-Hypothese. Einen weiteren Repressor isolierten Mark Ptashne und Nancy Hopkins 1966 aus einem Virus.

• • •

Wie schaffte es ein auf Laktose reagierendes Protein, nur die für den Laktosestoffwechsel benötigten Gene zu erkennen und zu steuern – und nicht die anderen Tausende Gene einer Zelle? Dafür war das dritte Grundmerkmal der Genregulation verantwortlich, das Monod und Jacob entdeckten: *An jedes Gen waren spezifische regulatorische DNA-Sequenzen angehängt, die als Erkennungsmarken fungierten.* Sobald ein auf eine Zuckerart reagierendes Protein in der Umgebung Zucker entdeckte, erkannte es eine solche Marke und schaltete die entsprechenden Gene an oder aus. Das war das Signal für ein Gen, mehr Boten-RNA zu bilden und damit das entsprechende Enzym für den Zuckerstoffwechsel zu produzieren.

Kurz, ein Gen enthielt nicht nur den Code für ein Protein, sondern auch Informationen, wann und wo es zu bilden war. Alle diese Daten waren in der DNA verschlüsselt, und zwar in der Regel vor jedem Gen (obwohl regulatorische Sequenzen sich auch an den Enden und in der Mitte der Gene befinden können). Die Kombination aus regulatorischen und proteincodierenden Sequenzen macht ein Gen aus.

Hier können wir noch einmal auf den Vergleich mit der Sprache zurückkommen: Als Morgan 1910 die Genkopplung entdeckt hatte, hatte er keine offenkundige Logik erkannt, warum ein Gen auf einem Chromosom mit einem anderen verknüpft war. Die Gene für braune Körper und für weiße Augen besaßen offenbar keinen funktionalen Zusammenhang, saßen aber nebeneinander auf demselben Chromosom. Dagegen waren nach Jacobs und Monods Modell Bakteriengene aus einem bestimmten Grund aneinander gereiht. Gene, die sich auf denselben Stoffwechselweg auswirkten, waren miteinander gekoppelt: Wer zusammen arbeitet, wohnt auch im Genom zusammen. An ein Gen waren spezifische DNA-Sequenzen angehängt, die den Kontext für dessen Aktivität – seine »Arbeit« – lieferten. Diese Sequenzen, die Gene an- und abschalten, lassen sich mit Satzzeichen und Anmerkungen in einem Satz vergleichen – Anführungszeichen, Kommas, Großbuchstaben: Sie liefern den Rahmen, setzen Akzente, verleihen Bedeutung und informieren den Leser, welche Teile zusammen zu lesen sind und wann der nächste Satz beginnt:

»Das ist die Struktur deines Genoms. Es enthält unter anderem unabhängig regulierte Module. Manche Wörter sind zu Sätzen zusammengefügt; andere sind durch Semikolons, Kommas und Gedankenstriche getrennt.«

Pardee, Jacob und Monod veröffentlichten ihre umfangreiche Studie zum Laktose-Operon 1959, sechs Jahre nach Watsons und Cricks Aufsatz über die Struktur der DNA.[174] Diese Studie, nach den Anfangssilben der Autoren Pa-Ja-Mo- oder umgangssprachlich Pajamo Paper genannt, avancierte auf Anhieb zum Klassiker mit weitreichenden Folgen für die Biologie. Gene seien nicht bloß passive Blaupausen, erklärten die Autoren. Obwohl jede Zelle denselben Satz von Genen – dasselbe Genom – enthalte, ermögliche es die selektive Aktivierung oder Repression bestimmter Gengruppen einer einzelnen Zelle, auf ihre Umwelt zu reagieren. Das Genom sei eine *aktive* Blaupause, die ausgewählte Teile ihres Codes zu unterschiedlichen Zeiten und unter verschiedenen Umständen nutzen könne.

In diesem Prozess fungieren Proteine als regulatorische Sensoren oder Zentralschalter, die Gene oder sogar Genkombinationen koordiniert an- und abschalten. Das Genom enthält die Anweisungen für die Entwicklung und Erhaltung eines Organismus wie die Partitur einer faszinierend komplexen Symphonie. Ohne Proteine bleibt die Genompartitur jedoch inaktiv. Erst die Proteine setzen diese Information um, indem sie Gene aktivieren oder unterdrücken (einige dieser Regulatorproteine werden auch als Transkriptionsfaktoren bezeichnet). Sie *dirigieren* das Genom und spielen die in seiner Partitur verschlüsselte Musik – sie aktivieren in der 14. Minute die Bratsche, das Becken während des Arpeggio, einen Trommelwirbel beim Crescendo. Graphisch stellt sich dieser Vorgang so dar:

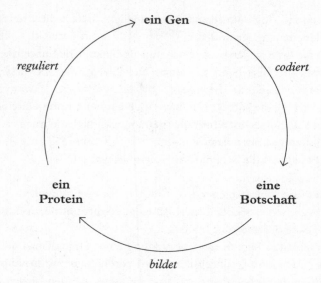

Die Pa-Ja-Mo-Studie beantwortete eine zentrale Frage der Genetik: Wie kann ein Organismus einen festgelegten Satz von Genen besitzen und dennoch so fein auf Veränderungen seiner Umwelt reagieren? Zudem wies sie auf eine Lösung der zentralen Frage der Embryogenese hin: Wie können aus demselben Satz von Genen eines Embryos Tausende von Zelltypen entstehen? Die *Genregulation* – das selektive An- und Abschalten bestimmter Gene in bestimmten Zellen zu bestimmten Zeiten – ergänzte die starre Unveränderlichkeit der biologischen Information um eine entscheidende Komplexitätsebene.

Genregulation ermögliche es Zellen, ihre einzigartigen Funktionen in Zeit und Raum zu erfüllen, argumentierte Monod. »Das Genom enthält nicht nur eine Reihe von Blaupausen [also Gene], sondern auch ein koordiniertes *Programm* ... und ein Mittel, dessen Ausführung zu steuern«, schlussfolgerten Monod und Jacob.[175] Walter Noels rote Blutkörperchen und Leberzellen enthielten dieselbe genetische Information – die Genregulation gewährleistete jedoch, dass das Hämoglobinprotein nur in roten Blutkörperchen, nicht aber in der Leber vorhanden war. Die Raupe und der Schmetterling besitzen genau dasselbe Genom – die Genregulation ermöglicht jedoch die Metamorphose der einen in den anderen.

Auch die Embryogenese ließ sich nun als allmähliche Entfaltung der Genregulation, ausgehend von einem einzelligen Embryo, vorstellen. Eben darin bestand die »Bewegung«, die Aristoteles sich Jahrhunderte zuvor so anschaulich ausgemalt hatte. In einer berühmten Geschichte wird ein Kosmologe im Mittelalter gefragt, was die Erde trage.

»Schildkröten«, antwortet er.

»Und was trägt die Schildkröten?«, wird er gefragt.

»Weitere Schildkröten.«

»Und diese Schildkröten?«

»Sie begreifen es nicht.« Der Kosmologe stampft mit dem Fuß auf. »Es sind Schildkröten bis ganz unten.«

Ein Genetiker könnte die Entwicklung eines Organismus als Abfolge der Aktivierung (oder Repression) von Genen und genetischen Kreisläufen darstellen. Gene codieren Proteine, die Gene anschalten, die wiederum Proteine codieren, die ihrerseits Gene anschalten – und so weiter bis zurück zur ersten Embryozelle. Durchweg sind es Gene.*

• • •

Genregulation – das An- und Abschalten von Genen durch Proteine – beschreibt den Mechanismus, durch den sich aus der einen Grundkopie der genetischen Information in einer Zelle kombinatorische Komplexität erzeugen lässt. Sie kann jedoch das Kopieren von Genen nicht erklären: Wie werden Gene vervielfältigt, wenn eine Zelle sich in zwei teilt oder ein Spermium oder eine Eizelle gebildet wird?

Für Watson und Crick wies das Doppelhelixmodell der DNA – mit seinen komplementären, gegenläufigen »Yin-Yang«-Strängen – sofort

---

* Im Gegensatz zu den kosmologischen Schildkröten ist diese Sicht keineswegs absurd. Im Prinzip besitzt der einzellige Embryo tatsächlich die gesamte genetische Information zur Bildung eines vollständigen Organismus. Mit der Frage, wie aufeinanderfolgende genetische Kreisläufe die Entwicklung eines Organismus »verwirklichen« können, befasst sich das folgende Kapitel.

auf einen Replikationsmechanismus hin. Im letzten Satz ihres Aufsatzes von 1953 merkten sie an: »Es ist unserer Aufmerksamkeit nicht entgangen, daß die spezifische Paarbildung [der DNA], die wir hier voraussetzen, sogleich an einen möglichen Kopiermechanismus für das genetische Material denken läßt.«[176] Ihr DNA-Modell war nicht nur ein schönes Bild, sondern deutete in seiner Struktur bereits auf die wichtigsten Funktionsmerkmale hin. Watson und Crick vermuteten, dass jeder DNA-Strang genutzt wurde, um eine Kopie von ihm zu bilden und so aus der Original-Doppelhelix zwei zu machen. Während der Replikation wurden die Yin-Yang-Stränge der DNA voneinander getrennt. Der Yin-Strang diente als Vorlage für einen Yang-Strang und umgekehrt, so dass schließlich zwei Yin-Yang-Paare entstanden (diesen Mechanismus konnten 1958 Matthew Meselson und Frank Stahl nachweisen).

Die DNA-Doppelhelix kann jedoch nicht autonom eine Kopie von sich erstellen, sonst würde sie sich möglicherweise unkontrolliert vermehren. Wahrscheinlich war ein Enzym für das Kopieren der DNA zuständig – ein Replikatorprotein. Der Biochemiker Arthur Kornberg machte sich 1957 daran, dieses DNA-kopierende Enzym zu isolieren. Falls es überhaupt existierte, müsse es am einfachsten bei einem Organismus zu finden sein, der sich schnell vermehrte, überlegte Kornberg, – also bei Kolibakterien in ihrer stärksten Wachstumsphase.

Bis 1958 hatte Kornberg den Bakterienschlamm immer wieder gereinigt, bis er ein nahezu reines Enzympräparat gewonnen hatte. (Ein Genetiker zählt, ein Biochemiker reinigt, sagte er mir einmal.) Er nannte es DNA-Polymerase (DNA ist ein Polymer aus A, C, G und T, und dieses Enzym sorgte für die Bildung des Polymers).[177] Als er dieses gereinigte Enzym zur DNA gab und eine Energiequelle sowie einen Vorrat frischer Nukleotidbasen – A, T, G und C – zufügte, konnte er die Entstehung neuer Nukleinsäurestränge im Reagenzglas beobachten: DNA stellte nach ihrem Ebenbild DNA her.

»Vor fünf Jahren galt die DNA-Synthese als ›vitaler‹ Prozess«, schrieb Kornberg 1960, also als mystische Reaktion, die sich nicht durch bloße Addition oder Subtraktion von Chemikalien im Reagenzglas reproduzieren ließe.[178] Nach dieser Theorie würde es »sicher nur Unordnung schaffen, mit dem genetischen Apparat [des Lebens] herumzupfuschen«. Aber Kornbergs DNA-Synthese hatte aus Unordnung Ordnung geschaffen – ein Gen aus seinen chemischen Komponenten. Die Unangreifbarkeit der Gene war kein Hindernis mehr.

An dieser Stelle ist eine Anmerkung angebracht: Wie alle Proteine ist auch die DNA-Polymerase, also das Enzym, das die Replikation der DNA ermöglicht, selbst das Produkt eines Gens.* In jedem Genom gibt es also Codes für Proteine, die eine Vervielfältigung dieses Genoms ermöglichen. Diese zusätzliche Komplexitätsebene – dass die DNA ein Protein codiert, das ihre eigene Replikation ermöglicht – ist insofern wichtig, als sie einen wesentlichen Knotenpunkt für die Regulation bietet. Die DNA-Replikation lässt sich durch andere Signale und Regulatoren wie das Alter oder den Ernährungszustand einer Zelle an- und abschalten und erlaubt es ihr so, DNA-Kopien nur dann herzustellen, wenn sie zur Teilung bereit ist. Dieses Schema hat allerdings eine Nebenwirkung: Wenn die Regulatoren selbst aus dem Ruder laufen, kann nichts eine Zelle daran hindern, sich fortwährend zu vervielfältigen. Das ist, wie wir noch sehen werden, die schlimmste Erkrankung, die auf eine Fehlfunktion der Gene zurückzuführen ist: Krebs.

• • •

Gene machen Proteine, die Gene *regulieren*. Gene machen Proteine, die Gene *replizieren*. Das dritte *R* der Genphysiologie ist ein Wort, das außerhalb des üblichen Sprachgebrauchs liegt, aber grundlegende Bedeutung für das Überleben unserer Spezies besitzt: *Rekombination* – also die Fähigkeit, neue Genkombinationen hervorzubringen.

---

* Zur DNA-Replikation sind außer der DNA-Polymerase noch viele weitere Proteine erforderlich, um die verschlungene Doppelhelix zu entwinden und das korrekte Kopieren der genetischen Information zu gewährleisten. Zudem sind in Zellen verschiedene DNA-Polymerasen mit leicht unterschiedlichen Funktionen zu finden.

Um die Rekombination zu verstehen, kehren wir noch einmal zu Mendel und Darwin zurück. Hundert Jahre genetischer Forschung hatten erhellt, wie Organismen »Gleichheit« vererben. Spermium und Eizelle geben Teilchen mit in DNA codierten und auf Chromosomen zusammengepackten Erbinformationen an einen Embryo und über diesen an jede lebende Körperzelle eines Organismus weiter. Diese Teilchen codieren Botschaften für die Bildung von Proteinen – und diese Botschaften und Proteine ermöglichen wiederum Form und Funktion eines lebenden Organismus.

Diese Darstellung der Vererbung löste zwar Mendels Frage – wie zeugt Gleiches Gleiches? –, nicht aber Darwins gegenteilige Frage: Wie zeugt Gleiches *Ungleiches*? Damit es zu einer Evolution kommen kann, muss ein Organismus imstande sein, genetische Variation zu erzeugen – er muss also Nachkommen hervorbringen, die sich genetisch von beiden Elternteilen unterscheiden. Wenn Gene in der Regel Gleiches weitergeben, wie können sie dann »Ungleiches« vererben?

Ein Mechanismus, der in der Natur für Variation sorgt, ist die Mutation – also Abwandlungen in der DNA-Sequenz (etwa ein T anstelle eines A), die zur Veränderung der Struktur eines Proteins und damit auch seiner Funktion führen. Mutationen treten auf, wenn die DNA durch Chemikalien oder Strahlung geschädigt wird oder dem Enzym für die DNA-Replikation beim Kopieren der Gene ein spontaner Fehler unterläuft. Es gibt jedoch noch einen zweiten Mechanismus, genetische Vielfalt zu erzeugen: Genetische Information kann zwischen Chromosomen ausgetauscht werden. DNA des mütterlichen Chromosoms kann die Position mit DNA des väterlichen Chromosoms tauschen – und so potentiell ein Hybridgen aus mütterlichem und väterlichem Gen hervorbringen. Rekombination ist ebenfalls eine Art »Mutation« – nur werden dabei ganze Blöcke von Genmaterial zwischen Chromosomen ausgetauscht.[*]

---

[*] Die Genetikerin Barbara McClintock entdeckte genetische Elemente, die ihre Position im Genom ändern können, sogenannte springende Gene oder Transposons. Für diese Entdeckung erhielt sie 1983 den Nobelpreis.

Die Wanderung genetischer Information von einem Chromosom zum anderen tritt nur unter ganz besonderen Umständen auf. Die erste Situation dieser Art entsteht bei der Bildung der Keimzellen für die Vermehrung. Kurz vor der Entwicklung von Spermien und Eizellen werden diese für kurze Zeit zum Spielfeld für Gene. Die gepaarten mütterlichen und väterlichen Chromosomen lagern sich aneinander an und tauschen Genmaterial aus. Dieser Austausch ist wichtig für die Mischung und Paarung der elterlichen Erbinformation. Morgan bezeichnete dieses Phänomen als *Crossing-over* (seine Studenten hatten das Crossing-over genutzt, um Fliegengene zu kartieren). Der heute geläufigere Begriff ist *Rekombination* – die Fähigkeit, Kombinationen von Genkombinationen zu erzeugen.

Die zweite Situation ist noch bedeutender. Wenn DNA durch ein Mutagen wie Röntgenstrahlen geschädigt und die Erbinformation offensichtlich gefährdet ist, kann das Gen von der »Schwesterkopie« des Chromosomenpaares kopiert werden: Dann wird beispielsweise ein Teil der mütterlichen DNA nach der Vorlage der väterlichen DNA umgeschrieben, was wiederum zur Bildung von Hybridgenen führt.

Auch hier wird die Basenpaarung zur Wiederherstellung des Gens genutzt. Das Yin repariert das Yang, das Abbild restauriert das Original: Bei der DNA ist es genauso wie bei Dorian Gray: Der Prototyp wird fortwährend durch sein Abbild neu belebt. Proteine beaufsichtigen und koordinieren den gesamten Prozess – lenken den geschädigten Strang zu dem intakten Gen, kopieren und korrigieren die verlorengegangene Information und verbinden die Bruchstellen –, so dass letztlich Information von dem unbeschädigten auf den geschädigten Strang übertragen wird.

• • •

Regulation. Replikation. Rekombination. Die drei *R* der Genphysiologie hängen erstaunlich stark von der Molekülstruktur der DNA ab – von der von Watson und Crick entdeckten Basenpaarung der Doppelhelix.

Genregulation funktioniert durch Transkription der DNA in RNA, die auf der Basenpaarung basiert. Wenn ein DNA-Strang für die Bildung der Boten-RNA genutzt wird, erlaubt die Basenpaarung zwischen DNA und RNA einem Gen, seine RNA-Kopie zu erzeugen. Auch bei der Replikation dient die DNA als Vorlage für ihre eigene Kopie. An jedem Strang wird eine komplementäre Version gebildet, wodurch aus einer Doppelhelix zwei werden. Und bei der Rekombination der DNA kommt ebenfalls die Basenpaarung als Strategie zum Einsatz, um geschädigte DNA zu reparieren. Die beschädigte Genkopie wird anhand des komplementären Strangs oder der Zweitkopie des Gens rekonstruiert.★

Die Doppelhelix hat alle drei Hauptprobleme der Genphysiologie durch geniale Variationen desselben Themas gelöst. Spiegelbildliche Chemikalien dienen zur Bildung spiegelbildlicher Chemikalien, Abbilder zur Rekonstruktion des Originals. Paarungen werden genutzt, um die Zuverlässigkeit und Konstanz der Information zu gewährleisten. »Monet ist nur ein Auge«, sagte Cézanne einmal über seinen Freund, »aber, mein Gott, was für ein Auge.« Nach derselben Logik könnte man sagen: Die DNA ist nur eine Chemikalie – aber, mein Gott, was für eine Chemikalie.

• • •

In der Biologie herrscht eine uralte Unterscheidung zwischen zwei Lagern – Anatomen und Physiologen. Anatomen beschreiben die Beschaffenheit von Materialien, Strukturen und Körperteilen: Sie beschreiben, wie Dinge *sind*. Physiologen konzentrieren sich stattdessen

---

★ Die Tatsache, dass das Genom auch Gene für die Reparatur von Genomschäden enthält, wurde von mehreren Wissenschaftlern entdeckt, unter anderem von Evelyn Witkin und Steve Elledge. Unabhängig voneinander identifizierten die beiden eine ganze Reihe von Proteinen, die DNA-Schäden aufspüren und eine Zellreaktion aktivieren, um die Schäden zu reparieren oder hinauszuzögern (bei katastrophalen Schäden stellen sie die Zellteilung ein). Mutationen in diesen Genen können eine Ansammlung von DNA-Schäden – und somit mehr Mutationen – bewirken und letztlich zu Krebs führen. Das vierte *R* der Genphysiologie, das sowohl für das Überleben als auch für die Wandelbarkeit von Organismen wichtig ist, wäre demnach »Reparatur«.

auf die Mechanismen, durch die diese Strukturen und Teile in ihrem
Zusammenspiel die Funktionen von Lebewesen ermöglichen: Sie be-
fassen sich damit, wie Dinge *funktionieren.*
Dieser Unterschied markiert auch einen grundlegenden Wandel
in der Geschichte des Gens. Mendel war vielleicht der ursprüngliche
»Anatom« des Gens: Indem er die Bewegung der Information über
Generationen von Erbsenpflanzen hinweg erfasste, beschrieb er die
Grundstruktur des Gens als unteilbaren Informationsträger. Morgan
und Sturtevant bauten diesen anatomischen Strang in den 1920er Jahren weiter aus und wiesen nach, dass Gene stoffliche Teilchen sind, die
in Chromosomen linear angeordnet sind. In den 1940er und 1950er
Jahren identifizierten Avery, Watson und Crick die DNA als Genmolekül und beschrieben deren Struktur als Doppelhelix – und brachten
den anatomischen Genbegriff damit zu seinem krönenden Abschluss.
Von den ausgehenden 1950er bis in die 1970er Jahre dominierte
jedoch die *Physiologie* der Gene die wissenschaftliche Forschung. Dass
Gene sich regulieren – also durch bestimmte Auslöser »an-« und »abschalten« – ließen, vertiefte das Verständnis, wie sie in Zeit und Raum
funktionieren und die speziellen Merkmale verschiedener Zellen hervorbringen. Dass Gene sich vervielfältigen, zwischen Chromosomen
rekombinieren und von spezifischen Proteinen repariert ließen, erklärte, wie Zellen und Organismen genetische Information über Generationen hinweg konservieren, kopieren und umstrukturieren können.
Für Humanbiologen war jede dieser Entdeckungen von enormem
Wert. In dem Maße, wie die Genetik von einem stofflichen zu einem
mechanistischen Genkonzept überging – und nicht mehr fragte, was
Gene sind, sondern was sie tun –, begannen Humanbiologen, die lange
gesuchten Zusammenhänge zwischen Genen, menschlicher Physiologie und Pathologie zu erkennen. Eine Erkrankung konnte möglicherweise nicht nur auf eine Veränderung im genetischen Code für ein
Protein zurückgehen (z. B. Hämoglobin bei der Sichelzellenanämie),
sondern auch Folge der Genregulation sein, also der Unfähigkeit, in
der entsprechenden Zelle zur rechten Zeit das richtige Gen »an-« oder
»abzuschalten«. Die Genreplikation musste erklären, wie sich aus einer

einzigen Zelle ein vielzelliger Organismus entwickelte – und Replikationsfehler erhellten vielleicht, wie in einer bis dahin gesunden Familie eine spontane Stoffwechselstörung oder eine verheerende Geisteskrankheit auftreten konnte. Die Übereinstimmungen von Genomen mussten die Ähnlichkeit von Eltern und Kindern erklären, und ihre Unterschiede waren möglicherweise auf Mutationen und Rekombination zurückzuführen. Familien teilten nicht nur soziale und kulturelle Netzwerke, sondern auch Netzwerke aktiver Gene.

Schufen Anatomie und Physiologie des Menschen im 19. Jahrhundert die Grundlagen der Medizin des 20. Jahrhunderts, so sollten die Anatomie und Physiologie des Gens die Grundlagen für einen wirkmächtigen neuen Zweig der Biologie liefern. In den folgenden Jahrzehnten weitete diese revolutionäre Wissenschaft ihren Forschungsbereich von einfachen auf komplexe Organismen aus. Ihre Fachbegriffe – *Genregulation, Rekombination, Mutation, DNA-Reparatur* – sprangen von Fachzeitschriften auf medizinische Lehrbücher über und durchdrangen die breiteren gesellschaftlichen und kulturellen Debatten (das Wort *Rasse* lässt sich, wie wir noch sehen werden, nicht sinnvoll definieren, ohne Rekombination und Mutation zu verstehen). Die neue Wissenschaft versuchte zu erklären, wie Gene die Entwicklung, Erhaltung, Reparatur und Vermehrung des Menschen bestimmen – und wie Variationen in der Anatomie und Physiologie der Gene zu den beobachteten Variationen in Identität, Werdegang, Gesundheit und Krankheit der Menschen beitragen mochten.

Von Genen zur Genese

Am Anfang war Einfachheit.

Richard Dawkins, *Das egoistische Gen*[179]

Bin nicht ich
Eine Fliege wie du?
Oder bist nicht du
Ein Mensch wie ich?

William Blake, »The Fly«[180]

Die molekulare Beschreibung des Gens klärte zwar die Mechanismen der Vererbung, machte jedoch die Frage, die Thomas Morgan in den 1920er Jahren beschäftigt hatte, nur umso rätselhafter. Für Morgan war das größte Geheimnis der Biologie nicht das Gen, sondern die Genese: Wie ermöglichten »Erbteilchen« die Entstehung von Tieren und die Erhaltung der Funktionen von Organen und Organismen? (»Entschuldigen Sie mein Gähnen«, erklärte er einmal einem Studenten, »aber ich komme gerade von meiner Vorlesung [über Genetik]«.)

Ein Gen war eine außergewöhnliche Lösung für ein außergewöhnliches Problem, hatte Morgan festgestellt. Geschlechtliche Fortpflanzung erfordert die Reduktion eines Organismus auf eine einzige Zelle, aus der dann jedoch wieder ein Organismus hervorgehen muss. Morgan erkannte, dass das Gen ein Problem löste – die Weitergabe des Erbguts –, zugleich aber ein neues schuf: die Entwicklung von Organismen. Eine einzelne Zelle musste die gesamten Anweisungen enthalten, um einen Organismus von Grund auf aufzubauen – daher Gene. Aber wie ließen Gene aus einer einzigen Zelle einen ganzen Organismus entstehen?

Ein Embryologe mag intuitiv dazu tendieren, das Problem der Genese »chronologisch« anzugehen – von den frühesten Vorgängen im Embryo bis zur Entwicklung des Bauplans eines ausgewachsenen Organismus. Aber die Erforschung der Organismusentwicklung erfolgte aus unumgänglichen Gründen, wie wir sehen werden, wie in einem rückwärts laufenden Film. Der Mechanismus, durch den Gene makroskopische anatomische Merkmale – Gliedmaßen, Organe und Strukturen – bestimmen, wurde als erstes entschlüsselt. Als nächstes folgte der Prozess, der die Platzierung dieser Strukturen festlegte: vorne oder hinten, links oder rechts, oben oder unten. Die frühesten Vorgänge in der Embryonalentwicklung – die Festlegung von Körperachse, vorn und hinten, links und rechts – gehörten mit zu den letzten, die geklärt werden konnten.

Der Grund für diese umgekehrte Reihenfolge liegt auf der Hand. Mutationen in Genen, die makroskopische Strukturen wie Gliedmaßen und Flügel codieren, waren am einfachsten zu erkennen und wurden daher als erste beschrieben. Mutationen in Genen, die Grundelemente des Bauplans codieren, waren schwieriger auszumachen, da sie die Überlebenschancen eines Organismus drastisch verringerten. Und Mutanten in den ersten Stadien der Embryogenese waren nahezu unmöglich lebend aufzuspüren, da Embryos mit Kopf und Schwanz an den falschen Stellen sofort starben.

• • •

In den 1950er Jahren begann der Genetiker Ed Lewis am Caltech, die Entwicklung von Fruchtfliegenembryos zu rekonstruieren. Wie ein Architekturhistoriker, der von einem einzigen Gebäude besessen ist, erforschte er annähernd zwanzig Jahre lang die Bildung von Fruchtfliegen. Das Leben des bohnenförmigen, nicht einmal sandkorngroßen

Fruchtfliegenembryos beginnt gleich mit wirbelnder Aktivität. Etwa zehn Stunden nach der Befruchtung des Eis teilt sich der Embryo in drei Segmente – Kopf, Thorax und Hinterleib –, die sich wiederum in weitere Subkompartimente gliedern. Lewis wusste, dass aus jedem dieser Embryosegmente ein entsprechender Körperteil der ausgewachsenen Fliege hervorgehen würde. Aus einem wird der zweite Brustabschnitt, aus dem zwei Flügel wachsen. Aus drei weiteren Segmenten entstehen die sechs Fliegenbeine. Aus wieder anderen gehen Borsten oder Fühler hervor. Wie bei Menschen ist der Bauplan des ausgewachsenen Körpers bereits im Embryo angelegt. Im Reifeprozess einer Fliege entfalten sich diese Segmente nacheinander wie bei einem Akkordeon, das auseinandergezogen wird.

Aber woher »weiß« nun ein Fliegenembryo, dass aus dem zweiten Brustabschnitt ein Bein und aus seinem Kopf ein Fühler wachsen soll (und nicht umgekehrt)? Lewis erforschte Mutanten, bei denen die Organisation dieser Segmente gestört war.[181] Bei den Mutanten stellte er fest, dass der grundlegende *Plan* der makroskopischen Strukturen merkwürdigerweise häufig erhalten geblieben war und sich nur Lage oder Art des Segments im Körper der Fliege verändert hatte. So entwickelte eine Mutante einen zusätzlichen – völlig intakten und nahezu funktionstüchtigen – Brustabschnitt, so dass die Fliege vier Flügel hatte (zwei an dem normalen Brustabschnitt und zwei weitere an dem zusätzlichen Teil). Es war, als ob das Gen für die Thoraxentwicklung irrtümlich im falschen Kompartiment aktiviert worden wäre und seine Anweisung munter umgesetzt hätte. Bei einer anderen Mutante wuchsen aus den Antennen am Fliegenkopf zwei Beine – als ob der Befehl zur Entwicklung von Beinen irrtümlich im Kopf aktiviert worden wäre.

Lewis kam zu dem Schluss, dass die Bildung von Organen und Strukturen von »Effektorgenen« codiert wird, die als Masterregulatoren wie eigenständige Einheiten oder Unterprogramme arbeiten. Bei der normalen Genese einer Fliege (oder eines anderen Organismus) werden diese Effektorgene an bestimmten Stellen und zu bestimmten Zeiten aktiv und steuern die Identität von Segmenten und Organen.

Diese Masterregulatoren wirken, indem sie andere Gene an- und abschalten, und sind mit Schaltkreisen in einem Mikroprozessor vergleichbar. Mutationen in solchen Genen führen daher zu missgebildeten, falsch positionierten Segmenten und Organen. Wie die konfusen
Diener der Königin in *Alice im Wunderland* flitzen die Gene herum,
um die Anweisungen auszuführen – *baue einen Thorax, mache einen
Flügel* –, allerdings an den falschen Stellen und zur falschen Zeit. Wenn
ein Masterregulator ruft: *»Fühlerbau AN«*, wird das Fühlerbau-Pro-
gramm eingeschaltet und ein Fühler gebaut – selbst wenn dieses Gebilde zufällig aus dem Brustabschnitt oder dem Hinterleib einer Fliege
wächst.

• • •

Aber wer kommandiert die Kommandeure? Die von Ed Lewis entdeckten Masterregulatoren, welche die Entwicklung von Segmenten,
Organen und Strukturen steuern, lösten das Rätsel des letzten Sta-
diums der Embryogenese, warfen aber gleichzeitig ein Endlosschleifen-
problem auf. Wenn die Embryonalentwicklung Segment für Segment,
Organ für Organ von Genen gesteuert wird, die über die Identität
eines jeden Segments und Organs bestimmen, woher weiß dann ein
Segment überhaupt, was es werden soll? Woher weiß beispielsweise ein
Mastergen für die Flügelentwicklung, dass es einen Flügel am zweiten
Brustabschnitt und nicht etwa am ersten oder dritten entstehen lassen
soll? Wenn genetische Module so autonom sind, wieso wachsen dann
Beine *nicht* aus Fliegenköpfen oder bei Menschen Daumen *nicht* aus
der Nase – um Morgans Rätsel einmal auf den Kopf zu stellen?

Um diese Fragen zu beantworten, müssen wir die Uhr der Embryonalentwicklung zurückdrehen. Ein Jahr nachdem Lewis seinen Aufsatz
über die Gene, die Gliedmaßen- und Flügelbildung steuern, veröffentlicht hatte, begannen Christiane Nüsslein-Volhard und Eric Wieschaus
1979 in Heidelberg, Fruchtfliegenmutanten zu züchten, um die ersten
Phasen der Embryoentstehung zu erforschen.

Diese Mutanten waren noch spektakulärer als die von Lewis beschriebenen. Bei manchen fehlten ganze Segmente, oder Thorax-

oder Hinterleibkompartimente waren drastisch verkürzt, vergleichbar einem menschlichen Fötus ohne Bauch- oder Beckensegment. Nüsslein-Volhard und Wieschaus kamen zu dem Schluss, dass die bei diesen Mutanten veränderten Gene den grundlegenden Bauplan des Embryos bestimmen. Sie sind die Kartographen der Embryonalwelt, teilen den Embryo in seine Subsegmente ein und aktivieren dann die von Lewis entdeckten Gene, um die Bildung von Organen und Körperteilen in manchen Kompartimenten (und nur dort) in Gang zu setzen – eines Fühlers am Kopf, eines Flügels am vierten Brustsegment und so weiter. Nüsslein-Volhard und Wieschaus nannten sie *Segmentierungsgene*.

Doch selbst die Segmentierungsgene müssen wiederum *ihre* Mastergene haben: Woher »weiß« das zweite Segment des Fliegenthorax, dass es ein Thorax- und kein Abdominalsegment ist? Oder woher weiß ein Kopf, dass er kein Schwanz ist? Jedes Embryosegment lässt sich auf einer Achse definieren, die sich vom Kopf bis zum Schwanz erstreckt. Der Kopf dient als eine Art internes GPS-System, und die Position in Bezug auf Kopf und Schwanz ordnet jedem Segment eine einzigartige »Adresse« im Embryo zu. Aber wie entwickelt ein Embryo seine ursprüngliche grundlegende Asymmetrie – also die Festlegung von »Kopf« und »Schwanz«?

Ende der 1980er Jahre erforschten Nüsslein-Volhard und ihre Studenten eine letzte Gruppe von Fliegenmutanten, bei denen die asymmetrische Organisation des Embryos aufgehoben war. Diese – oft kopf- oder schwanzlosen – Mutanten waren lange vor der Segmentierung (und sicher lange vor der Ausbildung von Strukturen und Organen) in ihrer Entwicklung stehengeblieben. Bei manchen war der Embryokopf missgebildet, bei anderen waren Vorder- und Hinterteil nicht zu unterscheiden, was zu seltsam spiegelbildlichen Embryos führte (die bekanntesten dieser Mutanten bezeichnete man als *bicoid*, »zweischwänzig«). Eindeutig fehlte diesen Mutanten ein Faktor – eine Chemikalie –, der bei der Fliege Kopf- und Schwanzende festlegte. In einem erstaunlichen Experiment lernten Nüsslein-Volhards Studenten 1986, einem normalen Fliegenembryo mit einer winzigen Nadel einen

Tropfen Flüssigkeit aus dem Kopf zu entnehmen und den kopflosen Mutanten zu injizieren. Verblüffenderweise funktionierte der Zelleingriff: Der Tropfen Flüssigkeit aus dem normalen Kopf genügte, damit ein Embryo anstelle des Schwanzes einen Kopf ausbildete.

In einer Flut atemberaubender Aufsätze, die zwischen 1986 und 1990 erschienen, identifizierten Nüsslein-Volhard und ihre Kollegen mehrere der Faktoren, die das Signal für die Festlegung von »Kopf-« und »Schwanzende« beim Embryo liefern. Mittlerweile weiß man, dass bei Fliegen während der Entwicklung der Eizelle etwa acht solcher Chemikalien – meist Proteine – produziert und darin asymmetrisch eingelagert werden. Diese *maternalen Faktoren* werden von der Mutterfliege gebildet und im Ei deponiert. Die asymmetrische Verteilung ist nur möglich, weil auch das Ei im Körper der Mutterfliege asymmetrisch gelagert ist und es ihr so ermöglicht, einige dieser mütterlichen Faktoren am vorderen und andere am hinteren Eipol einzulagern.

In der Eizelle entsteht ein Konzentrationsgefälle (Gradient) dieser Proteine. Wie Zucker, der sich in einer Tasse Kaffee aus einem Zuckerwürfel löst, sind sie an einem Eipol in hoher, am anderen in geringer Konzentration vorhanden. Die Diffusion einer Chemikalie durch eine Proteinmatrix kann sogar klare dreidimensionale Muster hervorbringen – wie Sirup, der bandförmig in Haferflocken einsickert. An dem Eipol mit hoher Konzentration der maternalen Faktoren werden bestimmte Gene aktiviert, nicht aber an dem Pol mit geringer Konzentration, und dadurch werden die Kopf-Schwanz-Achse festgelegt oder andere Muster gebildet.

Dieser Prozess lässt sich bis ins Unendliche fortführen wie die Geschichte von Henne und Ei. Fliegen mit Kopf und Schwanz bringen Eier mit Kopf- und Schwanzende hervor, die sich wiederum zu Embryos mit Kopf und Schwanz entwickeln, die zu Fliegen mit Kopf und Schwanz heranreifen und endlos so weiter. Auf Molekülebene heißt das: Proteine werden von der Mutter im frühen Embryonalstadium bevorzugt an einem Ende deponiert. Sie aktivieren und deaktivieren Gene und definieren dadurch die Kopf-Schwanz-Achse des Embryos. Diese Gene aktivieren wiederum »Kartographengene«, die für die Bildung von Segmenten sorgen und den Körper in Regionen gliedern. Die Kartographengene schalten Gene an und aus, die Organe und Strukturen schaffen.* Und schließlich aktivieren und deaktivieren Gene, die für die Organbildung und Segmentidentität zuständig sind, genetische Unterprogramme, die zur Ausbildung von Organen, Strukturen und Körperteilen führen.

Die menschliche Embryonalentwicklung erfolgt wahrscheinlich auf drei ähnlichen Organisationsebenen. In der Frühphase sorgen »Maternaleffektgene« wie bei Fliegen durch chemische Konzentrationsgefälle für die Festlegung der Hauptachsen – oben und unten, vorn und hinten, rechts und links. Als nächstes leiten eine Reihe von Genen, die mit den Segmentierungsgenen bei Fliegen vergleichbar sind, die Differenzierung des Embryos in seine wesentlichen strukturellen Bestandteile ein: Gehirn, Rückenmark, Skelett, Haut, Gedärme und so weiter. Schließlich erlauben organbildende Gene die Entwicklung von Organen, Körperteilen und Strukturen – Gliedmaßen, Finger, Augen, Nieren, Leber und Lunge.

»Ist es die Sünde, welche die Raupe zur Puppe macht, und die Puppe zum Schmetterling, und den Schmetterling zu Staub«, fragte der deutsche Religionswissenschaftler Friedrich Max Müller 1885.[182] Ein Jahrhundert später lieferte die Biologie eine Antwort: Es war keineswegs Sünde, sondern eine Vielzahl von Genen.

• • •

* Das wirft die Frage auf, wie die ersten asymmetrischen Organismen in der Natur entstanden sind. Wir wissen es nicht und werden es vielleicht nie erfahren. Irgendwo in der Evolutionsgeschichte entwickelte sich ein Organismus, der die Funktionen eines Körperteils von denen anderer trennte. Vielleicht war eine Seite einem Felsen, die andere dem Meer zugewandt. Zufällig entstand eine Mutante mit der wundersamen Fähigkeit, ein Protein an der Seite der Mundöffnung, nicht aber am Fußende zu platzieren. Die Unterscheidung von Mund und Fuß verlieh ihm einen selektiven Vorteil: Jeder asymmetrische Körperteil konnte sich weiter auf seine jeweilige Aufgabe spezialisieren, was einen besser an seine Umwelt angepassten Organismus hervorbrachte. Wir sind die glücklichen Nachfahren dieser evolutionären Innovation.

In Leo Lionnis Kinderbuch *Stück für Stück* verschont ein Rotkehlchen eine Raupe, weil diese verspricht, mit ihrem Körper als Maß Dinge zu vermessen. Sie misst den Schwanz des Rotkehlchens, den Schnabel des Tukans und die Beine des Reihers: Damit hat die Vogelwelt ihren ersten vergleichenden Anatomen gefunden.[183]

Genetiker hatten ebenfalls den Nutzen kleiner Organismen erkannt, um größere zu messen, zu vergleichen und zu begreifen. Mendel hatte Erbsen aus ihren Schoten gepuhlt. Morgan hatte Mutationsraten bei Fliegen erfasst. Die siebenhundert spannenden Minuten zwischen der Entstehung eines Fliegenembryos und der Differenzierung der ersten Segmente – der wohl am intensivsten erforschte Zeitabschnitt in der Geschichte der Biologie – hatten eine der wichtigsten Fragestellungen dieses Fachgebietes teilweise beantwortet: Wie lassen sich Gene so dirigieren, dass sie aus einer einzigen Zelle einen äußerst komplexen Organismus schaffen?

Es bedurfte eines noch kleineren Organismus – eines etwa einen Millimeter langen Fadenwurms –, um die verbliebene Hälfte des Rätsels zu lösen: Woher »wissen« die in einem Embryo entstehenden Zellen, was sie werden sollen? Fliegenembryologen hatten die Entwicklung von Organismen in groben Zügen als Aufeinanderfolge von drei Phasen – Achsenbestimmung, Segmentbildung und Organbildung – umrissen, die jeweils von zahlreichen Genen gesteuert wurden. Um aber die Embryonalentwicklung wirklich zu verstehen, mussten Genetiker klären, wie Gene den Werdegang einzelner Zellen lenken konnten.

Mitte der 1960er Jahre begann Sydney Brenner in Cambridge mit der Suche nach einem Organismus, der das Rätsel der Zelldifferenzierung und -determination lösen helfen könnte. So winzig Fliegen – mit ihren»Facettenaugen, mehrgliedrigen Beinen und raffinierten Verhaltensmustern« – auch sein mochten, waren sie doch zu groß für Brenner. Um zu begreifen, wie Gene das Zellschicksal steuern, brauchte er einen so kleinen und simplen Organismus, dass sich *jede Zelle*, die im Embryo entstand, zählen und in Raum und Zeit verfolgen ließ (zum Vergleich: Menschen besitzen etwa 37 Billionen Zellen. Eine Karte der menschlichen Zelldifferenzierung würde selbst die Rechenleistung der leistungsstärksten Computer übersteigen).

Brenner entwickelte sich zu einem Fachmann für winzige Organismen, zu einem Gott der kleinen Dinge. Er durchforstete Zoologiebücher aus dem 19. Jahrhundert auf der Suche nach einem Tier, das seinen Anforderungen entspräche. Letztlich entschied er sich für einen winzigen, im Boden lebenden Fadenwurm namens *Caenorhabditis elegans* – kurz *C. elegans*. Zoologen hatten festgestellt, dass dieser Fadenwurm *eutelisch* war: Sobald er ausgewachsen war, blieb die Anzahl seiner Zellen konstant. Für Brenner war diese Zellkonstanz der Schlüssel zu einem neuen Kosmos: Wenn alle Fadenwürmer exakt dieselbe Anzahl von Zellen hatten, dann mussten Gene Anweisungen für das Schicksal jeder einzelnen Zelle im Körper dieses Wurms übermitteln können. »Wir haben vor, jede Zelle des Wurms zu identifizieren und Abstammungslinien zu verfolgen«, schrieb er an Perutz. »Außerdem werden wir die Konstanz der Entwicklung untersuchen und deren genetische Steuerung erforschen, indem wir Mutanten suchen.«[184]

In den frühen 1970er Jahren begannen sie ernsthaft mit der Zählung der Zellen. Zunächst überzeugte Brenner seinen Laborkollegen John White, die Position einer jeden Zelle des Nervensystems beim Fadenwurm zu erfassen, dehnte die Reichweite jedoch schon bald auf sämtliche Zelllinien im Körper des Wurms aus. Mit dem Zählen der Zellen betraute Brenner den Postdoktoranden John Sulston. Ab 1974 bekamen sie Unterstützung von einem jungen Biologen, der frisch von der Harvard University kam: Robert Horvitz.

Es war eine mühsame, Halluzinationen fördernde Arbeit, als ob man stundenlang eine Schüssel mit Hunderten von Weintrauben beobachten und von jeder einzelnen die Positionsveränderung in Raum und Zeit verzeichnen würde, erinnerte sich Horvitz.[185] So entstand Zelle für Zelle ein umfassender Atlas der Zellentwicklung. Die ausgewachsenen Fadenwürmer kommen in zwei Formen vor: als Zwitter oder als Männchen. Die Hermaphroditen besitzen 959 Zellen, die Männchen 1031. Bis zum Ende der 1970er Jahre hatte das Team die Linien jeder dieser 959 Zellen bis zur Ursprungszelle zurückverfolgt. Auch dies ergab eine Karte, allerdings eine, die in der Wissenschaftsgeschichte ohnegleichen war: eine Karte der Zellentwicklung. Nun konnten die Experimente zu Zelllinien und -identität beginnen.

• • •

Die Zellkarte wies drei auffallende Merkmale auf: Das Erste war ihre Beständigkeit. Jede der 959 Zellen entstand bei allen Fadenwürmern auf genau dieselbe Art. »Man konnte auf die Karte schauen und die Konstruktion eines Organismus Zelle für Zelle rekapitulieren«, erklärte Horvitz. So ließ sich vorhersagen: »In zwölf Stunden wird diese Zelle sich einmal teilen, in 48 Stunden wird sie sich zu einem Neuron entwickeln, und 60 Stunden später wird sie an einen bestimmten Teil im Nervensystem des Wurms wandern und dort für den Rest ihres Lebens bleiben. Und damit hätte man völlig recht: Genau das würde die Zelle tun. Sie würde genau zu diesem Zeitpunkt genau dorthin wandern.«

Was legte die Zellidentität fest? In den ausgehenden 1970er Jahren hatten Horvitz und Sulston Dutzende von Wurmmutanten erzeugt, die Störungen der normalen Zelllinien aufwiesen. Waren schon Fliegen mit Beinen am Kopf merkwürdig, so gehörten diese Wurmmutanten einer noch seltsameren Menagerie an. Bei manchen hatten die Gene versagt, die beim Fadenwurm für die Ausbildung der Vulva, also des Ausgangs der Gebärmutter sorgen. Bei diesen Würmern ohne Vulva konnten die Eier die Gebärmutter nicht verlassen und die ungeborenen Nachkommen verschlangen das Tier buchstäblich wie ein Ungeheuer aus nordischen Mythen. Die bei diesen Mutanten veränderten Gene steuerten die Identität der einzelnen Vulvazelle. Andere Gene regulierten den Zeitpunkt der Zellteilung, die Wanderung einer Zelle an eine bestimmte Position oder die endgültige Form und Größe, die eine Zelle annehmen würde.

»Es gibt keine Geschichte, es gibt nur Biographie«, schrieb Ralph Waldo Emerson.[186] Bei diesem Fadenwurm hatte sich Geschichte eindeutig auf eine Zellbiographie reduziert. Jede Zelle wusste, was sie zu »sein« hatte, weil Gene ihr vorschrieben, was sie (wann und wo) »werden« sollte. Die Anatomie des Wurms war durchweg nichts anderes als ein genetisches Uhrwerk: Da gab es keinen Zufall, kein Geheimnis, keine Zweideutigkeit – kein Schicksal. Zelle für Zelle entstand ein Tier nach genetischen Anweisungen. Genesis war *Gen*-ese.

• • •

War schon die raffinierte Orchestrierung von Entstehung, Position, Form, Größe und Identität jeder Zelle durch Gene erstaunlich, so brachte die letzte Serie von Fadenwurmmutanten eine noch verblüffendere Erkenntnis. Anfang der 1980er Jahre entdeckten Horvitz und Sulston, dass sogar der Zelltod von Genen gesteuert wurde. Jeder ausgewachsene Zwitter des Fadenwurms besitzt 959 Zellen – zählte man jedoch die Zellen, die während der Entwicklung des Wurms entstanden, so waren es 1090. Die Diskrepanz war zwar gering, faszinierte Horvitz aber ungemein: 131 zusätzliche Zellen waren einfach verschwunden.[187] Sie hatten sich im Laufe der Entwicklung gebildet, waren dann aber während der Reifezeit des Wurms abgetötet worden – Verstoßene der Entwicklung, verlorene Kinder der Genese. Als Sulston und Horvitz anhand ihrer Zelllinienkarten den Tod dieser 131 verlorengegangenen Zellen untersuchten, stellten sie fest, dass nur zu bestimmten Zeiten produzierte, spezifische Zellen betroffen waren. Die Säuberung erfolgte selektiv: Wie bei allem anderen in der Entwicklung des Fadenwurms blieb auch hier nichts dem Zufall überlassen. Der Tod dieser Zellen – vielmehr ihr Suizid – war anscheinend ebenfalls genetisch »programmiert«.

Programmierter Tod? Genetiker rangen gerade noch mit dem programmierten *Leben* der Fadenwürmer. War auch der Tod von Genen gesteuert? Der australische Pathologe John Kerr hatte 1972 bei normalem Gewebe und bei Krebsgeschwüren ein ähnliches Zelltodmuster festgestellt. Bis zu seinen Beobachtungen hatten Biologen den Tod für einen überwiegend unfallbedingten Prozess gehalten, verursacht durch Trauma, Verletzung oder Infektion – ein Phänomen, das man als *Nekrose* (wörtlich »schwarz werden«) bezeichnete. Eine Nekrose ging in der Regel mit der Zersetzung von Gewebe einher, was zu Eiterbildung oder Wundbrand führte. Bei gewissen Geweben beobachtete Kerr jedoch, dass sterbende Zellen offenbar vor dem Absterben spezifische Strukturveränderungen aktivierten – als würden sie ein »Todes-Unterprogramm« einschalten. Sie lösten keinen Wundbrand, Wunden oder Entzündungen aus, sondern schrumpften und wurden weißlich durchschimmernd wie welkende Lilien. Während Nekrose mit Schwarzfärbung einherging, erfolgte dieser Tod durch Ausbleichen. Instinktiv vermutete Kerr, dass diese beiden Todesformen grundlegend unterschiedlich seien. »Diese kontrollierte Zellzerstörung ist ein aktives, *innerlich programmiertes* Phänomen«, schrieb er, und es sei von »Todesgenen« gesteuert. Auf der Suche nach einer Bezeichnung für diesen Prozess prägte er den Begriff *Apoptose*, ein anschauliches griechisches Wort für das Abfallen des Laubs von Bäumen oder der Blütenblätter bei Blumen.[188]

Aber wie sahen diese »Todesgene« aus? Horvitz und Sulston produzierten eine weitere Mutantenserie – nur war bei ihnen nicht die Zellentwicklung verändert, sondern das Muster des Zelltods. Bei einer Mutante ließ sich der Inhalt der sterbenden Zellen nicht angemessen in Stücke zerlegen. Bei einer anderen wurden die abgestorbenen Zellen nicht aus dem Körper ausgeschieden, sondern sammelten sich um die Zellen wie Müll an den Straßen Neapels bei einem Streik der Müllabfuhr.[189] Die bei diesen Mutanten veränderten Gene waren die Henker, Straßenkehrer, Putzkräfte und Kremierer der Zellwelt – sie waren aktiv am Töten beteiligt, vermutete Horvitz.

Die nächsten Mutanten wiesen noch drastischere Störungen der Todesmuster auf: Es kam nicht einmal zum Absterben der Zellen. Bei einem Wurm lebten sämtliche 131 sterbenden Zellen weiter. Bei einem anderen blieben bestimmte Zellen verschont. Horvitz' Studenten gaben diesen mutierten Würmern den Spitznamen »die Untoten« oder »Wombies« als Kurzform für »Wurmzombies«. Die bei diesen Fadenwürmern deaktivierten Gene waren die Masterregulatoren der Todeskaskade in der Zelle. Horvitz bezeichnete sie als *ced*-Gene – für *C. elegans death*.

Mehrere Gene, die den Zelltod regulieren, sollten schon bald in menschliche Krebstumoren eingepflanzt werden. Auch menschliche Zellen besitzen Gene, die ihren Tod durch Apoptose steuern. Viele dieser Gene sind entwicklungsgeschichtlich uralt und ähneln in Struktur und Funktion den bei Fadenwürmern und Fliegen entdeckten Todesgenen. Der Krebsbiologe Stanley Korsmeyer entdeckte 1985, dass in Lymphomen immer wieder ein Gen namens *BCL2* Mutationen aufwies.* Wie sich herausstellte, ist *BCL2* bei Menschen das Pendant zu einem der von Horvitz bei Fadenwürmern entdeckten Todesregulatorgenen namens *ced9*. Bei Würmern verhindert es den Zelltod, indem es die entsprechenden Henkerproteine bindet (so kommt es zu den »untoten« Zellen bei den Fadenwurmmutanten). Bei Menschen bewirkt die Aktivierung von *BCL2* in einer Zelle, dass die Todeskaskade blockiert wird und diese Zelle pathologisch unfähig ist abzusterben: Krebs.

• • •

Aber wurde das Schicksal jeder Wurmzelle von Genen und ausschließlich von Genen bestimmt? Horvitz und Sulston fanden bei den Fadenwürmern vereinzelte Zellen – seltene Exemplare –, die zufällig, wie durch einen Münzwurf, die eine oder die andere Entwicklung nehmen konnten.[190] Ihr Werdegang entschied sich nicht durch ihre genetische Bestimmung, sondern durch ihre Nähe zu anderen Zellen. Zwei auf Fadenwürmer spezialisierte Biologen in Colorado, David Hirsh und Judith Kimble, bezeichneten dieses Phänomen als *natürliche Ambiguität*.

Doch selbst die natürliche Ambiguität war eng begrenzt, wie Kimble feststellte.[191] Die Identität einer mehrdeutigen Zelle wurde von Signalen der Nachbarzellen bestimmt, die wiederum genetisch vorprogrammiert waren. Der Gott der Fadenwürmer hatte offenkundig in deren Gestaltung dem Zufall winzige Schlupflöcher gelassen, ohne jedoch zu würfeln.

---

* Auch die Australier David Vaux und Suzanne Cory entdeckten die den Zelltod verhindernde Funktion von *BCL2*.

Beim Fadenwurm war die Zelldifferenzierung also von zweierlei Faktoren beeinflusst: von »inneren« Vorgaben der Gene und von »äußeren« Einflüssen durch Interaktionen mit Nachbarzellen. Brenner bezeichnete diese Faktoren scherzhaft als den »europäischen und den amerikanischen Weg«: »Die europäische Lebensart besteht darin, dass die Zellen weitgehend für sich selbst schauen und sich wenig mit ihren Nachbarn unterhalten. Im Wesentlichen kommt es auf die Herkunft an, und wenn eine Zelle an einem bestimmten Ort geboren wird, dann bleibt sie im allgemeinen an derselben Stelle und entwickelt sich dort nach strengen Regeln. ... Die amerikanische Lebensart ist ganz das Gegenteil. Die Herkunft zählt wenig ... Worauf Wert gelegt wird, sind die Beziehungen zu den Nachbarn. Die Zellen tauschen ständig Informationen untereinander aus. Sie ziehen häufig um, damit sie ihr Ziel erreichen können.«[192]

Was würde geschehen, wenn man in das Leben eines Fadenwurms zwangsweise den Zufall – das Schicksal – einführen würde? Kimble wechselte 1978 nach Cambridge und begann, die Auswirkungen drastischer Eingriffe auf das Zellschicksal zu erforschen.[193] Mit Laserstrahlen tötete sie einzelne Körperzellen bei Fadenwürmern ab und stellte fest, dass das Entfernen einer Zelle die Entwicklung einer Nachbarzelle verändern konnte, wenn auch nur unter strengen Einschränkungen. Zellen, die bereits genetisch determiniert waren, hatten in ihrem Werdegang nahezu keinen Spielraum. Dagegen waren Zellen mit »natürlicher Ambiguität« flexibler, besaßen aber auch nur begrenzte Möglichkeiten zur Änderung ihres Schicksals. Äußere Faktoren konnten innere Determinanten nur bis zu einem gewissen Punkt abwandeln. Man konnte den Mann im grauen Flanell aus der Piccadilly Line der Londoner U-Bahn holen und in die New Yorker U-Bahn-Linie F Richtung Brooklyn setzen, und er würde sich dabei verändern, aber wenn er aus den U-Bahnschächten käme, würde er immer noch Rinderpastete als Mittagessen wollen. Zufall spielte in der mikroskopischen Welt der Fadenwürmer zwar eine Rolle, er war jedoch durch Gene stark eingeschränkt. Das Gen war die Linse, die den Zufall filterte und brach.

...

Die Entdeckung der Genkaskaden, die Leben und Tod von Fliegen und Würmern steuerten, war für Embryologen eine Offenbarung, hatte aber ebenso großen Einfluss auf die Genetik. Zugleich mit Morgans Frage – »wie spezifizieren Gene eine Fliege?« – hatten Embryologen ein Rätsel gelöst: Wie können Erbfaktoren die erstaunliche Komplexität von Organismen hervorbringen? Die Antwort liegt in der Organisation und im Zusammenspiel. Ein einziges Masterregulatorgen mag nur ein Protein mit recht begrenzter Funktion codieren: einen An-Aus-Schalter für, sagen wir, zwölf andere Zielgene. Angenommen, die Aktivität dieses Schalters hinge von der *Konzentration* eines Proteins ab, die im Körper eines Organismus ein Gefälle bildet, also an einem Ende hoch ist und zum anderen Ende hin niedriger. Dieses Protein könnte nun in einem Teil des Organismus alle zwölf Zielgene anschalten, in einem anderen Segment acht und in einem weiteren nur drei. Jede Kombination von Zielgenen (zwölf, acht und drei) könnte sich mit anderen Proteingradienten überschneiden und wieder andere Gene aktivieren oder blockieren. Nimmt man zu diesem Rezept noch Zeit und Raum hinzu – also wann und wo ein Gen aktiviert oder blockiert wird –, lassen sich komplizierte Phantasiegebilde konstruieren. Indem ein Organismus Hierarchien, Gradienten, Schalter und Schaltkreise von Genen und Proteinen mischt und kombiniert, kann er die beobachtete komplexe Anatomie und Physiologie hervorbringen.

Ein Wissenschaftler erklärte: »Auch ein einzelnes Gen ist, für sich genommen, nicht sonderlich ›begabt‹ – das eine interessiert sich nur für dieses, das andere für jenes Molekül. ... Diese Einfalt verhindert aber nicht, dass ein Gefüge von ungeheurer Komplexität entstehen kann. Wenn einige wenige Unterformen von nicht allzu intelligenten Ameisen (Arbeiterinnen, Drohnen und so weiter) einen Ameisenstaat aufbauen können, dann müssen die Möglichkeiten, die in 30 000 über Kaskaden verbundenen, gezielt eingesetzten Genen stecken, gewaltig sein.«[194] Der Genetiker Antoine Danchin veranschaulichte einmal den Prozess, durch den einzelne Gene die beobachtete Komplexität der Natur hervorbringen können, anhand der Bootsparabel des Orakels von Delphi.[195] Das Orakel stellte die Rätselfrage, was ein aus Holzplanken gebautes Boot zum Boot mache. Im Laufe der Zeit beginnen die Planken zu verrotten und müssen eine nach der anderen ersetzt werden – nach einem Jahrzehnt ist keine Planke des ursprünglichen Bootes mehr vorhanden. Dennoch ist der Besitzer überzeugt, es sei dasselbe Boot. Aber wie kann es sich um dasselbe Boot handeln, wenn jedes Bauteil des Originals ausgetauscht worden ist?

Die Antwort lautet, dass nicht die Planken das »Boot« ausmachen, sondern die *Beziehung* der Planken zueinander. Nagelt man hundert Bretter übereinander, erhält man eine Wand, nagelt man sie nebeneinander, bekommt man ein Deck; nur eine bestimmte Konfiguration von Planken, befestigt in einer bestimmten Anordnung, in einer bestimmten Beziehung zueinander, ergibt ein Boot.

Ganz ähnlich ist es bei Genen. Einzelne Gene codieren einzelne Funktionen, erst die Beziehung zwischen Genen ermöglicht Physiologie. Ohne diese Beziehungen ist das Genom wirkungslos. Dass Menschen und Fadenwürmer etwa die gleiche Anzahl von Genen besitzen – rund zwanzigtausend –, aber nur eines dieser beiden Lebewesen imstande ist, ein Deckengemälde in der Sixtinischen Kapelle anzufertigen, deutet darauf hin, dass die Anzahl der Gene für die physiologische Komplexität eines Organismus weitgehend unbedeutend ist. »Es geht nicht darum, was du hast«, erklärte mir ein brasilianischer Sambalehrer einmal, »es geht darum, was du damit *machst*.«

• • •

Die vielleicht hilfreichste Metapher, um die Beziehung zwischen Genen, Formen und Funktionen zu erklären, stammt von dem Evolutionsbiologen und Schriftsteller Richard Dawkins.[196] Seiner Ansicht nach dienen manche Gene tatsächlich als Blaupause, also als exakter Bauplan, in dem jedes Merkmal eins zu eins der dort codierten Struktur entspricht. Eine Tür ist maßstabgerecht zwanzigfach verkleinert dargestellt oder eine Schraube exakt 18 Zentimeter von der

Achse entfernt eingezeichnet. Nach derselben Logik codieren »Blau-pausen«-Gene die Anweisungen, eine Struktur (oder ein Protein) zu »bauen«. Das Faktor-VIII-Gen sorgt für die Bildung nur eines einzi-gen Proteins, das hauptsächlich eine Funktion hat: Es ermöglicht die Blutgerinnung. Mutationen dieses Gens ähneln Fehlern in einer Blau-pause. Ihre Auswirkungen sind ebenso genau vorhersehbar wie etwa die einer fehlenden Türklinke. Das mutierte Faktor-VIII-Gen kann die normale Blutgerinnung nicht mehr ermöglichen und führt zu Störun-gen – spontanen Blutungen –, die unmittelbar aus der Funktion dieses Proteins resultieren.

Die überwiegende Mehrzahl der Gene dient jedoch nicht als Blau-pause, da sie nicht nur den Bau einer einzigen Struktur oder eines Körperteils steuern. Sie wirken vielmehr mit Kaskaden anderer Gene zusammen, um eine komplexe physiologische Funktion zu ermög-lichen. Diese Gene sind nach Dawkins' Auffassung nicht mit Blau-pausen, sondern mit Rezepten vergleichbar. So wäre es völlig sinnlos, bei einem Kuchenrezept anzunehmen, der Zucker präge den »oberen Teil« und das Mehl den »unteren«. In der Regel gibt es bei einem Re-zept keine Eins-zu-eins-Entsprechung zwischen einer Komponente und einer Struktur, es liefert vielmehr Anweisungen für einen *Prozess*.

Ein Kuchen entwickelt sich aus Zucker, Butter und Mehl, die zum richtigen Zeitpunkt im richtigen Mengenverhältnis und bei der rich-tigen Temperatur zusammenkommen. Ebenso entwickelt sich die menschliche Physiologie aus bestimmten Genen, die in der richtigen Reihenfolge am richtigen Ort mit anderen Genen zusammenwirken. Ein Gen entspricht einer Zeile in einem Rezept für einen Organismus. Das menschliche Genom ist das Rezept für die Entwicklung eines Menschen.

• • •

Als Biologen in den frühen 1970er Jahren die Mechanismen zu ent-schlüsseln begannen, die Gene erstaunlich komplexe Organismen her-vorbringen lassen, wurden sie mit der unvermeidlichen Frage nach einer gezielten Genmanipulation bei Lebewesen konfrontiert. Im April

1971 veranstalteten die US National Institutes of Health eine Tagung zu der Frage, ob gezielte genetische Veränderungen bei Organismen in naher Zukunft vorstellbar seien. Die Konferenz mit dem provozierenden Titel *Prospects for Designed Genetic Change* sollte die Öffentlichkeit über aktuelle Möglichkeiten zur Genmanipulation bei Menschen informieren und die gesellschaftlichen und politischen Auswirkungen solcher Technologien ausloten.

Die Diskussionsteilnehmer stellten fest, dass es 1971 kein solches Verfahren zur Genmanipulation gebe (nicht einmal bei einfachen Organismen), waren aber zuversichtlich, dass dessen Entwicklung lediglich eine Frage der Zeit sei.»Das ist keineswegs Science-Fiction«, erklärte ein Genetiker.»Science-Fiction ist es, wenn man ... experimentell nichts machen kann ... es ist mittlerweile vorstellbar, dass bestimmte angeborene Fehler nicht innerhalb von hundert Jahren, nicht innerhalb von fünfundzwanzig Jahren, sondern vielleicht schon in den nächsten fünf bis zehn Jahren ... durch Einsetzung eines bestimmten fehlenden Gens behandelt oder geheilt werden – und wir haben viel zu tun, die Gesellschaft auf diese Art von Veränderung vorzubereiten.«[197]

Wenn solche Technologien entwickelt werden sollten, hätten sie immense Auswirkungen: Man könne das Rezept für die Entwicklung des Menschen umschreiben. Bei Genmutationen finde eine Auslese über Jahrtausende hinweg statt, merkte ein Wissenschaftler auf dieser Tagung an, aber kulturelle Veränderungen ließen sich innerhalb weniger Jahre einführen und selektieren. Die Fähigkeit zu »gezielten genetischen Veränderungen« bei Menschen könne den genetischen Wandel auf die Geschwindigkeit kulturellen Wandels beschleunigen. Manche Krankheiten des Menschen ließen sich eliminieren und die Geschichte einzelner Menschen und ganzer Familien für immer verändern; diese Technologie würde unsere Vorstellungen von Vererbung, Identität, Krankheit und Zukunft grundlegend umgestalten. Gordon Tomkins, der Biologe von der University of California, San Francisco, erklärte: »Daher fangen viele Menschen an, sich zu fragen: Was tun wir?«

• • •

Eine persönliche Erinnerung: Es ist das Jahr 1978 oder 1979, und ich
bin acht oder neun Jahre alt. Mein Vater kommt von einer Geschäfts-
reise nach Hause. Seine Taschen sind noch im Auto, und auf einem
Tablett auf dem Esszimmertisch schwitzt ein Glas mit Eiswasser. Es
ist einer jener stickigen Nachmittage in Delhi, an denen der Decken-
ventilator die Hitze im Zimmer nur verteilt. Zwei unserer Nachbarn
warten im Wohnzimmer auf ihn. Anspannung liegt in der Luft, obwohl
ich nicht weiß, warum.

Mein Vater geht ins Wohnzimmer, und die Männer reden auf ihn
ein. Ich spüre, dass es kein angenehmes Gespräch ist. Ihre Stimmen
werden lauter, ihre Worte schärfer, und selbst durch die Betonwand
zum angrenzenden Zimmer, in dem ich meine Hausaufgaben machen
soll, kann ich mir ihre Sätze in groben Zügen zusammenreimen.

Jagu hat sich von diesen beiden Geld geborgt – keine großen Sum-
men, aber genug, dass sie zu uns ins Haus kommen und die Rückzah-
lung verlangen. Einem der Männer hat er erzählt, er brauche das Geld
für Medikamente (die ihm nie verschrieben wurden), dem anderen,
er brauche es für eine Zugfahrkarte nach Kalkutta, um seine anderen Brüder zu besuchen (eine solche Reise war nie geplant, ohnehin
hätte er unmöglich allein fahren können).»Du solltest lernen, ihn unter
Kontrolle zu halten«, sagt einer der Männer vorwurfsvoll zu meinem
Vater.

Mein Vater hört geduldig schweigend zu – aber ich spüre, dass er vor
Wut brodelt, eine glühende Wut, die ihm die Galle in die Kehle steigen
lässt. Er holt die Stahlkassette, in der wir das Haushaltsgeld aufbewahren, geht damit zu den Männern und macht sich demonstrativ nicht
die Mühe, die Geldscheine zu zählen. Er kann ein paar zusätzliche
Rupien erübrigen; den Rest können sie behalten.

Als die Männer gehen, ist mir klar, dass es zu Hause heftigen Streit
geben wird. Mit der instinktiven Sicherheit wilder Tiere, die vor einem
Tsunami bergauf laufen, hat unsere Köchin die Küche verlassen, um
meine Großmutter zu holen. Schon seit einer Weile haben sich die
Spannungen zwischen meinem Vater und Jagu verschärft: Jagu hat sich
in den letzten Wochen zu Hause oft störend verhalten – und diese Epi-

sode hat für meinen Vater offenbar das Fass zum Überlaufen gebracht. Sein Gesicht ist vor Scham rot. Der dünne Firnis der Gediegenheit und Normalität, den er mit so viel Mühe zu bewahren versucht hat, ist aufgeplatzt, und durch die Risse dringt das geheime Leben seiner Familie nach außen. Jetzt wissen die Nachbarn über Jagus Wahnsinn und seine erfundenen Geschichten Bescheid. In ihren Augen ist mein Vater bloßgestellt: Er ist billig, gemein, hartherzig, dumm, unfähig, seinen Bruder im Griff zu behalten. Oder noch schlimmer: besudelt durch eine Geisteskrankheit, die in seiner Familie liegt.

Er geht in Jagus Zimmer und zerrt ihn vom Bett. Jagu wimmert verzweifelt wie ein Kind, das für eine ihm unbegreifliche Verfehlung bestraft wird. Mein Vater ist aufgebracht, rasend vor Zorn und gefährlich. Er stößt Jagu durchs Zimmer – ein unvorstellbarer Gewaltakt für ihn; er hat zu Hause nie auch nur die Hand erhoben. Meine Schwester läuft nach oben, um sich zu verstecken. Meine Mutter weint in der Küche. Ich beobachte durch die Wohnzimmervorhänge die Szene, die wie in Zeitlupe ihrem hässlichen Höhepunkt zustrebt.

Und dann stürmt meine Großmutter mit finsterem Blick wie eine Wölfin aus ihrem Zimmer. Sie schreit meinen Vater an, doppelt so wütend wie er, mit glühenden Augen und spitzer Zunge: *Wage ja nicht, ihn anzufassen.*

»Raus«, drängt sie Jagu, der sich schnell hinter sie flüchtet.

Nie habe ich sie respekteinflößender erlebt. Als würde ein Schalter umgelegt, so schnell ihr Bengalisch zurück zu seinen dörflichen Wurzeln. Ich verstehe ein paar Redewendungen voller Dialektausdrücke, abgefeuert wie Raketen: *Schoß, waschen, Makel.* Als ich mir den Satz zusammenreime, ist er voller Gift: *Wenn du ihn schlägst, wasche ich meinen Schoß mit Wasser, um ihn von deinem Makel zu reinigen. Ich wasche meinen Schoß*, sagt sie.

Mein Vater ist nun ebenfalls in Tränen aufgelöst und lässt den Kopf hängen. Er wirkt unendlich müde. »Wasch ihn«, sagte er leise und flehend. *Wasch ihn, reinige ihn, wasch ihn.*

TEIL 3

»Die Träume der Genetiker«

Gensequenzierung und Klonieren
(1970–2001)

Wissenschaftlicher Fortschritt hängt von neuen
Techniken, neuen Entdeckungen und neuen
Ideen ab, vermutlich in dieser Reihenfolge.

Sydney Brenner[1]

Wenn wir Recht haben …, ist es möglich,
in Zellen vorhersagbare und erbliche Veränderungen vorzunehmen. Das ist etwas,
wovon Genetiker lange geträumt haben.

Oswald T. Avery[2]

»Crossing-over«

Welch ein Meisterwerk ist der Mensch! wie edel
durch Vernunft! wie unbegrenzt an Fähigkeiten!
in Gestalt und Bewegung wie bedeutend und
wunderwürdig, im Handeln wie ähnlich einem
Engel! im Begreifen wie ähnlich einem Gott!
William Shakespeare, *Hamlet*[3]

Im Winter 1968 kehrte Paul Berg nach einem elfmonatigen For-
schungsaufenthalt am Salk Institute in La Jolla, Kalifornien, an die
Stanford University zurück. Damals war er 41 Jahre alt, kräftig gebaut
wie ein Athlet und hatte die Angewohnheit, beim Gehen die Schultern
nach vorn zu rollen. Manches in seinem Auftreten ließ Spuren seiner
Kindheit in Brooklyn erkennen – zum Beispiel die Art, wie er die Hand
hob und seine Sätze mit einem »Sehen Sie« begann, wenn ein wissenschaftliches Argument ihn provozierte. Er bewunderte Künstler,
vor allem Maler, und besonders abstrakte Expressionisten: Pollock,
Diebenkorn, Newman und Frankenthaler. Ihn faszinierte ihre Umwandlung alten Vokabulars in neues, ihre Fähigkeit, Grundelemente
aus dem Instrumentarium der Abstraktion – Licht, Linien, Formen –
umzufunktionieren, um riesige Gemälde voller außergewöhnlich pul-
sierenden Lebens zu schaffen.

Berg hatte nach seinem Biochemiestudium bei Arthur Kornberg an der Washington University in St. Louis gearbeitet und war mit ihm an die Stanford University gegangen, um dort den neuen Fachbereich für Biochemie aufzubauen.[4] Einen Großteil seiner wissenschaftlichen Karriere hatte Berg der Erforschung der Proteinsynthese gewidmet, aber der Aufenthalt in La Jolla hatte ihm die Chance eröffnet, sich neuen Themen zuzuwenden. Das Salk Institute, auf einer Ebene hoch über dem Pazifik gelegen und oft in dichten Morgennebel gehüllt, hatte etwas von einer Mönchsklause unter freiem Himmel. Dort hatte Berg mit dem Virologen Renato Dulbecco zusammengearbeitet und sich auf Tierviren konzentriert. Während seines Forschungsaufenthalts hatte er sich mit Genen, Viren und der Weitergabe der Erbinformation beschäftigt.

Ein Virus faszinierte Berg besonders: das Simian-Virus 40, kurz SV40, das Affen- und Menschenzellen befällt. Auf konzeptioneller Ebene ist jedes Virus ein professioneller Genträger. Viren haben eine simple Struktur: Häufig bestehen sie nur aus einem umhüllten Gensatz – »einer schlechten Nachricht, verpackt in einer Proteinhülle«, wie der Immunologe Peter Medawar es formulierte.[5] Wenn ein Virus in eine Zelle eindringt, entledigt es sich seiner Hülle und nutzt die Wirtszelle als Fabrik, um seine eigenen Gene zu kopieren, neue Hüllen zu bilden und so Millionen neuer Viren hervorzubringen. Viren haben also ihren Lebenszyklus auf das Notwendigste reduziert. Sie leben, um zu infizieren und sich zu reproduzieren; sie infizieren und reproduzieren sich, um zu leben.

Selbst innerhalb dieser auf das Wesentliche reduzierten Welt ist SV40 ein Virus, das sich extrem auf das Notwendigste beschränkt. Sein Genom umfasst nicht mehr als ein kleines DNA-Stück – mit seinen sieben Genen ist es sechshunderttausendmal kürzer als das menschliche Genom mit seinen 21 000 Genen. Im Gegensatz zu vielen anderen Viren kann es mit bestimmten infizierten Zellen durchaus in friedlicher Koexistenz leben, wie Berg erfuhr.[6] Statt nach der Infektion Millionen neuer Virionen zu produzieren – und dadurch die Wirtszelle zu töten, wie andere Viren es häufig tun –, kann SV40 seine DNA in das Chromosom der Wirtszelle einschleusen und dann in eine reproduktive Ruhephase eintreten, bis es durch spezifische Auslöser aktiviert wird.

Die Kompaktheit des SV40-Genoms und die Effizienz, mit der es in Zellen eindrang, machten das Virus zu einem idealen Vehikel, um Gene in menschliche Zellen zu transportieren. Die Vorstellung fesselte Berg: Wenn er SV40 mit einem (zumindest für das Virus) »fremden« Gen ausstatten könnte, würde das Virusgenom es in eine menschliche Zelle schmuggeln und damit deren Erbinformation verändern – eine Leistung, die der Genetik neue Horizonte eröffnen würde. Bevor er jedoch an die Modifizierung des menschlichen Genoms denken konnte, musste Berg eine technische Herausforderung meistern: Er brauchte eine Methode, um ein Fremdgen in ein virales Genom einzusetzen. Er musste also künstlich eine genetische »Chimäre« herstellen – eine Hybride aus den Genen eines Virus und einem Fremdgen.

• • •

Im Gegensatz zu menschlichen Genen, die sich auf den Chromosomen wie Perlen auf einer Kette mit offenen Enden aneinanderreihen, bilden die SV40-Gene einen DNA-Kreis. Das Genom ähnelt einer molekularen Halskette. Wenn das Virus die Zelle infiziert und seine Gene in deren Chromosomen einfügt, öffnet sich die Halskette zu einem linearen Strang und lagert sich in der Mitte eines Chromosoms an. Um ein Fremdgen in das SV40-Genom einzubauen, musste Berg die Halskette öffnen, das Gen einfügen und die Enden wieder zusammenfügen. Den Rest würde das virale Genom erledigen: Es würde das Gen in eine menschliche Zelle bringen und in ein menschliches Chromosom einschleusen.*

---

* Wenn ein SV40-Genom um ein Gen ergänzt wird, kann es kein Virus mehr hervorbringen, weil die DNA zu groß ist, um sie in die virale Hülle zu packen. Das um ein Fremdgen erweiterte SV40-Genom bleibt dennoch in der Lage, mit seiner Genfracht in eine Tierzelle einzudringen. Diese Fähigkeit zum Gentransport hoffte Berg nutzen zu können.

Berg war nicht der einzige, der darüber nachdachte, virale DNA zu öffnen und wieder zu verschließen, um Fremdgene einzuführen. Der Student Peter Lobban, der an der Stanford University nicht weit von Bergs Labor entfernt arbeitete, hatte 1969 in einer Examensarbeit eine ganz ähnliche Genmanipulation an einem anderen Virus vorgeschlagen.[7] Lobban war nach seinem Grundstudium am Massachusetts Institute of Technology (MIT) an die Stanford University gekommen und war von seiner Ausbildung – oder besser gesagt von seiner Einstellung – her Ingenieur. In seiner Arbeit legte er dar, dass Gene sich nicht sonderlich von Stahlträgern unterschieden: Sie ließen sich nach menschlichen Spezifikationen umrüsten, verändern, formen und nutzen. Das Geheimnis bestehe darin, das passende Werkzeug für die jeweilige Aufgabe zu finden. In Zusammenarbeit mit seinem Studienberater Dale Kaiser hatte Lobban sogar schon erste Experimente mit gängigen Enzymen durchgeführt, um Gene von einem DNA-Molekül in ein anderes zu transportieren.

Wie Berg und Lobban unabhängig voneinander erkannt hatten, bestand das eigentliche Geheimnis darin, zu vergessen, dass SV40 ein Virus war, und sein Genom schlicht als Chemikalie zu behandeln. Gene mochten 1971 »unerreichbar« sein – das galt jedoch nicht für die DNA. Schließlich hatte Avery sie in seinem Bakterienexperiment erhitzt und in einer Lösung als reine Chemikalie isoliert, trotzdem hatte sie ihre Erbinformation noch an andere Bakterien weitergegeben.[8] Kornberg hatte ihr Enzyme beigefügt und sie im Reagenzglas zur Replikation gebracht. Alles, was Berg benötigte, um ein Gen in das SV40-Genom einzubauen, war eine Reihe chemischer Reaktionen. Er brauchte ein Enzym, das den Genomkreis öffnete, und ein weiteres, um ein Stück Fremd-DNA in das SV40-Genom zu »kleben«. Vielleicht würde das Virus – vielmehr die in ihm enthaltene Information – dann wieder zum Leben erwachen.

• • •

Doch wo konnte ein Wissenschaftler Enzyme finden, die DNA trennten und zusammenfügten? Die Antwort lag, wie so oft in der Ge-

schichte der Genetik, in der Bakterienwelt. Seit den 1960er Jahren
hatten Mikrobiologen aus Bakterien Enzyme isoliert, die sich zur Manipulation von DNA im Reagenzglas nutzen ließen. Eine Bakterienzelle verfügt – wie jede andere Zelle – über einen eigenen »Werkzeug-
satz« für die Handhabung ihrer DNA: Jedes Mal, wenn eine Zelle sich
teilt, geschädigte Gene repariert oder die Position von Genen auf den
Chromosomen verändert, braucht sie Enzyme, um Gene zu kopieren
oder die durch Schäden entstandenen Lücken zu füllen.

Das »Verbinden« von DNA-Fragmenten gehörte zu diesem Werk-
zeugset chemischer Reaktionen. Berg wusste, dass selbst die primi-
tivsten Organismen die Fähigkeit besitzen, Gene zusammenzufügen.
Zur Erinnerung: DNA-Stränge können durch schädigende Einflüsse
wie Röntgenstrahlen geteilt werden. In Zellen kommt es regelmäßig zu
DNA-Schäden, daher bilden sie spezielle Enzyme, die diese getrennten Stränge reparieren, indem sie die Teile wieder verbinden. Eines
dieser Enzyme, die sogenannte Ligase (vom Lateinischen *ligare*, »verbinden«), sorgt chemisch für die Verknüpfung der beiden Fragmente
des gebrochenen DNA-Rückgrats und stellt so die Doppelhelix wieder her. Gelegentlich kann auch das Enzym »Polymerase«, das für die
Vervielfältigung der DNA sorgt, zum Einsatz kommen, um Lücken zu
füllen und ein geschädigtes Gen zu reparieren.

Die DNA-schneidenden Enzyme stammen aus einer ungewöhn-
licheren Quelle. In praktisch allen Zellen gibt es Ligasen und Polyme-
rasen, um gebrochene DNA-Stränge zu reparieren, für die meisten
Zellen besteht jedoch kaum ein Grund, warum sie über ein Enzym zum
Schneiden von DNA verfügen sollten. Dagegen besitzen Bakterien –
angesiedelt im rauesten Grenzbereich des Lebens, wo die Ressourcen
drastisch eingeschränkt sind, das Wachstum schwierig ist und ein erbitterter Überlebenskampf herrscht – solche DNA-schneidenden Enzyme, um sich gegen Viren zu verteidigen. Sie nutzen sie wie Springmesser, um die DNA von Eindringlingen aufzuschlitzen, und machen
deren Wirtszellen damit immun gegen Angriffe. Solche Proteine nennt
man »Restriktionsenzyme«, weil sie Infektionen durch bestimmte Viren
einschränken können. Sie erkennen spezifische DNA-Sequenzen und

durchtrennen die Doppelhelix wie eine molekulare Schere an ganz bestimmten Stellen. Die Spezifität ist entscheidend: In der molekularen Welt der DNA kann ein gezielter Schnitt tödlich sein. Eine Mikrobe kann eine eindringende Mikrobe lähmen, indem sie ihre Informationskette durchtrennt.

Diese der Mikrobenwelt entlehnten Enzymwerkzeuge bildeten die Grundlage für Bergs Experimente. Er wusste, dass die entscheidenden Komponenten für eine Genmanipulation in Gefrierschränken in etwa fünf verschiedenen Laboren gelagert wurden. Er brauchte nur dorthin zu gehen, sich die Enzyme zu holen und die chemischen Reaktionen nacheinander in Gang zu setzen: mit einem Enzym schneiden, mit einem anderen zusammenfügen – so könnten sich zwei beliebige DNA-Fragmente verbinden lassen und Wissenschaftlern erlauben, Gene außerordentlich präzise und zielgenau zu manipulieren.

Berg waren die Auswirkungen der Technologie, die er entwickelte, durchaus klar. Gene ließen sich zu neuen Kombinationen zusammensetzen und diese wiederum kombinieren; sie ließen sich austauschen, verändern und von einem Organismus in einen anderen verpflanzen. So könnte man ein Froschgen in ein virales Genom einbauen und auf diesem Weg in eine menschliche Zelle einschleusen. Umgekehrt könnte auch ein menschliches Gen in Bakterienzellen eingesetzt werden. Würde man diese Technologie bis ins Extrem treiben, wären Gene unendlich formbar: Man könnte neue Mutationen schaffen oder beseitigen; sogar eine Modifikation der Vererbung war denkbar, die sie von ihren Mängeln befreite, säuberte, beliebig veränderte. Berg erinnerte sich später: »Die jeweiligen Verfahren, Manipulationen und Reagenzien, die zur Herstellung dieser rekombinanten DNA verwendet wurden, waren allesamt nicht neu; das Neuartige war die spezifische Art, sie kombiniert einzusetzen.«[9] Der wirklich radikale Fortschritt bestand im Kopieren und Zusammenführen von *Ideen* – in der neuen Verknüpfung und Verbesserung von Erkenntnissen und Techniken, die bereits seit annähernd zehn Jahren in der Genetik vorhanden waren.

• • •

Im Winter 1970 unternahmen Berg und David Jackson, ein Postdoktorand seines Labors, die ersten Versuche, zwei DNA-Fragmente auszuschneiden und zusammenzufügen.[10] Die Experimente waren mühsam – »ein Albtraum für Biochemiker«, wie Berg erklärte. Die DNA musste so oft gereinigt, mit Enzymen gemischt und erneut an eiskalten Trennsäulen gereinigt werden, bis jede der einzelnen Reaktionen perfektioniert werden konnte. Da die Restriktionsenzyme aber nicht optimiert waren, blieb die Ausbeute minimal. Lobban, der nach wie vor mit seiner eigenen Herstellung von Genhybriden beschäftigt war, versorgte Jackson weiterhin mit wichtigen technischen Erkenntnissen. Er hatte eine Methode gefunden, an die DNA-Enden Fragmente so anzufügen, dass beide wie Schloss und Schlüssel ineinandergriffen, was die Herstellung von Genhybriden erheblich effizienter machte.

Trotz der enormen technischen Hürden gelang es Berg und Jackson, das gesamte SV40-Genom mit einem Bakterienvirus, dem Bakteriophagen Lambda (kurz Phage λ) und drei Genen des Bakteriums *E. coli* zu verknüpfen.

Das war durchaus keine geringfügige Leistung. Phage λ und SV40 sind zwar beide »Viren«, aber so unterschiedlich wie beispielsweise Pferd und Seepferdchen (SV40 infiziert Primatenzellen, Phage λ nur Bakterien). Und *E. coli* gehört einer völlig anderen Domäne an – es ist ein Bakterium aus dem menschlichen Darm. Das Ergebnis war eine seltsame Chimäre: Gene aus weit voneinander entfernten Zweigen des evolutionären Stammbaums waren zu einem einzigen, durchgehenden DNA-Strang verknüpft.

Berg nannte die Hybriden »rekombinante DNA« – ein geschickt gewählter Begriff, der auf das natürliche Phänomen der »Rekombination« zurückgriff, also auf die Entstehung von Hybridgenen bei der geschlechtlichen Fortpflanzung. In der Natur wird Erbinformation häufig zwischen Chromosomen ausgetauscht und gemischt, um für Vielfalt zu sorgen: DNA des väterlichen Chromosoms tauscht den Platz mit DNA des mütterlichen Chromosoms, um »Vater-Mutter-Genhybriden« zu bilden – ein Phänomen, das Morgan »Crossing-over« genannt hatte. Bergs Hybriden, erzeugt mit eben den Instrumenten, die Organismen im Naturzustand das Schneiden, Verknüpfen und Reparieren von Genen ermöglichen, weiteten dieses Prinzip über die Fortpflanzung hinaus aus. Berg synthetisierte ebenfalls Genhybriden, allerdings aus genetischem Material unterschiedlicher Organismen, das er in Reagenzgläsern mischte und verband. Rekombination ohne Reproduktion: Damit beschritt er einen neuen Kosmos der Biologie.

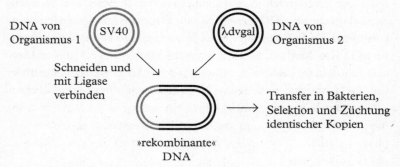

Durch die Kombination von Genen verschiedener Organismen konnten Wissenschaftler nach Belieben Gene herstellen – eine Vorahnung auf Gentherapie und Genmanipulation am Menschen.
(Abbildung nach Paul Bergs Aufsatz zur »rekombinanten« DNA)

In jenem Winter kam die Doktorandin Janet Mertz als neue Mitarbeiterin in Bergs Labor. Die hartnäckige junge Frau, die unverblümt ihre Meinung sagte – Berg beschrieb sie als »höllisch gescheit« – war in der Welt der Biochemie eine Seltenheit: Im Fachbereich Biochemie der Stanford University war sie erst die zweite Frau innerhalb eines Jahrzehnts. Sie kam wie Lobban ebenfalls vom MIT, wo sie sowohl Ingenieurwissenschaften als auch Biologie studiert hatte. Jacksons Experimente und die Idee, Chimären aus Genen verschiedener Organismen zu erzeugen, faszinierten sie.

Wie wäre es, wenn sie die Zielsetzung von Jacksons Experimenten umkehrte? Jackson hatte Genmaterial eines Bakteriums in das SV40-Genom eingefügt. Was wäre, wenn sie Genhybriden machte, indem sie SV40-Gene in das Genom von E. coli einfügte? Was würde passieren, wenn sie statt Viren mit Bakteriengenen Bakterien mit Virusgenen herstellen würde?

Die Umkehrung des Vorgehens – vielmehr der Organismen – hatte einen entscheidenden Vorteil. *E. coli* besitzt wie viele Bakterien zusätzliche Chromosomen, sogenannte Minichromosomen oder Plasmide. Sie bestehen wie das SV40-Genom aus ringförmigen DNA-Strängen, die im Bakterium leben und sich replizieren. Wenn Bakterienzellen sich teilen und wachsen, vervielfältigen sich auch die Plasmide. Sollte es Mertz gelingen, SV40-Gene in ein *E.-coli*-Plasmid einzupflanzen, könnte sie die Bakterien als »Fabrik« für neue Genhybriden nutzen. Sobald die Bakterien wüchsen und sich teilten, würde auch das Plasmid – und damit das Fremdgen in ihm – sich vervielfältigen. Das Bakterium würde eine Kopie nach der anderen von dem modifizierten Chromosom und seinen Fremdgenen herstellen. Letztlich entstünden Millionen exakte Kopien eines DNA-Strangs – »Klone«.

• • •

Im Juni 1971 fuhr Mertz nach Cold Spring Harbor in New York zu einem Seminar über Tierzellen und Viren.[11] Im Rahmen dieser Veranstaltung sollten Studenten die Forschungsprojekte erläutern, die sie in Zukunft durchführen wollten. Bei ihrer Präsentation sprach Mertz von ihren Plänen, genetische Chimären aus SV40 und *E.-coli*-Genen herzustellen und diese Hybriden möglicherweise in Bakterienzellen zu vermehren.

In der Regel erregen Referate von Doktoranden in Sommerkursen keine sonderliche Aufmerksamkeit. Als Mertz ihren Diavortrag beendet hatte, war jedoch klar, dass es kein typisches Referat war. Zunächst herrschte Schweigen, doch dann fielen Studenten und Dozenten mit einer Flut von Fragen über sie her: Ob sie die Risiken bedacht habe, die mit der Schaffung solcher Hybriden verbunden seien? Was wäre, wenn die Genhybriden, die Berg und Mertz erzeugen wollten, auf die Menschheit losgelassen würden? Hatten sie die ethischen Aspekte berücksichtigt, die mit der Schaffung neuer Genelemente einhergingen? Unmittelbar nach dem Vortrag rief der Virologe Robert Pollack, der als Dozent an dem Sommerkurs mitwirkte, Berg an. »Evolutions-schranken zu überbrücken, die seit den letzten gemeinsamen Vorfah-ren von Bakterien und Menschen existierten«, war seiner Ansicht nach viel zu gefährlich, um das Experiment leichtfertig fortzuführen.

Die Angelegenheit war insofern besonders heikel, da bekannt war, dass SV40 bei Hamstern krebserregend war und Kolibakterien im menschlichen Darm leben (nach heutigem Erkenntnisstand verur-sacht SV40 wahrscheinlich bei Menschen keinen Krebs, aber 1970 waren die Risiken noch nicht bekannt). Was wäre, wenn Berg und Mertz eine genetische Katastrophe zusammenbrauten – ein mensch-liches Darmbakterium, das ein beim Menschen krebserregendes Gen trüge? »Man kann aufhören, Atome zu spalten; man kann aufhören, auf den Mond zu fliegen; man kann aufhören, Treibgase zu verwen-den … Aber man kann eine neue Lebensform nicht zurücknehmen«, schrieb der Biochemiker Erwin Chargaff. »[Die neuen Genhybriden] werden euch und eure Kinder und Kindeskinder überleben … Die Hybridisierung von Prometheus und Herostratos wird zwangsläufig schlimme Ergebnisse zeitigen.«[12]

Wochenlang dachte Berg über die von Pollack und Chargaff vorge-brachten Einwände nach: »Meine erste Reaktion war: Das ist absurd. Ich sah wirklich keine Gefahr darin.«[13] Die Experimente wurden mit sterilisierten Gerätschaften in geschlossenen Räumen durchgeführt; SV40 war noch nie in einen unmittelbaren Zusammenhang mit Krebs bei Menschen gebracht worden. Tatsächlich hatten sich viele Virologen mit SV40 infiziert, aber keiner hatte Krebs bekommen. Aus Ärger über die ständige öffentliche Hysterie um diese Frage hatte Dulbecco sogar angeboten, SV40 zu *trinken*, um zu beweisen, dass es keinen Zusam-menhang zu Krebs bei Menschen gebe.[14]

So dicht an einem potentiellen Abgrund konnte Berg sich jedoch keine Nachlässigkeit leisten. Er schrieb mehrere Krebsexperten und Mikrobiologen an und bat sie um ihre unabhängige Einschätzung. Dulbecco blieb hartnäckig bei seiner Meinung zu SV40, aber konnte ein Wissenschaftler ein unbekanntes Risiko überhaupt realistisch be-urteilen? Letzten Endes kam Berg zu dem Schluss, dass die biologische Gefährdung extrem gering sei – aber keineswegs bei null läge. »In Wirklichkeit wusste ich, dass die Gefahr klein war«, erklärte Berg. »Aber ich konnte mich nicht davon überzeugen, dass *gar keine* Gefahr bestünde ... Mir muss wohl klar gewesen sein, dass ich mich bei Vorhersagen zum Ausgang eines Experiments viele, viele Male geirrt hatte, und falls ich mich bei der Risikoabwägung irrte, hätte es Folgen, mit denen ich nicht würde leben wollen.«[15] Bis er die Gefahren nicht genau eingeschätzt und einen Plan zu deren Eindämmung erstellt hätte, verordnete Berg sich ein Moratorium. Vorerst sollten DNA-Hybriden mit Fragmenten des SV40-Genoms im Reagenzglas bleiben und nicht in lebende Organismen eingebracht werden.

Unterdessen hatte Mertz eine weitere wichtige Entdeckung gemacht. Nach der anfangs von Berg und Jackson verfolgten Methode waren sechs mühsame Enzymschritte notwendig, um DNA zu schneiden und zu verbinden. Mertz fand eine nützliche Abkürzung. Sie stellte fest, dass sie die DNA-Fragmente mit dem Restriktionsenzym EcoR1, das der Mikrobiologe Herbert Boyer aus San Francisco ihr zur Verfügung gestellt hatte, statt in sechs, in nur zwei Schritten schneiden und verbinden konnte.* »Janet machte das Verfahren wirklich erheblich effizienter«, erinnerte sich Berg. »Nun konnten wir mit nur einigen wenigen chemischen Reaktionen neue DNA-Stränge erzeugen ... Sie schnitt sie, mischte sie, gab ein Enzym zu, das die Enden verbinden konnte, und wies dann nach, dass sie ein Produkt erhalten hatte, das die Eigenschaften beider Ausgangsstoffe besaß.«[16] Mertz hatte »rekombinante DNA« hergestellt – durfte sie wegen des selbstverhängten Moratoriums in Bergs Labor jedoch nicht in lebende Bakterienzellen einschleusen.

• • •

---

* Die Entdeckung, die Mertz gemeinsam mit Ron Davis machte, beruhte auf einer besonderen Eigenschaft von Enzymen wie EcoR1: Wenn sie das Bakterienplasmid und das SV40-Genom mit EcoR1 schnitt, waren die Enden von Natur aus »klebrig« wie komplementäre Stücke Klettband und erleichterten es daher, sie zu Genhybriden zu verknüpfen.

Während Berg die Risiken von Virus-Bakterien-Hybriden abwog, reiste Herbert Boyer, der Wissenschaftler aus San Francisco, der Mertz die Restriktionsenzyme bereitgestellt hatte, im November 1972 zu einer Tagung über Mikrobiologie nach Hawaii. Boyer war 1936 in einer Bergbaustadt in Pennsylvania zur Welt gekommen, hatte schon an der Highschool die Biologie für sich entdeckt und Watson und Crick zu seinen Idolen erhoben (und seine beiden Siamkatzen nach ihnen benannt). In den frühen 1960er Jahren hatte er sich an einer medizinischen Hochschule beworben, war aber wegen einer schlechten Note in Metaphysik abgelehnt worden und hatte als Postdoktorand zur Mikrobiologie gewechselt.

Im Sommer 1966 war Boyer als Dozent an die University of California in San Francisco (UCSF) gekommen – mit Afro-Look, der unvermeidlichen Lederweste und abgeschnittenen Jeans.[17] Seine Arbeit betraf großenteils die Isolierung neuer Restriktionsenzyme wie jenes, das er an Bergs Labor geliefert hatte. Von Mertz erfuhr er von ihrem chemischen Verfahren, DNA zu schneiden, das die Herstellung von DNA-Hybriden vereinfachte.

• • •

Bei der Tagung auf Hawaii ging es um bakterielle Genetik. Für große Aufregung sorgten die neuentdeckten Plasmide in Kolibakterien, die ringförmigen Minichromosomen, die sich in den Bakterien vervielfältigten und zwischen Bakterienstämmen weitergegeben werden konnten. Nach einem langen Vormittag voller Vorträge flüchtete Boyer zur Erholung an den Strand und verbrachte den Nachmittag bei einem Glas Rum und Kokossaft.

Abends lief er Professor Stanley Cohen von der Stanford University über den Weg.[18] Er kannte dessen wissenschaftliche Aufsätze, war ihm bis dahin aber noch nie persönlich begegnet. Mit seinem adrett gestutzten graumelierten Bart, der eulenhaften Brille und seiner vorsichtigen, bedächtigen Sprechweise besaß Cohen die »körperliche Präsenz eines Talmudgelehrten«, erinnerte sich ein Wissenschaftler. Cohen erforschte Plasmide und hatte Frederick Griffith' »Transformationsreaktion« studiert, also das Verfahren, das man brauchte, um DNA in Bakterienzellen einzuführen.

Das Abendessen war vorüber, aber Cohen und Boyer hatten immer noch Hunger. Gemeinsam mit dem Mikrobiologen Stan Falkow schlenderten sie vom Hotel in eine ruhige, dunkle Straße in einem Gewerbegebiet in der Nähe des Waikiki-Strandes. Glücklicherweise tauchte aus dem Schatten der Vulkane ein Imbiss im Stil eines New Yorker Deli mit Leuchtreklame und Neonlicht im Innenraum auf, in dem sie eine freie Sitznische fanden. Die Kellnerin konnte *kishke* und *knish* nicht unterscheiden, aber die Speisekarte bot Corned Beef und gehackte Leber an. Bei Pastrami-Sandwiches unterhielten sich Boyer, Cohen und Falkow über Plasmide, Genchimären und Bakteriengenetik.

Sowohl Boyer als auch Cohen wussten von Bergs und Mertz' Erfolgen, Genhybriden im Labor herzustellen. Das Gespräch wandte sich beiläufig Cohens Arbeit zu. Er hatte mehrere Arten von Plasmiden aus Kolibakterien isoliert, darunter auch eine, die sich zuverlässig von den Bakterien trennen und leicht von einem Kolibakterienstamm auf den anderen übertragen ließ. Manche dieser Plasmide enthielten Gene, die eine Antibiotikaresistenz – beispielsweise gegen Tetracyclin oder Penicillin – vermittelten.

Was aber würde passieren, wenn Cohen ein antibiotikaresistentes Gen aus einem Plasmid in ein anderes übertrüge? *Würde ein Bakterium, das ein Antibiotikum bis dahin abgetötet hätte, nun überleben und selektiv wachsen und gedeihen, während die Bakterien mit nichthybriden Plasmiden sterben würden?*

Diese Idee blitzte auf wie eine Leuchtreklame auf der dunklen Insel. Bei Bergs und Jacksons ersten Experimenten hatte es kein einfaches Verfahren gegeben, die Bakterien oder Viren zu erkennen, die das »Fremdgen« aufgenommen hatten (das Hybridplasmid musste allein anhand seiner Größe aus dem biochemischen Gemisch isoliert werden: A + B war größer als A oder B). Dagegen lieferten Cohens Plasmide mit den Antibiotikaresistenz-Genen ein wirksames Mittel, genetische Rekombinanten zu identifizieren. Die *Evolution* würde ihnen bei ihrem Experiment helfen. Die natürliche Selektion, angewandt in einer Petrischale, würde eine natürliche Auslese ihrer Hybridplasmide vornehmen: Denn die Übertragung der Antibiotikaresistenz von einem Bakterium auf ein anderes würde belegen, dass eine Genhybride oder rekombinante DNA entstanden war.

Aber was war mit Bergs und Jacksons technischen Hürden? Wenn die genetischen Chimären nur mit einer Häufigkeit von eins zu einer Million zustande kämen, würde kein noch so ausgeklügeltes und wirkungsvolles Ausleseverfahren funktionieren: Es gäbe schlicht keine Hybriden, die sich selektieren ließen. Aus einer Laune heraus schilderte Boyer die Restriktionsenzyme und Mertz' verbesserte Methode für eine effizientere Herstellung von Genhybriden. Es trat Stille ein, während Cohen und Boyer nachdachten. Alles lief unweigerlich auf eine Idee hinaus: Boyer hatte Enzyme isoliert, die eine wesentlich effizientere Herstellung von Genhybriden ermöglichten; Cohen hatte Plasmide isoliert, die sich ohne weiteres selektieren und in Bakterien vermehren ließen. »Der Gedanke lag zu offen auf der Hand, um unbemerkt zu bleiben«, erinnerte sich Falkow.

Cohen sagte bedächtig: »Das bedeutet ...«

Boyer fiel ihm ins Wort: »Stimmt ... es müsste möglich sein ...«

»In der Wissenschaft wie auch sonst im Leben ist es manchmal gar nicht nötig, einen Satz oder einen Gedanken zu Ende zu führen«, schrieb Falkow später. Das Experiment war so unkompliziert, so wunderbar einfach, dass es sich mit Standardreagenzien im Laufe eines Nachmittags durchführen ließe: »Man mische mit *Eco*R1 geschnittene Plasmid-DNA-Moleküle, füge sie wieder zusammen und müsste dann einen gewissen Anteil rekombinanter Plasmidmoleküle erhalten. Anhand der Antibiotikaresistenz könnte man die Bakterien identifizieren, die das Fremdgen integriert hätten, und die Hybrid-DNA selektieren. Wenn man von einer solchen Bakterienzelle Millionen Nachkommen züchtete, würde man die Hybrid-DNA millionenfach vervielfältigen. Man würde rekombinante DNA klonieren.«

Dieses Experiment war nicht nur innovativ und effizient, sondern auch potentiell sicherer. Im Gegensatz zu den Versuchen von Berg

und Mertz – die Hybriden aus Viren und Bakterien schaffen wollten –,
bestanden Cohens und Boyers Chimären ausschließlich aus Bakteriengenen, die sie für wesentlich ungefährlicher hielten. Sie sahen keinen Grund, vor der Herstellung dieser Plasmide zurückzuschrecken.
Schließlich konnten Bakterien Genmaterial nahezu problemlos austauschen wie Klatsch und Tratsch; der freie Austausch von Genen war
ein Kennzeichen der Mikrobenwelt.

• • •

Den ganzen Winter bis ins Frühjahr 1973 arbeiteten Boyer und Cohen
wie wild an der Herstellung ihrer Genhybriden. Ein Forschungsassis-
tent aus Boyers Labor karrte Plasmide und Enzyme in einem VW-Kä-
fer über den Highway 101 zwischen der UCSF und Stanford hin und
her. Bis zum Spätsommer hatten Boyer und Cohen erfolgreich ihre
Genhybriden erzeugt – zwei Stücke Genmaterial aus zwei Bakterien,
verknüpft zu einer einzigen Chimäre. Später erinnerte sich Boyer noch
erstaunlich deutlich an den Moment der Entdeckung:»Ich sah mir die
ersten Proben an und erinnere mich, dass mir Tränen in die Augen
schossen, so schön war es.« Aus der Mischung der erblichen Identität
zweier Organismen war eine neue entstanden; weiter konnte man sich
der Metaphysik nicht annähern.

Im Februar 1973 waren Boyer und Cohen so weit, dass sie die erste
künstlich erzeugte genetische Chimäre in lebenden Zellen vermehren konnten. Sie schnitten in zwei Bakterienplasmiden die DNA mit
Restriktionsenzymen auf und setzten das Genmaterial des einen in
das andere ein. Nachdem sie die Hybrid-DNA mit Ligase verknüpft
hatten, führten sie die Chimäre mit einer modifizierten Transformationsreaktion in Bakterienzellen ein. Dann züchteten sie die Bakterien,
die Genhybriden enthielten, in Petrischalen, bis sie winzige glasige Kolonien bildeten, die auf dem Agarnährboden schimmerten wie Perlen.

Eines späten Abends impfte Cohen einen Behälter mit sterilem
Nährmedium mit einer einzigen Kolonie der mit Genhybriden versehenen Bakterienzellen. Über Nacht vermehrten sie sich darin. Es
entstanden hundert, tausend und schließlich Millionen Kopien der

genetischen Chimäre, die jeweils eine Mischung aus dem Genmaterial zweier völlig unterschiedlicher Organismen enthielten. Nur das mechanische Ticken eines Bakterieninkubators in der Nacht begleitete die Geburt einer neuen Welt.

Die neue Musik

Jede Generation braucht eine neue Musik.
Francis Crick[19]

Heutzutage wurde alles zu Musik gemacht.
Richard Powers, *Orfeo*[20]

Während Berg, Boyer und Cohen an der Stanford University und an der UCSF in Reagenzgläsern Genfragmente mischten, gab es in einem Labor im englischen Cambridge einen ähnlich richtungsweisenden Durchbruch in der Genetik. Um die Bedeutung dieser Entdeckung zu ermessen, müssen wir zur formalen Sprache der Gene zurückkehren. Die Genetik setzt sich wie jede Sprache aus grundlegenden Strukturelementen zusammen – Alphabet, Vokabular, Syntax und Grammatik. Das »Alphabet« der Gene hat nur vier Buchstaben: die vier Basen der DNA – A, C, G und T. Das »Vokabular« besteht aus dem Triplettcode: Drei Basen der DNA werden zusammen gelesen und codieren jeweils eine Aminosäure eines Proteins; ACT codiert Threonin, CAT codiert Histidin, CGT codiert Glycin und so weiter. Ein Protein ist der von einem Gen codierte »Satz« aus aneinandergereihten Buchstaben (ACT-CAT-CGT codiert Threonin-Histidin-Glycin). Und die Genregulation bildet, wie Monod und Jacob entdeckt hatten, den Kontext, der diese Worte und Sätze mit Sinn füllt. Die an ein Gen angehängten regulatorischen Sequenzen – also Signale, die ein Gen zu bestimmten Zeiten in bestimmten Zellen an- oder abschalten – kann man sich als innere Grammatik des Genoms vorstellen.

Aber dieses Alphabet, diese Grammatik und Syntax der Genetik existieren ausschließlich in Zellen. Damit Biologen die Sprache der Gene lesen und schreiben konnten, mussten sie eine Reihe neuer Instrumente erfinden. »Schreiben« bedeutet, Wörter in einzigartigen Abwandlungen so zu mischen und zusammenzufügen, dass sie neue Bedeutungen erlangen. An der Stanford University begannen Berg, Cohen und Boyer, durch Klonieren Gene zu schreiben – also Wörter und Sätze in DNA zu erzeugen, die in der Natur nie existiert hatten (ein Bakteriengen mit einem viralen Gen zu einem neuen genetischen Element zu kombinieren). Aber das »Lesen« von Genen – die Entschlüsselung der genauen Basensequenz in einem DNA-Strang – stellte nach wie vor eine enorme technische Hürde dar.

Ironischerweise machen gerade die Merkmale, die einer Zelle das Lesen der DNA ermöglichen, sie für Menschen, besonders für Chemiker, unverständlich. Wie Schrödinger vorausgesagt hatte, war die DNA als Chemikalie so konstruiert, dass sie den Chemikern trotzte, sie war ein Molekül voller Widersprüche – monoton und doch unendlich vielfältig, extrem repetitiv und doch extrem spezifisch. Im Allgemeinen erschließen Chemiker sich die Struktur eines Moleküls, indem sie es in immer kleinere Puzzleteile aufbrechen und aus den Komponenten die Struktur zusammensetzen. Zerlegt man jedoch die DNA in ihre Bestandteile, zerfällt sie in vier Basen – A, C, G und T. Ein Buch kann man nicht lesen, indem man sämtliche Wörter in Buchstaben auflöst. Bei der DNA ist wie bei Wörtern die *Sequenz* der Bedeutungsträger. Löst man sie in ihre einzelnen Basen auf, verwandelt sie sich in eine Ursuppe aus einem Alphabet mit vier Buchstaben.

• • •

Wie könnte ein Chemiker die Sequenz eines Gens bestimmen? Der Biochemiker Frederick Sanger hatte seit den 1960er Jahren in einem hüttenartigen Kellerlabor unweit der Moorlandschaft am Rand von Cambridge in England mit der Gensequenzierung gerungen. Er war geradezu besessen von der chemischen Struktur komplexer Biomoleküle. In den frühen 1950er Jahren hatte er mit einer Variante konventioneller Trennverfahren die Sequenz des Proteins Insulin bestimmt. Insulin, das der Chirurg Frederick Banting aus Toronto und sein Student Charles Best erstmals 1921 aus großen Mengen zerkleinerter Bauchspeicheldrüsen von Hunden gewonnen hatten, war das begehrte Ziel der Proteinforschung – ein Hormon, das Kinder vor den verheerenden, tödlichen Folgen von Diabetes bewahren konnte, wenn man es ihnen injizierte.[21] In den ausgehenden 1920er Jahren hatte das pharmazeutische Unternehmen Eli Lilly aus riesigen Fässern verflüssigter Rinder- und Schweinebauchspeicheldrüsen einige Gramm Insulin hergestellt.

Doch trotz diverser Versuche hatte sich das Insulin hartnäckig einer Bestimmung seiner Molekülstruktur entzogen. Sanger ging mit der methodischen Strenge eines Chemikers an das Problem heran. Die Lösung liegt in der Auflösung, wie jeder Chemiker weiß. Jedes Protein besteht aus einer Aminosäurenkette: Methionin-Histidin-Arginin-Lysin oder Glycin-Histidin-Arginin-Lysin und so weiter. Sanger erkannte, dass er zur Sequenzbestimmung eines Proteins eine Reihe von Abbaureaktionen durchführen musste. Er würde eine Aminosäure vom Ende der Kette trennen, sie mit einem Lösungsmittel versetzen und chemisch bestimmen – Methionin. Mit der nächsten Aminosäure würde er ebenso verfahren – Histidin. Dieses Vorgehen würde er so lange wiederholen – Arginin … schnipp … Lysin … schnipp –, bis er das Ende des Proteins erreicht hätte. Es war, als würde man Perle für Perle von einer Halskette ziehen und damit den Ablauf der Proteinbildung in einer Zelle umkehren. Stück für Stück würde die Zerlegung des Insulins die Struktur seiner Aminosäurenkette offenbaren. Für seine bahnbrechende Entdeckung erhielt Sanger 1958 den Nobelpreis.[22]

Von 1955 bis 1962 nutzte Sanger diese Methode in abgewandelter Form, um die Sequenzen mehrerer wichtiger Proteine zu bestimmen – ließ aber das Problem der DNA-Sequenzierung weitgehend
unberührt. Das waren seine »mageren Jahre«, wie er später schrieb.[23]
Er lebte im Schatten seines Ruhms, veröffentlichte wenig – ungeheuer
detaillierte Aufsätze über Proteinsequenzierung, die andere als maß-
geblich bezeichneten, die er jedoch nicht als sonderliche Erfolge ein-
stufte. Im Sommer 1962 zog Sanger in ein anderes Labor um – im
Medical Research Council Building –, wo Crick, Perutz und Sydney
Brenner, die dem DNA-Kult ergeben waren, zu seinen neuen Nachbarn zählten.[24]
Der Wechsel des Labors markierte eine entscheidende Neuaus-
richtung in Sangers Arbeit. Manche Wissenschaftler – Crick, Wilkins – wurden in die DNA hineingeboren, andere – Watson, Franklin,
Brenner – hatten sie sich angeeignet, Frederick Sanger wurde sie auf-
gedrängt.

• • •

Mitte der 1960er Jahre verlagerte Sanger seinen Forschungsschwer-
punkt von Proteinen auf Nukleinsäuren und begann, sich ernsthaft
mit der DNA-Sequenzierung zu beschäftigen. Aber die Methoden,
die bei Insulin so wunderbar funktioniert hatten – aufbrechen, lösen,
aufbrechen, lösen – versagten bei der DNA. Proteine sind chemisch
so strukturiert, dass Aminosäuren sich nacheinander von der Kette ab-
trennen lassen – für die DNA gab es solche Instrumente nicht. Sanger
versuchte, seine Trennverfahren abzuwandeln, aber die Experimente
produzierten nur chemisches Chaos. Sobald die DNA in Fragmente
zerlegt und aufgelöst war, verwandelte sich genetische Information in
Kauderwelsch.
Im Winter 1971 hatte Sanger unvermittelt eine Eingebung – in Form
einer Umkehrung. Jahrzehntelang hatte er gelernt, Moleküle aufzubrechen, um ihre Sequenz zu bestimmen. Was wäre, wenn er sein Vorgehen auf den Kopf stellte und versuchte, DNA zu *bilden*, statt sie
aufzubrechen? Sanger überlegte, dass man denken müsse wie ein Gen,

um eine Gensequenz zu bestimmen. Zellen bilden ständig Gene: Jedes Mal, wenn eine Zelle sich teilt, macht sie eine Kopie von jedem Gen. Wenn ein Biochemiker sich an das Gen kopierende Enzym (DNA-Polymerase) heften könnte, während es eine Kopie der DNA machte, und wenn er eine Tabelle erstellen würde, während das Enzym eine Base nach der anderen hinzufügte – A, C, T, G, C, C, C usw. –, würde er die Gensequenz erfahren. Es war, als würde man ein Kopiergerät beobachten: Aus der Kopie ließe sich das Original rekonstruieren. Wieder einmal würde das Spiegelbild Aufschluss über das Original geben – Dorian Gray würde Stück für Stück nach seinem Abbild wiedererschaffen.

Sanger begann 1971, ein Verfahren zur Gensequenzierung zu entwickeln, das die Kopierreaktion der DNA-Polymerase nutzte. (In Harvard arbeiteten Walter Gilbert und Allan Maxam ebenfalls an der DNA-Sequenzierung, verwendeten jedoch andere Reagenzien. Ihre Vorgehensweise funktionierte zwar, galt aber gegenüber der von Sanger bald als überholt.) Anfangs war Sangers Methode ineffizient und neigte zu unerklärlichen Fehlern. Teils erwuchs das Problem aus dem zu schnellen Ablauf der Kopierreaktion: Die Polymerase raste am DNA-Strang entlang und fügte die Nukleotide mit so halsbrecherischer Geschwindigkeit hinzu, dass Sanger die Zwischenschritte gar nicht erfassen konnte. Also nahm er 1975 eine einfallsreiche Modifikation vor: Er spickte die Kopierreaktion mit einer Reihe chemisch veränderter Basen – leicht abgewandelten Varianten von A, C, G und T –, die von der DNA-Polymerase noch immer erkannt wurden, aber die Kopierfunktion hemmten. Wenn die Polymerase stockte, konnte Sanger die verlangsamte Reaktion nutzen, um für Tausende Basen der DNA ein Gen anhand der Abbruchpunkte – ein A hier, ein T dort, ein G da usw. – zu kartieren.

Am 24. Februar 1977 veröffentlichte Sanger in der Zeitschrift *Nature* die so ermittelte vollständige Sequenz des Virus ΦX174.[25] Phi war ein winziges Virus mit nur 5386 Basenpaaren – sein gesamtes Genom war kleiner als das kleinste menschliche Gen –, aber die Veröffentlichung bedeutete einen bahnbrechenden wissenschaftlichen Fortschritt.»Die

Sequenz identifiziert viele der Merkmale, die für die Produktion der Proteine in den neun bekannten Genen des Organismus verantwortlich sind«, schrieb er.[26] Sanger hatte gelernt, die Sprache der Gene zu lesen.

. . .

Die neuen Techniken der Genetik – Gensequenzierung und Klonieren – brachten auf Anhieb neue Merkmale der Gene und Genome ans Licht. Die erste und überraschendste Entdeckung betraf ein spezielles Genmerkmal von Tieren und Tierviren. Die beiden Wissenschaftler Richard Roberts und Phillip Sharp entdeckten 1977 unabhängig voneinander, dass die meisten Tierproteine nicht in langen, durchgehenden DNA-Strängen, sondern in Modulen codiert waren.[27] Bei Bakterien besteht jedes Gen aus einem fortlaufenden DNA-Strang, der beim ersten Triplettcode (ATG) beginnt und sich ununterbrochen bis zum letzten »Stoppsignal« fortsetzt. Bakteriengene enthalten keine separaten Module und sind nicht durch innere Trennstücke (Spacer) unterteilt. Bei Tieren und Tierviren stellten Roberts und Sharp dagegen fest, dass ein Gen in der Regel in Abschnitte unterteilt und von langen Strängen nichtcodierender DNA unterbrochen war.

Zum Vergleich kann man sich vorstellen, dass in einem Bakteriengenom das Gen als ganzes Wort – zum Beispiel *Struktur* – eingebettet ist ohne Unterbrechungen, Füllsel oder Zwischenteile. Beim menschlichen Genom ist es dagegen durch eingeschobene DNA-Abschnitte unterteilt: *ST...RU...K...T...UR.*

Die langen, durch (…) gekennzeichneten DNA-Abschnitte enthalten keine Proteine codierenden Informationen. Wenn nach einem solchen unterbrochenen Gen eine Botschaft erzeugt wird – also die DNA genutzt wird, um RNA zu bilden –, werden die Zwischenabschnitte aus der RNA-Botschaft herausgeschnitten und die RNA ohne sie wieder verknüpft: Aus *ST...RU...K...T...UR* wird einfach *STRUKTUR*. Später prägten Roberts und Sharp für diesen Vorgang den Begriff *Spleißen* (engl. *splicing*), da die RNA-Botschaft des Gens »verspleißt« wird, um Zwischenstücke zu entfernen.

Anfangs war diese Aufspaltung der Gene verwirrend: Warum sollte ein Tiergenom so lange DNA-Abschnitte verschwenden, um Gene in kleine Fragmente zu unterteilen, nur um sie dann wieder zu einer durchgehenden Botschaft zusammenzufügen? Aber schon bald erschloss sich die innere Logik der gespaltenen Gene *(split genes)*: Durch die Aufteilung in Module konnte eine Zelle aus einem einzigen Gen eine verblüffende Fülle verschiedener Kombinationen und damit auch Botschaften erzeugen. Das Wort *ST...RU...K...T...UR* lässt sich so spleißen, das daraus beispielsweise *STUR* oder *KUR* entsteht und so aus einem einzigen Gen viele unterschiedliche Botschaften hervorgehen, die man Isoformen nennt. Aus *G...E...N...OM* kann durch Spleißen *GEN*, *GNOM* und *OM* werden. Zudem hatten die modularen Gene auch einen evolutionären Vorteil: Die einzelnen Module verschiedener Gene ließen sich mischen und zu völlig neuen Genen zusammensetzen *(K...OM...E...T)*. Der Genetiker Wally Gilbert von der Harvard University prägte für diese Module den neuen Begriff *Exons*. Die Zwischenabschnitte nannte er *Introns*.

Bei menschlichen Genen sind Introns nicht die Ausnahme, sondern die Regel. Häufig haben sie eine enorme Größe von mehreren hunderttausend DNA-Basen. Die Gene selbst sind voneinander getrennt durch lange DNA-Abschnitte, die man als intergenische DNA bezeichnet. Von dieser intergenischen DNA und den Introns – also der Trenn-DNA zwischen den Genen und den Füllabschnitten innerhalb der Gene – nimmt man an, dass sie Sequenzen enthalten, die eine Regulation der Gene in bestimmten Kontexten ermöglichen. Diese Regionen könnte man, um auf unseren Vergleich mit der Sprache zurückzukommen, als lange Reihen von Auslassungspunkten sehen, die gelegentlich durch Satzzeichen gegliedert sind. Das menschliche Genom ließe sich demnach so darstellen:

DAS......IST.............DIE......(...)...ST...RU...K...TUR......
DEINES......G...E...N...OM...S;

Die Wörter stehen jeweils für Gene. Die langen Reihen von Auslassungspunkten dazwischen repräsentieren die intergenischen DNA-Abschnitte. Die kürzeren Reihen von Auslassungspunkten innerhalb der Wörter (G...E...N...OM) stehen für Introns, die Satzzeichen – Klammern und Semikolon – für DNA-Regionen, die Gene regulieren.

Die Verfahren der Gensequenzierung und des Klonierens retteten die Genetik aus einem experimentellen Dilemma. In den ausgehenden 1960er Jahren war die Genetik in eine Sackgasse geraten. Jede experimentelle Wissenschaft ist entscheidend auf die Fähigkeit angewiesen, ein System gezielt zu stören und die Auswirkungen dieser Störung zu messen. Die einzige Möglichkeit, Gene zu *verändern*, bestand in der Erzeugung von Mutanten – ein im Grunde zufälliger Vorgang –, und der einzige Weg, die Modifikation zu erfassen, war, sie anhand der Veränderungen in Form und Funktion *abzulesen*. Man konnte Fruchtfliegen Röntgenstrahlen aussetzen, wie Muller es getan hatte, um flügel- oder augenlose Fliegen hervorzubringen, aber es gab keine Möglichkeit, gezielt die Gene zu manipulieren, die eine Ausprägung von Augen und Flügeln steuerten, oder genau zu verstehen, wie das Flügel- oder Augengen sich verändert hatte. »Das Gen war etwas Unerreichbares«, erklärte ein Wissenschaftler.

Besonders frustrierend war diese Unerreichbarkeit des Gens für die Propheten der »neuen Biologie« – zu denen James Watson gehörte. Zwei Jahre nach seiner Entdeckung der DNA-Struktur war Watson 1955 an den Fachbereich für Biologie an der Harvard University gewechselt und hatte dort auf Anhieb einige der renommiertesten Professoren gegen sich aufgebracht. Nach Watsons Auffassung war die Biologie eine Disziplin, durch die ein tiefer Riss ging. Auf der einen Seite stand die alte Garde – die Naturhistoriker, Taxonomen, Anatomen und Ökologen, die sich nach wie vor hauptsächlich mit der Klassifizierung von Tieren und der weitgehend qualitativen Beschreibung der Anatomie und Physiologie von Organismen befassten. Dagegen erforschten die »neuen Biologen« Moleküle und Gene. Die alte Schule sprach von Diversität und Variation. Die neue Schule von universellen Codes, gemeinsamen Mechanismen und »zentralen Dogmen«.*

»Jede Generation braucht eine neue Musik«, hatte Crick erklärt; Watson brachte für die alte Musik nur unverhohlene Verachtung auf. Anstelle der Naturgeschichte – einer, laut Watson, weitgehend »deskriptiven« Disziplin – würde eine lebendige, kraftvolle experimentelle Wissenschaft treten, die er mitbegründet hatte. Die Dinosaurier, die Dinosaurier erforschten, würden bald selbst aussterben. Die alten Biologen bezeichnete er wegen ihrer Leidenschaft fürs Sammeln und Klassifizieren biologischer Proben höhnisch als »Briefmarkensammler«.**

Doch selbst Watson musste einräumen, dass die Unfähigkeit, gezielte genetische Eingriffe vorzunehmen oder die genaue Beschaffenheit von Genveränderungen zu »lesen«, für die neue Biologie frustrierend war. Erst die Möglichkeit, Gene zu sequenzieren und zu manipulieren, würde ein weites Experimentierfeld eröffnen. Bis dahin bliebe Biologen nichts anderes übrig, als die Genfunktion weiterhin mit dem einzigen verfügbaren Mittel auszuloten – der Erzeugung zufälliger Mutationen in einfachen Organismen. Zu Watsons Schande hätte ein Naturhistoriker ihm umgekehrt eine ähnliche Beleidigung entgegenschleudern können: Wenn Biologen der alten Schule »Briefmarkensammler« waren, dann waren die neuen Molekularbiologen »Mutantenjäger«.

---

* Die Kluft zwischen der alten und der neuen Biologie hatten besonders Darwin und Mendel überbrückt. Darwin hatte als Naturhistoriker – Fossiliensammler – begonnen, das Fachgebiet aber dann radikal verändert, indem er die *Mechanismen* hinter der Naturgeschichte suchte. Auch Mendel hatte als Botaniker und Naturkundler begonnen und diese Disziplin grundlegend verändert, indem er die Mechanismen der Vererbung und Variation gesucht hatte. Sowohl Darwin als auch Mendel beobachteten die Natur, um tiefer liegende Ursachen hinter ihrer Organisation zu suchen.

** Watson entlehnte diesen denkwürdigen Begriff von Ernest Rutherford, der in einem seiner typischen barschen Momente erklärt hatte: »Alle Wissenschaft ist entweder Physik oder Briefmarkensammeln.«

Zwischen 1970 und 1980 verwandelten sich diese Mutantenjäger in Genmanipulatoren und Genentschlüsseler. Wohlgemerkt: Wenn Wissenschaftler 1969 bei Menschen ein mit einer Krankheit verknüpftes Gen entdeckten, hatten sie keine einfache Möglichkeit, die Art der Mutation zu begreifen, keinen Mechanismus, das veränderte Gen mit der Normalform zu vergleichen, und keine Methode, die Genmutation bei einem anderen Organismus herbeizuführen, um die Funktion des Gens zu erforschen. Dagegen konnten sie 1979 dieses Gen in Bakterien übertragen, in einen viralen Vektor spleißen, in das Genom einer Säugetierzelle einschleusen, klonieren, sequenzieren und mit der Normalform vergleichen.

In Anerkennung dieser bahnbrechenden Fortschritte in der Gentechnik erhielten Frederick Sanger, Walter Gilbert und Paul Berg – die das Lesen und Schreiben der DNA entdeckt hatten – im Dezember 1980 gemeinsam den Nobelpreis für Chemie. Nun war das »Arsenal chemischer Manipulationen« von Genen vollständig, wie ein Wissenschaftsjournalist feststellte.[28] Der Biologe Peter Medawar schrieb: »Gentechnik bedeutet …die planmäßige Herbeiführung von Erbänderungen durch die Manipulation der Desoxyribonukleinsäure (DNA), des Trägers der Erbinformation … denn ist es nicht eine zentrale Tatsache der technischen Entwicklung, daß alles, was im Prinzip möglich ist, auch realisiert wird …? Eine Landung auf dem Mond? Ja, gewiß. Ausrottung der Pocken? Mit Vergnügen. Mängel im menschlichen Genom ausgleichen? Hmm, ja, wenn das auch schwieriger ist und noch auf sich warten lassen wird. Noch sind wir nicht so weit, aber wir sind mit Sicherheit auf dem Wege dorthin.«[29]

• • •

Ursprünglich mögen Technologien zur Manipulation, Klonierung und Sequenzierung von Genen entwickelt worden sein, um Gene zwischen Bakterien, Viren und Säugetierzellen auszutauschen (wie Berg, Boyer und Cohen es taten), aber die Auswirkungen dieser Techniken fanden in der gesamten Biologie Widerhall. Bezeichnete der Begriff *Klonieren* anfangs die Herstellung identischer DNA-Kopien (also »Klone«) in

Bakterien oder Viren, so entwickelte er sich schon bald zum Sammelbegriff für die Vielzahl von Techniken, die es Biologen ermöglichten, Gene aus Organismen zu entnehmen, im Reagenzglas zu manipulieren, zu Genhybriden zusammenzufügen und in lebenden Organismen zu vermehren (Gene ließen sich schließlich nur mit einer Kombination aller dieser Verfahren klonieren). »Indem man lernte, Gene experimentell zu manipulieren, konnte man lernen, Organismen experimentell zu manipulieren. Und wenn ein Wissenschaftler die Instrumente der Genmanipulation und der Gensequenzierung mischte und abstimmte, konnte er nicht nur die Genetik, sondern das gesamte Universum der Biologie mit einer experimentellen Kühnheit hinterfragen, die in der Vergangenheit unvorstellbar war«, erklärte Paul Berg.[30]

Angenommen, ein Immunologe wollte ein grundlegendes Rätsel der Immunologie lösen: den Mechanismus, durch den T-Zellen Fremdzellen im Körper erkennen und abtöten. Seit Jahrzehnten war bekannt, dass T-Zellen dank eines Sensors an ihrer Oberfläche das Vorhandensein eindringender und vireninfizierter Zellen erkennen.[31] Dieser Sensor, T-Zell-Rezeptor genannt, besteht aus einem Protein, das ausschließlich in T-Zellen gebildet wird. Er erkennt Proteine an der Oberfläche fremder Zellen und lagert sich an sie an. Diese Bindung löst wiederum ein Signal aus, die eindringende Zelle abzutöten, und wirkt dadurch als Abwehrmechanismus eines Organismus.

Aber wie war dieser T-Zell-Rezeptor beschaffen? Biochemiker waren mit ihrem typischen Hang zur Reduktion an dieses Problem herangegangen: Auf der Jagd nach dem verantwortlichen Protein hatten sie einen Behälter T-Zellen nach dem anderen extrahiert, die Zellbestandteile mit Seifen und Reinigungsmitteln zu einem grauen Zellschaum gelöst, die Membranen und Lipide herausgefiltert und das Material immer wieder gereinigt, bis immer kleinere Teile übrig blieben. Das Rezeptorprotein hatte sich ihnen jedoch weiterhin entzogen und irgendwo in dieser teuflischen Brühe aufgelöst.

Ein Genklonierer würde eine andere Herangehensweise wählen. Angenommen, das charakteristische Merkmal des T-Zell-Rezeptorproteins wäre, dass es ausschließlich in T-Zellen gebildet wird, nicht aber

in Neuronen, in Eierstock- oder Leberzellen. Das *Gen* für diesen Rezeptor muss aber in jeder menschlichen Zelle vorhanden sein – schließlich besitzen Neuronen, Leber- und T-Zellen identische Genome –,
die entsprechende RNA wird jedoch nur in T-Zellen gebildet. Könnte
man den »RNA-Katalog« zweier verschiedener Zellen vergleichen und
aus diesem Katalog ein funktionell relevantes Gen klonieren? Dreh-
und Angelpunkt für den Ansatz des Biochemikers ist die Konzentration: Finde das Protein, indem du suchst, wo seine Konzentration
vermutlich am höchsten ist, und extrahiere es aus der Mischung. Das
Herangehen des Genetikers dreht sich dagegen um *Information*: Finde
das Gen, indem du nach Unterschieden in der »Datenbasis« zweier eng
verwandter Zellen suchst, und vervielfältige das Gen durch Klonieren
in Bakterien. Der Biochemiker extrahiert Formen; der Genklonierer
vervielfältigt Information.

Die Virologen David Baltimore und Howard Temin machten 1970
eine grundlegende Entdeckung, die solche Vergleiche ermöglichte.[32]
Unabhängig voneinander fanden sie ein in Retroviren vorkommendes
Enzym, das DNA nach einer RNA-Vorlage bilden konnte. Sie nannten
es reverse Transkriptase – »revers«, weil es die normale Richtung des
Informationsflusses umkehrte – von RNA *zurück* in DNA oder von
der Botschaft eines Gens zurück zum Gen – und damit gegen eine Version des »zentralen Dogmas« verstieß (dass genetische Information nur
von Genen in Botschaften, aber nie zurück verwandelt werden kann).

Mit der reversen Transkriptase ließ sich jede RNA in einer Zelle
als Vorlage nutzen, um ihr entsprechendes Gen zu bilden. So konnte
ein Biologe einen Katalog oder eine »Bibliothek« aller »aktiven« Gene
einer Zelle erstellen – ähnlich einer Bibliothek mit nach Themen grup-
pierten Büchern.* So sollte eine Genbibliothek für T-Zellen, eine an-

---

* Ersonnen und angelegt wurden diese Genbibliotheken von Tom Maniatis in
  Zusammenarbeit mit Argiris Efstratiadis und Fotis Kafatos. Maniatis hatte an
  der Harvard University wegen Sicherheitsbedenken in Bezug auf rekombinante
  DNA nicht am Genklonieren arbeiten dürfen. Daher hatte er auf Watsons Ein-
  ladung hin nach Cold Spring Harbor gewechselt, um in Ruhe zum Klonieren
  forschen zu können.

dere für rote Blutkörperchen, weitere für Neuronen in der Retina, für insulinproduzierende Zellen der Bauchspeicheldrüse usw. entstehen. Durch Vergleich der Bibliotheken zweier Zellen – etwa einer T-Zelle und einer Pankreaszelle – könnte ein Immunologe Gene herausfischen, die in der einen aktiv wären, nicht aber in der anderen (z. B. Insulin oder T-Zell-Rezeptor). Einmal identifiziert, ließe sich das Gen in Bakterien millionenfach vervielfältigen. Dann könnte man es isolieren, sequenzieren, seine RNA und Proteinsequenzen bestimmen und seine regulatorischen Regionen erkennen, man könnte es mutieren und in eine andere Zelle einschleusen, um seine Struktur und Funktion zu entschlüsseln. Mit diesem Verfahren wurde der T-Zell-Rezeptor 1984 kloniert – eine bahnbrechende Leistung für die Immunologie.[33]

Die Biologie wurde »durch Klonieren befreit ... und in dem ganzen Bereich taten sich Überraschungen auf«, erinnerte sich ein Genetiker später.[34] Seit Jahrzehnten gesuchte rätselhafte, wichtige und schwer zu fassende Gene – für Proteine zur Blutgerinnung, Wachstumsregulatoren, Antikörper und Hormone, Neurotransmitter, die Steuerung der Replikation anderer Gene sowie Gene, die an Krankheiten wie Krebs, Diabetes, Depressionen und Herzerkrankungen beteiligt waren – sollten schon bald mit Hilfe von »Genbibliotheken«, die aus Zellen gewonnen waren, isoliert und kloniert werden.

Jeder Bereich der Biologie erlebte durch die Technologie des Klonierens und der Gensequenzierung Umwälzungen. Wenn die experimentelle Biologie die »neue Musik« war, dann war das Gen der Dirigent, das Orchester, der Refrain, das Hauptinstrument und die Partitur.

Einsteins am Strand

Der Strom der menschlichen Geschäfte wechselt.
Nimmt man die Flut wahr, führet sie zum Glück:
Versäumt man sie, so muß die ganze Reise
Des Lebens sich durch Not und Klippen winden.
Wir sind nun flott auf solcher hoher See ...
William Shakespeare, *Julius Caesar*[35]

Ich glaube an das unveräußerliche Recht aller
erwachsenen Wissenschaftler, sich hinter verschlossenen Türen zu absoluten Narren machen
zu dürfen.
Sydney Brenner[36]

Auf einem Felsen in Erice an der Westküste Siziliens erhebt sich ein
normannisches Kastell aus dem 12. Jahrhundert sechshundert Meter über den Meeresspiegel. Von weitem wirkt es, als seien die Burg-
mauern durch eine natürliche Hebung der Landschaft wie durch Metamorphose aus den Felswänden gewachsen. Das Kastell von Erice
oder die Venusburg, wie manche sie nennen, entstand am Standort
eines altrömischen Tempels, der Stein für Stein abgetragen und in den
Mauern, Türmen und Befestigungen des Kastells verarbeitet wurde.
Das ursprüngliche Heiligtum ist seit langem verschwunden, war aber

angeblich Venus geweiht. Die römische Göttin der Fruchtbarkeit, der erotischen Liebe und der Begierde wurde auf unnatürliche Weise aus dem Schaum gezeugt, der sich aus den Genitalien des Himmelsgottes Caelus ins Meer ergossen hatte.

Im Sommer 1972, einige Monate nachdem Paul Berg an der Stanford University die ersten DNA-Chimären hergestellt hatte, reiste er nach Erice, um auf einer Konferenz ein wissenschaftliches Seminar abzuhalten.[37] Am Abend traf er in Palermo ein und nahm ein Taxi für die zweistündige Fahrt an die Westküste. Es wurde rasch dunkel. Als er einen Fremden nach dem Weg nach Erice fragte, deutete dieser vage in die Dunkelheit, wo ein winziger flackernder Lichtpunkt hoch oben in der Luft zu schweben schien.

Am nächsten Morgen begann die Konferenz. Das Publikum bestand aus achtzig jungen Männern und Frauen aus ganz Europa, überwiegend Doktoranden sowie einigen Professoren. Berg hielt einen informellen Vortrag – eine »lockere Plauderei«, wie er es nannte – und präsentierte seine Daten zu Genchimären, rekombinanter DNA und der Herstellung von Hybriden aus Viren und Bakterien.

Die Studenten waren fasziniert und überschütteten ihn mit Fragen, wie er es erwartet hatte – aber die Richtung, die dieses Gespräch nahm, überraschte ihn. Als Janet Mertz 1971 in Cold Spring Harbor ihre Arbeit vorgestellt hatte, hatte die Hauptsorge der Sicherheit gegolten: Wie könnten Berg oder Mertz gewährleisten, dass ihre Genchimären kein biologisches Chaos für Menschen auslösten? In Sizilien wandte sich die Diskussion dagegen bald politischen, kulturellen und ethischen Fragen zu. Was war mit »dem Schreckgespenst gentechnischer Eingriffe beim Menschen, der Verhaltenskontrolle?«, erinnerte sich Berg. »Was wäre, wenn wir Erbkrankheiten heilen könnten«, fragten die Studenten. »Wenn wir die Augenfarbe von Menschen programmieren könnten? Die Intelligenz? Die Größe? … Was wären die Folgen für Menschen und Gesellschaften?«

Wer würde sicherstellen, dass die Gentechnik nicht von einflussreichen Kräften genutzt und pervertiert würde – wie es in Europa schon einmal passiert war? Berg hatte offenkundig ein altes Feuer geschürt.

In den Vereinigten Staaten hatte die Aussicht auf Genmanipulation hauptsächlich das Schreckgespenst zukünftiger biologischer Gefahren heraufbeschworen. In Italien – das von den Stätten der ehemaligen NS-Konzentrationslager nur einige hundert Kilometer entfernt lag – prägten die moralischen Risiken der Genetik die Debatte stärker als etwaige biologische Gefahren.

An diesem Abend sammelte ein deutscher Student spontan ein Grüppchen um sich, das die Debatte fortsetzen wollte. Sie stiegen auf die Festungsmauer des Kastells und schauten über die Lichter der unterhalb liegenden Stadt hinweg auf die dunkler werdende Küste. Berg und die Studenten diskutierten bis spät in die Nacht, tranken Bier und sprachen über natürliche und unnatürliche Zeugung –»den Beginn einer neuen Ära ... mögliche Risiken und die Aussichten der Gentechnik«.[38]

• • •

Im Januar 1973, einige Monate nach seiner Reise nach Erice, beschloss Paul Berg, in Kalifornien eine kleine Tagung über die wachsende Besorgnis in Bezug auf Gentechnologien zu veranstalten. Sie fand im Pacific Groves Conference Center in Asilomar statt, einem weitläufigen, windumtosten Gebäudekomplex an der Küste der Monterey Bay, etwa achtzig Kilometer von der Stanford University entfernt. Wissenschaftler aller Disziplinen nahmen teil – Virologen, Genetiker, Biochemiker, Mikrobiologen. »Asilomar I«, wie Berg die Konferenz später nannte, erregte enormes Interesse, brachte aber kaum Empfehlungen hervor.[39] Ein Großteil der Debatten befasste sich mit Fragen der Biosicherheit. Die Teilnehmer diskutierten hitzig über die Verwendung von SV40 und anderen, den Menschen befallende Viren. »Damals saugten wir Viren und Chemikalien noch mit dem Mund in die Pipette«, erzählte Berg mir. Seine Assistentin Marianne Dieckmann erinnerte sich an einen Studenten, dem versehentlich eine Flüssigkeit auf seine Zigarette getropft war (damals war es keineswegs ungewöhnlich, dass überall im Labor brennende Zigaretten im Aschenbecher qualmten). Der Student hatte einfach achselzuckend weitergeraucht, und der Virustropfen war zu Asche zerfallen.

Aus der Asilomar-Konferenz ging ein wichtiges Buch hervor, *Biohazards in Biological Research*, ansonsten war das Fazit eher negativ.[40] »Was dabei herauskam, war, offen gestanden, das Eingeständnis, wie wenig wir wissen«, erklärte Berg.

Die Sorgen in Hinblick auf das Klonieren von Genen flammten erneut auf, als Boyer und Cohen bei einer anderen Tagung im Sommer 1973 ihre Experimente mit bakteriellen Genhybriden präsentierten.[41] Unterdessen wurde Berg an der Stanford University mit Anfragen von Forschern aus der ganzen Welt überschwemmt, die um Reagenzien für die Genrekombination baten. Ein Wissenschaftler aus Chicago beabsichtigte, Gene des hochpathogenen menschlichen Herpesvirus in Bakterienzellen einzuführen und dadurch ein menschliches Darmbakterium mit einem Gen für ein tödliches Toxin zu schaffen, angeblich um die Toxizität von Herpesvirengenen zu erforschen (Berg lehnte höflich ab). Antibiotikaresistente Gene wurden regelmäßig zwischen Bakterien ausgetauscht. Forscher übertrugen Gene von einer Spezies und Gattung auf die andere und übersprangen so eine evolutionäre Kluft von Millionen Jahren fast beiläufig. Die US-amerikanische National Academy of Sciences reagierte auf die wachsenden Unsicherheiten, indem sie Berg bat, die Leitung einer Forschungskommission zur Genrekombination zu übernehmen.

Die aus acht Wissenschaftlern bestehende Arbeitsgruppe – neben Berg gehörten ihr unter anderem James Watson, David Baltimore und Norton Zinder an – traf sich an einem kühlen Frühlingsnachmittag im April 1973 am MIT in Boston. Sie machten sich sofort an die Arbeit und sammelten Ideen, durch welche Mechanismen sich das Klonieren von Genen kontrollieren und regulieren ließe. Baltimore schlug die Entwicklung von »sicheren‹ verkrüppelten Viren, Plasmiden und Bakterien« vor, die keine Krankheiten erregen könnten.[42] Doch selbst ein solches Maß an Sicherheit wäre keineswegs narrensicher. Wer würde gewährleisten, dass »verkrüppelte« Viren dies auf Dauer blieben? Schließlich waren Viren und Bakterien keine passiven, inerten Dinge. Selbst unter Laborbedingungen waren sie lebendige, sich entwickelnde, bewegliche Ziele. Eine Mutation – und ein zuvor deaktiviertes Bakterium könnte schlagartig wieder infektiös werden.

Nach stundenlangen Diskussionen schlug Zinder einen Plan vor, der beinahe reaktionär erschien: »Na ja, wenn wir Mumm hätten, würden wir den Leuten sagen, sie sollten diese Experimente gar nicht erst machen.«[43] Dieser Vorschlag löste Unruhe am Tisch aus. Die Lösung war alles andere als ideal – es hatte etwas ausgesprochen Einfallsloses, wenn Wissenschaftler anderen Forschern erklärten, sie sollten ihre wissenschaftliche Arbeit einschränken –, aber zumindest würde es als vorübergehender Haltebefehl wirken. »So unangenehm es auch war, dachten wir doch, dass es vielleicht funktionieren würde«, erinnerte sich Berg. Die Kommission setzte ein offizielles Schreiben auf, in dem sie ein »Moratorium« für gewisse Forschungen mit rekombinanter DNA empfahl. Darin wog sie die Risiken und Vorteile der Technologien zur Genrekombination gegeneinander ab und schlug vor, bestimmte Experimente auszusetzen, bis die Sicherheitsfragen geklärt seien. »Nicht jedes denkbare Experiment war gefährlich«, erklärte Berg, »manche waren eindeutig riskanter als andere.« Besonders drei Verfahrensweisen mit rekombinanter DNA mussten streng eingeschränkt werden: »Führen Sie keine Toxingene in *E. coli* ein. Führen Sie keine Gene für Medikamentenresistenz in *E. coli* ein, und führen Sie keine Krebsgene in *E. coli* ein«, riet Berg.[44] Er und seine Kollegen argumentierten, mit einem Moratorium könnten Wissenschaftler sich Zeit verschaffen, die Folgen ihrer Arbeit einzuschätzen. Zudem schlugen sie eine zweite Tagung für 1975 vor, auf der eine größere Gruppe von Wissenschaftlern diese Fragen diskutieren könnte.

Der »Berg-Brief« erschien 1974 in den Zeitschriften *Nature*, *Science* und *Proceedings of the National Academy of Sciences* und erregte auf Anhieb weltweite Aufmerksamkeit.[45] In Großbritannien setzte man eine Kommission ein, die sich mit den »potentiellen Vorteilen und Risiken« von rekombinanter DNA und Klonieren befassen sollte. In Frankreich erschienen Reaktionen auf diesen Brief in *Le Monde*. Im Winter desselben Jahres bat man (den für seine Entdeckungen zur Genregulation berühmten) François Jacob, einen Antrag auf Fördergelder für ein

Forschungsprojekt zu überprüfen, das ein menschliches Muskelgen in ein Virus übertragen wollte. Ähnlich wie Berg drängte auch Jacob, solche Vorhaben zurückzustellen, bis ein staatlicher Rahmen für den Umgang mit der Technologie zur rekombinanten DNA skizziert sei. In Deutschland rieten viele Genetiker bei einer Tagung 1974 ebenfalls zur Vorsicht. Strenge Einschränkungen von Experimenten mit rekombinanter DNA seien notwendig, bis die Risiken geklärt und offizielle Empfehlungen aufgestellt seien.

Unterdessen schritt die Forschung massiv voran und walzte biologische und evolutionäre Schranken nieder. In Stanford transplantierten Boyer, Cohen und ihre Studenten ein Gen für Penicillinresistenz von einem Bakterium in ein anderes und schufen damit ein medikamentenresistentes Kolibakterium. Im Grunde ließ sich jedes Gen von einem Organismus in einen anderen verpflanzen. Boyer und Cohen entwarfen kühne Zukunftspläne:»Es könnte machbar sein, ... Gene für Stoffwechsel- oder Synthesefunktionen anderer biologischer Klassen wie Pflanzen oder Tiere zu verpflanzen.« Scherzhaft erklärte Boyer:»Spezies sind speziös.«[46]

Am Neujahrstag 1974 verkündete ein Forscher, der mit Cohen in Stanford zusammenarbeitete, er habe ein Froschgen in eine Bakterienzelle eingefügt.[47] Eine weitere Evolutionsschranke war beiläufig überwunden, eine weitere Grenze überschritten worden.»Natürlichsein ist lediglich eine Pose«, hatte Oscar Wilde einmal gesagt, und das galt, wie sich herausstellte, nun auch für die Biologie.[48]

• • •

Asilomar II – eine der ungewöhnlichsten Tagungen in der Wissenschaftsgeschichte – wurde von Berg, Baltimore und drei weiteren Wissenschaftlern im Februar 1975 veranstaltet.[49] Wieder kamen Genetiker in der vom Wind geprägten Dünenlandschaft zusammen, um über Gene und Rekombination zu diskutieren und die Zukunft zu gestalten. Es war eine berückend schöne Jahreszeit. Monarchfalter zogen auf ihrer jährlichen Wanderung in die kanadische Grassavanne an der

Küste entlang und hüllten die Sequoien und Sandkiefern schlagartig in schwirrendes Rot, Orange und Schwarz. Die menschlichen Besucher trafen am 24. Februar ein, allerdings nicht nur Biologen: Umsichtig hatten Berg und Baltimore auch Juristen, Journalisten und Autoren zu der Tagung eingeladen, denn bei der Diskussion über die Zukunft der Genmanipulation wollten sie nicht nur die Meinungen von Wissenschaftlern hören. Die Wege rund um das Konferenzzentrum ermöglichten ausführliche Gespräche; beim Spaziergang durch die Dünen und über den Sandstrand konnten Biologen Notizen über Rekombination, Klonieren und Genmanipulation austauschen. Zentrum der Tagung war der Konferenzsaal, ein kathedralenhafter, von kalifornischem Licht durchfluteter Raum mit Natursteinmauern, in dem bald die hitzigsten Debatten über das Klonieren von Genen stattfinden sollten.

Als erster sprach Berg. Er fasste die Daten zusammen und umriss das Problem in seiner ganzen Tragweite: Bei ihrer Suche nach Methoden, DNA chemisch zu verändern, hätten Biochemiker kürzlich ein relativ einfaches Verfahren entdeckt, Erbinformationen verschiedener Organismen zu mischen. Die Technik sei so »lächerlich einfach«, wie Berg es formulierte, dass selbst ein Amateurbiologe Genchimären im Labor herstellen könne. Diese hybriden DNA-Moleküle – rekombinante DNA – ließen sich in Bakterien vermehren und vervielfältigen (also klonieren), um Millionen identischer Kopien zu erzeugen. Manche dieser Moleküle könne man in Säugetierzellen übertragen. Eine vorhergehende Tagung habe in Anerkennung der tiefgreifenden Möglichkeiten und Risiken dieser Technologie ein vorübergehendes Moratorium für entsprechende Experimente vorgeschlagen. Nun habe man diese zweite Konferenz in Asilomar einberufen, um über die nächsten Schritte zu beraten. Diese zweite Veranstaltung stellte die erste in ihrem Einfluss und ihrer Reichweite letztlich so weit in den Schatten, dass sie schließlich unter dem Schlagwort Asilomar-Konferenz – oder nur Asilomar – bekannt wurde.

Schon am ersten Vormittag spitzten sich die Spannungen zu und erhitzten sich die Gemüter. Das Hauptproblem war nach wie vor das selbstauferlegte Moratorium: Sollte man Wissenschaftlern in ihren Experimenten mit rekombinanter DNA Beschränkungen auferlegen? Watson war dagegen. Er zog völlige Freiheit vor: Man solle die Wissenschaftler ruhig auf die Wissenschaft loslassen, drängte er. Baltimore und Brenner wiederholten ihren Plan, aus Sicherheitsgründen »verkrüppelte« Genträger zu schaffen. Andere Teilnehmer waren zwiegespalten. Der Wissenschaft eröffneten sich enorme Möglichkeiten und ein Moratorium könne den Fortschritt hemmen, argumentierten manche. Ein Wissenschaftler war über die Strenge der vorgeschlagenen Einschränkungen besonders erbost: »Sie haben die Plasmidgruppe *verarscht*«, warf er der Kommission vor.[50] An einem Punkt drohte Berg, Watson zu verklagen, weil er die Risiken rekombinanter DNA nicht angemessen darstelle. Brenner bat einen Journalisten der *Washington Post*, während einer besonders heiklen Diskussionsphase über die Gefahren des Klonierens den Rekorder abzuschalten. »Ich glaube an das unveräußerliche Recht aller erwachsenen Wissenschaftler, sich hinter verschlossenen Türen zu absoluten Narren machen zu dürfen«, erklärte er und wurde prompt als »Faschist« beschimpft.[51]

Die fünf Mitglieder des Organisationskomitees – Berg, Baltimore, Brenner, Richard Roblin und Maxine Singer – machten besorgt die Runde durch den Saal, um sich ein Bild von der aufgebrachten Stimmung zu verschaffen. »Die Streitereien gingen endlos weiter«, schrieb ein Journalist. »Manche wurden es leid und gingen an den Strand, um Marihuana zu rauchen.«[52] Berg saß mit finsterer Miene in seinem Zimmer und befürchtete, dass die Konferenz völlig ergebnislos enden würde.

Bis zum letzten Abend der Tagung waren noch keine offiziellen Beschlüsse gefasst worden, als die Juristen die Bühne betraten. Fünf Staatsanwälte beantragten, die rechtlichen Folgen des Klonierens zu diskutieren, und schilderten die potentiellen Risiken in düsteren Farben: Wenn auch nur ein einziger Labormitarbeiter von einer rekombinanten Mikrobe infiziert würde und aufgrund dieser Infektion auch nur die leichtesten Anzeichen einer Erkrankung zeigen sollte, würden der Laborleiter, das Labor und die Forschungseinrichtung rechtlich zur Verantwortung gezogen, argumentierten sie. Ganze Universitäten würden geschlossen. Labore würden auf unbestimmte Zeit geschlossen, Männer in Schutzausrüstung, die wie Astronautenanzüge aussähen, würden deren Toren verschließen, vor denen Demonstranten aufmarschieren würden. Die National Institutes of Health würden mit Anfragen bestürmt, und es bräche die Hölle los. Als Reaktion darauf müsse die Bundesregierung drakonische Vorschriften erlassen – nicht nur für rekombinante DNA, sondern für große Bereiche der biologischen Forschung. Die Folge wären weitaus strengere Regulierungen als sämtliche Regeln, die Wissenschaftler bereit wären, sich selbst aufzuerlegen.

Die Darlegungen der Juristen, die sie strategisch günstig am letzten Abend der Asilomar-II-Konferenz vortrugen, brachten die Wende für die gesamte Tagung. Berg war klar, dass diese Zusammenkunft nicht ohne förmlich verabschiedete Empfehlungen enden sollte – enden *durfte*. An diesem Abend saßen Baltimore, Berg, Singer, Brenner und Roblin bis spät in die Nacht in ihrer Hütte zusammen, aßen chinesisches Essen aus Pappkartons, kritzelten auf eine Tafel und entwarfen einen Zukunftsplan. Am frühen Morgen um 5 Uhr 30 kamen sie zerzaust und übernächtigt aus dem Strandhaus, das nach Kaffee und Farbband roch, und hatten ein Dokument: Es begann mit der Feststellung, dass Wissenschaftler mit dem Klonieren von Genen unabsichtlich ein seltsames Paralleluniversum der Biologie betreten hätten. »Die neuen Technologien, die eine Kombination genetischer Informationen äußerst unterschiedlicher Organismen ermöglichen, führen uns in einen Bereich der Biologie mit vielen Unbekannten ... Diese Unwissenheit hat uns zu der Schlussfolgerung genötigt, dass es ratsam wäre, bei der Durchführung dieser Forschungen erhebliche Vorsicht walten zu lassen.«[53]

Zur Verringerung der Risiken schlug das Dokument vor, das biologische Gefahrenpotential verschiedener gentechnisch veränderter Organismen in vier Stufen einzuordnen und für jede Stufe Sicherheitsmaßnahmen zu empfehlen (ein krebserregendes Gen in ein den Menschen befallendes Virus einzupflanzen würde beispielsweise in die

höchste Gefahrenstufe eingestuft, während das Einfügen eines Froschgens in eine Bakterienzelle die geringsten Sicherheitsvorkehrungen erforderte).[54] Zudem schlug das Papier auf Drängen von Baltimore und
Brenner die Entwicklung verkrüppelter gentragender Organismen und
Vektoren vor, um sie noch stärker auf Laboratorien zu beschränken.
Abschließend riet es dringend zu einer fortlaufenden Überprüfung
der Rekombinationsverfahren und der Sicherheitsvorkehrungen mit
der Möglichkeit, die Auflagen in naher Zukunft zu lockern oder zu
verschärfen.

Als die Sitzung am letzten Morgen der Tagung um 8 Uhr 30 eröffnet
wurde, befürchteten die fünf Organisatoren, dass ihr Vorschlag abgelehnt würde. Zu ihrer Verwunderung wurde er jedoch nahezu einstim-
mig angenommen.

• • •

Nach der Asilomar-Konferenz versuchten mehrere Historiker, die
Tragweite dieser Tagung zu ermessen, indem sie nach einem ähnlichen Moment in der Wissenschaftsgeschichte suchten. Den gibt es
jedoch nicht. Am nächsten kommt einem solchen Dokument wohl
noch ein zweiseitiger Brief, den Albert Einstein und Leo Szilard im
August 1939 an Präsident Roosevelt schrieben und in dem sie ihn vor
der alarmierenden Möglichkeit warnten, dass sich eine durchschla-
gende Kriegswaffe in der Entwicklung befinde.[55] Es sei eine »neue und
bedeutende Energiequelle« entdeckt worden, durch die sich »enorme
Energiemengen« erzeugen ließen, schrieb Einstein. »Dieses neue Phänomen dürfte auch zur Konstruktion von Bomben führen, und es ist
denkbar, … dass so extrem schlagkräftige Bomben neuer Art gebaut
werden. Eine einzige Bombe dieses Typs, von einem Schiff transportiert und in einem Hafen zur Detonation gebracht, könnte durchaus
den ganzen Hafen zerstören.« Einsteins und Szilards Brief zeitigte
eine sofortige Reaktion. Da Roosevelt wohl die Dringlichkeit ahnte,
beauftragte er eine wissenschaftliche Kommission mit der Untersuchung der Angelegenheit. Innerhalb weniger Monate wurde aus dieser
Arbeitsgruppe das Advisory Committee on Uranium, das 1942 zum

Manhattan Project und letztlich zur Entwicklung der Atombombe führte.

Aber die Asilomar-Konferenz war anders: Hier warnten sich Wissenschaftler *selbst* vor den Gefahren ihrer eigenen Technologie und versuchten ihre eigene Arbeit zu regulieren und einzuschränken. In der Geschichte haben Wissenschaftler selten Bestrebungen zur Selbstregulierung gezeigt. Alan Waterman, der Leiter der National Science Foundation, schrieb 1962: »Wissenschaft in ihrer Reinform interessiert sich nicht dafür, wohin Entdeckungen führen könnten ... Ihre Disziplinen interessieren sich nur für die Entdeckung der Wahrheit.«[56]

Berg vertrat jedoch die Ansicht, bei der rekombinanten DNA könnten Wissenschaftler es sich nicht mehr leisten, sich ausschließlich auf die »Entdeckung der Wahrheit« zu konzentrieren. Die Wahrheit sei komplex und unbequem und erfordere eine durchdachte Abwägung. Außergewöhnliche Technologien verlangten außerordentliche Vorsicht, und man dürfe nicht darauf vertrauen, dass politische Kräfte die Gefahren oder Verheißungen des Klonierens beurteilen könnten (im Übrigen hatten Politiker sich im Umgang mit Gentechnologien als nicht sonderlich umsichtig erwiesen, woran die Studenten Berg in Erice ausdrücklich erinnert hatten). Kaum zwei Jahre vor der Asilomar-Konferenz hatte Präsident Nixon 1973 aus Ärger über seine wissenschaftlichen Berater das Office of Sciene and Technology abgeschafft und damit Besorgnis in der Wissenschaftsgemeinschaft ausgelöst.[57] Der Präsident der Vereinigten Staaten, der impulsiv, autoritär und selbst in guten Zeiten misstrauisch gegenüber der Wissenschaft war, könnte die Autonomie der Wissenschaftler jederzeit einer willkürlichen Kontrolle unterwerfen.

Es ging um eine wichtige Entscheidung: Wissenschaftler konnten die Aufsicht über das Klonieren entweder unberechenbaren staatlichen Stellen überlassen und riskieren, dass ihre Arbeit willkürlich eingeschränkt würde – oder sie wurden selbst zu Wissenschaftsregulatoren. Wie sollten Biologen mit den Risiken und Unsicherheiten rekombinanter DNA umgehen? Indem sie die Methoden anwandten, die sie am besten beherrschten: Daten sammeln, Indizien sichten, Risiken bewerten, unter unsicheren Bedingungen Entscheidungen fällen – und sich endlos streiten. »Die wichtigste Lektion von Asilomar war, zu demonstrieren, dass Wissenschaftler zur Selbstkontrolle fähig waren«, erklärte Berg.[58] Menschen, die an »uneingeschränkte Forschung« gewöhnt waren, mussten lernen, sich einzuschränken.

Das zweite bezeichnende Merkmal der Asilomar-Konferenz betraf die Kommunikation zwischen Wissenschaftlern und Öffentlichkeit. Einsteins und Szilards Schreiben an Roosevelt war bewusst geheim gehalten worden; dagegen versuchte die Asilomar-Konferenz, die mit dem Klonieren verbundenen Sorgen und Befürchtungen der größtmöglichen Öffentlichkeit darzulegen. Berg vertrat die Ansicht: »Das Vertrauen der Öffentlichkeit wurde unbestreitbar durch die Tatsache gestärkt, dass mehr als zehn Prozent der Teilnehmer Medienvertreter waren. Sie konnten die Diskussionen und Schlussfolgerungen ungehindert schildern, kommentieren und kritisieren… Die anwesenden Reporter berichteten ausführlich über die Verhandlungen, das Hickhack, die erbitterten Anschuldigungen, die Meinungsschwankungen und die Entscheidungsfindung.«[59]

Ein weiteres Merkmal der Asilomar-Konferenz verdient besondere Erwähnung, weil es fehlte. Während es bei dieser Tagung ausführliche Diskussionen über die biologischen Risiken des Klonierens gab, wurden die ethischen und moralischen Dimensionen des Problems so gut wie gar nicht erwähnt. Was würde passieren, wenn man erst einmal menschliche Gene in menschlichen Zellen manipulieren sollte? Was wäre, wenn wir anfingen, neues Material in unsere eigenen Gene und potentiell in unser Genom zu »schreiben«? Die Debatte, die Berg auf Sizilien angestoßen hatte, wurde nicht wiederaufgenommen.

Als Berg später über diese Lücke nachdachte, fragte er sich: »Haben die Organisatoren und Teilnehmer der Asilomar-Konferenz die Tragweite der Sorgen bewusst eingegrenzt? … Andere kritisierten die Tagung, weil sie sich nicht mit dem potentiellen Missbrauch der Technologie rekombinanter DNA und den ethischen Problemen befasst hat, die aus der Anwendung von Genscreening und … Gentherapie erwachsen würden. Man sollte allerdings nicht vergessen, dass diese

Möglichkeiten noch in ferner Zukunft lagen … Kurz: Die dreitägige Konferenz musste sich in ihrer Tagesordnung auf eine Einschätzung der [biologischen] Risiken beschränken. Wir gingen davon aus, dass die anderen Fragen behandelt würden, sobald sie aktuell würden und zu beurteilen wären.«[60] Das Fehlen dieser Debatte wurde zwar von mehreren Teilnehmern bemerkt, aber während der Tagung nie angesprochen. Auf diesen Punkt kommen wir später noch einmal zurück.

• • •

Im Frühjahr 1993 fuhr ich mit Berg und einer Gruppe von Forschern aus Stanford nach Asilomar. Es war die alljährliche Exkursion des Fachbereichs, und ich war damals Student in Bergs Labor. Wir brachen in einer Kolonne aus Pkw und Vans in Stanford auf, erreichten die Küste bei Santa Cruz und folgten der Küstenstraße auf die Monterey Halbinsel. Kornberg und Berg fuhren voraus. Ich saß mit einer Operndiva, die zur Biochemie gewechselt hatte, zur DNA-Replikation forschte und ab und an Puccini-Arien schmetterte, in einem gemieteten Van, den ein Doktorand fuhr.

Am letzten Tag ging ich mit Marianne Dieckmann, Bergs langjähriger Forschungsassistentin und Mitarbeiterin, im Sandkiefernhain spazieren. Dieckmann gab mir eine ungewöhnliche Führung durch Asilomar und zeigte mir die Orte, an denen die heftigsten Auseinandersetzungen und Streitgespräche ausgebrochen waren. Es war eine Expedition in eine Landschaft der Meinungsverschiedenheiten. Asilomar sei die streitlustigste Konferenz gewesen, die sie je erlebt hätte, erzählte sie.

Was bei diesen Streitigkeiten herausgekommen sei, fragte ich sie. Dieckmann schaute aufs Meer hinaus und überlegte. Es herrschte Ebbe, die Wellen hatten ihre Spuren wie Schatten in den Strand geprägt. In erster Linie markierte Asilomar eine Wende, erklärte sie. Die Fähigkeit, Gene zu manipulieren, habe nichts anderes bedeutet als eine Umwälzung der Genetik. Wir hatten, so Dieckmann, eine neue Sprache gelernt, und mussten uns und alle anderen überzeugen, dass wir verantwortungsvoll genug waren, sie zu benutzen.

Die Wissenschaft zeichnet sich durch den Drang aus, die Natur zu verstehen, die Technologie hat den Drang, sie zu manipulieren. Rekombinante DNA hatte die Genetik aus dem Bereich der Wissenschaft in den der Technologie gedrängt. Gene waren keine Abstraktionen mehr. Vielmehr ließen sie sich aus den Genomen von Organismen, in denen sie jahrtausendelang gefangen waren, befreien, von einer Spezies auf die andere übertragen, ergänzen, isolieren, erweitern, verkürzen, verändern, neu zusammensetzen, mutieren, mischen, schneiden, verbinden, überarbeiten; sie waren durch menschliches Eingreifen unendlich formbar. Gene waren nicht länger Forschungsgegenstand, sondern Forschungsinstrumente. In der Entwicklung eines Kindes gibt es einen Moment der Erleuchtung, in dem es die Rekursivität der Sprache begreift: Es erkennt, dass es nicht nur Gedanken nutzen kann, um Worte zu bilden, sondern auch Worte, um Gedanken zu bilden. Rekombinante DNA hatte die Sprache der Genetik rekursiv gemacht. Jahrzehntelang hatten Biologen versucht, die Beschaffenheit der Gene zu erforschen – doch nun ließ sich das Gen nutzen, um die Biologie zu erforschen. Kurz gesagt, vom Nachdenken *über* Gene waren wir dazu fortgeschritten, *in* Genen zu denken.

Asilomar markierte das Überschreiten dieser grundlegenden Grenzen. Es war eine Feier, eine Würdigung, eine Versammlung, eine Konfrontation, eine Mahnung. Es begann mit einer Rede und endete mit einem Dokument. Es war die Promotionsfeier der neuen Genetik.

»Kloniere oder stirb«

Wenn du die Frage kennst, weißt du schon die Hälfte.

Herbert Boyer[61]

Jede weit genug entwickelte Technologie ist von Magie
nicht zu unterscheiden.

Arthur C. Clarke[62]

Stanley Cohen und Herbert Boyer waren ebenfalls nach Asilomar
gekommen, um über die Zukunft rekombinanter DNA zu diskutieren. Sie fanden die Konferenz ärgerlich – sogar demotivierend. Boyer konnte das Gerangel und die Beschimpfungen nicht ertragen und
bezeichnete die Wissenschaftler als »eigennützig« und die Tagung als
»Albtraum«. Cohen weigerte sich, das Asilomar-Abkommen zu unter-
zeichnen (musste sich aber als Empfänger von Forschungsgeldern der
National Institutes of Health letztlich doch daran halten).

Zurück in ihren Laboren, wandten sie sich wieder einem Projekt
zu, das sie in dem ganzen Wirbel vernachlässigt hatten. Im Mai 1974
hatte Cohens Labor das »Froschkönig«-Experiment veröffentlicht –
den Transfer eines Froschgens in eine Bakterienzelle. Auf Fragen von
Kollegen, wie er die Bakterien erkannt habe, die Froschgene exprimiert hatten, hatte er scherzhaft geantwortet, er habe sie geküsst, um
zu sehen, welche sich in einen Prinzen verwandelten.

Anfangs war dieses Experiment lediglich eine akademische Übung, die nur bei Biochemikern Aufmerksamkeit erregt hatte. (Cohens Kollege in Stanford, der Biologe und Nobelpreisträger Joshua Lederberg, hatte als einer von wenigen vorausschauend geschrieben, dieser Versuch »könnte das Herangehen der pharmazeutischen Industrie an die Herstellung biologischer Stoffe wie Insulin und Antibiotika grundlegend verändern«.)[63] Nach und nach erkannten jedoch auch die Medien die potentielle Tragweite der Studie. Im Mai brachte der *San Francisco Chronicle* einen Bericht über Cohen und konzentrierte sich darin auf die Möglichkeit, dass genmodifizierte Bakterien eines Tages als biologische »Fabriken« für Medikamente oder Chemikalien genutzt werden könnten.[64] Schon bald erschienen in *Newsweek* und *New York Times* Artikel über Kloniertechnologien. Cohen erlebte zudem, dass der Wissenschaftsjournalismus seine Schattenseite hat.[65] Nachdem er sich einen Nachmittag lang geduldig mit einem Zeitungsreporter über rekombinante DNA und bakteriellen Gentransfer unterhalten hatte, las er am nächsten Morgen die reißerische Schlagzeile: »Von Menschen gemachte Bazillen verwüsten die Erde.«

Im Patentbüro der Stanford University erfuhr der ausgefuchste Ingenieur Niels Reimers über diese Medienkanäle von Cohens und Boyers Forschungen und war von deren Potential fasziniert. Reimers war mehr Talentscout als Patentfachmann und ging die Sache aktiv und aggressiv an: Statt abzuwarten, bis Erfinder mit ihren Erfindungen zu ihm kamen, durchstöberte er auf eigene Faust die Fachliteratur nach möglichen Hinweisen. Er trat an Boyer und Cohen heran und drängte sie, ein gemeinsames Patent auf ihre Arbeit zum Klonieren anzumelden (an dem auch ihre Universitäten Stanford und UCSF beteiligt werden sollten). Sowohl Cohen als auch Boyer waren verblüfft. Bei ihren Experimenten waren sie nicht im Entferntesten auf die Idee gekommen, dass Techniken für rekombinante DNA »patentierbar« sein oder einmal kommerziellen Wert besitzen könnten. Im Winter 1974 waren sie zwar immer noch skeptisch, wollten aber Reimers bei Laune halten und meldeten die Technologie der rekombinanten DNA zum Patent an.[66]

Die Nachricht über das Patent zum Klonieren von Genen sickerte zu anderen Wissenschaftlern durch. Kornberg und Berg waren wütend. Cohens und Boyers Anspruch »auf kommerzielles Eigentum an den Techniken zum Klonieren aller möglichen DNAs in allen möglichen Vektoren, in allen möglichen Zusammensetzungen, in allen möglichen Organismen [ist] zweifelhaft, anmaßend und überheblich«, schrieb Berg.[67] Sie argumentierten, das Patent würde biologische Forschungsergebnisse privatisieren, die mit öffentlichen Geldern finanziert worden seien. Zudem befürchtete Berg, dass die Empfehlungen der Asilomar-Konferenz in Privatunternehmen nicht angemessen überwacht und durchgesetzt werden könnten. Boyer und Cohen fanden dagegen, die ganze Aufregung sei viel Lärm um nichts. Ihr »Patent« auf rekombinante DNA sei nicht mehr als ein Stück Papier, das zwischen Ämtern ausgetauscht werde – vielleicht nicht mehr wert als die Tinte, mit der es gedruckt worden war.

Im Herbst 1975, als noch Berge von Papier den Weg durch die Behörden nahmen, trennten sich die wissenschaftlichen Wege von Cohen und Boyer. Ihre Zusammenarbeit hatte sich als überaus fruchtbar erwiesen – sie hatten innerhalb von fünf Jahren gemeinsam elf bahnbrechende Aufsätze veröffentlicht –, aber ihre Interessen hatten sich in unterschiedliche Richtungen entwickelt. Cohen wurde Berater des Unternehmens Cetus in Kalifornien. Boyer kehrte in sein Labor in San Francisco zurück und konzentrierte sich auf seine Versuche mit bakteriellem Gentransfer.

• • •

Im Winter 1975 rief der achtundzwanzigjährige Unternehmer Robert Swanson aus heiterem Himmel bei Herbert Boyer an und schlug ihm ein Treffen vor. Er hatte eine Vorliebe für populärwissenschaftliche Zeitschriften und Science-Fiction-Filme und hatte ebenfalls von der neuen Technologie der »rekombinanten DNA« gehört. Obwohl er kaum etwas von Biologie verstand, spürte er mit seinem Instinkt für Technologie, dass die rekombinante DNA einen bahnbrechenden Durchbruch im Denken über Gene und Vererbung bedeutete. Also hatte er ein eselsohriges Handbuch der Asilomar-Konferenz ausgegraben, sich eine Liste der wichtigsten Forscher zu Kloniertechniken gemacht und angefangen, sie in alphabetischer Reihenfolge abzutelefonieren. *Berg* kam vor *Boyer*, hatte aber nichts für opportunistische Unternehmer übrig, die ungebeten in seinem Labor anriefen, und hatte ihn abblitzen lassen. Swanson hatte seinen Stolz überwunden und weiter seine Liste abgearbeitet. B ... Boyer war als nächster an der Reihe. Wäre er bereit, sich mit ihm zu treffen? Völlig in seine Experimente versunken, nahm Boyer eines Morgens zerstreut Swansons Anruf entgegen und willigte ein, ihm an einem Freitagnachmittag zehn Minuten seiner Zeit zu widmen.

Swanson suchte Boyer im Januar 1976 auf.[68] Das Labor lag in den schäbigen Tiefen des Medical Sciences Building der UCSF. Swanson trug einen dunklen Anzug und Krawatte, Boyer tauchte in Jeans und der für ihn typischen Lederweste zwischen Stapeln halb verrotteter Bakterienkulturen und Inkubatoren auf. Boyer wusste kaum etwas über Swanson – nur dass er ein Risikokapitalunternehmer war, der eine mit rekombinanter DNA befasste Firma gründen wollte. Hätte Boyer weitere Erkundigungen eingezogen, hätte er erfahren, dass nahezu alle früheren Investitionen Swansons in Unternehmensgründungen fehlgeschlagen waren. Swanson war arbeitslos, lebte in einer Wohngemeinschaft in San Francisco, fuhr einen altersschwachen Datsun und ernährte sich mittags wie abends nur von Sandwiches.

Aus den zugestandenen zehn Minuten wurde ein Marathontreffen. Sie gingen in eine benachbarte Bar und unterhielten sich über rekombinante DNA und die Zukunft der Biologie. Swanson schlug die Gründung einer Firma vor, die Kloniertechniken zur Herstellung von Medikamenten nutzen sollte. Boyer war fasziniert. Da man bei seinem Sohn eine potentielle Wachstumsstörung festgestellt hatte, war Boyer wie gebannt von der Möglichkeit, ein menschliches Wachstumshormon zu produzieren, ein Protein, mit dem sich solche Wachstumsdefizite behandeln ließen. Ihm war klar, dass er mit seiner Methode, Gene zu manipulieren und in Bakterienzellen einzuschleusen, in seinem Labor vielleicht ein Wachstumshormon herstellen könnte, was aber sinnlos wäre: Kein Mensch, der halbwegs bei Verstand wäre, würde seinem eigenen Kind eine Bakterienlösung injizieren, die man in einem Reagenzglas in einem Forschungslabor hergestellt hatte. Um ein medizinisches Produkt zu entwickeln, musste Boyer ein pharmazeutisches Unternehmen neuer Art aufbauen – eines, das Medikamente aus Genen produzierte.

Drei Stunden und drei Biere später hatten Swanson und Boyer eine vorläufige Vereinbarung erzielt. Jeder von ihnen würde 500 US-Dollar beitragen, um die Gebühren für die Gründung einer solchen Firma abzudecken. Swanson setzte ein sechsseitiges Unternehmenskonzept auf und legte es seinem ehemaligen Arbeitgeber, der Risikokapitalgesellschaft Kleiner Perkins, vor, um 500 000 US-Dollar Startkapital zu bekommen. Die Firma warf einen kurzen Blick auf das Konzept und kürzte den Betrag auf 100 000 US-Dollar. (»Diese Investition ist hochspekulativ«, schrieb Perkins später einer kalifornischen Aufsichtsbehörde,»aber es ist unser Geschäft, hochspekulative Investitionen zu tätigen.«)

Nun hatten Boyer und Swanson nahezu alles, was man für ein neues Unternehmen brauchte – außer einem Produkt und einem Namen. Zumindest lag das erste potentielle Produkt praktisch auf der Hand: Insulin. Trotz zahlreicher Versuche, Insulin mit verschiedenen Methoden künstlich herzustellen, produzierte man es nach wie vor aus zerkleinerten Rinder- und Schweineinnereien und brauchte für ein Pfund des Hormons achttausend Pfund Bauchspeicheldrüsen – ein beinahe mittelalterliches Verfahren, das ineffizient, teuer und überholt war. Wenn Boyer und Swanson durch Genmanipulation Insulin als Protein in Zellen exprimieren könnten, wäre das eine bahnbrechende Errungenschaft des neuen Unternehmens. Blieb die Frage des Namens. Swansons Anregung, HerBob, lehnte Boyer ab, weil es nach einem Frisiersalon im Schwulenviertel Castro klang.[69] Aus einer Eingebung heraus schlug er eine Abkürzung aus Genetic Engineering Technology vor: Gen-en-tech.

• • •

Insulin war die Garbo unter den Hormonen. Ein Berliner Medizinstudent, Paul Langerhans, hatte 1869 die Bauchspeicheldrüse, ein fragiles Gewebe unter dem Magen, unter dem Mikroskop untersucht und darauf auffallend anders aussehende winzige Zellen entdeckt.[70] Diese Zellansammlungen erhielten später den Namen Langerhans-Inseln, ihre Funktion blieb jedoch rätselhaft. Zwei Jahrzehnte später hatten die Chirurgen Oskar Minkowski und Josef von Mering einem Hund die Bauchspeicheldrüse operativ entfernt, um die Funktion dieses Organs zu erforschen.[71] Der Hund bekam anschließend großen Durst und fing an, auf den Boden zu urinieren.

Mering und Minkowski standen vor einem Rätsel: Wieso führte die Entfernung eines Bauchorgans zu diesem seltsamen Symptom? Ein Hinweis ergab sich aus einer beiläufigen Beobachtung. Einige Tage später fiel einem Assistenten auf, dass im Labor unzählige Fliegen umherschwirrten; sie umschwärmten die Lachen des Hundeurins, die mittlerweile zu einem klebrigen Sirup erstarrt waren.* Als Mering und Minkowski Urin und Blut des Hundes untersuchten, stellten sie in beidem einen hohen Zuckergehalt fest. Der Hund litt an einer schweren Zuckerkrankheit. Ein von der Bauchspeicheldrüse produzierter Faktor musste wohl den Blutzucker regulieren, und deren Fehlfunktion verursachte Diabetes, schlussfolgerten sie. Später fand man heraus, dass der zuckerregulierende Faktor ein Hormon war, ein Protein, das die von Langerhans entdeckten »Inselzellen« ins Blut abgaben. Man nannte es zunächst »Isletin«, später Insulin – wörtlich: »Inselprotein«.

Die Identifizierung von Insulin im Pankreasgewebe löste einen Wettlauf um die Gewinnung dieses Stoffes aus – es dauerte jedoch weitere zwei Jahrzehnte, bis das Protein aus Tieren isoliert werden konnte. Letzten Endes gelang es Banting und Best 1921, einige wenige Mikrogramm aus Dutzenden Pfund Rinderpankreas zu extrahieren.[72] Injizierte man diabetischen Kindern das Hormon, normalisierte sich

---

* Minkowski erinnerte sich nicht daran, doch andere Labormitarbeiter schilderten den Urin-wie-Sirup-Fall.

ihr Blutzuckerspiegel rapide, und Durst und Harndrang ließen nach. Insulin war jedoch berüchtigt für seine schwierige Handhabung: unlöslich, hitzeempfindlich, heikel, instabil, rätselhaft – eben inselhaft. Nach drei weiteren Jahrzehnten bestimmte Frederick Sanger 1953 die Aminosäuresequenz des Insulins.[73] Er fand heraus, dass dieses Protein aus zwei Ketten bestand, einer längeren und einer kürzeren, die durch chemische Brücken verbunden waren. Das U-förmige Proteinmolekül sah aus wie eine winzige Hand mit zusammengelegten Fingern und gegenübergestelltem Daumen, die nur darauf wartete, die Knöpfe und Schalter zu bedienen, die den Zuckerstoffwechsel im Körper so wirkungsvoll regulierten.

Boyers Plan zur Insulinsynthese war beinahe lächerlich simpel. Über das Gen für Humaninsulin verfügte er nicht – keiner tat dies –, aber er würde es mit Hilfe der DNA-Chemie von Grund auf, Nukleotid für Nukleotid, Triplett für Triplett – ATG, CCC, TCC usw. – vom ersten bis zum letzten Triplettcode aufbauen. Er würde ein Gen für die A-Kette und ein weiteres für die B-Kette machen, beide in Bakterien einführen und sie überlisten, die Humanproteine zu bilden. Anschließend würde er beide Proteinketten reinigen und chemisch verbinden, um das U-förmige Molekül zu erhalten. Der Plan war kinderleicht. Er würde das meistgefragte Molekül der klinischen Medizin Stück für Stück aus einem DNA-Baukasten zusammensetzen.

Doch so abenteuerlustig Boyer auch war, schreckte selbst er davor zurück, sich sofort an Insulin heranzuwagen. Er wollte zunächst einen einfacheren Fall testen, einen leichteren Gipfel erklimmen, bevor er es mit dem Mount Everest der Moleküle aufnahm. Daher konzentrierte er sich auf ein anderes Protein, das Hormon Somatostatin, das jedoch kaum kommerzielles Potential besaß. Sein Hauptvorzug bestand in seiner Größe. Insulin war abschreckende 51 Aminosäuren lang – 21 in der einen Kette, 30 in der anderen. Somatostatin war dagegen die langweilige Verwandte mit nur 14 Aminosäuren.

Für die künstliche Synthese des Somatostatin-Gens engagierte Boyer zwei Chemiker vom City of Hope Hospital in Los Angeles:[74] Keiichi Itakura und Art Riggs, die beide langjährige Erfahrungen mit der DNA-Synthese besaßen.* Swanson war entschieden gegen den ganzen Plan. Er fürchtete, Somatostatin würde sie von ihrem eigentlichen Ziel ablenken, und wollte, dass Boyer sich sofort mit Insulin befasste. Genentech lebte von geborgtem Geld in geborgten Räumen. Wenn man auch nur ein bisschen an der Oberfläche kratzte, entpuppte sich das »Pharma-Unternehmen« als angemietete Nische in einem Großraumbüro in San Francisco mit einem Ableger in einem Mikrobiologielabor an der UCSF, der wiederum zwei Chemiker eines anderen Labors mit der Synthese von Genen beauftragte – ein pharmazeutisches Ponzi-Schema. Dennoch überredete Boyer Swanson, Somatostatin eine Chance zu geben. Sie beauftragten den Anwalt Tom Kiley, die Verträge zwischen UCSF, Genentech und dem City of Hope Hospital auszuhandeln. Kiley hatte den Begriff *Molekularbiologie* noch nie gehört, zog aber Selbstvertrauen aus seiner Erfolgsbilanz mit ungewöhnlichen Fällen. Seine berühmteste Klientin vor Genentech war die Miss Nude America.

Auch die Zeit war bei Genentech anscheinend nur geborgt. Boyer und Swanson wussten, dass zwei der führenden Genetikgenies sich ebenfalls in den Wettlauf um die Herstellung synthetischen Insulins eingeschaltet hatten. In Harvard leitete der DNA-Chemiker Walter Gilbert, der sich später den Nobelpreis mit Berg und Sanger teilen sollte, ein hervorragendes Forscherteam, das durch Klonieren Insulin synthetisieren wollte. Und an der UCSF, also gleich vor Boyers Tür, arbeitete ein weiteres Team mit Hochdruck am selben Projekt. »Ich glaube, das hatten wir fast immer im Kopf ... an den meisten Tagen«, erinnerte sich einer von Boyers Mitarbeitern. »Ich dachte ständig: Werden wir hören, dass Gilbert erfolgreich war?«[75]

Bis zum Sommer 1977 hatten Riggs und Itakura unter Boyers besorgten Blicken hektisch sämtliche Reagenzien für die Synthese von Soma-

---

* Später kamen weitere Mitarbeiter hinzu, darunter auch Richard Scheller vom Caltech. Boyer holte die beiden Forscher Herbert Heyneker und Francisco Bolivar mit in das Projekt, und vom City of Hope Hospital kam der DNA-Chemiker Roberto Crea hinzu.

tostatin fertiggestellt, die Genfragmente zusammengesetzt und in Bakterienplasmid eingeführt. Die Bakterien waren transformiert, gezüchtet
und für die Produktion des Proteins vorbereitet. Im Juni flogen Boyer
und Swanson nach Los Angeles, um beim letzten Akt dabei zu sein.
Das Team traf sich morgens in Riggs' Labor. Alle beugten sich vor und
schauten zu, wie der Detektor das Auftauchen von Somatostatin-Mo-
lekülen in den Bakterien prüfte. Die Zähler blinkten auf und erloschen
wieder. Stille. Nicht die kleinste Spur eines funktionstüchtigen Proteins.
Swanson war am Boden zerstört. Am nächsten Morgen litt er an
akuten Verdauungsstörungen und musste sich in die Notfallambulanz
begeben. Unterdessen erholten sich die Wissenschaftler bei Kaffee
und Doughnuts, gingen die Versuchsanordnung durch und suchten
den Fehler. Boyer, der seit Jahrzehnten mit Bakterien gearbeitet hatte,
wusste, dass sie häufig ihre eigenen Proteine aufschließen. Vielleicht
hatten die Bakterien das Somatostatin zerstört – ein letztes Aufbäumen
der Mikroben gegen den Versuch der Humangenetiker, sie für ihre
Zwecke nutzbar zu machen. Er vermutete, dass sie ihre Trickkiste um
einen weiteren Kniff ergänzen mussten: Sie würden das Somatostatin-Gen an ein anderes Bakteriengen heften, damit es einen Protein-
komplex hervorbrachte, aus dem sie anschließend das Somatostatin
abspalten würden. Es war eine genetische Lockvogeltaktik: Die Bakterien würden glauben, sie bildeten ein bakterielles Protein, würden aber
(insgeheim) ein Humanprotein erzeugen.

Es dauerte weitere drei Monate, den Köder anzufertigen: ein Bakteriengen, das als trojanisches Pferd das Somatostatin-Gen enthielt. Im
August 1977 kam das Team erneut in Riggs' Labor zusammen. Swanson schaute nervös zu, wie die Monitore aufflackerten, wandte aber
sofort den Blick ab. Im Hintergrund knisterten wieder die Protein-De-
tektoren. Itakura erinnerte sich:»Wir haben etwa zehn, vielleicht fünfzehn Proben. Dann schauen wir uns den Ausdruck des Radioimmun-
assays an, und er zeigt eindeutig, dass das Gen exprimiert ist.« Er
drehte sich zu Swanson um:»Es ist Somatostatin vorhanden.«

• • •

Den Genentech-Forschern blieb kaum Zeit, den Erfolg des Somato-
statin-Experiments zu feiern: ein Abend für ein neues Humanprotein.
Bis zum nächsten Morgen hatten sich die Wissenschaftler neu ausgerichtet und machten Pläne, das Insulin in Angriff zu nehmen. Die
Konkurrenz war groß, und es kursierten unzählige Gerüchte: Gilberts
Team sei es gelungen, aus menschlichen Zellen das menschliche Gen
zu klonieren, und es stünde nun kurz davor, das Protein eimerweise zu
produzieren. Die Konkurrenz vom UCSF habe einige Mikrogramm
des Proteins synthetisiert und plane, das menschliche Hormon Patienten zu injizieren. Vielleicht hatten sie mit dem Somatostatin ja tatsächlich einen unnötigen Umweg gemacht. Swanson und Boyer hegten
reumütig den Verdacht, dass sie den falschen Weg eingeschlagen und
sich im Wettlauf um das Insulin hatten abhängen lassen. Swanson, der
selbst in guten Zeiten an Verdauungsbeschwerden litt, war einem weiteren Anfall von Ängsten und Darmproblemen nahe.

Es entbehrte nicht einer gewissen Ironie, dass ausgerechnet Asilomar – die Konferenz, die Boyer so lautstark kritisiert hatte – ihnen
zur Hilfe kam. Wie die meisten staatlich geförderten Universitätslabore
war auch Gilberts Labor in Harvard an die Asilomar-Beschränkungen
gebunden. Für Gilberts Forschungen galten besonders strenge Einschränkungen, weil er das »natürliche« menschliche Gen zu isolieren
und in Bakterienzellen zu klonieren versuchte. Dagegen hatten Riggs
und Itakura beschlossen, wie beim Somatostatin eine chemisch synthetisierte Variante des Insulingens zu verwenden, die sie Nukleotid für
Nukleotid bilden wollten. Ein synthetisches Gen – als reine Chemikalie
erzeugte DNA – fiel in eine Grauzone der Asilomar-Bestimmungen
und war von ihnen weitgehend ausgenommen. Zudem war Genentech
als privat finanzierte Firma von den staatlichen Richtlinien relativ wenig betroffen.* Die Kombination dieser Faktoren erwies sich als ent-

---

* Genentechs Strategie bei der Insulin-Synthese war entscheidend dafür, dass die
  Firma von den Asilomar-Bestimmungen weitgehend ausgenommen blieb. In
  der menschlichen Bauchspeicheldrüse wird Insulin normalerweise als zusam-
  menhängendes Protein gebildet und dann in zwei Stücke geteilt, die nur eine

scheidender Vorteil für das Unternehmen. Ein Mitarbeiter erinnerte sich: »Gilbert ging, wie schon seit vielen Tagen, auf dem Weg in die Kammer, in der er seine Experimente durchführen musste, durch eine Luftschleuse und tauchte seine Schuhe in Formaldehyd. Wir draußen bei Genentech synthetisierten einfach DNA und brachten sie in Bakterien ein und mussten bei alledem nicht einmal die NIH-Richtlinien einhalten.« In der Welt der Genetik nach Asilomar erwies sich »Natürlichkeit« als Bürde.[76]

• • •

Genentechs »Büro« – die Nische in San Francisco – war nicht mehr angemessen. Also machte Swanson sich auf die Suche nach Laborräumen für seine aufstrebende Firma. Nachdem er die gesamte Bay Area durchstöbert hatte, fand er im Frühjahr 1978 ein passendes Objekt. An einem sonnenverbrannten braunen Hang einige Kilometer südlich von San Francisco erstreckte sich die sogenannte Industrial City, ein Gewerbegebiet, in dem es kaum Industrie und schon gar keine Stadt gab. Genentechs Labor bestand aus einer Fläche von knapp tausend Quadratmetern im Rohbau einer Lagerhalle am Point San Bruno Boulevard, inmitten von Silos, Müllkippen und Luftfrachthallen.[77] Im hinteren Teil der Halle hatte ein Großhändler für Pornovideos sein Lager. »Wenn man durch Genentechs Hintertür ging, stapelten sich alle diese Videos auf Regalen«, erinnerte sich ein früher Mitarbeiter.[78] Boyer stellte noch einige Wissenschaftler ein – von denen manche frisch von der Universität kamen – und begann mit der Innenausstattung. Die riesige Fläche wurde mit Zwischenwänden unterteilt. Für ein provisorisches Labor deckte man einen Teil des Daches mit Teerpappe ab.

---

schmale Querverbindung haben. Dagegen hatte sich Genentech entschlossen, die beiden Insulinketten A und B als einzelne Proteine zu synthetisieren und erst anschließend zu verbinden. Da die beiden von Genentech verwendeten separaten Ketten keine »natürlichen« Gene waren, fiel diese Synthese nicht unter das staatliche Moratorium, das die Bildung rekombinanter DNA mit »natürlichen« Genen einschränkte.

Noch im selben Jahr traf der erste »Fermenter« ein, um literweise Mikrobenschlamm zu züchten – eine Art hochwertiger Braukessel. David Goeddel, einer der Firmenangestellten, lief in der Halle in Turnschuhen und einem schwarzen T-Shirt mit der Aufschrift herum: »Kloniere oder stirb«. Aber menschliches Insulin war nicht in Sicht. Swanson wusste, dass Gilbert in Boston seine Kriegsanstrengungen verstärkt hatte. Da er die in Harvard geltenden Einschränkungen zur rekombinanten DNA leid war (auf den Straßen von Cambridge demonstrierten junge Leute mit Plakaten gegen das Klonieren), hatte er sich Zugang zu einer Hochsicherheitsanlage für biologische Kriegführung in England verschafft und ein Team seiner besten Wissenschaftler dorthin geschickt. In der militärischen Einrichtung galten absurd strenge Sicherheitsvorschriften. »Man wechselt seine Kleidung vollständig, duscht beim Hinein- und Hinausgehen, hat Gasmasken griffbereit, so dass man im Fall eines Alarms das gesamte Laboratorium sterilisieren kann«, erinnerte sich Gilbert.[79] Das Team der UCSF schickte seinerseits einen Studenten in ein pharmazeutisches Labor in Straßburg in der Hoffnung, in der gut gesicherten französischen Einrichtung Insulin zu synthetisieren.

Gilberts Gruppe stand kurz vor dem Durchbruch. Im Sommer 1978 erfuhr Boyer, dass Gilberts Team in Kürze die erfolgreiche Isolation des menschlichen Insulingens verkünden würde.[80] Swanson stellte sich schon auf seinen nächsten Bankrott ein – seinen dritten. Zu seiner großen Erleichterung stellte sich jedoch heraus, dass das von Gilbert klonierte Gen nicht von menschlichem, sondern von Ratteninsulin stammte – aufgrund einer Verunreinigung, die irgendwie an den sorgfältig sterilisierten Klonierinstrumenten haften geblieben war. Klonieren hatte es leicht gemacht, die Schranken zwischen Spezies zu überwinden – aber eben das bedeutete auch, dass ein Gen einer Spezies das einer anderen in einer biochemischen Reaktion kontaminieren konnte.

In dem schmalen Zeitfenster zwischen Gilberts Umzug nach England und dem irrtümlichen Klonieren von Ratteninsulin preschte Genentech vor. Es war eine umgekehrte Fabel: ein akademischer Goliath gegen einen pharmazeutischen David, der eine schwerfällig, mächtig, aber durch seine Größe behindert, der andere beweglich, schnell und geschickt in der Umgehung von Regeln. Bis Mai 1978 hatten die Genentech-Forscher die beiden Insulinketten in Bakterien synthetisiert. Bis Juli hatten sie die Proteine aus den Bakterientrümmern isoliert. Anfang August trennten sie die angehängten Bakterienproteine ab und isolierten die beiden Einzelketten. Am späten Abend des 21. August 1978 fügte Goeddel die Proteinketten im Reagenzglas zusammen und erzeugte die ersten rekombinanten Insulinmoleküle.[81]

• • •

Im September 1978, zwei Wochen, nachdem Goeddel Insulin im Reagenzglas hergestellt hatte, meldete Genentech ein Patent auf Insulin an. Von Anfang an sah das Unternehmen sich vor eine Reihe beispielloser rechtlicher Probleme gestellt. Der United States Patent Act hatte 1952 festgelegt, dass Patente auf Erfindungen in vier verschiedenen Kategorien erteilt werden konnten: Methoden, Maschinen, herstellbares Material und Materialzusammenstellung – die »vier M«, wie Anwälte sie gern nannten. Wie ließ sich Insulin in diese Liste einordnen? Es war zwar ein »hergestelltes Material«, das aber so gut wie jeder menschliche Körper offenkundig ohne Genentechs Zutun produzieren konnte. Es war eine »Materialzusammenstellung«, aber unbestreitbar auch ein Naturprodukt. Was unterschied die Patentierung von Insulin als Protein oder Gen von der Patentierung irgendeines anderen menschlichen Körperteils – etwa der Nase oder des Cholesterins?

Genentechs Herangehen an dieses Problem war zugleich einfallsreich und gegen jede Intuition. Statt Insulin als »Materialzusammensetzung« oder »angefertigtes Material« zu patentieren, konzentrierte die Firma ihre Bemühungen kühn auf eine Variation der »Methode«. Sie beantragte ein Patent auf ein »DNA-Vehikel« mit dem Zweck, ein Gen in eine Bakterienzelle zu transportieren und damit ein rekombinantes Protein in einem Mikroorganismus zu produzieren. Dieser Antrag war so neuartig – niemand hatte je für medizinische Zwecke ein rekombinantes menschliches Protein in einer Zelle produziert –, dass sich diese Kühnheit auszahlte. Am 26. Oktober 1982 erteilte das US

Patent and Trademark Office (USPTO) Genentech ein Patent auf die
Verwendung rekombinanter DNA für die Produktion eines Proteins
wie Insulin oder Somatostatin in einem mikrobiellen Organismus.[82]
Ein Beobachter stellte fest:»Tatsächlich erhob das Patent als Erfindung
Anspruch auf [alle] genmodifizierten Organismen.«[83] Schon bald sollte
das Genentech-Patent zu einem der lukrativsten und meistumstritte-
nen in der Technikgeschichte werden.

• • •

Insulin war ein wichtiger Meilenstein für die Biotechnologie-Indus-
trie und als Medikament ein Renner für Genentech. Allerdings war
es nicht die Medizin, die die Klonierungstechnologie ins Blickfeld der
Öffentlichkeit katapultieren sollte.

Im April 1982 suchte Ken Horne, ein Ballett-Tänzer aus San Francisco, einen Hautarzt auf, weil er an einer unerklärlichen Kombination verschiedener Symptome litt. Seit Monaten fühlte er sich schlapp,
hatte Husten, immer wieder hartnäckigen Durchfall, und Gewichts-
verlust hatte seine Wangen hohl gemacht und seine Halsmuskeln wie
Ledergurte vortreten lassen. Seine Lymphknoten waren geschwollen,
und nun bildeten sich auf seiner Haut – zur Demonstration schob er
sein Hemd hoch – netzartige, purpurviolette Pusteln, die aussahen wie
ein Bienenschwarm in einem makabren Zeichentrickfilm.

Hornes Erkrankung war kein Einzelfall. Von Mai bis August 1982, als
die US-amerikanischen Küstenregionen unter einer Hitzewelle litten,
traten in San Francisco, New York und Los Angeles ähnlich seltsame
Krankheitsfälle auf. Beim Center for Disease Control and Prevention,
der Gesundheitsbehörde in Atlanta, gingen neun Anträge für Penta-
midin ein, ein Reserveantibiotikum zur Behandlung der Pneumoncys-
tis-Pneumonie (PCP). Diese Nachfragen ergaben keinen Sinn: PCP
war eine seltene Infektion, die typischerweise Krebspatienten mit stark
geschwächtem Immunsystem befiel. Aber diese Anträge betrafen zuvor völlig gesunde junge Männer, deren Immunsystem plötzlich aus
unerklärlichen Gründen völlig zusammengebrochen war.

Bei Horne wurde mittlerweile das Kaposi-Sarkom diagnostiziert,

ein schmerzloser Hautkrebs, der bei alten Männern im Mittelmeer-
raum auftrat. Aber Hornes Fall und neun weitere, die in den folgenden vier Monaten gemeldet wurden, hatten wenig Ähnlichkeit mit
den langsam wachsenden Tumoren, die in der Fachliteratur bis dahin
als Kaposi-Sarkom beschrieben worden waren. Vielmehr war es ein
plötzlich ausbrechender, aggressiver Krebs, der sich schnell über die
gesamte Haut und in die Lungen ausbreitete und offenbar bevorzugt
bei homosexuellen Männern in New York und San Francisco auftrat. Hornes Fall machte die Spezialisten ratlos, denn als ob er Rätsel
über Rätsel aufgeben wollte, kamen nun auch noch eine Pneumocystis-Pneumonie und eine Meningitis hinzu. Ende August zeichnete
sich aus heiterem Himmel eine epidemiologische Katastrophe ab. Da
Ärzten auffiel, dass vor allem homosexuelle Männer betroffen waren,
nannten sie die Krankheit GRID, »gay related immune deficiency«
(mit Homosexualität verbundene Immunschwäche). Viele Zeitungen
sprachen vorwurfsvoll von der »Schwulenpest«.[84]

Im September stellte sich jedoch heraus, wie falsch diese Bezeichnung war: Mittlerweile waren Symptome eines Zusammenbruchs des
Immunsystems, darunter Pneumocystis-Pneumonie und seltene Varianten der Meningitis, auch bei drei Patienten mit Hämophilie A aufgetreten. Die Bluterkrankheit, wie sie in der englischen Königsfamilie
vorkam, wird von einer Mutation in einem Gen für einen wichtigen
Blutgerinnungsfaktor verursacht, dem sogenannten Faktor VIII. Jahr-
hundertelang lebten Patienten mit Hämophilie in ständiger Angst vor
tödlichen Blutungen: Schon eine kleine Hautverletzung konnte in einer
Katastrophe münden. Seit Mitte der 1970er Jahre behandelte man
Bluter jedoch mit Injektionen des konzentrierten Faktors VIII. Eine
einzige Dosis des Blutgerinnungsfaktors, aus Tausenden von Litern
menschlichen Bluts gewonnen, entsprach hundert Bluttransfusionen.
Somit war ein typischer Hämophiliepatient dem Konzentrat des Blutes
Tausender Spender ausgesetzt. Das Auftreten der rätselhaften Immunschwäche bei Patienten mit mehrfachen Bluttransfusionen grenzte die
Ursache der Krankheit auf einen im Blut enthaltenen Erreger ein, der
den Arzneistoff Faktor VIII kontaminiert hatte – möglicherweise ein

neuartiges Virus. Die Krankheit erhielt nun den Namen »Aquired Immune Deficiency Syndrome«, erworbenes Immundefektsyndrom, kurz Aids.

•••

Vor dem Hintergrund der ersten Aids-Fälle begann Dave Goeddel bei Genentech im Frühjahr 1983, sich auf das Klonieren des Faktor-VIII-Gens zu konzentrieren. Wie beim Insulin lag das Vorgehen bei diesen Bemühungen sofort auf der Hand: Warum sollte man das Protein nicht künstlich durch Klonieren herstellen, statt den fehlenden Blutgerinnungsfaktor aus Unmengen menschlichen Bluts zu gewinnen? Wenn man Faktor VIII mit Kloniertechniken produzieren könnte, wäre er praktisch frei von allen menschlichen Verunreinigungen und somit weitaus sicherer als jedes aus Blut extrahierte Protein. So ließen sich Infektionswellen und Todesfälle bei Blutern möglicherweise verhindern. Hier lebte Goeddels alter T-Shirt-Spruch wieder auf: »Kloniere oder stirb.«

Goeddel und Boyer waren nicht die einzigen Genetiker, die darüber nachdachten, den Blutgerinnungsfaktor VIII zu klonieren. Diese Bestrebungen hatten sich wie beim Insulin zu einem Wettlauf entwickelt, wenngleich mit anderen Konkurrenten. In Cambridge, Massachusetts, hatten Forscher der Harvard University unter der Leitung von Tom Maniatis und Mark Ptashne den Wettlauf um das Faktor-VIII-Gen begonnen und eine eigene Firma gegründet, das Genetics Institute, kurz GI. Beiden Teams war klar, dass das Faktor-VIII-Projekt die Grenzen der Kloniertechnik sprengen würde. Somatostatin hatte 14 Aminosäuren, Insulin 51, Faktor VIII jedoch 2350. Faktor VIII war also 160-mal größer als Somatostatin – ein beinahe ebenso großer Sprung wie zwischen Wilbur Wrights erster Flugrunde in Kitty Hawk und Lindberghs Flug über den Atlantik.

Der beträchtliche Größenunterschied war nicht nur eine quantitative Hürde; vielmehr mussten die Forscher neue Kloniertechniken einsetzen, wenn sie Erfolg haben wollten. Sowohl die Gene für Somatostatin als auch für Insulin hatten sie von Grund auf aus DNA-Basen

aufgebaut – A chemisch mit G und C verbunden und so weiter. Das
Faktor-VIII-Gen war jedoch viel zu groß, um es mit DNA-Chemie
herzustellen. Zur Isolierung des Faktor-VIII-Gens müssten Genentech wie auch GI es aus menschlichen Zellen ziehen wie einen Wurm
aus der Erde.

. . .

Dieser »Wurm« ließ sich jedoch nicht ohne weiteres, und schon gar
nicht intakt aus dem Genom holen. Die meisten Gene des menschlichen Genoms sind, wie bereits dargelegt, von sogenannten Introns
durchsetzt, DNA-Fragmenten, die sich wie verstümmelte Füllsel zwischen den einzelnen Teilen der Botschaft befinden. So liest sich das
Wort *Genom* in einem Gen *Gen..........om*. Häufig sind die Introns
in menschlichen Genen enorm groß und erstrecken sich über lange
DNA-Abschnitte, was es praktisch unmöglich macht, ein Gen direkt
zu klonieren (das Gen mit Introns ist zu lang, als dass es in ein Bakterienplasmid passen würde).

Maniatis fand eine geniale Lösung: Er hatte Pionierarbeit bei
der Technologie geleistet, aus RNA-Vorlagen mit Hilfe der reversen
Transkriptase – dem Enzym, das RNA in DNA umschreiben kann –
Gene zu bilden. Der Einsatz der reversen Transkriptase machte das
Klonieren wesentlich effizienter, denn sie ermöglichte es, ein Gen
zu klonieren, *nachdem* der Spleißapparat der Zelle die Introns herausgeschnitten hatte. So erledigte die Zelle die gesamte Arbeit, und
ihre Spleißvorrichtung bearbeitete selbst lange, sperrige, von Introns
durchsetzte Gene wie das des Faktors VIII, die sich anschließend von
Zellen klonieren ließen.

Unter Einsatz aller verfügbaren Technologien war es beiden Forscherteams bis zum Spätsommer 1983 gelungen, das Faktor-VIII-Gen
zu klonieren. Nun begann ein erbitterter Endspurt. Im Dezember 1983
verkündeten beide Gruppen in diesem Kopf-an-Kopf-Rennen, dass
sie die gesamte DNA-Sequenz zusammengesetzt und das Gen in
ein Plasmid eingeführt hätten. Anschließend setzten sie das Plasmid
in Eizellen von Hamstern ein, die für ihre Fähigkeit bekannt waren,

große Proteinmengen zu synthetisieren. Im Januar 1984 tauchten erste Spuren von Faktor VIII in der Gewebekultur auf. Im April, genau zwei Jahre nachdem in den Vereinigten Staaten die ersten gehäuften Aids-Fälle aufgetreten waren, gaben sowohl Genentech als auch GI bekannt, dass sie im Reagenzglas rekombinanten Faktor VIII – einen Blutgerinnungsfaktor ohne Verunreinigung durch menschliches Blut – isoliert hatten.[85]

Der Hämatologe Gilbert White führte im März 1987 im Center for Thrombosis in North Carolina den ersten klinischen Test mit dem aus Hamsterzellen gewonnenen rekombinanten Faktor VIII durch. Als erster Patient wurde der dreiundvierzigjährige G.M., der an Hämophilie litt, behandelt. Während die ersten Tropfen der intravenös verabreichten Flüssigkeit in seine Venen flossen, blieb White gespannt an dessen Krankenbett und versuchte, die Reaktionen auf das Medikament abzuschätzen. Wenige Minuten nach Beginn der Infusion hörte G.M. auf zu sprechen. Seine Augen waren geschlossen, sein Kinn ruhte auf der Brust. »Reden Sie mit mir«, drängte White. Keine Antwort. White wollte schon den Notrufknopf drücken, als G.M. sich umdrehte, Geräusche wie ein Hamster von sich gab und in schallendes Gelächter ausbrach.

• • •

Die Nachricht von G.M.s erfolgreicher Behandlung sprach sich unter den verzweifelten Blutern herum wie ein Lauffeuer, denn für sie war Aids eine weitere Katastrophe in einer ohnehin schon katastrophalen Lage. Anders als Homosexuelle, die umgehend eine gemeinsame Abwehrreaktion auf die Epidemie organisiert hatten – Boykott von Saunen und Clubs, Kampagnen für Safer Sex und Kondome –, hatten die Bluter die Schatten der Krankheit starr vor Schreck näherkommen sehen: Sie konnten Blutprodukte kaum boykottieren. Von April 1984 bis März 1985, als die US-Arzneimittelbehörde den ersten Test für virenkontaminiertes Blut zuließ, stand jeder Hämophile bei der Einweisung in ein Krankenhaus vor der schrecklichen Wahl, entweder zu verbluten oder mit einem tödlichen Virus infiziert zu werden. In dieser

Zeit gab es eine niederschmetternd hohe Infektionsrate unter Blutern: Von allen, die an einer schweren Form dieser Krankheit litten, wurden 90 Prozent durch kontaminiertes Blut mit HIV infiziert.[86] Für die meisten dieser Männer kam der rekombinante Faktor VIII zu spät, um ihr Leben zu retten. Nahezu alle HIV-infizierten Hämophilen der ersten Kohorte starben an den Folgen von Aids. Dennoch erschloss die Herstellung des Faktors VIII aus seinem Gen wichtiges konzeptionelles Neuland – auch wenn sie nicht einer gewissen Ironie entbehrte. Die Befürchtungen der Asilomar-Konferenz hatten sich ins Gegenteil verkehrt. Letzten Endes hatte ein »natürlicher« Krankheitserreger verheerende Auswirkungen auf die Menschheit gehabt. Und der seltsame Kunstgriff des Klonierens – menschliche Gene in Bakterien einzuführen und dann Proteine in Hamsterzellen zu produzieren – hatte sich als potentiell sicherster Weg erwiesen, ein Medikament für den menschlichen Gebrauch zu produzieren.

• • •

Es ist verlockend, die Technikgeschichte anhand von Produkten zu schildern: Rad, Mikroskop, Flugzeug, Internet. Erhellender ist es jedoch, sie anhand von Umwälzungen zu beschreiben: von der linearen zur kreisförmigen Bewegung; vom Bereich des mit bloßem Auge Erkennbaren zu dem des mikroskopisch Kleinen; von der Bewegung an Land zu der in der Luft; von der physischen zur virtuellen Verbindung.

Die Proteinproduktion aus rekombinanter DNA stellt eine solche entscheidende Umwälzung in der Geschichte der Medizintechnik dar. Um die Auswirkungen dieses Wandels zu begreifen, muss man die Geschichte medizinischer Chemikalien verstehen. Eine medizinische Chemikalie – ein Medikament – ist im Wesentlichen nichts anderes als ein Molekül, das eine therapeutische Veränderung der menschlichen Physiologie ermöglicht. Medikamente können aus einfachen Chemikalien bestehen – Wasser im richtigen Kontext und in der richtigen Dosierung ist ein wirkungsvolles Arzneimittel – oder aus komplexen, mehrdimensionalen, facettenreichen Molekülen. Zudem sind sie erstaunlich selten. Obwohl scheinbar Tausende Medikamente bei Menschen zur Anwendung kommen – allein Aspirin gibt es in Dutzenden Varianten –, macht die Anzahl der molekularen *Reaktionen*, auf die diese Mittel wirken, nur einen winzigen Bruchteil sämtlicher Reaktionen aus. Von den mehreren Millionen Varianten von Biomolekülen im menschlichen Körper (Enzymen, Rezeptoren, Hormonen usw.) werden lediglich 250 – 0,025 Prozent – von den gegenwärtig verwendeten Arzneimitteln therapeutisch beeinflusst.[87] Stellt man sich die menschliche Physiologie vor wie ein ausgedehntes weltweites Telefonnetz mit zahlreichen verknüpften Knotenpunkten und Geflechten, dann erreichen unsere gegenwärtigen medizinischen Wirkstoffe nur den Bruchteil eines Bruchteils dieser Komplexität; die medizinische Chemie ist wie ein Telefonvermittler in Wichita, der nur einige wenige Leitungen in einem Winkel des Netzes bedient.

Diese Wirkstoffarmut hat einen Hauptgrund: Spezifizität. Fast jedes Medikament wirkt, indem es sich an ein Ziel bindet und es aktiviert oder deaktiviert – also Molekülschalter an- oder abschaltet. Um Wirkung zu entfalten, muss es sich an solche Schalter binden – allerdings nur an ausgewählte Schalter; ein wahllos wirkendes Arzneimittel ist nichts anderes als ein Gift. Die meisten Moleküle erreichen ein solches Maß an Differenzierung nicht – aber Proteine sind eigens auf diesen Zweck spezialisiert. Sie sind die Dreh- und Angelpunkte der biologischen Welt: die Aktivierer und Deaktivierer, die Macher, die Regulatoren, die Türhüter, die Vermittler der Zellreaktionen. Sie *sind* die Schalter, die der größte Teil der Arzneimittel ein- und auszuschalten versucht.

Proteine bieten sich also als die wirkungsvollsten und spezifischsten Wirkstoffe der Pharmazie an. Für die Herstellung eines Proteins braucht man jedoch dessen Gen – und hier lieferte die Technologie der rekombinanten DNA das entscheidende, bis dahin fehlende Sprungbrett. Das Klonieren menschlicher Gene ermöglichte es Wissenschaftlern, Proteine herzustellen – und die Proteinsynthese eröffnete die Möglichkeit, Millionen biochemischer Reaktionen im menschlichen Körper zu beeinflussen. Proteine machten es Chemikern möglich, in bis dahin unzugängliche Aspekte unserer Physiologie einzugreifen. Die Nutzung rekombinanter DNA zur Proteinherstellung markierte daher eine Umwälzung, die nicht nur ein Gen und ein Medikament, sondern viele Gene und ein neues Universum von Arzneimitteln betraf.

• • •

Am 14. Oktober 1980 brachte Genentech unter dem provozierenden Namen GENE eine Million Aktienanteile in den Börsenhandel.[88] Diese Aktienemission rangierte unter den verblüffendsten Debüts eines Technologieunternehmens in der Geschichte der Wall Street: Innerhalb weniger Stunden hatte das Unternehmen 35 Millionen US-Dollar an Kapital generiert. Zu diesem Zeitpunkt hatte das Pharmaunternehmen Eli Lilly die Lizenz für Produktion und Verkauf rekombinanten Insulins – Humulin genannt, um es von Rinder- und Schweineinsulin zu unterscheiden – erworben und konnte den Markt rapide ausweiten. Der Umsatz stieg von 8 Millionen 1983 auf 90 Millionen 1996 und 700 Millionen US-Dollar 1998. Swanson – »ein kleiner, stämmiger Sechsunddreißigjähriger mit Backenhörnchen-Wangen«, wie die Zeitschrift Esquire ihn beschrieb – war nun ebenso wie Boyer mehrfacher Millionär. Ein Doktorand, der an einigen wenigen Firmenanteilen festgehalten hatte, um im Sommer 1977 zum Klonieren des Somatostatin-Gens beizutragen, wachte eines Morgens als frisch gebackener Multimillionär auf.

Genentech begann 1982, das menschliche Wachstumshormon – HGH – herzustellen, das zur Behandlung bestimmter Varianten des Kleinwuchses eingesetzt wurde. Biologen des Unternehmens klonierten 1986 Alpha-Interferon, ein hochwirksames immunologisches Protein, das bei der Behandlung von Blutkrebs zum Einsatz kommt. 1987 stellte Genentech rekombinantes tPA her, einen Blutverdünner, der zur Auflösung von Blutgerinnseln nach Schlaganfällen oder Herzinfarkten verwendet wird. 1990 nahm das Unternehmen die Entwicklung von Impfstoffen aus rekombinanten Genen in Angriff, angefangen mit einem Impfstoff gegen Hepatitis B. Im Dezember 1990 erwarb der Pharmakonzern Hoffmann-La Roche für 2,1 Milliarden US-Dollar einen Mehrheitsanteil an Genentech. Swanson trat als CEO zurück, Boyer gab sein Amt 1991 auf.

Im Sommer 2001 begann Genentech mit dem Bau des größten Biotech-Forschungskomplexes der Welt – ein weitläufiges Gelände mit glasverkleideten Gebäuden, großzügigen Grünanlagen und Frisbee spielenden Studenten, kaum zu unterscheiden von einem Universitäts-Campus.[89] Im Zentrum des riesigen Komplexes steht eine bescheidene Bronzeskulptur: Ein Mann im Anzug deutet mit einer Geste über einen Tisch auf einen Wissenschaftler in Jeans und Lederweste. Der Mann beugt sich vor. Der Genetiker schaut geistesabwesend über die Schulter des Mannes.

Leider war Swanson nicht bei der offiziellen Enthüllung des Denkmals, das seine erste Begegnung mit Boyer darstellt. Man hatte 1999 bei Swanson einen Hirntumor festgestellt. Er starb am 6. Dezember 1999 zu Hause in Hillsborough, nur wenige Kilometer vom Genentech-Campus entfernt.

TEIL 4

»Der Mensch ist erstes Ziel der Wissenschaft«

Humangenetik
(1970–2005)

Erkenn Dich selbst, erforsch nicht Gottes Kraft!
Der Mensch ist erstes Ziel der Wissenschaft.
Alexander Pope, *Vom Menschen*[1]

Was gibts für herrliche Geschöpfe hier!
Wie schön der Mensch ist! Wackre neue Welt,
Die solche Bürger trägt.
William Shakespeare, *Der Sturm*[2]

Das Elend meines Vaters

Albany: Wie kam Euch Kunde von des Vaters Elend?
Edgar: »Indem ichs pflegte.
William Shakespeare, *König Lear*[3]

Im Frühjahr 2014 stürzte mein Vater. Er saß auf seinem Lieblings-Schaukelstuhl – einem tückischen, seltsamen Ding, das er sich von einem örtlichen Tischler hatte anfertigen lassen –, kippte nach hinten über und fiel hin (der Tischler hatte zwar einen Schaukelmechanismus entworfen, aber eine Sicherungsvorrichtung vergessen, die ein Überkippen verhindert hätte). Meine Mutter fand ihn mit dem Gesicht nach unten auf der Veranda, die Hand unnatürlich unter dem Körper wie ein abgeknickter Flügel. Seine rechte Schulter war blutüberströmt. Da sie ihm das Hemd nicht über den Kopf ziehen konnte, rückte sie dem Stoff mit einer Schere zu Leibe, während er schrie – wohl gleichermaßen vor Schmerzen von seiner Verletzung wie aus Qual darüber, dass sie vor seinen Augen ein völlig intaktes Kleidungsstück zerfetzte. »Du hättest versuchen können, es zu retten«, knurrte er auf dem Weg in die Notaufnahme. Es war ein uralter Streit: *Seine* Mutter, die nie fünf Hemden für ihre fünf Jungen gleichzeitig besessen hatte, hätte eine Möglichkeit gefunden, es zu retten. Man konnte einen Mann aus der indischen Teilung holen, nicht aber die Teilungsgeschichte aus dem Mann.

Er hatte sich eine Platzwunde an der Stirn und einen Schulterbruch zugezogen. Er war – ebenso wie ich – ein unleidlicher Patient: impulsiv, misstrauisch, leichtsinnig, voller Angst, eingesperrt zu sein, und voller Illusionen über seine Genesung. Ich flog nach Indien, um ihn zu besuchen. Am späten Abend traf ich ein. Er wirkte mit einem Mal gealtert. Ich fragte ihn, ob er das Datum wisse.

»24. April«, antwortete er korrekt.

»Und welches Jahr?«

»1946«, sagte er, dann korrigierte er sich und kramte in seinem Gedächtnis. »2006?«

Es war eine flüchtige Erinnerung. Ich erklärte ihm, dass wir das Jahr 2014 schrieben. Im Stillen fiel mir ein, dass sich 1946 eine andere Katastrophe ereignet hatte: Damals war Rajesh gestorben.

In den folgenden Tagen pflegte meine Mutter ihn gesund. Er wurde wieder klar im Kopf, und sein Langzeitgedächtnis kehrte teilweise zurück, aber sein Kurzzeitgedächtnis blieb erheblich beeinträchtigt. Wir kamen zu dem Schluss, dass sein Unfall nicht so einfach abgelaufen war, wie es den Anschein hatte. Er war mit dem Schaukelstuhl nicht nach hinten gekippt, sondern hatte wohl versucht, aufzustehen, hatte das Gleichgewicht verloren und war nach vorne gefallen, ohne sich abfangen zu können. Ich bat ihn, durchs Zimmer zu gehen, und bemerkte, dass er ganz leicht schlurfte. Seine Bewegungen hatten etwas Roboterhaftes und Steifes, als ob seine Füße aus Eisen seien und der Boden magnetisch wäre. »Dreh dich schnell um«, bat ich ihn, und wieder wäre er beinahe nach vorn gefallen.

Am späten Abend passierte ihm wieder etwas Peinliches: Er machte ins Bett. Ich fand ihn im Badezimmer, wo er bestürzt und beschämt seine Unterwäsche wechselte. In der Bibel werden Hams Nachkommen verflucht, weil Ham in der Dämmerung über seinen Vater Noah stolperte, der betrunken und nackt mit entblößten Genitalien in einem Feld lag. In der modernen Version dieser Geschichte begegnet man seinem dementen, nackten Vater im Zwielicht des Gästebads – und sieht den Fluch der eigenen Zukunft.

Seine Inkontinenz trat schon seit einer Weile auf, wie ich erfuhr.

Begonnen hatte sie mit plötzlichem Harndrang – der Unfähigkeit, den Urin zurückhalten, sobald die Blase halb voll war – und war zum Bettnässen fortgeschritten. Er hatte mit seinen Ärzten darüber gesprochen, aber sie hatten abgewunken und das Problem vage auf eine Prostatavergrößerung zurückgeführt. Das sei das Alter, hatten sie ihm erklärt. Er war 82. Alte Männer fallen schon mal hin. Sie verlieren das Gedächtnis. Sie machen ins Bett.

Als bei meinem Vater in der folgenden Woche ein MRT des Gehirns gemacht wurde, erhielten wir die für einen Moment beschämende Diagnose, die alle diese Symptome auf einen Nenner brachte. Die Ventrikel, die das Gehirn mit Hirnwasser umgeben, waren geschwollen und erweitert, und das Hirngewebe war nach außen gedrängt. Diesen Zustand nennt man Normaldruckhydrozephalus. Man vermutet, dass er durch eine Behinderung des Flüssigkeitsflusses um das Gehirn entsteht, was zu einem Stau in den Ventrikeln führt – etwa wie ein »Hochdruck im Hirn«, erklärte uns der Neurologe. Der Normaldruckhydrozephalus zeichnet sich durch drei unerklärliche, aber typische Symptome aus: unsicherer Gang, Harninkontinenz und Demenz. Es war also keineswegs ein Unfall, dass mein Vater gefallen war, sondern lag an seiner Krankheit.

In den folgenden Monaten bemühte ich mich, über diese Erkrankung so viel wie möglich in Erfahrung zu bringen. Die Ursachen dieser Krankheit sind nicht bekannt. Sie kommt in manchen Familien gehäuft vor. Eine Variante hängt genetisch mit dem X-Chromosom zusammen und tritt unverhältnismäßig oft bei Männern auf. In manchen Familien erkranken schon zwanzig- bis dreißigjährige Männer, in anderen sind nur ältere betroffen. In einigen ist die Erblichkeit stark ausgeprägt, in anderen trifft es nur vereinzelte Mitglieder. Die jüngsten dokumentierten Fälle kamen bei vier- bis fünfjährigen Kindern vor, die ältesten Patienten waren über siebzig oder achtzig Jahre alt.

Kurz, es handelt sich wahrscheinlich um eine genetisch bedingte Krankheit – allerdings nicht im selben Sinne wie bei der Sichelzellenanämie oder der Hämophilie. Die Anfälligkeit für diese seltsame Erkrankung wird nicht von einem einzigen Gen gesteuert. Vielmehr sind

mehrere Gene auf verschiedenen Chromosomen für die Bildung der
Hirnwasserleitungen während der Entwicklung zuständig – ebenso wie
mehrere Gene auf verschiedenen Chromosomen an der Bildung der
Flügel bei Fruchtfliegen beteiligt sind. Manche dieser Gene steuern,
wie ich erfuhr, die anatomische Anordnung der Kanäle und Gefäße
der Ventrikel (zum Vergleich kann man sich vorstellen, wie die »gestalt-
bildenden« Gene bei Fliegen die Ausprägung von Organen und Strukturen steuern). Andere codieren die molekularen Kanäle, die Flüssig-
keiten zwischen den Kompartimenten weiterleiten. Und weitere Gene
codieren Proteine, die den Flüssigkeitsaustausch zwischen Gehirn und
Blut regulieren. Da das Gehirn und seine Gänge und Kanäle innerhalb
der festen Schädeldecke wachsen, haben auch die Gene, die dessen
Größe und Form bestimmen, indirekte Auswirkungen auf die Propor-
tionen dieser Leitungen.

Variationen in einem dieser Gene können die Physiologie der sogenannten Aquädukte und Ventrikel und dadurch den Fluss der Hirnflüs-
sigkeit durch die Kanäle verändern. Äußere Einflüsse wie das Altern
oder ein Hirntrauma machen die Sache noch komplexer. Man kann
in diesem Fall die Krankheit nicht eins zu eins einem Gen zuordnen.
Selbst wenn jemand die gesamte Genkonstellation geerbt hat, die bei
einem Menschen zu einem Normaldruckhydrozephalus führt, bedarf
es noch eines Unfalls oder eines äußeren Faktors, um sie bei ihm »auszulösen« (bei meinem Vater war dieser Auslöser wahrscheinlich sein
Alter). Wenn man eine bestimmte Genkombination geerbt hat – etwa
für eine bestimmte Flüssigkeitsabsorptionsrate und eine bestimmte
Größe der Aquädukte –, ist das Krankheitsrisiko möglicherweise erhöht. Diese Krankheit ist also – wie das Boot des Orakels von Delphi –
nicht von einem Gen bestimmt, sondern von der Beziehung zwischen
zahlreichen Genen sowie zwischen Genen und Umwelt.

Wie übermittelt ein Organismus seinem Embryo die Information,
die zur Ausbildung von Form und Funktion nötig ist, hatte schon Aristoteles gefragt. Die anhand von Modellorganismen wie Erbsen,
Fruchtfliegen und Brotschimmel entwickelte Antwort auf diese Frage
hatte die moderne Genetik als Disziplin hervorgebracht. Letztlich

hatte sie zu jenem ungeheuer einflussreichen Diagramm geführt, das die Grundlage für unser Verständnis des Informationsflusses bei Lebewesen bildet:

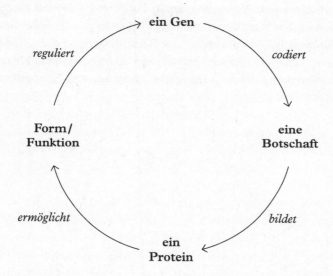

Die Krankheit meines Vaters eröffnet jedoch noch einen anderen Blickwinkel auf die Frage, wie die Erbinformation Form, Funktion und Schicksal eines Organismus beeinflusst. War der Sturz meines Vaters durch seine Gene bedingt? Ja und nein. Seine Gene bewirkten eine Neigung zu einem bestimmten Ausgang, nicht aber diesen Ausgang selbst. War er auf seine Umgebung zurückzuführen? Ja und nein. Schließlich lag es an dem Schaukelstuhl – aber er hatte ohne Zwischenfälle fast zehn Jahre darauf gesessen, bevor eine Krankheit ihn (buchstäblich) zu Fall gebracht hatte. War es Zufall? Ja: Wer weiß schon, dass bestimmte Möbel, die in einem bestimmten Winkel bewegt werden, einen nach vorn katapultieren? War es ein Unfall? Ja, aber seine körperliche Instabilität machte einen Sturz praktisch unvermeidlich.

Als die Genetik sich von der Erforschung einfacher Organismen dem Menschen zuwandte, stand sie vor der Herausforderung, neue Denkweisen in Hinblick auf die Beschaffenheit von Vererbung, Informationsfluss, Funktion undWerdegang zu entwickeln.Wie überschneiden sich Gene und Umwelt als Ursachen von Normalität oder Krankheit? Und was ist eigentlich Normalität oder Krankheit? Wie führen Genvariationen zu Abwandlungen in Form und Funktion einzelner Menschen? Wie beeinflussen mehrere Gene eine einzige Ausprägung? Wie kann es bei Menschen so viel Einheitlichkeit und doch solche Vielfalt geben? Wie können Genvarianten eine gemeinsame Physiologie bewahren und dennoch einzigartige pathologische Erscheinungen hervorbringen?

Die Geburt einer Klinik

Ich gehe von der Voraussetzung aus, dass alle
menschlichen Krankheiten genetisch bedingt
sind.

Paul Berg[4]

Einige Monate nachdem Nirenberg und seine Kollegen in Bethesda
den Triplettcode der DNA entschlüsselt hatten, brachte die *New York
Times* 1962 einen Artikel über die explosive Zukunft der Humangenetik. Nachdem nun dieser Code »geknackt« sei, würden menschliche
Gene durch Eingriffe formbar, sagte die Zeitung voraus. »Man kann
wohl mit Gewissheit sagen, dass manche der biologischen ›Bomben‹,
die infolge [der Entschlüsselung des genetischen Codes] wahrscheinlich in nicht allzu ferner Zukunft explodieren werden, in ihrer Bedeutung für den Menschen an die der Atombombe heranreichen werden.
Einige darunter könnten sein: die Grundlagen des Denkens zu bestimmen … Heilmittel für bislang unheilbare Leiden wie Krebs und viele
der tragischen Erbkrankheiten zu entwickeln.«[5]
  Skeptikern mochte man ihren Mangel an Begeisterung indes ver-
zeihen. Bis dahin war die biologische »Bombe« der Humangenetik
mit einem alles andere als überwältigenden Fiepsen losgegangen. Die
erstaunliche Entwicklung der Molekulargenetik von 1943 bis 1962 –
von Averys Experiment bis zur Entdeckung der DNA-Struktur und

der Mechanismen der Genregulation und -reparatur – hatte zu einer
immer detaillierteren mechanistischen Sicht des Gens geführt. Dennoch hatte das Gen die menschliche Lebenswelt kaum berührt. Einerseits hatte die nationalsozialistische Eugenik auf dem Gebiet der Humangenetik so endgültig verbrannte Erde hinterlassen, dass sie diese
Disziplin jeglicher wissenschaftlichen Legitimität und Sorgfalt beraubt
hatte. Andererseits hatte sich herausgestellt, dass einfachere Modellorganismen – Bakterien, Fliegen, Würmer – sich wesentlich besser
für experimentelle Forschung eigneten als Menschen. Als Thomas
Morgan 1934 nach Stockholm reiste, um den Nobelpreis für seine Beiträge zur Genetik entgegenzunehmen, äußerte er sich ausgesprochen
skeptisch zur medizinischen Bedeutung seiner Arbeit. »Der wichtigste
Beitrag zur Medizin, den die Genetik geleistet hat, ist meiner Ansicht
nach intellektueller Art«, schrieb Morgan.[6] Dabei war »intellektuell«
keineswegs als Kompliment, sondern als Affront gemeint. Morgan
hielt es für unwahrscheinlich, dass die Genetik in naher Zukunft auch
nur marginale Auswirkungen auf die menschliche Gesundheit haben
würde. Die Vorstellung, ein Arzt »würde seinen befreundeten Genetiker beratend hinzuziehen wollen« – wie er es formulierte –, sei eine
lächerliche, weithergeholte Phantasie.

Dass die Genetik in die menschliche Lebenswelt Einzug hielt – oder
besser: zurückkehrte –, erwuchs jedoch tatsächlich aus medizinischer
Notwendigkeit. Victor McKusick, ein junger Internist an der Johns
Hopkins University in Baltimore, untersuchte 1947 einen jugendlichen Patienten mit Flecken an Lippen und Zunge und zahlreichen
inneren Polypen.[7] Die Symptome faszinierten den Arzt. Verwandte
des Patienten wiesen ähnliche Anzeichen auf, und in der Fachliteratur
waren ähnlich gelagerte familiäre Häufungen beschrieben. McKusick
schilderte den Fall im *New England Journal of Medicine* und äußerte
die Vermutung, das Bündel scheinbar diffuser Symptome – Zungen-
flecken, Polypen, Verstopfung und Krebs – gehe auf die Mutation eines einzigen Gens zurück.[8]

Dieser Fall – bei dem später das Peutz-Jeghers-Syndrom festgestellt
wurde, so benannt nach den ersten Ärzten, die es beschrieben hatten –

weckte bei McKusick ein lebenslanges Interesse, die Zusammenhänge zwischen Genetik und menschlichen Krankheiten zu erforschen. Zunächst befasste er sich eingehend mit Erkrankungen, bei denen der Einfluss von Genen am einfachsten und stärksten ausgeprägt war – die also bekanntermaßen von einem einzelnen Gen verursacht wurden. Die am besten belegten Beispiele solcher Krankheiten bei Menschen waren zwar selten, aber unübersehbar: die Hämophilie in der englischen Königsfamilie und die Sichelzellenanämie in afrikanischen und karibischen Familien. Als McKusick alte Fachzeitschriften in der medizinischen Bibliothek der Johns Hopkins University durchstöberte, entdeckte er, dass ein Londoner Arzt um 1900 das erste Beispiel einer Krankheit bei Menschen beschrieben hatte, die offenbar von einer einzigen genetischen Mutation verursacht wurde.

Der englische Pathologe Archibald Garrod hatte 1899 eine seltsame Erkrankung beschrieben, die in bestimmten Familien auftrat und sich bei Kindern innerhalb von Tagen nach der Geburt zeigte.[9] Erstmals hatte er sie bei einem Säugling im Kinderkrankhaus in London beobachtet. Einige Stunden nach der Geburt des Jungen hatten sich dessen Windeln durch einen seltsam dunklen Urin schwarz gefärbt. Als Garrod alle Patienten mit ähnlichen Symptomen und deren Verwandte ausfindig machte, stellte er fest, dass diese Krankheit erblich war und sich bis ins Erwachsenenalter fortsetzte. Bei Erwachsenen färbte sich der Schweiß spontan dunkel und zeichnete sich in dunkelbraunen Flecken unter den Armen auf den Hemden ab. Sogar Ohrenschmalz wurde bei Berührung mit der Luft rot, als sei es gerostet.

Garrod vermutete bei diesen Patienten eine Veränderung in einem Erbfaktor. Der Junge mit dem dunklen Urin müsse mit einer Abweichung in einem Erbteilchen zur Welt gekommen sein, die eine Stoffwechselfunktion der Zellen verändert und zu einer anderen Zusammensetzung des Urins geführt habe. »Das Phänomen der Fettleibigkeit und die unterschiedlichen Farben von Haaren, Haut und Augen« ließen sich durchweg durch Variationen in Erbteilchen erklären, die »chemische Verschiedenheiten« in menschlichen Körpern verursachten, schrieb Garrod mit erstaunlicher Voraussicht.[10] Während Bateson in England gerade erst das Konzept des »Gens« wiederentdeckte (und beinahe zehn Jahre, bevor der Begriff *Gen* geprägt wurde), hatte Garrod eine Vorstellung vom menschlichen Gen entwickelt und die individuellen Unterschiede als »chemische Verschiedenheiten« erklärt, die durch Erbeinheiten codiert würden. Gene machen uns zu Menschen, hatte er überlegt, und Mutationen machen uns unterschiedlich.

Inspiriert von Garrods Werk begann McKusick, systematisch ein Verzeichnis genetisch bedingter Krankheiten beim Menschen zu erstellen – eine »Enzyklopädie der Phänotypen, genetischen Merkmale und Erkrankungen«. Ihm eröffnete sich ein fremdartiger Kosmos; die Bandbreite menschlicher Erkrankungen, die von einzelnen Genen gesteuert waren, war größer und seltsamer, als er erwartet hatte. Beim Marfan-Syndrom, das ein französischer Kinderarzt in den 1890er Jahren erstmals beschrieben hatte, war ein Gen mutiert, das die strukturelle Integrität des Skeletts und der Blutgefäße regulierte. Die Betroffenen wurden ungewöhnlich groß, hatten überlange Arme und Finger und starben häufig plötzlich an einem Riss der Aorta oder der Herzklappen (jahrzehntelang behaupteten manche Medizinhistoriker, Abraham Lincoln habe an einer nicht diagnostizierten Variante dieses Syndroms gelitten).[11] In anderen Familien trat gehäuft Osteogenesis imperfecta auf, die sogenannte Glasknochenkrankheit, verursacht durch eine Mutation in einem Gen, das ein Knochen bildendes und stärkendes Protein, Collagen, codiert. Kinder mit dieser Krankheit werden mit spröden Knochen geboren, die bei der leichtesten Beanspruchung brechen können wie Glas. Sie können sich spontan die Beine brechen oder morgens mit mehreren Rippenbrüchen aufwachen (solche Fälle wurden häufig irrtümlich auf Kindesmisshandlung zurückgeführt und nach polizeilichen Ermittlungen in medizinische Behandlung gebracht). 1957 gründete McKusick die Moore Clinic an der Johns Hopkins University, benannt nach Joseph Earle Moore, dem Arzt aus Baltimore, der sein Leben lang chronische Krankheiten erforscht hatte. Die Klinik spezialisierte sich auf Erbkrankheiten.

McKusick entwickelte sich zu einem wandelnden Lexikon genetisch bedingter Syndrome. Es gab Patienten, die keine Salze verarbeiten

konnten und an hartnäckigem Durchfall und Mangelernährung litten.
Es gab Männer, die schon mit zwanzig Jahren zu Herzinfarkten neigten;
Familien mit Schizophrenie, Depressionen oder Aggressionen; Kinder, die mit Flügelfell, zusätzlichen Fingern oder permanentem Fischgeruch geboren wurden. Bis Mitte der 1980er Jahre hatten McKusick und seine Studenten 2239 Gene erfasst, die mit menschlichen Krankheiten in Verbindung zu bringen waren, und 3700 Krankheiten, die mit jeweils einer einzigen Genmutation zusammenhingen.[12] Bis zur zwölften Auflage seines Buches, die 1998 erschien, hatte McKusick erstaunliche 12 000 Genvarianten entdeckt, die mit bestimmten Merkmalen und leichten bis lebensbedrohlichen Krankheiten verknüpft waren.[13]

Ermutigt durch ihre Taxonomie »monogenetischer« – also von einem Gen verursachter – Erkrankungen, machten McKusick und seine Studenten sich an die Aufgabe, Krankheiten zu erfassen, die auf den Einfluss mehrerer Gene zurückzuführen waren, also »polygenetische« Syndrome. Sie fanden heraus, dass solche Erkrankungen in zwei Formen vorkamen. Manche erwuchsen aus der Tatsache, dass ganze Chromosomen zusätzlich vorhanden waren. Beim erstmals in den 1860er Jahren beschriebenen Down-Syndrom werden Kinder mit einem zusätzlichen Chromosom 21 geboren, das gut dreihundert Gene enthält.*Von der zusätzlichen Kopie dieses Chromosoms sind zahlreiche Organe betroffen. Männer und Frauen mit diesem Syndrom haben einen abgeflachten Nasenrücken, ein breites Gesicht, ein schmales Kinn und veränderte Augenfalten. Zudem weisen sie kognitive Defizite auf, leiden eher an Herzkrankheiten, Hörverlust, Unfruchtbarkeit und einem erhöhten Leukämierisiko; viele Betroffene sterben bereits im Kindesalter, und nur wenige leben bis ins hohe Erwachsenenalter. Das Auffallendste ist vielleicht, dass Menschen mit Down-Syndrom außergewöhnlich sanftmütig sind, als hätten sie mit dem geerbten zusätzlichen Chromosom zugleich Grausamkeit und Bosheit verloren

---

* Die abnorme Chromosomenzahl beim Down-Syndrom wurde 1958 von Jérôme Lejeune entdeckt.

(sollte jemand bezweifeln, dass Genotypen Einfluss auf Charakter und Persönlichkeit haben können, dürfte eine einzige Begegnung mit einem Menschen mit Down-Syndrom ihn vom Gegenteil überzeugen). Die letzte Kategorie von Erbkrankheiten, die McKusick erfasste, war die komplexeste – polygenetische Erkrankungen, verursacht durch mehrere, diffus im Genom verteilte Gene. Im Gegensatz zu den beiden ersten Gruppen, die aus seltenen und seltsamen Syndromen bestanden, handelte es sich hier um bekannte, allgemein verbreitete Krankheiten wie Diabetes, koronare Herzkrankheit, Bluthochdruck, Schizophrenie, Depressionen, Unfruchtbarkeit und Fettleibigkeit. Sie bildeten den Gegenpol zum Ein-Gen-eine-Krankheit-Paradigma: viele Gene – viele Krankheiten. So kommt Bluthochdruck in unzähligen Spielarten vor und wird von Hunderten von Genen beeinflusst, die jeweils eine geringe, sich summierende Wirkung auf Blutdruck und Gefäßbeschaffenheit haben. Anders als das Marfan- oder Down-Syndrom, wo eine einzige Mutation oder chromosomale Abweichung ausreichend ist, um die Krankheit zu verursachen, ist die Wirkung jedes einzelnen Gens bei polygenetischen Syndromen abgeschwächt und die Abhängigkeit von äußeren Variablen – Ernährung, Alter, Rauchen, pränatale Einflüsse – stärker. Die Phänotypen sind vielfältig und die Vererbungsmuster komplex. Die genetische Komponente der Krankheit ist jedoch nur ein Faktor: Sie ist die notwendige Grundlage, aber sie löst die Krankheit nicht aus.

• • •

Aus McKusicks Taxonomie genetisch bedingter Erkrankungen erwuchsen vier wichtige Ideen. Erstens erkannte McKusick, dass Mutationen in einem einzigen Gen diverse krankhafte Veränderungen in verschiedenen Organen bewirken können. So wirkt sich etwa beim Marfan-Syndrom die Mutation eines faserartigen Strukturproteins auf sämtliche Bindegewebe aus – auf Sehnen, Knorpel, Knochen und Bänder. Bei Marfan-Patienten weichen Gelenke und Rückgrat erkennbar vom Normalen ab. Weniger ersichtlich sind wohl die Auswirkungen dieser Erkrankung auf Herz und Gefäße: Dasselbe Strukturprotein, das Sehnen und Knorpelgewebe stützt, sorgt auch für die Festigkeit großer Arterien und der Herzklappen. Daher führen Mutationen in diesem Gen zu folgenschwerem Herzversagen und Aortenruptur. Viele Patienten mit Marfan-Syndrom sterben bereits in jungen Jahren, weil die Blutzirkulation ihre Blutgefäße reißen lässt.

Zweitens gilt überraschenderweise auch das genaue Gegenteil: Mehrere Gene können sich auf ein einziges physiologisches Merkmal auswirken. So wird beispielweise der Blutdruck durch eine Vielzahl genetischer Kreisläufe reguliert, und Anomalien in einem oder mehreren dieser Kreisläufe führen alle zu derselben Erkrankung: Bluthochdruck. Die Aussage, Bluthochdruck sei eine genetisch bedingte Krankheit, ist also durchaus zutreffend, allerdings muss man hinzufügen, dass es kein Gen für Bluthochdruck gibt. Viele Gene beeinflussen den Blutdruck in die eine oder andere Richtung wie das Fadengewirr, das bei einer Marionette die Arme bewegt. Ändert man die Länge eines einzelnen Fadens, so verändert man die Konfiguration der Puppe.

McKusicks dritte Erkenntnis betraf die »Penetranz« und »Expressivität« von Genen bei menschlichen Krankheiten. Genetiker hatten bei Fruchtfliegen und Biologen bei Würmern entdeckt, dass bestimmte Gene nur durch äußere Auslöser oder Zufall in Phänotypen zum Ausdruck kommen. So ist ein Gen, das für die Facettenbildung des Fruchtfliegenauges sorgt, temperaturabhängig. Eine andere Genvariante verändert die Morphologie des Wurmdarms – jedoch nur bei etwa 20 Prozent der Würmer. Bei »unvollständiger Penetranz« führt eine Mutation, die im Genom vorhanden ist, nicht immer zur Ausbildung eines bestimmten physischen oder morphologischen Merkmals.

McKusick fand mehrere Beispiele für unvollständige Penetranz bei menschlichen Krankheiten. Bei manchen Störungen wie dem Tay-Sachs-Syndrom ist die Penetranz fast vollständig: Wer die entsprechende Genmutation geerbt hat, erkrankt nahezu mit Sicherheit. Bei anderen Krankheiten sind die tatsächlichen Auswirkungen eines Gens komplexer. So erhöht das mutante Gen *BRCA1* das Brustkrebsrisiko dramatisch, wie wir noch sehen werden, aber nicht alle Frauen mit dieser Mutation bekommen Brustkrebs, und unterschiedliche Mutationen dieses Gens haben ein unterschiedliches Maß an Penetranz. Hämophilie ist eindeutig die Folge einer genetischen Anomalie, aber welches Ausmaß Blutungen bei einem Bluter haben, variiert erheblich. Manche erleben allmonatliche lebensbedrohliche Blutungen, andere bluten nur ganz selten.

• • •

Die vierte Erkenntnis ist für die Geschichte der Genetik so entscheidend, dass ich ihr hier einen eigenen Abschnitt widme. McKusick begriff ebenso wie der Fliegengenetiker Theodosius Dobzhansky, dass Mutationen lediglich Variationen sind. Diese Feststellung klingt nach einer Binsenweisheit, vermittelt jedoch eine grundlegende und profunde Wahrheit. Eine Mutation ist eine statistische Größe, keine pathologische oder moralische Kategorie, erkannte McKusick. Sie bedeutet weder Krankheit noch einen Funktionsgewinn oder -verlust. Formal betrachtet, ist sie lediglich durch ihre Abweichung von der Norm definiert (das Gegenteil von »mutant« ist nicht etwa »normal«, sondern »Wildtyp« – also die Variante, die in freier Natur verbreiteter ist). Daher ist eine Mutation kein normativer, sondern ein statistischer Begriff. Ein großer Mann, der mit dem Fallschirm in ein Volk von Kleinwüchsigen gerät, ist ebenso ein Mutant wie ein blondes Kind, das in ein Land von Brünetten hineingeboren wird – beide sind im selben Sinne »Mutanten« wie ein Junge mit Marfan-Syndrom unter »normalen« Kindern ohne Marfan-Syndrom.

Für sich genommen können ein Mutant bzw. eine Mutante oder eine Mutation keine sinnvolle Information über eine Krankheit oder Störung liefern. Die Krankheitsdefinition beruht vielmehr auf den spezifischen Unzulänglichkeiten, die aus einem *Missverhältnis* zwischen der genetischen Ausstattung des Einzelnen und seiner gegenwärtigen Umwelt erwachsen – also zwischen einer Mutation, den Lebensumständen einer Person und ihren Überlebens- oder Erfolgszielen. Letztlich verursacht nicht die Mutation, sondern diese Diskrepanz die Krankheit.

Dieses Auseinanderklaffen kann schwer und belastend sein – in solchen Fällen wird Krankheit gleichbedeutend mit Behinderung. Ein

Kind mit der schwersten Form von Autismus, das sich den ganzen Tag in einer Ecke monoton vor und zurück wiegt oder sich die Haut aufkratzt, bis sich Ekzeme bilden, besitzt eine unglückliche genetische Ausstattung, die zu nahezu jeder Umwelt und jedem Ziel in einem Missverhältnis steht. Ein anderes Kind mit einer anderen – selteneren – Autismusvariante kann in den meisten Situationen funktionstüchtig und in manchen sogar *überdurchschnittlich* leistungsfähig sein (zum Beispiel im Schachspiel oder in Gedächtnisübungen). Seine Krankheit ist situationsbezogen und beruht offensichtlich auf der mangelnden Übereinstimmung zwischen seinem spezifischen Genotyp und seinen spezifischen Lebensumständen. Selbst dieses »Missverhältnis« ist veränderlich: Da die Umwelt einem fortwährenden Wandel unterliegt, muss sich mit ihr auch die Definition von Krankheit ändern. Im Land der Blinden ist der Sehende König. Überflutet man es jedoch mit blendendem Licht, fällt das Königreich wieder an die Blinden.

McKusick setzte seinen Glauben an dieses Paradigma – sich auf Behinderung statt auf Abnormität zu konzentrieren – in der Behandlung der Patienten seiner Klinik um. So kümmerte sich um Kleinwüchsige ein interdisziplinäres Team von Genetikern, Neurologen, Orthopäden, Chirurgen, Krankenschwestern und Psychiatern, die sich auf die besonderen Beeinträchtigen Kleinwüchsiger spezialisiert hatten. Chirurgische Eingriffe beschränkten sich auf die Korrektur eventueller spezifischer Missbildungen. Ziel war nicht die Wiederherstellung von »Normalität«, sondern von Vitalität, Lebensfreude und Funktionsfähigkeit.

McKusick hatte die Grundprinzipien moderner Genetik im Bereich der Humanpathologie wiederentdeckt. Bei Menschen gab es wie bei Wildfliegen eine Fülle genetischer Variationen. Auch bei ihnen brachte letztlich das Zusammenwirken von Genvarianten, Umwelt und Wechselwirkungen zwischen Genen und Umgebung Phänotypen hervor – nur dass die »Phänotypen« in diesen Fällen Krankheiten waren. Auch bei ihnen besaßen manche Gene eine partielle Penetranz und äußerst unterschiedliche Expressivität. Ein Gen konnte viele Krankheiten hervorbringen, und eine Krankheit konnte durch viele Gene verursacht werden. Und auch hier ließ sich »Tauglichkeit« nicht absolut beurteilen. Fehlende Tauglichkeit – im Allgemeinen als *Krankheit* bezeichnet – definierte sich durch das relative Missverhältnis zwischen einem Organismus und seiner Umwelt.

. . .

»Denn das Unvollkommene ist unser Paradies«, schrieb Wallace Stevens.[14] Wenn mit dem Eintritt der Genetik in die menschliche Welt eine unmittelbare Lektion verbunden war, dann war es folgende: Das Unvollkommene war nicht nur unser Paradies, sondern, untrennbar damit verbunden, auch unsere sterbliche Welt. Das Ausmaß humangenetischer Variationsbreite – und deren tiefgreifender Einfluss auf Erkrankungen des Menschen – war unerwartet und überraschend. Die Welt war groß und bunt. Genetische Vielfalt war unser Naturzustand – nicht nur in isolierten Nischen an fernen Orten, sondern überall um uns herum. Scheinbar homogene Populationen waren in Wirklichkeit erstaunlich heterogen. Wir hatten die Mutanten gesehen – und uns in ihnen erkannt.

Wohl nirgendwo trat die erhöhte Augenfälligkeit von »Mutanten« deutlicher zutage als in jenem zuverlässigen Barometer US-amerikanischer Ängste und Phantasien: Comics. In den frühen 1960er Jahren brachen menschliche Mutanten mit Macht in die Welt der Comic-Figuren ein. Marvel Comics brachte im November 1961 die erste Folge der *Fantastischen Vier* heraus, einer Comic-Reihe über vier Astronauten, die in einem Raumschiff festsitzen, Strahlung ausgesetzt sind – wie Hermann Mullers Fruchtfliegen in ihren Flaschen – und durch Mutationen übernatürliche Kräfte erlangen.[15] Inspiriert durch den Erfolg der *Fantastischen Vier* entstand die noch erfolgreichere Comic-Reihe *Spider-Man*, die Geschichte des jungen Wissenschaftlers Peter Parker, der von einer Spinne gebissen wird, die »eine fantastische Menge Radioaktivität« geschluckt hat.[16] Die mutanten Gene der Spinne werden angeblich durch horizontalen Transfer – eine menschliche Version von Averys Transformationsexperiment – auf Parkers Körper übertragen und verleihen ihm die »Agilität und proportionale Kraft einer Spinne«.

Die mutanten Superhelden erreichten mit der ab September 1963 erscheinenden Comic-Serie *X-Men* ihren psychologischen Höhepunkt.[17] Anders als bei ihren Vorläufern ging es bei den X-Men um einen Konflikt zwischen Mutanten und normalen Menschen. Die »Normalen« waren gegenüber den Mutanten misstrauisch geworden, und diese hatten sich aus Furcht vor Überwachung und drohenden Gewaltausbrüchen des Mobs in eine weltabgeschiedene Schule zurückgezogen, in der begabte Jugendliche Schutz finden und rehabilitiert werden sollten – eine Art Moore Clinic für Comic-Mutanten. Das Bemerkenswerteste an den *X-Men* war nicht etwa ihre wachsende vielfältige Mutantenmenagerie – ein Wolfsmensch mit Stahlklauen oder eine Frau, die auf Kommando für englisches Wetter sorgen kann –, sondern die Umkehrung der Opfer- und Täterrolle: In den typischen Comic-Reihen der 1950er Jahre flüchteten und versteckten sich Menschen vor der furchtbaren Tyrannei der Monster. In *X-Men* mussten die Mutanten vor der grauenhaften Tyrannei der Normalität flüchten.

• • •

Diese Befürchtungen – in Bezug auf Unvollkommenheit, Mutation und Normalität – sprangen im Frühjahr 1966 aus den Seiten der Comic-Hefte auf einen sechzig mal sechzig Zentimeter großen Inkubator über.[18] In Connecticut saugten die beiden Wissenschaftler Mark Steele und Roy Breg, die geistige Retardierung erforschten, einer Schwangeren einige Milliliter Fruchtwasser mit Fötalzellen aus der Fruchtblase ab. Diese Zellen kultivierten sie in einer Petrischale, färbten die Chromosomen ein und analysierten sie unter dem Mikroskop.

Keines der angewandten Verfahren war neu. Erstmals hatte man 1956 einer Fruchtblase Fötalzellen zur Geschlechtsbestimmung (XX- oder XY-Chromosomen) entnommen.[19] Schon in den 1890er Jahren hatte man ohne Komplikationen Fruchtwasser abgesaugt, und das Einfärben von Chromosomen ging auf Boveris Forschungen zu Seeigeln zurück. Durch das Fortschreiten der Humangenetik stand bei diesen Verfahren nun jedoch mehr auf dem Spiel. Breg und Steele erkannten, dass bekannte genetische Erkrankungen mit offenkundigen Chromosomenanomalien – wie Down-, Klinefelter- und Turner-Syndrom – sich bereits im *Mutterleib* diagnostizieren ließen und die Schwangerschaft freiwillig beendet werden könnte, wenn bei einem Fötus solche Abweichungen festgestellt würden. Man könnte also zwei recht triviale und relativ sichere medizinische Verfahren – Fruchtwasseruntersuchung und Schwangerschaftsabbruch – zu einer Technologie kombinieren, die weit über die Summe ihrer Teile hinausreichen würde.

Über die ersten Frauen, die sich der Feuerprobe dieses Verfahrens unterzogen, ist wenig bekannt. Übrig geblieben sind – in äußerst knappen Skizzen der Fallberichte – Geschichten über junge Mütter, die vor furchtbaren Entscheidungen standen, Berichte über ihren Kummer, ihre Bestürzung und ihre Verschonung. Im April 1968 wurde die 29-jährige J.G. im New York Downstate Medical Center in Brooklyn untersucht. In ihrer Familie gab es kreuz und quer eine erbliche Variante des Down-Syndroms. Sowohl ihr Großvater als auch ihre Großmutter waren Träger dieser Anomalie. Sechs Jahre zuvor hatte J.G. in fortgeschrittener Schwangerschaft eine Fehlgeburt – ein Mädchen mit Down-Syndrom. Im Sommer 1963 hatte sie ein gesundes Mädchen zur Welt gebracht. Zwei Jahre später, im Frühjahr 1965, hatte sie einen Jungen geboren, bei dem man das Down-Syndrom, geistige Retardierung und schwere angeborene Anomalien wie zwei Herzfehler festgestellt hatte. Der Junge lebte nur fünfeinhalb Monate, in denen es ihm meist schlecht ging. Nach einer Reihe heldenhafter Versuche, seine angeborenen Defekte operativ zu korrigieren, war er auf der Intensivstation an Herzversagen gestorben.

Vor dem Hintergrund dieser belastenden Vorgeschichte suchte J.G. im fünften Monat ihrer vierten Schwangerschaft ihren Gynäkologen auf und bat um eine pränatale Untersuchung. Anfang April wurde eine – erfolglose – Fruchtwasseruntersuchung durchgeführt. Am 29. April versuchte man eine zweite Fruchtwasseruntersuchung, da das dritte Schwangerschaftstrimester rasch näherrückte. Diesmal wuchsen im Inkubator Fötalzellen heran. Die Chromosomenanalyse ergab einen männlichen Fötus mit Down-Syndrom.

Am 31. Mai 1968, in der letzten Woche, in der ein Abbruch noch zulässig war, entschied sich J.G., die Schwangerschaft beenden zu lassen.[20] Am 2. Juni wurden die Überreste des Fötus entfernt. Sie trugen die Hauptmerkmale des Down-Syndroms. Die Mutter »überstand die Prozedur ohne Komplikationen«, heißt es in den Krankenakten, und wurde zwei Tage später aus der Klinik entlassen. Über sie und ihre Familie ist nichts weiter bekannt. Der erste »therapeutische Schwangerschaftsabbruch«, der ausschließlich aufgrund genetischer Untersuchungen erfolgte, ging, in Geheimhaltung, Leid und Kummer gehüllt, in die Menschheitsgeschichte ein.

Weitreichende Folgen hatte der Fall von Norma McCorvey. Im September 1969 wurde die 21-jährige Jahrmarktschreierin aus Texas mit ihrem dritten Kind schwanger.[21] Da sie mittellos, häufig obdachlos und arbeitslos war, wollte sie die ungewollte Schwangerschaft beenden, konnte aber keine Klinik finden, die den Eingriff legal und hygienisch vorgenommen hätte. Das einzige, was sie ausfindig machte, war eine illegale Praxis in einem leerstehenden Gebäude »mit schmutzigen Instrumenten im ganzen Raum ... und getrocknetem Blut auf dem Boden«.[22]

Zwei Anwälte vertraten sie 1970 in einem Prozess gegen den Bundesstaat Texas, in dem sie McCorveys Rechtsanspruch auf einen legalen Schwangerschaftsabbruch einklagten. Die Beklagte wurde vom Bezirksstaatsanwalt von Dallas, Henry Wade, vertreten. Für den Prozess hatte McCorvey sich das farblose Pseudonym Jane Roe zugelegt. Der Fall *Roe vs. Wade* ging in Texas durch alle Instanzen und kam 1970 schließlich vor den Obersten Gerichtshof der Vereinigten Staaten.

Die mündlichen Verhandlungen fanden 1971 bis 1972 statt. Im Januar 1973 fällte der Gerichtshof in einer historischen Entscheidung ein Urteil zugunsten von McCorvey. Nach der Mehrheitsmeinung des Gerichtshofes, die der beisitzende Richter des Obersten Bundesgerichts Henry Blackmun in der Urteilsbegründung formulierte, durften Bundesstaaten Abtreibungen nicht länger verbieten. Das Recht einer Frau auf ihre Privatsphäre »sei so weitgefasst, dass es ihre Entscheidung umfasse, ob sie ihre Schwangerschaft beendet oder nicht«.[23]

Allerdings galt das »Recht der Frau auf Privatsphäre« keineswegs absolut. In einem akrobatischen Versuch, die Rechte einer Schwangeren gegen die zunehmenden »Persönlichkeitsrechte« des Fötus abzuwägen, befand der Gerichtshof, der Staat dürfe Abtreibungen im ersten Schwangerschaftstrimester nicht einschränken; mit der Reifung des Fötus stünde seine Persönlichkeit jedoch unter zunehmendem Schutz des Staates, der Abtreibungen dann einschränken dürfe. Die Gliederung der Schwangerschaft in Trimester war eine biologisch willkürliche, aber rechtlich notwendige Erfindung. Der Rechtswissenschaftler Alexander Bickel führte aus: »Das Interesse des einzelnen [also der Mutter] steht hier in den ersten drei Monaten und, allein nach Maßgabe gesundheitlicher Bestimmungen, auch in den zweiten über dem gesellschaftlichen Interesse; erst im dritten Trimester überwiegt die Gesellschaft.«[24]

Die von diesem Prozess freigesetzten Kräfte fanden umgehend ihren Nachhall in der Medizin. Das Urteil mochte zwar Frauen die Kontrolle über ihre Fortpflanzung gegeben haben, übertrug aber der Medizin die Kontrolle über das Genom des Fötus.[25] Bis dahin hatten sich pränatale Gentests in einer Grauzone befunden: Die Fruchtwasseruntersuchung war erlaubt, aber der genaue rechtliche Status der Abtreibung war unbekannt. Nachdem nun Schwangerschaftsabbrüche im ersten und zweiten Trimester legalisiert waren und das medizinische Urteil Vorrang erhalten hatte, stand einer weiten Verbreitung von Gentests in Arztpraxen und Krankenhäusern nichts mehr im Weg. Damit waren menschliche Gene »justitiabel« geworden.

Schon bald traten die Auswirkungen verbreiteter pränataler Untersuchungen und Schwangerschaftsabbrüche offen zutage. In manchen Bundesstaaten sank das Vorkommen des Down-Syndroms zwischen 1971 und 1977 um 20 bis 40 Prozent.[26] In New York City wurden 1978 mehr Hochrisikoschwangerschaften abgebrochen als ausgetragen.*

---

* In der ganzen Welt öffnete die Legalisierung des Schwangerschaftsabbruchs den pränatalen Untersuchungen Tür und Tor. In Großbritannien wurden Abtreibungen 1967 gesetzlich legalisiert, und in den 1970er Jahren stieg die Rate der pränatalen Untersuchungen und der Abtreibungen drastisch an.

Bis zur Mitte der 1970er Jahre konnte man annähernd hundert Chromosomenstörungen und 23 Stoffwechselkrankheiten durch Gentests im Mutterleib feststellen, darunter das Turner-, Klinefelter-, Tay-Sachs- und Gaucher-Syndrom.[27] »Winzigen Fehler für winzigen Fehler« siebte sich die Medizin »durch die Risiken mehrerer hundert bekannter Erbkrankheiten« schrieb ein Genetiker.[28] »Gendiagnose wurde zu einer medizinischen Industrie«, stellte eine Historikerin fest. »Die selektive Abtreibung betroffener Föten« hatte sich zum »vorrangigen Eingriff der Genommedizin« entwickelt.[29]

Gestärkt durch ihre Interventionsmöglichkeiten bei menschlichen Genen, trat die genetische Medizin in eine so unbesonnene Phase ein, dass sie sogar anfangen konnte, ihre eigene Vergangenheit umzuschreiben. Einige Monate nach dem Urteil im Fall *Roe vs. Wade* gab McKusick 1973 eine Neuauflage seines Lehrbuchs der medizinischen Genetik heraus.[30] Darin schrieb der Kinderarzt Joseph Dancis in einem Kapitel über die pränatale Feststellung von Erbkrankheiten:

»In den letzten Jahren ist sowohl unter Ärzten als auch in der breiten Öffentlichkeit die Einstellung gewachsen, dass wir uns darum kümmern müssen, nicht nur die Geburt eines Babys sicherzustellen, sondern auch die eines Kindes, das keine Belastung für die Gesellschaft, für seine Eltern und für sich selbst darstellt. Das ›Recht, geboren zu werden‹, wird eingeschränkt durch ein anderes Recht: das auf eine vernünftige Chance auf ein glückliches und nützliches Leben. Dieser Einstellungswandel zeigt sich unter anderem in der breiten Bewegung für die Reform oder sogar Abschaffung der Abtreibungsgesetze.«[31]

Damit hatte Dancis die Geschichte behutsam, aber geschickt verdreht. Die Abtreibungsbewegung, wie Dancis es formulierte, hatte keineswegs die Humangenetik vorangetrieben, indem sie Ärzten die Abtreibung von Föten mit genetischen Störungen ermöglicht hatte. Vielmehr hatte die *Humangenetik* sich vor den Karren der widerstrebenden Abtreibungsbewegung gespannt – indem sie die »Einstellung«

zur Behandlung verheerender Erbkrankheiten verändert und damit die ablehnende Haltung zur Abtreibung abgeschwächt hatte. Dancis behauptete weiter, im Prinzip könne man durch pränatale Tests und selektive Abtreibung gegen jede Krankheit mit hinreichend starkem genetischem Zusammenhang vorgehen. Das »Recht, geboren zu werden«, lasse sich neu formulieren als Recht, mit den richtigen Genen geboren zu werden.

• • •

Im Juni 1969 brachte Hetty Park eine Tochter mit einer polyzystischen Nierenerkrankung zur Welt.[32] Das mit missgebildeten Nieren geborene Kind starb fünf Stunden nach der Geburt. Tiefbestürzt suchten Park und ihr Mann den Rat des Gynäkologen Herbert Chessin auf Long Island. Da Chessin von der falschen Annahme ausging, die Krankheit des Kindes sei nicht genetisch bedingt (tatsächlich wird die infantile Zystenniere ebenso wie Mukoviszidose durch zwei Allele mutierter Gene verursacht, die das Kind von den Eltern erbt), beruhigte er die Eltern und schickte sie nach Hause. Nach Chessins Ansicht sei die Chance, dass Park und ihr Mann ein weiteres Kind mit derselben Krankheit bekommen würden, zu vernachlässigen und gehe wohl gegen null. Nach der Beratung durch Chessin zeugten die Parks ein weiteres Kind. Leider wurde auch Laura Park mit polyzystischen Nieren geboren. Nach zahlreichen Krankenhausaufenthalten starb sie im Alter von zweieinhalb Jahren an Nierenversagen.

Als in der medizinischen und populärwissenschaftlichen Literatur regelmäßig Meinungen wie die von Joseph Dancis erschienen, verklagten die Parks 1979 Herbert Chessin, weil er sie medizinisch falsch beraten habe. Hätten sie das genetische Risiko für ihr Kind gekannt, hätten sie beschlossen, Laura nicht zu bekommen, behaupteten sie. Ihre Tochter sei Opfer einer falschen Normalitätseinschätzung. Das wohl Ungewöhnlichste an diesem Prozess war die Darstellung des entstandenen Schadens. In herkömmlichen Kunstfehlerprozessen wurde dem Beklagten (meist dem Arzt) zur Last gelegt, schuldhaft den Tod eines Menschen verursacht zu haben. Dagegen warfen die Parks ihrem Gynäkologen Chessin ein ebenso schwerwiegendes, umgekehrtes Vergehen vor:»schuldhaft ein Menschenleben verursacht zu haben«. In einer Grundsatzentscheidung gab das Gericht ihnen recht.»Potentielle Eltern haben ein Recht, zu entscheiden, kein Kind zu bekommen, wenn begründet anzunehmen ist, dass dieses Kind missgebildet wäre«, vertrat der Richter. Ein Kommentator merkte an:»Das Gericht hat bekräftigt, dass das Recht eines Kindes, frei von [genetischen] Anomalien geboren zu werden, ein Grundrecht ist.«[33]

»Eingreifen, eingreifen, eingreifen«

Nach Jahrtausenden, in denen die meisten
Menschen Babys in seliger Unkenntnis der
Risiken gezeugt haben, die sie eingehen,
müssen wir vielleicht alle anfangen, in der
ernsten Verantwortung genetischer Voraussicht
zu handeln ... Noch nie zuvor mussten wir auf
diese Weise über Medizin nachdenken.
Gerald Leach[34]

Kein Neugeborenes sollte als Mensch bezeichnet werden, bevor es nicht gewisse Tests
in Hinblick auf seine genetische Ausstattung
bestanden hat.
Francis Crick[35]

Joseph Dancis schrieb nicht nur die Vergangenheit um, sondern verkündete auch die Zukunft. Selbst wer nur beiläufig seine außergewöhnliche Behauptung las – dass alle Eltern die Pflicht hätten, Babys
zur Welt zu bringen, »die keine Belastung für die Gesellschaft« seien,
oder dass das Recht, ohne »genetische Anomalien« geboren zu werden,
ein Grundrecht sei –, hätte darin den Schrei einer Wiedergeburt erkennen können. Das war die Reinkarnation der Eugenik in der zweiten

Hälfte des 20. Jahrhunderts, wenn auch in höflicherer Form. »Eingreifen, eingreifen, eingreifen«, hatte der britische Eugeniker Sidney Webb 1910 gefordert. Gut sechzig Jahre später hatte die Legalisierung der Abtreibung und die fortschreitende Wissenschaft der Genanalyse den ersten formalen Rahmen für ein neuartiges genetisches »Eingreifen« beim Menschen – für eine Eugenik neuer Art – geliefert.

Dabei handelte es sich nicht um die Eugenik der nationalsozialistischen Vorväter – wie ihre Verfechter umgehend betonten. Im Gegensatz zur US-amerikanischen Eugenik der 1920er Jahre oder zur aggressiveren europäischen Variante der 1930er Jahre gab es nun keine Zwangssterilisationen, keine Zwangseinweisungen und keine Vernichtung in Gaskammern. Frauen wurden nicht in geschlossene Einrichtungen in Virginia geschickt. Man holte keine Richter hinzu, die Männer und Frauen als »Schwachsinnige«, »Irre« oder »Idioten« einstuften, und die Chromosomenzahl wurde nicht nach Belieben festgelegt. Die Gentests, die als Grundlage für die Auswahl von Föten galten, waren, wie ihre Verfechter nachdrücklich betonten, objektiv, standardisiert und streng wissenschaftlich. Zwischen dem Testergebnis und der Entwicklung des daraus folgenden medizinischen Syndroms bestand eine nahezu absolute Korrelation: Bei *allen* Kindern, die beispielsweise mit einem zusätzlichen Chromosom 21 oder einem fehlenden X-Chromosom geboren wurden, manifestierten sich mindestens einige der Hauptmerkmale des Down- beziehungsweise Turner-Syndroms. Vor allem aber erfolgten die pränatalen Gentests und die Abtreibung ohne staatliches Mandat, ohne zentrale Direktive und aus völlig freien Stücken. Eine Frau konnte entscheiden, ob sie sich testen lassen wollte oder nicht, ob sie die Ergebnisse erfahren wollte oder nicht und ob sie die Schwangerschaft abbrechen oder fortsetzen wollte, selbst wenn der Test auf Anomalien des Fötus positiv ausgefallen sein sollte. Es handelte sich um den gütigen Avatar der Eugenik, den die Verfechter als Neoeugenik oder Neugenik bezeichneten.

Ein wesentlicher Unterschied zwischen neuer und alter Eugenik war die Verwendung des Gens als Auswahlkriterium. Galton, die US-amerikanischen Eugeniker wie Priddy sowie die nationalsozialistischen Eu-

geniker hatten für die genetische Selektion nur Mechanismen zur Verfügung gehabt, die auf der Auswahl nach körperlichen oder mentalen
Merkmalen, also auf Phänotypen basierten. Diese Eigenschaften sind
jedoch komplex, und ihre Verknüpfung mit Genen lässt sich nicht so
leicht fassen. So mag »Intelligenz« zwar eine genetische Komponente
besitzen, ist aber weitaus stärker eine Folge von Genen, Umwelteinflüssen, Wechselwirkungen zwischen beiden, Auslösern, Zufall und
Chancen. Eine Auslese nach dem Merkmal »Intelligenz« kann daher
ebenso wenig garantieren, dass Gene für Intelligenz bevorzugt werden,
wie die Selektion nach »Reichtum« gewährleisten kann, dass eine Neigung zur Anhäufung von Wohlstand begünstigt wird.

Im Gegensatz zu Galtons und Priddys Methode hatte die Neugenik
nach Ansicht ihrer Verfechter den großen Vorteil, dass Wissenschaftler
ihre Auslese nicht länger nach Phänotypen als Ersatz für die zugrundeliegenden genetischen Determinanten trafen. Vielmehr hatten sie
nun die Möglichkeit, Gene direkt auszuwählen – indem sie die genetische Ausstattung eines Fötus untersuchten.

• • •

Für ihre vielen begeisterten Anhänger hatte die Neoeugenik ihre
frühere bedrohliche Gestalt abgeschüttelt und war aus einem wissenschaftlichen Kokon neu erstanden. Mitte der 1970er Jahre wurde
ihre Reichweite noch größer. Pränatale Untersuchungen und selektive Abtreibungen hatten eine privatisierte Form »negativer Eugenik«
ermöglicht – ein Mittel, eine Auslese *gegen* bestimmte Erbkrankheiten zu treffen. Allerdings ging damit der Wunsch einher, eine ebenso
weitreichende, freizügige Form »positiver Eugenik« einzuleiten – ein
Mittel, eine Auslese *zugunsten* bevorzugter genetischer Merkmale zu
treffen. Der Genetiker Robert Sinsheimer erklärte: »Die alte Eugenik
beschränkte sich auf die zahlenmäßige Stärkung des Besten in unserem bestehenden Genpool. Die neue Eugenik würde im Grunde die
Umwandlung alles Untauglichen auf das höchste genetische Niveau
ermöglichen.«[36]

Der Millionär und Unternehmer Robert Graham, der unzerbrechliche Sonnenbrillen entwickelt hatte, stiftete 1980 eine Samenbank in Kalifornien, die das Sperma von Männern »von höchstem intellektuellem Format« aufbewahren und ausschließlich zur künstlichen Befruchtung gesunder, intelligenter Frauen bereitstellen sollte.[37] Die Bank mit dem Namen Repository for Germinal Choice (Aufbewahrungsort für Keimauswahl) war bestrebt, Sperma von Nobelpreisträgern auf der ganzen Welt zu bekommen. Zu den wenigen Wissenschaftlern, die sich zu einer Samenspende bereitfanden, gehörte der Physiker William Shockley, der Erfinder des Siliziumtransistors.[38] Wie vielleicht nicht anders zu erwarten, ließ Graham auch sein Sperma in die Bank aufnehmen, weil er ein »zukünftiger Nobelpreisträger«, ein angehendes Genie sei – auch wenn das Nobelkomitee in Stockholm es noch nicht erkannt habe. So leidenschaftlich die Phantasien auch sein mochten, die sich mit Grahams kryogenetischem Utopia verbanden, fanden sie in der Öffentlichkeit doch keinen Anklang. In den folgenden zehn Jahren wurden lediglich fünfzehn Kinder geboren, die aus dem Sperma dieser Samenbank hervorgegangen waren. Bei den meisten ist über ihren langfristigen Werdegang nichts bekannt, allerdings hat bislang wohl keines einen Nobelpreis bekommen.

Auch wenn man sich über Grahams »Geniebank« lustig machte und sie letztlich aufgelöst wurde, begrüßten mehrere Wissenschaftler deren frühes Eintreten für eine »Keimwahl« – also für die Wahlfreiheit des Einzelnen, sich die genetischen Determinanten seines Nachwuchses auszusuchen. Eine Samenbank ausgewählter genetischer Genies war offenkundig eine unausgegorene Idee – manche hielten es aber für eine durchaus vertretbare Zukunftsperspektive, »Geniegene« aus Spermien zu selektieren.

Wie sollte man jedoch eine Auslese von Spermien (oder Eizellen) treffen, die spezifische bessere Genotypen trugen? Ließe sich in das menschliche Genom neues Genmaterial einfügen? Obwohl man die Technologie, die eine positive Eugenik ermöglichen würde, noch nicht genau umreißen konnte, hielten einige Wissenschaftler dies lediglich für eine praktische Hürde, die man in naher Zukunft ausräumen könnte. Der Genetiker Hermann Muller, die Evolutionsbiologen

Ernst Mayr und Julian Huxley und der Populationsbiologe James Crow gehörten zu den stimmgewaltigen Verfechtern einer positiven Eugenik. Das einzige Auswahlverfahren für vorteilhafte menschliche Genotypen bestand bis zur Geburt der Eugenik in der natürlichen Selektion, die von der brutalen Logik Malthus' und Darwins geprägt war: dem Kampf ums Überleben und dem langsamen, mühsamen Aufkommen von Überlebenskünstlern. Die natürliche Auslese sei »grausam, fehlerhaft und ineffizient«, schrieb Crow.[39] Dagegen könne die künstliche genetische Auslese und Manipulation auf »Gesundheit, Intelligenz und Glück« basieren. Die Bewegung erhielt Unterstützung von Wissenschaftlern, Intellektuellen, Schriftstellern und Philosophen. Francis Crick war ein ebenso unbeirrbarer Anhänger der Neoeugenik wie James Watson. James Shannon, der Leiter der US-amerikanischen Gesundheitsbehörde National Institutes of Health, führte vor dem Kongress aus, Genscreening sei nicht nur »eine moralische Pflicht des medizinischen Berufsstandes, sondern auch eine ernstzunehmende gesellschaftliche Verantwortung«.[40]

Als die Neoeugenik national und international stärker ins Blickfeld der Öffentlichkeit geriet, bemühten sich ihre Begründer wacker, die neue Bewegung von ihrer hässlichen Vergangenheit abzurücken – besonders von den Anklängen an Hitler in der nationalsozialistischen Eugenik. Zwei Hauptfehler hätten die deutsche Eugenik in den Abgrund der nationalsozialistischen Gräuel getrieben, vertraten Neoeugeniker: die mangelnde Wissenschaftlichkeit und die fehlende politische Legitimität. Damals habe man Minderwissenschaft (Junk Science) benutzt, um einen schlechten Staat zu stützen, und dieser habe wiederum Minderwissenschaft gefördert. Diese Fallstricke würden Neoeugeniker vermeiden, indem sie sich an zwei eherne Werte hielten: wissenschaftliche Strenge und Freiwilligkeit.

Die wissenschaftliche Strenge sollte gewährleisten, dass die Neoeugenik nicht von den Perversionen der nationalsozialistischen Eugenik kontaminiert würde. Genotypen sollten nach streng wissenschaftlichen Kriterien ohne staatliche Einmischung oder Anweisungen objektiv beurteilt werden. Und für jeden Schritt sollte Freiwilligkeit gelten und sicherstellen, dass eugenische Ausleseverfahren – wie pränatale Untersuchungen und Abtreibungen – ausschließlich aus freien Stücken erfolgten.

Für ihre Kritiker war die Neoeugenik jedoch weiterhin mit einigen der grundlegenden Mängel behaftet, die sich als Fluch der Eugenik herausgestellt hatten. Die schärfste Kritik an der Neoeugenik kam, wenig überraschend, gerade aus der Disziplin, die ihr Leben eingehaucht hatte: der Humangenetik. Wie McKusick und seine Kollegen mit wachsender Klarheit erkannten, waren die Wechselwirkungen zwischen menschlichen Genen und Krankheiten erheblich komplizierter, als Neoeugeniker vermutet haben mochten. Aufschlussreiche Fallbeispiele lieferten das Down-Syndrom und die Kleinwüchsigkeit. Da beim Down-Syndrom die Chromosomenanomalie eindeutig und leicht erkennbar war und sich der Zusammenhang zwischen dem Gendefekt und den medizinischen Symptomen mit hoher Wahrscheinlichkeit vorhersagen ließ, mochten pränatale Gentests und Schwangerschaftsabbruch noch vertretbar sein. Doch selbst beim Down-Syndrom gab es wie beim Kleinwuchs eine erstaunliche Variationsbreite zwischen einzelnen Patienten mit der gleichen Mutation. Die meisten Männer und Frauen mit diesem Syndrom wiesen tiefgreifende körperliche und kognitive Behinderungen und Entwicklungsdefizite auf. Manche waren jedoch unbestreitbar in hohem Maße lebenstüchtig, führten ein beinahe eigenständiges Leben und brauchten nur minimale Hilfestellungen. Selbst ein ganzes zusätzliches Chromosom – ein so erheblicher Gendefekt, wie man ihn sich bei menschlichen Zellen nur vorstellen kann – konnte demnach nicht die einzige Determinante von Behinderungen sein, sondern stand in Zusammenhang mit anderen Genen und wurde durch Umwelteinflüsse und das gesamte Genom beeinflusst. Genetisch bedingte Krankheiten und genetische Gesundheit waren keine völlig getrennten Nachbarländer, sondern zusammenhängende Reiche mit schmalen, häufig durchlässigen Grenzen.

Noch komplexer war die Situation bei polygenetischen Erkrankungen wie Schizophrenie oder Autismus. Obwohl man von Schizophrenie wusste, dass sie eine starke genetische Komponente besaß, deuteten frühe Studien auf eine enge Beteiligung zahlreicher Gene auf verschiedenen Chromosomen hin. Wie sollte eine negative Auslese alle diese unabhängigen Determinanten beseitigen? Und was wäre, wenn manche der Genvarianten, die in einigen genetischen und äußeren Kontexten psychische Störungen verursachten, in anderen Zusammenhängen gerade gesteigerte Fähigkeiten hervorbrächten? Ironischerweise litt William Shockley – der prominenteste Samenspender in Grahams Geniesamenbank – selbst unter einem Syndrom, das von Verfolgungswahn, Aggression und sozialer Zurückgezogenheit geprägt war und von mehreren Biographen als eine hochfunktionelle Form von Autismus eingestuft wurde. Was wäre, wenn sich – beim Durchforsten von Grahams Samenbank in einer zukünftigen Ära – herausstellen sollte, dass die ausgewählten »Geniesamenproben« ausgerechnet Gene enthielten, die in alternativen Situationen Krankheiten verursachen könnten (oder umgekehrt: wenn »krankheitserregende« Genvarianten auch *Genies* hervorbringen könnten)?

McKusick war jedenfalls überzeugt, dass ein »Überdeterminismus« in der Genetik und deren unbedachte Anwendung auf die Selektion von Menschen einen »genetisch-kommerziellen« Komplex hervorbringen würde, wie er es nannte. »Gegen Ende seiner Amtszeit warnte Präsident Eisenhower vor den Gefahren des militärisch-industriellen Komplexes«, führte McKusick aus. »Es ist angebracht, vor einer potentiellen Gefahr durch den genetisch-kommerziellen Komplex zu warnen. Die zunehmende Verfügbarkeit von Tests für die angebliche gute oder schlechte genetische Qualität könnte den kommerziellen Sektor und die Publizisten der Madison Avenue veranlassen, mehr oder weniger subtilen Druck auf Paare auszuüben, damit sie die Auswahl ihrer Keimzellen für die Fortpflanzung nach Werturteilen treffen.«[41]

Seine Befürchtungen erschienen 1976 noch weitgehend theoretisch. Die Liste der von Genen beeinflussten menschlichen Krankheiten war zwar exponentiell gewachsen, aber die meisten der dafür verantwortlichen Gene mussten erst noch ausfindig gemacht werden. Durch die in den ausgehenden 1970er Jahren entwickelten Technologien zum Klonieren und zur Gensequenzierung war es mittlerweile vorstellbar, solche Gene bei Menschen erfolgreich zu identifizieren und aussagekräftige Diagnoseverfahren zu entwickeln. Das Humangenom hat jedoch drei Millionen Basenpaare, während eine typische, mit einer Krankheit verknüpfte Genmutation vielleicht zur Veränderung nur eines einzigen Basenpaares im Genom führt. Sämtliche Gene des Genoms zu klonieren und zu sequenzieren, um diese Mutation zu finden, war undenkbar. Um ein krankheitserregendes Gen aufzuspüren, war es notwendig, es irgendwie auf einem kleineren Abschnitt des Genoms zu kartieren oder zu lokalisieren. Aber genau dazu fehlte die Technologie: Es gab zwar offenbar zahlreiche Gene, die Krankheiten verursachten, aber keine einfache Möglichkeit, sie in dem umfangreichen Humangenom aufzuspüren. Die Humangenetik steckte in der sprichwörtlichen Suche nach der Nadel im Heuhaufen fest, wie ein Genetiker es formulierte.[42]

Eine zufällige Begegnung bot 1978 eine Lösung für dieses Problem und ermöglichte es Genetikern, menschliche Gene, die mit Krankheiten verknüpft waren, zu kartieren und zu klonieren. Dieses Treffen und die darauf folgende Entdeckung markierten einen Wendepunkt in der Erforschung des Humangenoms.

Ein Dorf von Tänzern, ein Atlas aus Molen

Ehre sei Gott für gesprenkelte Dinge.

Gerard Manley Hopkins,
»Gescheckte Schönheit«[43]

Plötzlich stießen wir auf zwei Frauen, Mutter
und Tochter, beide groß, dünn, fast ausgemergelt,
beide krümmten und verdrehten sich und
schnitten Grimassen.

George Huntington[44]

Die Genetiker David Botstein vom MIT und Ron Davis aus Stanford fuhren 1978 nach Salt Lake City, da sie dem Prüfungsausschuss für das Graduiertenstudium an der University of Utah angehörten.[45] Die Prüfung fand einige Kilometer außerhalb der Stadt in Alta, hoch in den Wasatch Moutains, statt. Botstein und Davis machten sich während der Präsentationen Notizen – aber ein Vortrag sprach sie beide besonders an. Der Student Kerry Kravitz und sein Studienberater Mark Skolnick legten akribisch den Erbgang eines Gens dar, das die Erbkrankheit Hämochromatose verursacht. Diese seit der Antike bekannte Krankheit entsteht durch eine Mutation des Gens, das die Eisenaufnahme im Darm reguliert. Die betroffenen Patienten nehmen große Mengen Eisen auf, so dass ihr Körper durch Eisenablagerungen nach und nach versagt, ihre Leber unter dem Eisen erstickt und die Bauchspeicheldrüse nicht mehr arbeitet. Die Haut wird zunächst bräunlich, später aschfahl. Organ für Organ wird mit Eisen überladen, der Körper wandelt sich wie beim Blechmann in *Der Zauberer von Oz*, was schließlich zu Gewebeschäden, Organversagen und zum Tod führt.

Das Problem, das Kravitz und Skolnick in Angriff nehmen wollten, betraf eine grundlegende konzeptionelle Lücke der Genetik. Bis Mitte der 1970er Jahre hatte man Tausende von genetisch bedingten Krankheiten identifiziert – unter anderem Hämochromatose, Hämophilie und Sichelzellenanämie. Mit der Entdeckung, dass eine Krankheit genetisch bedingt ist, hat man jedoch noch lange nicht das verantwortliche Gen gefunden. So deutet das Vererbungsmuster der Hämochromatose eindeutig darauf hin, dass diese Krankheit auf ein einziges Gen zurückgeht und die Mutation rezessiv vererbt wird – dass also für die Ausprägung der Krankheit zwei defekte Allele dieses Gens (eines von jedem Elternteil) notwendig sind. Der Erbgang sagt uns jedoch nichts über Art und Funktion des Hämochromatose-Gens.

Kravitz und Skolnick schlugen nun eine einfallsreiche Lösung vor, um dieses Gen zu identifizieren. Der erste Schritt bei der Suche nach einem Gen besteht darin, es räumlich auf einem bestimmten Chromosom zu »kartieren«: Hat man es erst einmal in einem bestimmten Abschnitt eines Chromosoms lokalisiert, kann man es mit gängigen Klonierverfahren isolieren, sequenzieren und seine Funktion untersuchen. Kravitz und Skolnick wollten nun zur Kartierung des Hämochromatose-Gens die einzige Eigenschaft nutzen, die allen Genen gemeinsam ist: Sie sind auf Chromosomen miteinander gekoppelt.

Spielen wir das Vorgehen an einem Gedankenexperiment durch: Angenommen, das Hämochromatose-Gen befindet sich auf Chromosom 7 in unmittelbarer Nachbarschaft zu dem Gen, das die Haarform steuert – also für glattes, gewelltes oder lockiges Haar sorgt. Nehmen wir weiter an, irgendwann in der fernen Evolutionsgeschichte sei das defekte Gen für Hämochromatose bei einem Mann mit lockigem Haar entstanden. Jedes Mal, wenn Eltern dieses Ahnengen an ein Kind weitergeben, vererben sie zugleich auch das Gen für Locken: Beide sind auf dem Chromosom miteinander gekoppelt, und da sich Chromosomen selten aufspalten, kommen beide Genvarianten unweigerlich zusammen vor. Diese Verknüpfung wird möglicherweise nicht innerhalb einer Generation sichtbar, aber über mehrere Generationen hinweg zeichnet sich ein statistisches Muster ab: In dieser Familie neigen Kinder mit lockigem Haar zu Hämochromatose.

Diese Logik hatten Kravitz und Skolnick genutzt und Mormonen in Utah mit weitverzweigtem Stammbaum untersucht. Dabei hatten sie festgestellt, dass das Hämochromatose-Gen mit einem Immunabwehrgen gekoppelt ist, das in Hunderten von Varianten vorkommt.[46] Frühere Forschungen hatten dieses Immunabwehrgen auf Chromosom 6 lokalisiert – also musste das Hämochromatose-Gen ebenfalls auf diesem Chromosom liegen.

Aufmerksame Leser könnten nun einwenden, dieses Beispiel habe einen Haken: Das Hämochromatose-Gen sei zufällig mit einem leicht zu identifizierenden, hochvarianten Merkmal auf demselben Chromosom gekoppelt. Solche Merkmale seien sicher äußerst selten. Dass das von Skolnick gesuchte Gen gleich neben einem Gen für ein Immunprotein lag, das in vielen leicht erkennbaren Varianten vorkäme, sei ja wohl ein glücklicher Ausreißer. Damit eine solche Lokalisierung für irgendein anderes Gen gelinge, müsse da nicht das Humangenom mit einer ganzen Reihe variabler, leicht identifizierbarer Marker durchsetzt sein wie mit beleuchteten Wegweisern, die praktischerweise in regelmäßigen Abständen auf dem Chromosom platziert seien?

Aber Botstein wusste, dass solche Wegweiser durchaus existieren konnten. Im Laufe der jahrhundertelangen Evolution hatte das Humangenom sich genügend verzweigt, dass Tausende winzige Variationen der DNA-Sequenz entstanden waren. Diese sogenannten *Polymorphismen* – Vielgestaltigkeiten – sind wie Allele oder Genvarianten, sie beschränken sich nicht auf die eigentlichen Gene, sondern kommen auch in den dazwischenliegenden langen DNA-Abschnitten oder in den Introns vor.

Man kann sich solche Varianten wie molekulare Versionen der Augen- oder Hautfarbe vorstellen, die in der Bevölkerung in unzähligen verschiedenen Formen vorhanden sind. Bei einer Familie mag an einer bestimmten Stelle eines Chromosoms die Sequenz A<u>C</u>AAGTCC liegen, bei einer anderen befindet sich an derselben Stelle dagegen die Sequenz A<u>G</u>AAGTCC – die in einem Basenpaar abweicht.*[47] Im Gegensatz zur Haarfarbe oder der Immunreaktion sind diese Varianten für das menschliche Auge nicht ersichtlich. Sie bewirken nicht unbedingt eine Veränderung des Phänotyps oder der Funktion eines Gens und lassen sich nicht anhand der üblichen biologischen oder körperlichen Merkmale unterscheiden, sondern nur durch subtile molekulare Verfahren. So kann ein Restriktionsenzym, das A<u>C</u>AAG erkennt, nicht aber A<u>G</u>AAG, die eine Sequenzvariante aufspüren, die andere aber nicht.

• • •

Als Botstein und Davis in den 1970er Jahren erstmals DNA-Polymorphismus in Hefe- und Bakteriengenomen entdeckten, wussten sie nicht, was sie damit anfangen sollten.[48] Gleichzeitig fanden sie einige solcher Polymorphismen auch verstreut in Humangenomen – allerdings waren Ausmaß und Position solcher Variationen bei Menschen noch nicht bekannt. Der Dichter Louis MacNeice beschrieb einmal das Gefühl »der Trunkenheit von Dingen, die verschieden sind«.[49] Der Gedanke, dass das Genom von winzigen, zufällig verteilten Molekülvariationen übersät ist – wie ein Körper von Sommersprossen – mochte einem betrunkenen Humangenetiker vielleicht eine gewisse Freude bereiten, es war jedoch schwer vorstellbar, welchen Nutzen diese Information haben könnte. Vielleicht war das Phänomen überaus schön, aber völlig nutzlos – eine Sommersprossenkarte.

---

* Die beiden Forscher Y. Wai Kan und Andree Dozy fanden 1978 einen DNA-Polymorphismus in der Nähe des Sichelzellenanämie-Gens und nutzten ihn, um dessen Erbgang bei Patienten zu verfolgen. Maynard Olson und seine Kollegen beschrieben in den späten 1970er Jahren ebenfalls Methoden zur Genkartierung anhand von Polymorphismen.

An jenem Morgen in Utah hörte Botstein sich Kravitz' Vortrag an und kam auf eine faszinierende Idee: Wenn im menschlichen Genom solche unterschiedlichen genetischen Wegweiser existierten und man ein bestimmtes genetisches Merkmal mit einer solchen Variante in Verbindung bringen könnte, dann ließe sich die ungefähre Position eines jeden Gens auf einem Chromosom herausfinden. Eine Karte genetischer Sommersprossen war keineswegs nutzlos, sondern ließe sich verwenden, um die grundlegende Anatomie der Gene zu kartieren. Die Polymorphismen würden als eine Art internes GPS-System dienen, denn durch die Verbindung oder Kopplung eines Gens mit einer solchen Variante könnte man den Genort bestimmen. Mittags war Botstein ganz außer sich vor Begeisterung. Skolnick hatte über zehn Jahre nach dem Immunabwehr-Marker gesucht, um das Hämochromatose-Gen zu kartieren. »Wir können Ihnen Ihre Marker geben ... Marker, die auf dem ganzen Genom verteilt sind«, erklärte er Skolnick.[50]

Der eigentliche Schlüssel zur Genkartierung bei Menschen war nicht, die Gene zu finden, sondern die Menschen, hatte Botstein erkannt. Wenn sich eine ausreichend große Familie mit einem – irgendeinem – gemeinsamen genetischen Merkmal fände, das sich mit einem der im Genom verteilten varianten Marker in Zusammenhang bringen ließe, würde Genkartierung zu einer einfachen Aufgabe. Hätten beispielsweise alle Mitglieder einer von Mukoviszidose betroffenen Familie unweigerlich zugleich auch einen varianten DNA-Marker – nennen wir ihn Variante X – geerbt, der an der Spitze von Chromosom 7 läge, dann müsste sich das Mukoviszidose-Gen in der Nähe dieser Position befinden.

Botstein, Davis, Skolnick und der Humangenetiker Ray White veröffentlichten ihre Idee zur Genkartierung 1980 im *American Journal of Human Genetics*. »Wir beschreiben eine neue Grundlage für die Konstruktion einer genetischen ... Karte des menschlichen Genoms«, schrieb Botstein.[51] Die seltsame Studie, versteckt im Mittelteil einer relativ unbedeutenden Fachzeitschrift und mit Statistiken und mathematischen Gleichungen garniert, erinnerte an Mendels klassischen Aufsatz.

Es dauerte eine Weile, bis die gesamte Tragweite dieser Idee deutlich wurde. Die entscheidenden Erkenntnisse der Genetik erwachsen, wie gesagt, immer aus Umwälzungen – etwa aus dem Übergang von statistischen Merkmalen zu Erbteilchen, von Genen zur DNA. Auch Botstein hatte eine wichtige konzeptionelle Wende vollzogen – von menschlichen Genen als ererbten biologischen Merkmalen hin zu ihrer physischen Karte auf Chromosomen.

• • •

Im Herbst 1979 hörte die Psychologin Nancy Wexler – als sie mit Ray White und David Housman korrespondierte – von Botsteins Vorschlag zur Genkartierung. Sie hatte schmerzliche Gründe, sich dafür zu interessieren. Im Sommer 1968, als Wexler 22 Jahre alt war, hatte ein Polizist ihre Mutter, Leonore Wexler, angehalten, weil sie in Schlangenlinien über eine Straße in Los Angeles gelaufen war. Leonore hatte unerklärliche Depressionsschübe erlebt – plötzliche Stimmungsumschwünge, seltsame Verhaltensänderungen – und hatte einmal versucht, sich das Leben zu nehmen, hatte aber nie als körperlich krank gegolten. Bei zweien ihrer Brüder, Paul und Seymour, die früher in einer Swing Band in New York gespielt hatten, hatte man in den 1950er Jahren eine seltene Erbkrankheit, die Huntington-Krankheit, festgestellt. Ihr Bruder Jessie, ein Verkäufer, der gern Zaubertricks vorführte, hatte bemerkt, dass seine Finger bei seinen Vorstellungen unkontrollierbar zuckten. Bei ihm wurde dieselbe Krankheit festgestellt. Ihr Vater, Abraham Sabin, war 1929 an der Huntington-Krankheit gestorben. Leonore suchte einen Neurologen auf, und im Mai 1968 wurde auch bei ihr die Huntington-Krankheit diagnostiziert.

Die Huntington-Krankheit, benannt nach dem Arzt aus Long Island, der sie in den 1870er Jahren erstmals beschrieben hatte, heißt auch Chorea Huntington nach dem griechischen Wort *choreia* für »Tanz«. Dabei handelt es sich eigentlich um das genaue Gegenteil eines Tanzes, um eine freudlose, krankhafte Karikatur, den verhängnisvollen Ausdruck einer fehlgesteuerten Hirnfunktion. Patienten, die das dominante Huntington-Gen geerbt haben – von dem also ein Allel ausreicht, um die Krankheit hervorzurufen –, sind in den ersten dreißig bis vierzig Lebensjahren neurologisch unauffällig. Gelegentlich treten bei ihnen vielleicht Stimmungsschwankungen oder subtile Anzeichen von sozialer Zurückgezogenheit auf. Dann kommt es zu leichten, kaum wahrnehmbaren Zuckungen. Es fällt ihnen schwer, nach Dingen zu greifen, Weingläser und Armbanduhren entgleiten ihren Fingern, und Bewegungen geraten zu unkontrollierten Zuckungen. Schließlich beginnt der unwillkürliche »Tanz« wie zu einer Teufelsmusik. Hände und Beine beschreiben von ganz allein gewundene, ausholende Gesten, unterbrochen von einem Stakkato ruckartiger Bewegungen – »als ob man eine riesige Marionette sähe …, die von einem unsichtbaren Marionettenspieler ruckweise bewegt wird«.[52] Im Endstadium der Krankheit kommt es zu einem tiefgreifenden kognitiven Verfall und zum nahezu vollständigen Verlust der Bewegungsfähigkeit. Die Patienten sterben an Unterernährung, Demenz und Infektionen – »tanzen« jedoch bis zum Schluss.

Der makabre Fortbestand der Huntington-Krankheit liegt teils an ihrem späten Ausbrechen. Träger des Gens erfahren erst mit dreißig oder vierzig von ihrer Krankheit – also häufig, nachdem sie schon eigene Kinder haben. So kann sich das Gen in menschlichen Populationen halten. Da jeder Patient mit Huntington-Krankheit ein normales und ein mutantes Allel des Gens besitzt, hat jedes seiner Kinder ein 50-prozentiges Risiko, zu erkranken. Für diese Kinder wird das Leben zu einem »grausamen Roulette«,[53] wie Nancy Wexler es formulierte, einem »Warten auf den Ausbruch der Symptome«[54] . Ein Betroffener beschrieb den eigentümlichen Schrecken dieses Schwebezustands: »Ich weiß nicht, an welchem Punkt die Grauzone endet und ein noch finstereres Schicksal wartet … Also spiele ich das furchtbare Wartespiel und mache mir Gedanken über den Ausbruch und die Auswirkungen.«[55]

• • •

Nancys Vater, der klinische Psychologe Milton Wexler aus Los Angeles, informierte seine beiden Töchter 1968 über die Diagnose bei ihrer Mutter.[56] Nancy und Alice waren noch symptomfrei, hatten aber ein 50-prozentiges Risiko, die Krankheit in sich zu tragen, ohne dass es einen Gentest dafür gab. »Jede von euch hat eine Chance von eins zu zwei, diese Krankheit zu bekommen«, erklärte Milton Wexler ihnen. »Und wenn ihr sie bekommt, haben eure Kinder eine Chance von eins zu zwei, sie ebenfalls zu bekommen.«

»Wir klammerten uns aneinander und weinten«, erinnerte sich Nancy Wexler. »Nur tatenlos abzuwarten, bis es kommt und mich umbringt, war einfach unerträglich.«[57]

Noch im selben Jahr gründete Milton Wexler die gemeinnützige Stiftung Hereditary Disease Foundation, die Forschungen zur Huntington-Krankheit und anderen seltenen Erbkrankheiten finanzieren sollte.[58] Das Huntington-Gen zu finden wäre nach Wexlers Ansicht der erste Schritt zu einer Diagnose sowie zu zukünftigen Behandlungen und einer eventuellen Heilung. Damit hätten seine Töchter eine Chance, ihre Krankheit vorauszusagen und ihre Zukunft zu planen.

Leonore Wexler glitt unterdessen nach und nach in die Fänge ihrer Krankheit. Ihre Sprache verschlechterte sich zu einem unkontrollierbaren Lallen. »Neue Schuhe waren abgenutzt, sobald man sie ihr angezogen hatte«, erinnerte sich ihre Tochter. »In einem Pflegeheim saß sie in dem engen Zwischenraum zwischen Bett und Wand auf einem Stuhl. Aber ganz gleich, wo man den Stuhl hinstellte, rückten ihre ständigen heftigen Bewegungen ihn an die Wand, bis ihr Kopf gegen den Putz schlug ... Wir versuchten, ihr Gewicht zu halten; aus unerfindlichen Gründen geht es Menschen mit Huntington-Krankheit besser, wenn sie schwer sind, aber ihre ständige Bewegung macht sie dünn ... Einmal verputzte sie mit diebischem Vergnügen innerhalb einer halben Stunde ein ganzes Pfund Türkischen Honig. Aber sie nahm nie zu. Ich nahm zu. Ich aß, um ihr Gesellschaft zu leisten; ich aß, um nicht zu weinen.«[59]

Leonore starb am 14. Mai 1978.[60] Im Oktober 1979 organisierten Nancy Wexler, David Housman, Ray White und David Botstein einen Genetik-Workshop an den National Health Institutes, um nach der bestmöglichsten Strategie zu suchen, dieses Gen zu kartieren.[61] Botsteins Genkartierungsverfahren existierte damals weitgehend als Theorie – noch hatte man auf diese Weise kein menschliches Gen erfolgreich kartiert –, und es bestand nur eine vage Wahrscheinlichkeit, die Methode zur Bestimmung des Huntington-Gens einzusetzen. Schließlich hing Botsteins Vorgehensweise entscheidend von der Kopplung einer Krankheit mit Markern ab: Je mehr Patienten es gab, umso stärker war die Verknüpfung und umso genauer die Genkartierung. Da es in den gesamten Vereinigten Staaten nur einige tausend Patienten mit Huntington-Krankheit gab, schien diese Kartierungstechnik für dieses Gen völlig ungeeignet zu sein.

Aber Nancy Wexler konnte den Gedanken an Genkarten nicht mehr abschütteln. Einige Jahre zuvor hatte Milton Wexler von einem venezolanischen Neurologen erfahren, dass es am Ufer des Maracaibo-Sees zwei benachbarte Dörfer, Barranquitas und Lagunetas, mit einer auffallenden Häufung von Huntington-Fällen gab. In einem verschwommenen Schwarzweißfilm, den der Neurologe selbst aufgenommen hatte, hatte Wexler mehr als ein Dutzend Dorfbewohner mit unkontrollierbar zuckenden Gliedmaßen auf den Straßen gesehen. In diesem Dorf gab es unzählige Huntington-Patienten. Falls Botsteins Methode eine Chance hatte, zu funktionieren, dann müsste sie Zugang zu den Genomen der venezolanischen Kohorte bekommen, überlegte Nancy Wexler. In Barranquitas, Tausende Kilometer von Los Angeles entfernt, wäre das Gen für ihre Familienkrankheit mit höchster Wahrscheinlichkeit zu finden.

Im Juli 1979 reiste sie auf der Suche nach dem Huntington-Gen nach Venezuela. »Ich hatte einige Male in meinem Leben das sichere Gefühl, dass etwas durchweg richtig war, Momente, in denen ich nicht still sitzenbleiben konnte«, schrieb sie.[62]

• • •

Auf den ersten Blick fällt Besuchern in Barranquitas vielleicht nichts Ungewöhnliches an den Einwohnern auf.[63] Ein Mann geht auf einer staubigen Straße vorüber, gefolgt von ein paar Kindern mit nacktem Oberkörper. Eine dünne, dunkelhaarige Frau in geblümtem Kleid tritt aus einer Hütte mit Wellblechdach und geht zum Markt. Zwei Männer sitzen einander gegenüber, unterhalten sich und spielen Karten. Doch schon bald ändert sich der anfängliche Eindruck von Normalität. Irgendetwas am Gang des Mannes wirkt unnatürlich. Nach ein paar Schritten fängt sein Körper an, sich ruckend und zuckend zu bewegen, während seine Hand ausholende Bögen in der Luft beschreibt. Er zuckt, wankt seitwärts und korrigiert seine Richtung. Gelegentlich verzieht sich sein Gesicht zu einer finsteren Miene. Auch die Hände der Frau drehen und winden sich und beschreiben Halbkreise um ihren Körper. Sie sieht ausgemergelt aus und sabbert. Sie leidet an einer fortgeschrittenen Demenz. Einer der beiden Männer reißt mitten im Gespräch die Arme hoch, aber sie reden weiter, als sei nichts passiert.

Als der venezolanische Neurologe Américo Negrette in den 1950er Jahren zum ersten Mal nach Barranquitas kam, dachte er, er sei in ein Dorf voller Alkoholiker geraten.[64] Bald merkte er jedoch, dass er sich geirrt hatte: All diese Männer und Frauen mit Demenz, Gesichtszuckungen, Muskelschwund und unkontrollierten Bewegungen litten an einem erblichen neurologischen Syndrom, der Huntington-Krankheit. In den Vereinigten Staaten kommt sie äußerst selten vor – nur bei einem von zehntausend Einwohnern. In manchen Teilen von Barranquitas und dem Nachbarort Lagunetas war dagegen mehr als einer von zwanzig Einwohnern betroffen.[65]

• • •

Nancy Wexler landete im Juli 1979 in Maracaibo. Sie engagierte acht einheimische Mitarbeiter, machte sich auf in die Barrios am Seeufer und begann, die Stammbäume von Männern und Frauen mit und ohne Huntington-Krankheit zu dokumentieren (sie hatte klinische Psychologie studiert, war aber mittlerweile eine der weltweit führenden Expertinnen für Huntington und andere neurodegenerative Erkrankungen). »Es war ein unmöglicher Ort, um Forschungen zu betreiben«, erinnerte sich ihre Assistentin. Sie richteten eine provisorische Praxis ein, in der Neurologen die Patienten identifizieren, ihre Krankheit diagnostizieren und ihnen Informationen und unterstützende Betreuung bereitstellen konnten. Wexler war vor allem daran interessiert, Männer und Frauen mit *zwei* Allelen des mutierten Gens zu finden.[66] Deshalb suchte sie nach einer Familie, in der beide Elternteile von der Krankheit betroffen waren. Eines Morgens gab ein einheimischer Fischer den entscheidenden Hinweis: Er kannte ein armseliges Pfahldorf, etwa zwei Stunden Fahrt über den See entfernt, in dem viele Familien unter *el mal* litten. Ob Wexler wohl durch die Sümpfe dorthin fahren wolle?

Sie wollte. Am nächsten Tag machte sie sich mit zwei Assistenten in einem Boot auf zu dem *pueblo de agua*, dem Dorf auf Stelzen. Es herrschte brütende Hitze. Stundenlang paddelten sie am Ufer entlang, bis sie um eine Biegung kamen und unvermittelt eine Frau in einem braunen Kleid mit gekreuzten Beinen auf einer Veranda sitzen sahen. Die Ankunft des Bootes erschreckte die Frau so, dass sie aufstand und ins Haus ging, aber auf halbem Weg schüttelten sie plötzlich die typischen ruckartigen Bewegungen der Huntington-Krankheit. Einen Kontinent von ihrer Heimat entfernt sah Wexler sich mit dem schmerzlich erkennbaren Tanz konfrontiert. »Es war der Zusammenprall von etwas ganz und gar Absonderlichem und etwas vollkommen Vertrautem«, erinnerte sie sich, »ich fühlte mich dazugehörig und ausgestoßen. Ich verlor die Fassung.«[67]

Als Wexler weiter in das Dorf paddelte, stieß sie auf ein Paar, das zuckend in einer Hängematte lag. Dieses Paar hatte 14 Kinder, von denen manche erkrankt, andere Träger des Gens waren. Als Wexler Informationen über die Kinder und deren Kinder sammelte, wuchs der dokumentierte Stammbaum rapide. Innerhalb einiger Monate hatte sie eine Liste von Hunderten von Männern, Frauen und Kindern mit Huntington-Krankheit erstellt.[68] In den folgenden Monaten fuhr sie mit einem Team ausgebildeter Krankenschwestern und Ärzte wieder in diese Dörfer, um Blutproben zu nehmen, die sie dann an das Labor von James Gusella am Massachusetts General Hospital in Boston und an den Medizingenetiker Michael Conneally an der Indiana University schickte.

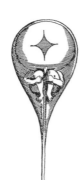

Nicolas Hartsoeker zeichnete 1694 den in ein menschliches Spermium gehüllten Homunculus. Wie viele andere Biologen seiner Zeit glaubte auch er an den »Spermismus«, eine Theorie, wonach die Information für die Entwicklung eines Fötus in einem winzigen Menschlein im Spermium steckte. (© RM Image)

In Europa wurden im Mittelalter häufig »Stammbäume« aufgestellt, die Vorfahren und Ahnen von Adelsfamilien zeigten. Sie wurden verwendet, um Ansprüche auf Adelstitel und Besitz zu untermauern oder wurden bei Eheschließungen zwischen Familien genutzt (teilweise um Heiraten unter engen Blutsverwandten zu verringern). Der Schriftzug »Gene« – in der oberen linken Ecke – bezeichnet das Geschlecht im Sinne von Abstammung, Herkunft. Der Begriff *Gen* in seiner modernen Bedeutung als Einheit der Erbinformation entstand erst 1909. (© HIP / Art Resource, NY)

Charles Darwin (hier mit gut 70 Jahren) zeigte in einer Skizze des »Lebensbaums« auf, wie Organismen, sich immer weiter verzweigend, aus einem gemeinsamen Ahnen hervorgegangen sind (über dem Diagramm steht der von Zweifeln beseelte Satz: »Ich denke«). Darwins Theorie einer Evolution durch Variation und natürliche Auslese machte eine Theorie der Vererbung durch Gene erforderlich. Aufmerksame Leser seines Werkes erkannten, dass die Evolution nur funktionieren konnte, wenn es unteilbare, aber veränderliche Erbteilchen gab, die Informationen von Eltern an ihre Nachkommen weitergaben. Dennoch fand Darwin, der Mendels Aufsatz nicht gelesen hatte, Zeit seines Lebens keine angemessene Formulierung einer solchen Theorie. (© Photo by Bob Thomas / Popperfoto via Getty Images / Getty Images)

Gregor Mendel hält eine Blüte in der Hand, möglicherweise von einer Erbsenpflanze aus seinem Klostergarten in Brünn (heute Brno in der Tschechischen Republik). Mendels bahnbrechende Experimente in den 1850er und 1860er Jahren identifizierten unteilbare Informationsteilchen als Träger der Erbinformation. Sein Aufsatz (1865) wurde vierzig Jahre lang weitgehend ignoriert, bevor er Umwälzungen in der Biologie bewirkte. (© RM Image / James King-Holmes)

Als William Bateson Mendels Arbeit 1900 »wiederentdeckte«, war er auf Anhieb zum Glauben an Gene bekehrt. Er prägte 1905 den Begriff *Genetik* für die Erforschung der Vererbung. Der Begriff *Gen* für einen Erbfaktor geht zurück auf Wilhelm Johannsen *(links)*, der Bateson in dessen Haus im englischen Cambridge besuchte. Beide arbeiteten eng zusammen und wurden zu vehementen Verfechtern der Gentheorie. (© The American Philosophical Society)

Francis Galton, aged 71, photographed as a criminal on his visit to Bertillon's Criminal Identification Laboratory in Paris, 1893.

Der Mathematiker, Biologe und Statistiker Francis Galton legte auch von sich eine seiner »Anthropometriekarten« an, auf denen er Größe, Gewicht, Gesichtszüge und andere Merkmale einer Person erfasste. Galton lehnte Mendels Theorie der Gene ab. Er war überzeugt, dass man durch Auslese von Personen mit den »besten« Merkmalen bei der Fortpflanzung eine verbesserte menschliche Rasse hervorbringen könnte. Die *Eugenik*, ein Begriff, den Galton für die Wissenschaft von der menschlichen Emanzipation durch Manipulation der Vererbung prägte, sollte schon bald in eine makabre Form gesellschaftlicher und politischer Kontrolle umschlagen. (© RM Image / Paul D. Stewart)

Die nationalsozialistische »Rassenhygiene« führte zu umfangreichen, staatlich geförderten Bestrebungen, die menschliche Rasse durch Sterilisation, Zwangsunterbringung und Mord zu säubern. Zwillingsstudien sollten die Macht der Erbeinflüsse belegen, und Männer, Frauen und Kinder wurden aufgrund der Annahme getötet, dass sie defekte Gene in sich trügen. Die Nationalsozialisten dehnten ihre eugenischen Bestrebungen auf die Vernichtung von Juden, Sinti und Roma, Dissidenten und Homosexuellen aus. Auf diesen Bildern messen NS-Wissenschaftler die Größe von Zwillingen und erklären Rekruten Schaubilder zu Familiengeschichte (links: © Archiv der Max-Planck-Gesellschaft, Berlin-Dahlem, rechts: © ullstein bild).

In den Vereinigten Staaten gab es in den 1920er Jahren »Better Babies Contests«. Ärzte und Krankenschwestern untersuchten (ausschließlich weiße) Kinder auf die besten genetischen Merkmale. Solche Wettbewerbe förderten in den Vereinigten Staaten die passive Unterstützung der Eugenik, indem sie die gesündesten Kinder als Ergebnis einer genetischen Auslese präsentierten. (Library of Congress Prints & Photographs Division)

Dieser »Eugenikbaum« aus den Vereinigten Staaten propagiert die »Selbststeuerung der menschlichen Evolution«. Medizin, Chirurgie, Anthropologie und Genealogie sind die »Wurzeln«. Diese Grundlagen wollte die Eugenik für eine Auslese tauglicherer, gesünderer und vollendeter Menschen nutzen. (© The American Philosophical Society)

In den 1920er Jahren wurden Carrie Buck und ihre Mutter Emma Buck zwangsweise in die Virginia State Colony for Epileptics and Feeble-minded eingewiesen, wo als »schwachsinnig« eingestufte Frauen routinemäßig sterilisiert wurden. Dieses Foto, angeblich als Schnappschuss von Mutter und Tochter aufgenommen, wurde in Wirklichkeit als Beleg für die Ähnlichkeit von Carrie und Emma inszeniert, um ihren »erblichen Schwachsinn« zu beweisen. (© Arthur Estabrook Papers. M.E. Grenander Department of Special Collections and Archives. University at Albany Libraries)

Thomas Morgan arbeitete in den 1920er und 1930er Jahren zunächst an der Columbia University, später an der Caltech University mit Fruchtfliegen, um nachzuweisen, dass Gene räumlich miteinander gekoppelt waren. Hellsichtig sagte er voraus, dass ein einziges Kettenmolekül Träger der Erbinformation ist. Die Genkopplung wurde schließlich zur Genkartierung bei Menschen genutzt und schuf die Grundlage für das Humangenomprojekt. Das Foto zeigt Morgan in seinem »Fliegenzimmer« am Caltech, umgeben von Milchflaschen, in denen er Maden und Fliegen züchtete. (Courtesy of the Archives, California Institute of Technology)

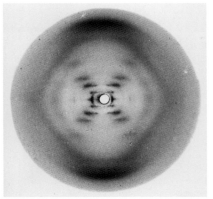

Rosalind Franklin am Mikroskop im King's College, London, in den 1950er Jahren. Sie fotografierte und untersuchte die DNA-Struktur mit Hilfe der Röntgenkristallographie. Fotografie 51 ist Franklins klarste Aufnahme eines DNA-Kristalls und deutet auf eine Doppelhelixstruktur hin, auch wenn die genaue Ausrichtung der Basen A, C, T und G daraus nicht eindeutig hervorgeht. (links: Museum of London/The Art Archive at Art Resource, NY, rechts: © King's College London Archives)

James Watson und Francis Crick demonstrieren ihr DNA-Modell einer Doppel-helix 1953 in Cambridge. Sie deckten die DNA-Struktur auf, nachdem sie er-kannten, dass sich die Base A eines Stranges immer mit der Base T des anderen Stranges paarte und G mit C. (© RM Image/A. Barrington-Brown)

Victor McKusick legte in den 1950er Jahren an der Moore Clinic in Baltimore einen umfang-reichen Katalog menschlicher Mutationen an. Er fand heraus, dass ein Phänotyp – »Zwerg-wuchs« – durch Mutationen mehrerer verschie-dener Gene verursacht sein konnte. Umgekehrt konnten Mutationen in einem einzelnen Gen verschiedene Phänotypen hervorbringen. Image courtesy of the Chesney Archives of Johns Hop-kins Medicine, Nursing, and Public Health

Nancy Wexlers Mutter und ihre Onkel litten an der Huntington-Krankheit, einem tödlichen degenerativen Nervenleiden, das unwillkürliche Zuckungen hervorruft. Diese Erfahrung spornte sie zu ihrer persönlichen Suche nach dem Gen an, das diese Krankheit verursacht. In Venezuela fand sie eine ganze Gruppe von Huntington-Patienten, die vermutlich alle von derselben Erkrankten abstammten. Die Huntington-Krank-heit war eines der ersten menschlichen Leiden, das moderne Genkartierungsmethoden eindeutig auf ein einzelnes Gen zurückführen konnten. (© Photo by Acey Harper/Getty Images)

Studenten protestieren in den 1970er Jahren gegen eine Genetiktagung. Die neuen Verfahren der Gensequenzierung, des Klonierens und der rekombinanten DNA weckten Befürchtungen, dass man neue Formen der Eugenik nutzen könnte, um eine »perfekte Rasse« zu schaffen. Die Verbindung zur NS-Eugenik war nicht vergessen. (Courtesy of the National Institutes of Health)

Herbert Boyer *(links)* und Robert Swanson gründeten 1976 die Firma Genentech, um Medikamente gentechnisch zu produzieren. Die Zeichnung an der Tafel zeigt das Verfahren, mit rekombinanter DNA Insulin herzustellen. Die ersten derartigen Proteine entstanden unter Swansons aufmerksamen Blicken in einem riesigen Bakterieninkubator. (Courtesy of Genentech archives)

Paul Berg spricht bei der Asilomar-Konferenz 1975 mit Maxine Singer und Norton Zinder, während Sydney Brenner Notizen macht. Nach der Entwicklung von Verfahren, Genhybriden (rekombinante DNA) herzustellen und in Bakterienzellen millionenfach zu vermehren (klonieren), schlugen Berg und andere ein Moratorium für bestimmte Forschungen mit rekombinanter DNA vor, bis man die Risiken angemessen eingeschätzt hätte. (Courtesy of the National Library of Medicine)

Frederick Sanger prüft eine DNA-Sequenzierungsaufnahme. Das von ihm entwickelte Verfahren, die genaue Abfolge der Basen A, C, T und G einer Gensequenz zu lesen, revolutionierte unser Verständnis von Genen und ebnete dem Humangenomprojekt den Weg. (Courtesy of MRC Laboratory of Molecular Biology)

Jesse Gelsinger posiert einige Monate vor seinem Tod 1999 in Philadelphia. Er war einer der ersten Patienten, die mit einer Gentherapie behandelt wurden. Ein Virus sollte die richtige Variante eines mutierten Gens in seine Leber schleusen, aber es kam bei ihm zu einer heftigen Immunreaktion, die zum Organversagen und zum Tod führte. Gelsingers »Biotech-Tod« löste in den Vereinigten Staaten Bestrebungen aus, die Sicherheit von Gentherapieversuchen zu gewährleisten. (© Mickie Gelsinger via MBR/KRT/Newscom)

J. Craig Venter *(links)*, US-Präsident Bill Clinton und Francis Collins geben am 26. Juni 2000 im Weißen Haus die vorläufige Sequenz des Humangenoms bekannt. (© picture alliance/ASSOCIATED PRESS/ RON EDMONDS)

Selbst ohne aufwendige Verfahren, das Humangenom zu verändern, hat
die Möglichkeit, das Genom eines Kindes *im Mutterleib* zu bestimmen,
weltweit zu umfangreichen dysgenischen Bestrebungen geführt. In Teilen
Chinas und Indiens hat die Geschlechtsbestimmung durch Fruchtwasseruntersuchung und die selektive Abtreibung weiblicher Föten das Verhältnis
von Frauen und Männern bereits auf 0,8 zu 1 verschoben und zu noch nie
dagewesenen Veränderungen der Bevölkerung und der Familienstrukturen
geführt. (© picture alliance/REUTERS/STRINGER/CHINA)

Heutzutage können schnellere und genauere Gensequenzierungsapparate
(in grauen kastenförmigen Behältern) und Superrechner, die genetische
Informationen analysieren und annotieren, individuelle Humangenome
innerhalb von Monaten sequenzieren. Variationen dieser Technik lassen
sich nutzen, um das Genom eines vielzelligen Embryos oder eines Fötus
zu sequenzieren, und ermöglichen so eine Präimplantationsgendiagnose
und die *pränatale* Diagnose zukünftiger Erkrankungen. (© RM Image)

Die Biologin und RNA-Forscherin Jennifer Doudna *(rechts)*
in Berkeley arbeitet wie einige andere auch an einem Verfahren, das gezielte Mutationen in Gene einschleust. Diese
Methode lässt sich im Grunde nutzen, um das Humangenom zu »editieren«, auch wenn sie noch perfektioniert
und auf Sicherheit und Zuverlässigkeit überprüft werden
muss. Würde man gezielte genetische Veränderungen an
menschlichen Samen-, Ei- oder embryonalen Stammzellen vornehmen, wäre diese Technologie ein Vorbote für
die Entstehung von gentechnisch veränderten Menschen.
(Cailey Cotner / UC Berkeley)

Gusella isolierte in Boston DNA aus den Blutzellen und zerschnitt sie mit einer Flut von Enzymen auf der Suche nach einer Variante, die genetisch mit der Huntington-Krankheit gekoppelt sein könnte. Conneallys Gruppe analysierte die Daten, um den statistischen Zusammenhang zwischen den DNA-Varianten und der Krankheit zu bestimmen. Die drei Teams rechneten damit, nur langsam voranzukommen – sie mussten schließlich Tausende polymorphe Varianten durchsieben –, erlebten jedoch eine Überraschung. Kaum drei Jahre nach dem Eintreffen der Blutproben stolperte Gusellas Team 1983 über einen einzelnen varianten DNA-Abschnitt auf Chromosom 4, der eine auffallende Verknüpfung mit der Huntington-Krankheit aufwies. Seine Gruppe hatte zudem Blutproben einer wesentlich kleineren nordamerikanischen Kohorte mit Huntington-Krankheit gesammelt, und auch dort schien es eine schwache Verbindung zu einem DNA-Marker auf Chromosom 4 zu geben.[69] Da sich bei zwei unabhängigen Familien eine so starke Verknüpfung ergab, konnte kaum ein Zweifel an einer genetischen Kopplung bestehen.

Im August 1983 veröffentlichten Wexler, Gusella und Conneally einen Beitrag in der Zeitschrift *Nature*, in dem sie das Gen für die Huntington-Krankheit definitiv auf einer abgelegenen Position in Chromosom 4 – 4p16.3 – kartierten.[70] Für das Genetikerteam war es, als seien sie mit einem Schiff plötzlich an einem verfallenen Brückenkopf gestrandet, von dem aus keine bekannten Landmarken in Sicht waren.

$$\bullet \bullet \bullet$$

Ein Gen über die Kopplungsanalyse auf seinem Chromosomenort zu kartieren ist, als würde man aus dem Weltall das genetische Pendant zu einer großen Metropole heranzoomen: Man gewinnt überaus genaue Erkenntnisse über den Genort, ist aber nach wie vor weit davon entfernt, das Gen selbst zu identifizieren. Im nächsten Schritt verfeinert man die Genkarte, indem man weitere Kopplungsmarker ausfindig macht und den Ort eines Gens auf immer kleinere Chromosomenabschnitte eingrenzt. Bezirke und Unterbezirke huschen vorbei, Stadtviertel und Wohnblocks tauchen auf.

Die letzten Schritte sind unendlich mühsam. Der Chromosomenabschnitt mit dem mutmaßlich verantwortlichen Gen wird in Teile und Unterteile gegliedert. Jeden dieser Teile isoliert man nun aus menschlichen Zellen und führt ihn in Hefe- oder Bakterienchromosomen ein, um Millionen Kopien herzustellen und ihn so zu klonieren. Die klonierten Teile werden anschließend sequenziert und analysiert und die fragmentierten Sequenzen untersucht, um festzustellen, ob sie ein potentielles Gen enthalten. Diesen Vorgang wiederholt und verfeinert man, sequenziert und überprüft jedes Fragment, bis man in einem davon ein Stück des gesuchten Gens identifiziert. Als letzten Test sequenziert man dieses Gen bei normalen und kranken Personen, um zu erhärten, dass dieses Fragment bei Patienten mit dieser Erbkrankheit verändert ist. Es hat Ähnlichkeit damit, von Tür zu Tür zu gehen, um einen Täter zu identifizieren.

• • •

An einem fahlen Februarmorgen 1993 erhielt James Gusella von seiner Postdoktorandin eine E-Mail, die nur ein Wort enthielt: »Bingo.« Es signalisierte ein Ankommen, eine Landung. Nachdem 1983 das Huntington-Gen auf Chromosom 4 kartiert worden war, hatte ein internationales Team von 58 Wissenschaftlern unter der Leitung von sechs Forschern (organisiert und finanziert von der Hereditary Disease Foundation) dieses Gen ein äußerst unerfreuliches Jahrzehnt lang auf dem Chromosom gejagt und mit allen möglichen Verknüpfungen zu isolieren versucht. Nichts hatte funktioniert. Ihr anfängliches Glück hatte sie verlassen. Frustriert hatten sie darauf zurückgegriffen, sich Gen für Gen vorzuarbeiten. Schließlich hatten sie 1992 allmählich ein Gen eingekreist, das sie zunächst *IT15* – »interessantes Transkript 15« – nannten. Später wurde es in *Huntingtin* umbenannt.

Wie sich herausstellte, codierte *IT15* ein umfangreiches Protein – einen biochemischen Riesen mit 3144 Aminosäuren, der größer war als nahezu alle anderen Proteine im menschlichen Körper (Insulin hat lediglich 51 Aminosäuren). An jenem Morgen im Februar hatte Gusellas Postdoktorandin das Gen *IT15* von einer normalen Kontrollkohorte und von Patienten mit Huntington-Krankheit sequenziert. Als sie die Bänder im Sequenziergel zählte, fand sie einen offenkundigen Unterschied zwischen Patienten und ihren nicht betroffenen Verwandten. Das gesuchte Gen war gefunden.[71]

Wexler wollte gerade zu einer Reise nach Venezuela aufbrechen, um Proben zu sammeln, als Gusella sie anrief. Sie war überwältigt und konnte gar nicht aufhören zu weinen. »Wir haben es, wir haben es«, sagte sie einem Interviewer. »Es war eine lange Reise in die Nacht.«[72]

• • •

Das Huntingtin-Protein ist in Neuronen und in Hodengewebe zu finden. Bei Mäusen wird es für die Hirnentwicklung benötigt. Rätselhaft ist die Mutation, die zu dieser Krankheit führt. Die normale Gensequenz enthält einen langen Abschnitt, in dem sich dasselbe Basentriplett wiederholt, CAGCAGCAGCAG …, ein molekularer Singsang, der sich durchschnittlich über siebzehn solcher Wiederholungen fortsetzt (bei manchen Menschen sind es zehn, bei anderen bis zu 35). Bei Huntington-Patienten gibt es nun eine merkwürdige Mutation. Während beispielsweise die Sichelzellenanämie durch Veränderung einer einzigen Aminosäure in einem Protein entsteht, besteht die Mutation bei der Huntington-Krankheit nicht im Austausch von einer oder zwei Aminosäuren, sondern in vermehrten Wiederholungen dieses Basentripletts: Beim normalen Gen sind es bis zu 35, beim mutierten mehr als 40. Durch die größere Zahl der Wiederholungen wird das Huntingtin-Protein länger. Man vermutet, dass dieses längere Protein in Neuronen zu Stücken zusammengefügt wird, die sich in Zellen als verwickelte Spulen ansammeln und möglicherweise zu deren Fehlfunktion und Absterben führen.

Die Ursache für dieses seltsame molekulare »Stottern« – die Veränderung einer Repeat-Sequenz – ist nach wie vor rätselhaft. Sie könnte durch einen Fehler beim Kopieren des Gens entstehen. Vielleicht fügen die Replikationsenzyme diesen Sequenzen zusätzliche Basentripletts CAG hinzu wie ein Kind, das *Mississippi* mit einem *s* zu viel schreibt. Bei der Vererbung der Huntington-Krankheit tritt ein seltsames Phänomen auf, das man als »Antizipationseffekt« bezeichnet:[73] In betroffenen Familien erhöht sich über Generationen hinweg die Anzahl der Wiederholungen, die schließlich fünfzig bis sechzig in diesem Gen erreichen (das Kind, das *Mississippi* einmal falsch geschrieben hat, fügt ständig weitere *s* hinzu). In dem Maße, wie die Wiederholungen zunehmen, beschleunigen sich Ausbruch und Schwere der Krankheit, die dann bei immer jüngeren Familienmitgliedern auftritt. In Venezuela sind mittlerweile schon zwölfjährige Jungen und Mädchen betroffen, und bei manchen finden sich siebzig bis achtzig Wiederholungen dieses Basentripletts.

• • •

Davis' und Botsteins Genkartierungsverfahren aufgrund der Genposition auf dem Chromosom – später als positionelles Klonieren bezeichnet – markierte einen Wendepunkt der Humangenetik. Mit dieser Methode identifizierte man 1989 das Gen, das Mukoviszidose (zystische Fibrose, engl. Cystic Fibrosis, kurz CF) verursacht, eine verheerende Krankheit, die Lungen, Bauchspeicheldrüse, Gallenwege und Darm befällt. Im Gegensatz zu der Mutation, die zur Huntington-Krankheit führt und die in den meisten Populationen äußerst selten vorkommt (abgesehen von der ungewöhnlichen Häufung bei bestimmten Bevölkerungsgruppen Venezuelas), ist die mutante Genvariante, die Mukoviszidose verursacht, recht verbreitet: Jeder 25. Mensch europäischer Abstammung ist Träger dieser Mutation. Wer nur ein Allel des mutanten Gens hat, bleibt weitgehend symptomfrei. Zeugen zwei symptomfreie Träger ein Kind, so beträgt die Wahrscheinlichkeit eins zu vier, dass dieses Kind mit beiden mutanten Genen geboren wird, was fatale Folgen haben kann. Manche der Mutationen besitzen eine Penetranz von annähernd 100 Prozent. Bis in die 1980er Jahre betrug die durchschnittliche Lebenserwartung eines Kindes, das zwei dieser mutanten Gene besaß, nur zwanzig Jahre.

Dass Mukoviszidose etwas mit Salz und Sekreten zu tun hatte, vermutete man bereits seit Jahrhunderten. So warnte ein Almanach Schweizer Kinderlieder und Spiele:»Das Kind stirbt bald wieder, dessen Stirne beim Küssen salzig schmeckt.«[74] Es war bekannt, dass Kinder mit dieser Krankheit durch ihre Schweißdrüsen große Salzmengen ausschieden und ihre schweißgetränkte Kleidung die Metalldrähte, über die man sie zum Trocknen hängte, rosten ließ wie Meerwasser. Das Lungensekret war so zäh, dass es die Atemwege mit Schleimpfropfen blockierte, zu Nährböden für Bakterien machte und häufig zu Lungenentzündungen führte, einer der häufigsten Todesursachen. Es war ein qualvolles Leben – mit einem Körper, der in seinen eigenen Sekreten ertrank –, das häufig mit einem qualvollen Tod endete. Ein Anatomieprofessor in Leiden beschrieb 1595 den Tod eines Kindes: »Im Herzbeutel schwamm das Herz in einer giftigen Flüssigkeit von meergrüner Farbe. Der Tod war durch die Bauchspeicheldrüse verursacht worden, die seltsam geschwollen war ... Das kleine Mädchen war sehr dünn, ausgemergelt von hektischem Fieber – einem schwankenden, aber hartnäckigen Fieber.«[75] Mit an Sicherheit grenzender Wahrscheinlichkeit schilderte er hier einen Fall von Mukoviszidose.

Der Humangenetiker Tsui Lap-Chee aus Toronto entdeckte 1985 einen »anonymen Marker« – eine von Botsteins DNA-Varianten im Genom –, der mit dem mutanten CF-Gen in Verbindung stand.[76] Sehr schnell lokalisierte man diesen Marker auf Chromosom 7, aber das CF-Gen blieb weiterhin in der genetischen Wildnis dieses Chromosoms verborgen. Tsui machte sich auf die Suche danach, indem er die Region, die es enthalten könnte, zunehmend eingrenzte. Jack Riordan, ebenfalls aus Toronto, und der Humangenetiker Francis Collins von der University of Michigan beteiligten sich an dieser Jagd. Collins hatte das übliche Suchverfahren einfallsreich modifiziert. Gewöhnlich »wanderte« man bei der Genkartierung an einem Chromosom entlang und klonierte fortlaufend einen Abschnitt nach dem anderen. Es war eine ungemein mühsame Arbeit, als ob man an einem Seil hinaufklettern würde, indem man immer eine Hand direkt über die andere legte. Collins' Methode erlaubte es ihm, sich auf dem Chromosom hin und her zu bewegen, was die Reichweite erheblich vergrößerte. Er nannte dieses Vorgehen *chromosome jumping*, »Chromosomenspringen«.

Bis zum Frühjahr 1989 war es Collins, Tsui und Riordan auf diese

Weise gelungen, die Gensuche auf einige wenige Kandidaten auf Chromosom 7 einzugrenzen.[77] Nun standen sie vor der Aufgabe, die Gene zu sequenzieren, ihre Identität zu erhärten und die Mutation zu bestimmen, welche die Funktion des CF-Gens beeinträchtigte. An einem verregneten Spätsommerabend, an dem Tsui und Collins eigentlich an einem Workshop zur Genkartierung in Bethesda teilnahmen, standen sie mit schlechtem Gewissen neben einem Fax-Gerät und warteten auf Nachricht über die Gensequenz, die ein Postdoktorand in Collins' Labor gerade untersuchte. Als das Gerät jede Menge Papier mit Sequenzabschnitten, ATGCCGGTC ..., ausspuckte, sah Collins, wie sich aus dem Nichts die Offenbarung materialisierte: Bei den an Mukoviszidose leidenden Kindern war nur ein Gen durchgängig in beiden Allelen mutiert, während ihre symptomfreien Eltern jeweils nur ein mutiertes Allel besaßen.

Das CF-Gen codiert ein Molekül, das Salz durch die Zellmembranen schleust. Bei der häufigsten Mutation fehlt ein Basentriplett, was zur Beseitigung nur einer Aminosäure aus dem Protein führt (in der Sprache der Gene codieren drei DNA-Basen eine Aminosäure). Dadurch entsteht ein funktionsuntüchtiges Protein, das kein Chlorid – ein Bestandteil von Natriumchlorid, also Kochsalz – durch Membranen transportieren kann. Daher kann der Körper das ausgeschwitzte Salz nicht wieder absorbieren, und so entsteht der typische salzige Schweiß. Da er Salz und Wasser auch nicht in den Darm befördern kann, kommt es zu Symptomen im Verdauungstrakt.*

---

* Die weite Verbreitung des mutanten Mukoviszidose-Gens in europäischen Bevölkerungen war Humangenetikern jahrzehntelang ein Rätsel. Wenn diese Krankheit so tödlich ist, wieso ist dieses Gen dann nicht im Laufe der Evolution durch natürliche Auslese verschwunden? Jüngere Studien haben eine provozierende Theorie aufgestellt: Möglicherweise stellt eben dieses Gen bei einer Cholerainfektion einen selektiven Vorteil dar, denn Cholera verursacht beim Menschen schweren, anhaltenden Durchfall, der mit akutem Salz- und Wasserverlust einhergeht und zu Dehydrierung, Stoffwechselstörungen und zum Tod führen kann. Menschen mit einem Allel des mutanten CF-Gens haben eine leicht verringerte Fähigkeit, Salz und Wasser durch ihre Membranen zu verlie-

Das Klonieren des CF-Gens war eine bahnbrechende Errungenschaft für die Humangenetik. Innerhalb weniger Monate stand ein Test zur Diagnose des mutanten Allels zur Verfügung. Bereits Anfang der 1990er Jahre konnte man Träger auf die Mutation untersuchen und die Krankheit routinemäßig im Mutterleib diagnostizieren, so dass Eltern über einen Schwangerschaftsabbruch nachdenken oder das Kind auf frühe Krankheitssymptome beobachten konnten. »Trägerpaare« – also Mann und Frau, die beide mindestens ein Allel des mutanten Gens besaßen – konnten beschließen, kein Kind zu bekommen oder eines zu adoptieren. Innerhalb eines Jahrzehnts bewirkte die Kombination aus gezielter Untersuchung der Eltern und Pränataldiagnose, dass in Populationen mit der größten Häufigkeit des mutanten Allels die Geburtenzahlen von Kindern mit Mukoviszidose um 30 bis 40 Prozent zurückgingen.[78] Ein New Yorker Krankenhaus startete 1993 eine aggressive Kampagne, dass aschkenasische Juden sich auf drei Erbkrankheiten testen lassen sollten: Mukoviszidose, Gaucher-Syndrom und Tay-Sachs-Syndrom (diese Genmutationen kommen in der Bevölkerungsgruppe der Aschkenasim häufiger vor).[79] Die Eltern hatten die freie Wahl, ob sie diese Tests, eine Fruchtwasseruntersuchung zur Pränataldiagnose und gegebenenfalls einen Schwangerschaftsabbruch durchführen lassen wollten. Seit Beginn dieses Programms wurde in diesem Krankenhaus kein einziges Baby mit einer dieser Erbkrankheiten mehr geboren.

• • •

ren, und sind somit vor den schlimmsten Komplikationen der Cholera relativ geschützt (das lässt sich an gentechnisch veränderten Mäusen belegen). Auch hier kann die Mutation eines Gens situationsbedingt zweierlei Auswirkungen haben: Ein Allel kann vorteilhaft sein, zwei sind tödlich. Menschen mit einem Allel des mutanten CF-Gens könnten so Choleraepidemien in Europa überlebt haben. Wenn zwei von ihnen ein Kind zeugten, hatte es eine Wahrscheinlichkeit von eins zu vier, mit zwei mutanten Allelen geboren zu werden – also Mukoviszidose zu bekommen –, aber der selektive *Vorteil* war groß genug, um die mutanten CF-Gene in der Population zu erhalten.

Es ist wichtig, sich die Umwälzung der Genetik zu verdeutlichen, die zwischen 1971 – als Berg und Jackson das erste rekombinante DNA-Molekül herstellten – und 1993 erfolgte, als das Gen der Huntington-Krankheit endgültig isoliert wurde. Obwohl die DNA bereits gegen Ende der 1950er Jahre als »Mastermolekül« der Genetik erkannt wurde, gab es damals keine Möglichkeit, sie zu sequenzieren, zu synthetisieren, zu verändern oder zu manipulieren. Abgesehen von wenigen bemerkenswerten Ausnahmen war die genetische Grundlage menschlicher Erkrankungen weitgehend unbekannt. Nur bei wenigen Krankheiten – Sichelzellenanämie, Thalassämie und Hämophilie B – hatte man die verursachenden Gene kartiert. In der Praxis waren als einzige humangenetische Eingriffe die Fruchtwasseruntersuchung und der Schwangerschaftsabbruch verfügbar. Insulin und Blutgerinnungsfaktoren isolierte man aus Schweineorganen und menschlichem Blut; es gab kein Medikament, das gentechnisch hergestellt wurde. Noch nie hatte man gezielt ein menschliches Gen außerhalb einer menschlichen Zelle exprimiert. Die Aussicht, das Genom eines Organismus abzuwandeln, indem man ihm Fremdgene einsetzte oder seine eigenen Gene gezielt veränderte, lag jenseits aller technischen Möglichkeiten. Das Wort *Biotechnologie* kam in Wörterbüchern noch nicht vor.

Zwei Jahrzehnte später hatte die Landschaft der Genetik erstaunliche Umwälzungen erfahren: Wissenschaftler hatten menschliche Gene kartiert, isoliert, sequenziert, synthetisiert, kloniert, rekombiniert, in Bakterienzellen transplantiert, in virale Genome eingeführt und zur Herstellung von Arzneimitteln verwendet. Molekularbiologen entdeckten Verfahren, mit denen sie die DNA selbst manipulieren konnten. »In der Molekularbiologie entwickelte sich ein technisches Know-how, das unser überkommenes Gefühl für die Unveränderbarkeit der ›Natur‹ bzw. der ›Erbanlagen‹ revolutionierte«, schrieb die Physikerin und Historikerin Evelyn Fox Keller.[80]

»Nach traditioneller Auffassung wurde ›Erbanlage‹ mit Schicksal und ›Umwelt‹ mit Freiheit verbunden; jetzt schienen die Rollen vertauscht zu sein. Die technischen Innovationen der Molekularbiologie ermutigten zu immer kühneren Schlußfolgerungen, die die Vorstellung stärkten, die Anlage sei leichter in den Griff zu bekommen als die Umwelt.«[81]

Unmittelbar vor Beginn dieses bahnbrechenden Jahrzehnts schrieb der Genetiker Robert Sinsheimer 1969 in einem Essay über die Zukunft, die Fähigkeit, Gene zu synthetisieren, zu sequenzieren und zu manipulieren, werde »einen neuen Horizont in der Geschichte der Menschheit« eröffnen.[82]

»Manche mögen lächeln und den Eindruck haben, es handele sich dabei lediglich um eine neue Version des alten Traums von der Perfektionierung des Menschen. Das ist es es, aber es ist auch mehr. Die alten Träume von der kulturellen Vervollkommnung des Menschen waren immer klar begrenzt durch die ihm eigenen ererbten Unvollkommenheiten und Beschränkungen ... Nun erahnen wir einen neuen Weg – die Chance, dieses erstaunliche Produkt einer zwei Milliarden Jahre langen Evolution behutsam voranzubringen und bewusst weit über unsere gegenwärtige Vision hinaus zu perfektionieren.«[83]

Andere Wissenschaftler waren in der Voraussicht auf diese biologische Revolution weniger zuversichtlich. So befürchtete der Genetiker J.B.S. Haldane 1923, sobald die Macht zur Kontrolle von Genen bestünde, »sind kein Glaube, keine Werte, keine Institutionen mehr sicher«.[84]

Das Genom im Visier

A-hunting we will go, a-hunting we will go!
We'll watch a fox and put him in a box,
And then we'll let him go.
Englischer Kinderreim
aus dem 18. Jahrhundert

Unsere Fähigkeit, diese Sequenz unseres eigenen Genoms zu lesen, erfüllt die Voraussetzungen eines philosophischen Paradoxes. Kann ein
intelligentes Wesen die Anweisungen begreifen,
sich selbst zu erzeugen?
John Sulston[85]

Fachleute für den Schiffbau der Renaissance haben häufig darüber debattiert, welche Technologie im ausgehenden 15. und im 16. Jahrhundert die explosionsartige Zunahme der Überseeschifffahrt beförderte, die schließlich zur Entdeckung der Neuen Welt führte. War es die Fähigkeit, größere Schiffe zu bauen – Galeonen, Karacken und Fleuten –, wie ein Lager behauptete, oder war es die Erfindung neuer Navigationsinstrumente – die Entwicklung eines besseren Astrolabiums, des Schiffskompasses und des ersten Sextanten?

Auch in der Wissenschafts- und Technikgeschichte kommen Durch-

brüche offenbar in zwei Grundformen vor. Zum einen gibt es Maßstabwechsel: Der entscheidende Fortschritt erwächst allein aus einer
Änderung des Maßstabs oder der Größenordnung (die Mondrakete
war lediglich ein riesiges Düsenflugzeug, das vertikal auf den Mond
gerichtet war, um es mit der berühmten Formulierung eines Ingenieurs zu sagen). Zum anderen gibt es Konzeptionswechsel: Hier führt
eine radikal neue Idee oder Vorstellung zum Fortschritt. In Wirklichkeit schließt sich beides nicht gegenseitig aus, sondern verstärkt sich
wechselseitig. Maßstabwechsel ermöglichen Konzeptionswechsel, und
neue Ideen erfordern neue Maßstäbe. Das Mikroskop eröffnete den
Zugang zu einer mit bloßem Auge nicht erkennbaren Welt. Es offenbarte Zellen und Organellen, die wiederum Fragen nach der inneren
Zellanatomie und -physiologie aufwarfen und noch leistungsstärkere
Mikroskope erforderten, um die Strukturen und Funktionen dieser
subzellularen Kompartimente zu verstehen.

Von der Mitte der 1970er bis in die Mitte der 1980er Jahre hatten Genetiker viele Konzeptionswechsel erlebt – Klonieren, Genkartierung,
Mosaikgene, Gentechnik und neue Arten der Genregulation –, aber
keinen radikalen Maßstabwechsel. Im Laufe dieses Jahrzehnts hatte
man zahlreiche verschiedene Gene aufgrund funktioneller Merkmale
isoliert, sequenziert und kloniert – aber es gab keinen umfassenden
Katalog aller Gene eines Organismus. Die Technologie zur Sequenzierung eines ganzen Genoms war im Grunde bereits erfunden, aber
die schiere Größe dieser Aufgabe hatte Wissenschaftler davor zurück-
schrecken lassen. Als Fred Sanger 1977 das Genom des phiX-Virus
mit 5386 Basenpaaren sequenziert hatte, stellte dieser Umfang die
äußerste Grenze für die Möglichkeiten der Gensequenzierung dar.[86]
Das menschliche Genom enthält 3 095 677 412 Basenpaare – das ist ein
Wechsel der Größenordnung um das 574 000-fache.[87]

• • •

Die Isolierung menschlicher Gene, die mit Erbkrankheiten in Zusammenhang standen, rückte den potentiellen Nutzen einer umfassenden
Sequenzierung besonders ins Licht. Während die Presse Anfang der

1990er Jahre die Kartierung und Identifikation wichtiger menschlicher Gene feierte, äußerten Genetiker – und Patienten – sich insgeheim besorgt über die Ineffizienz und Mühseligkeit dieses Vorgehens. Bei der Huntington-Krankheit hatte es nicht weniger als zwanzig Jahre gedauert, von einer Patientin (Nancy Wexlers Mutter) bis zu dem Gen vorzudringen (sogar 125 Jahre, wenn man von Huntingtons historischer erster Fallbeschreibung ausgeht). Erbliche Formen von Brustkrebs waren schon seit der Antike bekannt, aber das am weitesten verbreitete Gen, das mit dieser Erkrankung in Zusammenhang steht, *BRCA1*, wurde erst 1994 identifiziert.[88] Selbst mit neuen Technologien wie dem *chromosome jumping*, das zur Isolierung des Mukoviszidosegens zum Einsatz gekommen war, ging das Aufspüren und Kartieren von Genen frustrierend langsam voran.[89] »Es bestand kein Mangel an außerordentlich klugen Köpfen, die Gene beim Menschen zu finden versuchten«, stellte der auf Würmer spezialisierte Biologe John Sulston fest, »aber sie verschwendeten ihre Zeit mit theoretischen Überlegungen, welche Sequenzabschnitte notwendig sein könnten.«[90] Das Gen-für-Gen-Vorgehen würde letztlich zum Stillstand kommen, befürchtete Sulston.

Auch James Watson war frustriert über das Tempo der »Einzelgen«-Genetik: »Selbst mit der enormen Leistungskraft der Methoden rekombinanter DNA schien die Isolierung der meisten Krankheitsgene um die Mitte der 1980er Jahre immer noch jenseits menschlicher Möglichkeiten zu liegen.«[91] Watson strebte die Sequenzierung des gesamten menschlichen Genoms an – drei Milliarden Basenpaare vom ersten bis zum letzten Nukleotid. Darin würde man jedes bekannte menschliche Gen mit dem gesamten genetischen Code, sämtliche regulatorischen Sequenzen, jedes Intron und Exon, alle langen DNA-Abschnitte zwischen den Genen sowie alle proteincodierenden Segmente finden. Diese DNA-Sequenz würde als Vorlage für die Zuordnung der in Zukunft entdeckten Gene dienen. Fände eine Genetikerin beispielsweise ein neues Gen, welches das Brustkrebsrisiko erhöhte, könnte sie anhand der Mastersequenz des Humangenoms dessen genaue Position und Sequenz bestimmen. Zudem könnte die Sequenz als »Normalvorlage« dienen, um abweichende Gene – also Mutationen – einzuordnen: Durch den Vergleich des mit Brustkrebs verknüpften Gens bei betroffenen und nicht betroffenen Frauen könnten Genetiker die Mutation identifizieren, die diese Krankheit verursacht.

• • •

Der Antrieb zur Sequenzierung des gesamten Humangenoms entsprang noch zwei weiteren Quellen. Für »monogenetische« Erkrankungen wie Mukoviszidose und Huntington-Krankheit eignete sich das Vorgehen gut, ein Gen nach dem anderen zu suchen. Die meisten verbreiteten Erbkrankheiten bei Menschen lassen sich jedoch nicht auf Mutationen nur eines Gens zurückführen. Es sind weniger genetische als vielmehr *genomische* Krankheiten: Mehrere, diffus im gesamten Genom verteilte Gene bestimmen das Risiko, daran zu erkranken. Diese Krankheiten lassen sich nicht aus dem Wirken eines Gens erklären, sondern nur verstehen, diagnostizieren und vorhersagen, wenn man die Wechselbeziehungen zwischen mehreren unabhängigen Genen erkennt.

Das Musterbeispiel einer genomischen Krankheit ist Krebs. Dass er mit Erbanlagen zusammenhängt, ist seit über hundert Jahren bekannt: Schon 1872 hatte der brasilianische Augenarzt Hilário de Gouvêa eine Familie beschrieben, in der über mehrere Generationen hinweg ein seltener Augenkrebs, das Retinoblastom, auftrat.[92] Sicher haben Familien mehr gemeinsam als nur ihre Gene: schlechte Gewohnheiten, schlechte Ernährung, Neurosen, Obsessionen, Umgebung und Verhalten – aber das familiäre Muster der Erkrankung deutete auf eine genetische Ursache hin. Daher vermutete de Gouvêa einen »Erbfaktor« als Ursache dieses seltenen Augentumors. Auf der anderen Seite des Globus hatte ein unbekannter Botaniker und Mönch namens Mendel sieben Jahre zuvor einen Aufsatz über Erbfaktoren bei Erbsen veröffentlicht – aber de Gouvêa hatte weder von dieser Arbeit noch von dem Wort Gen je gehört.

Ein ganzes Jahrhundert nach de Gouvêas Schilderung kamen Wissenschaftler Ende der 1970er Jahre allmählich zu der unbequemen Erkenntnis, dass Krebs aus normalen Zellen entstand, in deren wachstumssteuernden Genen sich Mutationen ergeben hatten.* In normalen Zellen sind diese Gene wirkungsvolle Wachstumsregulatoren: So hört der Wachstumsprozess bei einer Hautverletzung in der Regel auf, sobald die Wunde verheilt ist, und verwandelt sich nicht in einen Tumor (um es in der Sprache der Genetik zu sagen: Gene sagen den Zellen in einer Wunde, wann sie anfangen und aufhören müssen zu wachsen). Bei Krebszellen waren diese Wege irgendwie gestört, stellten die Genetiker fest. Startgene waren dauerhaft eingeschaltet und Stoppgene ausgeschaltet; Gene, die Stoffwechsel und Identität einer Zelle veränderten, waren so beschädigt, dass eine Zelle nicht mehr wusste, wann sie zu wachsen aufhören musste.

Dass Krebs aus Veränderungen solcher *körpereigenen* genetischen Bahnen erwuchs – eine »entstellte Version unseres normalen Ich«, wie der Krebsbiologe Harold Varmus es nannte –, war zutiefst beunruhigend: Jahrzehntelang hatten Wissenschaftler gehofft, irgendein Erreger wie ein Virus oder Bakterium sei an der universellen Ursache von Krebs beteiligt und lasse sich möglicherweise durch einen Impfstoff oder eine antibakterielle Therapie eliminieren. Die enge Beziehung zwischen Krebs und normalen Genen stellte die Krebsbiologie vor eine zentrale Herausforderung: Wie ließen sich die mutanten Gene wieder aus- beziehungsweise einschalten, während sich das normale Wachstum ungestört fortsetzen konnte? Das war – und ist nach wie vor – das Hauptziel, die ewige Phantasie und das schwierigste Rätsel der Krebstherapie.

---

* Die verschlungenen Erkenntniswege voller Irrwege, mühsamen Pfaden und einfallsreichen Abkürzungen, die letztlich offenbarten, dass Krebs durch die Veränderung *körpereigener* menschlicher Gene verursacht wird, verdienen ein eigenes Buch. In den 1970er Jahren lautete die vorherrschende Theorie, dass alle oder die meisten Krebsarten durch Viren verursacht würden. Bahnbrechende Experimente mehrerer Wissenschaftler, darunter Harold Varmus und J. Michael Bischop von der UCSF, ergaben überraschenderweise, dass diese Viren normalerweise Krebs erregen, indem sie *Zellgene* verändern – Proto-Onkogene genannt. Die Anfälligkeit war also schon im Humangenom vorhanden. Krebs tritt auf, wenn diese Gene mutieren und dadurch unreguliertes Wachstum auslösen.

Es gibt vier mögliche Mechanismen, durch die normale Zellen diese krebsverursachenden Mutationen erwerben. Sie können entweder durch schädigende Umwelteinflüsse wie Tabakrauch, ultraviolettes Licht oder Röntgenstrahlen verursacht sein – Agenten, die DNA angreifen und ihre chemische Struktur verändern. Sie können durch spontane Fehler bei der Zellteilung entstehen (jedes Mal, wenn die DNA vervielfältigt wird, besteht eine geringe Chance, dass beim Kopierprozess Fehler unterlaufen und beispielsweise ein A gegen ein T, G oder C ausgetauscht wird). Mutante Krebsgene können auch von Eltern auf Kinder vererbt werden und über Generationen hinweg erbliche Krebssyndrome wie Retinoblastom und Brustkrebs verursachen. Oder die Gene können durch Viren, die professionellen Genüberträger und Gentauscher der Mikrobenwelt, in die Zellen gelangen. In allen vier Fällen läuft das Ergebnis auf denselben krankhaften Prozess hinaus: auf die unangemessene Aktivierung und Deaktivierung genetischer Bahnen, die das Wachstum steuern, was zu der für Krebs typischen bösartigen, unregulierten Zellteilung führt.

Dass eine der elementarsten Krankheiten der Menschheitsgeschichte aus einer schädlichen Abwandlung der beiden elementarsten biologischen Prozesse erwächst, ist durchaus kein Zufall: Krebs vereinnahmt sowohl die Logik der Evolution als auch die der Vererbung und ist ein pathologisches Zusammentreffen von Mendel und Darwin. Krebszellen entstehen durch Mutation, Überlebenskampf, natürliche Auslese und Wachstum. Und sie geben die Anweisungen für das bösartige Wachstum über ihre Gene an ihre Tochterzellen weiter. Beim Krebs handelt es sich also um eine genetisch bedingte Krankheit »neuer« Art, wie Biologen zu Beginn der 1980er Jahre erkannten, um das Ergebnis aus einer Mischung von Vererbung, Evolution, Umwelteinflüssen und Zufall.

• • •

Aber wie viele solcher Gene spielen bei den Ursachen einer typischen Krebserkrankung beim Menschen eine Rolle? Eines pro Krebsart? Ein Dutzend? Hundert? Ende der 1990er Jahre beschloss der Krebsgenetiker Bert Vogelstein an der Johns Hopkins University, einen umfassenden Katalog nahezu sämtlicher Gene zu erstellen, die an menschlichen Krebserkrankungen beteiligt waren. Vogelstein hatte bereits entdeckt, dass Krebs Schritt für Schritt durch die Ansammlung dutzender Mutationen in einer Zelle entsteht.[93] Gen für Gen driftet die Zelle in Richtung Krebs – indem sie eine, zwei, vier und schließlich zahlreiche Mutationen erfährt, die ihre Physiologie von kontrolliertem in unreguliertes Wachstum kippen lassen.

Den Krebsgenetikern zeigten diese Daten eindeutig, dass die Erforschung eines Gens nach dem anderen nicht ausreichen würde, um Krebs zu verstehen, zu diagnostizieren oder zu behandeln. Ein Grundmerkmal dieser Erkrankung ist ihre enorme genetische Vielfalt: Zwei Brustkrebsproben, die man derselben Frau zur selben Zeit aus beiden Brüsten entnimmt, können völlig unterschiedliche Mutationsspektren aufweisen – und sich daher unterschiedlich verhalten, mit unterschiedlicher Geschwindigkeit fortschreiten und auf unterschiedliche Chemotherapien ansprechen. Um den Krebs zu verstehen, müssten Biologen das gesamte Genom einer Krebszelle bestimmen.

Wenn die Sequenzierung der Krebsgenome – und nicht nur einzelner Krebszellen – notwendig war, um die Physiologie und Vielgestaltigkeit dieser Erkrankungen zu verstehen, dann lag umso mehr auf der Hand, dass man zunächst die Sequenz des Normalgenoms bestimmen musste. Das Humangenom ist das normale Pendant zum Krebsgenom. Eine Genmutation lässt sich nur im Vergleich mit ihrem normalen Pendant oder »Wildtyp« beschreiben. Ohne diese Vorlage bestand wenig Hoffnung, die grundlegende Biologie der Krebserkrankungen aufzuklären.

• • •

Mittlerweile stellte sich heraus, dass bei erblichen psychischen Erkrankungen ebenso wie beim Krebs zahlreiche Gene beteiligt waren. Besonders Schizophrenie löste 1984 eine Welle landesweiter Aufmerksamkeit in den Vereinigten Staaten aus, als James Huberty, der bekanntermaßen unter paranoiden Wahnvorstellungen litt, an einem

Julinachmittag in eine McDonald's-Filiale in San Diego stürmte, um sich schoss und zwanzig Menschen tötete.[94] Am Tag vor dem Massaker hatte Huberty bei der Rezeptionistin einer psychiatrischen Klinik eine verzweifelte Nachricht mit der Bitte um Hilfe hinterlassen und dann stundenlang neben seinem Telefon gewartet. Es kam kein Rückruf, da die Rezeptionistin seinen Namen irrtümlich *Shouberty* geschrieben, sich aber seine Telefonnummer nicht notiert hatte. Am folgenden Morgen verließ er, immer noch in einem paranoiden Schub, seine Wohnung mit einer geladenen halbautomatischen Waffe, die er in eine karierte Decke gewickelt hatte. Seiner Tochter erklärte er, er gehe »Menschen jagen«.

Die Huberty-Katastrophe ereignete sich sieben Monate nach Veröffentlichung einer umfangreichen Studie der National Academy of Sciences (NAS), die einen eindeutigen Zusammenhang zwischen Schizophrenie und genetischen Ursachen herstellte. Anhand der Zwillingsmethode, die Galton in den 1890er Jahren und nationalsozialistische Genetiker in den 1940er Jahren begründet hatten, fand die NAS-Studie heraus, dass eineiige Zwillinge bei Schizophrenie eine erstaunliche Konkordanzrate von 30 bis 40 Prozent aufwiesen.[95] Eine frühere Studie des Genetikers Irving Gottesman hatte 1982 bei eineiigen Zwillingen eine noch höhere Rate von 40 bis 60 Prozent festgestellt.[96] Wenn bei einem Zwilling Schizophrenie diagnostiziert wurde, war die Wahrscheinlichkeit, dass auch der andere Zwilling daran erkrankte, fünfzigmal höher als das Schizophrenie-Risiko in der breiten Bevölkerung. Bei eineiigen Zwillingen mit der schwersten Form von Schizophrenie fand Gottesman sogar eine Konkordanzrate von 75 bis 90 Prozent: Bei nahezu *jedem* eineiigen Zwilling mit einer der schwersten Varianten der Schizophrenie litt auch der andere Zwilling an dieser Erkrankung.[97] Dies deutete auf einen starken genetischen Einfluss bei Schizophrenie hin. Aber sowohl nach der NAS-Studie als auch nach der Gottesman-Studie lag die Konkordanzrate bei zweieiigen Zwillingen erheblich niedriger (bei etwa 10 Prozent).

Genetikern liefert ein solches Vererbungsmuster wichtige Hinweise auf die einer Krankheit zugrundeliegenden genetischen Einflüsse.

Angenommen, Schizophrenie würde von einer einzigen, dominanten Mutation mit hoher Penetranz in einem einzelnen Gen verursacht. Würde ein eineiiger Zwilling dieses mutante Gen erben, besäße der andere es unweigerlich ebenfalls. Bei beiden würde die Krankheit auftreten, und die Konkordanz müsste annähernd 100 Prozent betragen. Bei zweieiigen Zwillingen und Geschwistern müsste etwa die Hälfte dieses Gen erben und die Konkordanz auf 50 Prozent sinken.

Andererseits könnte man auch von der Annahme ausgehen, dass Schizophrenie nicht eine Erkrankung, sondern eine ganze Krankheitsfamilie ist. Den kognitiven Apparat des Gehirns kann man sich wie eine komplexe Maschine vorstellen, die aus einer Mittelachse, einem Getriebe und unzähligen kleineren Kolben und Dichtungen zur Regulierung und Feinabstimmung ihrer Aktivität besteht. Wenn die Mittelachse bricht und das Getriebe sich festfrisst, bricht die gesamte »Denkmaschine« zusammen. Das entspricht der schweren Variante der Schizophrenie: Die Kombination einiger hochpenetranter Mutationen in Genen, welche die Kommunikation und Entwicklung der Nerven steuern, könnte den Zusammenbruch der Achse und des Getriebes verursachen und zu schweren kognitiven Defiziten führen. Da eineiige Zwillinge identische Genome haben, würden unweigerlich beide die Mutationen in den Achsen- und Getriebegenen erben. Und da diese Mutationen eine hohe Penetranz haben, wäre die Konkordanz bei eineiigen Zwillingen immer noch annähernd 100 Prozent.

Geht man nun aber davon aus, dass diese Denkmaschinerie auch versagen kann, wenn mehrere kleinere Dichtungen, Zündkerzen und Kolben nicht funktionieren, bricht sie zwar nicht völlig zusammen, sondern stottert, schnauft und versagt nur in bestimmten Situationen: Im Winter läuft sie beispielsweise schlechter. Das entspricht der leichteren Variante der Schizophrenie. Die Fehlfunktion wird von einer *Kombination* verschiedener Mutationen verursacht, die jeweils nur geringe Penetranz besitzen: Sie betreffen Kolben-und-Dichtungs- sowie Zündkerzen-Gene, die den gesamten Denkmechanismus subtiler steuern.

Auch in diesem Fall erben beide eineiigen Zwillinge, die ja identische Genome besitzen, alle, sagen wir, fünf Varianten der Gene, da aber die Penetranz unvollständig ist und die Auslöser stärker situationsabhängig sind, kann die Konkordanz bei ihnen auf lediglich 30 bis 40 Prozent fallen. Zweieiige Zwillinge und Geschwister haben dagegen nur einige dieser Genvarianten gemeinsam. Die Mendel'schen Regeln gewährleisten, dass zwei Geschwister nur selten alle fünf Varianten zusammen erben. Daher sinkt die Konkordanz bei zweieiigen Zwillingen und bei Geschwistern noch stärker auf 5 bis 10 Prozent.

Dieses Vererbungsmuster ist bei Schizophrenie häufiger zu beobachten. Die nur 50-prozentige Konkordanz bei eineiigen Zwillingen – wenn also ein Zwilling betroffen ist, nur in der Hälfte der Fälle auch der andere erkrankt – belegt eindeutig, dass es noch anderer Auslöser (Umgebungsfaktoren oder zufälliger Ereignisse) bedarf, um die Krankheit zum Ausbruch zu bringen. Wird ein Kind eines schizophrenen Elternteils nach der Geburt von einer nichtschizophrenen Familie adoptiert, beträgt das Krankheitsrisiko immer noch 15 bis 20 Prozent – und liegt damit zwanzigmal höher als in der breiten Bevölkerung. Das belegt, dass die genetischen Einflüsse trotz erheblicher Umweltunterschiede stark und eigenständig sein können. Diese Muster lassen dringend vermuten, dass Schizophrenie eine komplexe, polygenetische Krankheit ist, an der vielfältige Varianten, zahlreiche Gene und potentielle Umgebungsfaktoren oder zufällige Auslöser beteiligt sind. Wie bei Krebs und anderen polygenetischen Krankheiten ist es auch bei Schizophrenie unwahrscheinlich, dass sich ihre Physiologie durch eine Gen-für-Gen-Erforschung entschlüsseln ließe.

• • •

Populistische Ängste in Bezug auf Gene, psychische Erkrankungen und Verbrechen wurden weiter geschürt, als der Politologe James Q. Wilson und der Verhaltensbiologe Richard Herrnstein im Sommer 1985 ihr aufwieglerisches Buch *Crime and Human Nature: The Definitive Study of the Causes of Crime* veröffentlichten.[98] Darin behaupteten sie, bestimmte Formen psychischer Erkrankungen – vor allem Schizophrenie, besonders in ihrer gewalttätigen, zerstörerischen Form – seien unter Kriminellen weitverbreitet, wahrscheinlich genetisch bedingt und vermutlich die Ursache kriminellen Verhaltens. Sucht und Gewalt hätten ebenfalls starke genetische Komponenten. Diese Hypothesen fesselten die Öffentlichkeit. In der Kriminologie der Nachkriegszeit hatten »Umwelttheorien« zu Verbrechen dominiert: Demnach waren Kriminelle das Produkt schlechter Einflüsse: »schlechte Freunde, schlechte Wohnviertel, schlechter Ruf«. Diese Faktoren erkannten Wilson und Herrnstein zwar an, fügten aber einen äußerst umstrittenen vierten hinzu: »schlechte Gene«.[99] Nicht der Boden sei kontaminiert, sondern die Saat. Das Buch machte umgehend Furore in den Medien. Zwanzig renommierte Zeitungen und Zeitschriften brachten Rezensionen oder Beiträge darüber, unter anderem die *New York Times*, *Newsweek* und *Science*. Die Zeitschrift *Time* betonte in ihrer Schlagzeile die zentrale Botschaft des Buches: »Werden Kriminelle geboren, nicht gemacht?« Noch unverblümter war der Untertitel von *Newsweek*: »Als Kriminelle geboren und erzogen.«

Wilsons und Herrnsteins Buch wurde scharf kritisiert. Selbst eingefleischte Verfechter der genetischen Theorien zur Schizophrenie mussten zugeben, dass die Ursachen dieser Krankheit weitgehend unbekannt waren, dass äußere Einflüsse eine erhebliche Rolle als Auslöser spielen mussten (daher die Konkordanzrate von 50 und nicht etwa 100 Prozent bei eineiigen Zwillingen) und dass die überwiegende Mehrzahl Schizophrener im grauenhaften Schatten ihrer Krankheit lebten, aber keinerlei kriminelle Geschichte aufwiesen.

Für eine Öffentlichkeit, in der in den 1980er Jahren die Angst vor Gewalt und Kriminalität brodelte, hatte die Vorstellung etwas Verlockendes, das menschliche Genom könne die Antworten nicht nur auf Krankheiten, sondern auch auf gesellschaftliche Übel wie Devianz, Alkoholismus, Gewalt, Sittenverfall, Perversion und Sucht liefern. In einem Interview in der *Baltimore Sun* fragte sich ein Neurochirurg, ob man »zu Kriminalität neigende« Personen (wie Huberty) identifizieren, zwangseinweisen und behandeln könnte, *bevor* sie Verbrechen begingen – also indem man von bislang unbescholtenen Menschen ein genetisches Profil erstellte. Zu den Auswirkungen, die eine Identifizierung solcher Gene auf die öffentliche Debatte über Kriminalität, Verantwortung und Strafe hätte, erklärte ein Fachmann für psychiatrische Genetik: »Der Zusammenhang [zur Genetik] ist recht eindeutig ... Es wäre naiv, nicht zu glauben, dass ein Aspekt [der Verbrechensbekämpfung] biologisch sein wird.«

• • •

Vor diesem Hintergrund verliefen die ersten Gespräche, die Sequenzierung des Humangenoms in Angriff zu nehmen, bemerkenswert ernüchternd. Im Sommer 1984 berief Charles DeLisi, ein Beamter des US Department of Energy, eine Expertentagung ein, die sich mit der praktischen Machbarkeit der Sequenzierung des Humangenoms befassen sollte. Seit den frühen 1980er Jahren hatten Forscher dieses Ministeriums die Auswirkungen radioaktiver Strahlung auf menschliche Gene untersucht. Durch die Atombombenabwürfe 1945 auf Hiroshima und Nagasaki waren Hunderttausende Japaner radioaktiver Strahlung in unterschiedlicher Dosierung ausgesetzt gewesen, darunter auch zwölftausend Kinder, die überlebt hatten und mittlerweile zwischen vierzig und sechzig Jahre alt waren. Wie viele Mutationen waren bei diesen Kindern aufgetreten, in welchen Genen und in welchem Zeitraum? Da durch Strahlung ausgelöste Mutationen sich wahrscheinlich zufällig auf dem Genom verteilten, wäre eine Gen-für-Gen-Suche vermutlich sinnlos. Im Dezember 1984 fand eine weitere Tagung statt, um zu begutachten, ob die Sequenzierung des gesamten Genoms dazu beitragen könnte, genetische Veränderungen bei strahlengeschädigten Kindern festzustellen.[100] Diese Konferenz fand in Alta, Utah, statt – in derselben Stadt in den Bergen, in der Botstein und Davis auf die Idee gekommen waren, menschliche Gene anhand von Kopplung und Polymorphismen zu kartieren.

Oberflächlich betrachtet war die Tagung in Alta ein spektakulärer Fehlschlag. Den Wissenschaftlern wurde klar, dass die Mitte der 1980er Jahre verfügbare Sequenzierungstechnologie nicht annähernd ausreichte, um Mutationen auf dem gesamten Humangenom zu kartieren. Der Kongress bot jedoch eine wichtige Plattform, um eine Debatte über eine umfassende Gensequenzierung anzustoßen. Es folgten weitere Tagungen zu diesem Thema: im Mai 1985 in Santa Cruz und im März 1986 in Santa Fé. Im Spätsommer 1986 veranstaltete James Watson in Cold Spring Harbor den vielleicht wichtigsten dieser Kongresse, dem er den provozierenden Titel gab: »Die Molekularbiologie des *Homo sapiens*«. Der heitere Veranstaltungsort – an einer ruhigen, kristallklaren Bucht, umgeben von sanften, bis ans Wasser reichenden Hügeln – stand wie Asilomar in krassem Gegensatz zu den hitzigen Diskussionen.

Bei dem Kongress wurden zahlreiche neue Studien präsentiert, die eine Sequenzierung des Humangenoms plötzlich in Reichweite erscheinen ließen. Den vielleicht wichtigsten technischen Durchbruch stellte der Biochemiker Kary Mullis vor, der sich mit Genreplikation befasste.[101] Für eine Gensequenzierung braucht man vor allem genügend DNA als Ausgangsmaterial. Aus einer einzigen Bakterienzelle lassen sich Hunderte Millionen Zellen züchten, die reichlich bakterielle DNA für eine Sequenzierung liefern. Hunderte Millionen menschlicher Zellen sind dagegen schwierig zu züchten. Mullis hatte eine geniale Abkürzung entdeckt. Er hatte im Reagenzglas ein menschliches Gen mit Hilfe der DNA-Polymerase kopiert, von dieser Kopie weitere Kopien erstellt, die er wiederum in zahlreichen Durchgängen als Kopiervorlage genutzt hatte. Mit jedem Kopierdurchgang vermehrte sich die DNA eines Gens exponentiell. Dieses Verfahren erhielt später die Bezeichnung Polymerase-Kettenreaktion (PCR) und sollte entscheidende Bedeutung für das Humangenomprojekt erlangen.

Der Mathematiker Eric Lander, der sich der Biologie zugewandt hatte, legte dem Publikum neue mathematische Verfahren dar, um Gene zu finden, die mit komplexen polygenetischen Krankheiten zusammenhingen. Leroy Hood vom Caltech beschrieb eine halbautomatische Maschine, die Sangers Sequenzierungsmethode um das Zehn- bis Zwanzigfache beschleunigen konnte.

Bereits zuvor hatte Walter Gilbert, der Pionier der DNA-Sequenzierung, auf einer Serviette grob den Kosten- und Personalaufwand überschlagen. Alle drei Milliarden Basenpaare der menschlichen DNA zu sequenzieren würde nach seiner Schätzung etwa fünfzigtausend Personenjahre und drei Milliarden US-Dollar erfordern – also einen US-Dollar pro Base.[102] Als Gilbert mit dem ihm eigenen Elan nach vorne ging, um die Zahl an eine Tafel zu schreiben, brachen im Publikum sofort hitzige Diskussionen aus. »Gilberts Zahl« – die sich als erstaunlich zutreffend erweisen sollte – hatte das Genomprojekt auf greifbare Realitäten reduziert. Ins rechte Licht gerückt, war der Kostenaufwand nicht einmal sonderlich hoch: Das Apollo-Raumfahrtprogramm hatte auf seinem Höhepunkt annähernd vierhunderttausend Menschen beschäftigt und insgesamt etwa hundert Milliarden US-Dollar gekostet. Falls Gilbert recht hatte, war das menschliche Genom zu weniger als einem Dreißigstel der Kosten für die Mondlandung zu entschlüsseln. Später scherzte Sydney Brenner, die Sequenzierung des Humangenoms würde letztlich möglicherweise gar nicht an den Kosten oder der Technologie, sondern an der überaus monotonen Arbeit scheitern. Vielleicht sollte man diese Aufgabe Kriminellen und Häftlingen als Strafe auferlegen – eine Million Basen für Raub, zwei Millionen für Totschlag, zehn Millionen für Mord.

Als sich an diesem Abend die Dämmerung über die Bucht legte, sprach Watson mit einigen seiner Kollegen über eine persönliche Krise, die sich in seinem Leben gerade abspielte. Am 27. Mai, dem Vorabend des Kongresses, war sein 15-jähriger Sohn, Rufus Watson, aus einer psychiatrischen Einrichtung in White Plains entwischt. Später hatte man ihn im Wald in der Nähe einer Bahnlinie gefunden und wieder in die Klinik zurückgebracht. Einige Monate zuvor hatte Rufus versucht, im World Trade Center eine Fensterscheibe einzuschlagen, um sich aus dem Hochhaus zu stürzen. Man hatte bei ihm Schizophrenie diagnostiziert. Für Watson, der fest von den genetischen Ursachen dieser Krankheit überzeugt war, hatte sich das Humangenomprojekt zu einem – buchstäblich – persönlichen Anliegen entwickelt. Für Schizophrenie gab es weder Vergleichbares in der Tierwelt noch offensichtlich verknüpfte Polymorphismen, die es Genetikern ermöglichten, die relevanten Gene zu finden. »Der einzige Weg, Rufus ein Leben zu ermöglichen, war, zu verstehen, warum er krank war. Und der einzige Weg, der uns das möglich machte, war, das Genom zu bekommen.«[103]

• • •

Aber welches Genom? Manche Wissenschaftler, zu denen auch Sulston gehörte, sprachen sich für ein schrittweises Vorgehen aus – bei einfachen Organismen wie Bäckerhefe, Wurm oder Fliege anzufangen und sich dann Stufe für Stufe in Komplexität und Größe hinaufzuarbeiten bis zum menschlichen Genom. Andere wie Watson wollten das Humangenom in Angriff nehmen. Nach langen Debatten erzielten die Forscher einen Kompromiss. Zunächst würden sie die Genome einfacher Organismen wie Würmer und Fliegen sequenzieren. Bei diesen Projekten, nach den jeweiligen Organismen Wurmgenomprojekt oder Fruchtfliegengenomprojekt genannt, würden sie die Feinabstimmung der Sequenzierungstechnologie üben. Parallel dazu würden sie weiter menschliche Gene sequenzieren. Die bei den einfachen Genomen gewonnenen Lehren würden sie dann auf das größere, komplexere Humangenom anwenden. Dieses große Vorhaben – die umfassende Sequenzierung des gesamten menschlichen Genoms – erhielt die Bezeichnung Humangenomprojekt.

Unterdessen gab es zwischen den US-amerikanischen National Institutes of Health (NIH) und dem Department of Energy Gerangel um die Projektleitung. Nach mehreren Kongressanhörungen wurde auch dort 1989 ein Kompromiss erzielt:[104] Die NIH sollten bei diesem Projekt die offizielle »Leitungsbehörde« sein und das Department of Energy Ressourcen und strategische Verwaltung beisteuern. Leiter des Projekts wurde Watson. Schon bald konnten internationale Mitwirkende gewonnen werden: der Medical Research Council in Großbritannien und der Wellcome Trust. Im Laufe der Zeit schlossen sich auch französische, japanische, chinesische und deutsche Wissenschaftler dem Genomprojekt an.

Im Januar 1989 traf sich ein zwölfköpfiger Beraterstab in einem Konferenzraum in Gebäude 31 in einem abgelegenen Teil des NIH-Geländes in Bethesda.[105] Den Vorsitz hatte der Genetiker Norton Zinder,

der einst am Entwurf für das Asilomar-Moratorium mitgewirkt hatte. »Heute fangen wir an«, verkündete er. »Wir beginnen mit einer nicht endenden Studie zur menschlichen Biologie. Was immer dabei auch herauskommen mag, es wird ein Abenteuer, ein Unternehmen von unschätzbarem Wert sein. Und wenn die Arbeit getan ist, wird jemand anderes sich hinsetzen und sagen: ›Es ist Zeit anzufangen‹.«[106]

• • •

Am 28. Januar 1983, kurz vor Beginn des Humangenomprojekts, starb Carrie Buck in einem Pflegeheim in Waynesboro, Pennsylvania, im Alter von 76 Jahren.[107] Ihre Geburt und ihr Tod fielen mit Anfang und Ende der annähernd hundertjährigen Geschichte des Gens zusammen. Ihre Generation hatte die wissenschaftliche Wiederauferstehung der Genetik erlebt, ihr kraftvolles Eindringen in den öffentlichen Diskurs, ihre Perversion in gesellschaftliche Manipulation und Eugenik, ihren Nachkriegsaufstieg zum zentralen Thema der »neuen« Biologie, ihre Auswirkungen auf menschliche Physiologie und Pathologie, ihre wirkmächtige Erklärungskraft in unserem Krankheitsverständnis und ihre unausweichlichen Überschneidungen mit Fragen von Schicksal, Identität und Entscheidungsfreiheit. Carrie Buck hatte zu den ersten Opfern der Fehleinschätzungen einer mächtigen neuen Wissenschaft gehört. Und sie hatte erlebt, dass Wissenschaft unser Verständnis von Medizin, Kultur und Gesellschaft verändern kann.

Was war nun mit ihrem »genetisch bedingten Schwachsinn«? Drei Jahre nach ihrer gerichtlich angeordneten Zwangssterilisation wurde Carrie Buck 1930 aus der Virginia State Colony entlassen und zur Arbeit in eine Familie in Bland County, Virginia, geschickt. Carries einzige Tochter, Vivian Dobbs – die man auf gerichtliche Anordnung untersucht und für »schwachsinnig« erklärt hatte – starb 1932 an Enterokolitis.[108] In ihren etwa acht Lebensjahren hatte Vivian sich in der Schule recht gut gemacht. So hatte sie im ersten Schuljahr in Betragen ein Sehr gut, in Rechtschreibung ein Gut und in Mathematik, einem Fach, mit dem sie sich immer schwergetan hatte, ein Befriedigend bekommen. Im April 1931 hatte sie auf der Liste der besten Schüler gestanden. Aus den erhaltenen Schulzeugnissen geht hervor, dass sie ein fröhliches, angenehmes, unbekümmertes Kind war, dessen Leistungen nicht besser oder schlechter waren als die anderer Schüler. Nichts in Vivians Lebensgeschichte weist auch nur im Entferntesten auf eine ererbte Neigung zu psychischen Erkrankungen oder Schwachsinn hin – die Diagnose, die Carrie Bucks Schicksal vor Gericht besiegelt hatte.

Die Geographen

So Geographers in Afric-maps,
With Savage-Pictures fill their Gaps;
And o'er uninhabitable Downs
Place Elephants for want of Towns.
Jonathan Swift, »On Poetry«[109]

Das Humangenomprojekt, angeblich eines der
nobelsten Unterfangen der Menschheit, ähnelt
mehr und mehr einer Schlammschlacht.
Justin Gillis, 2000[110]

Man darf wohl mit Fug und Recht behaupten, dass die erste Überraschung für das Humangenomprojekt nichts mit Genen zu tun hatte. Als Watson, Zinder und ihre Kollegen 1989 mit den Vorbereitungen für das Genomprojekt beschäftigt waren, schlug Craig Venter, ein kaum bekannter Neurobiologe der NIH, eine Abkürzung zur Genomsequenzierung vor.[111]

Venter war kämpferisch, eigensinnig und streitlustig, ein launischer Student mit mittleren Noten, versessen aufs Surfen und Segeln, ein Vietnamkriegsveteran, und er besaß die Fähigkeit, sich kopfüber in riskante Projekte zu stürzen. Venter hatte Neurobiologie studiert und sich in seiner wissenschaftlichen Arbeit überwiegend mit Adrenalin beschäftigt. Während seiner Tätigkeit an den NIH hatte er Mitte der 1980er Jahren begonnen, sich für die Sequenzierung von Genen zu interessieren, die im menschlichen Gehirn exprimiert werden. Als er 1986 von Leroy Hoods Gerät zur Schnellsequenzierung hörte, kaufte er umgehend eine frühe Version für sein Labor.[112] Bei seinem Eintreffen bezeichnete er es als »meine Zukunft, verpackt in eine große Kiste«.[113] Er besaß das technische Händchen eines Ingenieurs und die Leidenschaft eines Biochemikers für das Mixen von Lösungen. Innerhalb von Monaten entwickelte er sich zum Experten für schnelle Genomsequenzierung mit dem halbautomatischen Sequenziergerät.

Venters Strategie bei dieser Aufgabe beruhte auf einer radikalen Vereinfachung. Das menschliche Genom enthält natürlich Gene, besteht aber überwiegend aus langen DNA-Abschnitten in den sogenannten intergenischen Regionen, die Ähnlichkeit mit den endlosen Landstraßen zwischen kanadischen Städten haben. Zudem sind die Gene, wie Phil Sharp und Richard Roberts nachgewiesen hatten, selbst in proteincodierende Segmente unterteilt, zwischen denen lange Zwischenstücke, die Introns, liegen.

Intergenische DNA und Introns – die Abschnitte zwischen den Genen und die Füllsel in Genen – codieren keine Proteininformation.* Manche dieser Sequenzen enthalten Informationen, die Zeitpunkt und Ort der Genexpression regulieren; sie codieren Ein- und Ausschalter, die an die Gene angehängt sind. Andere codieren keine bekannte Funktion. Die Struktur des menschlichen Genoms lässt sich also mit einem Satz vergleichen, in dem die Wörter den Genen entsprechen,

---

* Mit einem Gen verbundene DNA-Abschnitte, Promotoren genannt, lassen sich mit »Ein«-Schaltern für dieses Gen vergleichen. Diese Sequenzen codieren Informationen, wann und wo ein Gen aktiviert wird (so wird Hämoglobin nur in roten Blutzellen aktiviert). Dagegen codieren andere DNA-Abschnitte Informationen, wann und wo ein Gen »abgeschaltet« wird (so sind in Bakterienzellen Laktose verarbeitende Gene so lange deaktiviert, bis Laktose als verfügbarer Nährstoff überwiegt). Bemerkenswert ist, dass dieses System der »An-« und »Aus«-Schalter, das erstmals bei Bakterien entdeckt wurde, in der gesamten biologischen Welt beibehalten wird.

die Auslassungszeichen den Zwischenabschnitten und Füllseln und die Satzzeichen den regulatorischen Gensequenzen:

Das ...... ist die .... Str....uk......tur ...,,,.... deines....

(....Ge....noms....)....

Venters erste Abkürzung bestand darin, die intergenischen Regionen und Introns des Humangenoms zu ignorieren. Da sie ohnehin keine Proteininformation enthielten, warum sollte man sich da nicht lieber auf die »aktiven« proteincodierenden Teile konzentrieren, überlegte er. Und als weitere Abkürzung schlug er vor, dass sich vielleicht sogar diese aktiven Abschnitte schneller entschlüsseln ließen, wenn man nur Genfragmente sequenzieren würde. Da Venter fest überzeugt war, dass dieses Vorgehen zum Erfolg führen würde, hatte er bereits angefangen, Hunderte solcher Genfragmente aus Hirngewebe zu sequenzieren.

In unserem Vergleich der Genome mit Sätzen hieße das, Venter hätte beschlossen, in einem Satz Wortfetzen zu suchen – *Struk, deines, Ge.* Mit dieser Methode würde er wohl nicht den Inhalt des ganzen Satzes erfahren, könnte aber aus den Fragmenten vielleicht genügend herleiten, um die entscheidenden Elemente menschlicher Gene zu begreifen.

Watson war entsetzt. Venters »Genfragment-Strategie« war zweifellos schneller und kostengünstiger, aber viele Genetiker hielten sie für schludrig und unvollständig, da sie lediglich bruchstückhafte Erkenntnisse über das Genom bringen würde.* Eine ungewöhnliche Entwicklung verschärfte den Konflikt. Als Venters Gruppe mühsam die ersten Sequenzen menschlicher Genfragmente aus dem Gehirn erstellte, trat im Sommer 1991 das NIH-Büro für Technologietransfer an Venter heran, um diese neuen Genfragmente patentieren zu lassen.[114] Watson

---

* Letztlich erwies sich Venters Vorgehen, proteincodierende und RNA-codierende Teile des Genoms zu sequenzieren, als Ressource von unschätzbarem Wert für Genetiker. Sie offenbarte die »aktiven« Teile des Genoms und ermöglichte es somit, diese vor dem Hintergrund des Gesamtgenoms mit Annotationen zu versehen.

fand diesen Missklang äußerst irritierend: Offenbar wollte nun eine NIH-Abteilung Exklusivrechte an derselben Information anmelden, an deren Entdeckung eine andere Abteilung gerade arbeitete, um sie unentgeltlich verfügbar zu machen.

Doch nach welcher Logik ließen sich Gene – in Venters Fall »aktive« Genfragmente – patentieren? Boyer und Cohen hatten in Stanford ein *Verfahren* patentieren lassen, DNA-Abschnitte zu »rekombinieren«, um genetische Chimären herzustellen. Genentech hatte einen *Prozess* patentieren lassen, Proteine wie Insulin in Bakterien zu exprimieren. Amgen hatte 1984 ein Patent auf die Isolierung des blutbildenden Hormons Erythropoietin mit Hilfe rekombinanter DNA angemeldet – doch selbst dieses Patent betraf, wenn man es aufmerksam las, ein Vorgehen für die Produktion und Isolierung eines bestimmten Proteins mit einer bestimmten Funktion.[115] Niemand hatte je ein Gen oder eine genetische Information an sich patentieren lassen. War denn ein menschliches Gen nicht ein Körperteil wie jedes andere – eine Nase oder ein linker Arm – und daher im Grunde nicht patentierbar? Oder war die Entdeckung neuer genetischer Informationen so neuartig, dass sie Eigentumsrechte und Patentschutz rechtfertigte? Sulston war entschieden gegen Genpatente. »Patente sind dazu gedacht, Erfindungen zu schützen (das glaubte ich zumindest)«, schrieb er. »Das Finden [von Genfragmenten] beinhaltet keine ›Erfindung‹, wie könnten sie also patentierbar sein?«[116] Ein Forscher kommentierte abfällig: »Es ist eine schnelle, schmutzige Landnahme.«[117]

Die Kontroverse um Venters Genpatente gestaltete sich umso hitziger, als die Auswahl der sequenzierten Genfragmente zufällig erfolgte und den meisten Genen keine Funktion zugeordnet wurde. Da Venters Herangehensweise häufig zur Sequenzierung unvollständiger Genstücke führte, war die gewonnene Information zwangsläufig verstümmelt. Gelegentlich waren die Abschnitte lang genug, um die Funktion eines Gens herzuleiten – meist konnte man aus diesen Fragmenten jedoch keine echten Erkenntnisse ziehen. »Könnte man einen Elefanten patentieren lassen, indem man seinen Schwanz beschreibt? Und wie wäre es, einen Elefanten patentieren zu lassen, indem man drei nicht zusammenhängende Schwanzstücke beschreibt?«, argumentierte Eric Lander.[118] Bei einer Anhörung zum Genomprojekt im US-Kongress platzte Watson wütend heraus, »praktisch jeder Affe« könne solche Fragmente machen. Der englische Genetiker Walter Bodmer warnte, wenn die US-Amerikaner Venter Patente auf Genfragmente erteilen sollten, würden die Briten eigene konkurrierende Bemühungen um Patente anstrengen. Dann würde das Genom innerhalb weniger Wochen balkanisiert und in tausend Kolonialgebiete unter US-amerikanischer, britischer und deutscher Flagge aufgeteilt.[119]

Am 10. Juni 1992 verließ Venter, der die endlosen Streitereien leid war, die NIH und gründete ein privates Institut zur Gensequenzierung. Zunächst nannte er es Institute for Genome Research, bemerkte aber bald die Schwachstelle dieses Namens: Die Abkürzung, IGOR, weckte unbehagliche Assoziationen an den schielenden buckligen Gehilfen Frankensteins. Daher änderte Venter den Namen in *The* Institute for Genomic Research, kurz: TIGR.[120]

• • •

Auf dem Papier – zumindest in Fachzeitschriften – war TIGR phänomenal erfolgreich. Venter arbeitete mit Koryphäen wie Bert Vogelstein und Ken Kinzler zusammen, um neue Gene zu finden, die mit Krebs in Zusammenhang standen. Wichtiger war jedoch, dass er auch weiterhin gegen die technologischen Grenzen der Genomsequenzierung anstürmte. Auf seine Kritiker reagierte er nicht nur außerordentlich empfindlich, sondern auch außerordentlich empfänglich: So weitete er 1993 seine Sequenzierungsbemühungen von Genfragmenten auf ganze Gene und Genome aus. In Zusammenarbeit mit einem neuen Verbündeten, dem Bakteriologen und Nobelpreisträger Hamilton Smith, beschloss er, das gesamte Genom eines Bakteriums zu entschlüsseln, das bei Menschen tödliche Lungenentzündungen hervorruft: *Haemophilus influenzae*.[121]

Venters Strategie bestand in einer Erweiterung des Vorgehens, das er bei Genfragmenten des Gehirns eingesetzt hatte – nur mit einer wichtigen Abwandlung. Dieses Mal sprengte er das Bakteriengenom mit einem Verfahren – ähnlich einem Schuss aus einer Schrotflinte – in unzählige Stücke, sequenzierte anschließend Hunderttausende zufällig ausgewählte Fragmente und setzte sie mit Hilfe überlappender Segmente zusammen, um das gesamte Genom zu entschlüsseln. In unserem Sprachvergleich könnte man sich vorstellen, dass man aus folgenden Fragmenten ein Wort zusammenzufügen versucht: *stru, uktu, uktur, strukt* und *uktur.* Ein Computer kann anhand der überlappenden Segmente das vollständige Wort ermitteln: *Struktur.*

Die Lösung hängt vom Vorhandensein überlappender Sequenzen ab: Gibt es solche nicht oder fehlt ein Teil des Wortes, lässt es sich unmöglich richtig zusammenfügen. Venter war jedoch zuversichtlich, dass er den größten Teil des Genoms mit diesem Verfahren zerlegen und wieder zusammensetzen könnte. Es war eine Humpty-Dumpty-Strategie: Mit vereinten Kräften würden sämtliche Männer des Königs das Puzzle schon zusammenbringen. Diese sogenannte Schrotschuss-sequenzierung *(shotgun sequencing)* hatte Fred Sanger, der Erfinder der Gensequenzierung, bereits in den 1980er Jahren verwendet – aber Venters Vorstoß auf das Haemophilus-Genom war die ambitionierteste Anwendung dieser Methode in ihrer gesamten Geschichte.

Venter und Smith begannen im Winter 1993 mit dem Haemophilus-Projekt und schlossen es im Juli 1995 ab. »Am Ende durchlief der Artikel 40 Entwurfsstadien«, schrieb Venter später, »wir wussten, dass er historische Bedeutung erlangen würde, und ich bestand darauf, ihn möglichst perfekt zu gestalten.«[122]

Es war ein Wunder: Die Genetikerin Lucy Shapiro aus Stanford schilderte, dass Mitarbeiter ihres Labors die ganze Nacht aufblieben, um das *H.-flu*-Genom zu lesen, »begeistert darüber, dass sie zum ersten Mal einen Blick auf die vollständige genetische Ausstattung einer lebenden Spezies werfen konnten«.[123] Es gab Gene für die Energieerzeugung, für Kapselproteine, für die Proteinbildung, für die Nahrungsregulierung, für die Umgehung des Immunsystems. Sanger schrieb persönlich an Venter und lobte seine Arbeit als »großartig«.

• • •

Während Venter im TIGR Bakteriengenome sequenzierte, erlebte das Humangenomprojekt drastische Umstrukturierungen. Nach einer Reihe von Auseinandersetzungen mit dem Direktor der NIH trat Watson 1993 als Projektleiter zurück und wurde umgehend durch den Genetiker Francis Collins aus Michigan ersetzt, der sich 1989 mit dem Klonieren des Mukoviszidose-Gens einen Namen gemacht hatte. Hätte das Genomprojekt Collins 1993 nicht gefunden, hätte es ihn vielleicht erfinden müssen, denn er war für die besonderen Herausforderungen dieses Vorhabens außergewöhnlich gut geeignet: Der gläubige Christ aus Virginia verstand sich hervorragend auf Kommunikation und Verwaltung, war ein erstklassiger Wissenschaftler, maßvoll, umsichtig und diplomatisch; neben Venter, der sich wie eine kleine Yacht ständig gegen den Wind anstemmte, nahm sich Collins aus wie ein Ozeandampfer, der den Tumult um ihn herum kaum registrierte. Während das TIGR 1995 mit dem *Haemophilus*-Genom vorpreschte, konzentrierte sich das Humangenomprojekt auf die Verbesserung der Grundtechnologien zur Gensequenzierung. Im Gegensatz zur TIGR-Strategie, das Genom zu zerteilen, nach einer Zufallsauswahl zu sequenzieren und die Daten hinterher wieder zusammenzusetzen, hatte sich das Humangenomprojekt für ein geordneteres Vorgehen entschieden: nämlich die Genomfragmente zu einer räumlichen Karte zusammenzusetzen (»welches Gen liegt neben welchem?«), Identität und Überlappungen der Klone zu erhärten und sie dann der Reihe nach zu sequenzieren.

Die ersten Führungskräfte des Humangenomprojekts sahen in diesem Vorgehen Klon für Klon die einzig sinnvolle Methode. Lander, der von der Mathematik zur Biologie und zum Gensequenzieren gekommen war und der gegen die Schrotschusssequenzierung einen geradezu ästhetischen Abscheu empfand, gefiel die Vorstellung, das gesamte Genom Stück für Stück zu entschlüsseln wie eine Rechenaufgabe. Er befürchtete, dass bei Venters Methode unweigerlich Lücken im Genom ungeklärt bleiben würden. »Was wäre, wenn man ein Wort nähme, es aufbräche und versuchte, es aus seinen Bestandteilen wieder zusammenzusetzen?«, fragte er. »Das könnte funktionieren,

wenn man alle Teile des Wortes fände oder sämtliche Fragmente sich
überlappten. Aber was ist, wenn einige Buchstaben des Wortes fehlen?«[124] Das aus den verfügbaren Buchstaben zusammengesetzte Wort
könnte genau die entgegengesetzte Bedeutung des ursprünglichen vermitteln; was wäre, wenn man von »Bleigewicht« nur die Buchstaben
»l...e...i...c...h...t« fände?

Zudem fürchteten die Vertreter des staatlichen Genomprojekts die
verfrühte Begeisterung über ein halb entschlüsseltes Genom: Wenn
10 Prozent des Genoms ungeklärt blieben, würde man die vollständige
Sequenz nie mehr erforschen. »Die eigentliche Herausforderung des
Humangenomprojekts war nicht, mit der Sequenzierung des Genoms
anzufangen, sondern sie *fertigzustellen*«, erklärte Lander später. »Wenn
man Lücken im Genom ließe, aber den Eindruck der Vollständigkeit
erweckte, würde niemand mehr die Geduld aufbringen, die gesamte
Sequenz zu entschlüsseln. Wissenschaftler würden Beifall klatschen,
sich die Hände abwischen, sich auf die Schultern klopfen und weiter-
ziehen. Der Entwurf würde immer ein Entwurf bleiben.«[125]

Das Vorgehen Klon für Klon erforderte mehr Geld, aufwendigere
Investitionen in Infrastruktur und einen Faktor, der Genomforschern
anscheinend abhandengekommen war: Geduld. Lander hatte am MIT
ein hervorragendes Team junger Wissenschaftler zusammengestellt –
Mathematiker, Chemiker, Ingenieure und eine Gruppe koffeinabhän-
giger Computerhacker von Anfang zwanzig. Phil Green, ein Mathematiker von der University of Washington, entwickelte Algorithmen, mit
denen man sich systematisch durch das Genom vorarbeiten konnte.
Das vom Wellcome Trust finanzierte britische Team arbeitete derweil
an eigenen Plattformen für die Analyse und die Zusammensetzung
der Sequenzen. Weltweit waren mehr als ein Dutzend Gruppen damit
beschäftigt, Daten zu sammeln und zusammenzustellen.

• • •

Im Mai 1998 kreuzte der stets rührige Venter erneut scharf gegen den
Wind. Das TIGR hatte mit seiner Schrotschusssequenzierung zwar
unbestreitbare Erfolge erzielt, aber Venter rieb sich an der Organisa-

tionsstruktur des Instituts. Es war ein seltsamer Zwitter – ein gemeinnütziges Institut innerhalb einer gewinnorientierten Gesellschaft namens Human Genome Sciences (HGS).[126] Diese Organisation im Stil einer Matrjoschka fand Venter einfach lächerlich. Ständig legte er sich mit seinen Vorgesetzten an und beschloss letztlich, seine Verbindungen zu TIGR abzubrechen. Er gründete ein neues Unternehmen, das sich voll und ganz auf die Sequenzierung des Humangenoms konzentrieren sollte, und nannte es Celera, eine Kurzform von »accelerate«, beschleunigen.

Eine Woche vor einer wichtigen Tagung des Humangenomprojekts in Cold Spring Harbor traf Venter zwischen zwei Flügen Collins in der Red Carpet Lounge des Flughafens Dallas. Sachlich eröffnete er ihm, Celera werde einen beispiellosen Vorstoß zur Sequenzierung des Humangenoms mit der Schrotschussmethode starten. Das Unternehmen habe zweihundert der modernsten Sequenzierautomaten angeschafft und sei bereit, sie unentwegt laufen zu lassen, um die Sequenzierung in Rekordzeit abzuschließen. Venter erklärte sich bereit, die Ergebnisse großenteils der Öffentlichkeit zugänglich zu machen – allerdings mit einer bedrohlichen Einschränkung: Celera würde Patente auf die dreihundert wichtigsten Gene anstreben, die sich als Ziele für Medikamente gegen Krankheiten wie Brustkrebs, Schizophrenie und Diabetes eignen könnten. Er umriss einen ehrgeizigen Zeitplan. Celera hoffte, das gesamte Humangenom bis 2001 entschlüsselt zu haben, also vier Jahre vor dem geplanten Termin des staatlich finanzierten Humangenomprojekts. Abrupt stand er auf und nahm den nächsten Flug nach Kalifornien.

Der Wellcome Trust sah darin einen Ansporn und verdoppelte die Finanzierung der britischen Forschungen. In den Vereinigten Staaten öffnete der Kongress die Schleusen der Bundesmittel und bewilligte sieben US-amerikanischen Forschungszentren 60 Millionen US-Dollar für die Gensequenzierung. Maynard Olson und Robert Waterston übernahmen die strategische Leitung und Koordination des staatlichen Projekts und unterstützten das systematische Zusammenfügen des Genoms mit entscheidenden Ratschlägen.

• • •

Im Dezember 1998 errang das Wurmgenomprojekt einen entscheidenden Sieg. John Sulston, Robert Waterston und andere Forscher, die am
Genom arbeiteten, verkündeten, dass sie das Wurmgenom *(C. elegans)*
mit der vom Humangenomprojekt favorisierten Klon-für-Klon-Me-
thode vollständig sequenziert hatten.[127]

Hatte schon das *Haemophilus*-Genom 1995 Genetiker vor Staunen
und Verwunderung beinahe auf die Knie sinken lassen, so verlangte
das Wurmgenom – die erste vollständige Sequenz eines vielzelligen
Organismus – einen regelrechten Kniefall. Würmer sind wesentlich
komplexer als das Bakterium *Haemophilus* – und dem Menschen erheblich ähnlicher. Sie haben Mund, Gedärm, Muskeln, ein Nervensystem und sogar ein rudimentäres Gehirn. Sie tasten, fühlen, bewegen
sich. Sie wenden den Kopf von schädlichen Reizen ab, sind soziale
Wesen und empfinden vielleicht sogar so etwas wie Wurmängste, wenn
ihnen die Nahrung ausgeht, und eine flüchtige Lust bei der Paarung.

Bei dem Wurm *C. elegans* fand man 18 891 Gene.* Von den codierten Proteinen wiesen 36 Prozent Ähnlichkeit mit den bei Menschen
gefundenen auf. Beim Rest – von etwa 10 000 Genen – gab es keine
erkennbare Übereinstimmung mit bekannten menschlichen Genen.

---

* Die Zahl der Gene bei einem Organismus zu schätzen, ist kompliziert und er-
fordert einige Grundannahmen über Beschaffenheit und Struktur eines Gens.
Vor der Sequenzierung ganzer Genome identifizierte man Gene anhand ihrer
Funktion. Die Sequenzierung ganzer Genome befasst sich jedoch nicht mit der
Funktion eines Gens; es ist, als würde man sämtliche Wörter und Buchstaben
einer Enzyklopädie identifizieren, ohne auf deren Bedeutung einzugehen. Die
Anzahl der Gene wird geschätzt, indem man die Genomsequenz untersucht
und DNA-Abschnitte identifiziert, die »wie Gene aussehen« – die also regulatorische Sequenzen enthalten und eine RNA-Sequenz codieren oder Genen
ähneln, die man bei anderen Organismen gefunden hat. In dem Maße, wie wir
mehr über die Genstrukturen und -funktionen erfahren, wird diese Zahl sich
jedoch ändern. Gegenwärtig nimmt man an, dass Würmer 19 500 Gene haben,
aber auch diese Zahl wird sich mit unserem zunehmenden Wissen über Gene
weiterentwickeln.

Sie waren entweder spezifisch für Würmer oder eine wirkungsvolle Mahnung, wie wenig der Mensch über seine Gene wusste (später stellte sich bei vielen tatsächlich heraus, dass sie Entsprechungen beim Menschen besaßen). Vor allem aber zeigte sich, dass nur 10 Prozent der codierenden Gene Ähnlichkeit mit den bei Bakterien gefundenen besaßen. Neunzig Prozent des Nematodengenoms steuern die außerordentlich komplexen Entwicklungsvorgänge des Organismus – was wieder einmal den explosionsartigen Ausbruch evolutionärer Innovationen belegt, die vor mehreren Millionen Jahren aus einzelligen Organismen mehrzellige Lebewesen schufen.

Ein einzelnes Wurmgen kann ebenso wie menschliche Gene vielfältige Funktionen besitzen. So organisiert das Gen *ceh-13* die Position von Zellen im sich entwickelnden Nervensystem, ermöglicht es den Zellen, in den vorderen Teil der Wurmanatomie zu wandern, und gewährleistet die richtige Ausbildung der Wurmvulva.[128] Umgekehrt können mehrere Gene eine einzige »Funktion« steuern: Die Entwicklung des Mundes erfordert beim Wurm das koordinierte Funktionieren zahlreicher Gene.

Die Entdeckung Zehntausender neuer Proteine mit über zehntausend neuen Funktionen hätte zur Rechtfertigung des Genomprojekts bereits mehr als ausgereicht – aber das erstaunlichste Merkmal des Wurmgenoms waren nicht etwa die proteincodierenden Gene, sondern die Menge jener Gene, die RNA-Botschaften, aber kein Protein codierten. Diese – sogenannten nichtcodierenden (also keine Proteine codierenden) – Gene waren im gesamten Genom verteilt, kamen aber auf bestimmten Chromosomen gehäuft vor. Es waren Hunderte, möglicherweise sogar Tausende. Von manchen kannte man die Funktion: Das Ribosom, die gigantische proteinerzeugende Maschinerie in den Zellen, enthält spezialisierte RNA-Moleküle, die an der Proteinbildung beteiligt sind. Von anderen nichtcodierenden Genen fand man schließlich heraus, dass sie kleine RNAs codieren – sogenannte Mikro-RNAs –, die einer unglaublich spezifischen Genregulierung dienen. Viele dieser Gene waren jedoch rätselhaft und schlecht definiert. Sie waren keine dunkle Materie, sondern Schattenmaterie des

Genoms – für Genetiker sichtbar, aber von unbekannter Funktion und Bedeutung.

• • •

Was ist also ein Gen? Als Mendel es 1865 entdeckte, kannte er es lediglich als abstraktes Phänomen: ein unteilbarer Faktor, der intakt über Generationen weitergegeben wird und eine erkennbare Eigenschaft oder einen Phänotyp wie die Blütenfarbe oder die Samentextur bei Erbsen bestimmt. Morgan und Muller vertieften diese Sicht, indem sie nachwiesen, dass Gene stoffliche – *materielle* – Strukturen auf Chromosomen waren. Avery brachte das Verständnis der Gene weiter, indem er die chemische Form dieses Stoffes identifizierte: Träger der genetischen Information war die DNA. Watson, Crick, Wilkins und Franklin erkannten deren Molekülstruktur als Doppelhelix aus zwei komplementären Strängen.

In den 1930er Jahren deckten Beadle und Tatum die Mechanismen der Genaktivität auf, als sie herausfanden, dass ein Gen »wirkt«, indem es die Struktur eines Proteins bestimmt. Brenner und Jacob identifizierten einen Informationsübermittler – eine RNA-Kopie –, der für die Übersetzung der genetischen Information in ein Protein erforderlich ist. Monod und Jacob ergänzten die dynamische Genkonzeption durch den Nachweis, dass sich jedes Gen über angehängte Regulatoren ein- und ausschalten lässt, indem diese Boten-RNA zu- oder abnimmt.

Die umfassende Sequenzierung des Wurmgenoms erweiterte und veränderte diese Erkenntnisse zum Genkonzept. Ein Gen bestimmt zwar eine Funktion in einem Organismus – aber ein einzelnes Gen kann mehr als nur eine Funktion steuern. Ein Gen muss keine Anweisungen zur Bildung eines Proteins liefern: Es kann auch nur RNA und keine Proteine codieren. Zudem muss es nicht aus einem fortlaufenden DNA-Abschnitt bestehen, sondern kann unterteilt sein. Es besitzt regulatorische Abschnitte, die an das Gen angehängt sind, sich aber nicht unmittelbar daran anschließen müssen.

Schon jetzt hatte die umfassende Genomsequenzierung die Tür

zu einem unerforschten Universum der organischen Biologie aufge-
stoßen. Sie hatte unsere Vorstellung von Genen und somit auch vom
Genom verändert wie eine sich endlos selbst aktualisierende Enzyklopädie – deren Eintrag unter dem Stichwort *Enzyklopädie* fortwährend
auf den neusten Stand gebracht werden muss.

• • •

Das Genom des *C. elegans* – veröffentlicht unter weltweitem Beifall der
Wissenschaftswelt im Dezember 1998 in einem Sonderheft der Zeitschrift *Science* mit einem Bild der weniger als einen Zentimeter großen
Nematode auf dem Titelblatt – war eine eindrucksvolle Bestätigung für
das Humangenomprojekt.[129] Einige Monate nach der Veröffentlichung
des Wurmgenoms hatte auch Lander aufregende Neuigkeiten zu verkünden: Das Humangenomprojekt hatte die Sequenz des menschlichen Genoms zu einem Viertel entschlüsselt. In einer dunklen, trockenen, gewölbeartigen Halle auf einem Gewerbegrundstück in der Nähe
des Kendall Square in Cambridge, Massachusetts, lasen 125 halbautomatische Sequenzierapparate, die aussahen wie große graue Kästen,
etwa zweihundert DNA-Buchstaben pro Sekunde aus (die Sequenzierung des Virus, für die Sanger drei Jahre gebraucht hatte, hätten sie
in 25 Sekunden erledigt).[130] Die Sequenz eines ganzen menschlichen
Chromosoms – Chromosom 22 – war mittlerweile zusammengestellt
und wartete auf die endgültige Bestätigung. Im Oktober 1999 sollte
das Projekt einen denkwürdigen Meilenstein der Sequenzierung überschreiten: ihr einmilliardstes menschliches Basenpaar (G-C, wie sich
herausstellen sollte) von insgesamt drei Milliarden.[131]

Unterdessen war Celera durchaus nicht bereit, sich in diesem Wettstreit abhängen zu lassen. Mit frischen Geldern von Privatinvestoren
hatte das Unternehmen seinen Ausstoß an Gensequenzen verdoppelt. Am 17. September 1999, kaum neun Monate nach der Veröffentlichung des Wurmgenoms, eröffnete Celera eine große Genomkonfe-
renz im Fontainebleau Hotel in Miami mit einem Gegenschlag: Das
Unternehmen hatte das Genom der Fruchtfliege *Drosophila melangos-
ter* sequenziert.[132] In Zusammenarbeit mit dem Fruchtfliegenexper-

ten Gerry Rubin und einem Genetikerteam aus Berkeley und Europa hatte Venters Firma das Fliegengenom in einer Rekordzeit von elf Monaten entschlüsselt – schneller als jedes vorhergehende Sequenzierungsprojekt. Als Venter, Rubin und Mark Adams das Podium betraten, um ihre Vorträge zu halten, wurde der große Schritt nach vorn deutlich: In den neun Jahrzehnten, seit Thomas Morgan mit der Erforschung der Fruchtfliegen begonnen hatte, hatten Genetiker etwa 2500 ihrer Gene identifiziert. Sie alle waren in Celeras vorläufiger Genomsequenz enthalten – und darüber hinaus 10 500 neue Gene, die man auf einen Schlag entdeckt hatte. In der ehrfürchtigen Stille, die nach diesen Präsentationen für eine Minute eintrat, versetzte Venter seinen Konkurrenten ohne Zögern einen Dolchstoß: »Ach übrigens, wir haben gerade angefangen, menschliche DNA zu sequenzieren, und es sieht so aus, als ob [die technischen Hürden] ein geringeres Problem darstellen werden, als es bei den Fliegen der Fall war.«

Im März 2000 veröffentlichte die Zeitschrift *Science* das Fruchtfliegengenom in einem weiteren Sonderheft mit einem Titelblatt, das einen Stich von 1934 mit einer männlichen und einer weiblichen Fruchtfliege zeigte.[133] Selbst die schärfsten Kritiker der Schrotschusssequenzierung waren von der Qualität und Gründlichkeit der Daten ernüchtert. Celeras Methode hatte einige beträchtliche Lücken in der Sequenz gelassen – aber erhebliche Abschnitte des Fliegengenoms waren vollständig entschlüsselt. Vergleiche zwischen den Genen von Menschen, Würmern und Fliegen offenbarten einige diskussionswürdige Muster. Von den 289 bekannten menschlichen Genen, die sich mit einer Krankheit in Verbindung bringen ließen, besaßen 177 – über 60 Prozent – ein entsprechendes Pendant bei Fliegen.[134] Es gab keine Gene für Sichelzellenanämie oder Hämophilie – Fliegen haben keine roten Blutkörperchen und keine Gerinnungsfaktoren –, wohl aber solche Faktoren, die mit Darmkrebs, Brustkrebs, Tay-Sachs-Syndrom, Muskeldystrophie, Mukoviszidose, Alzheimer, Parkinson und Diabetes zusammenhingen oder eng damit verwandt waren. Obwohl die Fliege vier Beine, zwei Flügel und mehrere Millionen Jahre der Evolution vom Menschen trennten, hatten beide zentrale Bahnen und genetische Netzwerke gemeinsam. William Blake hatte bereits 1794 erklärt, die winzige Fliege habe sich als »Mensch wie ich« erwiesen.[135]

Das Erstaunlichste am Fliegengenom hatte mit der Größe zu tun, genauer mit der sprichwörtlichen Erkenntnis, dass Größe keine Rolle spielt. Im Gegensatz zu den Erwartungen selbst der erfahrensten Fliegenexperten stellte sich heraus, dass die Fliege nur 13 601 Gene besitzt – 5000 *weniger* als ein Wurm. Aus weniger war mehr entstanden: Aus nur 13 000 Genen war ein Organismus erwachsen, der sich paart, alt wird, sich betrinkt, Nachkommen hervorbringt, Schmerz empfindet, riecht, sieht, schmeckt und tastet und unseren unersättlichen Heißhunger auf reife Früchte teilt. »Die Lehre lautet, dass die offensichtliche Komplexität [bei Fliegen] nicht durch die bloße Anzahl von Genen erreicht wird«, erklärte Rubin. »Das Humangenom ... ist wahrscheinlich eine vergrößerte Version eines Fliegengenoms ... Die Evolution zusätzlicher komplexer Merkmale ist im Grunde eine *organisatorische*: eine Frage neuartiger Wechselwirkungen, die aus der zeitlichen und räumlichen Trennung recht ähnlicher Komponenten erwachsen.«[136]

Richard Dawkins führte aus: »Alle Tiere verfügen wahrscheinlich über ein relativ ähnliches Repertoire an Proteinen, die zu einem bestimmten Zeitpunkt ›aufgerufen‹ werden müssen.« Der Unterschied zwischen einem komplexeren und einem einfacheren Organismus, »zwischen einem Menschen und einer Nematode ist nicht, dass Menschen mehr von diesen grundlegenden Bestandteilen des Apparates besitzen, sondern dass sie diese in komplizierteren Sequenzen und in einer komplizierteren räumlichen Bandbreite in Aktion treten lassen können«.[137] Auch hier lag es also nicht an der Größe des Schiffes, sondern an der Art und Weise, wie die Planken angeordnet waren – das Fruchtfliegengenom war ein perfektes Beispiel für die Bootsparabel des Orakels von Delphi.

• • •

Während Celera und das Humangenomprojekt sich ein Kopf-an-Kopf-Rennen um die Sequenzierung des menschlichen Genoms lieferten, erhielt Venter im Mai 2000 einen Anruf von seinem Freund Ari Patrinos vom US Department of Energy. Patrinos hatte sich mit Collins in Verbindung gesetzt und ihn auf einen Drink in sein Stadthaus eingeladen. Ob Venter nicht ebenfalls kommen wolle? Es seien keine Assistenten, Berater oder Journalisten dabei, keine Entourage von Investoren oder Geldgebern. Es handele sich um ein rein privates Gespräch, dessen Ergebnisse strikt vertraulich bleiben sollten.

Patrinos' Anruf bei Venter war ein wochenlanges Vorspiel vorausgegangen. Nachrichten über den Wettlauf zwischen Celera und dem Humangenomprojekt waren über politische Kanäle bis ins Weiße Haus durchgesickert. US-Präsident Bill Clinton hatte mit seinem unfehlbaren Gespür für Public Relations erkannt, dass Meldungen über diesen Wettstreit eskalieren und die Regierung in eine peinliche Lage bringen könnten, besonders falls Celera als erstes den Sieg verkünden sollte. Clinton hatte seinen Beratern eine knappe Notiz zukommen lassen mit der Anweisung:»Regeln Sie das!«[138] Patrinos war nun derjenige, der die Sache »regeln« sollte.

Eine Woche später trafen sich Venter und Collins im Freizeitraum im Untergeschoss von Patrinos' Stadthaus in Georgetown. Die Atmosphäre war verständlicherweise unterkühlt. Patrinos wartete, bis die Stimmung etwas auftaute, und sprach dann behutsam den Grund dieses Treffens an: Ob Collins und Venter wohl in Betracht ziehen würden, die Sequenzierung des Humangenoms gemeinsam zu verkünden?

Sowohl Venter als auch Collins waren innerlich auf einen solchen Vorschlag vorbereitet. Venter dachte darüber nach und willigte ein – allerdings mit mehreren Einschränkungen. Er erklärte sich zu einer gemeinsamen feierlichen Bekanntgabe der vorläufigen Sequenz im Weißen Haus bereit und zu gleichzeitigen Veröffentlichungen in der Zeitschrift *Science*. Beim Zeitplan legte er sich nicht fest. Es war ein »aufs Sorgfältigste vorbereitetes Remis«, wie ein Journalist später schrieb.

Diesem ersten Gespräch in Ari Patrinos' Keller folgten noch mehrere private Treffen von Venter, Collins und Patrinos.[139] In den folgenden drei Wochen inszenierten Collins und Venter argwöhnisch die

Bekanntgabe in groben Zügen: Präsident Clinton würde die Veranstaltung eröffnen, nach ihm sollten der britische Premierminister Tony
Blair und dann Collins und Venter sprechen. Celera und das Humangenomprojekt sollten zu gemeinsamen Siegern im Wettlauf um die
Sequenzierung des menschlichen Genoms erklärt werden. Das Weiße
Haus wurde umgehend informiert, dass die Bekanntgabe möglich sei,
und legte schnell einen Termin fest. Venter und Collins besprachen
sich mit ihren jeweiligen Teams und stimmten dem Terminvorschlag
zu: 26. Juni 2000.

• • •

Am 26. Juni um 10 Uhr 19 kamen Venter, Collins und Präsident Clinton im Weißen Haus zusammen, um einer großen Gruppe von Wissenschaftlern, Journalisten und ausländischen Würdenträgern den »ersten
Überblick« über das Humangenom zu präsentieren (in Wirklichkeit
hatten weder Celera noch das Humangenomprojekt ihre Sequenzierung abgeschlossen – aber beide Gruppen hatten beschlossen, an der
Bekanntgabe als symbolischer Geste festzuhalten; während das Weiße
Haus den »ersten Überblick« über das Genom vorstellte, arbeiteten
Wissenschaftler bei Celera und beim Genomprojekt hektisch an ihren
Computern und versuchten, die Sequenz zu einem sinnvollen Ganzen
zusammenzufügen).[140] Tony Blair wurde über Satellit zu der Veranstaltung zugeschaltet. Norton Zinder, Richard Roberts, Eric Lander und
Ham Smith saßen ebenso im Publikum wie James Watson, der einen
weißen Anzug trug.

Clinton sprach als erster und verglich die Karte des menschlichen
Genoms mit der von Lewis und Clark erstellten Nordamerikakarte:

»Vor annähernd zwei Jahrhunderten breiteten Thomas Jefferson
und ein zuverlässiger Berater in diesem Raum, auf diesem Boden, eine
wunderbare Landkarte aus, eine Karte, von der Jefferson sich schon
lange gewünscht hatte, dass er sie noch zu seinen Lebzeiten zu sehen
bekommen möge … Es war eine Karte, die Nordamerika in seinen
Umrissen zeigte und die Grenzen unseres Kontinents und unserer
Phantasie für immer erweiterte. Heute ist die Welt mit uns hier im

East Room zugegen, um eine Karte von noch größerer Bedeutung zu sehen. Wir sind hier, um die Fertigstellung des ersten Überblicks über das gesamte menschliche Genom zu feiern. Das ist ohne Zweifel die wichtigste, wunderbarste Karte, die je von der Menschheit angefertigt wurde.«[141]

Venter, der als letzter sprach, konnte der Versuchung nicht widerstehen, sein Publikum daran zu erinnern, dass auch diese »Karte« durch die Privatexpedition eines Privatforschers zustande gekommen sei: »Heute um 12 Uhr 30 beschreibt Celera Genomics auf einer Pressekonferenz gemeinsam mit dem staatlichen Genomprojekt die genetische Information des Menschen, die erstmals nach der Ganzgenom-Schrotschussmethode zusammengesetzt wurde … Mit der bei Celera verwendeten Methode wurde die genetische Information von fünf Personen aufgeklärt. Wir haben die Genome von drei Frauen und zwei Männern sequenziert, die sich selbst als hispanisch, asiatisch, europäisch beziehungsweise afroamerikanisch bezeichnen.«[142]

• • •

Wie so viele Waffenruhen überlebte auch der brüchige Waffenstillstand zwischen Venter und Collins seine schwere Geburt nur knapp. Bei dem Konflikt ging es teils um alte Streitpunkte. Obwohl die Frage der Genpatente noch immer nicht geklärt war, hatte Celera beschlossen, Kapital aus seinem Sequenzierungsprojekt zu schlagen, indem es Forschern und Pharmaunternehmen gegen Gebühr Zugang zu seiner Datenbank gewährte (Venter hatte scharfsinnig überlegt, dass große Pharmaunternehmen Interesse an Gensequenzen haben dürften, um neue Medikamente zu entwickeln – vor allem Wirkstoffe, die auf bestimmte Proteine zielten). Venter wollte jedoch Celeras Humangenomsequenz auch in einer großen Fachzeitschrift – wie *Science* – veröffentlichen, was es notwendig machte, dass das Unternehmen seine Gensequenzen der Öffentlichkeit zugänglich machte (ein Wissenschaftler kann eine wissenschaftliche Arbeit nicht veröffentlichen und gleichzeitig auf der Geheimhaltung der wichtigsten Daten bestehen). Watson, Lander und Collins reagierten zu Recht mit beißender Kritik auf Celeras Versuch, den Spagat zwischen Wirtschaft und Wissenschaftswelt zu schaffen. »Mein größter Erfolg war, dass es mir gelungen ist, mir den Hass beider Welten zuzuziehen«, erklärte Venter einem Interviewer.[143] Derweil hatte das Humangenomprojekt mit technischen Schwierigkeiten zu kämpfen. Nachdem es große Teile des Humangenoms mit dem Klon-für-Klon-Vorgehen sequenziert hatte, stand es nun vor einem kritischen Moment: Es musste das Puzzle zusammensetzen. Aber diese – theoretisch scheinbar einfache – Aufgabe stellte ein entmutigendes Computerproblem dar. Beträchtliche Teile der Sequenz fehlten noch. Nicht alle Abschnitte des Genoms ließen sich klonieren und sequenzieren, und die nicht überlappenden Segmente zusammenzusetzen erwies sich als wesentlich schwieriger als erwartet, ganz so, als müsse man ein Puzzle legen, von dem einige Teile in Möbelritzen verschwunden wären. Lander rekrutierte ein weiteres Forscherteam zu seiner Unterstützung: den Computerspezialisten David Haussler von der University of California, Santa Cruz, und dessen vierzigjährigen Protegé, den Programmierer und Molekularbiologen James Kent.[144] In einem Anflug inspirierter Raserei überredete Haussler die Universität, hundert PCs anzuschaffen, damit Kent zigtausend Codesegmente parallel schreiben und durchlaufen lassen konnte. Jeden Abend kühlte Kent seine Handgelenke, um am folgenden Morgen weiterarbeiten zu können.

Auch bei Celera gestaltete sich die Zusammensetzung des Genoms zu einem frustrierenden Problem. Teile des menschlichen Genoms sind voller merkwürdig repetitiver Sequenzen – »vergleichbar einem großen Stück blauen Himmels in einem Puzzle«, wie Venter es beschrieb. Wochenlang arbeiteten Computerspezialisten daran, die Genfragmente in eine Ordnung zu bringen, aber noch immer fehlte die vollständige Sequenz.

Im Winter 2000 standen beide Projekte kurz vor dem Abschluss – aber die Kommunikation zwischen den beiden Gruppen, die sich schon zu den besten Zeiten angespannt gestaltet hatte, war mittlerweile völlig abgebrochen. Venter beschuldigte das Humangenomprojekt, es betreibe »eine Vendetta gegen Celera«. Lander protestierte in einem

Schreiben an die Herausgeber der Zeitschrift *Science* gegen Celeras Strategie, die Sequenzdatenbank an Abonnenten zu verkaufen und der Öffentlichkeit Teile davon vorzuenthalten, zugleich aber ausgewählte Datenauszüge in einer Zeitschrift zu veröffentlichen. Damit versuche Celera, »das Genom für sich zu behalten und gleichzeitig zu verkaufen«. Lander beklagte: »In der Geschichte wissenschaftlicher Schriften seit dem 17. Jahrhundert ist die Bekanntgabe einer Erfindung mit der Veröffentlichung von Daten verknüpft. Das ist die *Grundlage* moderner Wissenschaft. In vormoderner Zeit konnte man behaupten: ›Ich habe eine Antwort gefunden oder Blei in Gold verwandelt, weigere mich aber, die Ergebnisse vorzuweisen.‹ In professionellen wissenschaftlichen Fachzeitschriften geht es jedoch um Offenlegung und Glaubwürdigkeit.«[145] Schlimmer noch war der Vorwurf von Collins und Lander, Celera nutze die vom Humangenomprojekt veröffentlichten Sequenzen als »Gerüst«, um sein Genom zusammenzusetzen – und betreibe damit Diebstahl an geistigem Eigentum (Venter hielt dem entgegen, die Idee sei lächerlich; Celera habe alle vorherigen Genome ohne Zuhilfenahme solcher »Gerüste« entschlüsselt). Für sich genommen seien Celeras Daten nichts weiter als »gemischter Genomsalat«, erklärte Lander.[146]

Als Celera dem endgültigen Entwurf seines Beitrags näher rückte, appellierten Wissenschaftler eindringlich an das Unternehmen, seine Ergebnisse in die öffentlich zugängliche Datenbank für Gensequenzen, die sogenannte GenBank, einzustellen. Letzten Endes willigte Venter ein, akademischen Forschern freien Zugang zu den Daten zu gewähren – allerdings mit einigen wesentlichen Einschränkungen. Sulston, Lander und Collins, die mit diesem Kompromiss nicht zufrieden waren, beschlossen, ihre Veröffentlichung an die Konkurrenzzeitschrift *Nature* zu schicken.

Am 15. und 16. Februar 2001 veröffentlichten das Konsortium des Humangenomprojekts und Celera ihre jeweiligen Artikel in *Nature* beziehungsweise *Science*. Beide Studien waren umfangreich und nahmen jeweils nahezu die gesamte Ausgabe der Zeitschrift ein (der Beitrag des Humangenomprojekts war mit 66 000 Wörtern der längste Beitrag, den *Nature* in ihrer Geschichte je veröffentlichte). Jede bedeutende wissenschaftliche Veröffentlichung ist eine Auseinandersetzung mit ihrer eigenen Geschichte – und diesem Aspekt wurde auch der *Nature*-Artikel in seinen einleitenden Absätzen gerecht:

»Die Wiederentdeckung der Mendel'schen Vererbungsregeln in den ersten Wochen des 20. Jahrhunderts entfachte wissenschaftliche Bestrebungen, die Beschaffenheit und den Inhalt der Erbinformation zu verstehen; ein Streben, das die Biologie in den vergangenen hundert Jahren vorangetrieben hat. Die erreichten wissenschaftlichen Fortschritte gliedern sich wie von selbst in vier Hauptphasen, die grob mit den vier Vierteln dieses Jahrhunderts zusammenfallen.

Im ersten Vierteljahrhundert wurde die zelluläre Grundlage der Vererbung nachgewiesen: die Chromosomen. Im zweiten wurde die molekulare Grundlage der Vererbung geklärt: die Doppelhelixstruktur der DNA. Im dritten wurde die Informationsgrundlage der Vererbung [also der genetische Code] geklärt, und zwar durch die Entdeckung der biologischen Mechanismen, durch die Zellen die in Genen enthaltene Information lesen, sowie durch die Entwicklung von Klonier- und Sequenzierungsverfahren mit rekombinanter DNA, die Wissenschaftlern dasselbe ermöglichen.«

Die Sequenzierung des Humangenoms markierte nach Ansicht dieses Projekts den Beginn der »vierten Phase« der Genetik – die Ära der »Genomik«, also der Erfassung ganzer Genome von Organismen, einschließlich der des Menschen. In der Philosophie gibt es ein uraltes Rätsel, das die Frage stellt, ob eine intelligente Maschine je ihre eigene Betriebsanleitung zu entziffern vermag. Diese Betriebsanleitung für den Menschen lag nun vollständig vor. Sie zu entschlüsseln, zu lesen und zu verstehen war allerdings eine völlig andere Sache.

Das Buch des Menschen (in 23 Kapiteln)

Ist der Mensch nicht mehr als das?
– Betracht ihn recht!
Shakespeare, *König Lear*[147]

Hinter den Bergen gibt es weitere Berge.
Haiitianisches Sprichwort

- Das Buch des Menschen umfasst 3 088 286 401 DNA-Buchstaben (plus/minus einige wenige; nach neuerer Schätzung umfasst es etwa 3,2 Milliarden Buchstaben).
- Würde man es als Buch in einer Standardschriftgröße veröffentlichen, enthielte es nur vier Buchstaben – AGCTTGCAGGGG und so weiter – die sich in einer fortlaufenden Reihe unergründlich, Seite für Seite, über mehr als 1,5 Millionen Seiten erstrecken würden – also über das 66-Fache der *Encyclopedia Britannica*.
- Es gliedert sich in den meisten Körperzellen in 23 Chromosomenpaare – also insgesamt 46 Chromosomen. Bei allen anderen Affen einschließlich Gorillas, Schimpansen und Orang-Utans sind es 24 Chromosomenpaare. An irgendeinem Punkt der Hominidenevolution verschmolzen zwei mittelgroße Chromosomen bei einem Affenvorfahren zu einem. Das Humangenom trennte sich vor mehreren Millionen Jahren vom Affengenom und entwickelte im Laufe

der Zeit neue Mutationen und Variationen. Wir haben ein Chromosom verloren, aber einen Daumen gewonnen.

• Es enthält insgesamt etwa 20 687 Gene – nur 1796 mehr als das Genom von Würmern, 12 000 weniger als das von Mais und 25 000 weniger als das von Reis oder Weizen.[148] Der Unterschied zwischen »Mensch« und »Frühstücksflocken« beruht nicht auf der Anzahl der Gene, sondern auf dem Differenzierungsgrad genetischer Netzwerke. Entscheidend ist nicht, was wir haben, sondern wie wir es nutzen.

• Es ist überaus erfinderisch und gewinnt Komplexität aus Einfachheit. Es organisiert die Aktivierung oder Repression bestimmter Gene nur zu gewissen Zeiten in bestimmten Zellen, verschafft jedem Gen zeitlich und räumlich einzigartige Umgebungsverhältnisse und Partner und erzeugt so aus seinem begrenzten Repertoire eine nahezu unendliche funktionale Variationsbreite. Zudem mischt es in einzelnen Genen Genmodule – sogenannte Exons –, um seinem Bestand eine noch größere kombinatorische Vielfalt zu entlocken. Diese beiden Strategien – Genregulation und Spleißen – werden offenbar im Humangenom ausgiebiger genutzt als in den Genomen der meisten anderen Organismen. Das Geheimnis unserer Komplexität beruht weniger auf der enormen Anzahl der Gene, der Vielfalt der Genotypen oder der Originalität der Genfunktion, als vielmehr auf der Raffinesse unseres Genoms.

• Es ist dynamisch. In manchen Zellen strukturiert es seine Sequenz um, damit neue Varianten entstehen. Zellen des Immunsystems sondern »Antikörper« ab, abwehrraketenartige Proteine, die sich an eindringende Krankheitserreger anheften. Da sich Pathogene aber ständig verändern, müssen auch die Antikörper wandlungsfähig sein; ein sich weiterentwickelnder Krankheitserreger erfordert einen sich weiterentwickelnden Wirt. Das Genom leistet diese Gegenevolution, indem es seine Genelemente umordnet – und dadurch eine erstaunliche Vielfalt erzielt (so kann aus S...TRU...K...T....UR und G...E...N....OM ein völlig neues Wort wie K...OM...E...T entstehen). Die umstrukturierten Gene erzeugen die Vielfalt der Antikörper. In diesen Zellen ist jedes Genom imstande, ein völlig anderes Genom hervorzubringen.

- Teile dieses Buches sind überraschend schön. So gibt es auf Chromosom 11 einen großen Abschnitt, der ausschließlich dem Geruchssinn gewidmet ist. Hier codiert ein Bündel von 155 eng gekoppelten Genen eine Reihe von Proteinrezeptoren, die professionelle Geruchssensoren sind. Jeder Rezeptor verbindet sich jeweils mit einer bestimmten chemischen Struktur wie Schlüssel und Schloss und erzeugt im Gehirn eine markante Geruchswahrnehmung – Pfefferminz, Limone, Kümmel, Jasmin, Vanille, Ingwer, Pfeffer. Eine ausgeklügelte Genregulation gewährleistet, dass aus diesem Genbündel für Geruchsrezeptoren jeweils nur eines ausgewählt und in einem Riechneuron in der Nase exprimiert wird, und ermöglicht uns dadurch die Unterscheidung tausender Gerüche.

- Seltsamerweise machen Gene nur einen winzigen Bruchteil dieses Buches aus. Der überwiegende Teil – erstaunliche 98 Prozent – besteht nicht aus eigentlichen Genen, sondern aus riesigen DNA-Abschnitten, die zwischen (intergenische DNA) oder innerhalb der Gene (Introns) liegen. Diese langen Sequenzen codieren keine RNA und kein Protein: Ihre Existenz im Genom dient entweder zur Regulierung der Genexpression oder zu bislang noch unverstandenen Funktionen oder hat gar keinen Grund (das heißt, es handelt sich um »Junk-DNA«). Wäre das Genom eine Linie, die sich von Nordamerika über den Atlantik bis nach Europa erstreckte, dann wären die Gene vereinzelte Inseln auf langen, dunklen Wassermassen. Aneinandergereiht wären diese Landflecken nicht länger als die größte Galapagosinsel oder eine Eisenbahnstrecke quer durch Tokio.

- Das Buch ist von Geschichte überkrustet. Darin eingebettet sind seltsame DNA-Fragmente – manche von uralten Viren –, die in ferner Vergangenheit in das Genom gelangt sind und seit Jahrtausenden passiv mitgeschleppt werden. Manche dieser Fragmente konnten einst aktiv zwischen Genen und Organismen »springen«, sind aber mittlerweile weitgehend deaktiviert und zum Schweigen gebracht. Diese Stücke sind dauerhaft an unser Genom gefesselt wie ausgemusterte Handlungsreisende und können sich weder bewegen noch hinausgelangen. Solche Fragmente sind erheblich häufiger als Gene, was zu einem weiteren seltsamen Merkmal unseres Genoms führt: Es ist zu einem Großteil nicht sonderlich menschlich.

• In diesem Buch gibt es Elemente, die häufig wiederkehren. Eine lästige, rätselhafte Sequenz aus dreihundert Basenpaaren, Alu-Sequenz genannt, taucht Millionen Male auf, aber ihre Herkunft, Funktion und Bedeutung sind unbekannt.

• Es weist umfangreiche »Genfamilien« auf – Gene, die sich ähneln und ähnliche Funktionen erfüllen –, die häufig in Clustern auftreten. Zweihundert eng verwandte Gene, die auf bestimmten Chromosomen wie Inselgruppen zusammenliegen, bilden die Familie der Hox-Gene. Viele von ihnen spielen eine wichtige Rolle in der Steuerung der Entwicklung, Identität und Struktur des Embryos, seiner Segmente und seiner Organe.

• Es enthält Tausende von »Pseudogenen«, die einst eine Funktion erfüllten, mittlerweile aber nicht mehr zum Tragen kommen, also weder ein Protein noch RNA hervorbringen. Die Gerippe dieser deaktivierten Gene sind überall im Genom verstreut wie zerfallende Fossilien an einem Strand.

• Es bietet ausreichend Raum für Variationen, um jeden von uns einzigartig zu machen, aber auch genügend Gemeinsamkeiten, dass jedes Mitglied unserer Spezies sich grundlegend von Schimpansen und Bonobos unterscheidet, deren Genome zu 96 Prozent mit dem unseren übereinstimmen.

• Das erste Gen auf Chromosom 1 codiert ein Protein, das Geruch in der Nase wahrnimmt (wieder diese allgegenwärtigen olfaktorischen Gene). Das letzte Gen auf Chromosom X codiert ein Protein, das die Interaktion zwischen Zellen des Immunsystems reguliert. (Die Zuordnung als »erstes« und »letztes« Chromosom ist willkürlich gesetzt. Das Chromosom 1 wird so bezeichnet, weil es das längste ist.)

• Die Chromosomenenden sind durch »Telomere« markiert. Diese DNA-Sequenzen schützen die Chromosomen wie die Kunststoffhüllen am Ende der Schnürsenkel vor dem Ausfransen und Zerfallen.

- Wir verstehen zwar den genetischen Code – also wie die Information eines einzelnen Gens zur Bildung eines Proteins genutzt wird –, wissen aber praktisch nichts über den *genomischen* Code – also wie zahlreiche, auf dem Humangenom verteilte Gene die Genexpression räumlich und zeitlich koordinieren, um einen menschlichen Organismus auszubilden, zu erhalten und zu reparieren. Der genetische Code ist simpel: Aus DNA wird RNA gebildet und aus RNA ein Protein. Ein Basentriplett der DNA spezifiziert eine Aminosäure im Protein. Der genomische Code ist komplex: An das Gen sind DNA-Sequenzen angehängt, die Informationen über Ort und Zeitpunkt der Genexpression enthalten. Wir wissen nicht, warum sich bestimmte Gene an einer bestimmten Position des Genoms befinden und wie die DNA-Abschnitte zwischen den Genen die Genphysiologie regulieren und koordinieren. Jenseits der Codes sind weitere Codes, wie hinter den Bergen weitere Berge liegen.
- Als Reaktion auf Veränderungen seiner Umgebung versieht es sich mit chemischen Markierungen und löscht andere – und codiert damit eine Art zelluläres »Gedächtnis« (später mehr dazu).
- Es ist unergründlich, verletzlich, widerstandsfähig, anpassungsfähig, repetitiv und einzigartig.
- Es ist bereit, sich weiterzuentwickeln, und voller Ablagerungen aus der Vergangenheit.
- Es ist darauf angelegt, zu überleben.
- Es ähnelt uns.

TEIL 5

Hinter den Spiegeln

Die Genetik
der Identität und »Normalität«
(2001–2015)

Wie schön das wäre, wenn wir in das Spiegelhaus hinüber könnten! Sicherlich gibt es dort,
ach! so herrliche Dinge zu sehen!
Lewis Carroll, *Alice hinter den Spiegeln*[1]

»Dann sind wir ja gleich«[2]

Wir brauchen eine neue Publikumsabstimmung.
Das ist nicht richtig.
Snoop Dogg, nachdem er erfuhr,
dass er mehr europäische Vorfahren besitzt
als Charles Barkley[3]

Was habe ich mit Juden gemeinsam?
Ich habe kaum etwas mit mir gemeinsam.
Franz Kafka[4]

Die Medizin nimmt die Welt in »Spiegelschrift« wahr, merkte der Soziologe Everett Hughes einmal nüchtern an. Sie nutzt Krankheit zur Definition von Gesundheit. Abnormalität markiert die Grenzen der Normalität, Abweichung die der Konformität. Diese Spiegelschrift kann zu einer drastisch verzerrten Sicht auf den menschlichen Körper führen.[5] So denkt ein Orthopäde bei Knochen schließlich nur noch an mögliche Brüche, und ein Gehirn ist für einen Neurologen der Ort, an dem das Gedächtnis verlorengeht. Nach einer alten, vermutlich erfundenen Anekdote erinnerte sich ein Chirurg aus Boston, dessen Gedächtnis nachließ, an seine Freunde nur noch anhand der verschiedenen Operationen, die er an ihnen durchgeführt hatte.

In der Geschichte der Humanbiologie wurden, wie der Autor Matt

Ridley anmerkte, auch Gene lange Zeit überwiegend in Spiegelschrift wahrgenommen – identifiziert anhand der Abnormalität oder Krankheit, die ihre Mutationen hervorriefen: das Mukoviszidose-Gen, das Huntington-Gen, das Brustkrebsgen *BRCA1* und so weiter. Für einen Biologen ist diese Namensgebung absurd: Das Gen *BRCA1* hat keineswegs die Funktion, in mutierter Form Brustkrebs zu verursachen, sondern in seiner normalen Variante DNA zu reparieren. Die einzige Funktion des »gutartigen« Brustkrebsgens *BRCA1* ist es, für die Reparatur geschädigter DNA zu sorgen. Hunderte Millionen Frauen ohne familiäre Brustkrebsgeschichte erben diese harmlose Genvariante. Das mutante Allel – nennen wir es *m-BRCA1* – verursacht eine Strukturveränderung des *BRCA1*-Proteins, die bewirkt, dass es geschädigte DNA nicht mehr reparieren kann. Daher entstehen bei einer Fehlfunktion von *BRCA1* im Genom krebserregende Mutationen.

Das sogenannte Gen für Flügellosigkeit bei Fruchtfliegen codiert ein Protein, das nicht etwa die Funktion hat, flügellose Insekten hervorzubringen, sondern Anweisungen für die Entwicklung von Flügeln steuert. Ein Gen nach der Mukoviszidose als *CF* (cystic fibrosis) zu benennen, ist »genauso absurd, wie die Körperorgane anhand der Krankheiten zu definieren, die sie bekommen können: Lebern sind da, um Leberzirrhose zu verursachen, Herzen, um Herzinfarkte auszulösen, und Gehirne, um Schlaganfälle zu erzeugen«, wie Ridley bemerkte.[6]

Das Humangenomprojekt ermöglichte es Genetikern, diese spiegelbildliche Sicht umzukehren. Die umfassende Katalogisierung sämtlicher normalen Gene des Humangenoms – und die zu diesem Zweck entwickelten Instrumente – erlaubten es im Grunde, von der Vorderseite des Spiegels an die Genetik heranzugehen: Es war nicht länger notwendig, die Grenzen normaler Physiologie anhand der Pathologie zu definieren. Ein Dokument des National Research Council zum Genomprojekt traf 1988 eine wichtige Voraussage zur Zukunft der Genomforschung: »In der DNA-Sequenz sind grundlegende Determinanten der für die menschliche Kultur wesentlichen geistigen Fähigkeiten codiert – Lernen, Sprache, Gedächtnis. Dort sind auch die Mutationen und Variationen eingeschrieben, welche die Anfälligkeit für zahlreiche Krankheiten, die für viel menschliches Leid verantwortlich sind, verursachen oder verstärken.«[7] Aufmerksamen Lesern dürfte nicht entgangen sein, dass diese beiden Sätze die zweifachen Ambitionen einer neuen Wissenschaft umrissen. Traditionell hatte die Humangenetik sich überwiegend mit Pathologie befasst – mit »Krankheiten, die für viel menschliches Leid verantwortlich sind«. Ausgerüstet mit neuen Instrumenten und Methoden konnte sie jedoch ungehindert Aspekte der Humanbiologie erforschen, die für sie bis dahin undurchdringlich schienen. Die Genetik hatte von den Ufern der Pathologie zu denen der Normalität übergesetzt. Man würde die neue Wissenschaft nutzen, um Geschichte, Sprache, Erinnerung, Kultur, Sexualität, Identität und Rasse zu verstehen. In ihren ambitioniertesten Phantasien würde sie anstreben, zur Wissenschaft der Normalität zu werden: der Gesundheit, der Identität, des Schicksals.

Der Richtungswechsel der Genetik signalisiert auch eine Wende in der Geschichte des Gens. Bis hierhin folgte diese Darstellung der historischen Entwicklung: Der Weg vom Gen zum Genomprojekt entsprach einer relativ linearen Chronologie konzeptioneller Sprünge und Entdeckungen. Als aber die Humangenetik ihren Blick von der Pathologie der Normalität zuwandte, vermochte ein streng chronologischer Ansatz die diversen Dimensionen ihrer Forschung nicht mehr zu erfassen. Das Fachgebiet wechselte zu einem stärker *thematischen* Fokus und organisierte sich um separate, wenngleich sich überlappende Forschungsgebiete der Humanbiologie: die Genetik der Rasse, des Geschlechts, der Sexualität, der Intelligenz, des Temperaments und der Persönlichkeit.

Durch das erweiterte Reich der Gene vertiefte sich unser Verständnis ihres Einflusses auf unser Leben erheblich. Aber der Versuch, sich über die Gene der menschlichen Normalität zu nähern, zwang die Genetik als Fachgebiet zugleich, sich einigen der komplexesten wissenschaftlichen und moralischen Dilemmas ihrer Geschichte zu stellen.

• • •

Um zu begreifen, was Gene uns über Menschen sagen, könnten wir zunächst zu entschlüsseln versuchen, was sie uns über die Ursprünge der Menschheit verraten. Um die Mitte des 19. Jahrhunderts, noch vor Beginn der Humangenetik, führten Anthropologen, Biologen und Linguisten heftige Debatten über den Ursprung des Menschen. Ein in der Schweiz geborener Naturhistoriker namens Louis Agassiz entwickelte sich 1854 zum eifrigsten Verfechter des *Polygenismus*, einer Theorie, nach der die drei Hauptrassen der Menschen – Weiße, Asiaten und »Neger«, wie er sie einteilte – vor mehreren Millionen Jahren unabhängig voneinander aus separaten Abstammungslinien entstanden seien.

Agassiz war der wohl herausragendste Rassist der Wissenschaftsgeschichte – und zwar sowohl im ursprünglichen Sinne des Wortes, insofern als er von den angeborenen Unterschieden zwischen Menschenrassen überzeugt war, als auch insofern, als er manche Rassen für anderen grundlegend überlegen hielt. Entsetzt über die für ihn schreckliche Vorstellung, er könne gemeinsame Vorfahren mit Afrikanern haben, behauptete Agassiz, jede Rasse besitze ihren eigenen Urvater und ihre eigene Urmutter, habe sich unabhängig von den anderen gebildet und im Laufe der Zeit ausgebreitet und verzweigt. (Nach seinen Mutmaßungen leitete sich der Name *Adam* aus dem hebräischen Wort für »Errötender« ab, und erkennbar erröten könnten nur Weiße. Daraus schloss Agassiz, dass es mehrere Adams gegeben haben müsse – errötende und nicht errötende – einen für jede Rasse.)

Agassiz' Theorie der mehrfachen Ursprünge wurde 1859 durch das Erscheinen von Darwins Buch *Über die Entstehung der Arten* in Zweifel gezogen. Obwohl es der Frage nach dem Ursprung des Menschen hartnäckig auswich, war Darwins Vorstellung einer Evolution durch natürliche Auslese offenkundig nicht mit der von Agassiz vertretenen separaten Abstammungslinie sämtlicher Menschenrassen vereinbar: Wenn Finken und Schildkröten aus einem gemeinsamen Urahnen hervorgegangen waren, warum sollte es beim Menschen dann anders sein?

Verglichen mit anderen akademischen Duellen gestaltete sich dieses beinahe lachhaft einseitig. Der Harvard-Professor Louis Agassiz gehörte zu den prominentesten Naturhistorikern der Welt, während der von Zweifeln zerfressene Geistliche aus dem »anderen« Cambridge, der sich als Autodidakt zum Naturforscher entwickelt hatte, außerhalb Englands nach wie vor praktisch unbekannt war. Da Agassiz jedoch eine potentiell fatale Konfrontation voraussah, veröffentlichte er eine vernichtende Kritik an Darwins Buch. »Hätte Darwin oder einer seiner Anhänger auch nur eine einzige Tatsache geliefert, die belegt, dass Individuen sich im Laufe der Zeit derart verändern, dass sie schließlich Spezies hervorbringen ..., stünde es vielleicht anders um die Sache«, polterte er.[8]

Doch selbst Agassiz musste einräumen, dass seine Theorie separater Urahnen der einzelnen Rassen Gefahr lief, nicht nur von »einer einzigen Tatsache«, sondern von zahlreichen Fakten in Frage gestellt zu werden. Arbeiter hatten 1856 in einem Kalksteinbruch im Neandertal bei Düsseldorf zufällig einen merkwürdigen Schädel gefunden, der dem eines Menschen zwar ähnelte, aber erhebliche Unterschiede aufwies, unter anderem war er größer, hatte ein zurückspringendes Kinn, überaus ausgeprägte Kieferknochen und einen stark vorspringenden Wulst in der Brauengegend.[9] Anfangs tat man den Schädel als Überrest eines verunglückten Sonderlings ab – eines Verrückten, der in einer Höhle steckengeblieben war –, aber in den folgenden Jahrzehnten entdeckte man in Schluchten und Höhlen an diversen europäischen und asiatischen Orten zahlreiche ähnliche Schädel und Knochen. Die stückweise Rekonstruktion dieser Funde deutete auf eine kräftig gebaute Spezies mit hervorstehenden Brauen hin, die aufrecht auf leicht gekrümmten Beinen ging – wie ein störrischer Ringer mit ständig gerunzelter Stirn. Man nannte den Hominiden nach dem ersten Fundort Neandertaler.

Anfangs glaubten viele Wissenschaftler, der Neandertaler sei eine Frühform des modernen Menschen, ein Teil in der Kette fehlender Bindeglieder zwischen Mensch und Affe. So bezeichnete ein Artikel in der Zeitschrift *Popular Science Monthly* 1922 den Neandertaler als »eine Frühphase in der Evolution des Menschen«.[10] Der Text war mit einer Variante der mittlerweile bekannten Darstellung zur menschlichen Evolution illustriert, in der sich aus gibbonartigen Affen zunächst Gorillas, dann aufrecht gehende Neandertaler und so weiter bis hin zu modernen Menschen entwickeln. Bis in die 1970er und 1980er Jahre hatte sich die Hypothese von den Neandertalern als Urahnen des Menschen zerschlagen, und an ihre Stelle war eine noch seltsamere Vorstellung getreten: dass die frühmodernen Menschen mit den Neandertalern koexistiert hätten. Die Graphiken der »Evolutionskette« wurden dahingehend überarbeitet, dass Gibbons, Gorillas, Neandertaler und moderne Menschen nicht mehr fortschreitende Stadien der menschlichen Evolution darstellten, sondern alle aus einem gemeinsamen Urahn hervorgegangen waren. Weitere anthropologische Indizien deuteten darauf hin, dass moderne Menschen – damals Cro-Magnon-Menschen genannt – vor etwa 45 000 Jahren neben den Neandertalern auf der Bildfläche aufgetaucht waren, höchstwahrscheinlich in Teile Europas eingewandert, in denen Neandertaler lebten. Mittlerweile wissen wir, dass Neandertaler vor 40 000 Jahren ausgestorben sind, nachdem sie etwa 5000 Jahre zeitgleich mit frühmodernen Menschen existiert hatten.

Tatsächlich sind Cro-Magnon-Menschen unsere näheren, engeren Verwandten, und sie besaßen den kleineren Schädel, das abgeflachte Gesicht, die fliehende Stirn und den zierlicheren Kiefer des heutigen Menschen (der politisch korrekte Begriff für den anatomisch korrekten Cro-Magnon-Menschen lautet europäischer frühmoderner Mensch, European Early Modern Human, kurz EEMH). Zumindest in Teilen Europas lebten diese frühmodernen Menschen teilweise zeitgleich mit den Neandertalern und konkurrierten vermutlich mit ihnen um Ressourcen, Nahrungsmittel und Raum. Neandertaler waren unsere Nachbarn und Rivalen. Manches deutet darauf hin, dass wir uns mit ihnen gepaart und im Wettbewerb um Nahrung und Ressourcen möglicherweise zu ihrem Aussterben beigetragen haben. Wir liebten sie – und, ja, wir töteten sie.

• • •

Aber der Unterschied zwischen Neandertalern und modernen Menschen bringt uns wieder zurück zu unseren ursprünglichen Fragen: Wie alt ist die Menschheit und wo kommt sie her? In den 1980er Jahren begann der Biochemiker Allan Wilson von der University of California, Berkeley, zur Beantwortung dieser Fragen genetische Instrumente einzusetzen.* Wilson ging in seinem Experiment von einer recht simplen Idee aus.[11] Angenommen, man geriete in eine Weihnachtsfeier, auf der man weder den Gastgeber noch die Gäste kennt. Hundert Männer, Frauen und Kinder laufen umher, trinken Punsch, und plötzlich beginnt ein Spiel: Jemand soll die Anwesenden nach Familien, Verwandtschaftsgrad und Herkunft ordnen. Er darf sie weder nach ihrem Namen noch nach ihrem Alter fragen und bekommt die Augen verbunden, damit er die Familienzugehörigkeit nicht aus äußeren Ähnlichkeiten oder Eigenheiten erschließen kann.

Für einen Genetiker ist das eine durchaus lösbare Aufgabe. Zunächst erkennt er das Vorhandensein Hunderter natürlicher Variationen – Mutationen – im Genom jedes Einzelnen. Je enger der Verwandtschaftsgrad, umso dichter ist das Spektrum der gemeinsamen Varianten oder Mutationen (eineiige Zwillinge haben das gesamte Genom gemeinsam, Väter und Mütter geben durchschnittlich die Hälfte ihres Genoms an ihre Kinder weiter usw.). Wenn diese Varianten sich bei jedem Einzelnen sequenzieren und identifizieren lassen, kann man die Abstammungslinien auf Anhieb klären; denn der Verwandtschaftsgrad steht in einer klar definierten Beziehung zu den Mutationen. Ebenso wie Verwandte Gesichtszüge, Hautfarbe oder Körpergröße gemeinsam haben, sind bestimmte Genvariationen innerhalb von Familien häufiger zu finden als familienübergreifend (tatsächlich haben

---

* Wilson bezog seine wichtigste Erkenntnis von zwei Giganten der Biochemie, Linus Pauling und Émile Zuckerkandl, die eine völlig neuartige Konzeption des Genoms vorgeschlagen hatten – nämlich als Kompendium von Informationen nicht nur über die Entwicklung eines Organismus, sondern auch über dessen Evolutionsgeschichte: eine »molekulare Uhr«. Diese Theorie entwickelte auch der japanische Evolutionsbiologe Motoo Kimura.

sie ähnliche Gesichtszüge und Körpergrößen eben *weil* sie die gleichen Genvariationen aufweisen).

Und wenn man nun den Genetiker bitten würde, die Familie mit den meisten anwesenden Generationen herauszufinden, ohne dass ihm das Alter der Gäste bekannt wäre? Angenommen, aus einer Familie nähmen Urgroßvater, Großvater, Vater und Sohn an der Feier teil, dann wäre sie mit vier Generationen vertreten. Aus einer anderen Familie sind ebenfalls vier Mitglieder anwesend, ein Vater und seine eineiigen Drillinge, also nur zwei Generationen. Lässt sich die Familie mit den meisten vertretenen Generationen in der Gästeschar identifizieren, ohne ihre Namen oder Gesichter zu kennen? Lediglich die Anzahl der anwesenden Familienmitglieder festzustellen, dürfte nicht genügen: Sowohl der Vater mit seinen Drillingen als auch der Urgroßvater mit seinen Nachkommen aus mehreren Generationen sind jeweils mit vier Familienmitgliedern vertreten.

Gene und Mutationen bieten eine findige Lösung. Da Mutationen sich über Generationen hinweg – also intergenerationell – ansammeln, ist die Familie mit der größten *Vielfalt* der Genvariationen mit den meisten Generationen vertreten. Die Drillinge besitzen dasselbe Genom und somit eine minimale genetische Verschiedenheit. Dagegen haben der Urgroßvater und der Urenkel zwar verwandte Genome, weisen aber die größten Unterschiede auf. Die Evolution ist ein Metronom, das die Zeit in Mutationen misst. Somit wirkt genetische Vielfalt wie eine »molekulare Uhr«, und anhand von Variationen lassen sich Abstammungsbeziehungen ordnen. Der intergenerationelle Abstand zwischen zwei Familienmitgliedern ist proportional zum Ausmaß genetischer Unterschiede zwischen ihnen.

Wilson erkannte, dass man dieses Verfahren nicht nur auf Familien, sondern auch auf ganze Populationen anwenden konnte. Genvariationen ließen sich nutzen, um Verwandtschaftskarten zu erstellen. Und anhand der genetischen Vielfalt konnte man die ältesten Populationen innerhalb einer Spezies ermitteln: Der Tribus mit der größten genetischen Vielfalt ist älter als einer, der kaum oder gar keine genetischen Unterschiede aufweist.

Wilson hatte das Problem, das Alter einer Spezies aufgrund genetischer Information zu bestimmen, beinahe gelöst – bis auf einen Haken. Würde genetische Variation nur durch Mutation entstehen, wäre seine Methode absolut sicher. Er wusste jedoch, dass Gene in den meisten menschlichen Zellen in zwei Kopien vorhanden sind und es zwischen den gepaarten Chromosomen zu einem »Crossing-over« kommen kann, das auf einem alternativen Weg zu Variation und Vielfalt führt. Diese Entstehungsweise von Variationen würde Wilsons Studien unweigerlich behindern. Ihm war klar, dass er für die Erstellung einer idealen genetischen Abstammungslinie einen Abschnitt menschlicher Gene brauchte, der von vornherein gegen Umstrukturierungen und Crossing-over resistent war – eine einsame, anfällige Nische des Genoms, in der Veränderung ausschließlich durch die Ansammlung von Mutationen erfolgen konnte und die daher als perfekte molekulare Uhr dienen würde.

Aber wo sollte er einen solchen Abschnitt finden? Wilson kam auf eine geniale Lösung. Menschliche Gene befinden sich in Chromosomen im Zellkern – allerdings mit einer Ausnahme: Jede Zelle besitzt eine subzellulare Struktur, das Mitochondrium, das zur Energieerzeugung dient. Mitochondrien haben ein eigenes Minigenom mit nur 37 Genen, also etwa einem Sechshundertstel der Genanzahl menschlicher Chromosomen. (Manche Wissenschaftler vertreten die Ansicht, Mitochondrien stammten von alten Bakterien ab, die in einzellige Organismen eingedrungen seien. Diese seien eine symbiotische Verbindung mit den Organismen eingegangen, lieferten ihnen Energie und nutzten dafür deren Zellumgebung für ihre Ernährung, ihren Stoffwechsel und ihre Selbstverteidigung. Die Gene der Mitochondrien seien aus dieser alten symbiotischen Verbindung übrig geblieben. Tatsächlich ähneln menschliche Mitochondriengene den bakteriellen stärker als den menschlichen.)[12]

Das Mitochondriengenom erfährt selten eine Rekombination und ist jeweils nur in einem Exemplar vorhanden. Mutationen in Mitochondriengenen werden unverändert über Generationen hinweg weitergegeben und sammeln sich im Laufe der Zeit ohne Crossing-over an,

was das Mitochondriengenom zu einem idealen genetischen Zeit-
messer macht. Diese Methode der Altersbestimmung war vor allem,
wie Wilson erkannte, völlig eigenständig und frei von verzerrenden
Einflüssen: Sie bezog sich nicht auf Fossilienfunde, linguistische Abstammungslinien, geologische Schichten, geographische Karten oder
anthropologische Erhebungen. Lebende Menschen sind in ihrem Genom mit der Evolutionsgeschichte unserer Spezies ausgestattet. Es
ist, als hätten wir ständig Fotos unserer sämtlichen Vorfahren in der
Brieftasche.

Zwischen 1985 und 1995 lernten Wilson und seine Studenten, diese
Verfahren an Humanpräparaten anzuwenden (Wilson starb 1991 an
Leukämie, aber seine Studenten setzten seine Arbeit fort). Die Ergebnisse dieser Forschungen waren aus drei Gründen erstaunlich.
Erstens: Als Wilson die gesamte Variationsbreite des menschlichen
Mitochondriengenoms maß, stellte er fest, dass sie überraschend gering war – geringer als bei entsprechenden Genomen von Schimpansen.[13] Moderne Menschen sind also erheblich jünger und wesentlich
homogener als Schimpansen (für Menschen mag ein Schimpanse aussehen wie der andere, aber für scharfsichtige Schimpansen gleichen
sich Menschen erheblich mehr). Rückberechnungen schätzten das
Alter des Menschen auf etwa 200 000 Jahre – in der gesamten Evolutionsgeschichte ist das nur ein Wimpernschlag.

Woher kamen die ersten modernen Menschen? Bis 1991 war Wilson so weit, dass er die Abstammungsbeziehungen zwischen verschiedenen Populationen der Erde rekonstruieren und das relative Alter
jeder Population anhand der genetischen Vielfalt als molekularer Uhr
bestimmen konnte.[14] In dem Maße, wie sich die Verfahren der Gensequenzierung und -annotation weiterentwickelten, verfeinerten Genetiker diese Analyse – weiteten sie über die mitochondrialen Variationen
hinaus aus und untersuchten Tausende von Einzelpersonen aus Hunderten Populationen auf der ganzen Welt.

Im November 2008 bestimmte eine bahnbrechende Studie unter
der Leitung von Luigi Cavalli-Sforza, Marcus Feldman und Richard
Myers von der Stanford University 642 690 Genvarianten bei 938 Per-

sonen aus 51 Subpopulationen der Welt.[15] Diese Studie brachte das zweite erstaunliche Ergebnis zu den Ursprüngen des Menschen: Offenbar entstanden moderne Menschen vor 100 000 bis 200 000 Jahren ausschließlich in einem recht eng begrenzten Gebiet der Erde irgendwo in der Subsahararegion Afrikas, wanderten von dort nord- und ostwärts und bevölkerten den Nahen und Mittleren Osten, Europa, Asien und Amerika. »Je weiter man sich von Afrika entfernt, umso geringer sind die Variationen«, schrieb Feldman. »Ein solches Muster passt zu der Theorie, dass die ersten modernen Menschen die Welt nach Sprungbrettmanier besiedelten, nachdem sie Afrika vor weniger als 100 000 Jahren verlassen hatten. Jede kleine Gruppe, die sich absonderte, um eine neue Region zu erschließen, nahm von der genetischen Vielfalt der Elternpopulation nur einen winzigen Teil mit.«[16]

Die ältesten Menschenpopulationen – in deren Genomen sich diverse uralte Genvariationen finden – sind die San in Südafrika, Namibia und Botsuana sowie die Mbuti-Pygmäen, die tief im Ituri-Regenwald im Kongo leben.[17] Die »jüngsten« Menschengruppen sind die indigenen Nordamerikaner, die Europa verließen und vor 15 000 bis 30 000 Jahren über die zugefrorene Beringstraße und die Seward-Halbinsel nach Alaska vordrangen.[18] Diese Theorie zu Ursprung und Migration des Menschen, erhärtet von Fossilienfunden, geologischen Daten, bei archäologischen Grabungen entdeckten Werkzeugen und linguistischen Mustern, wird von den meisten Humangenetikern anerkannt. Man bezeichnet sie als Out-of-Africa-Theorie oder Recent-Out-of-Africa-Modell (wobei *recent*, kürzlich, die erstaunlich moderne Evolution moderner Menschen widerspiegelt und die Abkürzung ROAM eine liebevolle Erinnerung an eine uralte Rastlosigkeit ist, die anscheinend unmittelbar aus unserem Genom erwächst).[19]

Die dritte wichtige Schlussfolgerung aus diesen Studien setzt gewisse Vorkenntnisse voraus. Bei der Entstehung eines einzelligen Embryos nach der Befruchtung einer Eizelle durch ein Spermium kommt das *genetische* Material aus zwei Quellen: aus den väterlichen Genen (im Sperma) und den mütterlichen Genen (in den Eizellen). Das *Zellmaterial* des Embryos stammt jedoch ausschließlich aus der Eizelle; das

Sperma ist nicht mehr als ein besseres Transportmittel für die männliche DNA – ein mit hyperaktivem Schwanz ausgestattetes Genom.

Neben Proteinen, Ribosomen, Nährstoffen und Membranen stattet die Eizelle den Embryo auch mit speziellen Strukturen, den sogenannten *Mitochondrien* aus. Sie sind die Kraftwerke der Zelle, anatomisch so eigenständig und in ihrer Funktion so spezialisiert, dass Zellbiologen sie als »Organellen« – also als Miniorgane innerhalb der Zellen – bezeichnen. Mitochondrien besitzen, wie gesagt, ein eigenes kleines Genom, das unabhängig von den 23 Chromosomenpaaren (und den gut 21 000 menschlichen Genen) im Zellkern ist.

Die ausschließlich weibliche Herkunft aller Mitochondrien eines Embryos hat eine wichtige Konsequenz. Alle Menschen – Männer und Frauen – müssen ihre Mitochondrien von ihren Müttern geerbt haben, die sie wiederum von ihren Müttern in einer ununterbrochenen weiblichen Abstammungslinie, die endlos in die Vergangenheit zurückreicht, übernommen haben. (Eine Frau trägt auch die mitochondrialen Genome ihrer sämtlichen zukünftigen Nachkommen in ihren Zellen. Wenn es denn so etwas wie einen »Homunculus« geben sollte, wäre er also rein weiblichen Ursprungs – praktisch ein »Femunculus«?)

Nun stelle man sich ein altes Volk mit zweihundert Frauen vor, die jeweils ein Kind austragen. Handelt es sich dabei um eine Tochter, so gibt die Frau ihre Mitochondrien an die nächste Generation und über diese an eine dritte Generation weiter. Hat sie jedoch nur einen Sohn, aber keine Tochter, so gerät ihre mitochondriale Abstammungslinie in eine genetische Sackgasse und stirbt aus (da Spermien ihre Mitochondrien nicht an den Embryo weitergeben, können Söhne ihr mitochondriales Genom nicht an ihre Kinder vererben). Im Laufe der Entwicklung werden zigtausend solcher mitochondrialen Abstammungslinien nach einer Zufallsauswahl in Sackgassen münden und untergehen. Und darin liegt die Crux: Wenn die Ursprungspopulation einer Spezies klein genug ist und genügend Zeit verstreicht, wird die Menge der überlebenden mütterlichen Abstammungslinien immer weiter abnehmen, bis nur noch einige wenige übrig bleiben. Bringt die Hälfte der zweihundert Frauen unseres Beispielvolks Söhne und nur

Söhne zur Welt, dann prallen hundert mitochondriale Abstammungslinien gegen die gläserne Wand der rein männlichen Erblinie und verschwinden in der nächsten Generation. In der folgenden Generation landet wieder die Hälfte in der Sackgasse männlicher Kinder und so weiter. Nach mehreren Generationen können alle Nachkommen, ob männlich oder weiblich, ihre mitochondriale Abstammung auf nur noch wenige Frauen zurückführen.

Bei modernen Menschen ist diese Anzahl bei *eins* angelangt: Jeder von uns kann seine mitochondriale Abstammungslinie auf eine einzige Frau zurückführen, die vor etwa zweihunderttausend Jahren in Afrika lebte. Sie ist die gemeinsame Mutter unserer Spezies. Wir wissen nicht, wie sie aussah, aber ihre engsten heutigen Verwandten sind Frauen des San-Volkes in Botsuana oder Namibia.

Eine solche Urmutter ist für mich eine unendlich faszinierende Vorstellung. In der Humangenetik trägt sie einen schönen Namen: mitochondriale Eva.

· · ·

Im Sommer 1994 interessierte ich mich im Aufbaustudium für die genetischen Ursprünge des Immunsystems und reiste am Großen Afrikanischen Grabenbruch entlang von Kenia nach Simbabwe, vorbei am Sambesi-Becken bis auf das südafrikanische Hochplateau. Es war der umgekehrte Weg, den der Mensch in seiner Evolution genommen hatte. Endstation meiner Reise war eine trockene Hochebene in Südafrika, etwa gleich weit von Botsuana und Namibia entfernt, wo einst San gelebt hatten. Es war eine öde Mondlandschaft, ein flacher, trockener Tafelberg, der, von einer rachsüchtigen geophysischen Gewalt enthauptet, über der Tiefebene aufragte. Eine Reihe von Diebstählen und Verlusten hatte meine Habseligkeiten mittlerweile auf praktisch nichts reduziert: vier Boxershorts, die ich oft als Shorts trug, eine Schachtel Proteinriegel und eine Flasche Wasser. Nackt kommen wir auf die Welt, heißt es in der Bibel, und da war ich nun beinahe wieder angelangt.

Mit ein bisschen Phantasie lässt sich diese zugige Hochebene als Ausgangspunkt für die Rekonstruktion der Menschheitsgeschichte nehmen. Die Zeitmessung beginnt vor etwa zweihunderttausend Jahren, als eine Population frühmoderner Menschen diesen oder einen ähnlichen Ort in der näheren Umgebung besiedelte (die Evolutionsgenetiker Brenna Henn, Marcus Feldman und Sarah Tishkoff verorten den Ausgangspunkt der menschlichen Migration weiter westlich, nahe der Küste Namibias). Über Kultur und Sitten dieser Urpopulation wissen wir praktisch nichts. Diese Menschen hinterließen keine Artefakte, keine Werkzeuge, keine Zeichnungen, keine Wohnhöhlen – nur die grundlegendste aller Hinterlassenschaften: ihre Gene, unauslöschlich eingewebt in die unseren.

Wahrscheinlich war diese Population recht klein, nach heutigen Maßstäben sogar winzig – mit nicht mehr als sechs- bis zehntausend Personen. Die provozierendste Schätzung beläuft sich auf lediglich siebenhundert – also etwa auf so viele Menschen, wie in einem einzigen Wohnblock einer Stadt oder in einem Dorf leben. Unter ihnen mag die mitochondriale Eva gelebt und mindestens eine Tochter und mindestens eine Enkelin bekommen haben. Wir wissen nicht, wann oder warum diese Menschen aufgehört haben, sich mit anderen Hominiden zu paaren – allerdings wissen wir, dass sie vor etwa zweihunderttausend Jahren anfingen, sich relativ ausschließlich miteinander fortzupflanzen. (»Geschlechtsverkehr begann 1963«, schrieb der Dichter Philip Larkin.[20] Damit lag er um zweihunderttausend Jahre daneben.) Vielleicht waren sie durch klimatische Veränderungen isoliert oder durch geographische Barrieren dort gestrandet. Vielleicht verliebten sie sich.

• • •

Von hier aus zogen sie nach Westen, wie junge Männer es häufig tun, und weiter nach Norden.* Sie durchstiegen den tiefen Einschnitt des Afrikanischen Grabenbruchs oder tauchten in die Regenwälder des Kongobeckens ein, wo heute die Mbuti und Bantu leben.

---

* Wenn diese Gruppe ihren Ursprung im Süd*westen* Afrikas hatte, wie neuere Untersuchungen vermuten lassen, dann zogen diese Menschen überwiegend nach *Osten* und *Norden*.

Diese Geschichte ist geographisch keineswegs so überschaubar oder klar, wie sie klingt. Von manchen Gruppen frühmoderner Menschen weiß man, dass sie wieder in die Sahara wanderten – damals eine üppige Landschaft, durchzogen von langgestreckten Seen und Flüssen –, in die Gruppen der dort heimischen Humanoiden zurückkehrten, mit ihnen koexistierten, sich sogar mit ihnen paarten und möglicherweise evolutionäre Rückkreuzungen hervorbrachten. Der Paläoanthropologe Christopher Stringer schrieb:»In Hinblick auf moderne Menschen bedeutet das, dass …. manche mehr archaische Gene besitzen als andere. Das scheint tatsächlich der Fall zu sein. Das führt uns erneut zu der Frage: Was ist ein moderner Mensch? Einige der spannendsten gegenwärtigen Forschungen der kommenden ein bis zwei Jahre werden sich auf die DNA konzentrieren, die manche von uns von den Neandertalern bekommen haben … Wissenschaftler werden sich diese DNA anschauen und fragen, ob sie funktionell ist. Bewirkt sie tatsächlich etwas in den Körpern dieser Menschen? Beeinflusst sie Gehirn, Anatomie, Physiologie und so weiter?«[21]

Aber der lange Marsch ging weiter. Vor etwa 75 000 Jahren erreichte eine Gruppe von Menschen den Nordosten Äthiopiens oder Ägypten, wo das Rote Meer sich zu einem schmalen Durchlass zwischen dem Nordrand des Horns von Afrika und der jemenitischen Halbinsel verengt. Es gab niemanden, der das Meer geteilt hätte. Wir wissen nicht, was diese Männer und Frauen trieb, sich übers Meer zu wagen, oder wie sie die Überquerung schafften (damals lag der Meeresspiegel tiefer und manche Geologen vermuten, dass sich quer durch die Meerenge eine Kette von Sandbänken erstreckte, über die unsere Vorfahren nach Asien und Europa gelangten). Vor etwa 70 000 Jahren hatte ein Ausbruch des Vulkans Toba in Indonesien so viel dunkle Asche in die Atmosphäre gejagt, dass es zu einem jahrzehntelangen vulkanischen Winter kam, der die Menschen möglicherweise verzweifelt nach neuen Nahrungsquellen und Land suchen ließ.

Andere nehmen an, dass es in der Menschheitsgeschichte zu unterschiedlichen Zeiten mehrere Ausbreitungswellen gab, ausgelöst durch kleinere Katastrophen.[22] Nach einer vorherrschenden Theorie gab es mindestens zwei unabhängige Auswanderungsbewegungen aus Afrika. Die früheste fand vor 130000 Jahren statt. Die Migranten landeten im Nahen Osten und zogen an der Küste entlang durch Asien in das heutige Indien und breiteten sich von dort südwärts nach Myanmar, Malaysia und Indonesien aus. Vor wesentlich kürzerer Zeit, vor etwa 60000 Jahren, kam es zu einer erneuten Wanderungswelle. Diese Migranten zogen nordwärts nach Europa, wo sie auf die Neandertaler trafen. Beide Routen führten über die jemenitische Halbinsel, die den wahren »Schmelztiegel« des menschlichen Genoms bildet.

Fest steht, dass jeweils nur wenige diese gefährlichen Meeresüberquerungen überlebten – vielleicht nur sechshundert Männer und Frauen. Europäer, Asiaten, Australier und Amerikaner sind die Nachfahren der Überlebenden. In genetischer Hinsicht sind wir also nahezu alle, die auf der Suche nach Land und Luft aus Afrika gekommen sind, wesentlich enger verbunden, als man es sich vorstellen konnte. Wir saßen alle im selben Boot, Bruder.

• • •

Was sagt uns das über Rasse und Gene? Eine Menge. Zunächst ruft es uns in Erinnerung, dass die rassische Kategorisierung der Menschen an enge innere Grenzen stößt. Der Politologe Wallace Sayre stichelte gern, akademische Dispute würden oft so boshaft geführt, weil es dabei um so erdrückend wenig ginge. Nach einer ähnlichen Logik sollten unsere zunehmend schrillen Debatten über Rasse vielleicht von dem Eingeständnis ausgehen, dass die tatsächliche Variationsbreite des Humangenoms erstaunlich gering ist – geringer als bei vielen anderen Spezies (etwa, wie gesagt, bei Schimpansen). In Anbetracht unserer relativ kurzen Existenz als Spezies auf dieser Erde haben wir erheblich mehr Ähnlichkeiten miteinander als Unterschiede. Es ist die unvermeidliche Folge unserer blühenden Jugend, dass wir nicht einmal Zeit hatten, den vergifteten Apfel zu kosten.

Doch selbst eine junge Spezies besitzt eine Geschichte. Zu den hervorstechendsten Möglichkeiten der Genomik gehört ihre Fähigkeit, selbst eng verwandte Genome in Klassen und Unterklassen zu gliedern. Wenn wir uns auf die Jagd nach Unterscheidungsmerkmalen und Clustern machen, finden wir sicherlich Eigenschaften und Häufungen, nach denen wir Unterscheidungen treffen können. Bei sorgfältiger Untersuchung bilden die Variationen im Humangenom tatsächlich Cluster nach geographischen Regionen und Kontinenten und entlang traditioneller Rassengrenzen. Jedes Genom ist von seiner Abstammung geprägt. Wenn man die genetischen Merkmale eines Einzelnen untersucht, kann man seine Herkunft aus einem bestimmten Kontinent, einer Nationalität, einem Staat oder sogar aus einer ethnischen Gruppe mit erstaunlicher Genauigkeit bestimmen. Dabei handelt es sich allerdings um die Verherrlichung kleiner Unterschiede – aber wenn wir das unter »Rasse« verstehen, dann hat dieser Begriff das genomische Zeitalter nicht nur überlebt, sondern wurde von ihm noch verstärkt.

Das Problem bei Rassendiskriminierung ist jedoch nicht, aus den genetischen Merkmalen einer Person Rückschlüsse auf ihre Rasse zu ziehen, sondern umgekehrt: aufgrund der Rasse auf die Merkmale eines Menschen zu schließen. Die Frage ist nicht, ob man aus Hautfarbe, Haaren oder Sprache eines Menschen etwas über seine Abstammung und Herkunft erschließen kann. Das ist lediglich eine Sache biologischer Systematik – Abstammungslinie, Taxonomie, Rassengeographie, biologische Unterschiede. Selbstverständlich geht das – und die Genomik hat diese Rückschlüsse erheblich verfeinert. Man kann jedes einzelne Genom untersuchen und daraus tiefgreifende Erkenntnisse über Abstammung und Herkunftsort eines Menschen ableiten. Weitaus umstrittener ist jedoch die umgekehrte Frage: Lässt sich aus der Rassenidentität – etwa afrikanisch oder asiatisch – etwas über die Merkmale eines Menschen schlussfolgern: nicht nur Haut- oder Haarfarbe, sondern komplexere Eigenschaften wie Intelligenz, Gewohnheiten, Persönlichkeit und Begabung? *Gene können sicher etwas über die Rasse aussagen, aber kann die Rasse uns auch etwas über Gene sagen?*

Um diese Frage zu beantworten, müssen wir herausfinden, wie sich genetische Variation in verschiedenen Rassenkategorien verteilt. Ist die Vielfalt *innerhalb* einer Rasse oder *zwischen* verschiedenen Rassen größer? Trägt das Wissen, dass jemand beispielsweise afrikanischer oder europäischer Abstammung ist, auf irgendeine sinnvolle Weise zu einem besseren Verständnis seiner genetischen Merkmale oder seiner persönlichen, körperlichen oder intellektuellen Eigenschaften bei? Oder besteht innerhalb von Afrikanern wie auch Europäern eine so große Bandbreite von Variationen, dass die Vielfalt *innerhalb* einer Rasse überwiegt und damit die Kategorie »Afrikaner« oder »Europäer« ihre Aussagekraft verliert?

Mittlerweile kennen wir genaue, quantitativ messbare Antworten auf diese Fragen. Eine Reihe von Studien hat das Ausmaß genetischer Vielfalt des Humangenoms zu erfassen versucht. Nach jüngsten Schätzungen tritt der überwiegende Teil genetischer Vielfalt (85 bis 90 Prozent) *innerhalb* sogenannter Rassen auf (also innerhalb der Asiaten oder Afrikaner) und nur ein geringer Teil (7 Prozent) zwischen ethnischen Gruppen (der Genetiker Richard Lewontin hatte bereits 1972 eine ähnliche Verteilung vermutet).[23] Bei manchen Genen gibt es zwar drastische Unterschiede zwischen rassischen oder ethnischen Gruppen – Sichelzellenanämie ist eine in der afrokaribischen und indischen Bevölkerung verbreitete Krankheit, und das Tay-Sachs-Syndrom tritt bei aschkenasischen Juden erheblich häufiger auf als bei anderen Bevölkerungsgruppen –, meist ist die genetische Vielfalt innerhalb einer Rasse jedoch – nicht nur geringfügig, sondern beträchtlich – höher als die zwischen den Rassen. Dieses Ausmaß innerrassischer Verschiedenartigkeit macht »Rasse« zu einem schlechten Stellvertreter für nahezu jedes Merkmal: In genetischer Hinsicht ist ein Afrikaner aus Nigeria von einem aus Namibia so »verschieden«, dass es wenig sinnvoll ist, beide in dieselbe Kategorie einzuordnen.

In Bezug auf Rasse und Genetik ist das Genom also eine reine Einbahnstraße. Man kann es nutzen, um zu bestimmen, woher X oder Y gekommen sind. Wenn man aber weiß, woher A oder B stammen, lassen sich daraus kaum Aussagen über das Genom des Betreffenden ableiten. Anders ausgedrückt: *Jedes Genom trägt eine Signatur der Abstammung des Einzelnen – aber die ethnische Abstammung des Einzelnen besagt wenig über dessen persönliches Genom.* Wenn man die DNA eines Afroamerikaners sequenziert, kann man daraus schließen, dass seine Vorfahren aus Sierra Leone oder Nigeria kamen. Begegnet man aber einem Mann, dessen Urgroßeltern aus Nigeria oder Sierra Leone stammen, lässt sich daraus nur wenig über die Merkmale dieses Mannes ableiten. Der Genetiker geht zufrieden nach Hause, der Rassist kehrt mit leeren Händen heim.

Marcus Feldman und Richard Lewontin stellten fest: »Rassenzuordnung verliert jegliche allgemeine biologische Bedeutung. Bei der menschlichen Spezies lässt die Rassenzuordnung keine generellen Schlussfolgerungen über die genetische Differenzierung zu.«[24] In seiner 1994 veröffentlichten monumentalen Studie zu Humangenetik, Migration und Rasse bezeichnete der Genetiker Luigi Cavalli-Sforza von der Stanford University das Problem der Rassenzuordnung als »nutzlose Übung«, getrieben eher von kulturellen Entscheidungen als von genetischer Differenzierung. »Die Ebene, auf der wir mit unserer Klassifizierung aufhören, ist vollkommen willkürlich … Wir können ›Populations-Cluster‹ ausmachen … da aber jede Ebene der Clusterbildung zu einer anderen Aufteilung führen würde …, gibt es keinen biologischen Grund, eine bestimmte zu bevorzugen.« Cavalli-Sforza kam zu dem Schluss: »Die evolutionäre Erklärung ist einfach. Es gibt selbst in kleinen Populationen eine große genetische Variationsbreite. Diese individuelle Variationsbreite hat sich langfristig angesammelt, weil sie meist auf die Zeit vor der Aufspaltung der Kontinente und vielleicht sogar vor der Entstehung der Spezies vor weniger als einer Million Jahren zurückreicht … Es war also gar nicht genug Zeit, um erhebliche Abweichungen anzuhäufen.«[25]

Diese letzte Äußerung richtete sich gegen die Vergangenheit: Es ist eine maßvolle wissenschaftliche Erwiderung auf Agassiz und Galton, auf die US-amerikanischen Eugeniker des 19. Jahrhunderts und die nationalsozialistischen Genetiker des 20. Jahrhunderts. Im 19. Jahrhundert ließ die Genetik den Geist des wissenschaftlichen Rassismus frei. Die Genomik stopfte ihn glücklicherweise zurück in seine Flasche. »Dann sind wir ja gleich. Nur die Farbe ist anders«, wie das afroamerikanische Dienstmädchen Aibee in dem Roman *Gute Geister* zu Mae Mobley sagt.[26]

• • •

Im selben Jahr, in dem Luigi Cavalli-Sforza sein umfassendes Werk über Rasse und Genetik veröffentlichte, versetzte ein völlig anderes Buch über Rasse und Gene die US-Amerikaner in Aufregung: *The Bell Curve*, verfasst von dem Verhaltenspsychologen Richard Herrnstein und dem Politologen Charles Murray,[27] war ein »brandstiftendes Traktat über Klasse, Rasse und Intelligenz«, wie die *New York Times* schrieb.[28] Dieses Buch vermittelte einen Eindruck, wie leicht sich die Sprache der Gene und der Rasse entstellen ließ und welchen Widerhall diese Verzerrungen in einer Gesellschaft finden konnten, die von Vererbung und Rasse geradezu besessen war.

Wie häufig bei solchen Brandstiftern war Herrnstein ein alter Hase: Bereits sein 1985 erschienenes Buch *Crime and Human Nature* hatte eine flammende Kontroverse mit der Behauptung ausgelöst, angeborene Eigenschaften wie Persönlichkeit und Temperament stünden in Zusammenhang mit kriminellem Verhalten.[29] Zehn Jahre später stellte *The Bell Curve* noch aufwieglerischere Behauptungen auf. Murray und Herrnstein behaupteten, auch Intelligenz sei weitgehend angeboren – also genetisch angelegt – und unter den Rassen ungleich verteilt. Weiße und Asiaten besäßen im Durchschnitt einen höheren Intelligenzquotienten als Afrikaner und Afroamerikaner. Dieser Unterschied in den »geistigen Fähigkeiten« sei nach Murrays und Herrnsteins Ansicht weitgehend für die chronisch schlechteren gesellschaftlichen und wirtschaftlichen Leistungen von Afroamerikanern verantwortlich. Sie hinkten in den Vereinigten Staaten nicht etwa wegen systemischer Mängel unseres Gesellschaftsvertrages hinterher, sondern wegen systemischer Mängel ihrer geistigen Konstruktion.

Um *The Bell Curve* zu verstehen, müssen wir mit einer Definition von »Intelligenz« beginnen. Erwartungsgemäß wählten Murray und Herrnstein einen eng gefassten Intelligenzbegriff – der uns zur Biometrie und Eugenik des 19. Jahrhunderts zurückbringt. Galton und seine Anhänger waren, wie bereits geschildert, besessen von der Intelligenzmessung. Zwischen 1890 und 1910 entstanden in Europa und Amerika

Dutzende von Tests, die Intelligenz angeblich unvoreingenommen und quantitativ messen sollten. Dem britischen Statistiker Charles Spearman fiel 1904 ein wichtiges Merkmal dieser Tests auf: Personen, die bei einem dieser Tests gut abschnitten, erreichten in der Regel auch bei einem anderen Test gute Ergebnisse. Nach seiner Hypothese bestand diese positive Korrelation, weil alle Tests indirekt einen rätselhaften gemeinsamen Faktor maßen. Spearman vermutete, dass es sich dabei nicht um das Wissen als solches handele, sondern um die Fähigkeit, abstraktes Wissen *zu erwerben und anzuwenden*. Diese Fähigkeit bezeichnete er als »allgemeine Intelligenz« oder Generalfaktor der Intelligenz, kurz *g*-Faktor.[30]

Im frühen 20. Jahrhundert beschäftigte diese allgemeine Intelligenz die Phantasie der Öffentlichkeit. Zunächst waren frühe Eugeniker davon fasziniert. Der Psychologe Lewis Terman aus Stanford, ein passionierter Anhänger der US-amerikanischen Eugenikbewegung, entwickelte 1916 einen standardisierten Test zur schnellen quantitativen Messung allgemeiner Intelligenz in der Hoffnung, dadurch mehr intelligente Menschen für die eugenische Selektion zu finden. Als er erkannte, dass diese Messungen während der Kindheitsentwicklung mit dem Alter variierten, schlug Terman neue Maßzahlen zur Bestimmung der altersspezifischen Intelligenz vor.[31] Stimmte das »geistige Alter« einer Testperson mit ihrem körperlichen Alter überein, so wurde ihr »Intelligenzquotient« oder IQ als 100 definiert. Hinkte eine Testperson in ihrem geistigen Alter hinter ihrem körperlichen Alter her, lag der IQ unter 100; war sie geistig weiter entwickelt, war er über 100.

Ein numerisches Maß der Intelligenz kam den Anforderungen des Militärs im Ersten und Zweiten Weltkrieg sehr entgegen, da es Rekruten aufgrund schneller, quantitativer Einschätzungen Kriegsaufgaben zuweisen musste, die diverse Fähigkeiten voraussetzten. Als die Veteranen nach dem Krieg ins Zivilleben zurückkehrten, mussten sie feststellen, dass es von Intelligenztests bestimmt wurde. In den frühen 1940er Jahren hatten sich solche Tests zum festen Bestandteil der US-amerikanischen Kultur entwickelt. Sie kamen bei der Beurteilung von Stellenbewerbern, bei Entscheidungen zum schulischen Werdegang von Kindern und bei der Rekrutierung von Geheimagenten zum Einsatz. In den 1950er Jahren war es üblich, dass US-Amerikaner ihren IQ im Lebenslauf angaben, die Ergebnisse eines Intelligenztests ihrer Stellenbewerbung hinzufügten oder sogar ihren Ehepartner aufgrund solcher Tests auswählten. Bei den »Better Babies Contests« heftete man den Kindern Schildchen mit dem IQ an (obwohl rätselhaft blieb, wie man bei Zweijährigen den IQ maß).

Diese rhetorischen und historischen Wandlungen des Intelligenzbegriffs sind bemerkenswert (dazu später mehr). Der g-Faktor der Intelligenz entstand als *statistische* Korrelation zwischen Tests, die unter bestimmten Umständen an bestimmten Personen durchgeführt wurden. Durch eine *Hypothese* über die Beschaffenheit menschlichen Wissenserwerbs verwandelte er sich in den Begriff »allgemeine Intelligenz« und wurde für die besonderen Anforderungen des Krieges im »Intelligenzquotienten« (IQ) codifiziert. In kultureller Hinsicht war die Definition der allgemeinen Intelligenz *(g)* ein hervorragend selbstverstärkendes Phänomen: Wer sie besaß, als »intelligent« gesalbt und mit der Entscheidungsbefugnis über diese Eigenschaft betraut war, hatte allen Grund, ihre Definition zu propagieren. Der Evolutionsbiologe Richard Dawkins definierte einmal einen Bewusstseinsinhalt, ein sogenanntes Mem, als kulturelle Einheit, die sich in Gesellschaften viral verbreitet, indem sie mutiert, sich vervielfältigt und selektiert wird. Auch die allgemeine Intelligenz, *g*, lasse sich als eine sich selbst verbreitende Einheit sehen und sogar als »selbstsüchtiges *g*« bezeichnen.

Es war vielleicht unvermeidlich, dass die breiten politischen Bewegungen, die die Vereinigten Staaten in den 1960er und 1970er Jahren erfassten, die Konzepte der allgemeinen Intelligenz und des Intelligenzquotienten in ihren Grundfesten erschütterten. In dem Maße, wie die Bürgerrechtsbewegung und der Feminismus chronische politische und gesellschaftliche Ungleichheiten in den Vereinigten Staaten ins Licht rückten, trat deutlich zutage, dass biologische und psychische Merkmale nicht einfach angeboren, sondern wahrscheinlich tiefgreifend von Umständen und Umwelt geprägt waren. Zudem stellten wissenschaftliche Erkenntnisse das Dogma einer einzigen Form von

Intelligenz in Frage. Entwicklungspsychologen wie Louis Thurstone (in den 1950er Jahren) und Howard Gardner (in den späten 1970er Jahren) kritisierten das Konzept der »allgemeinen Intelligenz« als recht unbeholfenen Weg, viele weitaus kontextspezifischere und subtilere Formen von Intelligenz wie räumlich-visuelle, mathematische oder verbale Intelligenz in einen Topf zu werfen.[32] Ein Genetiker hätte bei der Überprüfung dieser Daten zu dem Schluss gelangen können, dass der *g*-Faktor – die Messung einer hypothetischen Eigenschaft, die für einen bestimmten Kontext erfunden wurde – ein Merkmal sei, das sich kaum mit Genen zu verknüpfen lohne, aber das hielt Murray und Herrnstein nicht von entsprechenden Versuchen ab. Ausgehend von einem früheren Artikel des Psychologen Arthur Jensen, versuchten sie zu beweisen, dass allgemeine Intelligenz erblich und in den verschiedenen ethnischen Gruppen unterschiedlich ausgeprägt sei, und vor allem, dass die Rassenungleichheit auf angeborene genetische Unterschiede zwischen Weißen und Afroamerikanern zurückzuführen sei.[33]

• • •

Ist allgemeine Intelligenz erblich? In den 1950er Jahren deutete eine Reihe von Berichten auf eine starke genetische Komponente hin.[34] Am eindeutigsten waren Zwillingsstudien. Als Psychologen in den frühen 1950er Jahren eineiige Zwillinge untersuchten, die zusammen aufgewachsen waren – also die gleichen Gene besaßen und die gleiche Umwelt erlebt hatten –, stellten sie bei deren Intelligenzquotienten eine erstaunliche Übereinstimmung mit einer Korrelation von 0,86 fest.* Als man gegen Ende der 1980er Jahre eineiige Zwillinge testete, die unmittelbar nach der Geburt getrennt wurden und separat aufgewachsen waren, lag die Korrelation bei 0,74 – immer noch auffallend hoch.

---

* Nach neueren Einschätzungen beträgt die Korrelation zwischen eineiigen Zwillingen 0,6 bis 0,7. Als mehrere Psychologen, darunter Leon Kamin, die Daten aus den 1950er Jahren in späteren Jahrzehnten überprüften, fanden sie die Methoden suspekt und zogen die ursprünglichen Forschungsergebnisse in Zweifel.

Aber die Erblichkeit eines Merkmals, so groß sie auch sein mag, kann aus mehreren Genen erwachsen, die jeweils eine relativ kleine Wirkung haben. In einem solchen Fall würden eineiige Zwillinge bei der allgemeinen Intelligenz eine hohe Korrelation aufweisen, während die Übereinstimmung zwischen Eltern und Kindern wesentlich geringer wäre. Diesem Muster folgte der Intelligenzquotient. So sank etwa die Korrelation zwischen zusammen lebenden Eltern und Kindern auf 0,42. Bei getrennt lebenden Eltern und Kindern brach sie auf 0,22 ein. Was der Intelligenztest auch immer messen mochte, war zwar ein erblicher Faktor, der aber auch von vielen Genen beeinflusst und möglicherweise stark durch die Umgebung modifiziert wurde – teils Natur, teils Umwelt.

Die logischste Schlussfolgerung aus diesen Fakten ist, dass manche Kombinationen von Genen und Umwelteinflüssen die allgemeine Intelligenz zwar stark beeinflussen können, Eltern diese Kombination aber nur selten intakt an ihre Kinder weitergeben. Die Mendel'schen Regeln gewährleisten praktisch, dass die besondere Zusammenstellung der Gene in jeder Generation auseinanderbricht. Und Wechselwirkungen mit der Umwelt sind so schwer zu erfassen und vorherzusagen, dass sie sich nicht über die Zeit hinweg reproduzieren lassen. Kurz: Intelligenz ist zwar *erblich* (d.h. von Genen beeinflusst), aber nicht ohne weiteres *vererbbar* (also intakt von einer Generation an die nächste übertragbar).

Wären Murray und Herrnstein zu diesen Schlüssen gelangt, hätten sie ein zutreffendes, wenngleich recht unumstrittenes Buch über die Vererbung von Intelligenz veröffentlicht. In *The Bell Curve* geht es im Kern jedoch nicht um die Erblichkeit des Intelligenzquotienten – sondern um dessen rassenbezogene Verteilung. Murray und Herrnstein begannen mit einem Überblick über 156 unabhängige Studien, die Intelligenzquotienten verschiedener Rassen verglichen hatten. Zusammengenommen hatten diese Untersuchungen einen durchschnittlichen IQ von 100 bei Weißen festgestellt (definitionsgemäß muss der Durchschnitts-IQ der Index-Population 100 sein) und von 85 bei Afroamerikanern – ein Unterschied von 15 Punkten. Murray und Herrnstein bemühten sich recht wacker, die Möglichkeit auszuschließen, dass die Tests einseitig Afroamerikaner benachteiligten. Sie bezogen nur Tests ein, die nach 1960 außerhalb der amerikanischen Südstaaten durchgeführt wurden, und hofften, auf diese Weise endemische Verzerrungen einzuschränken – aber der Unterschied von 15 Punkten blieb bestehen.[35]

Konnte die Differenz zwischen den IQ-Ergebnissen von Schwarzen und Weißen aus der sozioökonomischen Stellung erwachsen? Seit Jahrzehnten war bekannt, dass Kinder aus armen Bevölkerungsschichten, unabhängig von ihrer Rasse, bei Intelligenztests schlechter abschnitten. Von allen Hypothesen zu Rassenunterschieden beim Intelligenzquotienten lautete die mit Abstand plausibelste: Der Unterschied zwischen Schwarzen und Weißen könnte zum großen Teil auf die Überrepräsentation armer afroamerikanischer Kinder zurückzuführen sein. In den 1990er Jahren untermauerte der Psychologe Eric Turkheimer diese Theorie erheblich, indem er nachwies, dass Gene in von großer Armut geprägten Lebensverhältnissen eine untergeordnete Rolle bei der Intelligenzentwicklung spielen.[36] Wenn ein Kind Armut, Hunger und Krankheit ausgesetzt ist, werden diese Variablen zum dominierenden Einfluss auf den IQ. Die ihn steuernden Gene kommen nur zum Tragen, wenn man diese Beschränkungen beseitigt.

Ein entsprechender Effekt lässt sich leicht im Labor demonstrieren: Zieht man zwei Pflanzensorten – eine hohe und eine niedrige – auf nährstoffarmem Boden, wachsen beide niedrig, ungeachtet der genetischen Anlagen. Sind dagegen die Nährstoffe nicht mehr begrenzt, wächst die hohe Pflanzensorte zu voller Größe heran. Ob der Einfluss der Gene oder der Umwelt – Natur oder Umgebung – dominiert, hängt vom Kontext ab. Ist die Umwelt einschränkend, übt sie einen überproportional starken Einfluss aus. Beseitigt man die Einschränkungen, werden die Gene vorherrschend.*

---

* Es kann wohl kaum ein schlagkräftigeres Argument für Gleichheit geben. Das genetische Potential eines Menschen lässt sich unmöglich feststellen, ohne vorher für gleiche Lebensbedingungen zu sorgen.

Die Auswirkungen von Armut und Entbehrungen lieferten eine durchaus plausible Erklärung für den *durchgängigen* Unterschied beim IQ von Schwarzen und Weißen, aber Murray und Herrnstein gruben noch tiefer. Selbst durch eine Bereinigung um die sozioökonomische Stellung ließ sich die Kluft zwischen dem IQ von Schwarzen und Weißen nicht vollständig beseitigen. Zeichnet man eine Kurve der Intelligenzquotienten Weißer und Afroamerikaner über die aufsteigende sozioökonomische Stellung, so nimmt der IQ erwartungsgemäß bei beiden Gruppen zu. Kinder aus wohlhabenderen Schichten schneiden eindeutig besser ab als die aus ärmeren Familien – und zwar sowohl bei Weißen als auch bei Afroamerikanern. Der Rassenunterschied bei den IQ-Werten bleibt jedoch bestehen und *nimmt* paradoxerweise mit steigender sozioökonomischer Stellung sogar noch *zu*. Zwischen wohlhabenden Weißen und wohlhabenden Afroamerikanern ist er noch deutlicher ausgeprägt: Die Kluft wird in den obersten Einkommensgruppen keineswegs geringer, sondern *größer*.

• • •

In Büchern, Magazinen, Fachzeitschriften und Zeitungen wurde jede Menge Druckerschwärze eingesetzt, um diese Ergebnisse zu analysieren, zu überprüfen und zu widerlegen. So argumentierte der Evolutionsbiologe Stephen Jay Gould in einem Artikel im *New Yorker*, der Effekt sei viel zu gering und die Variationsbreite der Tests viel zu groß, um aus diesem Unterschied irgendwelche statistischen Schlüsse abzuleiten.[37] Der Harvard-Historiker Orlando Patterson erinnerte die Leser in einem Beitrag mit der gewitzten Überschrift »For Whom the Bell Curves« daran, das weitverzweigte Vermächtnis von Sklaverei, Rassismus und Bigotterie habe die kulturellen Gräben zwischen Weißen und Afroamerikanern so dramatisch vertieft, dass sich biologische Eigenschaften ethnischer Gruppen nicht sinnvoll vergleichen ließen.[38] Tatsächlich wies der Sozialpsychologe Claude Steele nach, dass schwarze Studenten gut abschnitten, wenn man sie unter dem Vorwand, einen neuen elektronischen Stift oder eine neue Punktwertung auszuprobieren, einem Intelligenztest unterzog. Erklärte man ihnen jedoch, dass sie auf »Intelligenz« getestet werden sollten, brachen ihre Ergebnisse ein. Die tatsächlich gemessene Variable ist also nicht etwa Intelligenz, sondern, die Fähigkeit, Tests zu absolvieren, das Ergebnis spiegelt die Selbstachtung oder schlicht das Ego beziehungsweise die Angst wider. In einer Gesellschaft, in der schwarze Männer und Frauen allgegenwärtige Diskriminierung erleben, kann eine solche Tendenz zu einem sich selbst verstärkenden Phänomen werden: Schwarze Kinder schneiden bei Tests schlechter ab, weil man ihnen gesagt hat, dass sie bei Tests schlechter sind, was ihre Leistung beeinträchtigt und die Vorstellung fördert, sie seien weniger intelligent – und immer so weiter.[39]

Der fatale Fehler in *The Bell Curve* ist jedoch weitaus simpler, eine so unauffällig in einem beiläufigen Absatz dieses 800 Seiten starken Buches versteckte Tatsache, dass sie praktisch untergeht.[40] Nimmt man Afroamerikaner und Weiße mit einem identischen IQ von beispielsweise 105 und misst ihre Leistung in *verschiedenen Tests* zur Intelligenz, schneiden in bestimmten Bereichen (wie Kurzzeitgedächtnis und Erinnerung) schwarze Kinder häufig besser ab, während in anderen (wie räumlich-visuelle Intelligenz und Wahrnehmungswechsel) weiße Kinder bessere Ergebnisse erzielen. Mit anderen Worten: Die Art, wie ein Intelligenztest konstruiert ist, hat tiefgreifende Auswirkungen auf die Ergebnisse, die verschiedene ethnische Gruppen mit ihren Genvarianten erzielen: Verändert man die Gewichtung und Balance in einem Test, so verändert sich die Intelligenzmessung.

Den stärksten Beleg für eine solche Verzerrung liefert eine weitgehend in Vergessenheit geratene Studie, die Sandra Scarr und Richard Weinberg 1976 durchführten.[41] Scarr untersuchte schwarze Kinder, die von weißen Eltern adoptiert wurden, und stellte fest, dass sie einen durchschnittlichen IQ von 106 aufwiesen, der also mindestens ebenso hoch lag wie bei weißen Kindern. Nach der Analyse sorgfältig durchgeführter Kontrollstudien kam Scarr zu dem Schluss, dass nicht etwa die »Intelligenz« verbessert wurde, sondern die Leistung bei bestimmten Untertests zur Intelligenz.

Diese These lässt sich nicht achselzuckend mit dem Hinweis abtun, die gegenwärtige Konstruktion von Intelligenztests müsse korrekt sein, da sie die Leistung in der realen Welt vorhersagen. Selbstverständlich tun sie das – weil das Konzept des Intelligenzquotienten sich wirkungsvoll selbst verstärkt: Es misst eine mit enormer Bedeutung und Wert befrachtete Eigenschaft, deren Aufgabe es ist, sich zu verbreiten. Ihr logischer Zirkelschluss ist völlig in sich geschlossen und undurchdringlich. Aber die tatsächliche Konfiguration der Intelligenztests ist relativ willkürlich. Der Begriff *Intelligenz* wird nicht bedeutungslos, wenn man die Balance eines Tests – etwa von räumlich-visueller Wahrnehmung zum Kurzzeitgedächtnis – verschiebt, dadurch verlagert sich jedoch die Diskrepanz zwischen den IQ-Werten von Schwarzen und Weißen. Und eben das ist der Haken. Das verzwickte am *g*-Faktor der Intelligenz ist, dass er vorgibt, eine messbare erbliche biologische Eigenschaft zu sein, während er in Wirklichkeit stark von kulturellen Prioritäten bestimmt wird. Etwas vereinfacht könnte man sagen, es handelt sich um das denkbar Gefährlichste: um ein Mem, das sich als Gen ausgibt.

Wenn die Geschichte der medizinischen Genetik uns etwas lehrt, dann ist es, dass wir uns gerade vor solchen Fehleinschätzungen zu Biologie und Kultur hüten müssen. Menschen sind, wie wir mittlerweile wissen, genetisch weitgehend gleich – weisen aber genügend Variationen für echte Vielfalt auf. Genauer gesagt: Wir neigen kulturell oder biologisch dazu, Variationen überzubetonen, selbst wenn sie im größeren Zusammenhang des Genoms geringfügig sind. Tests, die ausdrücklich darauf abzielen, die Varianz von Fähigkeiten zu erfassen, werden dies wahrscheinlich auch leisten – und diese Variationen verlaufen möglicherweise entlang ethnischer Linien. Das Ergebnis eines solchen Tests »Intelligenz« zu nennen, ist jedoch eine Beleidigung eben der Eigenschaft, die er messen soll, zumal wenn das Resultat eindeutig empfindlich auf die Konfiguration des Tests reagiert.

Gene können uns nicht sagen, wie menschliche Vielfalt zu kategorisieren oder zu begreifen ist, das können Umwelt, Kultur, Geographie und Geschichte leisten. Unsere Sprache gerät bei dem Versuch, diesen Lapsus zu erfassen, ins Stottern. Wenn eine genetische Variation statistisch die häufigste ist, bezeichnen wir sie als *normal* – ein Wort, das nicht nur das überwiegende statistische Vorkommen bezeichnet, sondern auch eine qualitative und sogar moralische Überlegenheit unterstellt (Merriam-Webster's Dictionary führt unter den nicht weniger als acht Definitionen des Wortes unter anderem »natürlich vorkommend« und »geistig und körperlich gesund« an). Ist eine Variation selten, bezeichnet man sie als *Mutante* – ein Wort, das nicht nur die geringe statistische Häufigkeit, sondern auch qualitative Unterlegenheit und sogar moralischen Abscheu beinhaltet.

Und so kommt es, dass genetische Variation sprachlich diskriminiert und Biologie und Wunschvorstellungen vermischt werden. Wenn eine Genvariante die Tauglichkeit eines Organismus in einer bestimmten Umwelt reduziert – eines haarlosen Menschen in der Antarktis –, bezeichnen wir das Phänomen als *genetische Krankheit*. Wenn dieselbe Variante seine Tauglichkeit in einer anderen Umwelt erhöht, nennen wir den Organismus *genetisch verbessert*. Die Synthese aus Evolutionsbiologie und Genetik erinnert uns daran, dass diese Beurteilungen sinnlos sind: Die Begriffe *Verbesserung* oder *Krankheit* messen die Tauglichkeit eines bestimmten Genotyps für eine bestimmte Umgebung; ändert man die Umgebung, kann sich die Bedeutung dieser Worte sogar umkehren. »Als niemand las, war eine Lese-Rechtschreibschwäche kein Problem«, schrieb die Psychologin Alison Gopnik. »Als die meisten Menschen jagen mussten, war eine geringfügige genetische Variation des Konzentrationsvermögens kaum ein Problem und mag sogar einen Vorteil dargestellt haben [die es einem Jäger beispielsweise ermöglichte, sich gleichzeitig auf mehrere Ziele zu konzentrieren]. Wenn die meisten Menschen die weiterführende Schule schaffen müssen, kann dieselbe Variation zu einer lebensverändernden Krankheit werden.«[42]

● ● ●

Der Wunsch, Menschen nach Rassen zu kategorisieren, und der Impuls, nach diesen Kategorien Attribute wie Intelligenz (oder Kriminalität, Kreativität oder Gewalt) zuzuordnen, illustriert ein allgemeines Thema der Genetik wie auch der Kategorisierung. Das Humangenom lässt sich ebenso wie der englische Roman oder ein Gesicht auf unzählige verschiedene Arten zusammenfassen oder zergliedern. Aber ob man zergliedert oder zusammenfasst, kategorisiert oder synthetisiert, ist eine Entscheidungssache. Wenn das vordringliche Interesse einem bestimmten erblichen biologischen Merkmal wie einer genetischen Krankheit (z.B. Sichelzellenanämie) gilt, ist es durchaus sinnvoll, das Genom zu untersuchen, um den Genort dieses Merkmals zu finden. Je enger die Definition dieses erblichen Merkmals oder dieser Eigenschaft ist, umso wahrscheinlicher ist es, dass man dessen Genort ausfindig macht und dass dieses Merkmal in einer Bevölkerungsgruppe gehäuft auftritt (wie das Tay-Sachs-Syndrom bei aschkenasischen Juden oder die Sichelzellenanämie bei Afrokariben). Es hat Gründe, dass sich beispielsweise der Marathonlauf zu einer genetischen Sportart entwickelt: Läufer aus Kenia und Äthiopien, also aus einem begrenzten Gebiet eines Kontinents, dominieren die Wettkämpfe nicht nur aufgrund von Talent und Training, sondern auch weil ein Marathonlauf ein eng begrenzter Test auf eine bestimmte Form extremer Stärke ist. Gene, die diese Stärke ermöglichen (etwa gewisse Kombinationen von Genvarianten, die eine bestimmte Ausprägung von Anatomie, Physiologie und Stoffwechsel hervorbringen), werden durch natürliche Auslese bevorzugt.

Je mehr wir umgekehrt die Definition eines Merkmals oder einer Eigenschaft (wie Intelligenz oder Temperament) ausweiten, umso geringer ist die Wahrscheinlichkeit, dass es mit einzelnen Genen – und infolgedessen mit Rassen, Ethnien oder Bevölkerungsgruppen – korreliert. Intelligenz und Temperament sind keine Marathonläufe: Es gibt keine festen Erfolgskriterien, keine Start- und Ziellinie – und seitwärts oder rückwärts zu laufen, könnte zum Sieg führen.

Wie eng oder weit die Definition eines Merkmals gefasst wird, ist in Wirklichkeit eine Frage der Identität – also wie wir Menschen (uns) in kultureller, gesellschaftlicher und politischer Hinsicht definieren, kategorisieren und begreifen. In unserer verschwommenen Diskussion über die Definition der Rasse fehlt somit ein entscheidendes Element, nämlich eine Auseinandersetzung über die Definition von Identität.

Die erste Ableitung der Identität

Über mehrere Jahrzehnte hinweg hat die Anthropologie sich an der allgemeinen Dekonstruktion der
›Identität‹ als stabilen Gegenstands wissenschaftlicher Forschung beteiligt. Die Vorstellung, dass
Individuen ihre Identität durch soziale Leistungen
gestalten und ihre Identität daher keine feste Größe
ist, treibt im Grunde die gegenwärtige Forschung
zu Gender und Sexualität an. Die Vorstellung, dass
kollektive Identität aus politischem Kampf und
Kompromissen erwächst, liegt den gegenwärtigen
Untersuchungen zu Rasse, Ethnizität und Nationa-
lismus zugrunde.
Paul Brodwin, »Genetics, Identity, and the
Anthropology of Essentialism«[43]

Mich dünkt, du bist mein Spiegel, nicht mein Bruder.
William Shakespeare, *Die Komödie der Irrungen*[44]

Am 6. Oktober 1942, fünf Jahre, bevor die Familie meines Vaters Barisal verließ, wurde meine Mutter zweimal in Delhi geboren. Zuerst
kam ihre eineiige Zwillingsschwester Bulu, ruhig und schön, zur Welt.
Einige Minuten später kam meine Mutter, Tulu, wand sich und schrie
mörderisch. Glücklicherweise verstand die Hebamme wohl genug

von Kleinkindern, um zu erkennen, dass die schönsten häufig die verdammten sind: Der stille, beinahe apathische Zwilling war stark unterernährt, musste in Decken gehüllt und wiederbelebt werden. Die ersten Lebenstage meiner Tante waren die heikelsten. Sie konnte nicht an der Brust saugen, wie die (vielleicht erfundene) Familienerzählung berichtet, und da es in den 1940er Jahren in Delhi keine Babyfläschchen gab, fütterte man sie mit einem in Milch getauchten Baumwolldocht und später mit der löffelförmigen Schale einer Kaurischnecke. Die Familie stellte eine Pflegerin ein, die sich um sie kümmerte. Als meiner Großmutter nach sieben Monaten allmählich die Milch versiegte, entwöhnte sie meine Mutter umgehend, damit ihre Schwester die letzten Reste bekommen konnte. Von Anfang an waren meine Mutter und ihre Zwillingsschwester also lebende genetische Experimente – von ihren Anlagen her identisch, von ihrer Hege und Pflege her ausgesprochen verschieden.

Meine Mutter – die um zwei Minuten »jüngere« – war ungestüm, hatte ein launisches, lebhaftes Temperament, war unbekümmert, furchtlos, von schneller Auffassungsgabe und bereit, Fehler zu machen. Bulu war zaghaft. Ihr Geist war reger, ihre Zunge spitzer, ihr Denken schärfer. Tulu war gesellig, fand schnell Freunde und nahm Kränkungen nicht übel. Bulu war reserviert und zurückhaltend, stiller und spröder. Tulu mochte Theater und Tanz. Bulu war Poetin, Schriftstellerin und Träumerin.

Die Gegensätze rückten jedoch die Ähnlichkeiten der Zwillingsschwestern nur noch stärker ins Licht. Tulu und Bulu sahen sich verblüffend ähnlich: Beide hatten Sommersprossen, ein mandelförmiges Gesicht, für Bengalen ungewöhnlich hohe Wangenknochen und leicht nach unten weisende Augenwinkel – ein Kniff, den italienische Maler verwendet hatten, um Madonnen eine geheimnisvoll empathische Ausstrahlung zu verleihen. Sie hatten ihre eigene Sprache, wie es bei Zwillingen häufig der Fall ist, und Witze, die nur sie verstanden.

Im Laufe der Jahre entwickelte sich ihr Leben auseinander. Tulu heiratete 1965 meinen Vater (der drei Jahre zuvor nach Delhi gezogen war) – eine arrangierte, aber auch riskante Ehe. Mein Vater war ein mittelloser Einwanderer in einer neuen Stadt, befrachtet mit einer dominanten Mutter und einem halb verrückten Bruder, der zu Hause lebte. Für die äußerst vornehmen westbengalischen Verwandten meiner Mutter verkörperte die Familie meines Vaters den Inbegriff ostbengalischen Hinterwäldlertums: Beim Mittagessen häuften seine Brüder sich Berge von Reis auf den Teller und drückten Vertiefungen für die Soße hinein, als ob diese Vulkankrater für den unersättlichen, ständigen Hunger ihres Landlebens stünden. Bulus Ehe schien ihr im Vergleich dazu wesentlich sicherere Aussichten zu bieten. Sie verlobte sich 1966 mit einem jungen Anwalt, dem ältesten Sohn einer gut situierten Familie aus Kalkutta. Nach ihrer Heirat 1967 zog sie in die weitläufige, heruntergekommene Villa seiner Familie im Süden Kalkuttas mit einem Garten, der schon damals völlig verwildert war.

Als ich 1970 geboren wurde, hatten die Geschicke der beiden Schwestern bereits angefangen, sich in unerwartete Richtungen zu entwickeln. Ende der 1960er Jahre begann Kalkuttas stetiger Abstieg in die Hölle. Die Wirtschaft lahmte, und die spärliche Infrastruktur ächzte unter der Last der Einwanderungswellen. Häufig brachen politische Unruhen aus, die Straßen und Geschäfte wochenlang lahmlegten. Während die Stadt zwischen Wellen von Gewalt und Apathie schwankte, musste Bulus neue Familie sich von ihren Ersparnissen über Wasser halten. Ihr Mann wahrte den Schein der Berufstätigkeit und ging jeden Morgen mit der dazugehörigen Aktentasche und einem Henkelmann aus dem Haus – aber wer brauchte in einer Stadt, in der keine Gesetze mehr galten, schon einen Rechtsanwalt? Letzten Endes verkaufte die Familie das schimmelnde Haus mit der großen Veranda und dem Innenhof und zog in eine bescheidene Zweizimmerwohnung nur wenige Kilometer von dem Gebäude entfernt, in dem meine Großmutter an ihrem ersten Abend in Kalkutta Zuflucht gefunden hatte.

Der Werdegang meines Vaters spiegelte dagegen den seiner Wahlheimatstadt wider. Delhi war Indiens überfüttertes Kind, getragen von den Bestrebungen der Nation, eine Megametropole aufzubauen, gemästet mit Subventionen und Zuschüssen, ausgestattet mit breiten

Straßen und einer expandierenden Wirtschaft. Mein Vater arbeitete sich in einem multinationalen japanischen Konzern schnell aus der unteren in die obere Mittelschicht hoch. Unser einst von Dornengestrüpp voller wilder Hunde und Ziegen umringtes Stadtviertel verwandelte sich schon bald in eine der teuersten Wohngegenden der Stadt. Wir reisten im Urlaub nach Europa, lernten mit Stäbchen zu essen und schwammen im Sommer in Hotel-Swimmingpools. Wenn der Monsun über Kalkutta hereinbrach, konnte das Wasser wegen der Müllberge in den Straßen nicht abfließen, und die Stadt verwandelte sich in einen riesigen, verseuchten Sumpf. Vor Bulus Haus bildete sich alljährlich ein solcher stehender Tümpel voller Moskitos. Sie bezeichnete ihn als ihren eigenen »Swimmingpool«.

In dieser Äußerung liegt etwas Symptomatisches – eine gewisse Leichtigkeit. Man hätte meinen können, die drastischen Wechselfälle des Lebens hätten Tulu und Bulu auf völlig unterschiedliche Art verändert. Aber das Gegenteil war der Fall: Im Laufe der Jahre nahm ihre äußere Ähnlichkeit so weit ab, dass sie fast völlig verschwand, aber etwas kaum Greifbares an ihnen – eine Herangehensweise, ein Temperament – blieb erstaunlich ähnlich und verstärkte sich sogar noch. Trotz der zunehmenden wirtschaftlichen Kluft zwischen den beiden Schwestern war ihnen ein Optimismus gegenüber der Welt, eine Neugier, ein Sinn für Humor und eine Gelassenheit gemeinsam, die an Vornehmheit grenzte, aber ohne jeden Stolz daherkam. Wenn wir ins Ausland reisten, brachte meine Mutter eine ganze Kollektion von Andenken für Bulu mit – Holzspielzeug aus Belgien, Kaugummi mit Fruchtgeschmack aus den Vereinigten Staaten, das nach keiner existierenden Frucht roch, oder Glasschmuck aus der Schweiz. Meine Tante las Reiseführer der Länder, in die wir fuhren. »Ich war auch da«, sagte sie ohne den geringsten Anflug von Bitterkeit, wenn sie die Souvenirs in eine Vitrine stellte.

Es gibt im Englischen und Deutschen kein Wort und keinen Ausdruck für jenen Moment, in dem ein Sohn seine Mutter zu verstehen beginnt – nicht nur oberflächlich, sondern mit der umfassenden Klarheit, mit der er sich selbst begreift. Ich erlebte diesen Augenblick irgendwann in den Tiefen meiner Kindheit in doppelter Hinsicht: Als ich meine Mutter verstand, lernte ich auch, meine Tante zu verstehen. Ich wusste mit hellsichtiger Gewissheit, wann sie lachen, was sie kränken, was sie anregen würde oder wo ihre Sympathien und Neigungen lagen. Die Welt mit den Augen meiner Mutter zu sehen, bedeutete zugleich, sie mit den Augen ihrer Zwillingsschwester zu sehen, nur vielleicht mit etwas unterschiedlich gefärbten Linsen.

Allmählich wurde mir klar, dass das Übereinstimmende zwischen meiner Mutter und ihrer Schwester nicht ihre Persönlichkeit war, sondern deren Tendenz – ihre erste Ableitung, um einen mathematischen Begriff zu entlehnen. In der Differentialrechnung ist die erste Ableitung eines Punktes nicht seine räumliche Position, sondern die Neigung, seine Position zu ändern; nicht wo sich ein Objekt befindet, sondern wie es sich in Raum und Zeit *bewegt*. Diese für manche unfassbare, aber für einen Vierjährigen dennoch selbstverständliche gemeinsame Eigenschaft war das dauerhafte Bindeglied zwischen meiner Mutter und ihrer Zwillingsschwester. Tulu und Bulu waren sich zwar nicht mehr äußerlich gleich – hatten aber die erste Ableitung ihrer Identität gemeinsam.

• • •

Wer bezweifelt, dass Gene die Identität bestimmen können, könnte geradeso gut von einem anderen Planeten gekommen sein und nicht bemerkt haben, dass Menschen in zwei grundlegenden Varianten vorkommen: männlich und weiblich. Kulturkritiker, Theoretiker, Modefotografen und Lady Gaga haben uns – zu Recht – daran erinnert, dass diese Kategorien nicht so grundlegend sind, wie sie erscheinen mögen, und dass in ihren Grenzbereichen häufig verwirrende Mehrdeutigkeiten lauern. Drei wesentliche Fakten lassen sich jedoch kaum bestreiten: Männer und Frauen sind anatomisch und physiologisch verschieden; diese anatomischen und physiologischen Unterschiede sind von Genen gesteuert; und diese Unterschiede haben neben kulturellen und gesellschaftlichen Konstruktionen des Ich einen starken Einfluss auf die Ausprägung unserer Identität als Individuum.

Dass Gene etwas mit der Festlegung von Geschlecht, Gender und Geschlechtsidentität zu tun haben, ist in unserer Geschichte eine relativ junge Idee. Die Abgrenzung dieser drei Begriffe ist für diese Erörterung wesentlich. Mit *Geschlecht* meine ich die anatomischen und physiologischen Aspekte männlicher und weiblicher Körper. Mit *Gender* verbinde ich eine komplexere Vorstellung: die psychischen, gesellschaftlichen und kulturellen Rollen, die der Einzelne annimmt. Unter *Geschlechtsidentität* verstehe ich das Selbstverständnis des Einzelnen (als weiblich oder männlich, keines von beidem oder etwas dazwischen).

Jahrtausende lang gab es kaum Erkenntnisse über die Grundlage der anatomischen Ungleichheit von Männern und Frauen – des »anatomischen Dimorphismus« des Geschlechts. Galen, der bedeutendste Anatom der Antike, nahm 200 n. Chr. aufwendige Sektionen vor, um nachzuweisen, dass die männlichen und weiblichen Fortpflanzungsorgane sich glichen, wobei die männlichen Organe nach außen und die weiblichen nach innen gewendet seien. Die Eierstöcke waren nach Galens Auffassung lediglich innenliegende Hoden, die im Inneren des weiblichen Körpers blieben, weil Frauen eine »lebenswichtige Hitze« fehle, die diese Organe nach außen treiben könne. »Betrachte zunächst einen beliebigen Teil, wende ihn bei der Frau nach außen, wende den des Mannes nach innen und falte ihn doppelt, und du wirst sie bei beiden in jeder Hinsicht gleich finden«, schrieb er.[45] Seine Schüler und Anhänger trieben diese Analogie buchstäblich bis ins Absurde und spekulierten, die Gebärmutter sei der nach innen gestülpte Hodensack und die Eileiter seien die vergrößerten und verlängerten Samenblasen. Diese Theorie fand Eingang in einen mittelalterlichen Merkvers für Medizinstudenten:

> Mögen sie auch von anderem Geschlechte sein,
> so sind sie doch im Ganzen gleich wie wir,
> Denn wie die strengsten Forscher finden,
> sind Frauen nur Männer, gekehrt von außen nach innen.[46]

Aber welche Kraft war dafür verantwortlich, Männer wie Socken »von innen nach außen« und Frauen »von außen nach innen« zu wenden? Jahrhunderte vor Galen hatte der griechische Philosoph Anaxagoras um 400 v. Chr. behauptet, das Geschlecht werde – wie heute die Immobilienpreise in New York – ausschließlich durch die Lage bestimmt. Ebenso wie Pythagoras glaubte auch er, der männliche Samen trage die Erbessenz, aus der die Frau in ihrer Gebärmutter den Fötus lediglich forme. Diesem Muster folge auch die Vererbung des Geschlechts. Aus den Samen des rechten Hodens entstünden männliche Kinder, aus denen des linken weibliche. In der Gebärmutter setze sich die Geschlechtsbestimmung nach dem räumlichen Links-rechts-Code fort, der bei der Ejakulation vorgegeben worden sei. Ein männlicher Fötus werde mit großer Genauigkeit in der rechten Gebärmutterkammer deponiert, ein weiblicher dagegen in der linken.

Heute ist es einfach, Anaxagoras' Theorie als anachronistisch und abstrus lächerlich zu machen. Das merkwürdige Beharren auf der Platzierung links oder rechts – als ob das Geschlecht von einer bestimmten Besteckanordnung abhinge – gehört eindeutig einer anderen Ära an. Für seine Zeit war diese Theorie jedoch revolutionär, denn sie beinhaltete zwei wesentliche Fortschritte. Erstens erkannte sie an, dass die Festlegung des Geschlechts im Grunde zufällig erfolgte – und daher durch eine zufällige Ursache (die Herkunft des Samens aus dem linken oder rechten Hoden) erklärt werden müsse. Zweitens mutmaßte sie, dass dieser ursprünglich zufällige Vorgang, nachdem er erst einmal eingetreten war, verstärkt und konsolidiert werden müsse, um das Geschlecht zur vollen Ausprägung zu bringen. Der Entwicklungsplan des Fötus sei entscheidend. Sperma aus dem rechten Hoden finde den Weg in die rechte Seite der Gebärmutter, wo es zu einem männlichen Fötus weiterentwickelt werde. Sperma aus dem linken Hoden werde auf die linke Seite gelenkt, um ein weibliches Kind hervorzubringen. Die Geschlechtsdetermination war demnach eine Kettenreaktion, die von einem einzigen Schritt in Gang gesetzt, dann aber von der Lage des Fötus zum vollständigen Dimorphismus zwischen Männern und Frauen verstärkt wurde.

Bei dieser Vorstellung zur Geschlechtsdetermination blieb es weitgehend über Jahrhunderte. Es gab zwar unzählige Theorien, die jedoch
nur Varianten der Grundidee des Anaxagoras darstellten: dass das
Geschlecht durch einen im Wesentlichen zufälligen Akt festgelegt und
durch die Umgebung der Eizelle oder des Fötus konsolidiert und verstärkt werde. »Das Geschlecht ist nicht ererbt«, schrieb ein Genetiker
noch 1900.[47] Selbst Thomas Morgan, der wohl prominenteste Verfechter der herausragenden Bedeutung von Genen für die Entwicklung,
behauptete, das Geschlecht werde wahrscheinlich nicht von einem einzelnen genetischen Faktor, sondern von vielfältigen Umwelteinflüssen
bestimmt: »Die Eizelle scheint, was das Geschlecht angeht, in einer
Art Balancezustand zu schweben, und die Bedingungen, denen sie
ausgesetzt ist, … bestimmen möglicherweise, welches Geschlecht sie
hervorbringt. Es mag ein sinnloses Unterfangen sein, einen einzelnen
Einfluss zu suchen, der für Eizellen aller Art entscheidend ist.«[48]

● ● ●

Im Winter 1903, also im selben Jahr, in dem Thomas Morgan eine genetische Theorie zur Geschlechtsdetermination beiläufig abtat, führte
die Doktorandin Nettie Stevens eine Studie durch, die umwälzende
Folgen für dieses Fachgebiet haben sollte. Stevens wurde 1861 als
Tochter eines Zimmermanns in Vermont geboren, begann eine Ausbildung zur Lehrerin, hatte aber in den frühen 1890er Jahren genügend
Geld gespart, um an der Stanford University in Kalifornien zu studieren. Sie entschloss sich 1900 zu einem Aufbaustudium in Biologie –
damals eine ungewöhnliche Wahl für eine Frau – und, was noch un-
gewöhnlicher war, zur Forschungsarbeit an der zoologischen Station
im fernen Neapel, an der Theodor Boveri seine Seeigeleier gesammelt
hatte. Sie lernte Italienisch, damit sie sich mit den einheimischen Fi-
schern verständigen konnte, die ihr Eier aus den Uferbereichen brachten. Von Boveri lernte sie, Eier einzufärben, um die Chromosomen
zu identifizieren – jene merkwürdigen blaugefärbten Filamente, die in
Zellen zu finden waren.
Boveri hatte nachgewiesen, dass Zellen mit veränderten Chromo-

somen sich nicht normal entwickeln konnten – und die Erbanweisungen für die Entwicklung sich daher in den Chromosomen befinden mussten. Aber konnte die genetische Determinante des Geschlechts ebenfalls in ihnen enthalten sein? Stevens beschloss 1903, anhand eines einfachen Organismus – des Mehlwurms – die Korrelation zwischen Chromosomen und Geschlecht zu untersuchen. Als sie Boveris Methode zur Einfärbung von Chromosomen bei männlichen und weiblichen Mehlwürmern anwandte, sprang ihr die Antwort unter dem Mikroskop sofort ins Auge: Eine Variation in nur einem einzigen Chromosom korrelierte mit dem jeweiligen Geschlecht des Wurms. Mehlwürmer besitzen insgesamt zwanzig Chromosomen – zehn Paare (bei den meisten Tieren kommen die Chromosomen paarweise vor, Menschen haben 23 Chromosomenpaare). Zellen weiblicher Mehlwürmer besaßen durchweg zehn Paare gleicher Chromosomen. Zellen männlicher Würmer hatten dagegen ein Paar aus zwei ungleichen Chromosomen – aus einem kleinen knopfartigen und einem größeren. Stevens vermutete, dass das Vorhandensein dieses kleinen Chromosoms für die Geschlechtsbestimmung ausreichte. Sie bezeichnete es als *Geschlechtschromosom*.[49]

Für Stevens ergab sich daraus eine einfache Theorie der Geschlechtsdetermination. Bei der Produktion des Spermas in den männlichen Keimzellen entstanden etwa im selben Verhältnis zwei Arten von Samen – eine mit dem stummelförmigen männlichen Chromosom und eine andere mit dem größeren weiblichen Chromosom. Befruchtete eine Samenzelle mit dem männlichen Chromosom – also ein »männliches Spermium« – die Eizelle, entstand ein männlicher Embryo. Befruchtete ein »weibliches Spermium« die Eizelle, erwuchs daraus ein weiblicher Embryo.

Stevens' Forschungen wurden durch die ihres engen Mitarbeiters, des Zellbiologen Edmund Wilson, erhärtet, der ihre Terminologie vereinfachte und das männliche als Y-Chromosom und das weibliche als X-Chromosom bezeichnete. Männliche Zellen weisen das Chromosomenpaar XY auf, weibliche das Paar XX. Die Eizelle enthält ein einzelnes X-Chromosom, überlegte Wilson. Wenn ein Spermium mit einem Y-Chromosom eine Eizelle befruchtet, entsteht eine XY-Kombination und determiniert *Männlichkeit*. Wenn ein Spermium mit einem X-Chromosom auf eine Eizelle trifft, erwächst daraus die Kombination XX, die *Weiblichkeit* determiniert. Das Geschlecht wurde also nicht von dem rechten oder linken Hoden bestimmt, sondern von einem ähnlich zufälligen Vorgang – nämlich von der genetischen Fracht des ersten Spermiums, das eine Eizelle erreichte und befruchtete.

• • •

Das von Stevens und Wilson entdeckte XY-System hatte eine wichtige Begleiterscheinung: Wenn das Y-Chromosom sämtliche Informationen für die Determination von Männlichkeit in sich trug, musste es Gene enthalten, die einen Embryo männlich machten. Anfangs erwarteten Genetiker, Dutzende Männlichkeit determinierende Gene zu finden: Das Geschlecht umfasst schließlich die anspruchsvolle Koordination vielfältiger anatomischer, physiologischer und psychischer Merkmale, und es war kaum vorstellbar, dass ein einziges Gen allein so unterschiedliche Funktionen leisten könnte. Aber sorgfältige Studenten der Genetik wussten, dass das Y-Chromosom ein unwirtlicher Ort für Gene ist. Im Gegensatz zu jedem anderen Chromosom ist es »ungepaart«, hat also kein Schwesterchromosom und keine Kopie, so dass jedes seiner Gene auf sich allein gestellt ist. In jedem anderen Chromosom kann eine Mutation durch Kopieren des intakten Gens in dem anderen Chromosom repariert werden. Ein Gen auf dem Y-Chromosom lässt sich jedoch nicht ausbessern, reparieren oder erneut kopieren; es hat weder ein Backup noch eine Richtschnur (allerdings besitzt es ein einzigartiges internes System, Gene im Y-Chromosom zu reparieren). Wenn ein Y-Chromosom durch Mutationen angegriffen wird, fehlt ihm ein Mechanismus, Informationen wiederherzustellen. Daher ist das Y-Chromosom von den Attacken seiner Geschichte mit Narben gezeichnet. Es ist das anfälligste Chromosom des menschlichen Genoms.

Infolge des ständigen genetischen Bombardements begann das menschliche Y-Chromosom vor Millionen Jahren, sich von Informationen zu trennen. Überlebenswichtige Gene wurden vermutlich in andere Teile des Genoms verlagert, wo sie sicher gespeichert werden konnten; Gene von begrenztem Wert wurden außer Betrieb genommen, ausrangiert oder ersetzt; nur die wichtigsten Gene blieben erhalten (einige dieser Gene wurden im Y-Chromosom selbst kopiert – aber auch diese Strategie löst das Problem nicht vollständig). Wenn Informationen verlorengingen, schrumpfte das Y-Chromosom – es wurde durch den endlosen Kreislauf von Mutation und Genverlust Stück für Stück verkleinert. Es ist keineswegs Zufall, dass das Y-Chromosom das kleinste von allen ist: Das Y-Chromosom ist weitgehend ein Opfer gezielter Überalterung (2014 entdeckten Forscher, dass einige wenige äußerst wichtige Gene möglicherweise dauerhaft im Y-Chromosom liegen).

In genetischer Hinsicht deutet das auf ein seltsames Paradox hin. Das Geschlecht, eines der komplexesten menschlichen Merkmale, wird wahrscheinlich nicht von mehreren Genen codiert. Vielmehr muss ein einzelnes Gen, das recht prekär im Y-Chromosom liegt, die Mastersteuerung der Männlichkeit sein.* Männliche Leser dieses Abschnitts sollten aufmerken: Wir haben es nur knapp geschafft.

---

* Angesichts so hoher Verpflichtungen ist es ein wahres Wunder, dass das XY-System der Geschlechtsdetermination überhaupt existiert. Warum entwickelten Säugetiere einen Mechanismus zur Geschlechtsbestimmung, der mit so offenkundigen Tücken behaftet ist? Warum liegt das Gen für die Geschlechtsbestimmung ausgerechnet auf einem unpaarigen, unwirtlichen Chromosom, wo es mit größter Wahrscheinlichkeit Mutationen ausgesetzt ist? Um diese Frage zu beantworten, müssen wir weiter zurückgehen und eine grundlegendere Frage stellen: Warum kam es überhaupt zur Entwicklung der geschlechtlichen Fortpflanzung? Warum sollten neue Lebewesen statt durch Parthenogenese durch die Vereinigung zweier geschlechtlicher Elemente entstehen, fragte sich schon Darwin.

Die meisten Evolutionsbiologen sind sich einig, dass die Geschlechter entstanden, um eine schnelle genetische Durchmischung zu erreichen. Vielleicht gibt es keinen schnelleren Weg, Gene zweier Organismen zu mischen, als deren Ei- und Samenzellen zu vermengen. Und sogar die Produktion von Spermien und Eizellen führt durch Rekombination zu einer Durchmischung von

• • •

In den frühen 1980er Jahren machte sich ein junger Genetiker namens Peter Goodfellow in London auf die Suche nach dem geschlechtsdeterminierenden Gen im Y-Chromosom. Er war ein eingefleischter

Genen. Die starke Mischung von Genen bei der geschlechtlichen Fortpflanzung erhöht die Variation. Die größere Variationsbreite erhöht wiederum die Tauglichkeit und Überlebenschance eines Organismus in einer sich ständig ändernden Umwelt. Der Ausdruck *geschlechtliche Reproduktion* ist daher völlig falsch gewählt. Der evolutionäre Zweck der Geschlechter besteht nicht in »Reproduktion«: Organismen können ohne Geschlechter bessere Faksimiles – Re-Produktionen – ihrer selbst herstellen. Das Geschlecht wurde aus dem genau entgegengesetzten Grund entwickelt: um *Rekombination* zu ermöglichen. »Geschlechtliche Reproduktion« und »Geschlechtsdetermination« sind jedoch nicht dasselbe. Selbst wenn wir die zahlreichen Vorzüge geschlechtlicher Fortpflanzung anerkennen, könnten wir immer noch fragen, warum die meisten Säugetiere das XY-System zur Geschlechtsdetermination verwenden. Kurz: Warum gibt es das Y-Chromosom? Wir wissen es nicht. Das XY-System entstand in der Evolution eindeutig vor mehreren Millionen Jahren. Bei Vögeln, Reptilien und manchen Insekten ist es umgekehrt: Das Weibchen trägt zwei verschiedene Chromosomen und das Männchen zwei identische. Und bei anderen Tieren wie einigen Reptilien und Fischen wird das Geschlecht über die Temperatur des Eis oder die Größe eines Organismus im Verhältnis zu seinen Konkurrenten bestimmt. Man vermutet, dass diese Systeme zur Geschlechtsdetermination älter sind als das XY-System der Säugetiere. Aber warum es sich bei Säugetieren etabliert hat – und warum es immer noch existiert – bleibt ein Rätsel. Die Existenz zweier Geschlechter hat einige offenkundige Vorteile: Männchen und Weibchen können spezialisierte Funktionen erfüllen und unterschiedliche Rollen bei der Aufzucht übernehmen. Die Existenz zweier Geschlechter erfordert aber nicht *per se* ein Y-Chromosom. Vielleicht ist die Evolution über das Y-Chromosom als schnelle, schmutzige Lösung für die Geschlechtsbestimmung gestolpert – das die Männlichkeit bestimmende Gen in einem separaten Chromosom zu platzieren und mit einem starken Gen auszustatten, das die Männlichkeit steuert, ist sicher eine brauchbare Lösung. Manche Genetiker glauben, das Y-Chromosom könnte weiter schrumpfen, während andere der Ansicht sind, es werde nur bis zu einem gewissen Punkt schrumpfen und das SRY und andere wichtige Gene behalten.

Fußballfan, ungepflegt, spindeldürr, angespannt, mit einem unverkennbaren East-Anglia-Dialekt und einem Kleidungsstil von »Punk meets new romantic«.[50] Goodfellow wollte die von Botstein und Davis entwickelten Methoden der Genkartierung nutzen, um die Suche auf eine kleine Region des Y-Chromosoms einzugrenzen. Aber wie ließ sich ein »normales« Gen ohne die Existenz eines varianten Phänotyps oder einer damit verknüpften Krankheit kartieren? Die Gene für Mukoviszidose und Huntington-Krankheit hatte man auf ihren jeweiligen Chromosomen lokalisiert, indem man die Verbindung zwischen dem krankheitserregenden Gen und bestimmten Markern auf dem Genom aufgespürt hatte. In beiden Fällen hatten betroffene Geschwister, die dieses Gen trugen, auch diese Marker, während sie bei nicht betroffenen Geschwistern fehlten. Wo sollte Goodfellow jedoch eine Familie mit einem varianten – dritten – Geschlecht finden, das genetisch weitergegeben und bei manchen Geschwistern vorhanden war, bei anderen aber nicht?

• • •

Solche Menschen gab es tatsächlich – allerdings war es erheblich schwieriger als gedacht, sie ausfindig zu machen. Der englische Endokrinologe Gerald Swyer hatte 1955 bei der Erforschung weiblicher Unfruchtbarkeit ein seltenes Syndrom entdeckt, das Menschen biologisch weiblich, aber chromosomal männlich machte.[51] »Frauen«, die mit dem sogenannten Swyer-Syndrom geboren wurden, waren während ihrer Kindheit anatomisch und physiologisch weiblich, erreichten aber in ihrer Jugend nicht die weibliche Geschlechtsreife. Bei genauerer Untersuchung stellten Genetiker fest, dass diese »Frauen« in allen Zellen XY-Chromosomen aufwiesen. Jede Zelle war chromosomal männlich – dennoch war die aus diesen Zellen bestehende Person anatomisch, physiologisch und psychisch weiblich. Eine »Frau« mit Swyer-Syndrom wurde mit dem männlichen Chromosomenmuster (XY-Chromosomen) in sämtlichen Zellen geboren, hatte es aber nicht geschafft, ihrem Körper »Männlichkeit« zu signalisieren.

Das wahrscheinlichste Szenario hinter dem Swyer-Syndrom war, dass eine Mutation das Masterregulatorgen für Männlichkeit deaktiviert und damit zur Expression der Weiblichkeit geführt hatte. Ein MIT-Team unter der Leitung des Genetikers David Page hatte anhand solcher Frauen mit XY-Chromosomen das Männlichkeit determinierende Gen auf eine relativ kleine Region des Y-Chromosoms eingegrenzt. Der nächste Schritt war der mühsamste: Gen für Gen musste durchgesiebt werden, um unter den Dutzenden von Genen in dieser Region den richtigen Kandidaten zu finden. Goodfellow machte langsame, stetige Fortschritte, als ihn die verheerende Nachricht erreichte. Im Sommer 1989 erfuhr er, Page habe das Männlichkeit determinierende Gen entdeckt. Da es sich auf dem Y-Chromosom befand, nannte er es *ZFY*.[52]

Anfangs erschien *ZFY* als perfekter Kandidat: Das Gen lag in der richtigen Region des Y-Chromosoms, und seine DNA-Sequenz deutete darauf hin, dass es als zentraler Schalter für Dutzende andere Gene wirken könnte. Bei genauerem Hinschauen stellte Goodfellow jedoch fest, dass der Schuh nicht recht passte: Als man *ZFY* bei Frauen mit Swyer-Syndrom sequenzierte, stellte sich heraus, dass dieses Gen völlig intakt war. Es gab bei diesen Frauen keine Mutation, die eine Störung des Männlichkeitssignals erklärt hätte.

Nachdem *ZFY* disqualifiziert war, setzte Goodfellow seine Suche fort. Das Männlichkeitsgen musste in der von Pages Team identifizierten Region liegen: Offenbar waren sie ihm nahe gekommen, hatten es aber knapp verfehlt. Beim Stöbern in der näheren Umgebung des *ZFY*-Gens stieß Goodfellow 1989 auf einen weiteren vielversprechenden Anwärter: ein kleines, unscheinbares, dicht gepacktes, intronloses Gen mit der Bezeichnung *SRY*.[53] Von Anfang an erschien es als perfekter Kandidat. Das normale *SRY*-Protein war in den Hoden reichlich exprimiert, wie man es von einem geschlechtsdeterminierenden Gen erwarten durfte. Andere Tiere wie Beuteltiere hatten in ihrem Y-Chromosom ebenfalls Varianten dieses Gens – das somit nur Männchen erbten. Den stichhaltigsten Beweis, dass es sich bei *SRY* um das richtige Gen handelte, lieferte eine Untersuchung menschlicher Kohorten: Bei Frauen mit Swyer-Syndrom war dieses Gen eindeutig mutiert, während es bei ihren nicht betroffenen Geschwistern nicht mutiert war.

Goodfellow wollte die Sache jedoch noch mit einem letzten Experiment wasserdicht machen – sein eindrucksvollster Beweis. Wenn das *SRY*-Gen die einzige Determinante der »Männlichkeit« war, was würde passieren, wenn er dieses Gen bei weiblichen Tieren künstlich aktivierte? Würden die Weibchen sich dann unweigerlich in Männchen verwandeln? Als Goodfellow und Robin Lovell-Badge weiblichen Mäusen eine Kopie des *SRY*-Gens einpflanzten, wurden deren Nachkommen erwartungsgemäß mit XX-Chromosomen (also genetisch weiblich) in jeder Zelle geboren. Anatomisch entwickelten sie sich jedoch zu Männchen – bekamen einen Penis und Hoden, bestiegen Weibchen und zeigten alle typischen Verhaltensweisen von Mäuserichen.[54] Indem Goodfellow einen einzigen genetischen Schalter umgelegt hatte, hatte er das Geschlecht eines Organismus verändert – und ein umgekehrtes Swyer-Syndrom hervorgebracht.

• • •

Wird das Geschlecht also nur von einem einzigen Gen bestimmt? Beinahe. Frauen mit Swyer-Syndrom haben in jeder Körperzelle männliche Chromosomen – da eine Mutation das Männlichkeit determinierende Gen jedoch deaktiviert, ist das Y-Chromosom praktisch entmannt (nicht in abwertendem, sondern in rein biologischem Sinne).* Das Vorhandensein des Y-Chromosoms in den Zellen dieser

---

* Das umgekehrte Phänomen ist ebenfalls bemerkenswert. In seltenen Fällen wird das SRY-Gen auf das X-Chromosom verlagert. Dadurch entstehen Menschen mit XX-Chromosomen (also chromosomal weibliche), die jedoch das Männlichkeit determinierende Gen in sich tragen – also das umgekehrte Swyer-Syndrom. Diese Menschen können eine normale männliche Anatomie ausprägen, wobei bei manchen die Hoden kleiner sind oder Lageanomalien durch ausbleibenden Hodenabstieg aufweisen. Solche Kinder empfinden sich in der Regel als männlich. Auch hier dominiert das SRY-Gen Anatomie, Physiologie und Geschlechtsidentität, obwohl es eindeutig den geeigneten Kontext anderer Gene braucht, damit es seine Funktion umfassend erfüllen kann.

Frauen stört allerdings einige Aspekte der weiblichen anatomischen Entwicklung. Insbesondere bilden sich die Brüste nicht richtig aus und die Funktion der Eierstöcke ist nicht normal, was zu einem niedrigen Östrogenspiegel führt. In ihrer Physiologie spüren diese Frauen keinerlei Beeinträchtigung. Die meisten Aspekte der weiblichen Anatomie sind völlig normal ausgebildet: Vulva und Vagina sind intakt und lehrbuchmäßig mit einer Harnröhrenmündung versehen. Erstaunlicherweise ist auch die *Geschlechtsidentität* der Frauen mit Swyer-Syndrom unzweideutig: Nur ein Gen ist deaktiviert, und sie »werden« Frauen. Obwohl zweifellos Östrogen notwendig ist, um die Entwicklung sekundärer Geschlechtsmerkmale zu ermöglichen und bei Erwachsenen einige anatomische Aspekte der Weiblichkeit zu verstärken, herrscht bei Frauen mit Swyer-Syndrom in der Regel nie Verwirrung in Bezug auf Gender und Geschlechtsidentität. Eine Frau schrieb:»Ich identifiziere mich eindeutig mit weiblichen Geschlechterrollen. Ich habe mich immer hundertprozentig als Frau gesehen ... Eine Zeitlang habe ich in einer Jungen-Fußballmannschaft gespielt – ich habe einen Zwillingsbruder; wir sehen uns gar nicht ähnlich – aber ich war definitiv ein Mädchen in einer Jungenmannschaft. Ich passte nicht gut da hinein: Ich habe vorgeschlagen, dass wir unsere Mannschaft ›die Schmetterlinge‹ nennen.«[55]

Frauen mit Swyer-Syndrom sind nicht als »Frauen in einem Männerkörper gefangen«, sondern als Frauen in Frauenkörpern gefangen, die chromosomal (bis auf ein Gen) männlich sind. Eine Mutation in einem einzigen Gen, *SRY*, bewirkt, dass ein (weitgehend) weiblicher Körper – und was entscheidender ist – ein durch und durch weibliches Selbstverständnis entsteht. Es ist so schlicht, einfach und binär, als beuge man sich über den Nachttisch und schalte einen Schalter ein oder aus.*

---

* Was ist mit »Intersexualität« – also mit der Tatsache, dass manche Menschen mit einer Geschlechtsanatomie oder -physiologie geboren werden, die nicht den typischen Definitionen männlicher und weiblicher Körper entspricht? Widerspricht Intersexualität der Vorstellung eines starken binären Genschalters, der die Geschlechtsanatomie und -physiologie steuert? Nein. Das SRY-Gen steht,

. . .

Wenn Gene so einseitig über die geschlechtliche Anatomie bestimmen, wie wirken sie sich dann auf die Geschlechtsidentität aus? Am Morgen des 5. Mai 2004 ging der achtunddreißigjährige David Reimer auf den Parkplatz eines Supermarkts in Winnipeg und tötete sich mit einem Gewehr mit abgesägtem Lauf.[56] David, der 1965 als Bruce Reimer – und als chromosomal und genetisch männlich – geboren wurde, war in früher Kindheit Opfer eines grausigen Beschneidungsversuchs durch einen unfähigen Chirurgen geworden, bei dem sein Penis bleibende Schäden davongetragen hatte. Da eine plastische Rekonstruktion unmöglich war, suchten seine Eltern mit ihm John Money auf, einen Psychiater an der Johns Hopkins University, der international für sein Interesse an Gender und Sexualverhalten bekannt war. Money untersuchte das Kind und schlug den Eltern vor, den Jungen im Rahmen eines Experiments kastrieren zu lassen und als Mädchen aufzuziehen. In dem verzweifelten Bestreben, ihrem Sohn ein »normales« Leben zu ermöglichen, kapitulierten seine Eltern und änderten seinen Namen in Brenda.

Moneys Experiment an David Reimer – für das er nie eine Genehmigung der Universität oder der Klinik beantragte oder erhielt – war ein Versuch, eine in den 1960er Jahren in akademischen Kreisen weitverbreitete Theorie zu testen. Damals erlebte die Vorstellung, Ge-

---

wohlgemerkt, an der Spitze einer Kaskade von Vorgängen, aus denen letztlich Männer beziehungsweise Frauen hervorgehen: Es schaltet Gene *an* und *aus*, und diese aktivieren und reprimieren andere Gennetzwerke, die wiederum diffuse Aspekte der reproduktiven und sexuellen Anatomie und Physiologie produzieren. Variationen in diesen Netzwerkkaskaden, die sich mit Variationen in äußeren Einwirkungen und Umgebungseinflüssen (beispielsweise Hormonen) überschneiden, können zu Variationen der Geschlechtsanatomie führen – *obwohl ein starker binärer Schalter an der Spitze der Kaskade steht.* Auf dieses Thema kommen wir im Folgenden noch mehrfach zurück, also auf die Hierarchien genetischer Netzwerke mit starken, autonomen Treibern an der Spitze und nachgeordneten subtileren Integratoren und Effektoren.

schlechtsidentität sei nicht angeboren, sondern durch Sozialverhalten und kulturelle Nachahmung geprägt (»du bist, was du tust; Erziehung kann Natur überwinden«), gerade ihre Hochblüte, und Money gehörte zu ihren eifrigsten und stimmgewaltigsten Verfechtern. Money, der sich als Henry Higgins der Geschlechtsumwandlung sah, trat dafür ein, die geschlechtliche Identität durch Verhaltens- und Hormontherapie neu auszurichten – in einem von ihm entwickelten jahrzehntelangen Prozess, aus dem seine Testpersonen mit definitiv ausgewechselter Identität hervorgehen sollten. Auf Moneys Rat hin wurde »Brenda« wie ein Mädchen gekleidet und erzogen.[57] Sie trug lange Haare, bekam Puppen und eine Nähmaschine. Ihre Lehrer und Freunde erfuhren nichts von der Geschlechtsumwandlung.

Brenda hatte einen eineiigen Zwillingsbruder – Brian –, der als Junge aufgezogen wurde. Im Rahmen der Studie suchten Brenda und Brian während ihrer Kindheit Moneys Praxis in Baltimore in regelmäßigen, kurzen Abständen auf. Als die Vorpubertät näher rückte, verschrieb Money Brenda Östrogenersatzpräparate, um sie zu feminisieren. Er plante eine chirurgische Konstruktion einer künstlichen Vagina, die ihre anatomische Umwandlung in eine Frau vervollständigen sollte. In einem stetigen Strom weithin zitierter Artikel pries Money den außerordentlichen Erfolg der Geschlechtsumwandlung an. Brenda passe sich ihrer neuen Identität mit völligem Gleichmut an, behauptete er. Ihr Zwillingsbruder Brian sei ein »wilder, rauflustiger« Junge, Brenda dagegen ein »aktives kleines Mädchen«. Sie werde ohne sonderliche Hürden in die Weiblichkeit hineinwachsen, erklärte er. »Geschlechtsidentität ist bei der Geburt hinreichend unzulänglich differenziert, um eine erfolgreiche Umwandlung eines genetisch männlichen Kindes in ein Mädchen zuzulassen.«[58]

In Wirklichkeit hätte er wohl kaum weiter von der Wahrheit entfernt sein können. Mit vier Jahren nahm Brenda eine Schere und zerschnitt die pinkfarbenen und weißen Kleider, die sie tragen musste. Wenn man sie anwies, zu gehen und zu sprechen wie ein Mädchen, bekam sie Wutanfälle. In eine Identität gezwungen, die sie offenkundig als falsch und unpassend empfand, war sie verunsichert, deprimiert, verwirrt, beklommen und häufig rundweg wütend. Laut ihrer Schulzeugnisse war Brenda »wild«, »dominant« und hatte »reichlich körperliche Energie«. Sie weigerte sich, mit Puppen oder mit anderen Mädchen zu spielen, und zog die Spielsachen ihres Bruders vor (mit ihrer Nähmaschine spielte sie nur ein einziges Mal, als sie aus dem Werkzeugkasten ihres Vaters einen Schraubendreher stibitzte und die Maschine Schraube für Schraube zerlegte). Das wohl Verwirrendste für ihre Klassenkameraden war, dass Brenda zwar pflichtgemäß die Mädchentoilette benutzte – dort aber lieber breitbeinig im Stehen urinierte.

Nach 14 Jahren beendete Brenda diese groteske Scharade. Sie verweigerte die Vaginaloperation, setzte die Östrogentabletten ab, ließ sich beidseitig das Brustgewebe entfernen und begann mit Testosteroninjektionen, um wieder männlich zu werden. Sie – er – änderte ihren Namen in David. Er heiratete 1990 eine Frau, aber die Beziehung war von Anfang an sehr schwierig. Bruce/Brenda/David – der Junge, der zu einem Mädchen und dann wieder zum Mann wurde – wechselte weiter sprunghaft zwischen verheerenden Ausbrüchen von Angst, Wut, Verleugnung und Depression. Er verlor seine Arbeit. Die Ehe scheiterte. Kurz nach einem heftigen Streit mit seiner Frau tötete David sich 2004.

David Reimer war kein Einzelfall. In den 1970er und 1980er Jahren wurden noch mehrere andere Fälle von Geschlechtsumwandlung – der versuchten Änderung chromosomal männlicher Kinder in weibliche durch psychische und soziale Konditionierung – beschrieben, jeder auf seine Weise quälend und beunruhigend. Bei manchen war die Geschlechtsidentitätsstörung nicht so akut wie bei David – aber häufig litten die Frauen/Männer bis ins Erwachsenenalter unter quälenden Phasen von Angst, Wut, Missstimmung und Desorientierung. Besonders aufschlussreich war der Fall einer Frau – C. genannt –, die einen Psychiater in Rochester, Minnesota, aufsuchte. Sie trug eine geblümte Rüschenbluse und eine derbe Lederjacke – »mein Leder-und-Spitzen-Look«, wie sie es nannte –, hatte mit manchen Aspekten ihres Zwitterdaseins keine Probleme, aber Schwierigkeiten, sich mit ihrem

»Selbstverständnis als grundlegend weiblich« in Einklang zu bringen.[59]
Sie wurde in den 1940er Jahren als Mädchen geboren und erzogen, erinnerte sich aber, dass sie in der Schule ein regelrechter Wildfang war.
Obwohl sie sich nie als körperlich männlich gesehen hatte, hatte sie immer eine Verwandtschaft mit Männern verspürt (»Ich habe das Gefühl,
ich habe das Gehirn eines Mannes«).[60] Mit Anfang zwanzig heiratete
sie einen Mann und lebte mit ihm zusammen – bis eine zufällige Drei-
ecksbeziehung mit einer Frau bei ihr lesbische Phantasien weckte. Als
ihr Mann die andere heiratete, verließ C. ihn und ging nacheinander
einige Beziehungen mit Frauen ein. Ausgeglichene Phasen wechselten
mit Depressionen. Schließlich schloss sie sich einer Kirche an und
fand eine fürsorgliche spirituelle Gemeinde – abgesehen von einem
Pastor, der gegen ihre Homosexualität wetterte und ihr eine Therapie
empfahl, um sie zu »bekehren«.

Voller Schuldgefühle und Angst suchte sie mit 48 Jahren psychiatrische Hilfe. Im Rahmen der medizinischen Untersuchung schickte
man ihre Zellproben zur Chromosomenanalyse und stellte fest, dass
sie in ihren Zellen XY-Chromosomen hatte. Genetisch war C. also
männlich. Später erfuhr sie, dass sie/er mit unterentwickelten, unein-
deutigen Genitalien geboren worden war und ihre Mutter eingewilligt
hatte, sie durch einen plastisch-chirurgischen Eingriff in eine Frau verwandeln zu lassen. Die Geschlechtsumwandlung hatte begonnen, als
sie sechs Monate alt war, und in der Pubertät hatte man ihr unter dem
Vorwand, eine »Hormonstörung« zu behandeln, Hormone verabreicht.
Während ihrer gesamten Kindheit und Jugend hatte C. nicht den geringsten Zweifel an ihrem Geschlecht gehegt.

Der Fall von C. illustriert, wie wichtig es ist, sorgfältig über den
Zusammenhang von Geschlecht, Gender und Genetik nachzuden-
ken. Im Gegensatz zu David Reimer hatte C. nie Probleme mit den
Geschlechterrollen: Sie trug in der Öffentlichkeit Frauenkleidung,
führte (zumindest für eine Weile) eine heterosexuelle Ehe und verhielt
sich 48 Jahre lang im Rahmen der kulturellen und gesellschaftlichen
Normen, um als Frau zu gelten. Doch trotz ihrer Schuldgefühle in
Hinblick auf ihre Sexualität blieben wesentliche Aspekte ihrer Iden-

tität – Seelenverwandtschaft, Phantasien, Begierden und Erotik – an Männlichkeit gekoppelt. C. hatte durch Sozialverhalten und Nachahmung viele Gender-Merkmale ihres erworbenen Geschlechts erlernt, konnte aber die psychosexuellen Triebe ihres genetischen Ichs nicht verlernen.

Ein Forscherteam an der Columbia University überprüfte diese Fallberichte 2005 in einer Langzeitstudie zu »genetisch männlichen« – also mit XY-Chromosomen geborenen – Personen, die man in der Regel wegen der ungenügenden anatomischen Entwicklung ihrer Genitalien nach der Geburt als weiblich eingestuft hatte.[61] Manche verliefen nicht so schmerzlich wie bei David Reimer oder C. – aber eine überwiegende Mehrheit der als weiblich eingestuften Männer berichtete, dass sie in der Kindheit mäßige bis schwere Geschlechtsidentitätsstörungen erlebt hätten. Viele hatten unter Ängsten, Depressionen und Verwirrung gelitten, und als Jugendliche und Erwachsene hatten sich zahlreiche von ihnen freiwillig einer Rückumwandlung in Männer unterzogen. Am bemerkenswertesten war, dass bei keiner einzigen der »genetisch männlich« geborenen Personen, die nicht als Mädchen, sondern als *Jungen* aufgezogen wurden, Geschlechtsidentitätsstörungen oder eine Geschlechtsumwandlung im Erwachsenenalter dokumentiert war.

Diese Fallberichte setzten der in manchen Kreisen nach wie vor unerschütterlich herrschenden Annahme ein Ende, man könne Geschlechtsidentität vollständig oder auch nur in erheblichem Maße durch Training, Suggestion, Verstärkung, Sozialverhalten oder kulturelle Eingriffe erzeugen oder programmieren. Mittlerweile ist klar, dass Gene wesentlich mehr Einfluss auf die Ausprägung der Geschlechts- und Gender-Identität haben als jeder andere Faktor – obwohl einige wenige Gender-Attribute unter eng begrenzten Bedingungen durch kulturelle, gesellschaftliche und hormonelle Umprogrammierung erlernbar sein können. Da selbst Hormone letztlich »genetisch« – also direkte oder indirekte Genprodukte – sind, grenzt eine Geschlechts-Umprogrammierung allein durch Verhaltenstherapie und kulturelle Verstärkung ans Unmögliche. In der Medizin setzt sich zunehmend die Ansicht durch, dass man Kindern, ungeachtet anatomischer Variationen und Abweichungen, ihr *chromosomales* (also genetisches) Geschlecht zuweisen sollte – mit der Option, im späteren Leben eine Geschlechtsumwandlung vorzunehmen, falls es gewünscht wird. Nach dem gegenwärtigen Stand hat jedoch keines dieser Kinder sich für ein anderes als sein genetisch festgelegtes Geschlecht entschieden.

• • •

Wie lässt sich die Vorstellung eines einzigen genetischen Schalters, der eine der grundlegendsten Dichotomien der menschlichen Identität dominiert, mit der Tatsache vereinbaren, dass die Geschlechtsidentität der Menschen in der realen Welt als breites Spektrum erscheint? Praktisch jede Kultur erkennt an, dass Geschlecht nicht in einer klaren schwarz-weiß Dichotomie, sondern in unzähligen Grautönen existiert. Selbst der für seine Frauenfeindlichkeit berüchtigte österreichische Philosoph Otto Weininger räumte ein: »Sollten wirklich alle ›Weiber‹ und alle ›Männer‹ streng voneinander geschieden sein …? … Nirgends in der Natur ist sonst eine so klaffende Unstetigkeit; wir finden stetige Übergänge von Metallen zu Nichtmetallen, von chemischen Verbindungen zu Mischungen; zwischen Tieren und Pflanzen, zwischen Phanerogamen und Kryptogamen, zwischen Säugetieren und Vögeln gibt es Vermittlungen … Wir werden es nach den hier angeführten Analogien auch hier von vornherein für unwahrscheinlich halten dürfen, daß in der Natur ein Schnitt geführt sei zwischen allen Masculinis einerseits und allen Femininis anderseits.«[62]

Genetisch besteht jedoch gar kein Widerspruch: Masterschalter und eine hierarchische Organisation von Genen sind durchaus mit stetigen Kurvenverläufen bei Verhalten, Identität und Physiologie vereinbar. Das *SRY*-Gen steuert zweifellos die Geschlechtsdetermination wie ein Ein-aus-Schalter: Ist es eingeschaltet, wird ein Tier anatomisch und physiologisch männlich. Ist es ausgeschaltet, wird es anatomisch und physiologisch weiblich.

Um tiefgreifendere Aspekte der Geschlechtsbestimmung und Geschlechtsidentität zu ermöglichen, muss das *SRY*-Gen auf Dutzende andere Gene wirken, diese ein- und ausschalten, manche aktivieren, andere deaktivieren wie in einem Staffellauf, bei dem ein Stab von Hand zu Hand gereicht wird. Diese Gene beziehen wiederum Einflüsse des Ichs und der Umwelt – von Hormonen, Verhaltensweisen, äußeren Einwirkungen, Sozialverhalten, kulturellen Rollen und Erinnerung – in die Gender-Ausprägung ein. Was wir als Geschlecht und Gender bezeichnen, ist also eine verzwickte genetische und entwicklungsmäßige Kaskade mit dem *SRY*-Gen an der Spitze und vielen darunter angeordneten Faktoren, die modifizierende, integrierende, anregende und auslegende Funktionen erfüllen. Diese genetisch-entwicklungsmäßige Kaskade bestimmt die Geschlechtsidentität. Gene sind wie die einzelnen Zeilen eines Backrezepts, um auf einen früheren Vergleich zurückzukommen. Das *SRY*-Gen ist die erste Zeile:»Man nehme vier Tassen Mehl.« Wenn man nicht mit dem Mehl anfängt, wird man sicher nichts backen, was einem Kuchen auch nur nahekommt. Nach dieser Zeile gibt es jedoch unzählige Variationsmöglichkeiten, die vom knusprigen Baguette einer französischen Bäckerei bis zu den chinesischen Mondkuchen mit Eidotterfüllung reichen.

• • •

Die Existenz einer Transgender-Identität ist ein stichhaltiger Beleg für diese genetisch-entwicklungsmäßige Kaskade. In anatomischer und physiologischer Hinsicht ist die geschlechtliche Identität durchaus binär: Nur ein Gen steuert die Geschlechtsidentität, was zu dem auffallenden anatomischen und physiologischen Dimorphismus führt, den wir zwischen Männern und Frauen beobachten. Gender und Geschlechtsidentität sind jedoch alles andere als binär. Man stelle sich ein Gen – nennen wir es: *TGY* – oder ein anderes männliches Hormon oder Signal vor, das die Reaktion des Gehirns auf das *SRY*-Gen steuert. Ein Kind könnte nun eine Variante des *TGY*-Gens erben, die höchst resistent gegen die Wirkung des *SRY*-Gens auf das Gehirn ist; es hätte dann einen anatomisch männlichen Körper, aber ein Gehirn, das diese männlichen Signale nicht liest oder interpretiert. Ein solches Gehirn könnte sich als psychisch weiblich, als weder weiblich noch männlich oder als zu einer dritten Variante gehörig wahrnehmen.

Diese Männer (und Frauen) haben eine Art Swyer-Syndrom der *Identität*: Ihr chromosomales und anatomisches Geschlecht ist männlich (oder weiblich), aber ihr chromosomaler/anatomischer Zustand erzeugt in ihrem Gehirn kein entsprechendes Signal. Ein solches Syndrom lässt sich bei Ratten herbeiführen, indem man ein einzelnes Gen im Gehirn weiblicher Embryonen verändert oder sie mit einem Wirkstoff behandelt, der das Signal für »Weiblichkeit« an das Gehirn blockiert. Weibliche Mäuse, die mit diesem künstlich veränderten Gen ausgestattet oder mit diesem Wirkstoff behandelt wurden, haben alle anatomischen und physiologischen Merkmale der Weiblichkeit, zeigen aber Verhaltensweisen wie männliche Mäuse und besteigen Weibchen: Anatomisch mögen sie zwar weiblich sein, in ihrem Verhalten sind sie aber männlich.[63]

• • •

Die hierarchische Organisation dieser genetischen Kaskade illustriert ein entscheidendes Prinzip, das allgemein für den Zusammenhang zwischen Genen und Umwelt gilt. Die uralte Debatte tobt weiter: Natur oder Erziehung, Gene oder Umwelt? Die Auseinandersetzungen werden schon so lange und mit solcher Animosität geführt, dass beide Seiten kapituliert haben. Heute heißt es, Identität sei bestimmt durch Natur *und* Erziehung, Gene *und* Umwelt, innere *und* äußere Einflüsse. Doch auch das ist Unsinn – ein Waffenstillstand unter Narren. Wenn Gene, welche die Geschlechtsidentität steuern, hierarchisch organisiert sind – vom *SRY*-Gen an der Spitze hinunter in einer fächerförmigen Kaskade aus Tausenden von Informationsbächen –, dann ist die Frage, ob Natur oder Umwelteinflüsse vorherrschen, nicht absolut zu klären, sondern hängt erheblich von der jeweils untersuchten Organisationsebene ab.

An der Spitze der Kaskade ist die Natur nachdrücklich und einseitig am Werk. Dort oben ist Geschlecht ganz einfach nur eine Frage davon, ob ein Mastergen ein- oder ausgeschaltet ist. Würden wir lernen, diesen Schalter – genetisch oder durch Medikamente – zu betätigen, könnten wir die Entstehung von Männern oder Frauen steuern, und sie würden sich mit einer intakten männlichen beziehungsweise weiblichen Identität (und sogar weitgehend intakten Anatomie) entwickeln. Dagegen greift eine rein genetische Betrachtungsweise im unteren Bereich dieses Netzwerks nicht mehr, da sie kein sonderlich ausgereiftes Verständnis von Gender oder Geschlechtsidentität liefert. Hier, im Mündungsdelta sich überkreuzender Informationen kollidieren und überschneiden sich Geschichte, Gesellschaft und Kultur mit der Genetik wie Gezeiten. Manche Wellen heben sich gegenseitig auf, andere verstärken sich. Keine Kraft ist besonders stark – aber in der Kombination erzeugen sie die einzigartige Wellenlandschaft, die wir als Identität des Einzelnen bezeichnen.

Die letzte Meile

Zwillinge, die nichts voneinander wissen,
sollte man besser in Ruhe lassen wie
schlafende Hunde.

William Wright, *Born that Way*[64]

Ob die Geschlechtsidentität bei einem von zweitausend Babys, die mit
nicht eindeutig entwickelten Genitalien zur Welt kommen, angeboren
oder erworben ist, löst in der Regel keine öffentlichen Debatten über
Vererbung, Präferenzen, Perversität und Entscheidungsfreiheit aus,
wohl aber die Frage, ob die sexuelle Identität – die Wahl und Vorliebe
für Sexualpartner – angeboren oder erworben ist. In den 1950er und
1960er Jahren hatte es eine Zeitlang den Anschein, als sei diese Diskussion endgültig abgeschlossen. Unter Psychiatern herrschte die Theorie vor, die sexuelle Präferenz – also Heterosexualität beziehungsweise
Homosexualität – sei erworben, nicht angeboren. Homosexualität galt
als frustrierte Form neurotischer Angst. »Bei vielen heutigen Psycho-
analytikern herrscht der Konsens, dass permanent Homosexuelle wie
alle Perversen Neurotiker sind«, schrieb der Psychiater Sándor Lorand
1956.[65] Ein anderer Psychiater erklärte in den ausgehenden 1960er
Jahren:»Der wahre Feind des Homosexuellen ist weniger seine Perversion als vielmehr seine Unkenntnis der Möglichkeit, dass ihm gehol-
fen werden kann, sowie sein psychischer Masochismus, der ihn dazu
bringt, eine Behandlung zu meiden.«[66]

Der prominente New Yorker Psychiater Irving Bieber, bekannt für seine Versuche, homosexuelle Männer zur Heterosexualität zu bekehren, schrieb 1962 das überaus einflussreiche Werk *Homosexuality: A Psychoanalytic Study of Male Homosexuals*. Darin stellte er die These auf, Homosexualität sei durch eine gestörte Familiendynamik verursacht – durch eine fatale Kombination aus einer erdrückenden Mutter, die häufig eine »enge und [sexuell] intime«, wenn nicht gar offen verführerische Beziehung zu ihrem Sohn pflege, und einem gleichgültigen, distanzierten oder »emotional feindseligen« Vater.[67] Auf solche Kräfte reagierten Jungen mit neurotischem, selbstzerstörerischem und verkrüppelndem Verhalten (»ein Homosexueller ist ein Mensch, dessen heterosexuelle Funktion verkrüppelt ist wie die Beine eines Polioopfers«, lautete ein berühmt-berüchtigter Ausspruch Biebers von 1973).[68] Letztlich manifestiere sich ein unbewusster Wunsch, sich mit der Mutter zu identifizieren und den Vater zu entmannen, bei manchen dieser Jungen in der Entscheidung für ein Leben außerhalb der Norm. Das sexuelle »Polioopfer« nehme, laut Bieber, eine pathologische Daseinsform an wie das Polioopfer einen pathologischen Gang. Bis in die späten 1980er Jahre hatte sich die Vorstellung, Homosexualität stelle eine Entscheidung für einen devianten Lebensstil dar, soweit zu einem Dogma verfestigt, dass der damalige US-Vizepräsident Dan Quayle 1992 voller Überzeugung behauptete: »Homosexualität ist weniger ein biologischer Zustand als vielmehr eine Entscheidung … Es ist eine falsche Entscheidung.«[69]

Die Entdeckung des sogenannten Schwulengens löste im Juli 1993 eine der heftigsten öffentlichen Debatten über Gene, Identität und Entscheidungsfreiheit in der Geschichte der Genetik aus.[70] Anhand dieser Entdeckung zeigte sich die Macht des Gens, die öffentliche Meinung umschlagen zu lassen und die Diskussionsbedingungen nahezu völlig umzukehren. Die Kolumnistin Carol Sarler schrieb im Oktober dieses Jahres in der Zeitschrift *People* (die nicht unbedingt lautstark für radikalen gesellschaftlichen Wandel eintrat): »Was sagen wir über die Frau, die sich für eine Abtreibung entscheidet, statt einen sanften, fürsorglichen Jungen aufzuziehen, der vielleicht – wohlgemerkt nur *viel-*

leicht – als Erwachsener einen anderen sanften, fürsorglichen Jungen lieben wird? Wir sagen, sie ist ein verdorbenes, gestörtes Monstrum, das dem Kind das Leben zur Hölle machen wird – wenn man sie denn zwingt, es zu bekommen. Wir sagen, kein Kind sollte gezwungen sein, sie zur Mutter zu haben.«[71]

Der Ausdruck »sanfter, fürsorglicher Junge« – der weniger die perversen Präferenzen eines Erwachsenen als vielmehr die angeborenen Neigungen eines Kindes illustrieren sollte – stand exemplarisch für die Umkehrung der Debatte. Sobald Gene an der Entwicklung sexueller Präferenzen beteiligt waren, verwandelte sich das homosexuelle Kind augenblicklich in etwas Normales. Seine hasserfüllten Feinde waren die abnormen Monstren.

• • •

Auslöser für die Suche nach dem Schwulengen war weniger Aktivismus als Langeweile. Dean Hamer, ein Forscher am National Cancer Institute, war nicht auf Kontroversen aus und verfolgte nicht einmal Eigeninteressen. Er war zwar bekennender Homosexueller, hatte sich aber nie sonderlich für die Genetik der sexuellen oder sonstigen Identität interessiert. Einen Großteil seines Lebens hatte er behaglich in einem »normalerweise ruhigen staatlichen US-Labor« verbracht, das »vom Boden bis unter die Decke voller Messbecher und Phiolen« stand, und die Regulation eines Gens – des sogenannten Metallothionin oder MT – erforscht, das Zellen für ihre Reaktion auf giftige Schwermetalle wie Kupfer und Zink nutzen.

Im Sommer 1991 flog Hamer nach Oxford zu einem wissenschaftlichen Seminar über Genregulierung. Er hielt seinen üblichen Forschungsvortrag – der wie immer gut aufgenommen wurde –, doch als er die Diskussion eröffnete, hatte er ein äußerst trostloses Déjà-vu-Erlebnis: Die Fragen waren anscheinend genau dieselben, die sein Vortrag schon vor zehn Jahren aufgeworfen hatte. Als der nächste Redner, ein Konkurrent aus einem anderen Labor, Daten präsentierte, die Hamers Arbeit bestätigten und ausweiteten, war Hamer noch niedergeschlagener und entnervter. »Mir wurde klar, dass ich, selbst wenn ich diese Forschung noch weitere zehn Jahre betreiben sollte, bestenfalls hoffen durfte, eine dreidimensionale Replik unseres kleinen [Gen-] Modells zu bauen. Das erschien mir nicht als sonderlich großartiges Lebensziel.«

In einer Pause ging Hamer wie benommen hinaus, während es in seinem Kopf arbeitete. Er betrat die riesige Buchhandlung Blackwell's, stieg hinunter in die konzentrisch angeordneten Räume und stöberte in den Büchern über Biologie. Er kaufte zwei Bände. Der erste war Darwins *Die Abstammung des Menschen und die geschlechtliche Zuchtwahl*, das bei seinem Erscheinen 1871 mit der Behauptung, der Mensch stamme von einem affenartigen Vorfahren ab, eine stürmische Kontroverse ausgelöst hatte (in diesem Werk behandelte Darwin unumwunden die Frage nach der Abstammung des Menschen, der er in seinem Buch *Über die Entstehung der Arten* noch zurückhaltend ausgewichen war).

Für Biologen hat *Die Abstammung des Menschen* einen ähnlichen Stellenwert wie *Krieg und Frieden* für Literaturstudenten: Nahezu jeder Biologe behauptet, das Buch gelesen zu haben, oder scheint zumindest seine Kernthesen zu kennen, aber nur wenige haben es je auch nur aufgeschlagen. Auch Hamer hatte es nie gelesen. Zu seiner Verwunderung stellte er fest, dass Darwin in einem erheblichen Teil des Buches Sex, die Wahl der Sexualpartner und den Einfluss auf Dominanzverhalten und soziale Organisation beschrieb. Offenkundig hatte Darwin den Eindruck, dass die Vererbung starke Auswirkungen auf das Sexualverhalten hatte. Allerdings waren ihm dessen genetische Determinanten – »die letzten Ursachen der Sexualität«, wie Darwin es nannte – rätselhaft geblieben.

Aber die Vorstellung, Sexualverhalten oder andere Verhaltensweisen hingen mit Genen zusammen, war aus der Mode gekommen. Eine andere Ansicht vertrat das zweite Buch, das Hamer kaufte: Richard Lewontin, *Die Gene sind es nicht ...: Biologie, Ideologie und menschliche Natur*.[72] In dem 1984 veröffentlichten Werk griff der Autor die Idee an, die menschliche Natur sei großenteils biologisch determiniert. Elemente menschlichen Verhaltens, die allgemein als genetisch bedingt galten, seien meist nichts weiter als willkürliche, häufig manipulative kulturelle und gesellschaftliche Konstrukte, um Machtstrukturen zu festigen, argumentierte er. »Zweitens gibt es keinen akzeptablen Beweis dafür, daß Homosexualität irgendeine genetische Grundlage hat. ... Die Geschichte ist ganz und gar frei erfunden«, schrieb Lewontin.[73] In Bezug auf die Evolution von Organismen habe Darwin im Großen und Ganzen recht, fand er, nicht aber in Hinblick auf die Evolution menschlicher Identität.

Welche dieser beiden Theorien traf nun zu? Zumindest nach Hamers Einschätzung war die sexuelle Orientierung viel zu grundlegend, als dass sie ausschließlich durch kulturelle Kräfte bestimmt werden könnte. »Warum war Lewontin, ein hervorragender Genetiker, so fest entschlossen, nicht zu glauben, dass Verhalten vererbt werden könne«, fragte sich Hamer. »Konnte er die Verhaltensgenetik im Labor nicht widerlegen und schrieb deshalb eine politische Polemik dagegen? Vielleicht war hier Raum für echte Naturwissenschaft.« Hamer beschloss, einen Schnellkurs in der Genetik des Sexualverhaltens zu machen. Zurück im Labor begann er mit der Forschungsarbeit – aus der Vergangenheit war auf diesem Gebiet jedoch nicht viel zu erfahren. Als Hamer eine Datenbank sämtlicher seit 1966 erschienenen Fachzeitschriften nach Artikeln zu »Homosexualität« und »Genen« durchsuchte, fand er ganze 14 Beiträge. Die Suche nach dem Metallothionin-Gen ergab dagegen 654 Treffer.

Etwas versteckt in der Fachliteratur entdeckte Hamer jedoch einige wenige vielversprechende Hinweise. In den 1980er Jahren hatte ein Psychologieprofessor namens J. Michael Bailey die Genetik der sexuellen Orientierung in einer Zwillingsstudie zu erforschen versucht.[74] Dabei war er der klassischen Methode gefolgt: Wenn die sexuelle Orientierung teilweise erblich war, müsste es bei eineiigen Zwillingen häufiger vorkommen, dass beide homosexuell waren, als bei zweieiigen Zwillingen. Durch strategisch platzierte Anzeigen in Schwulenmagazinen und Zeitungen hatte Bailey 110 männliche Zwillingspaare mit mindestens einem homosexuellen Zwilling rekrutiert. (Wenn das heute schon schwierig erscheint, sollte man die Hindernisse für eine solche

Studie 1978 bedenken, als nur wenige Männer sich offen zu ihrer Homosexualität bekannten und sie in manchen US-Bundesstaaten noch unter Strafe stand.)

Als Bailey die Konkordanz der Homosexualität bei Zwillingen untersuchte, kam er zu erstaunlichen Ergebnissen. Von den 56 eineiigen Zwillingspaaren waren in 52 Prozent der Fälle beide homosexuell.* Bei den 54 zweieiigen Zwillingspaaren waren in 22 Prozent der Fälle beide homosexuell – ein Anteil, der geringer war als bei eineiigen Zwillingen, aber immer noch signifikant höher als der geschätzte Anteil von 10 Prozent Homosexuellen in der Gesamtbevölkerung. (Jahre später erfuhr Bailey von erstaunlichen Beispielen wie dem Folgenden: Zwei kanadische Zwillingsbrüder hatte man 1971 nur Wochen nach ihrer Geburt getrennt. Einer war von einer wohlhabenden US-amerikanischen Familie adoptiert worden, der andere war unter völlig anderen Umständen bei seiner leiblichen Mutter in Kanada aufgewachsen. Die beiden Brüder, die sich bis aufs Haar glichen, wussten nichts voneinander, bis sie sich zufällig in einer Schwulenbar in Kanada über den Weg liefen.)[75]

Männliche Homosexualität war nicht nur genetisch bedingt, stellte Bailey fest. Eindeutig wirkten sich auch Einflüsse wie Familie, Freunde, Schule, religiöse Überzeugungen und Gesellschaftsstruktur auf das Sexualverhalten aus – und zwar so stark, dass sich bei eineiigen Zwillingen in 48 Prozent der Fälle einer als homosexuell, der andere als

---

* Ein Teil dieser Konkordanz ließe sich vielleicht durch eine gemeinsame intrauterine Umwelt oder durch Einflüsse während der Schwangerschaft erklären, gegen eine solche These spricht jedoch die Tatsache, dass diese Umwelteinflüsse bei zweieiigen Zwillingen ebenfalls gleich sind, bei ihnen die Konkordanz aber geringer ist als bei eineiigen Zwillingen. Gestärkt wird das genetische Argument auch durch die Tatsache, dass die Konkordanz bei homosexuellen Geschwistern höher ist als in der Allgemeinbevölkerung (wenngleich niedriger als bei eineiigen Zwillingen). Zukünftige Studien offenbaren möglicherweise, dass die sexuelle Präferenz durch eine Kombination aus Umwelteinflüssen und genetischen Faktoren bestimmt wird, aber Gene werden vermutlich ein wichtiger Faktor bleiben.

heterosexuell bezeichnete. Vielleicht bedurfte es äußerer oder innerer Auslöser, damit bestimmte Muster des Sexualverhaltens in Gang gesetzt wurden. Sicher waren die vorherrschenden repressiven Einstellungen zur Homosexualität stark genug, den einen Zwilling zu einer »heterosexuellen« Identität zu bewegen, nicht aber den anderen. Die Zwillingsstudien lieferten jedoch unumstößliche Belege, dass Gene einen stärkeren Einfluss auf Homosexualität hatten als beispielsweise auf Diabetes Typ I (bei dem die Konkordanzrate bei Zwillingen nur 30 Prozent beträgt) und beinahe ebenso stark ist wie bei der Körpergröße (mit einer Konkordanz von etwa 55 Prozent).

Bailey hatte die Debatte über sexuelle Identität grundlegend verändert, weg von dem Gerede über »Entscheidung« und »persönliche Präferenz« der 1960er Jahre, hin zu Biologie, Genetik und Vererbung. Wenn wir Variationen der Körpergröße, die Entwicklung einer Lese-Rechtschreib-Schwäche oder Diabetes Typ I nicht als Frage persönlicher Entscheidungen einstuften, konnten wir es auch bei der sexuellen Identität nicht tun.

Handelte es sich jedoch um ein Gen oder um mehrere? Und um welches? Wo lag es? Hamer brauchte eine wesentlich umfangreichere Studie, um das »Schwulengen« zu identifizieren – vorzugsweise eine Untersuchung in Familien, in denen sich die sexuelle Orientierung über mehrere Generationen hinweg zurückverfolgen ließ. Um solche Forschungen zu finanzieren, brauchte er neue Finanzmittel – aber wo sollte ein Forscher im Staatsdienst, der die Metallothionin-Regulation erforschte, Geld für die Suche nach einem Gen herbekommen, das die menschliche Sexualität beeinflusste?

• • •

Zwei Entwicklungen ermöglichten Hamer Anfang 1991 seine Forschungen. Die erste war die Gründung des Humangenomprojekts. Auch wenn die genaue Sequenz des menschlichen Genoms erst zehn Jahre später vollständig entschlüsselt werden sollte, machte die Kartierung wichtiger genetischer Marker im Humangenom die Jagd nach einem Gen erheblich leichter. Hamers Idee – mit Homosexualität verbundene Gene zu kartieren – wäre noch in den frühen 1980er Jahren methodisch unlösbar gewesen. Zehn Jahre später war sie zumindest theoretisch in Reichweite, da die meisten Chromosomen mit genetischen Markern wie mit einer Festbeleuchtung versehen waren. Die zweite Entwicklung war Aids. Diese Krankheit hatte in den ausgehenden 1980er Jahren den homosexuellen Bevölkerungsanteil dezimiert – und die NIH hatten letztlich auf den häufig mit zivilem Ungehorsam und militanten Protesten einhergehenden Druck von Aktivisten und Patienten Hunderte Millionen US-Dollar für die Aids-Forschung bereitgestellt. In einem taktischen Geniestreich hatte Hamer die Suche nach dem »Schwulengen« an eine mit Aids verbundene Studie gekoppelt. Ihm war bekannt, dass das Kaposi-Sarkom, eine bis dahin seltene, schmerzlose Krebserkrankung, mit auffallender Häufigkeit bei homosexuellen Männern mit Aids auftrat. Möglicherweise standen die Risikofaktoren für das Fortschreiten des Kaposi-Sarkoms in engem Zusammenhang mit Homosexualität, überlegte Hamer – sollte dies der Fall sein, dann könnte die Entdeckung der Gene für das eine zur Identifizierung der Gene für das andere führen. Diese Theorie basierte auf einem spektakulären Irrtum: Später stellte sich heraus, dass das Kaposi-Sarkom durch ein Virus verursacht wird, das sexuell übertragen wird und überwiegend Personen mit geschwächtem Immunsystem befällt, was sein gleichzeitiges Vorkommen mit Aids erklärt. Taktisch war es jedoch ein brillanter Zug: Die NIH bewilligten Hamer 1991 für sein neues Forschungsvorhaben, mit Homosexualität verknüpfte Gene zu finden, 75 000 US-Dollar.

Das Projekt mit dem Namen Protocol #92-C-0078 begann im Herbst 1991.[76] Bis 1992 hatte Hamer 114 homosexuelle Männer für seine Studie gewonnen. Für diese Kohorte wollte er umfangreiche Stammbäume ermitteln, um festzustellen, ob die sexuelle Orientierung in der Familie lag und welchen Erbgang sie nahm, damit er das Gen anschließend kartieren konnte. Ihm war jedoch klar, dass die Kartierung des »Schwulengens« erheblich einfacher wäre, wenn er *Brüder* fände, die beide bekennende Homosexuelle wären. Zwillinge besitzen dieselben Gene, bei Brüdern sind dagegen nur manche Teile des

Genoms gleich. Wenn er nun homosexuelle Brüder ausfindig machen könnte, würde er die Genomabschnitte suchen, die sie gemeinsam hätten, und dabei das »Schwulengen« isolieren. Außer den Stammbäumen brauchte Hamer also noch Genproben solcher Brüder. Sein Budget erlaubte es ihm, diese für ein Wochenende nach Washington fliegen zu lassen und ihnen eine Aufwandsentschädigung von 45 US-Dollar zu zahlen. Die Brüder, die sich häufig einander entfremdet hatten, bekamen eine Wiedervereinigung, und Hamer bekam die Blutproben.

Bis zum Spätsommer 1992 hatte Hamer Informationen über annähernd tausend Familienmitglieder gesammelt und für jeden der 114 Homosexuellen einen Stammbaum angelegt. Im Juni verschaffte er sich am Computer einen ersten Überblick über die Daten. Fast auf Anhieb erlebte er eine befriedigende Bestätigung: Wie in Baileys Studie wiesen Geschwister auch in Hamers Untersuchung eine höhere Konkordanz bei der sexuellen Orientierung auf – mit etwa 20 Prozent lag sie nahezu doppelt so hoch wie in der breiten Bevölkerung, wo sie nur 10 Prozent betrug. Die Studie hatte brauchbare Daten geliefert – aber die Freude erlosch bald. Außer der Konkordanz zwischen homosexuellen Brüdern fand er keinerlei ersichtliches Muster und keine Tendenz.

Hamer war am Boden zerstört. Er versuchte, die Zahlen in Gruppen und Subgruppen zu gliedern, aber ohne Erfolg. Gerade wollte er die auf Papier skizzierten Stammbäume wieder auf die jeweiligen Stapel legen, als er über ein Muster stolperte – eine so subtile Beobachtung, dass nur das menschliche Auge sie erkennen konnte. Beim Zeichnen der Stammbäume hatte er zufällig bei jeder Familie die Verwandten der väterlichen Linie auf der linken, die der mütterlichen Linie auf der rechten Seite platziert. Homosexuelle Männer hatte er rot markiert. Als er die Papiere nun zusammenschob, fiel ihm instinktiv ein Trend auf: Die roten Markierungen häuften sich tendenziell auf der rechten Seite, die unmarkierten Männer auf der linken. Homosexuelle Männer hatten tendenziell homosexuelle Onkel – *allerdings nur auf mütterlicher Seite*. Je länger Hamer die Stammbäume nach homosexuellen Verwandten durchstöberte – ein »Schwule-Ahnen-Projekt«, wie er es nannte –, umso deutlicher zeichnete sich diese Tendenz ab.[77] Bei Vettern in der mütterlichen Linie war die Konkordanz höher – nicht aber bei Vettern der väterlichen Linie. Dabei wiesen die Söhne von Tanten in mütterlicher Linie eine höhere Konkordanz auf als andere Vettern. Dieses Muster setzte sich von Generation zu Generation fort. Für einen erfahrenen Genetiker bedeutete diese Tendenz, dass das »Schwulengen« auf dem X-Chromosom liegen musste. Hamer sah es praktisch schon vor seinem geistigen Auge – ein Erbfaktor, der als Schattenwesen von einer Generation an die nächste weitergegeben wird, nie so penetrant ist wie die charakteristischen Genmutationen der Mukoviszidose oder der Huntington-Krankheit, aber unweigerlich dem Weg des X-Chromosoms folgt. In einem typischen Stammbaum mag ein Großonkel als vielleicht homosexuell gelten. (Familiengeschichten waren in dieser Hinsicht häufig vage. Historisch war Homosexualität von erheblich strengerer Geheimhaltung umgeben als heute – Hamer hatte jedoch Daten über einzelne Familien gesammelt, in denen die sexuelle Identität über zwei oder sogar drei Generationen hinweg bekannt war.) Die Brüder dieses Großonkels haben ausnahmslos heterosexuelle Söhne – Männer geben das X-Chromosom nicht an ihre Söhne weiter (bei allen Männern muss das X-Chromosom von der Mutter stammen). Aber einer der Söhne seiner *Schwester* ist möglicherweise homosexuell, und dessen Schwester könnte ebenfalls einen homosexuellen Sohn haben: Denn bei einem Mann gleichen Teile seines X-Chromosoms den entsprechenden Abschnitten bei seiner Schwester und deren Söhnen. Und so setzt sich das Muster durch die Generationen fort – Großonkel, Onkel, ältester Neffe, Geschwister des Neffen – wie der Rösselsprung des Springers beim Schachspiel. Mit einem Mal war Hamer von einem Phänotyp (sexuelle Präferenz) zu einem potentiellen Genort auf einem Chromosom gelangt: einem Genotyp. Er hatte das »Schwulengen« zwar noch nicht identifiziert, aber er hatte nachgewiesen, dass ein DNA-Abschnitt, der mit der sexuellen Orientierung zusammenhing, sich tatsächlich auf dem Humangenom kartieren ließ.

Aber wo befand es sich auf dem X-Chromosom? Hamer nahm sich
vierzig homosexuelle Brüder vor, von denen er Blutproben genommen
hatte. Angenommen, das »Schwulengen« läge tatsächlich auf einem
kleinen Abschnitt des X-Chromosoms, dann müsste diese spezielle
DNA-Sequenz bei den vierzig Brüdern mit einer signifikant höheren
Häufigkeit gleich sein als bei Brüdern, von denen einer homosexuell,
der andere heterosexuell ist. Mit Hilfe der vom Humangenomprojekt
definierten Marker auf dem Genom und sorgfältiger mathematischer
Analysen begann Hamer, diesen Abschnitt nacheinander auf immer
kleinere Regionen des X-Chromosoms einzugrenzen. Er untersuchte
eine Serie von 22 Markern, die sich über die gesamte Länge des Chromosoms verteilten. Bei den 40 homosexuellen Brüdern fand Hamer,
dass bei 33 von ihnen ein kleiner Abschnitt des X-Chromosoms mit
der Bezeichnung Xq28 gleich war. Nach der Zufallswahrscheinlichkeit
hätte dieser Marker nur bei der Hälfte der Brüder – also 20 – gleich
sein dürfen. Die Wahrscheinlichkeit, dass zusätzliche dreizehn Brüder
denselben Marker besaßen, war verschwindend gering – unter eins zu
zehntausend. Irgendwo in der Nähe von Xq28 befand sich also ein
Gen, das die sexuelle Identität von Männern bestimmte.

• • •

Xq28 wurde auf Anhieb zur Sensation. »Das Telefon klingelte ununterbrochen«, erinnerte sich Hamer. »Vor dem Labor standen Fernseh-
kameraleute Schlange; Mailbox und E-Mail-Postfach quollen über.«[78]
Die konservative Londoner Zeitung *Daily Telegraph* spekulierte, wenn
die Wissenschaft das ›Schwulengen‹ isoliert habe, dann ließe sich »die
Wissenschaft auch nutzen, um es auszumerzen«.[79] »Viele Mütter werden sich moralisch schuldig fühlen«, prognostizierte eine andere Zeitung. »Genetische Tyrannei!«, prangerte eine Schlagzeile an. Ethiker
fragten sich, ob Eltern sich durch eine Genotypbestimmung des Fötus
davor bewahren würden, homosexuelle Kinder zu bekommen. Hamers Forschung »identifiziert zwar eine Chromosomenregion, die sich
bei einzelnen Männern analysieren ließe, aber die Ergebnisse eines
jeden Tests, der auf dieser Forschung basiert, würden wiederum le-

diglich probabilistische Instrumente liefern, wonach sich die sexuelle Orientierung mancher Männer abschätzen ließe«, schrieb ein Autor.[80] Hamer wurde – buchstäblich – von links und von rechts angegriffen.[81] Schwulenfeindliche Konservative argumentierten, indem Hamer Homosexualität auf Genetik reduziere, rechtfertige er sie biologisch. Verfechter der Schwulenrechte warfen ihm dagegen vor, die Phantasievorstellung eines »Schwulentests« zu fördern und damit neuen Mechanismen der Entdeckung und Diskriminierung Vorschub zu leisten.

Hamers Herangehensweise war dagegen – häufig aufreibend – neutral, gründlich und streng wissenschaftlich. Er verfeinerte seine Analyse weiter und unterzog die Xq28-Verknüpfung unterschiedlichen Tests. So fragte er sich, ob Xq28 möglicherweise kein Gen für Homosexualität codierte, sondern ein »Gen für Weibischkeit« (ein Ausdruck, den nur ein Homosexueller in einem wissenschaftlichen Aufsatz verwenden durfte). Das war nicht der Fall: Männer mit dem Abschnitt Xq28 wiesen keine signifikanten Veränderungen ihres genderspezifischen Verhaltens oder herkömmlicher Männlichkeitsaspekte auf. Konnte es sich um ein Gen für passiven Analverkehr handeln (»Ist es das ›Hintern-hoch-Gen‹?«, fragte er sich). Wieder gab es keine Korrelation. Konnte es mit Aufsässigkeit zu tun haben? Mit einer Tendenz, sich repressiven gesellschaftlichen Sitten zu widersetzen? War es ein Gen für widerspenstiges Verhalten? Hamer prüfte eine Hypothese nach der anderen, fand aber keinen Zusammenhang. Nachdem er sämtliche Möglichkeiten erschöpfend ausgeschlossen hatte, blieb nur noch eine Schlussfolgerung übrig: Die männliche sexuelle Identität war teilweise von einem Gen in der Nähe von Xq28 bestimmt.

• • •

Nachdem Hamers Artikel 1993 in der Zeitschrift *Science* erschienen war, versuchten mehrere Gruppen, seine Daten zu erhärten.[82] Sein eigenes Team veröffentlichte 1995 eine umfangreichere Untersuchung, die Hamers ursprüngliche Studie bestätigte. Eine kanadische Gruppe versuchte 1999, seine Studie mit einer kleinen Stichprobe homosexueller Brüder zu wiederholen, fand aber keine Kopplung mit Xq28. Die bislang wohl umfangreichste Studie analysierte 2005 ganze 456 Brüder.[83] Sie fand zwar keine Kopplung mit Xq28, wohl aber eine Verknüpfung mit den Chromosomen 7, 8 und 10. Eine detaillierte Untersuchung von 409 Brüdern bestätigte 2015 den Zusammenhang mit Xq28 – wenn auch nur schwach – und die zuvor entdeckte Verbindung zu Chromosom 8.[84]

Das vielleicht Faszinierendste an all diesen Studien ist, dass bislang keine tatsächlich ein Gen isoliert hat, das die sexuelle Identität beeinflusst. Die Kopplungsanalyse identifiziert nicht das Gen, sondern lediglich eine Chromosomenregion, in der ein Gen vielleicht zu finden ist. Nach annähernd zehnjähriger intensiver Suche haben Genetiker kein »Schwulengen«, sondern einige wenige »Schwulengenorte« entdeckt. Manche der Gene an diesen Orten sind tatsächlich verlockende Kandidaten für Regulatoren des Sexualverhaltens – aber keines könnte experimentell mit Homo- oder Heterosexualität in Verbindung gebracht werden. So codiert ein Gen in der Xq28-Region ein Protein, von dem man weiß, dass es den Testosteronrezeptor, einen bekannten Mediator des Sexualverhaltens, reguliert.[85] Ob es sich dabei jedoch um das seit langem gesuchte »Schwulengen« auf Xq28 handelt, ist nach wie vor nicht bekannt.

Es könnte sogar sein, dass es sich bei dem »Schwulengen« gar nicht um ein Gen im herkömmlichen Sinne handelt. Möglicherweise ist es lediglich ein DNA-Abschnitt, der ein Gen in der Nähe reguliert oder ein weitentferntes Gen beeinflusst. Vielleicht sitzt es in einem Intron – einer jener DNA-Sequenzen, die Gene in verschiedene Module gliedern. Welche molekulare Form diese Determinante auch haben mag, eines steht jedenfalls fest: Früher oder später werden wir die genaue Beschaffenheit der Erbfaktoren entdecken, welche die sexuelle Identität des Menschen beeinflussen. Ob Hamer bezüglich Xq28 recht hat oder nicht, ist unerheblich. Die Zwillingsstudien deuten klar darauf hin, dass es im Humangenom mehrere Determinanten gibt, die sich auf die sexuelle Identität auswirken, und in dem Maße, wie Genetiker wirkungsvollere Methoden für die Kartierung, Identifizierung und Kategorisierung von Genen entdecken, werden wir unweigerlich einige dieser Determinanten finden. Vermutlich sind diese Faktoren ebenso wie beim Geschlecht hierarchisch organisiert – mit Masterregulatoren an der Spitze und komplexen Integratoren und Modifikatoren darunter. Doch anders als beim Geschlecht wird die sexuelle Identität wahrscheinlich nicht von einem einzigen Masterregulator gesteuert. Wesentlich wahrscheinlicher ist, dass verschiedene Gene mit kleinen Auswirkungen – besonders Gene, die Umwelteinflüsse modulieren und integrieren – an der Determination der sexuellen Identität beteiligt sind. Es dürfte wohl kein *SRY* für Heterosexualität geben.

• • •

Die Veröffentlichung von Hamers Artikel über das »Schwulengen« fiel zeitlich mit dem machtvollen Wiederaufleben der Vorstellung zusammen, dass Gene verschiedene Verhaltensweisen, Impulse, Persönlichkeiten, Begierden und Temperamente beeinflussen könnten – eine Idee, die nahezu zwanzig Jahre lang völlig aus der Mode gekommen war. Der renommierte englisch-australische Biologe Macfarlane Burnet hatte 1971 in seinem Buch *Genes, Dreams and Realities* geschrieben: »Es versteht sich von selbst, dass die Gene, mit denen wir geboren werden, zusammen mit dem Rest unseres funktionsfähigen Ichs die Grundlage unserer Intelligenz, unseres Temperaments und unserer Persönlichkeit bilden.«[86] Um die Mitte der 1970er Jahre war Burnets Sicht jedoch bereits alles andere als »selbstverständlich«. Die Vorstellung, ausgerechnet Gene könnten Menschen für ein bestimmtes »funktionsfähiges Ich« – mit speziellen Varianten von Temperament, Persönlichkeit und Identität – prädisponieren, war kurzerhand aus den Universitäten verdrängt worden. »Von den 1930er bis in die 1970er Jahre herrschte in der psychologischen Theorie und Forschung … eine Sicht vor, die Umwelteinflüsse in den Vordergrund rückte«, schrieb die Psychologin Nancy Segal. »Abgesehen von der Tatsache, dass der Mensch mit einer allgemeinen Lernfähigkeit geboren wird, erklärte man menschliches Verhalten nahezu ausschließlich durch Kräfte, die außerhalb des Individuums lagen.«[87] Ein Kleinkind galt als »Arbeits-speicher, auf den die Kultur jede Menge von Betriebssystemen herun-terladen konnte«, erinnerte sich ein Biologe.[88] Die Psyche eines Kindes war wie unendlich geschmeidiger Knetgummi, der sich in jede Form bringen und in jede Kleidung zwingen ließ, indem man die Umgebung änderte oder das Verhalten umprogrammierte (daher rührte auch die verblüffende Leichtgläubigkeit, die Experimente wie John Moneys Versuch möglich machte, Geschlechtsidentität durch Verhaltens- und Kulturtherapien endgültig zu verändern). Ein Psychologiestudent, der in den 1950er Jahren an die Yale University kam, war bestürzt über die dogmatische Ablehnung der Genetik, die in seinem neuen Fachbereich herrschte: »Wir bezahlten Yale dafür, uns jegliche Küchenweisheiten über erbliche Merkmale [als Triebkraft und Einfluss auf menschliches Verhalten], die wir auch immer nach New Haven mitgebracht haben mochten, als Schwachsinn auszutreiben.«[89] In dieser Umwelt ging es nur um Umwelteinflüsse.

Die Rückkehr zum Angeborenen – das Auftauchen des Gens als we-sentlicher Triebkraft psychischer Impulse – war nicht leicht zu bewerk-stelligen. Dazu war es notwendig, eine klassische Arbeitsmethode der Humangenetik teilweise völlig neu zu erfinden: die viel geschmähte, häufig missverstandene Zwillingsstudie. Solche Untersuchungen hatte es schon im nationalsozialistischen Deutschland gegeben – man denke nur an Mengeles makabre Besessenheit von Zwillingen –, aber sie waren in eine konzeptuelle Sackgasse geraten. Genetikern war das Problem klar, dass sich anhand eineiiger Zwillinge, die in derselben Familie aufgewachsen waren, die verflochtenen Stränge von Natur und Umwelteinflüssen nicht entwirren ließen. Da sie in derselben Fa-milie mit denselben Eltern aufwuchsen, häufig in derselben Klasse von denselben Lehrern unterrichtet, gleich gekleidet, ernährt und erzogen wurden, boten sie keine offenkundige Möglichkeit, die Auswirkungen der Gene von denen der Umwelt zu unterscheiden.

Durch den Vergleich eineiiger und zweieiiger Zwillinge ließ sich die-ses Problem teilweise lösen, da zweieiige Zwillinge in derselben Umwelt aufwachsen, aber durchschnittlich nur zur Hälfte die gleichen Gene haben. Kritiker wandten jedoch ein, auch solche Vergleichsstudien wiesen wesentliche Mängel auf. Eltern behandelten eineiige Zwillinge möglicherweise gleicher als zweieiige. So war bekannt, dass eineiige Zwillinge ähnlichere Ernährungs- und Wachstumsmuster aufwiesen als zweieiige – aber war das auf die natürlichen Anlagen oder auf die Umwelt zurückzuführen? Eineiige Zwillinge könnten sich auch als Reaktion aufeinander gegensätzlich verhalten, um sich voneinander zu unterscheiden – so wählten meine Mutter und ihre Zwillingsschwester häufig bewusst Lippenstifte in unterschiedlichen Farbtönen –, aber war diese Ungleichheit genetisch angelegt oder eine Reaktion auf die Gene?

• • •

Ein Wissenschaftler aus Minnesota stieß 1979 auf einen Ausweg aus dieser Sackgasse. Eines Abends im Februar fand der Verhaltenspsychologe Thomas Bouchard einen Zeitungsartikel, den ein Student ihm ins Postfach gelegt hatte. Es ging um eine ungewöhnliche Geschichte eineiiger Zwillinge aus Ohio, die man unmittelbar nach der Geburt getrennt und von verschiedenen Familien hatte adoptieren lassen und die im Alter von dreißig Jahren eine erstaunliche Wiedervereinigung erlebt hatten. Diese Brüder gehörten offenbar zu einer äußerst seltenen Gruppe – eineiige Zwillinge, die zur Adoption freigegeben wurden und getrennt aufwuchsen –, die jedoch eine vielversprechende Möglichkeit bot, die Auswirkungen menschlicher Gene zu untersuchen. Denn diese Zwillinge besaßen zwangsläufig die gleichen Gene, hatten aber häufig drastisch unterschiedliche Umwelteinflüsse erlebt. Wenn Bouchard nun solche von Geburt an getrennten Zwillinge mit anderen verglich, die zusammen aufgewachsen waren, könnte er die Auswirkungen der Gene von denen der Umwelt unterscheiden. Denn Übereinstimmungen bei solchen Zwillingen ließen sich nicht auf die Umwelt zurückführen, sondern konnten nur die Erbeinflüsse widerspiegeln.

Bouchard begann 1979, solche Zwillinge für seine Studie zu rekrutieren. Ende der 1980er Jahre hatte er die weltweit größte Kohorte getrennt und zusammen aufgewachsener Zwillinge zusammengestellt. Bouchard nannte seine Studie Minnesota Study of Twins Reared Apart (kurz MISTRA).[90] Im Sommer 1990 präsentierte sein Team eine umfassende Analyse in einem Artikel in der Zeitschrift *Science*.* Die Forscher hatten Daten von 56 getrennt aufgewachsenen eineiigen Zwillingen und von 30 getrennt aufgewachsenen zweieiigen Zwillingen gesammelt. Außerdem hatten sie aus früheren Studien Daten über 331 zusammen aufgewachsene (eineiige und zweieiige) Zwillinge ausgewertet. Die Zwillingspaare stammten aus einer großen Bandbreite sozioökonomischer Schichten, wobei häufig eine erhebliche Kluft innerhalb eines Paares bestand (einer wuchs in einer armen Familie auf, der andere wurde von einer wohlhabenden Familie adoptiert). Ebenso große Unterschiede gab es bei der Wohngegend und im ethnischen Umfeld. Zur Einschätzung der Umwelt ließ Bouchard die Zwillinge genaue Beschreibungen ihrer Wohnungen, Schulen, Büros, Verhaltensweisen, Entscheidungen, Ernährung, Belastungen und Lebensweisen anfertigen. Als Indikatoren der »kulturellen Schicht« erhob Bouchards Team einfallsreich, ob die Familie »ein Fernrohr, ein Großwörterbuch oder ein Originalkunstwerk« besaß.

Die wesentlichen Ergebnisse präsentierte der Artikel in einer einzigen Tabelle – ungewöhnlich für die Zeitschrift *Science*, deren Beiträge in der Regel unzählige Diagramme enthalten. Über annähernd elf Jahre hinweg hatte die Minnesota-Gruppe Zwillinge immer wieder einer Flut körperlicher und psychologischer Tests unterzogen. Bei einem Test nach dem anderen wiesen die Zwillinge durchgängig auffallende Übereinstimmungen auf. Die Korrelationen bei den körperlichen Merkmalen hatte man erwartet: So war die Anzahl der Rillen beim Fingerabdruck des Daumens mit einer Korrelation von 0,96 praktisch identisch (der Wert 1 steht für völlige Konkordanz oder absolute Gleichheit). Auch Intelligenztests ergaben eine starke Korrelation von 0,70 und erhärteten frühere Forschungsergebnisse. Doch selbst bei den rätselhaftesten und tiefgreifendsten Aspekten von Per-

---

* Frühere Versionen erschienen bereits 1984 und 1987.

sönlichkeit, Vorlieben, Verhalten, Einstellungen und Temperament, die mit verschiedenen unabhängigen Tests breit erfasst wurden, zeigte sich eine hohe Korrelation von 0,50 bis 0,60 – praktisch ebenso hoch wie bei eineiigen Zwillingen, die zusammen aufgewachsen waren. (Einen Eindruck von der Stärke dieser Verknüpfung vermittelt der Vergleich, dass die Korrelation zwischen Körpergröße und Gewicht bei menschlichen Populationen zwischen 0,60 und 0,70 liegt und die zwischen Bildungsabschluss und Einkommen bei etwa 0,50. Die Konkordanz bei Diabetes Typ 1, einer eindeutig genetisch bedingten Krankheit, beträgt bei Zwillingen lediglich 0,35.)

Die faszinierendsten Übereinstimmungen, die diese Minnesota-Studie feststellte, waren zugleich die überraschendsten. Bei den getrennt aufgewachsenen Zwillingen war die Konkordanz der gesellschaftlichen und politischen Einstellungen ebenso hoch wie bei den zusammen aufgewachsenen: Liberale gesellten sich zu Liberalen, Konservative zu Konservativen. Auch bei Religiosität und Glauben herrschten auffallende Übereinstimmungen: Zwillinge waren entweder beide gläubig oder nichtgläubig. Eine signifikante Korrelation bestand auch beim Traditionalismus und der »Bereitschaft, sich Autorität zu beugen«. Das Gleiche galt für Eigenschaften wie »Durchsetzungsvermögen, Führungsansprüche oder Freude an Aufmerksamkeit«.

Weitere Studien zu eineiigen Zwillingen bestätigten die Auswirkungen der Gene auf Persönlichkeit und Verhalten des Menschen. So fand man bei Neugier und Impulsivität eine erstaunlich hohe Korrelation. Zwillinge teilten tatsächlich Erfahrungen, von denen man eigentlich hätte meinen können, sie seien überaus persönlich. »Empathie, Altruismus, Gerechtigkeitssinn, Liebe, Vertrauen, Musik, Wirtschaftsverhalten und sogar Politik beruhen partiell auf Veranlagung.«[91] Ein verwunderter Beobachter schrieb: »Eine erstaunlich hohe genetische Komponente stellte man bei der Fähigkeit fest, sich von einem ästhetischen Erlebnis wie einem Symphoniekonzert begeistern zu lassen.«[92] Wenn zwei Brüder, die nach der Geburt getrennt wurden und geographisch und wirtschaftlich auf verschiedenen Kontinenten aufwuchsen, sich abends vom selben Chopin-Nocturne zu Tränen rühren ließen,

reagierten sie offenbar auf eine subtile gemeinsame Saite, die in ihrem
Genom angeschlagen wurde.

• • •

Bouchard hatte Merkmale erfasst, soweit sie messbar waren – das
seltsame Gefühl, das solche Übereinstimmungen auslösten, lässt sich
jedoch ohne konkrete Beispiele nicht vermitteln. Daphne Goodship
und Barbara Herbert waren Zwillinge aus England.[93] Ihre Mutter, eine
ledige finnische Austauschstudentin, hatte sie 1939 zur Welt gebracht
und vor ihrer Rückkehr nach Finnland zur Adoption freigegeben. Die
Zwillinge wuchsen getrennt auf – Barbara als Tochter eines städtischen
Gärtners in der unteren Mittelschicht, Daphne als Tochter eines prominenten Metallurgen in der Oberschicht. Beide lebten in der Nähe
von London, angesichts der strikten englischen Klassengesellschaft
der 1950er Jahre hätten sie jedoch ebenso gut auf unterschiedlichen
Planeten aufwachsen können.

In Minnesota waren Bouchards Mitarbeiter jedoch immer wieder
verblüfft über die Ähnlichkeiten der Zwillingsschwestern. Beide brachen beim kleinsten Anlass in unkontrollierbares Gekicher aus (darum
nannten sie die beiden die »Kicherzwillinge«) und spielten den Mitarbeitern wie auch der jeweils anderen Streiche. Beide waren 1,60 Meter
groß und hatten krumme Finger. Beide hatten ihr graubraunes Haar
in einem ausgefallenen Rotbraunton gefärbt. Bei Intelligenztests erreichten beide die gleichen Werte. Beide waren als Kinder eine Treppe
hinuntergefallen und hatten sich den Knöchel gebrochen; beide hatten
daher Höhenangst, und beide hatten trotz einer gewissen Unbeholfen-
heit Tanzstunden genommen. Beide hatten dabei ihren zukünftigen
Ehemann kennengelernt.

Zwei Zwillingsbrüder, die man 37 Tage nach der Geburt getrennt
und beide nach der Adoption in Jim umbenannt hatte, wuchsen etwa
130 Kilometer voneinander entfernt in einer Industrieregion im nörd-
lichen Ohio auf. Beide hatten sich in der Schule schwergetan. »Beide
fuhren Chevrolets, beide waren Kettenraucher und rauchten Salem,
beide liebten Sport, besonders Stockcar-Rennen, mochten aber kein

Baseball ... Beide Jims hatten Frauen namens Linda geheiratet. Beide hatten einen Hund, den sie Toy genannt hatten ... Einer hatte einen Sohn namens James Allan; der Sohn des anderen hieß James Alan. Beide hatten sich einer Sterilisation unterzogen und beide hatten leicht erhöhten Blutdruck. Beide hatten etwa im selben Alter Übergewicht entwickelt und zur selben Zeit wieder abgenommen. Beide litten unter Migräneanfällen, die etwa einen halben Tag dauerten und auf keinerlei Medikamente ansprachen.«[94]

Zwei Zwillingsschwestern, die man unmittelbar nach der Geburt getrennt hatte, trugen, als sie aus unterschiedlichen Flugzeugen stiegen, jeweils sieben Ringe.[95] Zwei Zwillingsbrüder, von denen einer in Trinidad jüdisch, der andere in Deutschland katholisch erzogen wurde, trugen ähnliche Kleidung – unter anderem blaue Oxford-Hemden mit Schulterklappen und vier Taschen – und hatten die gleichen Marotten; so hatten sie immer zerknüllte Papiertaschentücher in den Taschen und betätigten die Toilettenspülung zweimal: einmal vor und einmal nach Benutzung des WCs.[96] Beide konnten ein vorgetäuschtes Niesen strategisch – als »Scherz« – einsetzen, um angespannte Gesprächssituationen aufzulockern. Beide neigten zu Jähzorn und zu plötzlichen Angstattacken.

Ein Zwillingspaar hatte die Angewohnheit, sich auf dieselbe Art die Nase zu reiben, und hatte dafür ein neues Wort erfunden: *squidging* – obwohl sie sich nie begegnet waren.[97] Bei zwei Zwillingsschwestern in Bouchards Studie zeigte sich das gleiche Muster von Ängsten und Verzweiflung. Beide gaben an, dass sie als Jugendliche vom gleichen Albtraum geplagt wurden: Nachts hatten sie das Gefühl zu ersticken, weil man ihnen verschiedene – aber durchweg metallische – Gegenstände in die Kehle stopfte: »Türknäufe, Nadeln und Angelhaken«.[98]

Manche Merkmale waren bei den getrennt aufgewachsenen Zwillingen jedoch recht unterschiedlich. Daphne und Barbara sahen sich sehr ähnlich, aber Barbara war zwanzig Pfund schwerer (trotz des Gewichtsunterschiedes hatten beide den gleichen Blutdruck und Puls). Der in Deutschland aufgewachsene Bruder des katholisch/jüdischen Paares war als junger Mann ein eingefleischter deutscher Nationalist gewesen, während sein Bruder die Sommer in einem Kibbuz verbracht hatte. Beide hatten jedoch einen gewissen Glaubenseifer und eine Unbeugsamkeit gemeinsam, auch wenn ihre Überzeugungen inhaltlich beinahe diametral entgegengesetzt waren. Das Bild, das sich aus der Minnesota-Studie ergab, zeigte nicht etwa, dass getrennt aufgewachsene eineiige Zwillinge gleich wären, sondern dass sie eine starke Tendenz zu gleichen oder konvergenten Verhaltensweisen hatten. Was sie gemeinsam hatten, war nicht ihre Identität, sondern die erste Ableitung der Identität.

• • •

Der israelische Genetiker Richard Ebstein las in den frühen 1990er Jahren Studien über Subtypen menschlicher Temperamente und war fasziniert: Einige dieser Studien verlagerten das Verständnis der Persönlichkeit und des Temperaments – weg von Kultur und Umwelteinflüssen, hin zu den Genen. Doch ebenso wie Hamer wollte auch Ebstein die eigentlichen Gene finden, die unterschiedliche Verhaltensformen steuern. Bereits zuvor hatte man Zusammenhänge zwischen Genen und Temperament festgestellt: Psychologen hatten bei Kindern mit Down-Syndrom schon lange eine außerordentliche, fast überirdische Sanftheit bemerkt, während andere genetische Syndrome mit Gewaltausbrüchen und Aggression einhergingen. Ebstein interessierte sich jedoch nicht für die pathologischen Grenzbereiche, sondern für normale Temperamentsvarianten. Extreme genetische Veränderungen konnten offenbar zu extremen Varianten des Temperaments führen. Aber gab es auch »normale« Genvarianten, die normale Persönlichkeitstypen beeinflussten?

Ebstein war klar, dass er, um solche Gene zu finden, zunächst rigorose Definitionen für die Subtypen des Temperaments brauchte, die er mit Genen in Zusammenhang bringen wollte. In den ausgehenden 1980er Jahren hatten Psychologen, die Variationen des menschlichen Temperaments erforschten, behauptet, sie könnten anhand eines Fragebogens mit nur hundert Ja-/Nein-Fragen effektiv Persönlichkeiten nach vier archetypischen Dimensionen einteilen: *Neugierverhalten* (impulsiv oder vorsichtig), *Belohnungsabhängigkeit* (warm oder kalt), *Gefahrenvermeidung* (ängstlich oder ruhig) und *Beharrungsvermögen* (ausdauernd oder leicht entmutigt). Zwillingsstudien deuteten bei allen diesen Persönlichkeitstypen auf eine starke genetische Komponente hin: Eineiige Zwillinge erreichten bei diesen Fragebögen eine Konkordanz von über 50 Prozent.

Einer dieser Subtypen weckte Ebsteins besonderes Interesse. Neugierige Menschen, die ständig nach Neuem strebten, – »Neophile« – zeichneten sich durch »Impulsivität, Forscherdrang, Unbeständigkeit, Erregbarkeit und Extravaganz« aus (man denke etwa an Jay Gatsby, Emma Bovary, Sherlock Holmes). Dagegen waren »Neophobe« als »nachdenklich, unbeugsam, loyal, stoisch, bedächtig und genügsam« charakterisiert (man denke etwa an Nick Carraway, an den ewig leidenden Charles Bovary oder den ständig in den Schatten gestellten Dr.Watson). Die extremsten Neophilen – die größten unter den Gatsbys – schienen praktisch süchtig nach Stimulation und Erregung zu sein. Von den Ergebnissen abgesehen, war selbst ihr Verhalten während der Tests von ihrem Temperament geprägt. Manche ließen Fragen unbeantwortet, andere liefen im Raum hin und her und suchten nach Möglichkeiten, hinauszukommen, einige waren hoffnungslos und unerträglich gelangweilt.

Ebstein stellte eine Kohorte von 124 Freiwilligen zusammen und bat sie, standardisierte Fragebögen auszufüllen, um neugieriges Verhalten zu messen (»probieren Sie häufig Dinge nur zum Spaß aus, selbst wenn die meisten es für Zeitverschwendung halten?«, »Wie oft tun Sie etwas aufgrund Ihres momentanen Gefühls, ohne darüber nachzudenken, wie es früher gemacht wurde?«). Nun bestimmte er mit molekularen und genetischen Verfahren die Genotypen dieser Stichprobe für eine begrenzte Auswahl von Genen und stellte fest, dass bei den extremsten Neophilen eine genetische Determinante überproportional häufig vorkam: eine Variante des Dopaminrezeptor-Gens *D4DR*. (Diese Art von Analyse bezeichnet man als *Assoziationsstudie*, da sie Gene anhand ihrer Verknüpfung mit einem bestimmten Phänotyp – in diesem Fall mit extremer Impulsivität – identifiziert.)[99]

Der Neurotransmitter Dopamin – ein Molekül, das chemische Signale zwischen den Neuronen im Gehirn übermittelt – ist vor allem daran beteiligt, dem Gehirn »Belohnung« zu signalisieren. Er gehört zu den stärksten neurochemischen Signalen, die wir kennen: Gibt man einer Ratte einen Hebel, der das auf Dopamin reagierende Belohnungszentrum im Gehirn elektrisch stimuliert, so wird sie verhungern, weil sie Essen und Trinken vernachlässigt.

D4DR fungiert als »Andockstation« für Dopamin, die das Signal an ein auf Dopamin reagierendes Neuron weiterleitet. Die mit Neugier verknüpfte Variante, »D4DR-7 repeat«, dämpft die Reaktion auf Dopamin biochemisch und bewirkt dadurch möglicherweise, dass mehr externe Stimulation erforderlich ist, um das gleiche Maß an Belohnung zu empfinden. Es ist vergleichbar mit einem leicht verklemmten Schalter oder einem in Samt gehüllten Telefonhörer: Man muss stärker drücken oder lauter sprechen, damit das Signal durchdringt. Neophile versuchen, das Signal zu verstärken, indem sie ihr Gehirn mit immer höheren Risiken stimulieren. Sie sind wie Drogenabhängige oder wie die Ratten in dem Dopamin-Belohnungsexperiment – nur ist die »Droge« in diesem Fall eine Hirnchemikalie, die Erregung signalisiert.

Ebsteins Studie wurde von mehreren anderen Forschergruppen bestätigt. Wie schon die Minnesota-Zwillingsstudien vermuten lassen, ist D4DR interessanterweise nicht »Ursache« einer Persönlichkeit oder eines Temperaments, sondern bewirkt eine *Neigung* zu einem Temperament, das Stimulation oder Erregung sucht – also die erste Ableitung der Impulsivität. Die genaue Beschaffenheit der Stimulation variiert von einem Kontext zum anderen. Diese Neigung kann bei Menschen die herausragendsten Eigenschaften hervorbringen – Forscherdrang, Leidenschaft, Schaffensdrang –, sie kann aber auch in eine Abwärtsspirale von Impulsivität, Sucht, Gewalt und Depression führen. Die Variante D4DR-7 repeat wurde ebenso mit Ausbrüchen fokussierter Kreativität wie mit einer Aufmerksamkeitsdefizitstörung in Verbindung gebracht – was nur solange paradox erscheint, bis man begreift, dass beide auf denselben Impuls zurückgehen können. Äußerst kontroverse Studien katalogisierten die geographische Verteilung dieser *D4DR*-Variante. Demnach kommt diese Genvariante mit größerer Häufigkeit bei Nomaden und wandernden Populationen vor. Je weiter man sich vom Ursprungsort menschlicher Verbreitung in Afrika entfernt, umso häufiger ist sie. Vielleicht war der subtile Drang, den die *D4DR*-Variante bewirkt, der Antrieb für die Auswanderung aus Afrika, der unsere Vorfahren aufs Meer hinauszog.[100] Viele Merkmale unserer rastlosen, begierigen Moderne sind möglicherweise Produkte eines rastlosen, begierigen Gens.

Studien zur *D4DR*-Variante ließen sich jedoch nur schwer in anderen Populationen und anderen Kontexten wiederholen. Das liegt sicher teilweise an der Tatsache, dass das Streben nach Neuem vom Alter abhängt. Bei Fünfzigjährigen ist der Forscherdrang in seinen vielfältigen Formen größtenteils erloschen. Zudem wirken sich auch geographische und ethnische Variationen auf den Einfluss des *D4DR*-Gens auf das Temperament aus. Der wahrscheinlichste Grund für mangelnde Reproduzierbarkeit liegt jedoch in der relativ schwachen Wirkung der *D4DR*-Variante. Nach Einschätzung eines Forschers lässt sich die Varianz in der Neugier Einzelner nur zu fünf Prozent auf die Wirkung von *D4DR* zurückführen. Vermutlich ist es nur ein Gen unter vielen – bis zu zehn –, die diesen speziellen Persönlichkeitsaspekt determinieren.

• • •

Geschlechtsidentität. Sexuelle Präferenz. Temperament. Persönlichkeit. Impulsivität. Ängstlichkeit. Entscheidungsfreiheit. Die geheimnisvollsten Bereiche menschlichen Erlebens wurden nacheinander immer weiter von Genen eingekreist. Verhaltensaspekte, die man weitgehend oder sogar ausschließlich auf Kultur, Entscheidungen und Umgebung oder auf die persönlichen Ich- und Identitätskonstruktionen zurückgeführt hatte, erwiesen sich überraschenderweise als von Genen beeinflusst.

Vielleicht ist aber das wirklich Überraschende, dass wir überhaupt überrascht sind. Wenn wir akzeptieren, dass Genvariationen diffuse

Aspekte menschlicher Krankheiten beeinflussen können, sollte es uns kaum wundern, dass sie auch Auswirkungen auf ebenso diffuse Aspekte der *Normalität* haben können. Es liegt eine grundlegende Symmetrie in der Vorstellung, dass der Mechanismus, durch den Gene Krankheiten verursachen, genau analog zu dem ist, durch den sie normales Verhalten und eine normale Entwicklung bewirken. »Wie schön das wäre, wenn wir in das Spiegelhaus hinüber könnten!«, sagt Alice.[101] Die Humangenetik ist durch ihr Spiegelhaus gegangen – und es hat sich herausgestellt, dass die Regeln auf der einen Seite genauso sind wie auf der anderen.

Wie lässt sich der Einfluss der Gene auf die Normalform und -funktion des Menschen beschreiben? Die Sprache sollte uns eigentlich vertraut sein, denn es ist dieselbe, die zur Beschreibung des Zusammenhangs von Genen und Krankheiten verwendet wurde. Die gemischten, paarweise zusammengestellten Genvariationen, die jemand von seinen Eltern erbt, spezifizieren Variationen in Zell- und Entwicklungsprozessen, die letztlich zu Variationen in physiologischen Zuständen führen. Betreffen diese Variationen Masterregulatorgene an der Spitze einer Hierarchie, so können sie starke binäre Auswirkungen haben (männlich/weiblich, kleinwüchsig/normalgroß). Meist finden sich die varianten beziehungsweise mutanten Gene jedoch in den unteren Stufen der Informationskaskade und können nur Tendenzänderungen bewirken. Damit solche Neigungen oder Prädispositionen entstehen, sind häufig Dutzende Gene erforderlich.

Diese Veranlagungen führen zusammen mit verschiedenen Umwelteinflüssen und Zufällen zu unterschiedlichen Ergebnissen – unter anderem auch zu Variationen in Form, Funktion, Verhalten, Persönlichkeit, Temperament, Identität und Werdegang. Meist handelt es sich dabei jedoch nur um Wahrscheinlichkeiten – um Verlagerungen der Gewichtung und des Gleichgewichts, die bestimmte Ergebnisse mehr oder weniger wahrscheinlich machen.

Diese Verschiebungen der Wahrscheinlichkeiten reichen jedoch aus, um für Unterschiede zwischen uns zu sorgen. Eine Änderung in der Molekularstruktur eines Rezeptors, der Neuronen im Gehirn »Belohnung« signalisiert, wirkt sich vielleicht nur auf die Bindungsdauer eines Moleküls an diesen Rezeptor aus. Das Signal, das von diesem varianten Rezeptor an ein Neuron ausgeht, dauert möglicherweise nur eine halbe Sekunde länger. Doch diese Veränderung genügt, um bei einem Menschen den Ausschlag in Richtung Impulsivität, bei einem anderen in Richtung Vorsicht zu geben oder einen in Manie, den anderen in Depressionen zu stürzen. Ergebnis solcher körperlichen und mentalen Zustände können komplexe Wahrnehmungen, Entscheidungen und Gefühle sein. So verwandelt sich die Länge einer chemischen Interaktion beispielsweise in das Verlangen nach einer emotionalen Interaktion. Ein Mann mit einer Neigung zur Schizophrenie interpretiert ein Gespräch mit einem Obstverkäufer als Mordintrige, sein Bruder mit einer genetischen Veranlagung zu einer bipolaren Störung nimmt dasselbe Gespräch als grandiose Fabel über seine eigene Zukunft wahr: Sogar der Obstverkäufer erkennt seinen bevorstehenden Ruhm. Das Elend des einen wird zur Magie des anderen.

• • •

Soweit ist es einfach. Aber wie lassen sich Form, Temperament und Entscheidungen eines Einzelnen erklären? Wie kommen wir von abstrakten genetischen Neigungen zu einer konkreten, bestimmten Person? Das ließe sich als das Problem der »letzten Meile« der Genetik bezeichnen. Gene können Form und Werdegang eines komplexen Organismus in Wahrscheinlichkeiten umreißen – sie können jedoch die Form und den Werdegang nicht zutreffend beschreiben. Eine bestimmte Genkombination (ein Genotyp) mag für eine bestimmte Konfiguration der Nase oder der Persönlichkeit prädisponieren – aber die genaue Form oder Länge der Nase, die ein Mensch entwickelt, kann niemand vorher wissen. Eine Prädisposition darf man nicht mit einer Disposition verwechseln: Das eine ist eine statistische Wahrscheinlichkeit, das andere eine konkrete Realität. Es ist gerade so, als könnte die Genetik sich nahezu bis vor die Tür von Form, Identität und Verhalten des Menschen durchschlagen – aber die letzte Meile nicht bewältigen.

Vielleicht lässt sich dieses Problem der letzten Meile bei den Genen neu fassen, wenn man zwei äußerst unterschiedliche Forschungsansätze einander gegenüberstellt. Seit den 1980er Jahren hat die Humangenetik viel Zeit darauf verwendet, zu erforschen, dass eineiige Zwillinge, die unmittelbar nach der Geburt getrennt wurden, alle möglichen Ähnlichkeiten aufweisen. Wenn getrennt aufgewachsene Zwillinge eine Tendenz zu Impulsivität, Depression, Krebs oder Schizophrenie gemeinsam haben, wissen wir, dass das Genom Informationen enthalten muss, die Prädispositionen für diese Merkmale codieren.

Um zu verstehen, wie aus einer Prädisposition eine Disposition wird, muss man anders vorgehen und die Frage genau umgekehrt stellen: Warum führen eineiige Zwillinge, die in derselben Familie und derselben Umwelt aufwachsen, letztlich ein *unterschiedliches* Leben und werden zu so unterschiedlichen Menschen? Warum manifestieren sich identische Genome in derart unterschiedlichen Personen mit ungleichen Temperamenten, Persönlichkeiten, Werdegängen und Entscheidungen?

In den drei Jahrzehnten seit den 1980er Jahren haben Psychologen und Genetiker versucht, die subtilen Unterschiede zu messen und zu erfassen, die eine Erklärung für den unterschiedlichen Werdegang von zusammen aufgewachsenen eineiigen Zwillingen liefern könnten. Doch sämtliche Bemühungen, konkrete, messbare und systematische Unterschiede zu finden, sind unweigerlich gescheitert: Solche Zwillinge leben nun einmal in derselben Familie, im selben Zuhause, besuchen in der Regel dieselbe Schule, ernähren sich praktisch gleich, lesen häufig dieselben Bücher, wachsen in derselben Kultur auf und haben den gleichen Freundeskreis – und dennoch sind sie unverkennbar verschieden.

Welche Ursache hat diese Unterschiedlichkeit? In 43 Studien, die im Laufe von zwanzig Jahren durchgeführt wurden, gelangten Forscher zu einer gleichbleibenden und überzeugenden Antwort:[102] »unsystematische, spezifische, zufällige Ereignisse«.[103] Krankheiten. Unfälle. Traumata. Auslöser. Ein verpasster Zug; ein verlorener Schlüssel; ein verdrängter Gedanke. Fluktuationen in Molekülen, die Fluktuationen in Genen verursachen und leichte Formänderungen bewirken.* In Venedig um eine Ecke biegen und in einen Kanal fallen. Sich verlieben. Zufall. Ist diese Antwort ärgerlich? Nach jahrzehntelangen Überlegungen kommen wir zu dem Schluss, dass Schicksal eben, ... tja: Schicksal ist? Dass Sein durch Sein passiert? Ich finde diese Formulierung erhellend schön. In Shakespeares Stück *Der Sturm* wütet Prospero gegen den missgebildeten Kaliban:»Ein Teufel, ein geborner Teufel ists,/An dessen Art die Pflege nimmer haftet.«[104] Das Monströseste an Kaliban ist, dass sich sein inneres Wesen nicht durch Information von außen umschreiben lässt: Seine Natur erlaubt nicht, dass von Erziehung etwas hängen bleibt. Kaliban ist ein genetischer Automat, ein Aufzieh-Ghul –

* Die wohl interessanteste jüngere Studie zu Zufall, Identität und Genetik stammt aus dem Labor des Wurmbiologen Alexander van Oudenaarden am MIT. Er nutzte Würmer als Modellorganismen, um eine der schwierigsten Fragen zu Zufall und Genen zu erforschen: Warum haben zwei Tiere, die dasselbe Genom haben und in derselben Umgebung leben – also eineiige Zwillinge – einen unterschiedlichen Werdegang? Van Oudenaarden untersuchte eine Mutation des Gens *skn-1*, die »unvollständig penetrant« ist – bei einem Wurm mit dieser Mutation manifestierte sich ein Phänotyp (es bildeten sich Darmzellen), bei seinem Zwilling mit derselben Mutation manifestierte sich der Phänotyp nicht (es bildeten sich keine Darmzellen). Was determiniert den Unterschied zwischen diesen beiden Zwillingswürmern? Nicht die Gene, denn beide haben dieselbe Genmutation in *skn-1*, und auch nicht die Umwelt, da beide unter genau denselben Bedingungen aufwachsen und leben. Wie kann derselbe Genotyp dann einen unvollkommen penetranten Phänotyp hervorbringen? Van Oudenaarden fand heraus, dass die entscheidende Determinante im Expressionsgrad eines einzigen Regulatorgens bestand, dem sogenannten *end-1*. Die Expression von *end-1* – also die Menge der RNA-Moleküle, die in einer bestimmten Entwicklungsphase des Wurms gebildet wurde – variiert von Wurm zu Wurm, höchstwahrscheinlich aufgrund von Zufall. Übersteigt die Expression eine bestimmte Schwelle, manifestiert der Wurm den Phänotyp; bleibt sie unterhalb dieser Schwelle, manifestiert er einen anderen Phänotyp. Der Werdegang spiegelt also zufällige *Fluktuationen in einem einzigen Molekül des Wurmkörpers* wider. Zu weiteren Einzelheiten siehe Arjun Raj u. a.,»Variability in gene expression underlies incomplete penetrance«, *Nature*, 463/7283 (2010), S. 913–918.

und das macht ihn wesentlich tragischer und jämmerlicher als alles Menschliche.

Es zeugt von der beunruhigenden Schönheit des Genoms, dass es die reale Welt »haften« machen kann. Unsere Gene speien nicht immer weiter stereotype Reaktionen auf spezifische Umgebungen aus: Wenn sie das täten, würden auch wir zu Aufzieh-Automaten verkommen. Schon lange bezeichnen Hindu-Philosophen die Erfahrung des »Seins« als ein Netz: *jaal.* Gene bilden die Fäden dieses Netzes; das Treibgut, das darin hängen bleibt, verwandelt jedes einzelne Netz in ein Wesen. In diesem verrückten System liegt eine wunderbare Präzision. Gene müssen programmierte Reaktionen auf Umgebungen ausführen – sonst gäbe es keine konservierte Form. Sie müssen aber auch genügend Raum für die Wechselfälle des Zufalls lassen. Diese Überschneidung nennen wir »Schicksal«. Unsere Reaktionen bezeichnen wir als »Entscheidung«. So entwickelt sich ein aufrecht gehender Organismus mit opponierbaren Daumen nach einem festen Skript, ist jedoch gleichzeitig darauf angelegt, von diesem Skript abzuweichen. Eine dieser einzigartigen Varianten eines solchen Organismus bezeichnen wir als »Ich«.

Der Hungerwinter

Eineiige Zwillinge haben exakt denselben genetischen
Code. Sie teilen sich dieselbe Gebärmutter und werden
gewöhnlich in einem ganz ähnlichen Umfeld aufgezogen.
Angesichts dessen erscheint es nicht verwunderlich, wenn
einer der Zwillinge eine Schizophrenie entwickelt, dass
auch der andere mit sehr hoher Wahrscheinlichkeit diese
Krankheit bekommt. Tatsächlich fragen wir uns mitt-
lerweile, warum die Wahrscheinlichkeit nicht höher ist.
Warum liegt sie nicht bei 100 Prozent?
Nessa Carey, *The Epigenetics Revolution*[105]

Gene haben im 20. Jahrhundert eine glänzende Erfolgs-
serie erlebt und haben unser Verständnis lebender Systeme
in nie zuvor gekannter und geradezu erstaunlicher Weise
vorangebracht. Doch diese Fortschritte werden die Einführung anderer Konzepte, anderer Termini und anderer
Denkweisen über die biologische Organisation notwendig
machen und dadurch die Macht der Gene über die Vorstellungskraft der Biowissenschaftler zwangsläufig brechen.
Evelyn Fox Keller, *Das Jahrhundert des Gens*[106]

Eine Frage, die sich aus dem vorangegangenen Kapitel ergibt, muss
beantwortet werden: Wenn das »Ich« aus zufälligen Wechselwirkungen
zwischen Ereignissen und Genen erwächst, wie werden diese Interak-

tionen dann aufgezeichnet? Ein Zwilling fällt auf dem Eis hin, bricht sich ein Knie und bildet neues Knochengewebe aus, der andere Zwilling nicht. Eine Schwester heiratet einen aufstrebenden Angestellten in Delhi, die andere zieht in ein zerfallendes Haus in Kalkutta. Durch welche Mechanismen werden diese »Schicksalsakte« in einer Zelle oder einem Körper registriert?

Jahrzehntelang gab es darauf eine Standardantwort: durch Gene, genauer durch das Ein- und Ausschalten von Genen. Monod und Jacob hatten in den 1950er Jahren in Paris nachgewiesen, dass Bakterien ihren Glukosestoffwechsel aus- und ihren Laktosestoffwechsel einschalten, wenn sie ihre Ernährung von Glukose auf Laktose umstellen (diese Gene werden von Masterregulatorfaktoren – Aktivierern und Repressoren –, auch Transkriptionsfaktoren genannt, ein- und ausgeschaltet). Annähernd dreißig Jahre später hatten Biologen bei der Erforschung von Würmern herausgefunden, dass Signale benachbarter Zellen – für die Einzelzelle schicksalhafte Ereignisse – ebenfalls registriert werden, indem Masterregulatorgene ein- und ausgeschaltet werden, was zu Veränderungen der Zelllinien führt. Wenn ein Zwilling auf dem Eis stürzt, werden Wundheilungsgene aktiviert. Sie ermöglichen die Bildung neuen Knochengewebes an der Bruchstelle. Selbst wenn das Gehirn komplexe Erinnerungen speichert, müssen Gene ein- und ausgeschaltet werden. Hört ein Singvogel ein neues Lied von einem anderen Vogel, so wird in seinem Gehirn ein Gen namens ZENK eingeschaltet.[107] Ist das Lied nicht richtig – stammt es von einer anderen Spezies oder enthält es einen tieferen Ton –, wird ZENK nicht im selben Maße aktiviert und sein eigener Gesang nicht freigesetzt.

Aber hinterlässt die Aktivierung oder Repression von Genen in Zellen und Körpern (als Reaktion auf äußere Einwirkungen: einen Sturz, einen Unfall, eine Narbe) irgendeine bleibende Spur oder Prägung im Genom? Was passiert, wenn ein Organismus sich fortpflanzt: Gibt er die Spuren oder Prägungen des Genoms an einen anderen Organismus weiter? Können Umweltinformationen über Generationen weitergegeben werden?

• • •

Wir kommen nun zu einem der umstrittensten Gebiete in der Geschichte des Gens, für dessen Verständnis ein gewisser historischer Kontext notwendig ist. Der englische Embryologe Conrad Waddington versuchte in den 1950er Jahren, die Mechanismen zu verstehen, durch die Umweltsignale sich möglicherweise auf das Genom einer Zelle auswirken.[108] In der Entwicklung eines Embryos beobachtete er die Entstehung Tausender verschiedener Zelltypen – Neuronen, Muskelzellen, Blut, Sperma – aus einer einzigen befruchteten Zelle. In einem einfallsreichen Bild verglich er die embryonale Zelldifferenzierung mit unzähligen Murmeln, die einen Hang voller Klippen, Mulden und Spalten hinunterrollten. Jede Zelle suchte sich ihren eigenen, einzigartigen Weg durch diese »Waddington-Landschaft«, blieb in einer bestimmten Spalte oder Ritze hängen und grenzte damit den Zelltyp ein, zu dem sie sich entwickeln konnte.

Besonders faszinierte Waddington die Frage, wie die Umgebung einer Zelle sich auf die Nutzung ihrer Gene auswirken könnte. Dieses Phänomen, das er als »Epigenetik« – »jenseits der Genetik« – bezeichnete, betreffe »die Interaktion von Genen mit ihrer Umgebung ..., die ihren Phänotyp hervorbringt«.*

• • •

---

* Anfangs verwendete Waddington den Begriff »Epigenese« für den Prozess, in dem sich aus einer einzigen Zelle der Embryo entwickelt (also für die Genese eines Embryos, bei der aus der befruchteten Eizelle nacheinander verschiedene Zelltypen – wie Neuronen, Hautzellen usw. – erwachsen). Im Laufe der Zeit bezeichnete »Epigenetik« jedoch den Prozess, durch den Zellen oder Organismen Merkmale annehmen können, ohne die Gensequenz zu verändern, also durch Genregulation. Im modernen Wortgebrauch bezieht dieser Begriff sich auf chemische oder physikalische Modifikationen der DNA, welche die Genregulation betreffen, ohne die DNA-Sequenz zu verändern. Nach Ansicht mancher Wissenschaftler sollte er Veränderungen vorbehalten bleiben, die *erblich* sind, also von Zelle zu Zelle oder von Organismus zu Organismus weitergegeben werden. Der Bedeutungswandel des Wortes »Epigenetik« hat viel Verwirrung auf diesem Fachgebiet gestiftet.

Ein makabres Experiment am Menschen lieferte Belege für Waddingtons Theorie, obwohl sich dessen Ausgang erst nach Generationen zeigen sollte. Im September 1944, in der rachsüchtigsten Phase des Zweiten Weltkrieges, verboten die deutschen Besatzungstruppen den Transport von Nahrungsmitteln und Kohle in den Westen der Niederlande. Züge standen still, Straßen waren blockiert, die Binnenschifffahrt kam zum Erliegen. Im Hafen von Rotterdam wurden Kräne, Schiffe und Kaianlagen gesprengt und hinterließen ein »gequältes und blutendes Holland«, wie ein Rundfunksprecher es formulierte.

Die von zahlreichen schiffbaren Flüssen und Kanälen durchzogenen Niederlande waren nicht nur gequält und blutend, sondern auch hungrig. Amsterdam, Rotterdam, Utrecht und Leiden waren auf regelmäßige Nahrungsmittel- und Brennstofflieferungen angewiesen. Im Frühwinter 1944 erreichten die Provinzen nördlich von Waal und Rhein nur noch spärliche Kriegsrationen, und der Bevölkerung drohte eine Hungersnot. Als die Wasserwege im Dezember wieder freigegeben wurden, waren sie mittlerweile zugefroren. Als erstes gab es keine Butter mehr, dann blieben Käse, Fleisch, Brot und Gemüse aus. Verzweifelte, frierende, ausgehungerte Menschen gruben in ihren Gärten Tulpenzwiebeln aus, aßen Gemüseschalen und Birkenrinde, Blätter und Gras. Schließlich sank die Nahrungsaufnahme auf etwa 400 Kalorien pro Tag, was drei Kartoffeln entspricht. Ein Mensch ist »nur Bauch und gewisse Instinkte«, schrieb ein Mann.[109] Jene Zeit, die sich tief ins nationale Gedächtnis der Niederländer eingeprägt hat, wird als Hongerwinter, Hungerwinter, bezeichnet.

Der Hunger wütete bis 1945. Zehntausende Männer, Frauen und Kinder starben an Unterernährung, Millionen überlebten. Die Verschlechterung der Ernährung war so akut und abrupt, dass sie einem grausigen natürlichen Experiment gleichkam: Nach diesem Hungerwinter konnten Forscher die Auswirkungen einer plötzlichen Hungersnot auf eine klar umrissene Kohorte untersuchen. Manche Aspekte wie Mangelernährung und Wachstumsverzögerung entsprachen den Erwartungen. Kinder, die den Hungerwinter überlebten, trugen möglicherweise chronische Gesundheitsprobleme, die mit Mangelernährung verbunden sind, davon: Depressionen, Ängste, Herzerkrankungen, Zahnfleischerkrankungen, Osteoporose und Diabetes. (Eine dieser Überlebenden war die gertenschlanke Schauspielerin Audrey Hepburn, die zeit ihres Lebens mit verschiedenen chronischen Krankheiten zu kämpfen hatte.)

In den 1980er Jahren zeichnete sich jedoch ein faszinierendes Muster ab: Als die Kinder der Frauen, deren Schwangerschaft in die Zeit der Hungersnot gefallen war, erwachsen wurden, wiesen sie eine höhere Rate an Fettleibigkeit und Herzerkrankungen auf.[110] Mit diesem Ergebnis hätte man vielleicht ebenfalls rechnen können. Es ist bekannt, dass Unterernährung im Mutterleib zu Veränderungen in der Physiologie des Fötus führt. Bekommt ein Fötus zu wenig Nährstoffe, so stellt er seinen Stoffwechsel darauf um, größere Fettmengen zu binden, um sich vor Wärmeverlust zu schützen, was paradoxerweise Fettleibigkeit und Stoffwechselstörungen als Spätfolge nach sich zieht. Das merkwürdigste Ergebnis der Hungerwinter-Studie zeigte sich jedoch erst in der folgenden Generation. Als man in den 1990er Jahren die Enkel der Männer und Frauen, die diese Hungersnot erlebt hatten, untersuchte, stellte sich auch bei ihnen eine höhere Rate von Fettleibigkeit und Herzerkrankungen heraus (einige dieser Erkrankungen werden zurzeit noch ausgewertet). Die akute Hungerphase hatte nicht nur bei denen, die sie unmittelbar erlebt hatten, Gene verändert, sondern war auch als Botschaft an deren Enkel weitergegeben worden. Irgendein Erbfaktor oder mehrere Faktoren mussten sich in die Genome der hungernden Männer und Frauen eingeprägt haben und sich in mindestens zwei Generationen fortgesetzt haben. Der Hungerwinter hatte sich nicht nur in die nationale Erinnerung, sondern auch in das genetische Gedächtnis eingebrannt.*

• • •

* Manche Wissenschaftler vertreten die Position, die Studie zum niederländischen Hungerwinter sei voreingenommen: Eltern mit Stoffwechselstörungen (wie Fettleibigkeit) würden möglicherweise die Ernährungsentscheidungen ihrer Kinder oder deren Gewohnheiten auf nichtgenetischer Ebene verändern.

Aber was war das »genetische Gedächtnis«? Wie war es – jenseits der eigentlichen Gene – codiert? Waddington kannte die Hungerwinter-Studie nicht – er war 1975, weitgehend unbekannt, gestorben –, Genetiker erkannten jedoch scharfsinnig den Zusammenhang zwischen Waddingtons Hypothese und den über mehrere Generationen hinweg auftretenden Erkrankungen der niederländischen Kohorte. Auch hier war ein »genetisches Gedächtnis« erkennbar: Die Kinder und Enkel der Menschen, die den Hungerwinter erlebt hatten, neigten zu Stoffwechselerkrankungen, als ob ihre Genome irgendeine Erinnerung an die Stoffwechselbelastungen ihrer Eltern und Großeltern in sich trügen. Auch hier konnte der für das »Gedächtnis« verantwortliche Faktor nicht in einer Veränderung der Gensequenz bestehen: Bei den Hunderttausenden von Männern und Frauen der niederländischen Kohorte konnten die Gene nicht über drei Generationen hinweg mutiert sein. Auch hier hatte eine Wechselwirkung zwischen »den Genen und der Umwelt« einen Phänotyp (nämlich die Neigung zu einer Erkrankung) verändert. Die Belastung der Hungersnot musste im Genom irgendetwas hinterlassen haben – eine permanente, vererbbare Spur –, was nun über Generationen hinweg weitergegeben wurde.

Wenn eine solche Informationsschicht in das Genom eingefügt werden könnte, hätte das unerhörte Folgen. Zunächst einmal würde es ein Grundmerkmal der klassischen Darwin'schen Evolution in Frage stellen. Ein Schlüsselelement in Darwins Theorie ist, dass Gene die Erfahrungen eines Organismus nicht als bleibende, vererbbare Erinnerung aufnehmen und gar nicht aufnehmen *können*. Wenn eine Antilope den Hals reckt, um einen hohen Baum zu erreichen, schlägt sich diese Bestrebung nicht in den Genen nieder und führt nicht etwa dazu, dass ihre Kinder als Giraffen geboren werden (die direkte Weitergabe einer Anpassung in einem erblichen Merkmal bildete die Grundlage für Lamarcks irrige Theorie einer Evolution durch Anpassung). Vielmehr

Nach Ansicht der Kritiker ist der Faktor, der über Generationen »weitergegeben« wird, nicht etwa ein genetisches Signal, sondern eine kulturelle Einstellung oder Ernährungsweise.

entwickeln sich Giraffen durch spontane Variation und natürliche Auslese: In einer an Bäumen weidenden Tierart entsteht eine langhalsige Mutante, die während einer Hungerperiode überlebt und durch natürliche Auslese fortbesteht. August Weismann hatte die Idee, dass Umwelteinflüsse Gene dauerhaft verändern könnten, experimentell überprüft, indem er fünf Mäusegenerationen die Schwänze abgeschnitten hatte – dennoch waren die Mäuse der sechsten Generation mit völlig intakten Schwänzen geboren worden. Die Evolution kann zwar perfekt angepasste Organismen hervorbringen, allerdings nicht absichtsvoll: Sie ist nicht nur ein »blinder Uhrmacher«, wie Richard Dawkins es einmal in einem berühmten Ausspruch formulierte, sondern auch ein vergesslicher. Ihr einziger Antrieb ist Überleben und Selektion, ihr einziges Gedächtnis die Mutation.

Dennoch hatten die Enkel der vom Hungerwinter Betroffenen irgendwie die Erinnerung an die Hungersnot ihrer Großeltern geerbt – nicht durch Mutationen und Auslese, sondern durch eine Umgebungsbotschaft, die sich in eine erbliche verwandelt hatte. In dieser Form könnte ein »genetisches Gedächtnis« wie ein Wurmloch der Evolution wirken. Der Vorfahre einer Giraffe wäre demnach imstande, eine Giraffe hervorzubringen, nicht indem er die trostlose Malthus'sche Logik von Mutation, Überleben und Selektion durchliefe, sondern indem er ganz einfach den Hals reckte und eine Erinnerung an diese Anstrengung in seinem Genom registrieren und fixieren würde. Eine Maus, der man den Schwanz abgeschnitten hätte, könnte Mäuse mit gekürzten Schwänzen zur Welt bringen, indem sie diese Information an ihre Gene weitergäbe. Kinder, die in einer anregenden Umgebung aufwüchsen, könnten stimulierte Kinder hervorbringen. Diese Idee entsprach Darwins Keimchentheorie: Die spezielle Erfahrung oder Geschichte eines Organismus würde seinem Genom unmittelbar signalisiert. Ein solches System wäre eine Schnellbahn zwischen Anpassung und Evolution und würde dem Uhrmacher seine Blindheit nehmen.

Waddington hatte an der Antwort auf seine Frage nach einem solchen System auch ein persönliches Interesse. Als frühem, glühendem

Anhänger des Marxismus schwebte ihm vor, dass die Entdeckung eines solchen »Erinnerung fixierenden« Elements im Genom nicht nur für das Verständnis der menschlichen Embryologie wichtig wäre, sondern auch für sein politisches Projekt. Wenn man Zellen durch Manipulation ihres genetischen Gedächtnisses indoktrinieren oder de-indoktrinieren könnte, ließen sich vielleicht auch Menschen indoktrinieren (man denke nur an Lyssenkos Versuche mit Weizensorten und an Stalins Bestrebungen, die Ideologien von Dissidenten auszulöschen). Ein solcher Prozess könnte vielleicht die Zellidentität aufheben und es Zellen ermöglichen, die Waddington-Landschaft *bergauf* zu laufen – also eine adulte wieder in eine embryonale Zelle verwandeln und die biologische Zeit zurückdrehen. Er könnte vielleicht sogar die Fixierung des menschlichen Gedächtnisses, der Identität – der Entscheidung – aufheben.

• • •

Bis in die ausgehenden 1950er Jahre war Epigenetik eher Phantasie als Wirklichkeit: Niemand hatte je beobachtet, dass eine Zelle ihrem Genom ihre Geschichte oder Identität übergestülpt hätte. Zwei Experimente, die 1961 in einem Abstand von nicht einmal sechs Monaten und nur gut dreißig Kilometer voneinander entfernt stattfanden, sollten das Verständnis der Gene verändern und Waddingtons Theorie Glaubwürdigkeit verleihen.

Im Sommer 1958 begann der Doktorand John Gurdon an der Oxford University, die Entwicklung von Fröschen zu erforschen. Gurdon war nie ein sonderlich vielversprechender Student gewesen – in einer Prüfung hatte er als letzter seines Jahrgangs abgeschnitten –, aber er besaß »ein Talent, Dinge im Kleinen zu machen«, wie er es einmal ausdrückte.[111] Sein wichtigstes Experiment fand im kleinsten Maßstab statt. In den frühen 1950er Jahren hatten zwei Wissenschaftler in Philadelphia einem unbefruchteten Froschei sämtliche Gene entnommen, den Zellkern herausgesaugt, so dass nur die Zellhülle übrig blieb, und dieser hatten sie dann das Genom einer anderen Froschzelle injiziert. Es war, als würde man ein Nest plündern, einen falschen Vogel hineinschmuggeln und sich fragen, ob dieser sich normal entwickelte. Besaß das »Nest« – also die von all ihren eigenen Genen entleerte Eizelle – alle Faktoren, um einen Embryo aus dem injizierten Genom einer anderen Zelle zu bilden? Ja. Die Forscher aus Philadelphia produzierten aus einem Ei, dem sie das Genom einer Froschzelle eingeimpft hatten, eine einzelne Kaulquappe. Es war eine Extremform von Parasitentum: Die Eizelle diente nur noch als Wirt oder Gefäß für das Genom einer normalen Zelle und ermöglichte diesem Genom, sich zu einem völlig normalen erwachsenen Tier zu entwickeln. Sie nannten ihre Methode Kerntransfer, aber das Verfahren war äußerst ineffizient. Letzten Endes gaben sie diesen Ansatz weitgehend auf.

Fasziniert von den seltenen Erfolgen, trieb Gurdon dieses Experiment weiter voran. Die Forscher aus Philadelphia hatten den entkernten Eizellen die Nuklei junger Embryonen injiziert. Gurdon begann 1961 auszuprobieren, ob aus dem injizierten Genom aus der Darmzelle eines ausgewachsenen Froschs ebenfalls eine Kaulquappe entstünde.[112] Er sah sich vor enorme technische Herausforderungen gestellt. Zunächst lernte er, den Kern eines unbefruchteten Froscheis mit einem winzigen Strahl ultravioletten Lichts aufzuspießen, ohne das Zytoplasma zu beschädigen. Anschließend drang er mit einer Nadel durch die Eimembran wie ein Taucher, der die Wasseroberfläche kaum aufwühlte, und blies den Kern einer adulten Froschzelle in einem winzigen Flüssigkeitstropfen hinein.

Der Transfer eines adulten Zellkerns (also mit sämtlichen Genen) in ein leeres Ei funktionierte: Es entwickelten sich völlig funktionstüchtige Kaulquappen, die jeweils eine perfekte Replik des adulten Froschgenoms in sich trugen. Wenn Gurdon die Zellkerne aus zahlreichen adulten Zellen desselben Froschs in viele entkernte Eizellen übertrüge, könnte er Kaulquappen züchten, die perfekte Klone voneinander und von dem ursprünglichen Spenderfrosch wären. Dieser Prozess ließe sich *endlos* wiederholen: Klone von Klonen von Klonen, alle mit exakt demselben Genotyp – Reproduktionen ohne Reproduktion.

Gurdons Experiment regte die Phantasie der Biologen an – nicht zuletzt, weil es etwas von einer zum Leben erweckten Science-Fiction-

Vision hatte. In einem Experiment produzierte er 18 Klone aus den Darmzellen eines einzigen Froschs. In ihren 18 identischen Kammern waren sie wie 18 Doppelgänger in 18 Paralleluniversen. Auch das wissenschaftliche Prinzip, um das es dabei ging, war eine Herausforderung: Das Genom einer voll ausgereiften adulten Zelle wurde kurz im Elixier einer Eizelle gebadet und ging vollständig verjüngt als Embryo daraus hervor. Die Eizelle besaß also alles Notwendige – sämtliche erforderlichen Regulatorfaktoren, um ein Genom die Entwicklungszeit rückwärts durchlaufen zu lassen und in einen funktionstüchtigen Embryo zu verwandeln. Im Laufe der Zeit wandte man Gurdons Methode in Abwandlungen auch auf andere Tierarten an, was schließlich zum Klonschaf Dolly führte,[113] dem einzigen höheren Organismus, der je ohne Reproduktion reproduziert wurde (später merkte der Biologe John Maynard Smith an, der einzige andere »beobachtete Fall eines ohne Geschlechtsakt produzierten Säugetieres war nicht sonderlich überzeugend« – damit meinte er Jesus Christus).[114] Für seine Entdeckung des Zellkerntransfers erhielt Gurdon 2012 den Nobelpreis.*

---

* Gurdons Technik, das Ei zu entleeren und einen befruchteten Zellkern zu injizieren, hat bereits eine neuartige klinische Anwendung gefunden. Manche Frauen haben Mutationen in den Mitochondriengenen – also in den Genen, die in den Mitochondrien, den Energie produzierenden Organellen in den Zellen, enthalten sind. Die Mitochondrien aller menschlichen Embryos stammen, wie gesagt, ausschließlich aus den Eizellen, also von den Müttern (das Sperma trägt keine Mitochondrien bei). Ist eine Mutter Trägerin einer Mutation in einem Mitochondriengen, könnten all ihre Kinder von dieser Mutation betroffen sein; solche Mutationen, die häufig den Energiestoffwechsel betreffen, können zu Muskelschwund, Herzanomalien und zum Tod führen. In einer Reihe umstrittener Experimente beschritten Genetiker und Embryologen 2009 einen gewagten neuen Weg, diese mütterlichen Mitchochondrien-Mutationen zu beheben. Nach der Befruchtung der Eizelle mit dem Sperma des Vaters injizierten sie den Zellkern in eine Spendereizelle mit intakten (»normalen«) Mitochondrien. Da die Mitochondrien von der normalen *Spenderin* stammten, waren die mütterlichen Mitochondriengene unbeschadet, und die so entstandenen Kinder waren nicht mehr Träger der mütterlichen Mutationen. Menschen, die nach diesem

So bemerkenswert Gurdons Experimente auch sein mochten, war doch ihr *mangelnder* Erfolg ebenso aufschlussreich. Aus adulten Darmzellen konnten zwar Kaulquappen hervorgehen, doch trotz seiner aufwendigen technischen Eingriffe gelang dies Gurdon nur gegen erhebliche Widerstände: Seine Erfolgsquote, Kaulquappen aus adulten Zellen zu züchten, war miserabel. Dieser Umstand verlangte nach einer Erklärung jenseits der klassischen Genetik. Schließlich ist die DNA-Sequenz im Genom eines ausgewachsenen Froschs identisch mit der eines Embryos oder einer Kaulquappe. Gehört es denn nicht zu den Grundprinzipien der Genetik, dass alle Zellen dasselbe Genom enthalten und dass die Art und Weise, wie diese Gene in unterschiedlichen Zellen *eingesetzt*, also aufgrund bestimmter Auslöser ein- und ausgeschaltet werden, die Entwicklung eines Embryos zum ausgewachsenen Organismus steuert?

Wenn nun Gene aber Gene und nichts als Gene sind, warum waren die Versuche, das Genom einer adulten Zelle wieder zurück in ein Embryonalstadium zu bringen, derart ineffizient? Und wieso waren Zellkerne jüngerer Organismen für diese Altersumkehrung empfänglicher als die älterer, wie andere Forscher feststellten? Auch hier musste wie bei der Hungerwinter-Studie dem Genom der adulten Zelle irgendetwas fortschreitend eingeprägt worden sein – eine kumulative, unauslöschliche Markierung, die ein Zurückgehen in der Entwicklungszeit erschwerte. Diese Prägung konnte sich nicht in der Gensequenz befinden, sondern musste darüber liegen, musste also *epigenetisch* sein. Gurdon kehrte zu Waddingtons Frage zurück: Was wäre, wenn jede

Verfahren geboren werden, haben also *drei* Elternteile. Der befruchtete Zellkern aus der Verbindung von »Mutter« und »Vater« (Elternteile 1 und 2) trägt praktisch das gesamte Genmaterial bei. Vom dritten Elternteil – der Eizellenspenderin – stammen lediglich die Mitchondrien und damit die Mitochondriengene. Nach langwierigen landesweiten Debatten legalisierte Großbritannien dieses Verfahren 2015, und mittlerweile sind die ersten Kohorten von »Kindern mit drei Elternteilen« zur Welt gekommen. Sie stehen für einen unerforschten Grenzbereich der Humangenetik (und der Zukunft). Denn offenkundig gibt es in der Natur keine vergleichbaren Tiere.

Zelle in ihrem Genom einen Abdruck ihrer Geschichte und ihrer Identität trüge – ein Art Zellgedächtnis?

. . .

Gurdon hatte eine abstrakte Vorstellung von einer epigenetischen Prägung, die er jedoch praktisch im Froschgenom nie beobachtet hatte. Mary Lyon, eine ehemalige Studentin Waddingtons, entdeckte 1961 in einer Tierzelle ein erkennbares Beispiel einer epigenetischen Veränderung. Die Tochter eines Beamten und einer Lehrerin begann ihre Doktorandenzeit bei dem für seine Streitlust berüchtigten Ron Fisher in Cambridge, flüchtete aber bald nach Edinburgh, um dort ihre Doktorarbeit abzuschließen, und arbeitete danach in dem ruhigen englischen Dorf Harwell, etwa dreißig Kilometer von Oxford entfernt, wo sie eine eigene Forschungsgruppe leitete.

In Harwell untersuchte Lyon die Biologie der Chromosomen, die sie mit fluoreszierenden Farbstoffen sichtbar machte. Zu ihrer Verwunderung stellte sie fest, dass alle eingefärbten Chromosomenpaare gleich aussahen – bis auf die beiden X-Chromosomen bei Weibchen. In jeder Zelle weiblicher Mäuse war eines der beiden X-Chromosomen geschrumpft oder verdichtet. Die *Gene* in diesen geschrumpften Chromosomen waren jedoch unverändert: Beide Chromosomen wiesen die gleiche DNA-Sequenz auf. Was sich allerdings verändert hatte, war deren *Aktivität*: Die Gene in dem geschrumpften Chromosom bildeten keine RNA, und somit war das gesamte Chromosom »still«. Es war gerade so, als wäre ein Chromosom gezielt außer Betrieb gesetzt – abgeschaltet – worden. Die Auswahl des inaktivierten X-Chromosoms erfolgte zufällig, wie Lyon feststellte: In einer Zelle konnte es das väterliche X-Chromosom sein, in der Nachbarzelle das mütterliche.[115] Dieses Muster galt generell für alle Zellen mit zwei X-Chromosomen – also für jede Zelle des weiblichen Körpers.

Welchem Zweck dient die Deaktivierung eines X-Chromosoms? Da Frauen zwei X-Chromosome haben, Männer aber nur eins, schalten weibliche Zellen ein X-Chromosom aus, um die »Dosis« der Gene dieses Chromosoms anzugleichen. Die zufällige Inaktivierung des

X-Chromosoms hat jedoch wichtige biologische Folgen: Denn der weibliche Körper ist dadurch ein Mosaik aus zwei Zelltypen. Dieses zufällige Ausschalten eines X-Chromosoms bleibt überwiegend ohne erkennbare Folgen – es sei denn, dass eines der X-Chromosomen (beispielsweise das des Vaters) eine Genvariante enthält, die ein sichtbares Merkmal produziert. In diesem Fall könnte eine Zelle diese Variante exprimieren, während dieses Merkmal in der Nachbarzelle fehlte, wodurch ein Mosaikeffekt entstünde. So liegt bei Katzen ein Gen für die Fellfarbe auf dem X-Chromosom. Die zufällige Inaktivierung eines X-Chromosoms führt dazu, dass eine Zelle ein bestimmtes Farbpigment hat, ihre Nachbarzelle ein anderes. Das Rätsel der weiblichen Schildpatt-Katzen lässt sich nicht genetisch, sondern epigenetisch lösen. (Läge beim Menschen das Gen für die Hautfarbe auf den X-Chromosomen, könnte die Tochter eines dunkelhäutigen und eines hellhäutigen Elternteils mit Flecken heller und dunkler Haut geboren werden.)

Wie kann eine Zelle ein ganzes Chromosom »stilllegen«? Bei diesem Vorgang müssen nicht nur ein oder zwei Gene aufgrund von Umwelteinflüssen aktiviert oder deaktiviert werden, sondern ein ganzes Chromosom – mit sämtlichen enthaltenen Genen – wird für die Lebensdauer einer Zelle ausgeschaltet. Nach der logischsten Schlussfolgerung, die in den 1970er Jahren vorgeschlagen wurde, hatten Zellen an die DNA dieses Chromosoms eine permanente chemische Markierung angehängt, ein molekulares »Aufhebungszeichen«. Da die Gene selbst unversehrt waren, musste eine solche Markierung über den Genen liegen, also epigenetisch sein.

In den späten 1970er Jahren entdeckten Wissenschaftler bei der Erforschung der Geninaktivierung, dass ein kleines, an einige Stellen der DNA angehängtes Molekül – eine Methylgruppe – mit der Abschaltung eines Gens in Zusammenhang stand. Einer der Hauptauslöser dieses Prozesses wurde später als ein RNA-Molekül namens *XIST* identifiziert. Das RNA-Molekül »bedeckt« Teile des X-Chromosoms und ist, so glaubt man, ausschlaggebend für die Inaktivierung des Chromosoms. Diese Methylmarkierungen zierten die DNA-Stränge wie Anhänger eine Halskette und wurden als Abschaltsignale für bestimmte Gene erkannt.

• • •

Methylgruppen waren jedoch nicht die einzigen Anhänger an der DNA-Kette. Der Biochemiker David Allis von der Rockefeller University in New York entdeckte 1996 ein weiteres System, Genen eine dauerhafte Prägung zu geben.* Statt sie jedoch unmittelbar auf die Gene zu legen, platzierte dieses System sie auf Proteine, sogenannte Histone, die als Verpackung der Gene dienen.

Histone sind eng mit der DNA verbunden, winden sie zu Spulen und Schlaufen und dienen dem Chromosom als Gerüst. Wenn dieses Gerüst sich ändert, kann sich auch die Aktivität eines Gens ändern – ähnlich wie sich die Packweise eines Materials auf seine Eigenschaften auswirkt (ein zu einem Knäuel aufgewickelter Seidenstrang hat völlig andere Eigenschaften als derselbe Strang, der als Seil gespannt ist). Einem Gen könnte möglicherweise so eine »molekulare Erinnerung« eingeprägt werden – diesmal indirekt, indem das Signal mit Proteinen verknüpft wird (in der Epigenetik gibt es eine große Debatte darüber, ob Histonmodifikationen überhaupt Effekte auf die Aktivität eines Gens haben, oder ob einige der Histonveränderungen lediglich Nebeneffekte der Genaktivität sind). Die Erblichkeit und Stabilität dieser Histonprägungen und die Mechanismen, die gewährleisten, dass sie zur richtigen Zeit an den richtigen Genen auftauchen, werden gegenwärtig noch erforscht – allerdings können einfache Organismen wie Hefen und Würmer diese Histonprägungen offenbar über mehrere Generationen weitergeben.[116]

• • •

---

* Die Idee, dass Histone Gene regulieren könnten, stammte ursprünglich von dem Biochemiker Vincent Allfrey, der in den 1960er Jahren an der Rockefeller University gearbeitet hatte. Drei Jahrzehnte später bestätigten Allis' Experimente – am selben Institut, wie um den Kreis zu schließen – Allfreys »Histonhypothese«.

Die Aktivierung und Inaktivierung von Genen durch Proteinregulatoren (sogenannte Transkriptionsfaktoren) – die Master-Dirigenten der Gen-Symphonie – war seit den 1950er Jahren bekannt. Doch diese Dirigenten können mehr: Sie vermögen es, andere Proteine potentiell *anzuwerben*, um dauerhafte chemische Prägungen auf Genen zu platzieren. Sie gewährleisten sogar, dass die Markierungen im Genom beibehalten werden.[117] Diese Markierungen können daher als Reaktion auf Signale einer Zelle oder der Umgebung hinzugefügt, gelöscht, verstärkt, verringert und ein- oder ausgeschaltet werden.*

Sie können wie Notizen funktionieren, die über einem Satz oder am Rand eines Buches vermerkt werden – Bleistiftstriche, unterstrichene Wörter, Anstreichungen, durchgestrichene Buchstaben, Fuß- und Endnoten – und die den Kontext des Genoms, nicht aber die eigentlichen Wörter verändern. Jede Zelle eines Organismus erbt dasselbe Buch, könnte möglicherweise aber aus demselben Grundskript einen einzigartigen Roman schreiben, indem sie bestimmte Sätze durchstreicht, andere hinzufügt, manche Wörter »ausschaltet«, andere »aktiviert« und gewisse Phrasen hervorhebt. Wir können uns also Gene im Humangenom mit ihren angehängten chemischen Prägungen so vorstellen:

... DAS ... IST ... DIE ......,,,.......... STRUK..... tur, ...
    DEINES ...... *GE* .... NOMS....

---

* Der Genetiker Tim Bestor und einige seiner Kollegen sind der Auffassung, dass die DNA-Methylierung vorrangig zum Einsatz kommt, um alte virenähnliche Elemente im Humangenom sowie das X-Chromosom (à la Lyon) zu deaktivieren und um bestimmte Gene in Spermien, nicht aber in Eizellen (oder umgekehrt) zu markieren, so dass ein Organismus weiß und »sich erinnert«, welche Gene vom Vater und welche von der Mutter stammen – ein Phänomen, das man als »Imprinting« bezeichnet. Bestor glaubt nicht, dass Umweltstimuli eine wesentliche Auswirkung auf das Genom haben. Die epigenetische Prägung diene vielmehr zur Regulierung der Genexpression während der Entwicklung und des Imprinting.

Die Wörter dieses Satzes entsprechen, wie gehabt, den Genen. Die Auslassungs- und Satzzeichen markieren die Introns, die intergenischen Regionen und die regulatorischen Sequenzen. Die fett und kursiv gedruckten Buchstaben sowie die unterstrichenen Silben stehen für die epigenetischen Prägungen, die dem Genom hinzugefügt sind und ihm eine letzte Bedeutungsebene geben.

Eben *darin* lag der Grund, warum Gurdon trotz all seiner experimentellen Eingriffe nur selten eine adulte Darmzelle hatte bewegen können, in der Entwicklung rückwärts zu gehen, wieder zu einer Embryozelle und dann zu einem voll ausgereiften Frosch zu werden: Das Genom der Darmzelle war mit zu vielen epigenetischen »Anmerkungen« versehen, als dass man sie ohne weiteres daraus hätte löschen und es in das Genom eines Embryos hätte verwandeln können. Die chemischen Anmerkungen zum Genom lassen sich ändern – was allerdings nicht einfach ist. Denn diese Notizen sind auf Dauer angelegt, damit eine Zelle ihre Identität festschreiben kann. Nur Embryozellen haben ausreichend flexible Genome, dass sie viele verschiedene Identitäten ausprägen und so alle Zelltypen des Körpers hervorbringen können. Haben die Embryozellen erst einmal eine feste Identität angenommen – und sich etwa zu Darm-, Blut- oder Nervenzellen entwickelt –, gibt es kaum einen Weg zurück (daher auch Gurdons Schwierigkeiten, aus der Darmzelle eines Froschs eine Kaulquappe zu züchten). Eine Embryozelle mag in der Lage sein, aus demselben Skript tausend Romane zu machen. Aber wenn erst einmal ein Jugendroman geschrieben ist, lässt er sich nicht so leicht in einen viktorianischen Liebesroman umformatieren.

• • •

Das Zusammenspiel zwischen Genregulatoren und Epigenetik löst teilweise das Rätsel der Individualität einer Zelle – vielleicht kann es aber auch das hartnäckigere Rätsel der Individualität des Individuums aufklären. »Warum sind Zwillinge verschieden«, hatten wir uns weiter oben gefragt. Die Antwort lautet: weil spezifische Ereignisse in spezifischen Prägungen in ihren Körpern aufgezeichnet werden. Aber wie werden sie »aufgezeichnet«? Nicht in den Gensequenzen: Wenn man die Genome eineiiger Zwillinge fünfzig Jahre lang im Zehnjahresabstand sequenziert, erhält man immer wieder dieselbe Sequenz. Untersucht man jedoch die *Epigenome* eines Zwillingspaares über mehrere Jahrzehnte hinweg, findet man beträchtliche Unterschiede: Zu Beginn des Experiments sind die Muster der an das Genom angehefteten Methylgruppen in den Genomen der Blutzellen oder der Neuronen praktisch identisch, nach zehn Jahren entwickeln sie sich allmählich auseinander und weichen nach fünfzig Jahren erheblich voneinander ab.*

Zufällige Ereignisse – Verletzungen, Infektionen, Schwärmereien, der ergreifende Triller einer bestimmten Nocturne, der Geruch einer Madeleine in Paris – beeinflussen den einen Zwilling, nicht aber den anderen. Als Reaktion auf diese Begebenheiten werden Gene von Regulatorproteinen »ein-« und »ausgeschaltet« und nach und nach von epigenetischen Prägungen überlagert.**

Wie sich diese epigenetischen Prägungen auf die Genaktivitäten funktional auswirken, bleibt noch zu bestimmen – manche Experimente legen nahe, dass diese Prägungen in Verbindung mit Transkriptionsfaktoren helfen können, die Genaktivitäten zu orchestrieren.

In seiner bemerkenswerten Erzählung *Das unerbittliche Gedächtnis* schildert der argentinische Schriftsteller Jorge Luis Borges einen jungen Mann, der nach einem Unfall aufwacht und feststellt, dass er nun

---

* Jüngere Studien und bessere Analyseverfahren zur Methylierung haben geringere Unterschiede zwischen Zwillingen ergeben. Dieses Forschungsgebiet bleibt umstritten und erlebt einen fortwährenden Wandel.

** Der Genetiker Mark Ptashne stellte die Dauerhaftigkeit epigenetischer Prägungen und die Beschaffenheit der in ihnen aufgezeichneten Erinnerung in Frage. Nach seiner Ansicht und der einiger anderer Genetiker dirigieren Masterregulatorproteine – zuvor als molekulare »Ein-« und »Ausschalter« bezeichnet – die Aktivierung oder Repression von Genen. Demnach entstehen epigenetische Prägungen *infolge* der Genaktivierung oder -repression und mögen bei deren Regulation eine Nebenrolle spielen, aber hauptsächlich wird die Genexpression durch diese Masterregulatorproteine gesteuert.

das »perfekte« Gedächtnis besitzt.[118] Dieser Funes erinnert sich an jedes Detail in jedem Augenblick seines Lebens, an jeden Gegenstand, jede Begegnung – die »Formen der südlichen Wolken«, die »Maserung eines Pergamentbandes«. Diese außergewöhnliche Fähigkeit macht Funes jedoch nicht mächtig, sondern lähmt in. Er ertrinkt in Erinnerungen, die er nicht zum Schweigen bringen kann; sie überwältigen ihn wie der ständige Lärm einer Menge, die er nicht dazu bewegen kann, still zu sein. Borges findet Funes im Dunkeln in seinem Bett liegend, unfähig, den grässlichen Informationsfluss einzudämmen, und gezwungen, die Welt auszusperren.

Eine Zelle ohne die Fähigkeit, Teile ihres Genoms selektiv stillzulegen, entwickelt sich zu Funes mit dem unerbittlichen Gedächtnis (oder zum gelähmten Funes wie in der Erzählung). Das Genom enthält die Erinnerung, jede Zelle in jedem Gewebe in jedem Organismus auszubilden – eine Erinnerung von so überwältigender Fülle und Vielfalt, dass eine Zelle ohne ein System selektiver Repression und Reaktivierung davon überwältigt würde. Wie bei Funes hängt die Möglichkeit, ein Gedächtnis funktionell zu nutzen, paradoxerweise von der Fähigkeit ab, Erinnerungen auszuschalten. Das epigenetische System existiert möglicherweise, damit das Genom funktionieren kann. Vieles über dieses System bleibt noch zu entdecken. Verschiedene Genome in verschiedenen Zellen scheinen von unterschiedlichen chemischen Markern als Reaktion auf vielfältige Reize (einschließlich Umwelteinflüssen) modifiziert zu werden. Aber ob diese Marker einen Beitrag zu Genaktivitäten leisten, wie sie das tun – *und was ihre Funktionen sein könnten* – wird unter Genetikern weiterhin hitzig und heftig debattiert.

• • •

Die wohl verblüffendste Demonstration, dass Masterregulatorproteine im Zusammenwirken mit epigenetischen Prägungen das Zellgedächtnis auch zurücksetzen können, lieferte 2006 ein Experiment des japanischen Stammzellforschers Shinya Yamanaka. Er war ebenso wie Gurdon fasziniert von der Vorstellung, dass an die Gene einer Zelle angeheftete chemische Markierungen als eine Art Protokoll der Zellidentität dienen könnten. Was wäre, wenn er diese Prägungen löschen könnte? Würde die adulte Zelle wieder in ihren Originalzustand zurückkehren – sich also in eine Embryozelle zurückverwandeln, die Zeit umkehren, die Geschichte annullieren, ihre Jungfräulichkeit zurückerlangen?

Ebenso wie Gurdon ging auch Yamanaka bei seinen Versuchen, die Zellidentität umzukehren, von einer normalen Zelle einer ausgewachsenen Maus aus – und zwar von einer Hautzelle. Gurdons Experiment hatte gezeigt, dass in einem Ei vorhandene Faktoren – Proteine und RNA – die Prägungen im Genom einer adulten Zelle aufheben, damit deren Entwicklung umkehren und aus einer Froschzelle eine Kaulquappe hervorbringen konnten. Nun fragte sich Yamanaka, ob er diese Faktoren in der Eizelle identifizieren, isolieren und dann als molekulare »Radiergummis« der Zelldifferenzierung nutzen könnte. Nach jahrzehntelangen Bemühungen hatte er die Suche nach diesen geheimnisvollen Faktoren auf Proteine eingeengt, die von nur vier Genen codiert werden. Diese vier Gene setzte er in die Hautzelle einer ausgewachsenen Maus ein.

Zu Yamanakas Verwunderung und zum Erstaunen von Wissenschaftlern auf der ganzen Welt bewirkte die Transplantation dieser vier Gene in adulte Hautzellen, dass sich ein kleiner Teil der Zellen in etwas verwandelte, was Ähnlichkeit mit embryonalen Stammzellen hatte. Aus ihnen konnten selbstverständlich Hautzellen entstehen, aber auch Muskel-, Knochen-, Blut-, Darm- und Nervenzellen. Tatsächlich konnten daraus sämtliche Zelltypen eines Organismus erwachsen. Als Yamanaka und seine Kollegen die fortschreitende (oder besser: rückschreitende) Entwicklung der Hautzelle zu einer Art Embryozelle genauer untersuchten, entdeckten sie eine ganze Kaskade von Vorgängen. Ganze Genkreise wurden aktiviert oder reprimiert. Der Stoffwechsel der Zelle wurde zurückgesetzt. Dann wurden die epigenetischen Prägungen gelöscht und umgeschrieben. Die Zelle veränderte Form und Größe und konnte, nachdem ihre Falten geglättet, ihre steifen Gelenke wieder geschmeidig gemacht waren und ihre Jugend wiederhergestellt war, Waddingtons Hügel bergauf klettern. Yamanaka hatte das Zellgedächtnis gelöscht und die biologische Zeit umgekehrt.

Die Geschichte hat jedoch einen Haken. Eines der vier Gene, die Yamanaka zur Umkehrung der Zellfixierung verwendet hatte, war *c-myc*.[119] Bei diesem Verjüngungsfaktor handelt es sich jedoch nicht um ein gewöhnliches Gen, sondern um einen der wirkmächtigsten Regulatoren des Zellwachstums und des Stoffwechsels, der in der Biologie bekannt ist. Wird es ungewöhnlich stark aktiviert, kann es eine adulte Zelle eindeutig dazu bewegen, wieder in einen embryonalen Zustand zurückzukehren, und ermöglicht dadurch Yamanakas Experiment zur Umkehrung der Zelldifferenzierung (dazu bedarf es der Mitwirkung von drei weiteren Genen, die Yamanaka entdeckt hat).

Myc ist jedoch auch eines der stärksten krebserregenden Gene, die in der Biologie bekannt sind; es wird auch bei Leukämie, Lymphomen, Bauchspeicheldrüsen-, Magen- und Gebärmutterkrebs aktiviert. Das Streben nach ewiger Jugend geht offenbar wie in einer alten Fabel mit einem erschreckenden Preis einher. Eben die Gene, die es einer Zelle ermöglichen, Alter und Sterblichkeit abzulegen, können sie in bösartige Unsterblichkeit, unaufhörliches Wachstum und Alterslosigkeit – die Kennzeichen von Krebs – kippen lassen.

• • •

Nun können wir versuchen, den niederländischen Hungerwinter und seine Auswirkungen über mehrere Generationen in seinen Mechanismen zu begreifen, die genetische Faktoren und die Wechselwirkung von Masterregulatorgenen und Genom umfassen. Der akute Hunger in diesen grausamen Monaten 1945 veränderte bei Männern und Frauen zweifellos die Expression von Genen, die an Stoffwechsel und Fettspeicherung beteiligt sind. Die ersten Veränderungen waren vorübergehend – und betrafen vielleicht nur das Ein- und Ausschalten von Genen, die auf Nährstoffe in der Umgebung reagieren.

Doch als die Stoffwechsellandschaft sich durch lang anhaltenden Hunger verfestigte und neu einstellte – als Vorübergehendes zu Dauerhaftem erstarrte –, prägten sich bleibendere Veränderungen in das Genom ein. Hormone strömten an Organe, signalisierten einen möglicherweise langfristigen Nahrungsentzug und kündigten eine umfassendere Umformatierung der Genexpression an. Proteine fingen diese Botschaften in den Zellen ab. Gene wurden nacheinander abgeschaltet und die DNA mit Prägungen versehen, um sie länger stillzulegen. Ganze Genprogramme wurden geschlossen wie Häuser, die man zum Schutz vor einem Sturm verbarrikadiert. Methylgruppen wurden an Gene angeheftet, Histone vielleicht modifiziert, um die Erinnerung an den Hunger festzuhalten.

Zelle für Zelle, Organ für Organ wurde der Körper auf Überleben umprogrammiert. Letzten Endes erhielten sogar die Keimzellen – Spermien und Eizellen – eine Prägung (wie oder warum sie die Erinnerung an eine Hungerreaktion in sich tragen, wissen wir nicht; vielleicht verzeichnen uralte Pfade in der menschlichen DNA Hunger und Entbehrungen in den Keimzellen).* Als aus diesen Samen- und Eizellen Kinder und Enkel hervorgingen, trugen die Embryos möglicherweise diese Prägungen in sich, die Stoffwechselveränderungen bewirkten und noch Jahrzehnte nach dem Hungerwinter in ihren Genomen festgeschrieben waren.

• • •

Hier ist eine Warnung angebracht: Die Epigenetik steht kurz davor, sich zu einer gefährlichen Idee zu entwickeln. Epigenetische Genmodifikationen können Zellen und Genomen potentiell historische und umweltspezifische Informationen einprägen – diese Fähigkeit ist jedoch spekulativ, begrenzt, spezifisch und unberechenbar: Ein Elternteil mit Hungererfahrung mag fettleibige, überernährte Kinder hervorbringen, aber ein Vater, der beispielsweise eine Tuberkulose überstanden hat, zeugt keine Kinder mit einer veränderten Reaktion auf diese Krankheit. Die meisten epigenetischen »Erinnerungen« sind eine Folge uralter *Evolutionswege* und dürfen nicht mit unserem

---

* Experimente mit Würmern und Mäusen belegten ebenfalls die generationenübergreifenden Auswirkungen von Hunger, allerdings ist unklar, ob diese Auswirkungen sich dauerhaft halten oder im Laufe von Generationen abschwächen. Manche dieser Studien zeigten, dass kleine RNAs an der Weitergabe von Information über Generationen hinweg beteiligt sind.

Wunsch verwechselt werden, unseren Kindern ein erstrebenswertes Vermächtnis zu sichern.

Die Epigenetik wird heutzutage ebenso wie die Genetik im frühen 20. Jahrhundert zur Rechtfertigung von Minderwissenschaft und zur Durchsetzung einengender Definitionen von Normalität missbraucht. Diäten, äußere Einwirkungen, Erinnerungen und Therapien, die angeblich die Vererbung verändern, enthalten gespenstische Anklänge an Lyssenkos Versuche, Weizen durch Schocktherapie »umzuerziehen«. Mütter werden aufgefordert, während der Schwangerschaft Ängste und Sorgen auf ein Minimum zu reduzieren – damit sie ihre Kinder und Kindeskinder nicht mit traumatisierten Mitochondrien belasten. Lamarck wird zum neuen Mendel rehabilitiert.

Solchen oberflächlichen Vorstellungen von Epigenetik sollte man mit Skepsis begegnen. Sicher können sich Umweltinformationen in das Genom einprägen. Die meisten dieser Prägungen werden jedoch als »genetische Erinnerungen« in den Zellen und Genomen *einzelner Organismen* festgehalten und nicht über die Generationen weitergegeben. Ein Mann, der durch einen Unfall ein Bein verliert, trägt die Spuren, die Wunden und Narben dieses Unfalls in seinen Zellen – zeugt aber keine Kinder mit verkürzten Beinen. Ebenso wenig hat mich oder meine Kinder offenbar das entwurzelte Leben meiner Familie mit einem quälenden Gefühl der Entfremdung belastet.

Entgegen den Mahnungen des Menelaos geht der Stamm unserer Eltern mit uns doch zu Ende, und damit vergehen glücklicherweise auch ihre Schwächen und Sünden. Das ist eine Regelung, die wir weniger bedauern als vielmehr bejubeln sollten. Genome und Epigenome sind dazu da, Ähnlichkeit, Vermächtnis, Erinnerung und Geschichte an Zellen und folgende Generationen weiterzugeben. Mutationen, die Umgruppierung von Genen und das Löschen von Erinnerungen bilden das Gegengewicht zu diesen Kräften und ermöglichen Ungleichheit, Variation, Missbildungen, Genialität und Neuerfindung – sowie die hervorragende Möglichkeit zu einem Neuanfang von Generation zu Generation.

• • •

Es ist durchaus denkbar, dass ein Wechselspiel von Genen und Epigenen die menschliche Embryogenese koordiniert. Kehren wir noch einmal zu Morgans Problemstellung zurück: der Entwicklung eines vielzelligen Organismus aus einem einzelligen Embryo. Sekunden nach der Befruchtung beginnt im Embryo ein Beschleunigungsprozess. Proteine erreichen den Zellkern und fangen an, Genschalter ein- und auszuschalten. Ein schlafendes Raumschiff erwacht zum Leben. Gene werden aktiviert und reprimiert, die Proteine codieren, die wiederum andere Gene aktivieren oder reprimieren. Eine einzige Zelle teilt sich in zwei, vier, acht Zellen. Es bildet sich eine Zellschicht, die sich zur äußeren Hülle einer Blase aushöhlt. Gene, die Stoffwechsel, Beweglichkeit, Zelldifferenzierung und -identität koordinieren, feuern los. Die Heizungsanlage wärmt sich auf. In den Korridoren flackern die Lichter auf. Die interne Kommunikationsanlage geht knisternd an.

Nun, ausgelöst durch Masterregulatorproteine, erwacht eine zweite Informationsschicht zum Leben, die die Verankerung der Genexpression in jeder Zelle sicherstellt und ihr die Entwicklung und Fixierung ihrer Identität ermöglicht. Chemische Markierungen, die selektiv an bestimmte Gene angeheftet und an anderen gelöscht werden, modulieren die Genexpression nur in dieser Zelle. Methylgruppen werden eingefügt und beseitigt und Histone modifiziert.

Schritt für Schritt entwickelt sich der Embryo weiter. Es entstehen Ursegmente, und Zellen nehmen ihre Position an verschiedenen Teilen des Embryos ein. Weitere aktivierte Gene steuern Prozesse, die Gliedmaßen und Organe wachsen lassen, und noch mehr Genome einzelner Zellen erhalten chemische Markierungen. Es kommen Zellen hinzu, die Organe und Strukturen bilden – Arme, Beine, Muskeln, Nieren, Knochen, Augen. Manche Zellen sterben einen programmierten Tod. Gene, die Funktion und Stoffwechsel aufrechterhalten und reparieren, werden eingeschaltet. Allmählich erwächst aus einer Zelle ein Organismus.

• • •

Von dieser Beschreibung sollte man sich jedoch nicht einlullen lassen. Man sollte nicht der Versuchung erliegen, zu denken: »Mein Gott, was für ein komplizierter Vorgang!« und sich beruhigt in der Gewissheit zurücklehnen, dass es niemandem gelingen werde, diese Prozesse zu verstehen, zu zergliedern oder gezielt zu manipulieren. Wenn Wissenschaftler komplexe Zusammenhänge unterschätzen, werden sie leicht Opfer unbeabsichtigter Folgen – so wurden z. b. zur Schädlingsbekämpfung eingeführte gebietsfremde Tierarten selbst zu Schädlingen.

Überschätzen wissenschaftliche Laien jedoch die Komplexität – »Diesen Code kann unmöglich jemand knacken« –, riskieren sie Konsequenzen, mit denen sie nicht rechnen. In den frühen 1950er Jahren herrschte unter manchen Biologen die verbreitete Ansicht, der genetische Code sei derart kontextabhängig – so stark von einer bestimmten Zelle in einem bestimmten Organismus geprägt und so kompliziert –, dass er unmöglich zu entschlüsseln sei. Das genaue Gegenteil erwies sich schließlich als wahr: Nur ein einziges Molekül ist Träger dieses Codes, und nur ein Code waltet in der gesamten biologischen Welt. Wenn wir diesen Code kennen, können wir ihn in Organismen und letztlich auch bei Menschen gezielt verändern. Ganz ähnlich bezweifelten in den 1960er Jahren viele, dass sich mit Klonierverfahren Gene ohne weiteres von einer Spezies auf die andere übertragen ließen. Bereits 1980 war das Erzeugen eines Säugetierproteins in einer Bakterienzelle oder die Bildung eines Bakterienproteins in einer Säugetierzelle nicht nur machbar, sondern geradezu »lächerlich einfach«, wie Berg es formulierte. Spezies waren ein Scheinphänomen. »Natürlichkeit« war häufig »nur eine Pose«.

Die Entstehung eines Menschen aus genetischen Anweisungen ist zweifellos ein komplexer Vorgang, was allerdings dessen Manipulation oder Deformation keineswegs ausschließt oder einschränkt. Wenn ein Sozialwissenschaftler betont, die Wechselwirkungen von Genen und Umwelt – und nicht allein die Gene – bestimmten über Form, Funktion und Werdegang, so unterschätzt er die Macht der Masterregulatorgene, deren unbedingte und eigenständige Wirkung komplexe physiologische und anatomische Zustände steuert. Ein Humangenetiker, der behauptet:»Genetik lässt sich nicht zur Manipulation komplexer Zustände und Verhaltensweisen nutzen, weil diese in der Regel von Dutzenden von Genen gesteuert werden«, unterschätzt die Fähigkeit eines einzigen Gens wie die eines Masterregulatorgens, einen»Reset« ganzer Seinszustände zu bewirken. Wenn sich durch Aktivierung von vier Genen eine Hautzelle in eine pluripotente Stammzelle verwandeln lässt, wenn ein Medikament die Identität eines Gehirns umkehren und eine Mutation in einem einzelnen Gen zum Wechsel der Geschlechtsidentität führen kann, dann sind unsere Genome und unser Ich wesentlich formbarer, als wir gedacht haben.

· · ·

Technologie ist, wie bereits gesagt, am wirkmächtigsten, wenn sie Übergänge ermöglicht – von linearer zu kreisförmiger Bewegung (das Rad), vom realen zum virtuellen Raum (Internet). Dagegen ist die Naturwissenschaft am wirkmächtigsten, wenn sie Organisationsprinzipien – Gesetze – aufdeckt, die als Linsen dienen, durch die wir die Welt sehen und strukturieren. Technologen sind bestrebt, uns durch solche Übergänge von den Einschränkungen und Zwängen unserer gegenwärtigen Realität zu befreien. Die Wissenschaft definiert diese Einschränkungen und Zwänge, indem sie die äußeren Grenzen des Möglichen umreißt. Unsere größten technologischen Neuerungen sind daher häufig nach unseren Fähigkeiten zur Beherrschung der Welt benannt: der *Motor* (lat.: *motor*, Beweger) oder der *Computer* (Rechner, aus dem Lat.: computare). Dagegen sind unsere tiefgreifendsten naturwissenschaftlichen Gesetze häufig nach den Grenzen menschlicher Erkenntnis benannt: Unschärfe, Relativität, Unvollständigkeit, Unmöglichkeit.

Unter den Naturwissenschaften ist die Biologie die regelloseste. Sie kennt nur wenige Gesetzmäßigkeiten, und noch weniger, die universelle Geltung besitzen. Lebewesen müssen selbstverständlich den physikalischen und chemischen Grundregeln gehorchen, aber das Leben findet häufig in den Grenz- und Zwischenbereichen dieser Gesetze statt und dehnt sie bis an ihre Belastungsgrenze aus. Das Universum strebt nach Gleichgewicht, es verbreitet bevorzugt Energie, stört die Organisation und maximiert das Chaos. Das Leben ist darauf angelegt, diesen Kräften entgegenzuwirken. Wir verlangsamen Reaktionen, konzentrieren Materie und organisieren chemische Stoffe in Kompartimenten. Wir sortieren mittwochs die Wäsche. »Gelegentlich scheint es so, als sei die Reduzierung der Entropie unser quichottesker Zweck in diesem Universum«, schrieb James Gleick.[120] Wir leben in Schlupflöchern der Naturgesetze, suchen Erweiterungen, Ausnahmen und Vorwände. Nach wie vor markieren die Naturgesetze die Außengrenzen des Zulässigen – aber das Leben in all seiner Eigenwilligkeit und Verrücktheit gedeiht, indem es zwischen den Zeilen liest. Selbst der Elefant kann nicht gegen die Hauptsätze der Thermodynamik verstoßen, obwohl sein Rüssel sicher zu einem der seltsamsten Mittel zählt, Materie unter Einsatz von Energie zu bewegen.

Der Kreislauf biologischer Information ist möglicherweise eines der wenigen Organisationsprinzipien der Biologie:

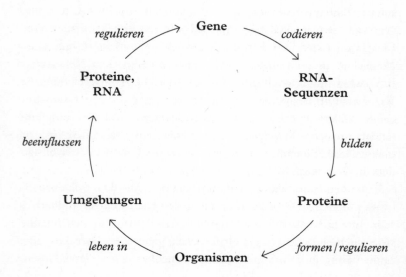

Sicher gibt es Ausnahmen von der Richtung dieses Informationsflusses (so können Retroviren von RNA zu DNA »rückwärts« paddeln). Zudem könnten bisher unentdeckte Mechanismen der Natur die Reihenfolge oder die Komponenten des Informationsflusses in lebenden Systemen verändern (so ist mittlerweile bekannt, dass RNA die Genregulation beeinflussen kann). Aber der Kreislauf biologischer Information ist theoretisch in groben Zügen umrissen.

Dieser Informationsfluss ist möglicherweise das, was einem biologischen Naturgesetz am nächsten kommt. Sobald wir die Technologie zur Manipulation dieses Gesetzes beherrschen, werden wir eine der grundlegendsten Umwälzungen unserer Geschichte erleben. Wir werden lernen, uns selbst – unser Selbst – zu lesen und zu schreiben.

• • •

Doch bevor wir den Sprung in die Zukunft unseres Genoms tun, sollten wir einen kurzen Abstecher in dessen Vergangenheit machen. Wir wissen nicht, woher Gene kommen oder wie sie entstanden sind. Ebenso wenig können wir wissen, warum gerade diese Methode des Informationstransfers und der Datenspeicherung allen in der Biologie möglichen anderen Verfahren vorgezogen wurde. Wir können jedoch versuchen, den Ursprung der Gene im Labor zu rekonstruieren. In Harvard bemühte sich der zurückhaltende, ruhige Biochemiker Jack Szostak zwei Jahrzehnte lang, ein selbstreplizierendes genetisches System im Reagenzglas zu erzeugen – und damit den Ursprung der Gene zu rekonstruieren.[121]

Szostaks Experiment baute auf der Arbeit des visionären Chemikers Stanley Miller auf, der eine »Ursuppe« aus den in der Uratmosphäre bekanntermaßen vorhandenen Grundchemikalien herzustellen versucht hatte. Miller hatte in den 1950er Jahren an der University of Chicago Methan, Ammoniak, Wasserstoff und Wasser durch Ventile in eine luftdicht abgeschlossene Glasapparatur geleitet, heißen Wasserdampf hinzugefügt und mit einer elektrischen Funkenstrecke Blitze simuliert.[122] Dann hatte er die Apparatur immer wieder erhitzt und abgekühlt, um die flüchtigen Bedingungen der Urwelt nachzuahmen. Feuer und Schwefel, Himmel und Hölle, Luft und Wasser – verdichtet in einem Reagenzglas.

Drei Wochen später war zwar kein Organismus aus Millers Apparatur gekrochen, aber er hatte in der Rohmischung aus Methan, Ammoniak, Wasserstoff, Wasser, Hitze und Elektrizität Spuren von Aminosäuren – den Bausteinen der Proteine – und von einfachsten Zuckern gefunden. Bei späteren Abwandlungen des Miller-Experiments, denen Lehm, Basalt und Vulkangestein zugefügt wurden, entstanden Rudimente von Lipiden, Fetten und sogar die chemischen Bausteine der RNA und DNA.[123]

Nach Szostaks Ansicht entstanden Gene aus dieser Ursuppe durch ein unwahrscheinliches, zufälliges Zusammentreffen zweier Partner. Zunächst verschmolzen Lipide, die sich in der Ursuppe gebildet hatten, miteinander zu *Mizellen* – seifenblasenähnlichen kugelförmigen Hohlmembranen, die Flüssigkeit in sich einschließen und den äußeren Zellschichten gleichen (bestimmte Fette, die in wässrigen Lösungen zusammengemischt werden, neigen dazu, sich natürlich zu solchen Blasen zusammenzutun). Szostak wies in Laborexperimenten nach, dass solche Mizellen sich wie Protozellen verhalten können:[124] Fügt man weitere Lipide zu, wachsen diese hohlen »Zellen«, dehnen sich aus, bewegen sich und bilden dünne Ausbuchtungen aus, die an die zerzausten Zellmembranen erinnern. Schließlich teilen sie sich und machen aus einer Mizelle zwei.

Während sich die selbstassemblierenden Mizellen bildeten, entstanden außerdem RNA-Ketten aus Nukleosiden (A, C, G, U oder ihren chemischen Vorläufern), die sich zu Strängen zusammenfügten. Die überwiegende Mehrzahl dieser RNA-Ketten besaß nicht die Fähigkeit zur Reproduktion, konnte also keine Kopien von sich herstellen. Unter den Milliarden nichtreplizierenden RNA-Molekülen war jedoch zufällig eines, das ein Abbild von sich erzeugen konnte – vielmehr eine spiegelbildliche Kopie (die chemische Struktur ermöglicht es der RNA und DNA, wie gesagt, spiegelbildliche Moleküle zu bilden). Diese RNA-Moleküle besaßen erstaunlicherweise die Fähigkeit, aus einer chemischen Mischung Nukleoside zu sammeln und zu einer neuen RNA-Kopie zu verketten. Es war eine selbstreplizierende Chemikalie.

Der nächste Schritt war eine Zweckehe. Irgendwo auf der Erde – nach Szostaks Ansicht könnte es am Rand eines Tümpels oder Sumpfes gewesen sein – traf ein selbstkopierendes RNA-Molekül auf eine selbstreplizierende Mizelle. Aus konzeptioneller Sicht war es eine explosive Affäre: Die beiden Moleküle begegneten sich, verliebten sich und gingen eine dauerhafte Ehe ein. Die selbstreplizierende RNA zog in die sich teilende Mizelle ein, die sie nach außen abschirmte, schützte und in ihrer sicheren Blase spezielle chemische Reaktionen ermöglichte. Das RNA-Molekül begann seinerseits Information zu codieren, die nicht für seine eigene Vermehrung, sondern für die der gesamten RNA-Mizellen-Einheit vorteilhaft war. Im Laufe der Zeit ermöglichte die in ihm codierte Information es dem RNA-Mizellen-Komplex, weitere dieser Komplexe hervorzubringen.

»Es ist relativ einfach nachzuvollziehen, wie RNA-basierte Protozellen sich von da aus weiterentwickelt haben könnten«, schrieb Szostak. »Nach und nach könnte ein Stoffwechsel entstanden sein, als ... [die Protozellen lernten] aus einfacheren und reichlich vorhandenen Ausgangsstoffen intern Nährstoffe zu synthetisieren. Als nächstes könnten die Organismen ihrem Repertoire chemischer Tricks die Proteinsynthese hinzugefügt haben.«[125] Möglicherweise lernten RNA-»Protogene«, wie sie Aminosäuren bewegen konnten, Ketten und somit Proteine zu bilden – vielseitige Molekularmaschinen, die Stoffwechsel, Selbstvermehrung und Informationstransfer wesentlich effizienter zu gestalten vermochten.

• • •

Wann und warum entstanden auf einem RNA-Strang separate »Gene« – Informationsmodule? Existierten Gene von Anfang an in ihrer Modulform oder gab es Zwischen- oder Alternativformen der Informationsspeicherung? Auch diese Fragen lassen sich im Grunde nicht beantworten, aber vielleicht kann die Informationstheorie einen wichtigen Hinweis liefern. Kontinuierliche nichtmodulare Information birgt das Problem, dass sie notorisch schwer zu handhaben ist. Sie hat die Tendenz, sich zu vermischen, sich beschädigen, verwirren und verwässern zu lassen und zu verkommen. Wenn man an einem Ende zieht, wird das andere Ende abgewickelt. Geht eine Information fließend in die andere über, so ist das Risiko einer Beschädigung erheblich höher: Man denke nur an eine Vinylschallplatte, die in der Mitte einen einzigen Kratzer hat. Dagegen lässt sich »digitalisierte« Information wesentlich leichter reparieren und retten. Wir können auf ein einzelnes Wort in einem Buch zugreifen und es ändern, ohne die gesamte Bibliothek neu konfigurieren zu müssen. Aus demselben Grund sind möglicherweise die Gene entstanden: Separate Informationsmodule auf einem RNA-Strang wurden genutzt, um Anweisungen für separate, einzelne Funktionen zu codieren.

Die diskontinuierliche Anordnung der Information hatte noch einen weiteren Vorteil: So beeinträchtigte eine Mutation ein Gen und nur dieses, während die anderen unbeschadet blieben. Mutationen konnten sich nun lediglich auf separate Informationsmodule auswirken, statt die Funktion des gesamten Organismus zu stören – und konnten so die Evolution beschleunigen. Dieser Vorteil war jedoch mit Risiken verbunden: Ein Zuviel an Mutationen würde zur Beschädigung oder zum Verlust der Information führen. Vielleicht bedurfte es einer Sicherungskopie – eines Spiegelbildes, damit das Original geschützt wäre und der Prototyp sich im Fall einer Beschädigung wiederherstellen ließe. Möglicherweise war das letztlich der Anstoß, eine *doppelsträngige* Nukleinsäure auszubilden. Die Daten auf einem Strang würden die des anderen Stranges perfekt widerspiegeln und ließen sich nutzen, um etwaige Schäden zu beheben; das Yin würde das Yang schützen. So erfand das Leben seine eigene Festplatte.

Mit der Zeit wurde diese neue Kopie – die DNA – zur Masterversion. Die DNA war eine Erfindung der RNA-Welt, überholte die RNA aber schon bald als Genträger und wurde zum vorherrschenden Träger genetischer Information in Lebewesen.* Ein weiterer antiker Mythos – vom Kind, das den Vater verschlingt, von Kronos, der von Zeus gestürzt wird – ist in die Geschichte unseres Genoms eingeprägt.

---

* Bei manchen Viren sind die Gene nach wie vor in Form von RNA angelegt.

TEIL 6

Post-Genom

Die Genetik
des Schicksals und der Zukunft
(2015 – ...)

Die Hybris, die uns versuchen läßt, das Himmel-
reich auf Erden zu verwirklichen, verführt uns
dazu, unsere gute Erde in eine Hölle zu verwandeln.

Karl Popper[1]

Nur wir Menschen wollen auch noch die
Zukunft besitzen.

Tom Stoppard, *Die Küste Utopias*[2]

Die Zukunft der Zukunft

Keine DNA-Forschung ist vermutlich zugleich
so mit Hoffnungen verbunden, umstritten,
medial aufgebauscht und sogar potentiell
gefährlich wie das Fachgebiet, das man Gentherapie nennt.

Gina Smith, *The Genomics Age*[3]

Klärt die Luft, fegt den Himmel, wascht den
Wind! Nehmt den Stein vom Stein, nehmt die
Haut vom Arm, nehmt das Fleisch vom Bein
und wascht es. Wascht den Stein, wascht das
Bein, wascht das Hirn, wascht die Seele, wascht
sie, wascht sie!

T. S. Eliot, *Mord im Dom*[4]

Kehren wir kurz zurück zu einer Diskussion, die im Spätsommer 1972
auf den Mauern einer alten Festung in Sizilien stattfand. Während
einer Konferenz über Genetik waren Paul Berg und eine Gruppe von
Studenten abends auf einen Hügel mit Blick über die Lichter der Stadt
gestiegen. Bergs Vortrag über die Möglichkeit, zwei DNA-Abschnitte
zu »rekombinanter DNA« zu verbinden, hatte Staunen und Sorge ausgelöst. Die Studenten waren über die Gefahren beunruhigt, die solche
neuartigen DNA-Fragmente bergen könnten: Sollte das falsche Gen in

den falschen Organismus eingepflanzt werden, könnte das Experiment eine biologische oder ökologische Katastrophe auslösen. Aber Bergs Gesprächspartner machten sich nicht nur Gedanken über Krankheitserreger, sondern drangen zum Kern des Problems vor, wie Studenten es häufig tun: Sie fragten nach den Aussichten auf eine Gentechnik am Menschen – also nach Verfahren, neue Gene dauerhaft in das Humangenom einzubringen. Wie war es um Möglichkeiten bestellt, aus den Genen die Zukunft vorherzusagen – und dieses Schicksal dann durch Genmanipulation zu verändern? »Sie dachten schon mehrere Schritte voraus«, erzählte Berg mir später. »Ich machte mir Gedanken über die Zukunft, aber sie waren besorgt über die Zukunft der Zukunft.«

Eine Zeitlang erwies sich die »Zukunft der Zukunft« als biologisch störrisch. Kaum drei Jahre nach Erfindung der Technologie zur Herstellung rekombinanter DNA injizierte man 1974 embryonalen Mäusezellen in einem frühen Entwicklungsstadium ein genmodifiziertes SV40-Virus.[5] Es war ein gewagtes Vorhaben. Die mit dem Virus infizierten Embryozellen wurden anschließend mit den Zellen eines normalen Embryos zu embryologischen »Chimären« vermischt und diese Verbundembryos Mäusen eingepflanzt. Aus diesem Zellgemisch gingen sämtliche Organe und Zellen hervor – Blut, Gehirn, Darm, Herz, Muskeln und vor allem Spermien und Eizellen. Wenn die mit dem Virus infizierten Embryozellen einige der Samen- und Eizellen der neugeborenen Mäuse bildeten, würden die viralen Gene vertikal über die Generationen von Maus zu Maus weitergegeben werden wie jedes andere Gen. So könnte das Virus sich wie ein trojanisches Pferd dauerhaft über mehrere Generationen in ein Tiergenom einschmuggeln und die ersten genmodifizierten höheren Organismen hervorbringen.

Zunächst funktionierte das Experiment – scheiterte dann aber an zwei unerwarteten Effekten. Erstens: Obwohl in Blut, Muskeln, Gehirn und Nerven der Maus eindeutig Zellen mit viralen Genen auftauchten, war die Weitergabe der viralen Gene an Samen- und Eizellen extrem ineffizient. Sosehr die Forscher sich auch bemühen mochten, gelang ihnen keine effiziente »vertikale« Übertragung der Gene über die Generation hinweg. Zweitens: Obwohl in den Mauszellen virale

Gene vorhanden waren, kam es durchweg nicht zu deren *Expression*, diese Gene waren inaktiv, brachten also weder RNA noch ein Protein hervor. Jahre später entdeckten Forscher, dass die viralen Gene durch epigenetische Prägungen ausgeschaltet waren. Mittlerweile weiß man, dass Zellen uralte Detektoren besitzen, die virale Gene erkennen und mit chemischen Markierungen versehen, um ihre Aktivierung zu verhindern.

Offenbar hatte das Genom solche Versuche, es zu verändern, bereits vorhergesehen. Es war eine perfekte Pattsituation. Unter Magiern gibt es ein altes Sprichwort, dass man zuerst lernen müsse, Dinge wieder auftauchen zu lassen, bevor man lerne, sie verschwinden zu lassen. Diese Lektion lernten nun Gentherapeuten. Ein Gen unsichtbar in eine Zelle und in einen Embryo zu schmuggeln war einfach. Die wahre Herausforderung bestand darin, es wieder sichtbar zu machen.

• • •

Durch die Fehlschläge dieser ersten Studien stagnierte der Bereich der Gentherapie etwa zehn Jahre lang, bis Biologen über eine wichtige Entdeckung stolperten: embryonale Stammzellen, kurz ES.[6] Um die Zukunft der Gentherapie bei Menschen zu verstehen, müssen wir uns mit embryonalen Stammzellen befassen. Man nehme ein Organ wie das Gehirn oder die Haut. Wenn ein Tier altert, wachsen Hautzellen, sterben und schälen sich ab. Die Zelltodwelle kann sogar katastrophale Formen annehmen – etwa nach einer Verbrennung oder einer schweren Verletzung. Um abgestorbene Zellen zu ersetzen, müssen Organe über Methoden verfügen, ihre eigenen Zellen zu regenerieren.

Diese Aufgabe erfüllen Stammzellen, besonders nach katastrophalem Zellverlust. Sie sind ein besonderer Zelltyp, der sich durch zwei Eigenschaften auszeichnet. Aus ihnen können durch Differenzierung funktionale Zelltypen wie Nerven- oder Hautzellen entstehen und sie können sich *selbst erneuern*, also weitere Stammzellen hervorbringen, die sich wiederum zu funktionalen Zellen eines Organs differenzieren können. Eine Stammzelle ist ähnlich einem Großvater, der Generation für Generation immer weiter Kinder, Enkel und Urenkel hervorbringt, ohne je seine Fortpflanzungsfähigkeit zu verlieren. Sie ist das perfekte Regenerationsreservoir für ein Gewebe oder Organ.

Die meisten Stammzellen sitzen in bestimmten Organen und Geweben und bringen ein begrenztes Zellrepertoire hervor. So produzieren die Stammzellen im Knochenmark nur Blutzellen. In den Tiefen des Darms gibt es Stammzellen, die für die Produktion von Darmzellen zuständig sind. Aber embryonale Stammzellen, die aus der Innenhülle eines Tierembryos erwachsen, sind weitaus potenter: Aus ihnen kann *jeder* Zelltyp des Organismus entstehen – Blut, Gehirn, Darm, Muskeln, Knochen, Haut. Diese Eigenschaft embryonaler Stammzellen bezeichnen Biologen als *pluripotent*.

Embryonale Stammzellen zeichnen sich noch durch ein drittes Merkmal aus. Sie lassen sich aus dem Embryo eines Organismus isolieren und in Petrischalen im Labor züchten. Die Zellen wachsen in der Kultur kontinuierlich weiter. Diese winzigen, durchscheinenden Kugeln, die sich unter dem Mikroskop zu nestartigen Gebilden gruppieren können, haben mehr Ähnlichkeit mit einem sich auflösenden Organ als mit einem entstehenden Organismus. Als diese Zellen erstmals in einem Labor im englischen Cambridge aus Mausembryos isoliert wurden, erregten sie bei Genetikern kaum Aufmerksamkeit. »Niemand scheint sich für meine Zellen zu interessieren«, beklagte der Embryologe Martin Evans.[7]

Die wahre Macht einer embryonalen Stammzelle beruht jedoch wieder einmal auf einer Transition: Wie bei der DNA, den Genen und den Viren ist es ihre innere Dualität, die diese Zelle zu einem so potenten biologischen Instrument macht. Embryonale Stammzellen verhalten sich in Gewebekulturen wie alle anderen experimentell zugänglichen Zellen. Sie lassen sich in Petrischalen züchten, einfrieren und wieder auftauen. Man kann sie über Generationen hinweg in einer Nährlösung vermehren und relativ einfach Gene in ihr Genom einfügen oder daraus entfernen.

Setzt man dieselbe Zelle nun im richtigen Kontext in die richtige Umgebung, entspringt ihr buchstäblich Leben. Mischt man sie mit Embryonalzellen eines frühen Entwicklungsstadiums und implantiert sie in die Gebärmutter einer Maus, so teilt sie sich und bildet Schichten, die sich in alle möglichen Zellarten ausdifferenzieren: Blut, Gehirn, Muskeln, Leber – und sogar Samen- und Eizellen. Diese Zellen organisieren sich wiederum zu Organen und werden wie durch ein Wunder in einen vielschichtigen, vielzelligen Organismus eingebaut – eine echte Maus. So wirkt sich jede in der Petrischale durchgeführte experimentelle Manipulation in der Maus aus. Die Genmodifikation einer Zelle in einer Petrischale »wird« zur Modifikation eines Organismus im Mutterleib – ein Übergang vom Labor zum Leben.

Die durch Stammzellen ermöglichte Einfachheit von Experimenten überwand noch ein zweites, hartnäckigeres Problem. Verwendet man Viren für den Gentransfer in Zellen, so ist es praktisch unmöglich zu kontrollieren, wo das Gen im Genom eingefügt wird. Mit seinen drei Millionen Basenpaaren ist das menschliche Genom fünfzig- bis hunderttausendmal größer als die meisten viralen Genome. Ein virales Gen fällt in das Genom wie ein Bonbonpapierchen, das aus einem Flugzeug in den Atlantik geworfen wird: Es lässt sich unmöglich vorhersagen, wo es auftreffen wird. Praktisch alle Viren, die zur Genintegration fähig sind wie HIV oder SV40, heften ihre Gene in der Regel zufällig an irgendeine Stelle des Humangenoms an. Für eine Gentherapie ist diese zufällige Integration äußerst ärgerlich. Die viralen Gene könnten in eine stille Nische des Genoms fallen und nie exprimiert werden. Oder sie geraten in eine Region des Chromosoms, die die Zelle ohne weiteres aktiv ausschalten kann. Oder, was noch schlimmer wäre, die Integration des Virusgens könnte ein wichtiges Gen stören oder ein krebserregendes Gen aktivieren und potentiell verheerende Folgen haben.

Über die Stammzellen fanden Forscher jedoch einen Weg, genetische Veränderungen nicht zufällig, sondern an gezielten Stellen des Genoms vorzunehmen, auch *innerhalb der Gene*.[8] So könnte man Eingriffe in das Insulingen vornehmen und – durch recht grundlegende, aber einfallsreiche experimentelle Manipulationen – gewährleisten, dass in den Zellen *ausschließlich* dieses Insulingen verändert würde.[9] Und weil die genmodifizierten embryonalen Stammzellen im Prinzip

sämtliche Zelltypen einer Maus generieren können, wäre sicherge-
stellt, dass eine Maus mit eben diesem veränderten Insulingen geboren würde. Würden die genmodifizierten embryonalen Stammzellen
schließlich Samen- und Eizellen in der ausgewachsenen Maus bilden,
dann würde das Gen über die Generationen hinweg von Maus zu
Maus vererbt, und damit wäre eine vertikale erbliche Weitergabe erreicht.

Diese Technologie hatte weitreichende Konsequenzen. In der Natur
besteht das einzige Mittel, eine gerichtete oder beabsichtigte Veränderung in einem Gen herbeizuführen, in zufälliger Mutation und natürlicher Auslese. Setzt man ein Tier beispielsweise Röntgenstrahlen aus,
könnte eine genetische Veränderung sich dauerhaft im Genom verankern – es gibt jedoch keine Methode, einen Röntgenstrahl gezielt auf
ein bestimmtes Gen zu richten. Natürliche Auslese muss die Mutation
auswählen, die dem Organismus die beste Tauglichkeit verleiht, und
ermöglicht es dadurch, dass die Mutation sich zunehmend im Genpool ausbreitet. In diesem Schema besitzen jedoch weder Mutation
noch Evolution Intentionalität oder Ausrichtung. In der Natur sitzt
niemand im Führerhaus der Maschine, die genetische Veränderung
antreibt. Der »Uhrmacher« der Evolution ist blind, wie Richard Dawkins uns in Erinnerung rief.[10]

Mit embryonalen Stammzellen konnte ein Forscher jedoch praktisch jedes Gen gezielt manipulieren und diese genetische Veränderung
dauerhaft im Genom eines Tieres verankern. Es war Manipulation und
Auslese in einem Schritt – Evolution, im Schnellverfahren im Labor
durchgeführt. Die Technologie war so umwälzend, dass für diese Organismen ein neuer Begriff geprägt werden musste: *transgene* Tiere – »jenseits der Gene«. In den frühen 1990er Jahren wurden in Laboren rund
um die Welt Hunderte von Stämmen transgener Mäuse geschaffen, um
die Funktionen von Genen zu entschlüsseln. So entstand eine Maus
mit einem Quallengen im Genom, das sie im Dunkeln unter blauem
Licht fluoreszieren ließ. Mäuse mit Varianten des Wachstumshormon-
gens wurden doppelt so groß wie Artgenossen. Andere stattete man
mit genetischen Veränderungen aus, durch die sie Alzheimer oder

Epilepsie entwickelten oder vorzeitig alterten. Mäuse mit aktivierten Krebsgenen entwickelten explosionsartig Tumore und erlaubten es Biologen, sie als Modellorganismen für bösartige Erkrankungen bei Menschen zu nutzen. 2014 schufen Forscher Mäuse mit einer Mutation in einem Gen, das die Kommunikation zwischen Neuronen im Gehirn steuert. Bei diesen Tieren sind Gedächtnis und kognitive Funktionen erheblich verbessert. Sie sind die Weisen unter den Nagetieren: Sie speichern Erinnerungen rascher, behalten sie länger und erlernen neue Fähigkeiten nahezu doppelt so schnell wie normale Mäuse.[11]

Diese Experimente zogen eine Fülle komplexer ethischer Fragestellungen nach sich. Durfte man solche Techniken bei Primaten einsetzen? Bei Menschen? Wer würde die Erzeugung transgener Tiere regulieren? Welche Gene würde oder könnte man einpflanzen? Wo waren die Grenzen der Transgene?

Noch bevor das ethische Chaos ausbrechen konnte, traten glücklicherweise technische Barrieren auf. Die ursprünglichen Versuche mit embryonalen Stammzellen – darunter auch die Produktion transgener Organismen – hatten überwiegend Mäusezellen verwendet. Als Forscher in den frühen 1990er Jahren aus menschlichen Embryos in einem frühen Entwicklungsstadium einige Stammzellen isolierten, stießen sie auf eine unerwartete Hürde. Im Gegensatz zu den embryonalen Stammzellen von Mäusen, die sich experimentellen Manipulationen gut zugänglich erwiesen hatten, funktionierten menschliche embryonale Stammzellen in der Kultur nicht. »Vielleicht ist es das schmutzige kleine Geheimnis dieses Fachgebiets: Menschliche embryonale Stammzellen haben nicht dieselben Fähigkeiten wie ES-Zellen von Mäusen«, erklärte der Biologe Rudolf Jaenisch. »Man kann sie nicht klonieren. Man kann sie nicht für gezielte Genmodifikationen verwenden … Sie unterscheiden sich völlig von embryonalen Stammzellen von Mäusen, die alles können.«[12]

Zumindest vorübergehend schien der Geist der Transgenese gebannt.

• • •

Vorerst kam eine Genmodifikation menschlicher Embryos also nicht in Frage – doch was wäre, wenn Gentherapeuten sich mit einer weniger radikalen Zielsetzung begnügen würden? Ließen sich Viren nutzen, um Gene in *nichtreproduktive* menschliche Zellen einzuführen – beispielsweise in Neuronen, in Blut- oder Muskelzellen? Das Problem einer zufälligen Integration in das Genom bliebe bestehen – und vor allem käme es nicht zu einer vertikalen Weitergabe der Gene von einem Organismus an den nächsten. Wenn man die viral eingeführten Gene jedoch in die richtigen Zellen bringen könnte, würden sie möglicherweise dennoch ihren therapeutischen Zweck erfüllen. Selbst diese Zielsetzung würde für die Humanmedizin einen Sprung in die Zukunft bedeuten – eine »Gentherapie light«.

Bei einem zweijährigen Mädchen namens Ashanti DeSilva, kurz Ashi, aus North Olmsted, Ohio, traten ab 1988 merkwürdige Symptome auf.[13] Eltern wissen, dass Kleinkinder viele vorübergehende Erkrankungen entwickeln, aber Ashis Krankheiten und Symptome waren ausgesprochen anormal: seltsame anhaltende Lungenentzündungen und Infektionen, nicht verheilende Wunden und Leukozyten, deren Anzahl ständig unter den Normwerten lag. Einen Großteil ihrer Kindheit verbrachte Ashi immer wieder im Krankenhaus: Mit zwei Jahren geriet bei ihr eine ganz alltägliche Infektion außer Kontrolle, führte zu lebensbedrohlichen inneren Blutungen und einem langwierigen Krankenhausaufenthalt.

Eine Zeitlang stellten ihre Symptome die Ärzte vor ein Rätsel, und sie führten ihre wiederkehrenden Erkrankungen auf ein unterentwickeltes Immunsystem zurück, das sich mit der Zeit stärken würde. Als Ashi drei Jahre alt wurde und die Symptome nicht abnahmen, unterzogen sie das Mädchen unzähligen Untersuchungen. Schließlich führte man ihre Immunschwäche auf ihre Gene zurück – auf seltene spontane Mutationen in beiden Allelen des sogenannten ADA-Gens auf Chromosom 20. Mittlerweile hatte Ashi bereits mehrere Nahtoderfahrungen hinter sich, die ihrem Körper einen hohen Tribut abverlangt hatten – noch schlimmer aber waren die emotionalen Belastungen, die sie durchgemacht hatte: Eines Morgens wachte die Vierjährige auf und erklärte ihrer Mutter:»Mami, du hättest nicht so ein Kind wie mich bekommen sollen.«[14]

Das ADA-Gen – die Abkürzung steht für »Adenosin-Desaminase« – codiert ein Enzym, das den vom Körper natürlich produzierten Stoff Adenosin in ein harmloses Produkt namens Inosin umwandelt. Fehlt das ADA-Gen, kann der Entgiftungsprozess nicht stattfinden und im Körper sammeln sich toxische Abfallprodukte des Adenosin-Stoffwechsels an. Die akute Vergiftung betrifft besonders die Infektionen bekämpfenden T-Zellen – ohne die das Immunsystem bald zusammenbricht. Diese Erkrankung ist äußerst selten – nur eins von 150000 Kindern wird mit ADA-Mangel geboren –, und führt bei praktisch allen Kindern zum Tod. Sie gehört zur Gruppe der schweren kombinierten Immundefekte (engl.: *severe combined immunodeficiency*, kurz SCID). Der bekannteste SCID-Patient, ein Junge namens David Vetter, verbrachte sein gesamtes Leben in einem Kunststoffisolator in einem Krankenhaus in Texas. Der »Bubble Boy«, wie die Medien ihn nannten, starb 1984 im Alter von zwölf Jahren, eingesperrt in seiner sterilen Kunststoffblase, nach einem verzweifelten Versuch einer Knochenmarkstransplantation.[15]

David Vetters Tod gab den Ärzten zu denken, die gehofft hatten, einen ADA-Mangel mit einer Knochenmarkstransplantation therapieren zu können. Die einzige andere Behandlungsmöglichkeit, die Mitte der 1980er Jahre in ersten klinischen Tests erprobt wurde, war die sogenannte PEG-ADA, eine von Rindern isolierte Form des Enzyms, die mit einem Ölfilm ummantelt wurde, um sie im Blut länger haltbar zu machen (das normale ADA-Protein ist zu kurzlebig, um wirksam zu sein). Doch selbst PEG-ADA konnte die Immunschwäche nur selten beheben. Das Medikament musste etwa einmal im Monat injiziert werden, um das vom Körper abgebaute Enzym zu ersetzen. Noch problematischer war, dass PEG-ADA das Risiko barg, Antikörper gegen sich selbst hervorzurufen – die einen noch schnelleren Abbau dieses Enzyms bewirkten, damit katastrophale Auswirkungen zeitigten und wesentlich schlimmere Folgen hatten als die ursprüngliche Erkrankung.

Ließ sich der ADA-Mangel durch Gentherapie beheben? Schließlich musste man nur ein Gen korrigieren, das man bereits identifiziert und isoliert hatte. Auch einen Vektor, der Gene in menschliche
Zellen transportierte, hatte man inzwischen gefunden. Der Virologe
und Genetiker Richard Mulligan aus Boston hatte einen speziellen
Retrovirenstamm – einen Verwandten des HI-Virus – entwickelt, der
potentiell jedes Gen mit relativer Sicherheit in eine menschliche Zelle
schleusen konnte.[16] Retroviren lassen sich gezielt nutzen, um viele
Zellarten zu infizieren. Sie zeichnen sich durch die Fähigkeit aus, ihr
Genom in das der Wirtszelle einzufügen und ihr genetisches Mate-
rial damit dauerhaft in das der Zelle einzubauen. Mulligan hatte diese
Technologie so optimiert, dass die Viren teilweise verkrüppelt waren
und Zellen zwar infizierten und sich in ihr Genom einfügten, aber
diese Infektion nicht von einer Zelle auf die andere übertrugen. Das
Virus wanderte hinein, aber nicht hinaus. So gelangte das Gen in das
Genom, verließ es aber nicht wieder.

• • •

An den NIH in Bethesda beschlossen einige Gentherapeuten unter der Leitung von William French Anderson und Michael Blaese
1986,* Varianten von Mulligans Vektoren zu verwenden, um Kindern
mit ADA-Defekt ADA-Gene einzupflanzen.** Anderson bekam das

---

* Kenneth Culver gehörte ebenfalls dem ursprünglichen Team an.
** Martin Cline, Forscher an der UCLA, unternahm 1980 den ersten bekann-
ten Versuch einer Gentherapie am Menschen. Der ausgebildete Hämatologe
erforschte die Beta-Thalassämie, einen Gendefekt, der durch Mutation eines
Gens, das eine Untereinheit des Hämoglobins codiert, verursacht wird und zu
einer schweren Anämie führt. Da er seine Experimente im Ausland plante, wo
der Einsatz rekombinanter DNA bei Menschen weniger streng reguliert und
eingeschränkt war, unterrichtete er nicht das Aufsichtsgremium seines Krankenhauses und führte seine Versuche an zwei Thalassämie-Patienten in Israel
und Italien durch. Als NIH und UCLA davon erfuhren, wurde er von der
NIH wegen Verstoßes gegen Bundesvorschriften bestraft und musste letztlich
die Leitung seiner Abteilung abgeben. Die vollständigen Daten seines Experiments wurden nie offiziell veröffentlicht.

ADA-Gen von einem anderen Labor und führte es in den retroviralen Gentransfervektor ein.[17] In den frühen 1980er Jahren hatten er und Blaese vorbereitende Experimente in der Hoffnung durchgeführt, dass sie das menschliche ADA-Gen mit retroviralen Vektoren zunächst in blutbildende Stammzellen von Mäusen und später in die von Affen einschleusen könnten.[18] Sobald die Stammzellen mit dem Virus, das das ADA-Gen trug, infiziert wären, würden sie hoffentlich alle Zellelemente des Blutes bilden – vor allem auch die T-Zellen, die mit dem funktionsfähigen ADA-Gen versehen wären.

Die Ergebnisse waren jedoch alles andere als vielversprechend: Die Ausbeute des erfolgten Gentransfers war miserabel. Von den fünf behandelten Affen hatte nur einer – Affe Roberts – Zellen im Blut, die eine langfristige Produktion des menschlichen ADA-Proteins aus dem vom Virus transportierten Gen aufwiesen. Anderson ließ sich jedoch nicht beirren. »Niemand weiß, was passiert, wenn neue Gene in den Körper eines Menschen gelangen«, argumentierte er. »Das ist eine völlige Blackbox, was immer man auch sagen mag … Reagenzglas und Tierforschung haben nur begrenzte Aussagekraft. Letzten Endes muss man es an einem Menschen ausprobieren.«[19]

Am 24. April 1987 beantragten Anderson und Blaese bei den NIH die Genehmigung für ihr Gentherapieprojekt. Sie hatten vor, Kindern mit ADA-Defekt Stammzellen aus dem Knochenmark zu entnehmen, sie im Labor mit dem präparierten Virus zu infizieren und den Patienten die modifizierten Zellen wieder einzupflanzen. Da die Knochenmarkstammzellen alle Blutelemente produzieren – auch B- und T-Zellen –, würde das ADA-Gen seinen Weg in die T-Zellen finden, wo es am dringendsten gebraucht wurde.

Die zuständige Stelle für ihr Forschungsvorhaben war das Recombinant DNA Advisory Committee (RAC) der NIH, das man im Rahmen der Asilomar-Empfehlungen von Berg eingerichtet hatte. Das für seine strenge Aufsicht bekannte Beratergremium (bei Wissenschaftlern war es so berüchtigt für seine Unbeugsamkeit, dass sie das Genehmigungsverfahren mit Folter verglichen) war der Wächter über sämtliche Experimente mit rekombinanter DNA. Das RAC lehnte das

Projekt, wie vielleicht nicht anders zu erwarten, rundweg ab, wies auf die schlechten Tierdaten, die kaum nachweisbare Ausbeute des Gentransfers in Stammzellen und das Fehlen einer detaillierten Begründung für das Experiment hin und merkte an, dass man noch nie zuvor einen Gentransfer in einen menschlichen Körper versucht habe.[20]

Anderson und Blaese kehrten in ihr Labor zurück, um ihren Projektplan zu überarbeiten. Widerstrebend räumten sie ein, dass die Entscheidung des RAC richtig sei. Die kaum nachweisbare Infektionsrate der Knochenmarkstammzellen mit dem gentragenden Virus war eindeutig ein Problem, und die Daten der Tierversuche waren alles andere als erfreulich. Aber wie konnte Gentherapie auf Erfolge hoffen, wenn Stammzellen nicht zu verwenden waren? Stammzellen sind die einzigen Körperzellen, die sich erneuern können und daher eine langfristige Lösung für Gendefekte bieten. Ohne eine Quelle selbsterneuernder oder langlebiger Zellen könnte man zwar Gene in den menschlichen Körper einführen, aber die damit versehenen Zellen würden schließlich absterben und verschwinden. Es gäbe zwar Gene, aber keine Therapie.

Als sie in diesem Winter über das Problem nachdachten, kam Blaese auf eine mögliche Lösung. Was wäre, wenn sie die Gene nicht in blutbildende Stammzellen einbrächten, sondern lediglich T-Zellen aus dem Blut von ADA-Patienten nähmen und mit dem Virus infizierten? Das Experiment wäre nicht so radikal und dauerhaft wie der Gentransfer in Stammzellen, es wäre jedoch wesentlich weniger toxisch und klinisch erheblich einfacher durchzuführen. Die T-Zellen konnte man dem peripheren Blut entnehmen, nicht dem Knochenmark, und möglicherweise würden sie lange genug leben, um das ADA-Protein zu bilden und den Mangel zu beheben. Letztlich würden sie zwar unweigerlich aus dem Blut verschwinden, aber die Prozedur ließe sich unbegrenzt wiederholen. Es wäre zwar keine endgültige Gentherapie, wohl aber ein Beweis der Machbarkeit – eine Gentherapie doppelt light.

Anderson zögerte. Wenn er schon den ersten Versuch einer Gentherapie am Menschen in Angriff nähme, wollte er einen definitiven Test und eine Chance, ein Stück Medizingeschichte dauerhaft für sich beanspruchen zu dürfen. Anfangs war er dagegen, doch schließlich gab er Blaeses Argumenten nach und willigte ein. So wandten sich die beiden 1990 erneut mit einem Antrag an das Beratungsgremium. Wieder gab es heftige Meinungsverschiedenheiten: Das T-Zellen-Projekt stützte sich auf eine noch spärlichere Datenbasis als das ursprüngliche Vorhaben. Anderson und Blaese reichten Nachbesserungen ein, die sie dann noch einmal nachbesserten. Monate vergingen, ohne dass es zu einer Entscheidung gekommen wäre. Im Sommer 1990 erteilte das Komitee nach einer Reihe langwieriger Debatten schließlich die Genehmigung für den Test. »Auf diesen Tag warten Ärzte seit tausend Jahren«, erklärte der RAC-Vorsitzende Gerard McGarrity. Die meisten anderen Gremiumsmitglieder waren von den Erfolgsaussichten nicht völlig überzeugt.

Anderson und Blaese machten sich in Krankenhäusern auf die Suche nach Kindern mit ADA-Defekt für ihr Forschungsprojekt. In Ohio wurden sie fündig: zwei Patientinnen mit Gendefekt. Eine war ein großes, dunkelhaariges Mädchen namens Cynthia Cutshall, die andere war Ashanti DeSilva, die vierjährige Tochter eines Chemikers und einer Krankenschwester, die beide aus Sri Lanka stammten.

• • •

An einem verhangenen Septembermorgen 1990 brachten Van und Raja DeSilva, Ashis Eltern, ihre Tochter in die NIH in Bethesda. Ashi war mittlerweile vier Jahre alt, ein schüchternes, zaghaftes Mädchen mit glänzendem Pagenkopf und Ponyfransen und besorgter Miene, die sich unvermittelt durch ein Lächeln aufhellen konnte. Sie begegnete Anderson und Blaese an diesem Morgen zum ersten Mal. Als die beiden auf sie zukamen, wandte sie den Blick ab. Anderson ging mit ihr hinunter in den Geschenkeladen des Krankenhauses und forderte sie auf, sich ein Plüschtier auszusuchen. Sie entschied sich für einen Hasen.

Als sie wieder auf der Krankenstation waren, legte Anderson dem Mädchen einen Venenzugang und nahm Blutproben, die er in sein Labor bringen ließ. In den folgenden vier Tagen mischten sich 200 Millionen Retroviren in einer trüben Nährlösung mit 200 Millionen T-Zellen aus Ashis Blut. Die infizierten Zellen wuchsen in Petrischalen heran und brachten immer neue und neuere Zellen hervor. Tag und Nacht verdoppelten sie sich in einem Inkubator in Gebäude 10 der Klinik, nur wenige hundert Schritte von dem Labor entfernt, in dem Marshall Nirenberg vor fast genau 25 Jahren den genetischen Code entschlüsselt hatte.

Am 14. September 1990 waren Ashi DeSilvas genmodifizierte T-Zellen fertig. An diesem Morgen verließ Anderson schon im Morgengrauen sein Haus ohne Frühstück, weil ihm vor Anspannung beinahe übel war, und lief die Treppe hinauf zu seinem Labor im dritten Stock. Die Familie DeSilva wartete bereits auf ihn. Ashi stand neben ihrer sitzenden Mutter und stützte sich mit den Ellbogen fest auf deren Schoß, als ob ihr eine Untersuchung beim Zahnarzt bevorstünde. Der Vormittag verging mit weiteren Untersuchungen. Im Behandlungsraum war es still bis auf die gelegentlichen Schritte der Krankenschwestern, die kamen und gingen. Als Ashi in einem weiten gelben Nachthemd auf dem Bett saß und man ihr eine Nadel in die Vene schob, zuckte sie nur kurz zusammen: Man hatte ihr schon Dutzende Male eine Kanüle gelegt.

Um 12 Uhr 52 brachte man einen Infusionsbeutel mit einer trüben Flüssigkeit, in der annähernd eine Milliarde T-Zellen schwammen, infiziert mit dem ADA-Gen tragenden Retrovirus. Ashi musterte den Beutel angespannt, als die Schwestern ihn an ihre Vene anschlossen. Nach 28 Minuten war er leer und die letzten Tropfen flossen in Ashi hinein. Sie spielte im Bett mit einem weichen gelben Ball. Ihre Vitalwerte waren normal. Ashis Vater wurde mit einer Handvoll Münzen ins Erdgeschoss geschickt, um am Automaten Süßigkeiten zu ziehen. Anderson wirkte sichtlich erleichtert. »Ein kosmischer Moment kam und ging nahezu ohne ein Zeichen seiner Größe«, merkte ein Beobachter an.[21] Er wurde entsprechend mit einer Tüte M&Ms gefeiert.

»Nummer eins«, sagte Anderson mit einer beschwingten Geste auf Ashi zeigend, als er sie nach der Transfusion über den Flur schob. Einige seiner Kollegen am NIH warteten vor der Tür, um den ersten Menschen zu sehen, dem man genmodifizierte Zellen übertragen hatte, aber schon bald zerstreute sich das Grüppchen, und die Forscher kehrten in ihre Labore zurück. »Es ist genauso, wie die Leute in Manhattan sagen«, grummelte Anderson. »Jesus Christus persönlich könnte an ihnen vorbeigehen, und niemand würde es bemerken.«[22] Am nächsten Tag fuhr Ashis Familie zurück nach Ohio.

• • •

Funktionierte Andersons gentherapeutisches Experiment? Wir wissen es nicht – und werden es wohl nie erfahren. Andersons Forschungsprojekt war als Machbarkeitsbeweis für die Sicherheit ausgelegt, also für die Frage, ob sich mit Retroviren infizierte T-Zellen sicher in menschliche Körper transferieren ließen. Es war nicht als Wirksamkeitstest gedacht, ob dieses Projekt den ADA-Defekt heilen könnte, und sei es auch nur vorübergehend. Ashi DeSilva und Cynthia Cutshall, die beiden ersten Patientinnen der Studie, erhielten die genmodifizierten T-Zellen, durften parallel aber die Behandlung mit dem künstlichen Enzym PEG-ADA fortsetzen. Eine etwaige Wirkung der Gentherapie vermengte sich daher mit der des Arzneimittels.

Dennoch waren sowohl DeSilvas als auch Cutshalls Eltern überzeugt, dass die Behandlung wirkte. »Es ist keine große Verbesserung«, räumte Cynthia Cutshalls Mutter ein. »Aber sie hat eine Erkältung überstanden, um ein Beispiel zu nennen. Gewöhnlich münden ihre Erkältungen in einer Lungenentzündung. Diese jedoch nicht ... Das ist für sie schon ein Durchbruch.« Ashis Vater, Raja DeSilva, stimmte ihr zu: »Bei PEG haben wir eine enorme Verbesserung festgestellt. Aber selbst mit [PEG-ADA] hatte sie immer eine laufende Nase und Erkältungen und nahm ständig Antibiotika. Nach der zweiten Gentransfusion im Dezember änderte sich das allmählich. Uns fiel auf, dass wir nicht mehr so viele Papiertaschentücher brauchten.«[23]

Trotz Andersons Begeisterung und der anekdotischen Belege der betroffenen Familien waren viele Verfechter der Gentherapie, darunter auch Mulligan, alles andere als überzeugt, dass Andersons Experiment auf mehr als nur eine PR-Aktion hinauslief. Mulligan, der von Anfang an zu den wortgewaltigsten Kritikern des Projekts gezählt hatte, war besonders erbost über den behaupteten Erfolg, weil die Daten unzureichend waren. Wenn der ehrgeizigste gentherapeutische Test am Menschen an der Häufigkeit laufender Nasen und der Menge der verbrauchten Papiertaschentücher gemessen würde, wäre das peinlich für das gesamte Fachgebiet. »Es ist ein Schwindel«, erklärte Mulligan einem Journalisten, der ihn nach dem Forschungsprojekt fragte. Mulligan schlug eine sorgfältige, nicht kontaminierte Versuchsreihe vor, um zu testen, ob sich gezielte Genmodifikationen in menschliche Zellen einführen ließen und ob diese Gene normale Funktionen sicher und effektiv erfüllten – eine »saubere, reine Gentherapie«, wie er es nannte.

Mittlerweile hatten sich die Ambitionen der Gentherapeuten zu einem solchen Rausch gesteigert, dass sorgfältige, »saubere, reine« Experimente praktisch unmöglich geworden waren. Nach den Berichten über die T-Zellen-Versuche am NIH schwebten Gentherapeuten neuartige Heilverfahren für Erbkrankheiten wie Mukoviszidose oder die Huntington-Krankheit vor. Da ein Gentransfer praktisch in jede Zelle möglich war, bot sich jede zellulare Erkrankung als Kandidat für eine Gentherapie an: Herzerkrankungen, Geisteskrankheiten, Krebs. Während das Fachgebiet zum Sprung nach vorn ansetzte, drängten mahnende Stimmen wie die Mulligans zu Vorsicht und Zurückhaltung, wurden aber ignoriert. Diese Begeisterung sollte einen hohen Preis fordern: Sie führte die Gentherapie und die Humangenetik an den Rand der Katastrophe und zum absoluten Tiefpunkt in ihrer Wissenschaftsgeschichte.

• • •

Am 9. September 1999, fast auf den Tag neun Jahre nach Ashi DeSilvas Behandlung mit genmodifizierten Leukozyten, flog ein junger Mann namens Jesse Gelsinger nach Philadelphia, um an einer anderen gentherapeutischen Versuchsreihe teilzunehmen. Er war damals 18 Jahre alt, ein Motorrad- und Wrestling-Fan, umgänglich und unbekümmert. Wie Ashi DeSilva und Cynthia Cutshall hatte er von Geburt an eine Mutation in einem einzigen Gen, das den Stoffwechsel betraf. In Gelsingers Fall handelte es sich um das Gen für das Enzym Ornithin-Transcarbamylase (OTC), das in der Leber gebildet wird. Dieses Enzym ist für einen wichtigen Schritt in der Aufspaltung von Proteinen zuständig. Bei einem OTC-Mangel sammelt sich im Körper Ammoniak als Abfallprodukt des Proteinstoffwechsels an. Diese chemische Verbindung – die auch in Reinigungsmitteln zu finden ist – schädigt die Blutgefäße und Zellen, durchdringt die Blut-Hirn-Schranke und führt letztlich zu einer langsamen Vergiftung der Neuronen im Gehirn. Die meisten Patienten mit Mutationen des OTC-Gens überleben das Kindesalter nicht. Selbst bei einer strikt proteinfreien Ernährung werden sie im Wachstumsprozess durch den Abbau ihrer eigenen Zellen vergiftet.

Unter den mit einer schlimmen Krankheit geborenen Kindern durfte Gelsinger sich noch glücklich schätzen, denn er hatte nur eine leichte Variante des OTC-Mangels. Die Genmutation hatte er weder vom Vater noch von der Mutter geerbt, vielmehr hatte sie sich vermutlich in einem frühen Entwicklungsstadium des Embryos spontan eingestellt. Genetisch war Gelsinger ein seltenes Phänomen – eine menschliche Chimäre, ein Flickenteppich aus Zellen, denen ein funktionstüchtiges OTC-Gen fehlte, und solchen, die es besaßen. Dennoch war sein Proteinstoffwechsel erheblich beeinträchtigt. Er musste eine strenge Diät einhalten – jede Kalorie und jede Portion wiegen, messen und aufzeichnen – und nahm täglich 32 Tabletten, um seinen Ammoniakspiegel unter Kontrolle zu halten. Trotz dieser extremen Vorsichtsmaßnahmen hatte er mehrere lebensbedrohliche Momente erlebt. So hatte er mit vier Jahren genüsslich ein Erdnussbuttersandwich gegessen und war ins Koma gefallen.[24]

Zwei Kinderärzte aus Pennsylvania, Mark Batshaw und James Wilson, begannen 1993, als Gelsinger zwölf Jahre alt war, mit gentherapeutischen Experimenten, die Kinder mit OTC-Mangel heilen sollten.[25] Wilson, der im College Football gespielt hatte, war risikofreudig und fasziniert von ehrgeizigen Versuchen am Menschen. Er hatte ein Unternehmen für Gentherapie, Genova, sowie das Institute for Human Gene Therapy an der University of Pennsylvania gegründet. Sowohl Batshaw als auch Wilson interessierten sich brennend für den OTC-Defekt, der ebenso wie der ADA-Defekt durch eine Funktionsstörung eines einzelnen Gens verursacht wird und daher einen idealen Testfall für Gentherapie darstellt. Allerdings schwebte den beiden eine wesentlich radikalere Form der Gentherapie vor: Statt (wie Anderson und Blaese) Kindern Zellen zu entnehmen, diese gentechnisch zu verändern und ihnen wieder zu injizieren, strebten Batshaw und Wilson an, das korrigierte Gen über ein Virus direkt in den Körper einzuführen. Das wäre keine Gentherapie light: Sie wollten vielmehr ein Virus erzeugen, das ein OTC-Gen trägt, und dieses über den Kreislauf in die Leber transportieren, wo es Zellen an Ort und Stelle infizieren sollte.

Die mit dem Virus infizierten Leberzellen würden anfangen, das OTC zu synthetisieren und so den Enzymmangel beheben, überlegten Batshaw und Wilson. Das unverkennbare Zeichen für den Erfolg der Behandlung wäre eine Reduzierung des Ammoniakgehalts im Blut. »So schwierig war es gar nicht«, erinnerte sich Wilson. Für den Gentransfer hatten die beiden ein Adenovirus ausgesucht, das in der Regel eine gewöhnliche Erkältung verursacht, aber nicht mit irgendeiner schweren Erkrankung in Verbindung gebracht wurde. Diese Wahl erschien sicher und durchaus vernünftig: ein Allerweltsvirus als Vehikel für eines der gewagtesten menschlichen Genexperimente des Jahrzehnts.

Im Sommer 1993 begannen Batshaw und Wilson, Mäusen und Affen das modifizierte Adenovirus zu injizieren. Die Mäuseexperimente verliefen wie erwartet: Das Virus erreichte die Leberzellen, baute das Gen ein und verwandelte die Zellen in mikroskopisch kleine Fabriken für das funktionsfähige Enzym OTC. Die Affenversuche erwiesen sich als komplizierter. Bei einer höheren Dosierung des Virus entwickelten einzelne Affen eine starke Immunreaktion, die zur Entzündung und zu Leberversagen führte. Einer der Affen verblutete. Um das Virus zu einem sichereren Genvehikel zu machen, modifizierten Wilson und Batshaw es, indem sie viele Gene entfernten, die für seine Immunität sorgen könnten. Zudem reduzierten sie die potentielle Dosis für Menschen auf ein Siebzehntel als doppelte Gewähr für die Sicherheit des Virus. Schließlich beantragten sie 1997 eine Genehmigung für einen Versuch am Menschen beim Recombinant DNA Advisory Committee, dem Wächter über sämtliche gentherapeutischen Experimente. Anfangs zeigte es sich ablehnend, aber auch dieses Gremium hatte sich verändert: In dem Jahrzehnt zwischen den ADA-Versuchen und Wilsons Projektvorschlag hatte sich der einst so strenge Hüter der rekombinanten DNA in einen enthusiastischen Unterstützer der Gentherapie am Menschen verwandelt. Die Begeisterung war sogar weit über dieses Gremium hinausgegangen. Bioethiker, die das RAC um eine Stellungnahme zu Wilsons geplantem Projekt bat, warnten, eine Behandlung von Kindern mit einem ausgeprägten OTC-Defekt könnte die Forschung in »Zugzwang« bringen: Welche Eltern würden wohl eine bahnbrechende Therapie, die einem sterbenden Kind helfen könnte, nicht ausprobieren wollen? Sie empfahlen stattdessen eine Versuchsreihe mit gesunden Freiwilligen und Patienten mit leichten Formen von OCT-Mangel wie Jesse Gelsinger.

• • •

Unterdessen lehnte Gelsinger sich in Arizona gegen die ausgeklügelten Einschränkungen seiner Ernährung und gegen seine Medikamente auf. (»Alle Teenager rebellieren«, erzählte mir Gelsingers Vater, Paul, diese Rebellion mag jedoch besonders heftige Formen annehmen, wenn es um »einen Hamburger und ein Glas Milch« geht.) Als Gelsinger mit 17 Jahren im Sommer 1998 von der OCT-Versuchsreihe an der University of Pennsylvania erfuhr, ließ ihn der Gedanke an eine Gentherapie nicht mehr los. Er wollte eine Atempause von der zermürbenden Alltagsroutine. »Aber was ihn noch mehr fesselte, war die Vorstellung, dass er es für Babys täte«, erinnerte sich sein Vater. »Wie soll man dazu Nein sagen?«

Gelsinger konnte es kaum abwarten, sich für das Forschungsprojekt zu melden. Im Juni 1999 nahm er über seine behandelnden Ärzte Kontakt mit dem Forscherteam in Pennsylvania auf, um sich für die Teilnahme an den Versuchen zu bewerben. Noch im selben Monat flogen Paul und Jesse Gelsinger zu einem Treffen mit Batshaw und Wilson nach Philadelphia. Beide waren beeindruckt. Paul Gelsinger fand das Projekt eine »wunderschöne, wunderschöne Sache«. Sie schauten sich das Krankenhaus an und schlenderten wie benommen vor Erregung und Vorfreude durch die Stadt. An der Rocky-Balboa-Statue vor der Spectrum Arena blieb Jesse stehen. Paul fotografierte seinen Sohn in der Siegerpose eines Boxers mit erhobenen Armen.

Am 9. September flog Jesse erneut mit einer Reisetasche voller Kleider, Bücher und Wrestling-Videos nach Philadelphia, um an der Versuchsreihe in der Universitätsklinik teilzunehmen. Er sollte bei seinem Onkel und seinen Vettern bleiben und sich am vereinbarten Tag morgens in der Klinik einfinden. Man hatte ihnen die Prozedur als so schnell und schmerzlos beschrieben, dass Paul vorhatte, seinen Sohn eine Woche nach Abschluss der Therapie abzuholen und mit ihm einen Linienflug nach Hause zu nehmen.

• • •

Am Morgen des 13. September, dem geplanten Termin für die Virusinjektion, stellte man fest, dass Gelsingers Ammoniakgehalt im Blut um 70 Mikromol pro Liter lag – doppelt so hoch wie der Normalwert und am oberen Rand des für den Versuch zugelassenen Grenzwertes. Die Schwestern informierten Wilson und Batshaw über den anormalen Laborbefund. Unterdessen waren die Vorbereitungen für den Test in vollem Gange. Die Operationssäle standen bereit. Die Viruslösung glitzerte aufgetaut in ihrem Plastikbeutel. Wilson und Batshaw besprachen, ob Gelsinger als Proband in Frage käme, hielten seine Teilnahme aber für klinisch sicher. Schließlich hatten die bisherigen siebzehn Teilnehmer die Injektion gut vertragen. Gegen 9 Uhr 30 rollte man Gelsinger in die Abteilung für interventionelle Radiologie. Man sedierte ihn und schob zwei lange Katheter durch seine Beine, um eine Arterie in Lebernähe zu erreichen. Gegen 11 Uhr entnahm ein Chirurg 30 Milliliter der konzentrierten Adenovirus-Lösung und injizierte sie in Gelsingers Arterie. Hunderte Millionen unsichtbarer infektiöser Partikel, die das OCT-Gen trugen, strömten in die Leber. Um die Mittagszeit war der Eingriff abgeschlossen.[26]

Der Nachmittag verlief ohne Zwischenfälle. Abends bekam Gelsinger in seinem Krankenhauszimmer 40 °C Fieber. Sein Gesicht war gerötet. Wilson und Batshaw nahmen die Symptome nicht sonderlich wichtig. Die anderen Patienten hatten ebenfalls vorübergehend Fieber gehabt. Jesse rief Paul in Arizona an und sagte: »Ich liebe dich«, bevor er auflegte und unter die Bettdecke kroch. Er schlief unruhig in dieser Nacht.

Am nächsten Morgen bemerkte eine Krankenschwester, dass Jesses Augäpfel eine leichte Gelbfärbung angenommen hatten. Ein Test bestätigte, dass Bilirubin, ein in der Leber produzierter Stoff, der auch in roten Blutzellen vorkommt, in sein Blut gelangte. Der erhöhte Bilirubinwert konnte zweierlei bedeuten: Entweder war die Leber verletzt oder Blutzellen waren geschädigt. Beides wären schlechte Zeichen. Bei jedem anderen hätte man einen kleinen Zellzusammenbruch oder ein leichtes Leberversagen vielleicht achselzuckend abtun können. Aber bei einem Patienten mit OTC-Mangel könnte die Kombination dieser beiden Defekte eine Katastrophe auslösen: Das aus den Blutzellen sickernde zusätzliche Protein würde nicht verstoffwechselt, und die geschädigte Leber, die den Proteinstoffwechsel selbst zu besten Zeiten nur mangelhaft bewältigte, wäre noch weniger imstande, die zusätzliche Proteinlast zu verarbeiten. Der Körper würde sich mit seinen eigenen Toxinen vergiften. Bis zum Mittag stieg Gelsingers Ammoniakwert auf schwindelerregende 393 Mikromol pro Liter – fast das Zehnfache des Normalwerts. Paul Gelsinger und Mark Batshaw waren alarmiert. James Wilson erfuhr von der Entwicklung durch den Chirurgen, der den Katheter gesetzt und das Virus injiziert hatte. Paul buchte einen Nachtflug nach Pennsylvania, während ein Ärzteteam auf die Intensivstation stürzte, um mit einer sofortigen Dialyse ein Koma abzuwenden.

Als Paul Gelsinger am nächsten Morgen um 8 Uhr im Krankenhaus eintraf, hyperventilierte Jesse und war verwirrt. Seine Nieren versagten. Die Intensivmediziner sedierten ihn und versuchten seine Atmung mit einem Beatmungsgerät zu stabilisieren. Am späten Abend verhärteten sich seine Lungen, füllten sich durch die Entzündungsreaktion mit Flüssigkeit und kollabierten. Da das Beatmungsgerät nicht mehr genügend Sauerstoff in seine Lungen pressen konnte, schloss man Jesse an einen Apparat an, der sein Blut direkt mit Sauerstoff versorgte. Seine Hirnfunktion verschlechterte sich. Man holte einen Neurologen hinzu, der Jesse untersuchte und an seinen Augen erste Anzeichen von Hirnschäden bemerkte.

Am nächsten Morgen traf Hurrikan Floyd auf die Ostküste und brach mit tosendem Sturm und Starkregen über die Küsten Pennsylvanias und Marylands herein. Batshaw saß auf dem Weg zum Krankenhaus in einem Zug fest. Mit der verbliebenen Akkuladung seines Handys telefonierte er mit den Krankenschwestern und Ärzten, dann saß er voller Unruhe im Stockfinstern. Am späten Nachmittag verschlechterte sich Jesses Zustand weiter. Seine Nieren versagten. Er fiel noch tiefer ins Koma. Da es Paul Gelsinger nicht mehr in seinem Hotelzimmer hielt und kein Taxi in Sicht war, ging er die zweieinhalb Kilometer zum Krankenhaus zu Fuß durch den heulenden Sturm, um Jesse auf der Intensivstation zu sehen. Sein Sohn war nicht wiederzuerkennen – komatös, aufgequollen, angeschwollen, gelbsüchtig, mit Dutzenden von Schläuchen und Kabeln kreuz und quer über seinem Körper. Das Beatmungsgerät arbeitete mit dem dumpfen Geräusch von Wind, der auf Wasser trifft, wirkungslos gegen seine entzündeten Lungen an. Im Zimmer summten und piepten unzählige Geräte, die den langsamen Verfall eines Jungen in höchster körperlicher Not aufzeichneten.

Am Freitagmorgen, dem 17. September, vier Tage nach dem Gentransfer, wurde Jesse für hirntot erklärt. Paul Gelsinger entschied, die lebenserhaltenden Maßnahmen einzustellen. Der Krankenhauskaplan kam, legte Jesse die Hand auf die Stirn, salbte ihn und betete das Vaterunser. Nacheinander wurden die Geräte abgeschaltet. Im Zimmer wurde es still, bis auf Jesses tiefe, gequälte Atemzüge. Um 2 Uhr 30 hörte sein Herz auf zu schlagen. Er wurde offiziell für tot erklärt.

»Wie konnte etwas so Schönes so furchtbar schiefgehen?«[27] Als ich im Sommer 2014 mit Paul Gelsinger sprach, suchte er immer noch nach einer Antwort. Einige Wochen zuvor hatte ich Paul in einer

E-Mail geschrieben, dass ich mich für Jesses Geschichte interessierte. Er hatte mich angerufen und eingewilligt, sich nach meinem öffentlichen Vortrag über die Zukunft der Genetik und der Krebsforschung in Scottsdale, Arizona, mit mir zu treffen. Als ich nach dem Vortrag in der Eingangshalle des Veranstaltungsorts stand, zwängte sich ein Mann in Hawaiihemd und mit Jesses rundlichem, offenen Gesicht – an das ich mich von Fotos im Internet lebhaft erinnerte – durch die Menge und reichte mir seine Hand.

Seit Jesses Tod führt Paul einen Ein-Mann-Kreuzzug gegen überzogene klinische Experimente. Er ist keineswegs gegen Medizin oder Innovationen und glaubt an die Zukunft der Gentherapie. Aber er misstraut der Hochdruckatmosphäre von Begeisterung und Irreführung, die letzten Endes zum Tod seines Sohnes geführt hat. Als die Menschenmenge sich lichtete, schickte Paul sich an, zu gehen. Zwischen uns gab es ein stillschweigendes Einverständnis: zwischen einem Arzt, der über die Zukunft der Medizin und Genetik schreibt, und einem Mann, dessen Geschichte in deren Vergangenheit eingebrannt ist. In seiner Stimme lag unendlicher Kummer: »Sie hatten es noch nicht im Griff. Sie haben es zu schnell versucht. Sie haben es versucht, aber nicht richtig gemacht. Sie haben diese Sache überstürzt. Sie haben es wirklich überstürzt.«

• • •

Die Autopsie eines Experiments, das »so furchtbar schiefging«, begann im Oktober 1999, als die University of Pennsylvania eine Untersuchung der OTC-Versuche einleitete. Als ein investigativer Journalist der *Washington Post* Ende Oktober die Nachricht von Gelsingers Tod aufgriff, brach ein Sturm der Entrüstung los. Im November führten der US-Senat, das US-Repräsentantenhaus und der Bezirksstaatsanwalt von Pennsylvania unabhängig voneinander Anhörungen zu Jesse Gelsingers Tod durch. Im Dezember leiteten das RAC und die US Food and Drug Administration (FDA, die US-amerikanische Lebensmittel- und Arzneimittelbehörde) Ermittlungen gegen die University of Pennsylvania ein. Man holte Gelsingers Krankenakte, die vorbereitenden Tierversuche, Einverständniserklärungen, Versuchsprotokolle, Laboruntersuchungen und die Unterlagen sämtlicher anderen Probanden des gentherapeutischen Experiments aus dem Keller der Universitätsklinik, und staatliche Aufsichtsbeamte wühlten sich durch die Papierberge in dem Bemühen, die Ursachen für den Tod des Jungen aufzudecken.

Schon die ersten Analysen offenbarten ein vernichtendes Muster von Inkompetenz, groben Schnitzern und Fahrlässigkeit, das durch grundlegende Wissenslücken verschlimmert wurde. Erstens hatte man die Tierversuche zur Sicherheitsprüfung des Adenovirus überhastet durchgeführt. Ein Affe, dem man das Virus in der höchsten Dosierung eingeimpft hatte, war gestorben. Diesen Tod hatte man den NIH zwar gemeldet und die Dosis für menschliche Patienten reduziert, in den Formularen, die man der Familie Gelsinger ausgehändigt hatte, war er jedoch mit keinem Wort erwähnt.»Nichts in der Einverständniserklärung wies deutlich auf den Schaden hin, den die Behandlung verursachen könnte«, erinnerte sich Paul Gelsinger.»Sie war als perfektes Glücksspiel dargestellt – nur Vorteile, keine Nachteile.« Zweitens hatten sich auch bei menschlichen Patienten, die vor Jesse behandelt wurden, Nebenwirkungen gezeigt, die teils so auffallend waren, dass man die Tests hätte einstellen oder das Vorgehen einer Überprüfung hätte unterziehen müssen. Man hatte Fieberschübe, Entzündungsreaktionen und erste Anzeichen von Leberversagen verzeichnet, sie aber nicht ausreichend dokumentiert oder sie sogar ignoriert. Die Tatsache, dass Wilson finanziell an der Biotechnologiefirma beteiligt war, die von diesem gentherapeutischen Experiment zu profitieren hoffte, erhärtete noch den Verdacht, dass beim Aufbau dieser Versuchsreihe unangemessene Anreize mitgespielt hatten.[28]

Das Muster der Fahrlässigkeit war so verheerend, dass es beinahe die wichtigste wissenschaftliche Lektion dieser Testreihe überdeckte. Auch wenn die Ärzte zugaben, dass sie fahrlässig und ungeduldig vorgegangen waren, blieb Gelsingers Tod ein Rätsel: Niemand konnte erklären, warum Jesse Gelsinger eine so starke Immunreaktion auf das Virus gezeigt hatte, die bei keinem der anderen siebzehn Probanden

aufgetreten war. Eindeutig war der adenovirale Vektor – selbst das
Virus der »dritten Generation«, dem manche seiner immunogenen
Proteine fehlten – imstande, bei manchen Patienten eine starke Reaktion auszulösen. Bei der Autopsie des Leichnams zeigte sich, dass
diese Immunreaktion Gelsingers Physiologie völlig überwältigt hatte.
Insbesondere fand man bei der Analyse seines Blutes Antikörper, die
hochreaktiv auf das Virus waren und noch aus der Zeit *vor* der Virusinjektion stammten. Wahrscheinlich hing Gelsingers hyperaktive
Immunreaktion mit einer früheren Infektion durch einen ähnlichen
Adenovirenstamm, vermutlich bei einer gewöhnlichen Erkältung,
zusammen. Es ist durchaus bekannt, dass Krankheitserreger die Bildung von Antikörpern anregen, die jahrzehntelang im Körper bleiben
(schließlich beruht darauf die Wirkung der meisten Impfstoffe). In Jesses Fall hatte diese frühere Infektion vermutlich eine hyperaktive Immunreaktion ausgelöst, die aus unbekannten Gründen außer Kontrolle
geraten war. Ironischerweise hatte sich vielleicht gerade die Entscheidung, ein »harmloses« verbreitetes Virus als Vektor für die Gentherapie
zu verwenden, als entscheidender Fehler der Testreihe erwiesen.

Doch welcher Vektor war der geeignete für die Gentherapie? Welches Virus ließ sich für einen sicheren Gentransfer auf Menschen verwenden? Und welche Organe waren geeignete Ziele? Als das Fachgebiet der Gentherapie gerade anfing, sich mit seinen faszinierendsten
wissenschaftlichen Problemen auseinanderzusetzen, wurde ein stren-
ges Moratorium über die gesamte Disziplin verhängt. Die Liste der bei
dem OTC-Projekt aufgedeckten Mängel beschränkte sich nicht allein
auf diese Versuchsreihe. Als die US-amerikanische Lebensmittel- und
Arzneimittelbehörde FDA 28 weitere Forschungsprojekte inspizierte,
stellte sie im Januar 2000 bei annähernd der Hälfte Zustände fest, die
ein sofortiges Einschreiten erforderten.[29] Zu Recht alarmiert stellte
die FDA nahezu sämtliche Versuchsreihen ein. »Das gesamte Feld der
Gentherapie befand sich im freien Fall«, berichtete ein Journalist. »Wilson wurde für fünf Jahre von der Mitwirkung an allen von der FDA
regulierten klinischen Tests am Menschen ausgeschlossen. Er trat von
seiner Stellung an der Spitze des Institute for Human Gene Therapy

zurück, blieb aber Professor an der University of Pennsylvania. Kurze Zeit später war auch das Institut verschwunden. Im September 1999 sah es aus, als stünde die Gentherapie unmittelbar vor einem medizinischen Durchbruch. Ende 2000 wirkte sie wie eine mahnende Episode wissenschaftlicher Übertreibung.«[30] Oder, wie die Bioethikerin Ruth Macklin es rundheraus formulierte:»Gentherapie ist noch keine Therapie.«[31]

In den Naturwissenschaften gibt es den berühmten Spruch, dass eine hässliche Tatsache die schönste Theorie zunichtemachen kann. In der Medizin nimmt dieser Aphorismus eine leicht abgewandelte Form an: Ein hässlicher Test kann eine schöne Therapie zunichtemachen. Rückblickend war der OTC-Test durchaus hässlich – in aller Eile konzipiert, schlecht geplant, unzureichend beaufsichtigt, miserabel durchgeführt. Die damit zusammenhängenden finanziellen Konflikte machten ihn doppelt abscheulich: Die Propheten waren auf Profit aus. Der Grundgedanke, der hinter den Versuchen stand – Gendefekte durch einen Gentransfer in menschliche Körper oder Zellen zu korrigieren – war jedoch konzeptionell einwandfrei, wie es seit Jahrzehnten der Fall war. Im Grunde hätte die Möglichkeit, Gene mit Hilfe von Viren oder anderen Genvektoren in Zellen zu transportieren, zu wirkungsvollen neuen medizinischen Technologien führen müssen, wären die wissenschaftlichen und finanziellen Ambitionen der frühen Verfechter einer Gentherapie dem nicht in die Quere gekommen.

Letzten Endes sollte Gentherapie tatsächlich zur Therapie werden. Sie sollte sich von den Übeln der ersten Versuchsreihen erholen und die moralischen Lehren aus der »mahnenden Episode wissenschaftlicher Übertreibung«[32] ziehen. Allerdings musste noch ein weiteres Jahrzehnt vergehen und viel gelernt werden, bevor die Wissenschaft diesen Durchbruch schaffen konnte.

Gendiagnose: »Previvor«

... das menschliche Getriebe,
Alles bloße Verstrickung ...
William Butler Yeats, »Byzanz«[33]

Die Anti-Deterministen wollen behaupten,
die DNA sei nur ein kleiner Nebenschauplatz,
aber jede Krankheit, die es bei uns gibt, ist von
der DNA verursacht. Und [jede] lässt sich
durch die DNA beheben.
George Church[34]

Während die Gentherapie am Menschen in den späten 1990er Jahren in die wissenschaftliche Wüste geschickt wurde, erlebte die Gendiagnose beim Menschen eine erstaunliche Renaissance. Um diese Entwicklung zu verstehen, müssen wir zur »Zukunft der Zukunft« zurückkehren, die Bergs Studenten auf den Festungsmauern der sizilianischen Burg vorschwebte. Nach ihrer Vorstellung würde die Zukunft der Humangenetik sich auf zwei Grundelemente stützen: erstens auf »Gendiagnose« – also auf die Idee, dass sich Krankheiten, Identität, Entscheidungsmöglichkeiten und Werdegang anhand der Gene vorhersagen oder bestimmen ließen; und zweitens auf »Genmodifikation« – also auf die Veränderung der Gene, um die zukünftige Entwicklung von Krankheiten, Entscheidungen und Werdegang zu verändern.

Dieses zweite Projekt – die gezielte Veränderung von Genen (das »Schreiben des Genoms«) – war offensichtlich mit dem abrupten Verbot gentherapeutischer Versuche ins Stocken geraten. Das erste Vorhaben – das zukünftige Schicksal anhand der Gene vorherzusagen (das »Lesen des Genoms«) – gewann jedoch an Schwung. In dem Jahrzehnt nach Jesse Gelsingers Tod entdeckten Genetiker unzählige Gene, die mit einigen der komplexesten und rätselhaftesten menschlichen Erkrankungen zusammenhingen – Krankheiten, bei denen man Gene nie als primäre Ursache vermutet hatte. Diese Entdeckungen ermöglichten die Entwicklung ungeheuer wirkungsvoller neuer Technologien, die eine präventive Krankheitsdiagnose erlaubten. Sie zwangen Genetiker und Mediziner jedoch auch, sich mit einigen der tiefgreifendsten medizinischen und ethischen Fragen ihrer Geschichte auseinanderzusetzen. »Gentests sind zugleich moralische Tests«, erklärte der Medizingenetiker Eric Topol. »Wenn man sich zu einem Test auf ein ›zukünftiges Risiko‹ entschließt, fragt man sich unweigerlich auch, welche Art von Zukunft bin ich bereit zu riskieren?«[35]

• • •

Drei Fallstudien veranschaulichen Macht und Gefahren, die mit einer Vorhersage »zukünftiger Risiken« aufgrund der Gene verbunden sind. Die erste betrifft das Brustkrebsgen *BRCA1*. In den frühen 1970er Jahren begann die Genetikerin Mary-Claire King, die Erblichkeit von Brust- und Eierstockkrebs in großen Familien zu erforschen. Die Mathematikerin hatte an der University of California, Berkeley, Allan Wilson kennengelernt – den Mann, der die mitochondriale Eva ersonnen hatte – und sich der Erforschung der Gene und der Rekonstruktion genetischer Abstammungslinien zugewandt. (Kings frühere Studien in Wilsons Labor hatten nachgewiesen, dass Schimpansen und Menschen zu 90 Prozent genetisch identisch sind.)

Nach dem Studium beschäftigte King sich mit einer anderen Art genetischer Geschichte: mit der Rekonstruktion der Erblinien menschlicher Krankheiten. Ihr besonderes Interesse galt dem Brustkrebs. Jahrzehntelange sorgfältige Familienstudien deuteten darauf hin, dass

Brustkrebs in zwei Formen auftrat: sporadisch oder familiär. Bei der sporadischen Variante erkranken Frauen, in deren Familiengeschichte es keine Fälle von Brustkrebs gibt. Beim familiären Brustkrebs tritt die Erkrankung innerhalb der Familie über mehrere Generationen hinweg auf. Bei einer typischen Abstammungslinie können eine Frau, ihre Schwester, ihre Tochter und ihre Enkelin betroffen sein – auch wenn das jeweilige Alter und das jeweilige Krebsstadium bei der Diagnose variieren können. Das gehäufte Auftreten von Brustkrebs in manchen dieser Familien geht oft mit einer auffallend erhöhten Häufung von Eierstockkrebs einher, was auf eine Mutation hindeutet, die beiden Krebsarten gemeinsam ist.

Als das US National Cancer Institute 1978 eine Umfrage unter Brustkrebspatientinnen durchführte, herrschten weithin geteilte Ansichten über die Ursache dieser Erkrankung. Ein Teil der Krebsspezialisten war der Auffassung, Brustkrebs werde durch eine chronische Virusinfektion verursacht, ausgelöst durch übermäßigen Gebrauch oraler Empfängnisverhütungsmittel. Andere führten ihn auf Stress und Ernährung zurück. King bat, die Erhebung um zwei Fragen zu erweitern: »Gab es in der Familie der Patientin weitere Fälle von Brustkrebs? Gab es in ihrer Familie Fälle von Eierstockkrebs?« Nach Abschluss der Umfrage sprang ihr der genetische Zusammenhang förmlich ins Auge: King hatte mehrere Familien mit einer langen Geschichte von Brust- und Eierstockkrebs ermittelt. Von 1978 bis 1988 erweiterte sie diese Liste um Hunderte Familien und stellte umfangreiche Abstammungslinien von Brustkrebspatientinnen zusammen.[36] In einer Familie mit über 150 Mitgliedern fand sie 30 Frauen, die von dieser Krankheit betroffen waren.

Eine eingehendere Analyse dieser Abstammungslinien deutete darauf hin, dass für viele dieser familiären Krankheitsfälle ein einziges Gen verantwortlich war – es war allerdings nicht einfach zu identifizieren. Obwohl das betreffende Gen das Krebsrisiko der Trägerinnen mehr als verzehnfachte, litt keineswegs jede Frau, die dieses Gen geerbt hatte, an Krebs. Das Brustkrebsgen hatte eine »unvollkommene Penetranz«, stellte King fest, selbst wenn es mutiert war, wirkte es sich nicht bei jeder Betroffenen so vollständig aus, dass es Symptome (also Brust- oder Eierstockkrebs) verursachte.

Kings Falldaten waren so umfangreich, dass sie trotz der verwirrenden Auswirkungen der Penetranz mit Hilfe einer Kopplungsanalyse über zahlreiche Familien und Generationen hinweg den Genort auf Chromosom 17 einschränken konnte. Bis 1988 hatte sie ihn noch weiter eingegrenzt: nämlich auf eine Region auf Chromosom 17, die man als 17q21 bezeichnet.[37] »Das Gen war nach wie vor eine Hypothese«, erklärte sie, aber zumindest besaß es eine bekannte physische Präsenz auf einem menschlichen Chromosom. »*Jahrelang* mit Ungewissheit umzugehen ... war eine Lektion, die ich in Wilsons Labor gelernt habe, und das ist ein wesentlicher Bestandteil unserer Arbeit.«[38] Sie nannte das Gen *BRCA1*, obwohl sie es erst noch isolieren musste.

Die Eingrenzung des Genlokus von *BRCA1* auf ein Chromosom löste einen Wettlauf um die Identifizierung des Gens aus. In den frühen 1990er Jahren machten sich weltweit Genetikerteams, unter anderem auch King, daran, *BRCA1* zu klonieren. Neue Technologien wie die Polymerase-Kettenreaktion (PCR) ermöglichten es Forschern, Millionen Kopien eines Gens im Reagenzglas herzustellen. In Verbindung mit geschicktem Genklonieren, Gensequenzierung und Genkartierung boten diese Verfahren die Möglichkeit, von einer Chromosomenposition schnell zu einem Gen zu gelangen. Ein Privatunternehmen in Utah namens Myriad Genetics gab 1994 die Isolierung des Gens *BRCA1* bekannt und erhielt 1998 ein Patent auf diese DNA-Sequenz – das erste jemals erteilte Patent auf ein menschliches Gen.[39]

Der eigentliche Nutzen von *BRCA1* in der klinischen Medizin bestand für Myriad in Gentests. Noch bevor das Unternehmen das Patent auf dieses Gen erhalten hatte, brachte es 1996 einen Gentest dafür auf den Markt. Das Verfahren war einfach: Ein Genetikberater begutachtete eine gefährdete Frau. Gab es in der Familiengeschichte Hinweise auf Brustkrebs, schickte man eine Zellprobe aus ihrem Mund an ein Zentrallabor. Dort vermehrte man Teile ihres *BRCA1*-Gens mit Hilfe der Polymerase-Kettenreaktion, sequenzierte sie und identifizierte mutante Gene. Vom Labor kam dann der Befund »normal«, »mutant« oder »unbestimmt« zurück (bei einigen ungewöhnlichen Mutationen ist das Brustkrebsrisiko noch nicht vollständig kategorisiert).

Im Sommer 2008 traf ich eine Frau mit Brustkrebs in ihrer Familiengeschichte. Jane Sterling war eine siebenunddreißigjährige Krankenschwester aus North Shore, Massachusetts. Ihre Familiengeschichte hätte geradewegs aus Mary-Claire Kings Fallstudien stammen können: Eine Urgroßmutter hatte in jungen Jahren Brustkrebs bekommen; eine Großmutter hatte mit 45 Jahren eine radikale Mastektomie wegen Krebs vornehmen lassen müssen; bei ihrer Mutter hatte man mit 60 Jahren beidseitig Brustkrebs festgestellt. Sterling hatte zwei Töchter. Sie wusste seit nahezu zehn Jahren von der Möglichkeit des *BRCA1*-Tests. Als ihre erste Tochter geboren wurde, hatte sie den Test in Erwägung gezogen, den Gedanken aber nicht weiter verfolgt. Nach der Geburt ihrer zweiten Tochter und einer Brustkrebsdiagnose bei einer guten Freundin entschloss sie sich zu einem Gentest.

Bei diesem Test wurde bei ihr eine *BRCA1*-Mutation festgestellt. Zwei Wochen später kam sie mit Stapeln von Papier voller Fragen wieder in die Klinik. Was sollte sie mit der Diagnose anfangen? Frauen mit *BRCA1* haben ein 80-prozentiges Risiko, im Laufe ihres Lebens an Brustkrebs zu erkranken. Der Gentest sagt ihr jedoch nichts darüber, wann sie Krebs bekommen wird oder welcher Art er sein wird. Da die *BRCA1*-Mutation eine unvollständige Penetranz besitzt, kann eine betroffene Frau mit 30 Jahren einen inoperablen, aggressiven, therapieresistenten Brustkrebs bekommen. Vielleicht entwickelt sie aber auch mit 50 Jahren eine therapierbare Variante oder mit 75 Jahren eine langsam wachsende, indolente Variante. Möglicherweise bekommt sie gar keinen Krebs.

Wann sollte sie ihren Töchtern von dieser Diagnose erzählen? »Manche dieser Frauen [mit *BRCA1*-Mutation] hassen ihre Mütter«, schrieb eine Autorin, die selbst positiv getestet worden war (schon der Hass auf die Mütter veranschaulicht das chronische Missverstehen der Genetik und dessen lähmende Auswirkungen auf die menschliche Psyche; das mutante *BRCA1*-Gen kann mit derselben Wahrscheinlichkeit von der Mutter wie auch vom Vater vererbt werden).[40] Sollte Sterling ihre Schwestern informieren? Ihre Tanten? Ihre Cousinen? Zur Ungewissheit über die Folgen dieses Genbefunds kam die Unsicherheit über die mögliche Behandlung. Sterling konnte sich entschließeń, gar nichts zu unternehmen – und einfach abzuwarten. Sie konnte eine beidseitige Mastektomie und/oder Entfernung der Eierstöcke vornehmen lassen, um das Risiko von Brust- und Eierstockkrebs drastisch zu minimieren – »ihre Brüste abschneiden, um ihren Genen ein Schnippchen zu schlagen«, wie eine Frau mit *BRCA1*-Mutation es formulierte. Sie konnte eine engmaschige Vorsorge mit Mammographie, Selbstuntersuchungen und MRT anstreben. Oder sie konnte eine Hormonbehandlung beispielsweise mit Tamoxifen machen, die das Risiko mancher, aber keineswegs aller Brustkrebsarten verringerte.

In dieser großen Bandbreite der Entwicklungsmöglichkeiten spiegeln sich teils die grundlegenden biologischen Gegebenheiten des *BRCA1*-Gens wider. Es codiert ein Protein, das eine wesentliche Rolle bei der Reparatur geschädigter DNA spielt. Für eine Zelle ist ein gebrochener DNA-Strang Vorbote einer Katastrophe. Er signalisiert einen Informationsverlust – eine Krise. Unmittelbar nach der DNA-Schädigung kommt das *BRCA1*-Protein an den Bruchstellen zum Einsatz, um die Lücke zu schließen. Bei Frauen mit dem normalen Gen löst das Protein eine Kettenreaktion aus und beordert Dutzende Proteine an das gebrochene Ende des Gens, um den Bruch umgehend zu reparieren. Bei Frauen mit dem mutierten Gen wird das mutante *BRCA1* nicht angemessen aktiviert, und die Brüche werden nicht repariert. Somit ermöglicht die Mutation weitere Mutationen – wie Feuer weiteres Feuer schürt –, bis die Sicherungen für Wachstumsregulierung und Stoffwechsel der Zelle durchbrennen, was dann letztlich zu Brustkrebs führt. Selbst bei Frauen mit *BRCA1*-Mutation erfordert Brustkrebs zahlreiche Auslöser. Eindeutig spielt die Umgebung eine Rolle: Kommen Röntgenstrahlen oder ein DNA-schädigender Wirkstoff hinzu, steigt die Mutationsrate noch stärker an. Zufall ist ebenfalls mit im Spiel, denn die Mutationen, die sich ansammeln, sind zufällig. Zudem beschleunigen oder mildern andere Gene die Auswirkungen von *BRCA1* – Gene, die an der Reparatur der DNA oder am Einsatz des *BRCA1*-Proteins am gebrochenen Strang beteiligt sind. Die *BRCA1*-Mutation sagt also eine Zukunft voraus, allerdings nicht im gleichen Sinne, wie es bei einer Mutation der Gene für Mukoviszidose oder der Huntington-Krankheit der Fall ist. Die Zukunft einer Frau, die Trägerin einer *BRCA1*-Mutation ist, verändert sich grundlegend durch das Wissen um diese Tatsache – bleibt aber dennoch ebenso grundlegend ungewiss. Für manche Frauen wird dieser Genbefund zu einem alles beherrschenden Thema. Es ist, als ob das Warten auf den Krebs und die Vorstellung, ihn zu überleben, ihr gesamtes Leben und sämtliche Kraft verbrauchen würden. Für solche Frauen hat man ein neues Wort geprägt, das durchaus Orwell'sche Anklänge hat: *Previvors,* »Vorüberlebende«.

• • •

Die zweite Fallstudie zur Gendiagnose betrifft die Schizophrenie und die bipolare Störung, womit sich der Kreis meiner Erzählung schließt. Der Schweizer Psychiater Eugen Bleuler führte 1908 den Begriff Schizophrenie für eine besondere psychische Erkrankung ein, die von einer erschreckenden Form kognitiven Verfalls – vom Zusammenbruch des Denkens – geprägt war und die man bis dahin als *Dementia praecox,* »vorzeitige Demenz« bezeichnet hatte.[41] Bei den Patienten handelte es sich häufig um junge Männer, die einen allmählichen, unumkehrbaren Ausfall ihrer kognitiven Fähigkeiten erlitten. Sie hörten gespenstische innere Stimmen, die ihnen befahlen, seltsame, unangebrachte Dinge zu tun (wie Monis innere Stimme, die ihm einflüsterte: »Pinkele hier, pinkele hier«). Wahnvorstellungen kamen und gingen. Die Fähigkeit zu Informationsverarbeitung und zielgerichtetem Handeln brach zusammen, und ständig tauchten wie aus der Unterwelt des Geistes neue Worte, Ängste und Befürchtungen auf. Letzten Endes zersetzte sich jegliches organisierte Denken, und der Schizophrene war in einem Gewirr geistiger Trümmer gefangen. Nach Bleulers Auffassung war das Hauptmerkmal dieser Erkrankung eine Spaltung oder vielmehr Zersplitterung des kognitiven Gehirns. Dieses Phänomen inspirierte ihn zu der Bezeichnung *Schizo-phrenie* von »gespaltener Geist«.

Die Schizophrenie kommt wie viele andere genetisch bedingte Krankheiten in zwei Formen vor: familiär oder sporadisch. In manchen Familien tritt Schizophrenie in mehreren Generationen auf. Gelegentlich haben Betroffene auch Verwandte mit einer bipolaren Störung (wie Moni, Jagu und Rajesh). Dagegen kommt die sporadisch auftretende Schizophrenie wie aus heiterem Himmel: Ein junger Mann aus einer Familie ohne einschlägige Krankengeschichte erleidet plötzlich und häufig ohne Vorwarnung einen kognitiven Zusammenbruch. Genetiker suchten nach einer sinnvollen Erklärung für dieses Muster, konnten daraus aber kein Modell dieser Störung ableiten. Wie konnte dieselbe Erkrankung sporadische und familiäre Formen haben? Und welcher Zusammenhang bestand zwischen der bipolaren Störung und der Schizophrenie, also zwischen zwei scheinbar nicht verwandten psychischen Störungen?

Die ersten Hinweise auf die Ursachen der Schizophrenie lieferten Zwillingsstudien. In den 1970er Jahren zeigte sich in Untersuchungen eine auffallend hohe Konkordanz bei Zwillingen.[42] Litt einer an Schizophrenie, so betrug die Wahrscheinlichkeit, dass auch der andere erkrankte, bei eineiigen Zwillingen 30 bis 50 Prozent, während sie bei zweieiigen Zwillingen nur 10 bis 20 Prozent betrug. Weitete man die Definition der Schizophrenie auf leichtere Sozial- und Verhaltensstörungen aus, so stieg die Konkordanz bei eineiigen Zwillingen auf 80 Prozent.

Trotz solcher Hinweise auf genetische Ursachen griff in den 1970er Jahren bei Psychiatern die Vorstellung um sich, Schizophrenie sei eine Form frustrierter Sexualangst. Freud hatte Wahnvorstellungen bekanntermaßen auf »unbewusste homosexuelle Impulse« zurückgeführt, die offenbar durch dominante Mütter und schwache Väter entstanden. Der Psychiater Silvano Arieti machte 1974 eine »dominierende, nörgelnde und feindselige Mutter, die dem Kind keine Chance zur Selbstbestätigung gibt«, für diese Krankheit verantwortlich.[43] Obwohl die Ergebnisse der Studien auf nichts dergleichen hindeuteten, war

Arietis Idee so verlockend – was ist aufregender als eine Mischung aus Sexismus, Sexualität und Geisteskrankheit? –, dass sie ihm zahlreiche Auszeichnungen und Ehrungen eintrug, unter anderem den National Book Award in der Kategorie Wissenschaft.[44]

Es bedurfte der geballten Kraft der Humangenetik, die Erforschung des Wahnsinns wieder zur Vernunft zu bringen. Im Laufe der 1980er Jahre erhärteten zahlreiche Zwillingsstudien die These, dass Schizophrenie genetische Ursachen habe. In einer Untersuchung nach der anderen überstieg die Konkordanz bei eineiigen Zwillingen die zweieiiger so auffallend, dass sich eine genetische Ursache unmöglich abstreiten ließ. Familien mit einer eindeutigen Geschichte von Schizophrenie und bipolaren Störungen – wie meine Familie – wurden über mehrere Generationen hinweg dokumentiert, was wiederum eine genetische Ursache belegte.

Aber welche Gene waren beteiligt? Seit den späten 1990er Jahren konnten Genetiker dank einer Fülle neuer DNA-Sequenzierungsverfahren – der sogenannten hochparallelen DNA-Sequenzierung oder Sequenzierung der nächsten Generation – Hunderte Millionen Basenpaare eines Humangenoms bestimmen. Die hochparallele Sequenzierung bedeutete eine enorme Verbesserung gegenüber der herkömmlichen Methode: Man zerlegt das Humangenom in Zehntausende von DNA-Fragmenten, deren Abfolge gleichzeitig – parallel – bestimmt wird, und setzt das Genom anschließend mit Hilfe von Computern wieder zusammen, die Überschneidungen zwischen den Sequenzen finden. Mit diesem Verfahren kann man das gesamte Genom (Genomsequenzierung) oder nur einzelne Abschnitte wie die proteincodierenden Exons (Exonsequenzierung) sequenzieren.

Die hochparallele Sequenzierung ist für die Gensuche besonders effektiv, wenn man eng verwandte Genome miteinander vergleichen kann. Leidet ein Familienmitglied an einer bestimmten Krankheit, alle anderen aber nicht, erleichtert es die Suche nach dem betreffenden Gen erheblich. Die Gensuche entwickelt sich zu einem gigantischen Spiel nach dem Motto: Welches passt nicht in die Reihe? Durch den Vergleich der Gensequenzen aller eng verwandten Familienmitglieder lässt sich eine Mutation aufspüren, die bei dem Erkrankten, nicht aber bei seinen gesunden Verwandten vorhanden ist.

Die sporadisch auftretende Variante der Schizophrenie bot einen perfekten Testfall für die Leistungsfähigkeit dieses Ansatzes. Eine umfangreiche Studie untersuchte 2013 insgesamt 623 junge Männer und Frauen mit Schizophrenie, deren Eltern und Geschwister gesund waren.[45] Bei diesen Familien wurde eine Gensequenzierung durchgeführt. Da in jeder Familie ein Großteil des Genoms gleich ist, kamen als vermeintliche Schuldige nur jene Gene in Frage, die sich unterschieden.*

In 617 dieser Fälle fand man bei dem Kind eine Mutation, die bei keinem der Eltern vorhanden war. Im Durchschnitt wies jedes Kind nur eine Mutation auf, vereinzelt waren es jedoch auch mehr. Annähernd 80 Prozent der Mutationen traten in einem Chromosom auf, das vom Vater stammte, wobei das Alter des Vaters ein markanter Risikofaktor war. Das lässt vermuten, dass die Mutationen möglicherweise bei der Spermiogenese auftreten, vor allem bei älteren Männern. Viele dieser Mutationen betrafen erwartungsgemäß Gene, die sich auf die Synapsen zwischen Nerven oder auf die Entwicklung des Nervensystems auswirken. Obwohl man bei diesen 617 Fällen Hunderte Mutationen in Hunderten von Genen fand, entdeckte man gelegentlich das gleiche mutante Gen bei mehreren nicht verwandten Familien, was die Wahrscheinlichkeit, dass es mit dieser Störung zusammenhängt, erheblich erhöht.** Definitionsgemäß entstehen diese Mutationen spo-

---

* Eine neue Mutation als Ursache einer sporadisch auftretenden Krankheit auszumachen ist nicht einfach: So könnte man bei einem Kind rein zufällig eine Mutation finden, die gar nichts mit dieser Krankheit zu tun hat. Oder es bedarf erst spezifischer Auslöser in der Umwelt, damit die Krankheit ausbricht: So könnte es sich bei einem als sporadisch eingestuften Fall tatsächlich um eine familiäre Variante handeln, die durch einen umweltbedingten oder genetischen Auslöser einen Kipp-Punkt überschritten hat.

** Eine wichtige Klasse von Mutationen, die mit Schizophrenie in Zusammenhang stehen, ist die Kopienzahlvariation (*copy number variation*, kurz CNV) – also das Löschen oder die Verdopplung bzw. Verdreifachung desselben Gens. CNVs wurden auch bei Fällen von sporadischem Autismus und anderen Formen psychischer Erkrankungen gefunden.

radisch oder *de novo* – also während der Zeugung des Kindes. Sporadisch auftretende Schizophrenie kann eine Folge von Abweichungen der Nervenentwicklung sein, verursacht durch Veränderungen in Genen, die diese Entwicklung steuern. Auffallend ist, dass viele der in dieser Studie entdeckten Gene auch mit sporadischem Autismus und bipolaren Störungen in Zusammenhang gebracht werden.*

• • •

Was aber ist mit Genen für die familiär auftretende Schizophrenie? Zunächst könnte man meinen, die Gene der familiären Variante seinen leichter zu finden. Da die Schizophrenie, die sich in Familien durch Generationen zieht, weiter verbreitet ist, sind Patienten einfacher zu finden und zurückzuverfolgen. Aber vielleicht erweisen sich Gene bei komplexen familiären Erkrankungen entgegen jeder Intuition als wesentlich schwieriger zu identifizieren. Ein Gen zu finden, das die sporadische oder spontane Variante einer Störung verursacht, ist wie die Suche nach einer Nadel im Heuhaufen. Man vergleicht zwei Genome und sucht nach kleinen Unterschieden, die sich bei ausreichenden Datenmengen und genügend Rechenleistung in der Regel erkennen lassen. Die Suche nach zahlreichen Genvarianten, die eine familiäre Krankheit verursachen, ist dagegen, als suche man in einem Heuhaufen nach einem Heuhaufen. Welche Teile des »Heuhaufens« – welche Kombination von Genvarianten – erhöhen das Risiko, und welche

* Mit diesem Verfahren – das Genom eines Kindes mit der sporadischen oder *De-novo*-Variante einer Krankheit mit dem Genom seiner Eltern zu vergleichen – leisteten Autismusforscher in den 2000er Jahren Pionierarbeit und brachten das Fachgebiet der psychiatrischen Genetik entscheidend voran. Die Datenbank Simon Simplex Collection enthält 2800 Familien mit nicht autistischen Eltern und nur einem Kind, das mit einer Störung des autistischen Formenkreises geboren wurde. Ein Vergleich der elterlichen Genome mit dem des Kindes deckte mehrere *De-novo*-Mutationen bei solchen Kindern auf. Mehrere mutante Gene, die bei Autismus vorkommen, sind auch bei Schizophrenie zu finden, was auf die Möglichkeit tiefgreifenderer genetischer Zusammenhänge zwischen den beiden Erkrankungen hindeutet.

sind harmlos? Eltern und Kinder haben selbstverständlich Teile ihres Genoms gemeinsam, aber welche davon sind für die Erbkrankheit relevant? Das erste Problem –»den Ausreißer erkennen« – erfordert eine hohe Rechenleistung. Das zweite –»die Übereinstimmung entwirren« – verlangt konzeptionellen Scharfsinn.

Trotz dieser Hürden machten Genetiker sich auf die systematische Jagd nach solchen Genen und stützten sich dabei auf eine Kombination verschiedener Gentechniken: Kopplungsanalyse, um den Genlokus der betreffenden Gene auf den Chromosomen zu kartieren; umfangreiche Assoziationsstudien, um Gene auszumachen, die mit dieser Krankheit korrelieren; Sequenzierung der nächsten Generation, um die Gene und Mutationen zu identifizieren. Aufgrund der Genomanalysen wissen wir, dass mindestens 108 Gene (oder vielmehr Genregionen) mit Schizophrenie assoziiert sind[46] – auch wenn bislang nur eine Handvoll von ihnen identifiziert wurde.* Bemerkenswert ist, dass kein einzelnes Gen als alleiniger Risikofaktor heraussticht. Der

---

* Das am stärksten mit Schizophrenie verbundene und faszinierendste Gen hängt mit dem Immunsystem zusammen. Es trägt die Bezeichnung *C4* und kommt in zwei eng verwandten Formen vor, *C4A* und *C4B*, die im Genom unmittelbar nebeneinander liegen. Beide codieren ein Protein, das zum Einsatz kommen kann, um Viren, Bakterien, Zelltrümmer und abgestorbene Zellen zu erkennen, zu eliminieren und zu zerstören – aber die auffallende Verbindung zwischen diesen Genen und der Schizophrenie blieb rätselhaft.

Im Januar 2016 löste eine bahnbrechende Studie dieses Rätsel zumindest teilweise. Im Gehirn kommunizieren Nervenzellen über spezielle Verbindungen, die sogenannten Synapsen, miteinander. Diese Synapsen bilden sich während der Entwicklung des Gehirns, und ihre Verschaltung ist der Schlüssel für normale kognitive Prozesse – wie die Verbindung der Leiterbahnen auf einer Platine den Schlüssel für die Funktion eines Computers bildet.

Während der Entwicklung des Gehirns müssen diese Synapsen beschnitten und umgeformt werden – ganz ähnlich wie das Beschneiden und Verlöten der Kabel bei der Bestückung von Platinen. Erstaunlicherweise wird das Protein *C4*, das dazu dient, abgestorbene Zellen, Zelltrümmer und Pathogene zu erkennen und zu eliminieren, zweckentfremdet und dazu eingesetzt, Synapsen zu eliminieren – ein Vorgang, den man als *pruning* bezeichnet. Bei Menschen erfolgt diese Umgestaltung der Synapsen während der gesamten Kindheit und bis in die

Unterschied zu Brustkrebs ist aufschlussreich. Sicher sind mehrere Gene an der Erblichkeit von Brustkrebs beteiligt, aber einzelne Gene wie *BRCA1* sind stark genug, das Risiko entscheidend zu erhöhen (auch wenn sich nicht vorhersagen lässt, wann eine Frau mit *BRCA1* Brustkrebs bekommen wird, beträgt ihr diesbezügliches Lebenszeitrisiko 70 bis 80 Prozent). Bei der Schizophrenie existieren in der Regel offenbar keine so starken einzelnen Risikofaktoren oder Indikatoren für die Krankheit.»Es gibt viele kleine, verbreitete Geneffekte, die auf dem gesamten Genom verstreut sind«, erklärte ein Forscher.»Es sind viele verschiedene biologische Prozesse daran beteiligt.«[47]

Familiäre Schizophrenie ist also (wie normale menschliche Merkmale wie Intelligenz und Temperament) in hohem Maße *erblich*, aber nur eingeschränkt *vererbbar*. Anders ausgedrückt: Gene – Erbfaktoren – sind für die zukünftige Entwicklung dieser Störung von entscheidender Bedeutung. Wer eine bestimmte Genkombination besitzt, hat eine extrem hohe Wahrscheinlichkeit, die Krankheit zu entwickeln: Daher die auffallende Konkordanz bei eineiigen Zwillingen. Andererseits ist die Vererbung dieser Störung über Generationen hinweg komplex. Da Gene in jeder Generation gemischt und gepaart werden,

---

dritte Lebensdekade – also genau bis zu dem Alter, in dem sich viele Schizophreniesymptome manifestieren.

Bei Patienten mit Schizophrenie erhöhen Variationen der *C4*-Gene die Menge und Aktivität der *C4A*- und *C4B*-Proteine, was zu einer zu starken Synapseneliminierung während der Entwicklung führt. Wirkstoffe, die diese Moleküle hemmen, könnten die normale Synapsenzahl im Gehirn von empfänglichen Kindern und Erwachsenen wiederherstellen.

Vier Jahrzehnte Forschung – Zwillingsstudien in den 1970er Jahren, Kopplungsanalysen in den 1980er Jahren und Neurobiologie und Zellbiologie in den 1990er und 2000er Jahren – fließen in dieser Entdeckung zusammen. Für Familien wie meine eröffnet die Entdeckung des Zusammenhangs zwischen *C4* und Schizophrenie bemerkenswerte Aussichten auf die Diagnose und Behandlung dieser Krankheit – sie wirft jedoch auch beunruhigende Fragen auf, wie und wann solche Diagnoseverfahren und Therapien zum Einsatz kommen mögen. Siehe A. Sekar u. a.,»Schizophrenia risk from complex variation of complement component 4«, *Nature*, 530, S. 177–183.

ist die Wahrscheinlichkeit, die exakte Permutation von Varianten vom Vater oder der Mutter zu erben, drastisch verringert. Möglicherweise gibt es in manchen Familien weniger Genvarianten, die aber stärkere Auswirkungen haben – was das wiederkehrende Auftreten der Erkrankung über mehrere Generationen erklärt. In anderen Familien haben die Gene schwächere Auswirkungen und erfordern tiefgreifendere Modifikatoren und Auslöser – was die seltenere Vererbung erklärt. In wieder anderen Familien mutiert vor der Zeugung ein einzelnes Gen mit hoher Penetranz in der Samen- oder Eizelle, was zu den beobachteten Fällen sporadischer Schizophrenie führt.*

• • •

Ist ein Gentest für Schizophrenie denkbar? Dazu müsste man als ersten Schritt eine Liste sämtlicher beteiligten Gene erstellen – ein gigantisches Projekt für die Humangenomik. Doch selbst eine solche Liste würde nicht ausreichen. Genetische Studien lassen eindeutig erkennen, dass manche Mutationen nur im Zusammenwirken mit anderen zur Krankheitsursache werden. Man müsste also die Genkombinationen ausmachen, die das tatsächliche Risiko vorbestimmen.

Im nächsten Schritt müsste man sich mit unvollständiger Penetranz und variabler Expressivität auseinandersetzen. Dazu muss man verstehen, was »Penetranz« und »Expressivität« in diesen Sequenzierungsstudien bedeuten. Wenn man das Genom eines Kindes mit Schizophrenie (oder einer anderen Erbkrankheit) sequenziert und es mit dem der normalen Eltern oder Geschwister vergleicht, lautet die Fragestellung: »Wie unterscheiden sich Kinder mit einer Schizophreniediagnose genetisch von ›normalen‹ Kindern?« Man stellt sich jedoch nicht die Frage: »Wenn das mutante Gen bei einem Kind vorhanden ist, wie

---

* Auf genetischer Ebene beginnt die Unterscheidung zwischen »familiär« und »sporadisch« zu verschwimmen. Manche Gene, die bei der familiären Variante mutiert sind, sind es auch bei der sporadischen Form. Bei diesen Genen ist die Wahrscheinlichkeit am höchsten, dass sie stark an den Ursachen der Erkrankung beteiligt sind.

hoch ist dann die Wahrscheinlichkeit, dass es eine Schizophrenie oder eine bipolare Störung entwickelt?«

Der Unterschied zwischen den beiden Fragen ist entscheidend. Die Humangenetik versteht es immer besser, einen »Rückwärtskatalog« – wie im Rückspiegel betrachtet – einer genetischen Störung zu erstellen: Welche Gene sind bei einem Kind mutiert, von dem man weiß, dass es an einem Krankheitssyndrom leidet? Will man aber Penetranz und Expressivität einschätzen, so muss man auch einen »Vorwärtskatalog« erstellen: Wenn bei einem Kind ein mutantes Gen vorhanden ist, mit welcher Wahrscheinlichkeit wird es dann das Syndrom entwickeln? Lässt jedes Gen eine umfassende Voraussage des Risikos zu? Erzeugt dieselbe Genvariante oder Genkombination höchst variable Phänotypen – bei einem Schizophrenie, beim anderen eine bipolare Störung und beim dritten eine relativ leichte Hypomanie? Erfordern manche Variantenkombinationen weitere Mutationen oder Auslöser, die das Risiko erst eine kritische Schwelle überschreiten lassen?

• • •

Es gibt noch eine letzte überraschende Wendung in diesem Diagnosepuzzle – die ich anhand einer Geschichte veranschaulichen möchte. Eines Abends 1946, einige Monate vor seinem Tod, kam Rajesh mit einem mathematischen Rätsel aus dem College nach Hause. Die drei jüngeren Brüder stürzten sich darauf und kickten es sich gegenseitig zu wie einen arithmetischen Fußball. Sie waren von der Rivalität unter Geschwistern getrieben, vom zerbrechlichen Stolz der Heranwachsenden, der Ausdauer von Flüchtlingen, der Angst vor dem Versagen in einer unerbittlichen Stadt. Ich kann mir vorstellen, wie die drei – mit 21, 16 und 13 Jahren – jeder in einer Ecke des engen Zimmers hockten, phantastische Lösungen ersannen, jeder das Problem mit seiner eigenen Strategie anging: mein Vater grimmig, zielstrebig, dickköpfig, systematisch, aber einfallslos; Jagu unkonventionell, verquer, über den Tellerrand schauend, aber ohne lenkende Disziplin; Rajesh gründlich, genial, diszipliniert, häufig arrogant.

Am späten Abend war das Rätsel immer noch nicht gelöst. Gegen elf Uhr schliefen die Brüder nacheinander ein. Aber Rajesh blieb die ganze Nacht auf, lief im Zimmer hin und her und notierte sich Lösungen und Alternativen. Bis zum Morgengrauen hatte er es geknackt. Er schrieb die Lösung auf vier Blätter Papier und legte sie einem seiner Brüder ans Fußende des Bettes.

Soweit hat sich die Anekdote in die Mythen und Geschichten meiner Familie eingebrannt. Was dann passierte, weiß man nicht genau. Jahre später erzählte mir mein Vater von der schrecklichen Woche, die sich an diese Episode anschloss. Rajeshs erster schlafloser Nacht folgte eine zweite, dann eine dritte. Die durchgemachte Nacht hatte ihn in einen plötzlichen Ausbruch von Manie gestürzt. Vielleicht war aber auch die Manie zuerst dagewesen und hatte ihn zu dem Nachtmarathon der Problemlösung und zu der Lösung des Rätsels getrieben. Gleichwie verschwand er für die folgenden Tage und war nicht zu finden. Sein Bruder Ratan wurde ausgeschickt, ihn zu suchen, und schließlich musste man Rajesh zwingen, nach Hause zu kommen. In der Hoffnung, weitere Zusammenbrüche im Keim zu ersticken, verbannte meine Großmutter sämtliche Rätsel und Spiele aus dem Haus (zeit ihres Lebens blieb sie misstrauisch gegenüber Spielen. Als Kinder lebten wir zu Hause mit einem erdrückenden Moratorium für Spiele). Für Rajesh war diese Episode ein Vorzeichen der Zukunft – der erste von zahlreichen Zusammenbrüchen dieser Art, die folgen sollten.

Abhed hatte mein Vater die Vererbung genannt – »unteilbar«. In der Populärkultur gibt es den alten Begriff des »verrückten Genies«, eines zwischen Wahnsinn und Brillanz gespaltenen Geistes, der zwischen diesen beiden Zuständen wechselt, als ob man einen einzigen Schalter umlegen würde. Rajesh hatte jedoch keinen solchen Schalter. Bei ihm gab es keine Spaltung, kein Wechseln, kein Pendeln. Bei ihm lagen Magie und Manie unmittelbar nebeneinander – benachbarte Reiche ohne Passkontrollen. Sie waren Teil desselben Ganzen, unteilbar.

»Wir von unserer Zunft sind alle wahnsinnig«, schrieb Lord Byron, der Hohepriester der Verrückten. »Manche leiden unter Frohsinn, andere unter Melancholie, aber alle sind mehr oder weniger verrückt.«[48] Varianten dieser Geschichte wurden und werden immer wieder erzählt, bezogen auf bipolare Störungen, einige Arten von Schizophrenie und seltene Fälle von Autismus; alle sind »mehr oder weniger verrückt«. Es ist verlockend, psychotische Erkrankungen zu romantisieren, daher sei an dieser Stelle betont, dass Männer und Frauen mit diesen Krankheiten unter kognitiven, sozialen und psychischen Störungen leiden, die verheerende Auswirkungen auf ihr Leben haben. Manche Patienten mit diesen Syndromen besitzen jedoch zweifellos außergewöhnliche und besondere Fähigkeiten. Die überschäumende Seite der bipolaren Störung wurde schon lange mit außergewöhnlicher Kreativität in Verbindung gebracht; zuweilen manifestieren sich die erhöhten kreativen Impulse *während* der manischen Schübe.

In seiner maßgeblichen Studie zum Zusammenhang von Wahnsinn und Kreativität, *Touched with Fire*, stellte der Psychologe und Autor Kay Redfield Jamison eine Liste dieser »mehr oder weniger Verrückten« zusammen, die sich liest wie das Who's Who der Spitzenvertreter aus Kunst und Kultur: Lord Byron (selbstverständlich), van Gogh, Virginia Woolf, Sylvia Plath, Anne Sexton, Robert Lowell, Jack Kerouac und so weiter.[49] Diese Liste lässt sich ausweiten auf Wissenschaftler (Isaac Newton, John Nash), Musiker (Mozart, Beethoven) und einen Entertainer, der Manie zu einem eigenen Genre machte, bevor er in Depressionen verfiel und sich das Leben nahm (Robin Williams). Der Psychologe Hans Asperger, der als erster Kinder mit Autismus beschrieb, bezeichnete sie aus gutem Grund als »kleine Professoren«.[50] In sich gekehrte, sozial unbeholfene oder sogar sprachbehinderte Kinder, die in einer »normalen« Welt kaum zurechtkommen, können möglicherweise die himmlischste Version von Saties *Gymnopédies* auf dem Klavier spielen oder in sieben Sekunden die Fakultät von 18 ausrechnen.

Das Entscheidende ist: Wenn man psychische Erkrankungen im *Phänotyp* nicht von kreativen Impulsen trennen kann, so gelingt das auch nicht im *Genotyp*. Die Gene, die das eine (bipolare Störung) »verursachen«, »bewirken« auch das andere (überschäumende Kreativität). Dieses Dilemma führt uns zu Victor McKusicks Sicht, wonach Krankheit keine absolute Unzulänglichkeit ist, sondern eine relative Nichtübereinstimmung zwischen einem Genotyp und einer Umgebung. Ein Kind mit einem hochfunktionalen Autismus mag in *die-ser* Welt behindert, aber in einer anderen hyperfunktional sein – einer Welt, in der beispielsweise das Lösen komplexer Rechenaufgaben oder das Sortieren von Gegenständen nach feinsten Farbabstufungen notwendig ist, um zu überleben oder Erfolg zu haben.

Was ist nun mit der schwer fassbaren genetischen Diagnose von Schizophrenie? Ist eine Zukunft denkbar, in der wir Schizophrenie aus dem Genpool des Menschen eliminieren könnten – indem wir Föten einem Gentest unterziehen und bei entsprechender Diagnose die Schwangerschaft abbrechen? Nicht ohne sich die nagenden Ungewissheiten einzugestehen, die ungeklärt bleiben. Erstens: Obwohl man viele Schizophrenievarianten mit Mutationen einzelner Gene in Verbindung gebracht hat, sind Hunderte Gene daran beteiligt – von denen man einige kennt, andere nicht. Wir wissen nicht, ob manche Genkombinationen pathogener sind als andere.

Zweitens: Selbst wenn wir einen umfassenden Katalog sämtlicher beteiligter Gene erstellen könnten, würde die ungeheure Fülle unbekannter Faktoren die genaue Beschaffenheit des Risikos vielleicht immer noch verändern. Wir wissen nicht, welche Penetranz jedes einzelne Gen hat oder was sich bei einem bestimmten Genotyp auf das Risiko auswirkt.

Drittens: Manche der in bestimmten Varianten von Schizophrenie oder bipolaren Störungen identifizierten Gene *steigern* gewisse Fähigkeiten. Falls sich die pathologischsten Varianten einer psychischen Krankheit allein anhand der Gene oder Genkombinationen aussieben oder von hochfunktionalen Varianten unterscheiden lassen, können wir auf einen solchen Gentest hoffen. Wahrscheinlicher ist jedoch, dass einem solchen Test inhärente Grenzen gesetzt sind: Die meisten Gene, die unter bestimmten Umständen eine Krankheit verursachen, sind vielleicht gerade diejenigen, die unter anderen Bedingungen hyperfunktionale Kreativität hervorbringen. »[Meine Leiden] sind ein Teil von mir und meiner Kunst«, erklärte Edvard Munch. »Sie sind von mir nicht zu unterscheiden, und [eine Behandlung] würde meine Kunst zerstören. Ich möchte diese Leiden behalten.«[51] Vergessen wir nicht, dass eben diese »Leiden« eines der symbolträchtigsten Bilder des 20. Jahrhunderts hervorgebracht haben: Ein Mann steckt so tief in einer psychotischen Phase, dass er als psychotische Reaktion darauf nur noch schreien kann.

Zur Aussicht auf eine Gendiagnose für Schizophrenie und bipolare Störungen gehört also auch eine Auseinandersetzung mit grundlegenden Fragen nach Unsicherheiten, Risiken und Entscheidungsmöglichkeiten. Wir möchten das Leiden beseitigen, zugleich aber auch diese »Leiden behalten«. Susan Sontags Einstufung der Krankheit als »Nachtseite des Lebens« ist leicht nachzuvollziehen.[52] Diese Auffassung funktioniert bei vielen Krankheitsformen – aber keineswegs bei allen. Die Schwierigkeit ist, zu definieren, wo das Zwielicht endet und der Tagesanbruch beginnt. Dabei hilft es nicht, dass eben das, was unter bestimmten Umständen als Krankheit definiert ist, unter anderen Bedingungen als außerordentliches Können gilt. Die Nacht auf einer Seite der Erde ist auf einem anderen Kontinent oft ein strahlender, herrlicher Tag.

. . .

Im Frühjahr 2013 flog ich nach San Diego zu einer der interessantesten Tagungen, an denen ich je teilgenommen habe. Die Konferenz unter dem Titel »Die Zukunft der Genommedizin« fand im Scripps Institute in La Jolla statt, einem Tagungszentrum mit Blick aufs Meer in einem modernistischen Bau aus hellem Holz, eckigem Beton und Stahlstützen.[53] Das strahlende Licht brach sich auf dem Wasser. Jogger mit post-humanen Körpern liefen über den Uferweg. Der Populationsgenetiker David Goldstein sprach über »Sequenzierung undiagnostizierter Kinderkrankheiten«, ein Projekt, das hochparallele Gensequenzierung auf nicht diagnostizierte Kinderkrankheiten ausweiten wollte. Der von der Physik zur Biologie gewechselte Wissenschaftler Stephen Quake erörterte die »Genomik des Ungeborenen«, also die Aussicht, jede Mutation in einem wachsenden Fötus zu diagnostizieren, indem man die Anteile fötaler DNA im Blut der Mutter untersuchte.

Am zweiten Vormittag der Tagung schob eine Mutter ihre fünfzehnjährige Tochter – ich nenne sie hier Erika – im Rollstuhl auf die Bühne. Erika trug ein weißes Spitzenkleid und ein Tuch um die Schultern. Sie hatte eine Geschichte zu erzählen – von Genen, Identität, Schicksal, Entscheidungsmöglichkeiten und Diagnosen. Erika leidet an einer genetisch bedingten fortschreitenden degenerativen Erkrankung. Die Symptome setzten ein, als sie eineinhalb Jahre alt war, mit leichten Muskelzuckungen. Mit vier Jahren war der Tremor so weit fortgeschritten, dass sie ihre Muskeln kaum stillhalten konnte. Jede Nacht wachte sie zwanzig- bis dreißigmal schweißgebadet und von unaufhaltsamen Zuckungen geschüttelt auf. Da der Schlaf die Symptome offenbar verschlimmerte, wachten ihre Eltern jede Nacht abwechselnd bei ihr und versuchten, sie zu trösten und ihr ein paar Minuten Ruhe zu verschaffen.

Die Ärzte vermuteten ein seltenes genetisches Syndrom, aber alle bekannten Gentests führten nicht zu einer Diagnose der Krankheit. Im Juni 2011 hörte Erikas Vater im Radio eine Sendung über Zwillingsbrüder aus Kalifornien, Alexis und Noah Beery, die ebenfalls seit langem an Muskelproblemen litten.[54] Sie hatten eine Gensequenzierung durchführen lassen, bei der man schließlich ein seltenes neues Syndrom diagnostiziert hatte. Aufgrund dieser Gendiagnose hatte man ihnen den Wirkstoff 5-Hydroxytryptamin (5-HT) verabreicht, der ihre motorischen Symptome dramatisch reduziert hatte.[55]

Erika hoffte auf ein ähnliches Ergebnis. Sie war 2012 die erste Patientin in einem klinischen Test, der ihre Krankheit durch Genomsequenzierung zu diagnostizieren versuchte. Im Sommer 2012 kam das Resultat: Erika hatte nicht nur eine, sondern zwei Mutationen in ihrem Genom. Eine in dem Gen *ADCY5*, welche die Fähigkeit der Nervenzellen veränderte, Signale miteinander auszutauschen. Die andere betraf das Gen *DOCK3*, das Nervensignale für eine koordinierte Muskelbewegung steuert. Die Kombination dieser beiden Mutationen hatte zu ihrem Muskelschwund und dem Tremor geführt. Es war eine genetische Mondfinsternis – zwei seltene Syndrome, die sich überlagerten und eine äußerst seltene Krankheit hervorbrachten.

Als die Zuhörer nach Erikas Vortrag in die Eingangshalle strömten, ging ich zu ihr und ihrer Mutter. Erika war äußerst charmant, bescheiden, nachdenklich, sachlich und von bissigem Humor. Sie hatte bereits ein Buch geschrieben und arbeitete gerade an ihrem zweiten. Außerdem unterhielt sie einen Blog, half Spenden in Millionenhöhe für die Forschung aufzutreiben und war mit Abstand der redegewandteste, introspektivste Teenager, dem ich je begegnet war. Ich erkundigte mich nach ihrem Leiden, und sie sprach offen über den Kummer, den es ihrer Familie bereitet hatte. »Ihre größte Sorge war, dass wir nichts finden würden. Nicht Bescheid zu wissen wäre das Schlimmste«, sagte ihr Vater.

Aber hat das »Wissen« irgendetwas verändert? Erikas Ängste haben sich abgeschwächt, gegen die mutanten Gene oder deren Auswirkungen auf die Muskeln lässt sich jedoch sehr wenig tun. Sie versuchte es 2012 mit dem Medikament Diamox, das Muskelzuckungen generell mildert und ihr vorübergehend Erleichterung verschaffte. Achtzehn Nächte konnte sie schlafen – für eine Jugendliche, die in ihrem ganzen Leben kaum eine Nacht durchgeschlafen hat, war das schon einiges wert –, doch dann kam der Rückfall. Der Tremor kehrte zurück. Die Muskeln bauen sich weiter ab. Sie sitzt nach wie vor im Rollstuhl.

Was wäre, wenn wir einen pränatalen Test für diese Krankheit entwickeln könnten? Stephen Quake hatte gerade seinen Vortrag über fötale Genomsequenzierung gehalten – über »die Genetik des Ungeborenen«. Schon bald wird es möglich sein, jedes Fötalgenom auf *alle* möglichen Mutationen zu überprüfen und viele dieser Genveränderungen nach Schwere und Penetranz einzustufen. Wir kennen nicht sämtliche Details zu Erikas Erbkrankheit – vielleicht gibt es in ihrem Genom noch andere, versteckte »kooperative« Mutationen wie bei manchen genetisch bedingten Krebsarten –, die meisten Genetiker vermuten jedoch, dass ihre Symptome auf nur zwei höchst penetrante Mutationen zurückgehen.

Sollten wir in Erwägung ziehen, Eltern die Genomsequenzierung ihrer Kinder und im Fall bekannter verheerender Mutationen einen Schwangerschaftsabbruch zu erlauben? Sicher würden wir damit

Erikas Mutation aus dem menschlichen Genpool eliminieren – wir würden aber auch Erika eliminieren. Das wäre ohne Zweifel ein großer Verlust – obwohl ich Erikas Leiden und die ihrer Familie gewiss nicht kleinreden möchte. Das Ausmaß ihres Leids nicht anzuerkennen würde von einem Mangel an Empathie zeugen. Sich aber umgekehrt nicht einzugestehen, welchen Preis diese Abwägung fordert, würde von einem Mangel an Menschlichkeit zeugen.

Eine Menschenmenge scharte sich um Erika und ihre Mutter, und ich ging hinunter an den Strand, wo es Sandwiches und Getränke gab. Nach Erikas Vortrag zog auf der bisher von Optimismus geprägten Tagung Ernüchterung ein: Man konnte zwar Genome in der Hoffnung sequenzieren, passgenaue Medikamente zur Behandlung spezifischer Mutationen zu finden, doch dieses Ergebnis wäre eher selten. Pränataldiagnose und Schwangerschaftsabbruch blieben für solche seltenen verheerenden Krankheiten weiterhin die einfachste Möglichkeit – aber auch die ethisch schwierigste. »Je weiter die Technologie fortschreitet, umso mehr dringen wir auf unbekanntes Terrain vor. Es steht außer Zweifel, dass wir uns unglaublich harten Entscheidungen stellen müssen«, sagte mir Eric Topol, der Veranstalter der Tagung. »In der neuen Genomik gibt es nicht viel umsonst.«

Die Mittagspause endete. Die Glocke läutete, und die Genetiker kehrten in den Saal zurück, um sich mit der Zukunft der Zukunft zu befassen. Erikas Mutter schob ihre Tochter aus dem Tagungszentrum. Ich winkte ihnen, aber sie bemerkten mich nicht. Als ich ins Gebäude ging, sah ich sie mit dem Rollstuhl den Parkplatz überqueren; Erikas Schal bauschte sich hinter ihr im Wind wie ein Epilog.

• • •

Diese drei Fälle – Jane Sterlings Brustkrebs, Rajeshs bipolare Störung und Erikas neuromuskuläre Erkrankung – habe ich ausgewählt, weil sie ein breites Spektrum genetischer Erkrankungen abdecken und einige der brennendsten Probleme der Gendiagnose ins Licht rücken. Sterling hat eine identifizierbare Mutation in einem einzigen Gen *(BRCA1)*, die zu einer verbreiteten Krankheit führt. Diese Mutation hat eine hohe Penetranz – 70 bis 80 Prozent der Trägerinnen werden letzten Endes Brustkrebs bekommen –, die aber keineswegs vollständig (100 Prozent) ist, und die genaue Ausprägung der Erkrankung in der Zukunft, den Zeitpunkt ihres Ausbruchs und die Höhe des Risikos kennt niemand und kann vielleicht auch niemand je bestimmen. Die prophylaktischen Behandlungsmöglichkeiten – Mastektomie, Hormontherapie – sind allesamt mit physischen und psychischen Leiden verbunden und bergen wiederum eigene Risiken.

Dagegen sind Schizophrenie und bipolare Störung Krankheiten, die von mehreren Genen mit geringerer Penetranz verursacht werden. Es gibt weder prophylaktische Behandlungen noch Heilungsmöglichkeiten. Beide sind chronische, wiederkehrende Krankheiten, die Seelen erschüttern und Familien zerrütten. Doch dieselben Gene, die diese Krankheiten verursachen, können – wenn auch nur unter seltenen Umständen – eine geheimnisvolle Form kreativen Drangs verstärken, die grundlegend mit dieser Erkrankung verknüpft ist.

Und dann ist da noch Erikas neuromuskuläre Erkrankung, eine seltene Erbkrankheit, die auf eine oder zwei Veränderungen im Genom zurückgeht, hochpenetrant, extrem belastend und unheilbar ist. Eine medizinische Therapie ist zwar nicht unvorstellbar, allerdings ist es wenig wahrscheinlich, dass sie je entdeckt wird. Würde man die Gensequenzierung des Fötalgenoms mit Schwangerschaftsabbruch (oder selektiver Implantation von Embryos, die auf diese Mutationen getestet wurden) verbinden, ließen sich solche Erbkrankheiten identifizieren und möglicherweise aus dem menschlichen Genpool eliminieren. In einigen wenigen Fällen könnte die Gensequenzierung einen Befund ergeben, der potentiell durch eine medikamentöse oder eine zukünftige genetische Therapie behandelbar ist (im Herbst 2015 wurde ein 15 Monate altes Kleinkind mit Schwäche, Tremor, progressiver Erblindung und vermehrtem Speichelfluss – bei dem fälschlicherweise eine »Autoimmunerkrankung« diagnostiziert wurde – an eine Genklinik an der Columbia University überwiesen. Eine Gensequenzierung offenbarte eine Mutation in einem Gen, das mit dem Vitaminstoffwechsel zusammenhängt. Das Mädchen litt unter einem schweren Vitamin-B2-Mangel, und als man ihr dieses Vitamin verabreichte, erholten sich seine neurologischen Funktionen weitgehend).

Sterling, Rajesh und Erika sind »Previvors«. Ihr späterer Werdegang war latent in ihrem Genom angelegt, dennoch hätten der tatsächliche Verlauf ihres Lebens und ihre Wahlmöglichkeiten nicht unterschiedlicher sein können. Was fangen wir mit dieser Information an? »Mein wahrer Lebenslauf steht in meinen Zellen«, sagt der junge Protagonist Jerome in dem Science-Fiction-Film *Gattaca*. Aber wie viel vom genetischen Lebenslauf eines Menschen lässt sich lesen und verstehen? Können wir den Werdegang, der in einem Genom codiert ist, auf brauchbare Weise entschlüsseln? Und unter welchen Umständen können – oder sollten – wir eingreifen?

• • •

Kehren wir zur ersten Frage zurück: Wie viel vom Humangenom können wir in einem brauchbaren oder vorhersagekräftigen Sinne »lesen«? Bis vor kurzem war die Möglichkeit, den Werdegang eines Menschen anhand des Humangenoms vorherzusagen, durch zwei grundlegende Hindernisse eingeschränkt. Zum einen sind die meisten Gene keine »Blaupausen«, sondern »Rezepte«, wie Richard Dawkins es formulierte. Sie spezifizieren nicht Teile, sondern Prozesse, sind Formeln, keine Formen. Ändert man eine Blaupause, so verändert sich das Endprodukt auf durchweg vorhersehbare Weise: Streicht man etwas aus dem Plan, so bekommt man eine Maschine mit einem fehlenden Bauteil. Durch die Abwandlung eines Rezepts oder einer Formel verändert sich das Produkt jedoch nicht auf vorhersehbare Weise: Vervierfacht man die Buttermenge in einem Kuchenrezept, so hat es kompliziertere Auswirkungen und bewirkt nicht nur einen Kuchen mit viermal höherem Butteranteil (probieren Sie es aus: Das Ganze wird zu einer fettigen Masse zusammenfallen). Nach einer ähnlichen Logik kann man die meisten Genvarianten nicht isoliert untersuchen und ihren Einfluss auf Ausprägung und Entwicklung entschlüsseln. Dass eine Mutation im Gen *MECP2* mit der normalen Funktion, chemische Modifikationen der DNA zu erkennen, eine Form von Autismus hervorrufen kann, ist alles andere als selbstverständlich (es sei denn, man versteht, wie Gene die neuronalen Entwicklungsprozesse steuern, die das Gehirn hervorbringen).[56]

Die zweite Einschränkung – von möglicherweise tiefgreifenderer Bedeutung – ist, dass sich die Ausprägungen mancher Gene nicht vorhersagen lassen. Die meisten Gene bestimmen Form und Funktion eines Organismus und die daraus erwachsenden Auswirkungen auf dessen Zukunft nur im Zusammenwirken mit anderen Auslösern – Umgebung, Zufall, Verhalten oder sogar äußere Einwirkungen auf Eltern oder Fötus. Dieses Zusammenspiel erfolgt, wie bereits dargelegt, größtenteils nicht systematisch, sondern zufällig und lässt sich nicht mit Bestimmtheit vorhersagen oder modellhaft abbilden. Diese Wechselwirkungen erlegen dem genetischen Determinismus enge Grenzen auf: Die letztlichen Auswirkungen dieser Überschneidungen von Genen und Umgebungseinflüssen kann die Genetik allein *nie* zuverlässig vorhersagen.[57] Tatsächlich hatten jüngste Versuche, anhand der Erkrankungen eines Zwillings Aussagen über zukünftige Erkrankungen des anderen zu treffen, lediglich mäßige Erfolge.

Doch trotz dieser Unsicherheiten wird man bald einige vorhersagekräftige Determinanten im Humangenom ausmachen können. In dem Maße, wie wir Gene und Genome genauer, umfassender und mit immer größerer Rechenleistung untersuchen, müssten wir imstande sein, das Genom gründlicher zu »lesen«. Gegenwärtig werden nur hochpenetrante Mutationen einzelner Gene (Tay-Sachs-Syndrom, Mukoviszidose, Sichelzellenanämie) oder Veränderungen ganzer Chromosomen (Down-Syndrom) für eine Gendiagnose im klinischen Rahmen genutzt. Es besteht jedoch kein Grund, dass sich die Einschränkungen der Gendiagnose auf Krankheiten beschränken sollten, die durch Mutationen einzelner Gene oder Chromosomen verursacht werden.* Im Übrigen gibt es auch keinen Grund, die »Diagnose« auf

---

* Die Mutation oder Variation, die mit dem Risiko einer Krankheit verknüpft ist, liegt möglicherweise nicht in einer proteincodierenden Region des Gens, sondern in einer regulatorischen Region oder in einem Gen, das keine Proteine

Krankheiten einzuschränken. Ein ausreichend leistungsstarker Computer müsste auch imstande sein, den Zugang zum Verständnis eines Rezepts zu eröffnen: Wenn man eine Änderung eingibt, müsste man seine Auswirkung auf das Produkt berechnen können. Bis zum Ende dieses Jahrzehnts wird man aufgrund von Permutationen und Kombinationen bestimmter Genvarianten unterschiedliche Ausprägungen menschlicher Phänotypen, Krankheiten und Schicksale voraussagen können. Manche Krankheiten werden einem solchen Gentest nie zugänglich sein, aber vielleicht lassen sich beispielsweise die schwersten Varianten von Schizophrenie, Herzerkrankungen oder die penetrantesten Formen von familiär auftretendem Krebs anhand der kombinierten Auswirkungen einer Handvoll von Mutationen voraussehen. Und wenn erst einmal ein Verständnis von »Prozessen« in Vorhersagealgorithmen eingebaut ist, könnte man die Wechselwirkungen verschiedener Genvarianten nutzen, um die letztlichen Auswirkungen nicht nur auf Krankheiten, sondern darüber hinaus auf eine Vielzahl körperlicher und geistiger Merkmale zu berechnen. Computeralgorithmen könnten die Wahrscheinlichkeit für die Entwicklung von Herzerkrankungen, Asthma oder sexueller Orientierung bestimmen und jedem Genom ein relatives Risiko für einen spezifischen Werdegang zuordnen. So wird das Genom nicht in absoluten Werten, sondern in Wahrscheinlichkeiten gelesen – wie ein Zeugnis, das keine Noten, sondern Wahrscheinlichkeiten angibt, oder ein Lebenslauf, der keine früheren Erfahrungen, sondern zukünftige Tendenzen auflistet. Das Genom wird zu einem Previvor-Leitfaden.

• • •

Im April 1990 verkündete ein Artikel in der Zeitschrift *Nature* die Geburt einer neuen Technologie, die eine Gendiagnose an Embryos *vor*

---

codiert. Tatsächlich treten viele genetische Variationen, von denen man gegenwärtig weiß, dass sie sich auf das Risiko für eine bestimmte Krankheit oder einen Phänotyp auswirken, in regulatorischen oder nichtcodierenden Regionen des Genoms auf.

der Implantation in die Gebärmutter einer Frau ermöglichte – was den Einsatz, um den es bei der Gendiagnose am Menschen geht, noch weiter erhöhte.[58] Das Verfahren basiert auf einer seltsamen Eigenheit der menschlichen Embryologie. Nachdem ein Embryo durch In-vitro-Fertilisation (IVF) gezeugt wurde, kultiviert man ihn in der Regel einige Tage lang in einem Brutschrank, bevor man ihn in die Gebärmutter einer Frau einsetzt. In einer Nährlösung im Inkubator teilt sich der einzellige Embryo, bis er einen glitzernden Zellhaufen bildet. Nach drei Tagen besteht er aus acht, dann aus 16 Zellen. Entnimmt man diesem Embryo einige Zellen, teilen sich die restlichen erstaunlicherweise, füllen die entstandene Lücke, und der Embryo wächst normal weiter, als ob nichts geschehen wäre. Für einen Moment unserer Geschichte sind wir tatsächlich wie ein Salamander – oder besser: wie der Schwanz eines Salamanders – zu einer vollständigen Regeneration imstande, selbst nachdem wir um ein Viertel zurückgestutzt wurden.

In diesem Frühstadium kann man also an einem menschlichen Embryo eine Biopsie vornehmen und die entnommenen Zellen für einen Gentest nutzen. Nach Abschluss der Gentests können die handverlesenen Embryos mit den einwandfreien Genen implantiert werden. Mit einigen Modifikationen lassen sich noch vor der Befruchtung Gentests an Oozyten – den Eizellen einer Frau – vornehmen. Diese Technik bezeichnet man als Präimplantationsdiagnostik (PID). Aus ethischer Sicht vollführt dieses Verfahren einen scheinbar unmöglichen Taschenspielertrick. Wenn man selektiv die »richtigen« Embryos implantiert und die anderen einfriert, ohne sie abzutöten, kann man eine Auslese der Föten vornehmen, ohne sie abzutreiben. Das ist positive und negative Eugenik in einem, ohne dass damit der Tod eines Fötus einhergeht.

Die Präimplantationsdiagnostik wurde erstmals im Winter 1989 an den Embryos zweier englischer Paare angewendet. Bei einem gab es in der Familie Fälle einer schweren geistigen Retardierung, die mit dem X-Chromosom in Verbindung gebracht wurde, und bei der anderen ein mit dem X-Chromosom verbundenes Immunsyndrom – beides unheilbare Erbkrankheiten, die sich nur bei männlichen Kindern manifestieren. Man wählte weibliche Embryos aus, und beide Paare bekamen Zwillingstöchter, die, wie erwartet, frei von diesen Krankheiten waren. Diese ersten beiden Fälle lösten so große ethische Bedenken aus, dass mehrere Staaten umgehend solche Technologien Einschränkungen unterwarfen. Zu den ersten Ländern, die der PID die striktesten Grenzen setzten, gehörten, vielleicht verständlicherweise, Deutschland und Österreich – die vom Erbe des Rassismus, des Massenmords und der Eugenik gezeichnet waren. In Indien, wo in manchen Teilen die weltweit unverblümtesten Formen sexistischer Subkulturen zu finden sind, gab es bereits 1995 erste Berichte über Versuche, das Geschlecht eines Kindes mit Hilfe der PID zu »diagnostizieren«. Jede Form geschlechtlicher Auslese zugunsten männlicher Kinder war und ist in Indien gesetzlich verboten, und so wurde auch PID dafür bald untersagt. Offenbar konnte dieses gesetzliche Verbot das Problem jedoch kaum eindämmen: Mit einer gewissen Scham und Ernüchterung mögen indische und chinesische Leser zur Kenntnis nehmen, dass das umfangreichste Projekt »negativer Eugenik« in der Menschheitsgeschichte keineswegs die systematische Vernichtung der Juden im nationalsozialistischen Deutschland und Österreich in den 1930er und 1940er Jahren war. Diese grauenvolle Auszeichnung kommt vielmehr Indien und China zu, wo über zehn Millionen Mädchen aufgrund von Abtreibung, Kindesmord und Vernachlässigung das Erwachsenenalter nicht erreicht haben. Eugenik braucht nicht unbedingt verdorbene Diktatoren und mordgierige Staaten. In Indien sind völlig »freie« Bürger, die sich selbst überlassen sind, durchaus imstande, ohne jedes staatliche Mandat groteske Eugenikprogramme – in diesem Fall gegen Frauen – durchzuführen.

Derzeit kann PID zur Auswahl von Embryos mit monogenetischen Erkrankungen wie Mukoviszidose, Huntington-Krankheit und Tay-Sachs-Syndrom eingesetzt werden. Im Prinzip schränkt jedoch nichts die Gendiagnose auf monogenetische Erkrankungen ein. Eigentlich

sollte es keines Films wie *Gattaca* bedürfen, um uns zu mahnen, wie
zutiefst destabilisierend diese Idee sein könnte. Wir besitzen keine Modelle oder Metaphern, um eine Welt zu begreifen, in der die Zukunft
eines Kindes in Wahrscheinlichkeiten zergliedert, ein Fötus noch vor
der Geburt diagnostiziert oder noch vor der Zeugung zu einem »Pre-
vivor« gemacht wird. Das aus dem griechischen entlehnte Wort *Diagnose*, »unterscheidende Erkenntnis«, hat moralische und philosophische Konsequenzen, die weit über Medizin und Naturwissenschaften
hinausreichen. Im Laufe unserer gesamten Geschichte hat unterscheidende Erkenntnis uns in die Lage versetzt, Kranke zu erkennen, zu
behandeln und zu heilen. In ihren wohltätigen Formen haben diese
Technologien es uns ermöglicht, Erkrankungen durch diagnostische
Tests und Präventivmaßnahmen vorzubeugen und Krankheiten entsprechend zu behandeln (beispielsweise durch präventive Brustkrebs-
behandlung aufgrund des Gens *BRCA1*). Sie haben jedoch auch
erdrückende Definitionen von Anomalität und eine Unterscheidung
in Schwache und Starke ermöglicht und in ihren abscheulichsten Ausprägungen zu den Exzessen der Eugenik geführt. Die Geschichte der
Humangenetik mahnt uns immer wieder, dass »unterscheidende Erkenntnis« häufig mit einer Betonung der »Erkenntnis« anfängt, dann
jedoch mit einem Schwerpunkt auf dem »Unterscheidenden« endet.
Es ist durchaus kein Zufall, dass die umfangreichen anthropometri-
schen Projekte nationalsozialistischer Wissenschaftler – das obsessive
Messen von Kiefergrößen, Kopfformen, Nasenlängen und Körpergröße – einst ebenfalls als Versuche »unterscheidender Erkenntnis der
Menschen« legitimiert wurden.

Der Politologe Desmond King mahnte: »Wir alle werden auf die
eine oder andere Weise in das Regime des ›Genmanagements‹ hin-
eingezogen werden, das im Grunde eugenisch sein wird. Alles wird
eher im Namen der individuellen Gesundheit geschehen als für die
Tauglichkeit der Gesamtbevölkerung, und die Manager werden Sie
und ich sowie unsere Ärzte und der Staat sein. Der genetische Wandel wird von der unsichtbaren Hand der individuellen Entscheidung
gelenkt werden, aber das Gesamtresultat wird dasselbe sein: ein koor-

dinierter Versuch, die Gene der kommenden nächsten Generation zu
›verbessern‹.«[59]

• • •

Bis vor kurzem orientierte sich der Bereich der Gendiagnostik und
Intervention an drei unausgesprochenen Prinzipien. Erstens waren Gentests weitgehend auf Genvarianten beschränkt, die außerordentlich starke Krankheitsdeterminanten sind – also hochpenetrante
Mutationen, bei denen die Wahrscheinlichkeit einer Erkrankung nahe
100 Prozent liegt (Down-Syndrom, Mukoviszidose, Tay-Sachs-Syndrom). Zweitens bedeuteten die von diesen Mutationen verursachten
Krankheiten in der Regel außerordentliches Leid oder grundlegende
Unvereinbarkeiten mit einem »normalen« Leben. Drittens wurden vertretbare Eingriffe – etwa die Entscheidung, ein Kind mit Down-Syndrom abzutreiben oder eine Frau mit einer *BRCA1*-Mutation zu
operieren – durch gesellschaftlichen und medizinischen Konsens definiert, und sämtliche Eingriffe erfolgten aufgrund völliger Entscheidungsfreiheit.

Hochpenetrante Genschädigungen, außerordentliches Leid und
vertretbare Eingriffe ohne Zwang bilden drei Seiten eines Dreiecks
und lassen sich als moralische Grenzen sehen, welche die meisten
Kulturen nicht zu überschreiten bereit waren. Die Abtreibung eines
Embryos mit einem Gen, das beispielsweise nur mit einer zehnprozen-
tigen Wahrscheinlichkeit zu einer späteren Krebserkrankung führen
wird, verstößt gegen das Prinzip, bei Mutationen mit geringer Penetranz Eingriffe zu unterlassen. Ebenso würde ein staatlich verordneter
medizinischer Eingriff an einer Person mit genetischer Erkrankung
ohne deren Einwilligung (oder die seiner Eltern bei einem Fötus) die
Grenzen der persönlichen Freiheit und der Freiheit von Zwang überschreiten.

Es ist kaum zu übersehen, dass diese Parameter anfällig für die Logik der Selbstverstärkung sind. *Wir* legen die Definition von »außerordentlichem Leid« fest. *Wir* ziehen die Grenzen zwischen »Normalität«
und »Anomalität«. *Wir* treffen die medizinischen Entscheidungen über

einen Eingriff. *Wir* bestimmen, was »vertretbare Eingriffe« sind. Menschen mit bestimmten Genomen sind für die Festlegung der Kriterien verantwortlich, nach denen andere Menschen mit anderen Genomen definiert, Eingriffen unterzogen oder sogar eliminiert werden. Kurz: »Entscheidungsfreiheit« erscheint als Illusion, erfunden von Genen, um die Fortpflanzung der gleichen Genauswahl zu gewährleisten.

• • •

Dennoch hat sich dieses Dreieck – hochpenetrante Gene, außerordentliches Leid und vertretbare Eingriffe ohne Zwang – als hilfreiches Leitbild für akzeptable Formen genetischer Interventionen erwiesen. Diese Grenzen werden jedoch überschritten. Man nehme nur eine Reihe erstaunlich gewagter Studien, die eine einzige Genvariante nutzten, um damit Social-Engineering-Entscheidungen zu begründen.[60] In den ausgehenden 1990er Jahren fand man heraus, dass ein Gen mit der Bezeichnung *5HTTLPR* ein Molekül codiert, das die Signalübertragung zwischen bestimmten Neuronen im Gehirn moduliert, und dass dieses Gen mit der Reaktion auf psychischen Stress in Zusammenhang stand. Es kommt in zwei Formen oder Allelen vor – einer langen und einer kurzen Variante. Etwa 40 Prozent der Bevölkerung besitzen die kurze Form, *5HTTLPR/short*, die anscheinend erheblich geringere Mengen des Proteins produziert. Wiederholt wurde eine Verknüpfung dieser kurzen Variante mit Ängstlichkeit, Depressionen, Traumata, Alkoholismus und hochriskantem Verhalten festgestellt.[61] Der Zusammenhang ist zwar nicht stark, aber breit gestreut: So hat man das kurze Allel mit erhöhter Suizidgefahr bei deutschen Alkoholikern, vermehrten Depressionen unter US-amerikanischen College-Studenten und einer höheren Rate posttraumatischer Belastungsstörungen bei Soldaten in Kampfeinsätzen in Verbindung gebracht.

Ein Wissenschaftlerteam begann 2010 in einer verarmten ländlichen Region des US-Bundesstaates Georgia mit einem Forschungsvorhaben unter der Bezeichnung Strong African American Families Project (SAAF).[62] Es handelt sich um eine erstaunlich triste Gegend, geprägt von Kriminalität, Alkoholismus, Gewalt, psychischen Krankheiten und

Drogenmissbrauch. Verlassene Holzhäuser mit zerbrochenen Fensterscheiben sprenkeln die Landschaft, Straftaten sind etwas Alltägliches, und auf leeren Parkplätzen liegen gebrauchte Spritzen. Die Hälfte der Erwachsenen hat keine höhere Schulbildung, und in annähernd der Hälfte der Familien sind die Mütter alleinerziehend.

Die Studie erstreckte sich auf sechshundert afroamerikanische Familien mit Kindern im Jugendalter.[63] Diese Familien teilte man nach dem Zufallsprinzip in zwei Gruppen auf. In der einen Gruppe erhielten Kinder und Eltern sieben Wochen lang intensive Bildungsangebote, Beratung, emotionale Unterstützung und strukturierte soziale Maßnahmen zur Prävention gegen Alkoholismus, Alkoholexzesse, Gewalt, Impulsivität und Drogenkonsum. In der Kontrollgruppe gab es nur minimale Eingriffe von außen. In beiden Gruppen ließ man bei den Kindern das *5HTTLPR*-Gen sequenzieren.

Das erste Ergebnis dieser randomisierten Studie war schon aus vorhergehenden Untersuchungen absehbar: In der Kontrollgruppe bestand bei Kindern mit der kurzen – »Hochrisiko-« – Genvariante eine doppelt so hohe Wahrscheinlichkeit für hochriskantes Verhalten wie Komasaufen, Drogenmissbrauch und sexuelle Promiskuität von Heranwachsenden, was frühere Studien bestätigte, die in dieser genetischen Untergruppe ein erhöhtes Risiko festgestellt hatten. Das zweite Ergebnis war erstaunlicher: Gerade bei diesen Kindern war die Wahrscheinlichkeit *am höchsten*, dass sie auf soziale Maßnahmen reagierten. In der Interventionsgruppe wurden Kinder mit dem Hochrisikoallel am stärksten und schnellsten »normalisiert« – die am drastischsten Betroffenen sprachen auch am besten auf Hilfsangebote an. In einer Parallelstudie zeigten sich zu Beginn der Untersuchung Waisenkinder mit der kurzen Variante von *5HTTLPR* impulsiver und in ihrem Sozialverhalten stärker gestört als solche mit der langen Variante, profitierten aber mit höherer Wahrscheinlichkeit von einer Verlegung in eine fürsorglichere Pflegefamilie.

In beiden Fällen codiert die kurze Variante offenbar einen hyperaktiven »Stress-Sensor« für psychische Anfälligkeit, aber auch einen Sensor, der mit hoher Wahrscheinlichkeit auf gezielte Maßnahmen gegen diese Anfälligkeit anspricht. Die labilsten, zerbrechlichsten Formen der Psyche lassen sich am wahrscheinlichsten von Traumata fördernden Umgebungen verbiegen, aber auch durch gezieltes Eingreifen am leichtesten wieder ins Lot bringen. Es ist, als ob *Widerstandsfähigkeit* einen genetischen Kern hätte: Manche Menschen werden belastbar geboren (sprechen aber weniger auf Maßnahmen an), während andere anfällig zur Welt kommen (aber besser auf Veränderungen ihrer Umgebung reagieren).

Die Vorstellung eines »Belastbarkeitsgens« faszinierte die Wissenschaft. Der Verhaltenspsychologe Jay Belsky schrieb 2014 in der *New York Times*: »Sollten wir uns bemühen, die anfälligsten Kinder zu identifizieren und überproportional als Zielgruppe ins Auge zu fassen, wenn es um die Investition knapper Finanzmittel für staatliche Maßnahmen und Leistungen geht? Ich denke, die Antwort lautet Ja.«[64] Zur Begründung führte er aus: »Manche Kinder sind – um eine verbreitete Metapher zu verwenden – wie empfindliche Orchideen, sie welken schnell, wenn sie Stress und Entbehrungen ausgesetzt sind, blühen aber auf, wenn sie viel Fürsorge und Unterstützung bekommen. Andere sind eher wie Löwenzahn; sie sind widerstandsfähig gegen negative Auswirkungen jeglicher Widrigkeiten, profitieren zugleich aber auch nicht sonderlich von positiven Erfahrungen.« Würden Gesellschaften Genprofile von Kindern erstellen, um diese »empfindlichen Orchideen« vom »Löwenzahn« zu unterscheiden, könnten sie ihre knappen Ressourcen wesentlich effizienter und zielgerichteter einsetzen, schlug Belsky vor. »Man könnte sich sogar vorstellen, dass wir eines Tages den Genotyp sämtlicher Kinder einer Grundschule feststellen, um zu gewährleisten, dass diejenigen, die am meisten profitieren würden, die Hilfe der besten Lehrer bekämen.«

Den Genotyp sämtlicher Grundschulkinder feststellen? Die Entscheidung für Pflegefamilien vom Genprofil abhängig machen? Löwenzahn oder Orchideen? Offenkundig ist die Debatte über Gene und Vorlieben bereits über die ursprünglichen Grenzen hinausgeglitten – von hochpenetranten Genen, außerordentlichem Leid und vertretbaren Eingriffen hin zu genotypabhängigem Social Engineering. Was ist, wenn die Genotypisierung bei einem Kind das Risiko einer zukünftigen unipolaren Depression oder bipolaren Störung aufzeigt? Was ist mit Genprofilen für Gewalttätigkeit, Kriminalität oder Impulsivität? Was stellt »außerordentliches Leid« dar, und welche Maßnahmen sind »vertretbar«?

Und was ist normal? Dürfen Eltern für ihre Kinder die Entscheidung für »Normalität« treffen? Was wäre, wenn allein schon das Eingreifen die Identität der Anormalität verstärken würde – ganz so, als ob sie einer Art Heisenberg'scher Unschärferelation der Psychologie gehorchte?

• • •

Dieses Buch begann als persönliche Geschichte – was mir jedoch Sorgen bereitet, ist die persönliche Zukunft. Beim Kind eines schizophrenen Elternteils besteht, wie man mittlerweile weiß, eine 13- bis 30-prozentige Wahrscheinlichkeit, dass es bis zum Alter von sechzig Jahren ebenfalls diese Krankheit bekommt. Sind beide Eltern betroffen, so steigt das Risiko auf etwa 50 Prozent. Bei einem schizophrenen Onkel liegt das Risiko des Kindes drei- bis fünfmal höher als in der Durchschnittsbevölkerung. Sind zwei Onkel und ein Vetter betroffen – Jagu, Rajesh und Moni – erhöht sich die Wahrscheinlichkeit sprunghaft auf etwa das Zehnfache des allgemeinen Risikos. Sollte diese Krankheit bei meinem Vater, meiner Schwester oder meinen Vettern und Cousinen väterlicherseits auftreten (die Symptome können sich erst in fortgeschrittenem Alter zeigen), würde das Risiko sich noch einmal vervielfachen. Ich kann nur abwarten und beobachten, den Schicksalskreisel immer wieder drehen und mein genetisches Risiko jeweils neu abschätzen.

Nach den umfangreichen Studien zur Genetik familiär auftretender Schizophrenie habe ich mich oft gefragt, ob ich mein Genom und das ausgewählter Familienangehöriger sequenzieren lassen soll. Die Technologie ist vorhanden: Mein eigenes Labor verfügt über die Mittel, Genome zu extrahieren, zu sequenzieren und zu interpretieren (ich selbst nutze diese Technik regelmäßig, um Gene meiner Krebspatienten zu sequenzieren). Was aber nach wie vor fehlt, ist die Identifizierung der meisten Genvarianten oder Variantenkombinationen, die das Krankheitsrisiko erhöhen. Es besteht jedoch kaum ein Zweifel, dass man bis zum Ende dieses Jahrzehnts viele dieser Varianten ausfindig machen und das mit ihnen einhergehende Risiko quantitativ bestimmen wird. Für Familien wie meine wird die Aussicht auf Gendiagnose dann keine Abstraktion mehr bleiben, sondern sich in klinische und persönliche Realität verwandeln. Das Dreieck – Penetranz, außerordentliches Leid und vertretbare Entscheidungen – wird unsere individuelle Zukunft prägen.

Während die Geschichte des vergangenen Jahrhunderts uns gelehrt hat, welche Gefahren es birgt, wenn Staaten die Macht haben, über die genetische »Tauglichkeit« zu bestimmen (also darüber, wer in das Dreieck passt und wer nicht), dann lautet die Frage, vor die sich unsere Gegenwart gestellt sieht, was passiert, wenn diese Macht dem Einzelnen übertragen wird. Diese Fragestellung verlangt von uns, die Wünsche des Einzelnen – nach einem glücklichen, erfolgreichen Leben ohne übermäßiges Leiden – gegen die Wünsche der Gesellschaft abzuwägen, die kurzfristig vielleicht nur daran interessiert ist, die Krankheitsbelastung und die Kosten durch Behinderungen zu senken. Im Hintergrund ist noch eine dritte Gruppe von Akteuren still am Werk: unsere Gene, die sich, ungeachtet unserer Wünsche und Bedürfnisse, reproduzieren und neue Varianten hervorbringen – diese Wünsche und Bedürfnisse aber direkt oder indirekt, akut oder versteckt beeinflussen. Der Kulturhistoriker Michel Foucault erklärte 1975 in einer Vorlesung an der Sorbonne: »Das, was man eine Technologie menschlicher Anomalie, eine Technologie anormaler Individuen nennen könnte, wird sich ab genau dem Moment herausbilden, da ein durchgängiges Netz von Wissen und Macht diese drei Figuren [der Anormalität] nach demselben System von Regularitäten vereinen bzw. zumindest umzingeln wird.«[65] Foucault dachte dabei an ein »Netz« von Menschen, es könnte sich aber ebenso gut um ein Netzwerk von Genen handeln.

Gentherapien: Posthuman

Was fürcht ich denn? mich selbst? Sonst ist
hier niemand.

William Shakespeare, *Richard III.*[66]

In der Biologie herrscht zurzeit ein Gefühl
kaum gebändigter Erwartungen, das an
die Physik am Anfang des 20. Jahrhunderts
erinnert. Es ist ein Gefühl, dass man ins
Unbekannte vordringt und das, wohin dieser
Fortschritt führt, zugleich aufregend und geheimnisvoll ist ... Die Analogie zwischen der
Physik des 20. Jahrhunderts und der Biologie
des 21. Jahrhunderts wird sich im Guten wie
im Schlechten fortsetzen.

»Biology's Big Bang«, 2007[67]

Im Sommer 1991, nicht lange nach Beginn des Humangenomprojekts,
besuchte ein Journalist James Watson in seinem Labor in Cold Spring
Harbor, New York.[68] Der Nachmittag war schwül, und Watson saß in
seinem Büro am Fenster mit Blick auf die glitzernde Bucht. Der Interviewer fragte ihn nach der Zukunft des Genomprojekts. Was würde
passieren, wenn sämtliche Gene unseres Genoms sequenziert wären

und Wissenschaftler die menschliche Erbinformation nach Belieben manipulieren könnten?

Watson hob schmunzelnd die Augenbrauen. »Er fuhr sich mit einer Hand durch seine spärlichen weißen Haarsträhnen ... und ein spitzbübisches Funkeln trat in seine Augen ... ›Viele sagen, sie machten sich Sorgen über die Veränderung unserer genetischen Instruktionen. Diese sind aber lediglich ein Produkt der Evolution, das darauf angelegt ist, uns an bestimmte Bedingungen anzupassen, die heute vielleicht gar nicht mehr existieren. Wir alle wissen, wie unvollkommen wir sind. Warum sollen wir uns nicht ein bisschen besser machen, damit wir für das Überleben geeigneter sind?‹«

»Genau das werden wir tun«, erklärte er. Er schaute den Interviewer an und lachte plötzlich mit jenem typischen hohen Glucksen, das in der Wissenschaftswelt als Vorzeichen eines Sturms bekannt war. »Genau das werden wir tun. Wir werden uns ein bisschen besser machen.«

Watsons Äußerung bringt uns zurück zu der zweiten Sorge, die Studenten auf der Tagung in Erice äußerten: Was ist, wenn wir lernen, das Humangenom gezielt zu verändern? Bis in die späten 1980er Jahre war die einzige Möglichkeit, das Humangenom umzugestalten – uns genetisch »ein bisschen besser zu machen« –, hochpenetrante und stark schädigende Genmutationen (wie jene, die das Tay-Sachs-Syndrom oder Mukoviszidose verursachen) im Mutterleib zu identifizieren und die Schwangerschaft abzubrechen. In den 1990er Jahren ermöglichte die Präimplantationsdiagnostik (PID) es Eltern, präventiv Embryos ohne solche Mutationen auszuwählen und einzusetzen, was das moralische Dilemma der Abtreibung von Leben durch das moralische Dilemma der Auslese ersetzte. Noch immer operierten Humangenetiker innerhalb des oben beschriebenen Dreiecks: hochpenetrante Genschädigungen, außerordentliches Leid und vertretbare Eingriffe ohne Zwang.

Die Entwicklung der Gentherapie in den späten 1990er Jahren veränderte die Rahmenbedingungen dieser Diskussion: Nun konnte man Gene im menschlichen Körper gezielt manipulieren. Damit war die »positive Eugenik« wiedergeboren. Statt Menschen mit schädigenden

Genen zu beseitigen, konnten Wissenschaftler nun anstreben, menschliche Gendefekte zu korrigieren und das Genom dadurch »ein bisschen besser« zu machen. Konzeptionell gibt es zwei Arten der Gentherapie. Die erste greift in das Genom einer *nichtreproduktiven* Zelle, beispielsweise einer Blut-, Hirn- oder Muskelzelle ein. Die Modifikation dieser Zellen betrifft deren Funktion, verändert das Humangenom jedoch nicht über eine Generation hinaus. Wenn man in einer Muskel- oder Blutzelle eine genetische Abwandlung vornimmt, wird diese nicht an einen menschlichen Embryo weitergegeben; das veränderte Gen geht verloren, sobald die Zelle stirbt. Ashi DeSilva, Jesse Gelsinger und Cynthia Cutshall sind Beispiele für Menschen, die mit einer solchen Gentherapie behandelt wurden: In allen drei Fällen wurden durch Einführen fremder Gene Blutzellen verändert, nicht aber Keimbahnzellen (also Samen- und Eizellen).

Die zweite, radikalere Form der Gentherapie besteht in einer Modifikation des menschlichen Genoms, die *reproduktive* Zellen betrifft. Ist die Genomveränderung erst einmal in eine Samen- oder Eizelle – also in die Keimbahn eines Menschen – eingeschleust, vermehrt sie sich von selbst. Sie ist dauerhaft in das Humangenom integriert und wird an die nächste Generation weitergegeben. Das eingefügte Gen wird untrennbar mit dem Humangenom verbunden.

Keimbahntherapie bei Menschen war in den späten 1990er Jahren noch unvorstellbar: Es gab keine zuverlässige Technik, genetische Veränderungen in menschlichen Samen- oder Eizellen vorzunehmen. Doch selbst Versuche einer Gentherapie an Körperzellen waren zum Stillstand gekommen. Jesse Gelsingers »Biotech-Tod«, wie die *New York Times* ihn nannte, hatte dieses Fachgebiet derart erschüttert, dass praktisch alle gentherapeutischen Tests in den Vereinigten Staaten eingestellt wurden.[69] Firmen gingen bankrott. Wissenschaftler zogen sich aus diesem Gebiet zurück.

Schritt für Schritt kehrte die Gentherapie jedoch vorsichtig zurück. Das Jahrzehnt von 1990 bis 2000 war scheinbar von Stagnation, in Wirklichkeit aber von Einkehr und Neubesinnung geprägt. Zunächst

musste die Liste der beim Gelsinger-Versuch begangenen Fehler sorgfältig analysiert werden. Warum hatte der Gentransfer in die Leber
mit einem angeblich harmlosen Virus eine derart verheerende, tödliche Reaktion ausgelöst? Als Ärzte, Wissenschaftler und Aufsichtsbeamte die Testunterlagen eingehend prüften, wurden die Gründe
für das Scheitern des Experiments allmählich offenkundig. Die Vektoren, die man für den Gentransfer in Gelsingers Zellen verwendet
hatte, waren nie gründlich an Menschen getestet worden. Vor allem
aber hätte man Gelsingers Immunreaktion auf das Virus voraussehen
müssen. Wahrscheinlich war er dem Adenovirenstamm, den man für
das gentherapeutische Experiment benutzt hatte, schon einmal auf
natürliche Weise ausgesetzt gewesen. Seine heftige Immunreaktion
war keineswegs ein Ausreißer, sondern eine ganz gewöhnliche Abwehrreaktion des Körpers auf einen Krankheitserreger, dem er bereits zuvor begegnet war, vermutlich im Zuge einer Erkältung. Mit
ihrer Entscheidung für ein bei Menschen verbreitetes Virus als Vehikel
für ihren Gentransfer hatten die Gentherapeuten eine folgenschwere
Fehleinschätzung getroffen: Sie hatten nicht bedacht, dass die transfe-
rierten Gene in einen menschlichen Körper mit einer Geschichte, mit
Narben und Erinnerungen gelangten. »Wie konnte etwas so Schönes
so furchtbar schiefgehen?«, hatte Paul Gelsinger gefragt. Nun wissen
wir es: weil Wissenschaftler – die nur Schönes anstrebten – nicht auf
eine Katastrophe vorbereitet waren. Die Ärzte, die in die Grenzbereiche der Humanmedizin vordringen wollten, hatten schlicht vergessen, eine ganz gewöhnliche Erkältung in ihre Überlegungen ein-
zubeziehen.

• • •

In den zwei Jahrzehnten nach Gelsingers Tod hat man die Instrumente,
die bei den ursprünglichen gentherapeutischen Versuchen verwendet wurden, weitgehend durch Technologien der zweiten und dritten
Generation ersetzt. Mittlerweile benutzt man für den Gentransfer in
menschliche Zellen neue Viren und neuentwickelte Kontrollverfahren.
Viele dieser Viren wurden eigens ausgewählt, weil sie sich im Labor

leicht manipulieren lassen und keine solche Immunreaktion auslösen, die in Gelsingers Körper mit verheerenden Folgen außer Kontrolle geraten war.

Eine bahnbrechende Studie, die 2014 im *New England Journal of Medicine* veröffentlicht wurde, verkündete die erfolgreiche Behandlung der Hämophilie durch Gentherapie.[70] Die schreckliche Bluterkrankheit, die durch eine Genmutation verursacht wird, zieht sich als fortlaufender Strang durch die Geschichte des Gens: Sie ist die DNA der DNA-Geschichte. Sie gehörte zu den ersten bei Menschen identifizierten Krankheiten, die mit dem X-Chromosom in Verbindung gebracht wurden und damit auf die physische Präsenz eines Gens auf einem Chromosom hindeuteten. Und sie war eine der ersten Krankheiten, die eindeutig auf ein einzelnes Gen zurückgeführt werden konnte. Zudem war sie eine der ersten Erbkrankheiten, für die ein synthetisches Protein entwickelt wurde, hergestellt 1984 von Genentech.

Die Idee, Hämophilie mit Gentherapie zu behandeln, war erstmals Mitte der 1980er Jahre aufgekommen. Da die Bluterkrankheit durch den Mangel eines funktionsfähigen Gerinnungsproteins entsteht, war es denkbar, das entsprechende Gen mit Hilfe eines Virus in die Zellen einzubringen, damit der Körper das fehlende Protein produzieren und so die Blutgerinnung wiederherstellen könnte. Nahezu zwanzig Jahre später beschlossen Gentherapeuten in den frühen 2000er Jahren, erneut eine Gentherapie für Hämophilie zu versuchen. Die Krankheit kommt in zwei Hauptvarianten vor, unterschieden nach dem jeweils fehlenden Blutgerinnungsfaktor. Für den Gentherapietest wählte man die Hämophilie B aus, bei der das Gen für den Gerinnungsfaktor IX mutiert ist und kein normales Protein produziert.

Die Versuchsanordnung war einfach: Zehn Männern mit einer schweren Form dieser Krankheit injizierte man eine Einzeldosis eines Virus, das mit einem Gen für den Faktor IX versehen war. Dann überwachte man über mehrere Monate hinweg das Vorhandensein des von diesem Virus codierten Proteins im Blut. Diese Versuchsreihe zielte wohlgemerkt darauf, nicht nur die Sicherheit, sondern auch die Wirksamkeit der Therapie zu testen: Bei den zehn Patienten, denen das Virus injiziert wurde, erfasste man nicht nur das Auftreten von Blutungen, sondern auch die Menge des zusätzlichen Faktors IX, den sie sich spritzten. Obwohl das vom Virus transferierte Gen die Faktor-IX-Konzentration im Blut auf lediglich 5 Prozent des Normalwertes anhob, war die Auswirkung auf Blutungs-Episoden erstaunlich. Bei den Patienten gingen die Blutungen um *90 Prozent* zurück, und die Anwendung des injizierten Faktors IX wurde ebenso drastisch reduziert. Diese Wirkung hielt über drei Jahre an.

Dass ein lediglich fünfprozentiger Ersatz eines fehlenden Proteins eine so starke therapeutische Wirkung erzielte, hatte für die Bestrebungen von Gentherapeuten Signalwirkung. Es erinnert uns an das Ausmaß der Degeneration in der Humanbiologie: Wenn nur 5 Prozent eines Gerinnungsfaktors ausreichen, um praktisch die gesamte Gerinnungsfunktion im menschlichen Blut wiederherzustellen, müssen 95 Prozent des Proteins überflüssig sein – ein Puffer, ein Reservoir, das der menschliche Körper möglicherweise für den Fall einer wirklich katastrophalen Blutung aufrechterhält. Falls dasselbe Prinzip auch für andere monogenetische Krankheiten gilt – etwa für Mukoviszidose –, dann könte die Gentherapie wesentlich machbarer sein, als man bislang dachte. Selbst ein ineffizienter Transfer eines therapeutischen Gens in eine kleine Untergruppe von Zellen könnte ausreichen, um eine ansonsten tödliche Krankheit zu behandeln.

• • •

Doch was ist mit dem ewigen Traum der Humangenetik, Gene in Keimzellen zu verändern, um dauerhaft verbesserte Humangenome zu schaffen – also mit der »Keimbahntherapie«? Was ist mit der Schaffung von »Posthumanen« oder »Transhumanen« – also menschlichen Embryos mit dauerhaft modifizierten Genomen? In den frühen 1990er Jahren hatten sich die Herausforderungen einer dauerhaften gentechnischen Veränderung des Humangenoms auf drei wissenschaftliche Hürden reduziert. Jede von ihnen galt einst als unmöglich zu lösendes wissenschaftliches Problem, steht aber inzwischen kurz vor der Lösung. Das Bemerkenswerteste an der Humangenomtechnik ist mittlerweile nicht, wie weit außerhalb unserer Reichweite, sondern wie gefährlich und verlockend nah sie ist.

Die erste Herausforderung war der Nachweis zuverlässiger menschlicher embryonaler Stammzellen (ES). Diese Stammzellen, die an der Innenhülle des frühen Embryos entstehen, bilden ein Übergangsstadium zwischen Zellen und Organismen: Sie lassen sich wie eine Zelllinie im Labor kultivieren und manipulieren, sind aber auch imstande, sämtliche Gewebearten eines lebenden Embryos auszubilden. Das Genom einer embryonalen Stammzelle zu modifizieren ist daher ein praktisches Sprungbrett zur dauerhaften Genomveränderung eines Organismus: Wenn man das Genom einer solchen Zelle vorsätzlich verändern kann, lässt sich diese Genmodifikation potentiell in einen Embryo sowie in alle von diesem gebildeten Organe und somit in einen Organismus einführen. Die Genmodifikation embryonaler Stammzellen ist der Engpass, den die erträumte Keimbahn-Genomtechnik passieren muss.

In den späten 1990er Jahren begann der Embryologe James Thomson aus Wisconsin mit Experimenten, Stammzellen menschlicher Embryos zu isolieren. Embryonale Stammzellen von Mäusen kannte man seit den ausgehenden 1970er Jahren, aber zahlreiche Versuche, entsprechende menschliche Zellen zu finden, waren bis dahin gescheitert. Thomson führte diese Fehlschläge auf zwei Faktoren zurück: schlechte Saat und schlechten Boden. Das Ausgangsmaterial für den Nachweis menschlicher Stammzellen war häufig von schlechter Qualität, und die Bedingungen für ihre Kultivierung waren alles andere als optimal. Im Aufbaustudium hatte Thomson sich in den 1980er Jahren eingehend mit embryonalen Stammzellen von Mäusen befasst. Nach und nach hatte er die vielfältigen exzentrischen Eigenheiten dieser Zellen kennengelernt wie ein Gärtner, der exotische Pflanzen im Treibhaus dazu bringen konnte, außerhalb ihrer natürlichen Umgebung zu wachsen und sich zu vermehren. Sie waren launisch, unbeständig und wählerisch. Er wusste um ihren Hang, bei der kleinsten Provokation zusammenzubrechen und abzusterben, und hatte gelernt, dass sie von »Nährzellen« verhätschelt werden mussten, eine seltsame Tendenz zur

Haufenbildung besaßen und unter dem Mikroskop durchscheinend, lichtbrechend schimmerten, was ihn jedes Mal wieder faszinierte.

Nach seinem Wechsel an das Wisconsin Regional Primate Center begann Thomson 1991, embryonale Stammzellen aus Affen zu isolieren. Er entnahm einem schwangeren Rhesusaffen einen sechs Tage alten Embryo und ließ ihn in einer Petrischale weiterwachsen. Sechs Tage später schälte er die äußeren Hüllen des Embryos ab wie bei einer Frucht und extrahierte einzelne Zellen aus der Hülle der inneren Zellmasse. Diese Zellen lernte er wie Mäusezellen in Nährzellnestern zu kultivieren, die lebenswichtige Wachstumsfaktoren liefern konnten; ohne diese Nährzellen starben die embryonalen Stammzellen. Überzeugt davon, dass er sein Verfahren an Menschen versuchen könne, beantragte er 1996 bei den Aufsichtsgremien der University of Wisconsin die Genehmigung, menschliche embryonale Stammzellen zu isolieren.

Mäuse- und Affenembryos waren einfach zu bekommen. Aber woher sollte ein Wissenschaftler frisch gezeugte *menschliche* Embryonen nehmen? Thomson stolperte über eine Quelle, die sich anbot: Kliniken für In-vitro-Fertilisation (IVF). In den späten 1990er Jahren war diese Methode der künstlichen Befruchtung zur Behandlung verschiedener Formen menschlicher Unfruchtbarkeit bereits verbreitet. Für die In-vitro-Fertilisation entnimmt man einer Frau Eizellen nach der Ovulation. In der Regel gewinnt man dabei mehrere – manchmal bis zu zehn oder zwölf – Eizellen, die anschließend im Reagenzglas mit dem Sperma eines Mannes befruchtet werden. Diese Embryos kultiviert man für kurze Zeit in einem Inkubator, bevor man sie in die Gebärmutter einsetzt.

Allerdings werden nicht alle künstlich befruchteten Embryos implantiert, sondern – aus Gründen der Sicherheit – üblicherweise nicht mehr als drei. Die überzähligen Embryos werden in der Regel beseitigt (oder in seltenen Fällen anderen Frauen eingesetzt, die sie als »Leihmütter« austragen). Nachdem Thomson 1996 die Genehmigung der University of Wisconsin erhalten hatte, bekam er 36 Embryos von IVF-Kliniken. Davon wuchsen 14 im Inkubator zu schimmernden Zellkugeln heran. Mit dem Verfahren, das er an Affen perfektioniert

hatte – Abschälen der äußeren Hüllen, behutsame Zellkultur auf Nährzellen – isolierte er einige wenige menschliche embryonale Stammzellen. Nach ihrer Implantation in Mäuse konnten diese Zellen alle drei
Zellschichten des menschlichen Embryos ausbilden – die Urquellen
sämtlicher Gewebe wie Haut, Knochen, Muskeln, Nerven, Darm und
Blut.

Die embryonalen Stammzellen, die Thomson aus überschüssigen
Embryos nach In-vitro-Fertilisation gewonnen hatte, vollzogen viele
Merkmale der menschlichen Embryogenese nach, stießen jedoch
nach wie vor an eine wichtige Grenze: Sie konnten zwar praktisch
alle menschlichen Gewebe ausbilden, einige wenige, wie Samen- und
Eizellen, aber nicht. Eine Genmodifikation, die man in diese embryonalen Stammzellen einführte, konnte an alle Zellen des Embryos
weitergegeben werden – nur nicht an die wichtigsten: die Zellen, die
imstande waren, das veränderte Gen an die nächste Generation zu vererben. Kurz nachdem Thomson 1998 einen Artikel über seine Arbeit
in der Zeitschrift *Science* veröffentlicht hatte, begannen Forscherteams
weltweit, unter anderem in den Vereinigten Staaten, China, Japan, Indien und Israel, Dutzende embryonaler Stammzelllinien aus fötalem
Embryonalgewebe zu isolieren in der Hoffnung, eine zu finden, die zur
Weitergabe von Genen in die Keimbahn imstande wäre.[71]

Doch dann wurde dieses Forschungsfeld nahezu ohne Vorwarnung
lahmgelegt. Drei Jahre nach dem Erscheinen von Thomsons Artikel
schränkte US-Präsident George W. Bush 2001 jegliche mit Bundesmitteln geförderte Forschung an embryonalen Stammzellen streng auf
die bis dahin gewonnenen 74 Zelllinien ein.[72] Es durften keine neuen
Zelllinien isoliert werden, nicht einmal aus dem Gewebe überzähliger
Embryonen aus In-vitro-Fertilisation. Laboratorien, die an embryonalen Stammzellen arbeiteten, sahen sich mit einer strengen Aufsicht und
Mittelkürzungen konfrontiert. Wiederholt legte Bush 2006 und 2007
ein Veto gegen eine staatliche Förderung für die Gewinnung neuer
Zelllinien ein. Befürworter der Stammzellenforschung, zu denen auch
Patienten mit degenerativen Erkrankungen und neurologischen Beein-
trächtigungen gehörten, demonstrierten auf den Straßen Washingtons

und drohten, die für das Verbot zuständigen Bundesbehörden zu verklagen. Bush konterte diese Forderungen mit Pressekonferenzen an
der Seite von Kindern, die von Leihmüttern nach der Implantation
»überzähliger« IVF-Embryos ausgetragen worden waren.

• • •

Das Verbot staatlicher Förderung für die Gewinnung neuer embryonaler Stammzellen fror die Ambitionen der Humangenomtechniker
zumindest vorübergehend ein. Es konnte jedoch den Fortschritt bei
dem zweiten Schritt nicht aufhalten, der für dauerhafte erbliche Veränderungen des menschlichen Genoms notwendig war: eine zuverlässige, effiziente Methode, gezielte Modifikationen im Genom bereits
vorhandener embryonaler Stammzellen vorzunehmen.

Anfangs erschien auch dieser Schritt als unüberwindbare technische
Hürde. Praktisch jedes Verfahren, das Humangenom zu verändern, war
grob und ineffizient. Wissenschaftler konnten Stammzellen bestrahlen,
um Genmutationen hervorzubringen – allerdings traten diese Veränderungen im Genom willkürlich verstreut auf und widersetzten sich
jedem Versuch einer gezielten Beeinflussung. Viren, die mit bekannten
genetischen Veränderungen versehen waren, konnten ihre Gene zwar
in das Genom einfügen, aber an welcher Stelle sie dies taten, blieb in
der Regel dem Zufall überlassen, und die eingefügten Gene wurden
häufig deaktiviert. In den 1980er Jahren entwickelte man eine neue
Methode, gezielte Veränderungen im Genom vorzunehmen: Man flu-
tete Zellen mit Fremd-DNA, die ein mutiertes Gen enthielt. Diese
Fremd-DNA wurde direkt in das Genmaterial einer Zelle eingefügt
oder seine Botschaft in das Genom kopiert. Obwohl dieses Verfahren
funktionierte, war es äußerst ineffizient und fehleranfällig. Eine zuverlässige, effiziente, *gezielte* Modifikation des Genoms – die absichtliche
Veränderung spezifischer Gene auf eine bestimmte Weise – schien unmöglich zu sein.

• • •

Im Frühjahr 2011 wandte sich die Bakteriologin Emmanuelle Charpentier mit einem Problem, das zunächst wenig mit menschlichen Genen oder Genomtechnik zu tun zu haben schien, an die Forscherin Jennifer Doudna. Beide nahmen damals an einer Mikrobiologietagung in Puerto Rico teil. Als sie durch die Altstadtgassen von San Juan schlenderten, vorbei an fuchsienroten und ockergelben Häusern mit Torbögen und bemalten Fassaden, erzählte Charpentier ihrer Kollegin von ihrem Interesse an bakteriellen Immunsystemen – den Mechanismen, durch die Bakterien sich gegen Viren schützen. Viren und Bakterien führen schon so lange einen so erbitterten Krieg gegeneinander, dass beide sich wie uralte Erzfeinde durch den jeweils anderen definieren: Ihre gegenseitige Animosität hat sich in ihre Gene eingeprägt. Viren haben genetische Mechanismen entwickelt, um in Bakterien einzudringen und sie zu töten. Und Bakterien haben als Gegenmittel Gene entwickelt, um sich zu wehren. »Eine Virusinfektion [ist eine] tickende Zeitbombe«, erklärte Doudna. »Ein Bakterium hat nur wenige Minuten Zeit, die Bombe zu entschärfen – bevor es selbst zerstört wird.«

Um die Mitte der 2000er Jahre waren die beiden französischen Wissenschaftler Philippe Horvath und Rodolphe Barrangou über einen solchen bakteriellen Selbstverteidigungsmechanismus gestolpert. Beide waren damals bei dem dänischen Lebensmittelunternehmen Danisco angestellt und erforschten Bakterien zur Käse- und Joghurtproduktion. Sie fanden heraus, dass manche dieser Bakterienarten ein System entwickelt hatten, das eindringende Viren lahmlegte, indem es deren Genom koordiniert zerschnitt. Dieser Mechanismus – eine Art molekulares Springmesser – erkannte virale Serientäter an ihrer DNA-Sequenz und fügte deren DNA die Schnitte nicht zufällig, sondern an ganz bestimmten Stellen zu.

Schon bald fand man heraus, dass dieses bakterielle Abwehrsystem mindestens zwei wesentliche Komponenten umfasste. Die erste war der »Sucher« – eine im Bakteriengenom codierte RNA-Sequenz, die der Viren-DNA entsprach und diese erkannte. Das Erkennungsprinzip beruhte auch hier auf der Bindung: Der RNA-»Sucher« konnte die DNA eines eindringenden Virus aufspüren und erkennen, weil er deren Spiegelbild war – das Yin zum Yang. Die zweite Komponente des Abwehrsystems war der »Killer«. Sobald die virale DNA (von ihrem Spiegelbild) als fremd erkannt und gebunden wurde, kam ein bakterielles Protein mit der Bezeichnung Cas9 zum Einsatz, das dem viralen Gen den Todesstoß versetzte. Die Arbeit des »Suchers« und des »Killer« war aufeinander abgestimmt: Das Protein Cas9 zerschnitt das Genom erst, nachdem das Erkennungselement es als passend identifiziert hatte. Es war die klassische Kombination von Späher und Vollstrecker, Drohne und Rakete, Bonnie und Clyde.

Doudna, die sich über weite Teile ihres Erwachsenenlebens in die RNA-Biologie vertieft hatte, war von diesem System fasziniert. Anfangs hielt sie es für eine Kuriosität – »die obskurste Sache, an der ich je gearbeitet hatte«, nannte sie es später. Doch dann begann sie, es gemeinsam mit Charpentier sorgfältig in seine Bestandteile zu zerlegen.

Die beiden erkannten 2012, dass dieses System »programmierbar« war. Selbstverständlich tragen Bakterien nur die Abbilder viraler Gene in sich, damit sie die Viren aufspüren und zerstören können; sie haben keinerlei Grund, andere Genome zu erkennen oder zu zerschneiden. Doudna und Charpentier lernten dieses Abwehrsystem gut genug kennen, um es auszutricksen: Wenn sie ein Erkennungselement durch einen Köder ersetzten, konnte sie das System zwingen, gezielte Schnitte an anderen Genen und Genomen vorzunehmen. Sie fanden heraus, dass man ein anderes Gen aufspüren und zerschneiden konnte, indem man den »Sucher« austauschte.

• • •

Eine Formulierung im vorigen Abschnitt sollte jeden Humangenetiker hellhörig machen. Ein »gezielter Schnitt« in einem Gen ist eine mögliche Quelle für eine Mutation. Die meisten Mutationen treten zufällig im Genom auf; man kann einen Röntgenstrahl oder eine kosmische Strahlung nicht so lenken, dass sie selektiv nur das Mukoviszidosegen oder das Tay-Sachs-Gen verändern. Bei dem von Doudna und

Charpentier entdeckten Verfahren war der Ort der Mutation jedoch nicht zufällig: Vielmehr konnte man den Schnitt so *programmieren*, dass er genau an der Stelle erfolgte, die das Abwehrsystem erkannt hatte. Durch Austausch des Erkennungselements konnten sie es so umlenken, dass es ein ausgewähltes Gen angriff und es damit nach Belieben modifizierte.*

Dieses System ließ sich sogar noch weiter manipulieren. Wenn ein Gen durchschnitten wird, entstehen wie bei einer durchtrennten Schnur zwei freie DNA-Enden, die dann zurechtgestutzt werden. Dieses Schneiden und Trimmen dient der Reparatur des defekten Gens, das die verlorene Information durch eine intakte Kopie wiederherzustellen versucht. Materie muss Energie bewahren; das Genom ist darauf angelegt, Information zu bewahren. In der Regel versucht ein durchtrenntes Gen, die verlorene Information von dem anderen Allel in der Zelle zurückzugewinnen. Ist eine Zelle jedoch von Fremd-DNA überflutet, so kopiert das Gen die Information von dieser Köder-DNA, statt von seiner Sicherungskopie. So wird die in der Köder-DNA enthaltene Information dauerhaft in das Genom eingefügt – ganz so, als würde man ein Wort in einem Satz löschen und es durch ein anderes ersetzen. So lässt sich eine klar umrissene, vorbestimmte Genmodifikation in ein Genom schreiben und beispielsweise die Gensequenz ATGGCCCG ändern in ACCGCCGGG (oder eine andere gewünschte Abfolge). Man kann ein mutantes Mukoviszidosegen oder ein mutantes *BRCA1*-Gen in die jeweilige Wildtypvariante umwandeln, einem Organismus ein Gen für Virenresistenz einpflanzen oder die ständige, eintönige Wiederholung des Basentripletts im mutanten Huntington-Gen durchbrechen und löschen. Diese Technik bezeichnet man als *Genom-Editierung (Genome Editing)* oder *Genomchirurgie*.

Doudna und Charpentier veröffentlichten ihre Daten zum bakteriellen Abwehrsystem, dem sogenannten CRISPR/Cas9, 2012 in der Zeit-

---

* Gegenwärtig wird ein weiteres Verfahren entwickelt, mit einem Restriktionsenzym »programmierbare« Schnitte in spezifischen Genen vorzunehmen. Dieses Enzym, »TALEN« genannt, lässt sich auch zur Genom-Editierung verwenden.

schrift *Science*.[73] Der Artikel regte auf Anhieb die Phantasie der Biologen an. In den Jahren seit Veröffentlichung dieser bahnbrechenden Studie ist die Nutzung dieser Technik förmlich explodiert.[74] Allerdings weist sie nach wie vor einige grundlegende Mängel auf: Gelegentlich erfolgen die Schnitte an den falschen Genen, und die Reparatur ist nicht immer effizient, was es erschwert, Information an bestimmten Stellen des Genoms »umzuschreiben«. Bislang ist das Verfahren jedoch einfacher, leistungsstärker und effizienter als praktisch jede andere Methode der Genmodifikation. In der Geschichte der Biologie gab es nur eine Handvoll ähnlicher wissenschaftlicher Zufallsentdeckungen. Ein geheimnisvoller Abwehrmechanismus, entwickelt von Mikroben, entdeckt von Lebensmittelwissenschaftlern in der Joghurtherstellung und umprogrammiert von RNA-Biologen, schuf einen Zugang zu der umwälzenden Technologie, nach der Genetiker jahrzehntelang sehnsüchtig gesucht hatten: *eine Methode zur unmittelbaren, effizienten und sequenzspezifischen Modifikation des menschlichen Genoms*. Richard Mulligan, der Pionier der Gentherapie, hatte einst von einer »sauberen, reinen Gentherapie« geträumt. Durch dieses System wurde sie machbar.

• • •

Für die gezielte dauerhafte Modifikation des Genoms im menschlichen Organismus ist jedoch noch ein letzter Schritt notwendig. Genveränderungen in menschlichen embryonalen Stammzellen müssen in menschliche Embryos integriert werden. Die unmittelbare Transformation einer menschlichen embryonalen Stammzelle in einen lebensfähigen menschlichen Embryo ist sowohl aus technischen wie auch aus ethischen Gründen undenkbar. Obwohl diese Zellen im Labor alle menschlichen Gewebetypen hervorbringen können, ist es unvorstellbar, sie direkt in die Gebärmutter einer Frau einzusetzen und zu hoffen, dass sie sich dort eigenständig zu einem lebensfähigen menschlichen Embryo entwickeln würden. Menschliche embryonale Stammzellen, die man Tieren implantierte, brachten allenfalls eine lockere Organisation der lebenswichtigen Zellschichten eines menschlichen Embryos hervor – weit entfernt von der anatomischen und physiologischen Koordination, die eine befruchtete Eizelle während der menschlichen Embryogenese erreicht.

Eine mögliche Alternative wäre, die Genmodifikation eines ganzen Embryos zu versuchen, nachdem er seine anatomische Grundform ausgebildet hat – also einige Tage oder Wochen nach der Befruchtung der Eizelle. Doch auch dieser Weg ist versperrt: Sobald sich der menschliche Embryo erst einmal organisiert hat, wird er für Genmodifikationen im Grunde unzugänglich. Ganz abgesehen von technischen Hürden würden die ethischen Bedenken gegen ein solches Experiment alle anderen Überlegungen weit überwiegen: Der Versuch einer Genmodifikation an einem lebenden menschlichen Embryo wirft offenkundig eine Fülle von Fragen auf, die weit über Biologie und Genetik hinaus Widerhall finden. In den meisten Ländern liegt ein solches Experiment jenseits aller vorstellbaren Grenzen des Erlaubten.

Es gibt jedoch eine dritte Strategie, die vielleicht die erfolgversprechendste ist. Angenommen, man würde mit Standardtechnologien eine Genmodifikation in menschlichen Stammzellen vornehmen und diese dann in *Keimzellen* – also Samen- und Eizellen – umwandeln. Wenn embryonale Stammzellen tatsächlich pluripotent sind, müssten sie imstande sein, menschliche Samen- und Eizellen hervorzubringen (schließlich erzeugen menschliche Embryos ihre eigenen Keimzellen).

Nun kann man ein Gedankenexperiment durchspielen: Wenn sich aus solchen genmodifizierten Samen- und Eizellen durch künstliche Befruchtung ein menschlicher Embryo erzeugen ließe, hätte er diese genetischen Veränderungen zwangsläufig in allen Zellen – einschließlich *seiner* Samen- und Eizellen. Die vorbereitenden Schritte dieses Verfahrens könnte man testen, ohne einen tatsächlichen menschlichen Embryo zu verändern oder zu manipulieren – und könnte so die ethischen Grenzen der menschlichen Embryomanipulation risikolos umgehen.*

---

* Ein wichtiges technisches Detail ist, dass man einzelne embryonale Stammzellen klonen und vermehren und solche mit unbeabsichtigten Mutationen identifizieren und aussortieren kann. Nur *vorher* geprüfte embryonale Stammzellen mit der beabsichtigten Mutation würden in Samen- oder Eizellen verwandelt.

Vor allem aber würde dieses Verfahren den gängigen Abläufen bei der In-vitro-Fertilisation folgen: Eine Eizelle wird im Reagenzglas mit einer Samenzelle befruchtet und ein Embryo im Frühstadium in die Gebärmutter einer Frau eingesetzt – ein Vorgehen, gegen das es kaum Bedenken gibt. Es stellt eine Abkürzung zur Keimbahntherapie dar, eine Hintertür zum Transhumanismus: Das Einbringen eines Gens in die menschliche *Keimbahn* wird durch die Umwandlung embryonaler Stammzellen in *Keimzellen* erleichtert.

• • •

Die Lösung dieses letzten Problems stand kurz bevor, als Wissenschaftler die Systeme der Genommodifikation perfektionierten. Im Winter 2014 entwickelten Embryologen im englischen Cambridge und am Weizmann-Institut in Israel ein Verfahren, mit dem sie aus menschlichen embryonalen Stammzellen Urkeimzellen – die Vorläufer von Samen- und Eizellen – entwickeln konnten.[75] Vorhergehende Experimente mit früheren Versionen menschlicher embryonaler Stammzellen waren fehlgeschlagen. Israelische Forscher wandelten diese früheren Studien 2013 so ab, dass sie neue Stammzellproben isolierten, die möglicherweise eher imstande wären, Keimzellen zu bilden. Ein Jahr später fand das Team in Zusammenarbeit mit Wissenschaftlern aus Cambridge heraus, dass diese menschlichen embryonalen Stammzellen Cluster von Urkeimzellen entwickelten, wenn man sie unter bestimmten Bedingungen kultivierte und ihre Differenzierung mit bestimmten anregenden Wirkstoffen förderte.

Dieses Verfahren ist noch mühsam und ineffizient. Ob aus diesen samen- und eiähnlichen Zellen menschliche Embryos hervorgehen können, die zu einer normalen Entwicklung fähig sind, ist aufgrund der strengen Einschränkungen für die Erzeugung synthetischer menschlicher Embryos bislang noch unbekannt. In Grundzügen ist die Herleitung von Zellen, die zur Weitergabe von Erbgut fähig sind, jedoch gelungen. Wenn die embryonalen Mutterstammzellen sich durch irgendeine Gentechnik – wie Gen-Editierung, Genchirurgie oder Gentransfer durch ein Virus – verändern lassen, kann im Grunde jede Genmodifikation dauerhaft und vererbbar im Humangenom verankert werden.

· · ·

Gene zu manipulieren ist eine Sache, Genome zu verändern eine völlig andere. In den 1980er und 1990er Jahren ermöglichten die Techniken zur DNA-Sequenzierung und zum Genklonieren es Wissenschaftlern, Gene zu verstehen und zu manipulieren und dadurch die Zellbiologie mit außerordentlichem Geschick zu steuern. Die Manipulation von Genomen in ihrem angestammten Kontext, besonders in embryonalen Stammzellen oder Keimzellen, eröffnet jedoch den Zugang zu einer wesentlich leistungsstärkeren Technologie. Dabei geht es nicht mehr um eine Zelle, sondern um einen Organismus – um uns.

Als Albert Einstein im Frühjahr 1939 in seinem Arbeitszimmer an der Princeton University über die jüngsten Fortschritte der Atomphysik nachdachte, wurde ihm klar, dass jeder Einzelschritt, der für die Entwicklung einer unvorstellbar schlagkräftigen Waffe notwendig war, schon erfolgt war. Die Isolierung von Uran, die Kernspaltung, die Kettenreaktion, die Pufferung dieser Reaktion und ihre kontrollierte Auslösung in einer Kammer waren alle bereits gelungen. Das einzige, was fehlte, war die Abfolge: Wenn man diese Reaktionen in der richtigen Reihenfolge ablaufen ließ, erhielt man eine Atombombe. Als Paul Berg 1972 in Stanford die rekombinante DNA auf einem Gel vor Augen hatte, sah er sich an einem ähnlichen Scheideweg stehen. Das Schneiden und Zusammenfügen von Genen, die Schaffung von Chimären, das Einführen dieser Genchimären in Bakterien- und Säugetierzellen ermöglichten es Wissenschaftlern, genetische Hybriden aus Menschen und Viren zu erzeugen. Dazu war es lediglich notwendig, diese Reaktionen in der richtigen Reihenfolge zu verknüpfen.

Wir stehen nun vor einem ähnlichen Moment – einer beschleunigten Entwicklung hin zur Humangenomtechnik. Man stelle sich nur die Abfolge folgender Schritte vor: (a) die Gewinnung einer echten menschlichen embryonalen Stammzelle (die Samen- und Eizellen hervorbringen kann); (b) eine Methode, in dieser Zelllinie zuverlässige, gezielte Genmodifikationen vorzunehmen; (c) die gezielte Umwandlung dieser genmodifizierten Stammzellen in menschliche Samen- und Eizellen; (d) die Produktion menschlicher Embryos durch In-vitro-Fertilisation dieser modifizierten Samen- und Eizellen – und schon gelangt man relativ mühelos zu gentechnisch veränderten Menschen. Das ist keine Zauberei; jeder einzelne Schritt ist in Reichweite der heutigen Technologie. Sicher ist vieles noch unerforscht: Lässt sich jedes Gen effizient verändern? Welche Nebenwirkungen haben solche Modifikationen? Werden aus embryonalen Stammzellen gebildete Samen und Eizellen tatsächlich funktionsfähige menschliche Embryos hervorbringen? Es bleiben noch viele kleinere technische Hürden zu überwinden. Aber die entscheidenden Teile des Puzzles sind bereits gelegt.

Erwartungsgemäß gelten für jeden dieser Schritte gegenwärtig strenge Regulierungen und Verbote. Nachdem die Forschung an embryonalen Stammzellen in den Vereinigten Staaten lange Jahre nicht mit Bundesmitteln finanziert werden durfte, hob die Obama-Regierung das Verbot der Gewinnung neuer embryonaler Stammzelllinien 2009 auf. Doch selbst nach den neuen Vorschriften verbieten die NIH kategorisch zwei Arten der Forschung an humanen embryonalen Stammzellen: Erstens dürfen Wissenschaftler diese Zellen nicht in Menschen oder Tiere einsetzen, um deren Entwicklung zu lebenden Embryos zu ermöglichen. Zweitens dürfen Genommodifikationen an embryonalen Stammzellen nicht so vorgenommen werden, dass sie »in die Keimbahn weitergegeben werden könnten« – also an Samen- oder Eizellen.

• • •

Während ich im Frühjahr 2015 an diesem Buch arbeitete, sprach sich eine Gruppe von Wissenschaftlern, zu denen auch Jennifer Doudna und David Baltimore gehörten, in einer gemeinsamen Erklärung für ein Moratorium auf den Einsatz von Technologien zur Gen-Editierung und Genmodifikation in klinischem Rahmen, besonders an humanen embryonalen Stammzellen, aus.[76] »Die Möglichkeit menschlicher Keimbahn-Gentechnik sorgt in der breiten Öffentlichkeit seit langem für Aufregung und Unbehagen, vor allem in Anbetracht von Befürchtungen, dass man auf eine ›schiefe Bahn‹ geraten könne, einen Weg einschlagen könnte, der von Anwendungen zur Heilung von Krankheiten hin zu Nutzungen mit weniger zwingenden oder sogar beunruhigenden Folgen führt«, heißt es in dem Moratorium. »Eine Schlüsselfrage der Diskussion ist, ob die Behandlung oder Heilung schwerer Erkrankungen bei Menschen eine verantwortungsvolle Nutzung der Genomtechnik ist, und wenn ja, unter welchen Bedingungen. Wäre es beispielsweise angemessen, die Technologie einzusetzen, um eine krankheitsauslösende Genmutation durch eine bei gesunden Menschen typischere Sequenz auszutauschen? Selbst dieses recht einfache Szenario löst ernsthafte Bedenken aus …, weil unsere Erkenntnisse über Humangenetik, Wechselwirkungen zwischen Gen und Umwelt sowie die Krankheitsverläufe begrenzt sind.«

Viele Wissenschaftler finden den Ruf nach einem Moratorium verständlich und sogar notwendig. »Gen-Editierung wirft die grundlegende Frage auf, wie wir unser Menschsein in Zukunft sehen werden und ob wir den drastischen Schritt tun werden, unsere eigene Keimbahn zu modifizieren und in gewisser Weise unser genetisches Schicksal in die eigene Hand nehmen, was enorme Gefahren für die Menschheit birgt«, erklärte der Stammzellbiologe George Daley.[77]

In mancherlei Hinsicht erinnert der vorgeschlagene Beschränkungsentwurf an das Asilomar-Moratorium. Er möchte die Nutzung der Technologie einschränken, bis deren ethische, politische, soziale und rechtliche Folgen ausgelotet sind. Er fordert eine öffentliche Bewertung dieses wissenschaftlichen Fachgebiets und seiner Zukunft. Zudem beinhaltet er ein offenes Eingeständnis, wie verlockend nah wir der Möglichkeit sind, menschliche Embryos mit dauerhaft verändertem Genom zu schaffen. »Es ist völlig klar, dass Leute versuchen werden, Gen-Editierung bei Menschen durchzuführen«, erklärte der Biologe Rudolf Jaenisch vom MIT, der die ersten Mausembryos aus embryonalen Stammzellen schuf. »Wir brauchen eine prinzipielle Vereinbarung, ob wir Menschen auf diese Weise verbessern wollen oder nicht.«[78]

Bemerkenswert ist in dieser Äußerung das Wort *verbessern*, denn es signalisiert ein radikales Abgehen von den herkömmlichen Grenzen der Genomtechnik. Vor der Entwicklung der Technologien zur Genom-Editierung ermöglichten uns Verfahren wie die Auswahl von Embryos, Informationen aus dem Humangenom auszusortieren: So ließ sich die Huntington-Mutation oder die Mukoviszidose-Mutation durch Präimplantationsdiagnostik und entsprechende Auslese der Embryos aus der Abstammungslinie einer bestimmten Familie eliminieren.

Dagegen erlaubt uns die auf CRISPR/Cas9 gestützte Technik, dem Genom Informationen *hinzuzufügen*: Man kann ein Gen gezielt verändern und einen neuen genetischen Code in das Humangenom schreiben. »Diese Realität bedeutet, dass Keimbahnmanipulation weitgehend durch Bestrebungen gerechtfertigt würde, ›uns zu verbessern‹«, schrieb mir Francis Collins. »Das heißt, dass jemand ermächtigt ist, zu entscheiden, was eine ›Verbesserung‹ darstellt. Jeder, der ein solches Handeln in Erwägung zieht, sollte sich seiner Hybris bewusst sein.«[79]

Die Crux ist also nicht genetische Emanzipation (Freiheit von den Fesseln der Erbkrankheiten), sondern genetische Verbesserung (Freiheit von den gegenwärtigen Grenzen der im Humangenom codierten Formen und Schicksale). Der Unterschied zwischen diesen beiden Aspekten ist der Dreh- und Angelpunkt, um den sich die Zukunft der Genom-Editierung dreht. Wenn die Krankheit des einen die Normalität des anderen ist, wie diese Geschichte uns lehrt, dann könnte die Vorstellung, die der eine von Verbesserung hat, das Emanzipationskonzept des anderen sein. (»Warum sollen wir uns nicht ein bisschen besser machen?«, wie Watson fragte.)

Aber können Menschen ihr eigenes Genom verantwortungsbewusst »verbessern«? Welche Konsequenzen hätte es, die in unseren Genen codierte natürliche Information zu verändern? Können wir unser Genom »ein bisschen besser« machen, ohne Gefahr zu laufen, uns beträchtlich zu verschlechtern?

• • •

Ein Labor in der Volksrepublik China verkündete im Frühjahr 2015, es habe diese Hürde locker überwunden. An der Universität Sun Yatsen in Guangzhou hatte ein Team unter der Leitung von Junjiu Huang sich 86 menschliche Embryos von einer IVF-Klinik besorgt und versucht, mit der CRISPR/Cas9-Methode ein Gen zu korrigieren, das für eine verbreitete Blutgerinnungsstörung verantwortlich ist (sie verwendeten nur Embryos, die langfristig nicht lebensfähig waren).[80] Von 71 Embryos, die überlebten, untersuchten die Forscher 54, fanden das korrigierte Gen aber nur bei vieren. Bedeutungsvoller war, dass sich Ungenauigkeiten dieses Verfahrens herausstellten: Bei einem Drittel der getesteten Embryos war es zu unbeabsichtigten Mutationen in anderen Genen gekommen, unter anderem auch in solchen, die für die normale Entwicklung und das Überleben wichtig waren. Die Versuche wurden abgebrochen.

Es war ein gewagtes, vielleicht schludriges Experiment, das eine Reaktion provozieren wollte – was auch gelang. Weltweit reagierten Wissenschaftler auf die versuchte Modifikation menschlicher Embryos extrem besorgt. Die führenden wissenschaftlichen Zeitschriften, darunter *Nature, Cell* und *Science* lehnten eine Veröffentlichung der Daten unter Hinweis auf umfangreiche Sicherheitsverstöße und ethische Bedenken ab[81] (letztlich wurden die Ergebnisse in einem kaum beachteten Online-Journal namens *Protein + Cell* veröffentlicht[82]). Doch noch während sie die Studie mit Sorge und Schrecken lasen, war Biologen bereits klar, dass dies lediglich der erste Schritt durch die Bresche war. Die chinesischen Forscher hatten den kürzesten Weg zur dauerhaften Humangenomtechnik genommen, und bei den Embryos waren erwartungsgemäß zahlreiche unvorhergesehene Mutationen aufgetreten. Aber die Technik ließ sich auf vielfältige Weise abwandeln, um sie potentiell effizienter und präziser zu machen. Hätte man beispielsweise embryonale Stammzellen und daraus gewonnene Samen- und Eizellen verwendet, so hätte man diese vorab auf schädliche Mutationen überprüfen und damit die Effizienz der zielgenauen Genmodifikation vielleicht erheblich verbessern können.

Einem Journalisten erklärte Junjiu Huang, er suche nun, »nach We-

gen, wie sich die Zahl der Off-target-Mutationen verringern lässt …
Verschiedene Strategien kämen in Betracht: Subtile Veränderungen
an den Enzymen könnten helfen, die Moleküle genauer an ihr Ziel
zu lotsen. Man könnte sie auch in abgewandelter Form in die Zellen
bringen, so dass sich ihre Lebensdauer besser einstellen lässt und man
sie abschalten kann, bevor sich zu viele Mutationen ansammeln.«[83] Er
hoffte, in wenigen Monaten das Experiment in abgewandelter Form
zu wiederholen – und diesmal rechne er mit wesentlich höherer Effizienz und Genauigkeit. Damit übertrieb er keineswegs: Die Technologie zur Genommodifikation eines menschlichen Embryos mag zwar
komplex, ineffizient und ungenau sein – aber sie ist nicht außerhalb
der Reichweite der Wissenschaft.

Während Wissenschaftler im Westen Junjiu Huangs Experimente an
menschlichen Embryos weiterhin mit berechtigter Sorge beobachten,
sehen chinesische Forscher solche Versuche erheblich optimistischer.
»Ich glaube nicht, dass China ein Moratorium will«, erklärte einer von
ihnen der *New York Times* Ende Juni 2015.[84] Ein chinesischer Bioethiker stellte klar: »Nach konfuzianischem Denken wird jemand erst nach
der Geburt zur Person. Das ist anders als in den Vereinigten Staaten
und in anderen christlich geprägten Ländern, wo man aufgrund der
Religion Forschung an Embryos vielleicht nicht in Ordnung findet.
Bei uns hier ist die ›rote Linie‹, dass man nur Experimente an Embryos
machen darf, die jünger als 14 Tage sind.«

Ein Wissenschaftler schrieb über das chinesische Herangehen: »Zuerst machen, dann denken.« Einige Kommentatoren befürworteten
dieses Vorgehen offenbar; in Leserreaktionen an die *New York Times*
sprachen sich manche dafür aus, das Verbot der Humangenomtechnik aufzuheben, und drängten auf vermehrte Forschungen im Westen,
teils um gegenüber den Bestrebungen in Asien wettbewerbsfähig zu
bleiben. Offensichtlich hatten die chinesischen Experimente weltweit
den Druck erhöht. »Wenn wir es nicht tun, macht es China«, stellte ein
Autor fest. Der Drang, das Genom eines menschlichen Embryos zu
verändern, hat sich in ein interkontinentales Wettrüsten verwandelt.

Während ich dies schreibe, arbeiten laut Berichten vier weitere

Gruppen in China daran, menschliche Embryos dauerhaften Mutationen zu unterziehen. Es würde mich nicht wundern, wenn bis zum Erscheinen dieses Buches die erste gezielte Genommodifikation an einem menschlichen Embryo im Labor gelungen wäre. Der erste »postgenomische« Mensch könnte kurz vor seiner Geburt stehen.

• • •

Wir brauchen ein Manifest – oder zumindest eine Art Reiseführer – für eine postgenomische Welt. Wie der Historiker Tony Judt mir einmal darlegte, hat in Albert Camus' Roman *Die Pest* diese Seuche eine ähnliche Funktion wie König Lear in Shakespeares gleichnamigem Drama. Eine biologische Katastrophe wird zum Prüfstein unserer Fehlbarkeit, Wünsche und Ambitionen. Man kann *Die Pest* nicht anders lesen denn als leicht verschleierte Allegorie der menschlichen Natur. Auch das Genom ist ein Prüfstein unserer Fehlbarkeit und Wünsche, allerdings muss man, um es zu lesen, keine Allegorien oder Metaphern verstehen. Was wir in unser Genom hineinlesen und schreiben *sind* unsere Schwächen, Wünsche und Ziele. Es *ist* die menschliche Natur.

Es ist Aufgabe einer kommenden Generation, dieses umfassende Manifest zu schreiben, aber vielleicht können wir ihre Einführungsklauseln aufsetzen, indem wir uns an die wissenschaftlichen, philosophischen und ethischen Lehren dieser Geschichte erinnern:

1. *Ein Gen ist die Grundeinheit der Erbinformation.* Es trägt die notwendigen Informationen für die Entwicklung, Erhaltung und Reparatur von Organismen in sich. Im Zusammenwirken mit anderen Genen, Umwelteinflüssen, Auslösern und Zufall produzieren Gene die letztendliche Form und Funktion eines Organismus.
2. *Der genetische Code ist universell.* Ein Gen eines Blauwals lässt sich in ein mikroskopisch kleines Bakterium einsetzen und wird korrekt und mit nahezu perfekter Genauigkeit entschlüsselt. Eine Begleiterscheinung: Menschliche Gene sind nichts Besonderes.
3. *Gene beeinflussen Form, Funktion und Schicksal, in der Regel wirken sich diese Einflüsse jedoch nicht eins zu eins aus.* Die meisten mensch-

lichen Merkmale erwachsen aus mehr als einem Gen; viele entstehen durch das Zusammenwirken von Genen, Umwelt und Zufall. Die meisten dieser Wechselwirkungen sind nicht systematisch – sie entstehen durch die Überschneidung eines Genoms mit im Grunde unvorhersehbaren Ereignissen. Manche Gene beeinflussen lediglich Neigungen und Tendenzen. Daher lassen sich die Auswirkungen einer Mutation oder Variation auf einen Organismus nur für eine kleine Untergruppe von Genen zuverlässig vorhersagen.

4. *Variationen in Genen tragen zu Variationen in Merkmalen, Formen und Verhalten bei.* Wenn wir umgangssprachlich von einem *Gen für blaue Augen* oder einen *Gen für Körpergröße* sprechen, meinen wir in Wirklichkeit eine Variation (oder ein Allel), die die Augenfarbe oder Größe bestimmt. Diese Variationen machen einen äußerst geringen Teil des Genoms aus. In unserer Vorstellung nehmen sie nur deshalb einen großen Raum ein, weil kulturelle und möglicherweise biologische Tendenzen Unterschiede eher verstärken. Ein 1,80 Meter großer Mann aus Dänemark und ein 1,20 Meter großer Mann aus Demba haben die gleiche Anatomie, Physiologie und Biochemie. Selbst die beiden extremsten menschlichen Varianten – Männer und Frauen – besitzen zu 99,688 Prozent die gleichen Gene.

5. *Wenn wir behaupten, »Gene für« bestimmte menschliche Merkmale oder Funktionen zu finden, so geschieht dies aufgrund einer engen Definition dieses Merkmals.* Es ist durchaus sinnvoll, »Gene für« Blutgruppen oder »Gene für« Körpergröße zu bestimmen, da diese biologischen Merkmale an sich schon eng definiert sind. Es ist jedoch ein alter Fehler der Biologie, die Definition eines Merkmals mit dem eigentlichen Merkmal zu verwechseln. Wenn wir unter »Schönheit« blaue Augen (und nur diese) verstehen, werden wir tatsächlich ein »Gen für Schönheit« finden. Wenn wir »Intelligenz« als Leistung bei nur einer Aufgabenstellung in nur einer Art von Test definieren, werden wir tatsächlich ein »Gen für Intelligenz« finden. Das Genom ist lediglich ein Spiegel für das Ausmaß der menschlichen Vorstellungskraft. Es ist das Spiegelbild des Narziss.

6. *Es ist unsinnig, absolut oder abstrakt von »nature« oder »nurture« zu sprechen.* Ob Natur – also Gene – oder Umwelt – also Umgebung – die Entwicklung eines Merkmals oder einer Funktion dominieren, hängt stark vom jeweiligen Merkmal und vom Kontext ab. Das *SRY*-Gen bestimmt auffallend autonom die geschlechtliche Anatomie und Physiologie – das ist ausschließlich Natur. Geschlechtsidentität, sexuelle Vorlieben und die Wahl der Geschlechterrollen werden durch das Wechselspiel von Genen und Umgebung geprägt – also von Natur und Umwelt. Die Art, wie in einer Gesellschaft »Männlichkeit« im Gegensatz zu »Weiblichkeit« wahrgenommen oder umgesetzt wird, ist dagegen weitgehend von Umgebung, gesellschaftlicher Erinnerung, Geschichte und Kultur abhängig, ist also ausschließlich von der Umwelt bestimmt.

7. *Jede Generation von Menschen bringt Variationen und Mutanten hervor; das ist ein untrennbarer Bestandteil unserer Biologie.* Eine Mutation ist lediglich in statistischem Sinne »anormal«: Sie ist die weniger verbreitete Variante. Der Wunsch, Menschen zu homogenisieren und zu »normalisieren«, muss gegen die biologischen Imperative abgewogen werden, Vielfalt und Anormalität zu erhalten. Normalität ist die Antithese zur Evolution.

8. *Viele menschliche Krankheiten werden stark von Genen beeinflusst oder verursacht – darunter auch schwere Erkrankungen, die man früher mit Ernährung, äußeren Erregern, Umwelt und Zufall in Verbindung brachte.* Die meisten dieser Krankheiten sind polygenetisch, also von mehreren Genen beeinflusst. Sie sind »erblich« – durch das Zusammenspiel bestimmter Genkombinationen verursacht –, aber nicht ohne weiteres »vererbbar«, haben also keine hohe Wahrscheinlichkeit, an die nächste Generation weitergegeben zu werden, weil die Genkombinationen in jeder Generation »neu gemischt« werden. »Monogenetische« – von jeweils nur einem Gen verursachte – Krankheiten sind selten, in der Summe jedoch erstaunlich verbreitet. Bislang wurden mehr als zehntausend solcher Krankheiten identifiziert. Von hundert bis zweihundert Kindern wird eins mit einer monogenetischen Krankheit geboren.

9. *Jede genetische »Krankheit« ist ein Missverhältnis zwischen dem Genom eines Organismus und seiner Umwelt.* In manchen Fällen mögen die angemessenen Maßnahmen zur Linderung einer Krankheit darin bestehen, die Umgebung so anzupassen, dass sie für die jeweilige Ausprägung eines Organismus »taugt« (alternative Bauweise für Kleinwüchsige; alternative Bildungseinrichtungen für autistische Kinder). In anderen Fällen wäre es vielleicht angebracht, die Gene der Umwelt »anzupassen«. In wieder anderen mag eine Anpassung unmöglich sein: Die schwersten Formen genetischer Krankheiten, beispielsweise solche, die auf Fehlfunktionen lebenswichtiger Gene zurückgehen, sind mit jeglicher Umgebung unvereinbar. Es ist ein merkwürdiger moderner Trugschluss, zu glauben, dass die definitive Lösung für Krankheiten darin bestünde, die Natur – sprich: die Gene – zu ändern, obwohl die Umgebung oft wesentlich formbarer ist.

10. *In Ausnahmefällen mag die genetische Unvereinbarkeit so tiefgreifend sein, dass nur außerordentliche Maßnahmen wie genetische Auslese oder gezielte genetische Eingriffe gerechtfertigt sind.* Bis wir die vielfältigen unbeabsichtigten Folgen begreifen, die eine Genselektion oder Genommodifikation hat, ist es sicherer, solche Fälle als Ausnahmen statt als Regel einzustufen.

11. *Es gibt in Genen und Genomen nichts, was sie gegen chemische oder biologische Manipulation resistent machen würde.* Die gängige Vorstellung, dass »die meisten menschlichen Merkmale das Ergebnis komplexer Wechselwirkungen von Genen und Umwelt und das Ergebnis mehrerer Gene sind«, entspricht durchaus den Tatsachen. Obwohl diese komplexen Zusammenhänge die Möglichkeit zur Genmanipulation einschränken, lassen sie doch genügend Raum für wirkungsvolle Formen der Genmodifikation. Masterregulatoren, die Dutzende von Genen steuern, sind in der Humanbiologie verbreitet. Ein epigenetischer Modifikator kann so angelegt sein, dass er mit einem einzigen Schalter den Zustand Hunderter Gene steuert. Das Genom ist voll von solchen Schaltzentren.

12. *Bislang haben drei Erwägungen – außerordentliches Leid, hochpene-*

trante Genotypen und vertretbare Eingriffe – unsere Bestrebungen, in die Genetik des Menschen einzugreifen, eingeschränkt. In dem Maße, in dem wir die Grenzen dieses Rahmens lockern (indem wir die Standards für »außerordentliches Leid« oder »vertretbare Eingriffe« verändern), brauchen wir neue biologische, kulturelle oder gesellschaftliche Richtlinien, welche genetischen Eingriffe erlaubt oder eingeschränkt werden sollen und unter welchen Bedingungen sie als sicher oder zulässig gelten sollen.

13. *Die Geschichte wiederholt sich, teils, weil das Genom sich wiederholt. Und das Genom wiederholt sich, teils, weil die Geschichte es tut.* Die Impulse, Ambitionen, Phantasien und Wünsche, die Triebkraft der Menschheitsgeschichte sind, sind zumindest teilweise im Humangenom codiert. Und die Menschheitsgeschichte hat wiederum Genome begünstigt, die diese Impulse, Ambitionen, Phantasien und Wünsche in sich tragen. Dieser sich selbst bewahrheitende Zirkelschluss ist für einige der großartigsten und sinnträchtigsten, aber auch für einige der verwerflichsten Eigenschaften unserer Spezies verantwortlich. Es wäre zu viel verlangt, dass wir uns aus dieser Logik befreien, aber ihre innere Zirkularität zu erkennen und ihren Übertreibungen mit Skepsis zu begegnen könnte die Schwachen vor dem Willen der Starken und die »Mutanten« vor der Auslöschung durch die »Normalen« schützen.

Vielleicht ist sogar diese Skepsis irgendwo in unseren 21 000 Genen verankert. Vielleicht ist auch das Mitgefühl, zu dem solche Skepsis befähigt, unauslöschlich im Humangenom codiert.

• • •

Vielleicht ist es ein Bestandteil dessen, was uns zu Menschen macht.

EPILOG

Bheda, Abheda

Sura-na Bheda Pramaana Sunaavo;
Bheda, Abheda, Pratham kara Jaano.

Zeig mir, dass du die Noten eines Liedes teilen kannst;
Aber zuerst zeige mir, dass du unterscheiden kannst,
was sich teilen lässt und was nicht.
Anonyme Komposition, inspiriert von einem
klassischen Sanskrit-Gedicht.

Abhed hatte mein Vater die Gene genannt – »Unteilbares«. Das Gegenteil, *Bhed*, beinhaltet ein eigenes Kaleidoskop von Bedeutungen: (in der Verbform) »unterscheiden«, »ausschneiden, ermitteln, erkennen, teilen, heilen«. Das Wort hat gemeinsame sprachliche Wurzeln mit *vidya*, »Wissen«, und *ved*, »Medizin«. Aus denselben Wurzeln leitet sich der Name der hinduistischen Schriften, der *Veden*, her. Er geht zurück auf das alte indo-germanische Wort *uied*, »wissen« oder »erkennen«.

Wir Wissenschaftler teilen. Wir unterscheiden. Es ist ein unvermeidlicher Bestandteil unseres Berufes, dass wir die Welt in ihre Bestandteile – Gene, Atome, Bytes – zerlegen müssen, bevor wir sie wieder zu einem Ganzen zusammensetzen können. Wir kennen keine andere Methode, die Welt zu verstehen: Um die Summe der Teile zu bilden, müssen wir sie zunächst in die Teile der Summe zerlegen.

Dieses Vorgehen birgt jedoch Gefahren. Sobald wir Organismen – Menschen – als Gefüge aus Genen, Umwelteinflüssen und Wechselwirkungen aus Genen und Umwelt wahrnehmen, verändert sich unsere Sicht des Menschen grundlegend. »Kein gesunder Biologe glaubt, dass wir ausschließlich das Produkt unserer Gene sind«, erklärte mir Paul Berg, »aber sobald man Gene ins Spiel bringt, kann unsere Selbstwahrnehmung nicht mehr dieselbe sein.«[1] Ein aus der Summe der Teile zusammengesetztes Ganzes unterscheidet sich von dem Ganzen, bevor es in seine Bestanteile zerlegt wurde.

Wie sagt schon das Sanskrit-Gedicht:

»Zeig mir, dass du die Noten eines Liedes teilen kannst;
Aber zuerst zeige mir, dass du unterscheiden kannst,
was sich teilen lässt und was nicht.«

• • •

Die Humangenetik steht vor drei gewaltigen Aufgaben. Bei allen dreien geht es darum, zu unterscheiden, zu teilen und schließlich zu rekonstruieren. Der erste Schritt ist, die exakte Beschaffenheit der im Humangenom codierten Informationen zu erkennen. Das Humangenomprojekt lieferte den Ausgangspunkt für diese Forschung, warf aber auch eine Reihe spannender Fragen auf, was die drei Milliarden Nukleotide der menschlichen DNA genau »codieren«. Welche Elemente des Genoms haben eine Funktion? Da sind selbstverständlich die proteincodierenden Gene – insgesamt etwa 21 000 bis 24 000 –, aber auch regulatorische Gensequenzen und DNA-Abschnitte (Introns), die Gene in Module teilen. Zudem gibt es Informationen für die Bildung zigtausender RNA-Moleküle, die nicht in Proteine übersetzt werden, in der Zellphysiologie aber dennoch verschiedene Aufgaben übernehmen. Außerdem existieren lange Strecken sogenannter Junk-DNA, die wahrscheinlich kein »Gerümpel« sind, sondern möglicherweise noch Hunderte unbekannte Funktionen codieren. Und es gibt Schleifen und Falten in den Chromosomen, die es ihnen ermöglichen, einen Teil räumlich mit einem anderen zu verknüpfen.

Um die Rolle eines jeden dieser Elemente zu begreifen, möchte ein umfangreiches internationales Forschungsprojekt, das 2003 begann, ein Kompendium sämtlicher funktionalen Elemente des Humangenoms zusammenstellen – also jeden Teil einer jeden Sequenz in jedem Chromosom, der eine codierende oder regulierende Funktion hat. Das Projekt mit dem genialen Namen Encyclopedia of DNA Elements (kurz: ENCODE) strebt an, die Sequenz des Humangenoms mit Annotationen über sämtliche darin enthaltenen Informationen zu versehen.

Sobald diese funktionalen »Elemente« identifiziert sind, können Biologen sich der zweiten Herausforderung stellen: zu verstehen, wie diese Elemente sich zeitlich und räumlich kombinieren und damit die menschliche Embryologie und Physiologie, die Ausdifferenzierung der Körperteile und die Entwicklung der einzigartigen Merkmale und Charakteristiken eines Organismus ermöglichen.* Eine ernüchternde Tatsache an unseren Erkenntnissen zum Genom ist, wie wenig wir über das *Human*genom wissen: Ein Großteil unseres Wissens über unsere Gene und deren Funktion beruht auf Rückschlüssen aus ähnlich aussehenden Genen von Hefe, Würmern, Fliegen und Mäusen. David Botstein schreibt: »Nur sehr wenige menschliche Gene wurden unmittelbar erforscht.«[2] Zu den Aufgaben der neuen Genomik gehört es, die Lücke zwischen Mäusen und Menschen zu schließen – und herauszufinden, wie menschliche Gene im Kontext des menschlichen Organismus funktionieren.

Für die medizinische Genetik verspricht dieses Projekt mehrere wichtige Ergebnisse. Die funktionale Annotation des Humangenoms wird es Biologen ermöglichen, neue Krankheitsmechanismen zu ent-

---

* Um zu begreifen, wie aus Genen tatsächliche Organismen entstehen, ist es notwendig, nicht nur die Gene, sondern auch die RNA, die Proteine und die epigenetischen Prägungen zu verstehen. Zukünftige Studien werden erforschen müssen, wie das Genom, alle Proteinvarianten (das Proteom) und alle epigenetischen Prägungen (das Epigenom) für die Entwicklung und Erhaltung von Menschen koordiniert werden.

decken. Man wird neue Genomelemente mit Krankheiten in Verbindung bringen, und diese Zusammenhänge werden es möglich machen, die letzten Krankheitsursachen festzustellen. Wir wissen beispielsweise immer noch nicht, wie das Zusammenwirken von genetischer Information, verhaltensbedingten Belastungen und Zufall Bluthochdruck, Schizophrenie, Depression, Fettleibigkeit, Krebs oder Herzerkrankungen verursacht. Die richtigen funktionalen Elemente im Genom zu finden, die mit diesen Krankheiten in Zusammenhang stehen, ist der erste Schritt, die Mechanismen zu erkennen, die zu ihrer Entstehung führen.

Das Verständnis dieser Zusammenhänge wird auch die Vorhersagekraft des Humangenoms offenbaren. In einer maßgeblichen Rezension schrieb der Psychologe Eric Turkheimer 2011: »Ein Jahrhundert der Familienstudien zu Zwillingen, Geschwistern, Eltern und Kindern, Adoptivkindern und ganzen Abstammungslinien hat zweifelsfrei nachgewiesen, dass Gene bei der Erklärung *sämtlicher* Unterschiede zwischen Menschen eine entscheidende Rolle spielen, von medizinischen bis zu normalen, von biologischen bis zu verhaltensbezogenen.«[3] Doch trotz der Stärke dieser Zusammenhänge hat sich die »genetische Welt«, wie Turkheimer es nennt, als wesentlich schwieriger zu kartieren und zu entwirren erwiesen als erwartet. Bis vor kurzem waren die einzigen genetischen Veränderungen, die eine hohe Aussagekraft in Bezug auf zukünftige Erkrankungen besaßen, solche mit hoher Penetranz, die zu den schwersten Veränderungen des Phänotyps führten. Besonders schwierig einzuschätzen waren Kombinationen von Genvarianten. Es war unmöglich vorherzusagen, wie eine bestimmte Genkombination (also ein Genotyp) eine bestimmte zukünftige Ausprägung (also einen Phänotyp) beeinflussen würde, besonders wenn das Ergebnis von mehreren Genen gesteuert wurde.

Diese Hürde könnte jedoch bald fallen. Man stelle sich Folgendes, was auf den ersten Blick weithergeholt erscheinen mag, vor: Angenommen, wir würden die Genome von hunderttausend Kindern *vorab* – also bevor man über deren Zukunft etwas wüsste – umfassend sequenzieren und eine Datenbank sämtlicher Variationen und Kombinationen der funktionalen Elemente im Genom eines jeden Kindes erstellen (die Anzahl ist willkürlich gewählt; das Experiment lässt sich auf jede beliebige Zahl erweitern). Von dieser Kohorte von Kindern legt man nun eine »Schicksalskarte« an: Jede Krankheit oder physiologische Abweichung wird identifiziert und in einer parallelen Datenbank erfasst. Diese Karte könnte man als menschliches »Phänom« bezeichnen – da sie die Gesamtheit der Phänotypen (Eigenschaften, Merkmale, Verhalten) eines Einzelnen umfasst. Nun stelle man sich vor, ein Computer würde die Daten dieser Gen- und Schicksalskarten daraufhin untersuchen, wie sich aus der einen Vorhersagen auf die andere ableiten ließen. Trotz verbleibender – sogar tiefgreifender – Unsicherheiten würde diese Kartierung von hunderttausend Humangenomen und hunderttausend menschlichen Phänomenen eine außergewöhnliche Datenbank liefern. Sie würde beginnen, das im Genom codierte Schicksal zu beschreiben.

Das Außerordentliche dieser Schicksalskarte wäre, dass sie sich nicht auf Krankheiten beschränken müsste, sondern so breit, eingehend und detailliert angelegt sein könnte, wie wir wollen. Sie könnte das geringe Geburtsgewicht eines Kindes erfassen, eine Lernschwäche in der Vorschule, das vorübergehende Aufbegehren eines bestimmten Jugendlichen, eine Jugendschwärmerei, eine impulsive Heirat, ein Coming-out, Unfruchtbarkeit, eine Midlife-Crisis, eine Neigung zu Suchtverhalten, einen grauen Star auf dem linken Auge, vorzeitige Glatzenbildung, Depressionen, einen Herzinfarkt, einen frühzeitigen Tod durch Eierstock- oder Brustkrebs. Ein solches Experiment wäre früher unvorstellbar gewesen. Aber die kombinierte Leistungsstärke von Computertechnik, Datenspeicherung und Gensequenzierung hat es für die Zukunft vorstellbar gemacht. Es wäre eine Zwillingsstudie gigantischen Ausmaßes – nur ohne Zwillinge: Sie würde mit Hilfe des Computers Millionen von virtuellen genetischen »Zwillingen« erzeugen, indem sie Genome über Raum und Zeit hinweg vergleichen und diese Kombinationen dann Lebensereignissen zuordnen würde.

Es ist wichtig, dass wir die inneren Grenzen eines solchen Projekts oder, allgemeiner, jeglicher Versuche erkennen, Krankheiten und

Schicksale anhand des Genoms vorherzusagen. Ein Beobachter beklagte:»Vielleicht wird das Schicksal genetischer Erklärungen [darin gipfeln], dass sie ätiologische Prozesse aus dem Zusammenhang reißen, die Rolle der Umwelt unterrepräsentieren, einige erstaunliche medizinische Eingriffe hervorbringen, aber wenig über das Schicksal von Populationen offenbaren.«[4] Die Stärke solcher Studien besteht jedoch gerade darin, dass sie Krankheiten »aus ihrem Zusammenhang reißen«; denn *Gene* liefern den Kontext, um Entwicklung und Werdegang zu verstehen. Situationen, die kontext- und umgebungsabhängig sind, werden abgeschwächt und herausgefiltert – und nur solche, die stark von Genen beeinflusst sind, bleiben übrig. Wenn man genügend Personen erfasst und über ausreichende Rechenleistung verfügt, lässt sich im Grunde nahezu die gesamte Vorhersagekraft des Genoms bestimmen und berechnen.

• • •

Das letzte Projekt ist vielleicht das weitreichendste. War die Fähigkeit, aus Humangenomen menschliche Phänome vorherzusagen, durch mangelnde Computertechnik eingeschränkt, so stieß die Fähigkeit, Humangenome gezielt zu *verändern*, durch die mangelhaften Biotechnologien an ihre Grenzen. Gentransfermethoden wie solche mit Hilfe von Viren waren bestenfalls ineffizient und unzuverlässig, schlimmstenfalls tödlich – und ein gezielter Gentransfer in einen menschlichen Embryo war praktisch unmöglich.

Auch diese Barrieren beginnen zu bröckeln. Neue Technologien der »Gen-Editierung« ermöglichen es Genetikern mittlerweile, im Humangenom erstaunlich präzise Veränderungen mit ebenso verblüffender Detailgenauigkeit vorzunehmen. Im Grunde kann man einen einzigen Buchstaben der DNA gezielt durch einen anderen ersetzen und dabei die drei Millionen anderen Basen des Genoms weitgehend unberührt lassen (diese Technologie hat Ähnlichkeit mit einem Verfahren, das die 66 Bände der *Encyclopaedia Britannica* einscannt und ein einzelnes Wort sucht, löscht und durch ein anderes ersetzt, aber alle anderen unverändert lässt). Eine Postdoktorandin meines Labors

versuchte von 2010 bis 2014 mit geringem Erfolg, mit den Standard-
viren für Gentransfer eine bestimmte Genmodifikation in eine Zelllinie einzubringen. Nachdem sie 2015 zu dem neuen CRISPR-Ver-
fahren übergegangen war, führte sie innerhalb von sechs Monaten
14 Genmodifikationen in 14 Humangenomen durch, darunter auch
an den Genomen menschlicher embryonaler Stammzellen – eine
früher schier unvorstellbare Leistung. Weltweit erforschen Genetiker
und Gentherapeuten gegenwärtig Möglichkeiten zur Veränderung des
Humangenoms mit neuem Elan und Nachdruck – zum Teil weil die
bestehenden Technologien uns an den Rand eines Abgrunds geführt
haben. Durch eine Kombination aus Stammzelltechniken, Kerntransfer, epigenetischer Modulation und Gen-Editierung ist es inzwischen
vorstellbar, das Humangenom umfassend zu manipulieren und transgene Menschen zu schaffen.

Wir wissen nicht, wie zuverlässig oder effizient diese Techniken in
der Praxis sind. Birgt eine gezielte Veränderung eines Gens das Risiko, dass sie eine unbeabsichtigte Änderung in einem anderen Teil
des Genoms bewirkt? Lassen sich manche Gene leichter »editieren«
als andere – und wovon hängt die Formbarkeit eines Gens ab? Wir
wissen nicht, ob eine gezielte Veränderung eines Gens nicht auch dazu
führen kann, dass die gesamte Regulation des Genoms aus den Fugen
gerät. Wenn manche Gene tatsächlich »Rezepte« sind, wie Dawkins es
formulierte, dann könnte die Modifikation eines Gens weitreichende
Folgen für die Genregulation haben – und potentiell eine Kaskade von
Konsequenzen ähnlich dem sprichwörtlichen Schmetterlingseffekt
auslösen. Falls solche Schmetterlingseffekt-Gene im Genom verbreitet sind, stellen sie grundlegende Grenzen für die Gen-Editierung dar.
Die Diskontinuität der Gene – die Eigenständigkeit und Autonomie
jeder einzelnen Erbeinheit – würde sich als Illusion erweisen: Vielleicht
sind Gene doch stärker miteinander verknüpft, als wir denken.

> »Aber zuerst zeige mir,
> dass du unterscheiden kannst,
> was sich teilen lässt und was nicht.«

Stellen wir uns eine Welt vor, in der diese Technologien routinemäßig zum Einsatz kommen können: Nachdem ein Kind gezeugt wurde, haben Eltern die Möglichkeit, den Fötus im Mutterleib durch eine umfassende Genomsequenzierung testen zu lassen. Mutationen, die schwerste Behinderungen verursachen, werden erkannt, und Eltern können entscheiden, ob sie einen solchen Fötus in den frühesten Schwangerschaftsstadien abtreiben lassen oder nach einer umfassenden Genanalyse (die wir als umfassende Präimplantationsdiagnostik bezeichnen können) nur »normale« Föten implantieren lassen.*

Komplexere Genkombinationen, die eine gewisse *Neigung* zu einer Krankheit verursachen, lassen sich ebenfalls durch Gensequenzierung aufspüren. Wenn Kinder mit solchen vorhergesagten Tendenzen geboren werden, bietet man ihnen im Laufe der Kindheit ausgewählte Maßnahmen an. So könnte man ein Kind mit einer Veranlagung zu einer genetisch bedingten Fettleibigkeit auf Veränderungen des Body-Mass-Index beobachten, mit einer alternativen Diät behandeln oder seinen Stoffwechsel mit Hormonen, Medikamenten oder Gentherapien in der Kindheit »umprogrammieren«. Ein Kind mit einer Tendenz zu einem Aufmerksamkeitsdefizit- oder Hyperaktivitätssyndrom könnte eine Verhaltenstherapie machen oder in eine bessere Lernumgebung gebracht werden.

Falls die Krankheiten auftreten oder fortschreiten, setzt man genbasierte Therapien zu ihrer Behandlung oder Heilung ein. Korrigierte Gene werden direkt in das betroffene Gewebe eingeführt: So wird

---

* Die umfassende Genomanalyse von Föten hat bereits unter der Bezeichnung nichtinvasiver Pränataltest (Non-Invasive Prenatal Testing, kurz NIPT) Einzug in die klinische Praxis gehalten. Ein chinesisches Unternehmen meldete 2014, es habe 150000 Föten auf Chromosomenstörungen untersucht und weite den Test auf Mutationen einzelner Gene aus. Obwohl diese Tests chromosomale Anomalien wie das Down-Syndrom ebenso zuverlässig entdecken wie Fruchtwasseruntersuchungen, haben sie große Probleme mit »falschen Positivdiagnosen« – zeigen also in der fötalen DNA chromosomale Anomalien auf, obwohl sie völlig normal ist. Die Rate solcher falschen Positivdiagnosen wird jedoch mit der Weiterentwicklung dieser Verfahren drastisch abnehmen.

das funktionierende Mukoviszidose-Gen aerosoliert und in die Lungen des Patienten injiziert, wo es die normale Lungenfunktion teilweise wiederherstellt. Einem mit ADA-Mangel geborenen Mädchen transplantiert man Knochenmarkstammzellen mit dem richtigen Gen. Bei komplexeren Erbkrankheiten kombiniert man Gendiagnose mit Gentherapien, Medikamenten und »Umwelttherapien«. Krebsarten werden umfassend analysiert, indem man die Mutationen dokumentiert, die für das bösartige Wachstum einer bestimmten Krebsart verantwortlich sind. Anhand dieser Mutationen identifiziert man die Wege, die das Zellwachstum antreiben, und entwickelt besonders zielgenaue Therapien, die bösartige Zellen abtöten, aber normale verschonen.

»Stellen Sie sich vor, Sie wären ein Soldat, der mit einer posttraumatischen Belastungsstörung aus dem Krieg zurückkehrt«, schrieb der Psychiater Richard Friedman 2015 in der *New York Times*.[5] »Mit einer simplen Blutuntersuchung auf Genvarianten könnten wir feststellen, ob Sie biologisch zur Angstextinktion fähig sind … Wenn Sie eine Mutation hätten, die Ihre Fähigkeit zur Angstextinktion verringert, wüsste der Therapeut, dass Sie vielleicht nur weitere Exposition – Behandlungssitzungen – brauchen, um sich zu erholen. Vielleicht brauchen Sie aber auch eine völlig andere Therapie, die nicht auf Konfrontation beruht, etwa eine interpersonelle Therapie oder eine medikamentöse Behandlung.« Möglicherweise verschreibt man Medikamente, die epigenetische Prägungen löschen können, in Verbindung mit Gesprächstherapie. Vielleicht erleichtert das Löschen zellulärer Erinnerungen das Löschen historischer Erinnerungen.

Gendiagnosen und genetische Eingriffe werden zudem genutzt, um Mutationen in menschlichen Embryos festzustellen und zu korrigieren. Wenn man in der Keimbahn »gentechnisch veränderbare« Mutationen bestimmter Gene entdeckt, erhalten Eltern die Möglichkeit, ihre Samen- und Eizellen vor der Zeugung genchirurgisch verändern zu lassen oder durch Präimplantationsdiagnose sicherzustellen, dass mutante Embryos gar nicht erst implantiert werden. So werden die Gene, welche die schlimmsten Krankheitsvarianten verursachen, von

vornherein durch positive oder negative Auslese oder durch Genommodifikation aus dem Humangenom entfernt.

• • •

Bei sorgfältigem Lesen weckt dieses Szenario zugleich Staunen und
ein gewisses ethisches Unbehagen. Die einzelnen Maßnahmen mögen
zwar keine Grenzüberschreitung darstellen – manche wie die gezielte
Behandlung von Krebs, Schizophrenie und Mukoviszidose sind sogar
bahnbrechende Zielsetzungen der Medizin –, aber einige Aspekte dieser Welt erscheinen doch ausgesprochen und sogar abstoßend fremd.
Es ist eine von »Previvors« und »Posthumanen« bevölkerte Welt: von
Männern und Frauen, die auf genetische Anfälligkeiten untersucht
oder mit veränderten genetischen Tendenzen geschaffen wurden.
Krankheiten mögen zwar zunehmend verschwinden, damit zugleich
aber auch die Identität. Das Leid mag verringert werden, zugleich aber
auch die Sensibilität. Traumata mögen ausgelöscht werden, zugleich
aber auch die Geschichte. Mutanten würden eliminiert, damit aber
auch die menschliche Vielfalt. Behinderungen mögen verschwinden,
damit aber auch die Verletzlichkeit. Der Zufall würde abgeschwächt,
damit unweigerlich aber auch die Entscheidungsfreiheit.*

---

* Selbst scheinbar einfache Szenarien des Genscreenings zwingen uns, auf ein
Terrain beunruhigender moralischer Risiken vorzudringen. Man nehme nur
Friedmans Beispiel, Soldaten mit einer Blutuntersuchung auf Gene zu testen,
die eine Prädisposition für posttraumatische Belastungsstörungen schaffen. Auf
den ersten Blick würde ein solches Vorgehen Kriegstraumata scheinbar mildern:
Man könnte Soldaten, die zur »Angstextinktion« unfähig wären, testen und mit
intensiven psychiatrischen oder medikamentösen Therapien so weit behandeln,
dass sie in die Normalität zurückkehren können. Was wäre jedoch, wenn wir die
Handlungslogik ausweiten und Soldaten schon *vor* dem Einsatz auf das Risiko
einer posttraumatischen Belastungsstörung überprüfen? Wäre das wirklich wün-
schenswert? Wollen wir tatsächlich Soldaten auswählen, die unfähig sind, Traumata zu registrieren, oder die eine genetisch »verbesserte« Fähigkeit besitzen, die
psychischen Qualen der Gewalt auszulöschen? Ein solches Screening wäre meiner Ansicht nach gerade nicht erstrebenswert: Eine zur »Angstextinktion« fähige
Psyche ist genau die Art von gefährlichem Geist, den man im Krieg meiden sollte.

Der auf Würmer spezialisierte Genetiker John Sulston machte sich 1990 in Bezug auf das Humangenomprojekt Gedanken über das philosophische Dilemma, das entsteht, wenn ein intelligenter Organismus »seine eigenen Instruktionen zu lesen lernt«. Noch unendlich tiefgreifender ist dieses Dilemma jedoch, wenn ein intelligenter Organismus seine eigenen Instruktionen zu schreiben lernt. Wenn Gene die Natur und den Werdegang eines Organismus bestimmen und Organismen nun anfangen, Beschaffenheit und Werdegang ihrer Gene zu bestimmen, schließt sich ein logischer Kreis. Sobald wir anfangen, Gene als Schicksal zu begreifen, das manifest wird, ist es unausweichlich, dass wir auch beginnen, uns das Humangenom als manifestes Schicksal vorzustellen.

• • •

Auf dem Rückweg von Monis psychiatrischer Einrichtung in Kalkutta wollte mein Vater noch einmal an dem Haus vorbeigehen, in dem er aufgewachsen war – das Haus, in das sie Rajesh zurückgebracht hatten, wenn er in den Fängen seiner Manie zappelte wie ein wilder Vogel. Wir fuhren schweigend hin. Seine Erinnerungen umschlossen ihn wie die Wände eines Zimmers. An der schmalen Einmündung der Hayat Khan Lane stellten wir den Wagen ab und gingen zu Fuß in die Sackgasse. Es war gegen sechs Uhr abends. Die Häuser waren von einem indirekten, dunstigen Licht beleuchtet, und es lag Regen in der Luft.

»In der Geschichte der Bengalen gibt es nur ein Ereignis: die Teilung«, sagte mein Vater. Er schaute zu den Balkons über uns hinauf und versuchte, sich an die Namen seiner früheren Nachbarn zu erinnern: Gosh, Talukdar, Mukherjee, Chatterjee, Sen. Ein leichter Nieselregen setzte ein – vielleicht waren es auch nur Tropfen von der Wäsche, die dicht an dicht auf den von Haus zu Haus gespannten Leinen hing. »Die Teilung war für jeden Mann und jede Frau in dieser Stadt das prägende Ereignis«, erzählte er. »Entweder du hattest dein Zuhause verloren oder jemanden in deinem Zuhause aufgenommen.« Er deutete auf die säulengerahmten Fenster über unseren Köpfen. »Bei jeder

Familie hier wohnte eine weitere Familie.« Haushalte in Haushalten, Zimmer in Zimmern, Mikrokosmen in Mikrokosmen.

»Als wir mit unseren vier Blechkoffern und unseren wenigen geretteten Habseligkeiten aus Barisal hierherkamen, dachten wir, wir würden ein neues Leben anfangen. Wir hatten eine Katastrophe erlebt, aber es war auch ein Neuanfang.« Ich wusste, dass jedes Haus in dieser Straße seine eigene Geschichte von Blechkoffern und geretteten Habseligkeiten hatte. Es war, als wären alle Bewohner gleichgemacht worden wie ein Garten, in dem man im Winter alles bis auf die Wurzeln zurückschneidet.

Für eine Gruppe von Männern, zu denen auch mein Vater gehörte, war die Übersiedlung von Ost- nach Westbengalen mit einem radikalen Zurückdrehen sämtlicher Uhren einhergegangen. So begann das Jahr null. Die Zeit war in zwei Hälften gespalten: die Periode vor der Katastrophe und die danach. Vor der Teilung, v. T., und nach der Teilung, n. T. Diese Vivisektion der Geschichte – die Teilung der Teilung – schuf ein seltsam dissonantes Erleben: Die Männer und Frauen der Generation meines Vaters hatten das Gefühl, unfreiwillige Teilnehmer eines Experiments zu sein. Sobald sämtliche Uhren auf null gestellt waren, war es, als könne man beobachten, wie sich Leben, Werdegang und Entscheidungen der Menschen von einem Startblock aus oder vom Beginn der Zeit an abspielten. Mein Vater hatte dieses Experiment nur allzu intensiv erlebt. Ein Bruder war manisch-depressiv geworden. Ein anderer hatte jeglichen Realitätssinn verloren. Meine Großmutter hatte ein lebenslanges Misstrauen gegenüber jeglichen Veränderungen entwickelt. Mein Vater hatte seine Abenteuerlust ausgeprägt. Es hatte den Anschein, als wäre in jedem einzelnen eine andere Zukunft angelegt gewesen – wie ein Homunculus –, die nur auf ihre Entfaltung wartete.

Welche Kraft, welcher Mechanismus könnte derart unterschiedliche Werdegänge und Entscheidungen einzelner Menschen erklären? Im 18. Jahrhundert galt das Schicksal eines Einzelnen gemeinhin als von Gott bestimmte Abfolge von Ereignissen. Hindus hatten lange geglaubt, das Schicksal eines Menschen leite sich mit nahezu arithmetischer Präzision von einer Aufrechnung der guten und schlechten Taten ab, die er in einem früheren Leben begangen habe. (Nach dieser Vorstellung war Gott ein besserer moralischer Buchhalter, der Anteile an gutem und schlechtem Schicksal aufgrund früherer Investitionen und Verluste berechnete und zuteilte.) Der christliche Gott, fähig zu unerklärlicher Barmherzigkeit und ebenso unerklärlichem Zorn, war ein launischerer Buchhalter – aber auch er war der höchste, wenn auch unergründlichere Gebieter über das Schicksal.

Die Medizin des 19. und 20. Jahrhunderts bot weltlichere Konzeptionen von Schicksal und Entscheidungsfreiheit an. Krankheit – der wohl konkreteste und universellste aller Schicksalsakte – ließ sich nun mechanistisch beschreiben, nicht als willkürliche Heimsuchung göttlicher Rache, sondern als Folge von Risiken, äußeren Belastungen, Prädispositionen, Lebensumständen und Verhaltensweisen. Entscheidungen verstand man als Ausdruck der Psyche, Erfahrungen, Erinnerungen, Traumata und persönlichen Geschichte des Einzelnen. Um die Mitte des 20. Jahrhunderts wurden Identität, Affinität, Temperament und Präferenz (Hetero- oder Homosexualität, Impulsivität oder Vorsicht) zunehmend als Phänomene beschrieben, die auf Überschneidungen von psychischen Impulsen, persönlicher Geschichte und Zufall zurückgehen. Eine *Epidemiologie* des Schicksals und der Entscheidungen war geboren.

In den ersten Jahrzehnten des 21. Jahrhunderts lernen wir eine andere Sprache von Ursache und Wirkung und konstruieren eine neue Epidemiologie des Ichs: Wir fangen an, Krankheit, Identität, Affinität, Temperament, Präferenzen – und letztlich Schicksal und Entscheidungen – unter dem Aspekt von Genen und Genomen zu beschreiben. Damit wird keineswegs die absurde Behauptung aufgestellt, Gene seien die einzige Linse, durch die man grundlegende Aspekte unserer Natur und unseres Schicksals sehen könnte. Vielmehr bedeutet es, eine der interessantesten Vorstellungen über unsere Geschichte und Zukunft ernsthaft in Erwägung zu ziehen: dass der Einfluss der Gene auf unser Leben und Dasein wesentlich vielfältiger, tiefgreifender und nervenaufreibender ist, als wir gedacht haben. Diese Vorstellung wird umso reizvoller und destabilisierender, je mehr wir das Genom gezielt zu interpretieren, zu ändern und zu manipulieren lernen und dadurch die Fähigkeit erwerben, zukünftige Schicksale und Entscheidungsmöglichkeiten zu verändern. Thomas Morgan sah sich 1919 in der Hoffnung bestärkt, »es möge schließlich doch noch gelingen, ins Innere der Natur einzudringen. Ihre vielzitierte Unergründlichkeit hat sich als Illusion erwiesen.«[6] Wir bemühen uns gegenwärtig, Morgans Schlussfolgerungen auszuweiten – über die Natur hinaus auf die menschliche Natur.

Schon oft habe ich darüber nachgedacht, welchen Verlauf Jagus und Rajeshs Leben genommen hätte, wenn sie in der Zukunft, etwa in fünfzig oder hundert Jahren, zur Welt gekommen wären. Wird man bis dahin unsere Erkenntnisse über ihre erbliche Anfälligkeit genutzt haben, um Heilmittel für die Krankheiten zu finden, die ihr Leben zerstört haben? Würde man dieses Wissen nutzen, um sie zu »normalisieren« – und wenn ja, welche moralischen, gesellschaftlichen und biologischen Risiken wären damit verbunden? Würde solches Wissen neue Arten von Empathie und Verständnis ermöglichen? Oder würde es die Keimzellen für neue Formen der Diskriminierung bilden? Würde dieses Wissen benutzt, um neu zu definieren, was »natürlich« ist?

Aber was *ist* natürlich? Einerseits Variation, Mutation, Wandel, Unbeständigkeit, Teilbarkeit, Veränderung. Andererseits Beständigkeit, Dauerhaftigkeit, Unteilbarkeit, Zuverlässigkeit. *Bhed. Abhed.* Es sollte uns nicht überraschen, dass die DNA, das Molekül der Widersprüche, einen Organismus voller Widersprüche codiert. Wir suchen Konstanz in der Vererbung – und finden das genaue Gegenteil: Variation. Mutanten sind notwendig, um uns im Wesentlichen zu bewahren. Unser Genom hat eine heikle Balance zwischen gegensätzlichen Kräften ausgehandelt, einen Strang mit einem komplementären Strang gepaart, Vergangenheit und Zukunft gemischt, Erinnerung und Sehnsucht gegeneinander ausgespielt. Es ist das Menschlichste, was wir besitzen. Es treuhänderisch zu verwalten ist vielleicht der ultimative Test für die Erkenntnis und das Urteilsvermögen unserer Spezies.

Danksagung

Als ich im Mai 2010 die endgültige Fassung meines über 600 Seiten starken Buches *Der König aller Krankheiten: Krebs – eine Biografie* abgeschlossen hatte, dachte ich, ich würde nie wieder ein Buch schreiben. Die körperliche Erschöpfung dieser Arbeit war leicht nachzuvollziehen und zu bewältigen, aber die geistige Erschöpfung kam für mich überraschend. Als das Buch im selben Jahr den *First Book Prize* des Guardian gewann, beklagte ein Rezensent, man hätte es für den *Only Book Prize* nominieren sollen. Die Kritik traf den Kern meiner Befürchtungen. *Der König aller Krankheiten* hatte all meine Geschichten aufgebraucht, meinen Pass konfisziert und meine Zukunft als Autor als Pfand genommen: Ich hatte nichts mehr zu erzählen.

Es gab jedoch noch eine weitere Geschichte: die der Normalität, bevor sie in Bösartigkeit verfällt. Wenn Krebs die »verzerrte Version unseres normalen Ichs« ist, um die Beschreibung des Ungeheuers in dem Epos *Beowulf* abzuwandeln, was bringt dann die unverzerrten Varianten unseres normalen Ichs hervor?* Das vorliegende Buch schildert diese Geschichte – die Suche nach Normalität, Identität, Variation

---

* H. Varmus, Nobel lecture, 1989, http://www.nobelprize.org/nobel_prizes/medi cine/laureates/1989/varmus-lecture.html. Zur Existenz von endogenen Protoonkogenen in Zellen siehe D. Stehelin u. a., »DNA related to the transforming genes of avian sarcoma viruses is present in normal DNA«, *Nature*, 260/5547 (1976), S. 170–173. Siehe auch Harold Varmus an Dominique Stehelin, 3. Februar 1976, Harold Varmus Papers, National Library of Medicine Archives.

und Vererbung. Es ist quasi die Vorgeschichte zum *König aller Krankheiten.*

Es gibt unzählige Menschen, denen ich zu danken habe. Meine Frau Sarah Sze, meine leidenschaftlichste Zuhörerin und Leserin, und meine Töchter Leela und Aria erinnerten mich tagtäglich an mein persönliches Interesse an der Genetik und der Zukunft. Mein Vater Sibeswar und meine Mutter Chandana sind fester Bestandteil dieser Geschichte. Meine Schwester Ranu und ihr Mann Sanjay gaben mir moralischen Halt, wenn es nötig war. Judy und Chia-Ming Sze sowie David Sze und Kathleen Donohue hielten Diskussionen über die Familie und die Zukunft aus.

Ausgesprochen großzügige Leser stellten durch inhaltliche Anmerkungen sicher, dass die Fakten in diesem Buch korrekt dargestellt sind; zu ihnen gehörten: Paul Berg (Genetik und Klonieren), David Botstein (Genkartierung), Eric Lander und Robert Waterson (Humangenomprojekt), Robert Horvitz und David Hirsh (Wurmbiologie), Tom Maniatis (Molekularbiologie); Sean Carroll (Evolution und Genregulation), Harold Varmus (Krebs), Nancy Segal (Zwillingsstudien), Inder Verma (Gentherapie); Nancy Wexler (Human-Genkartierung), Marcus Feldman (menschliche Evolution), Gerald Fishbach (Schizophrenie und Autismus), David Allis und Timothy Bestor (Epigenetik), Francis Collins (Genkartierung und Humangenomprojekt), Eric Topol (Humangenetik) und Hugh Jackman (»Wolverine«, Mutanten).

Ashok Rai, Nell Breyer, Bill Helman, Gaurav Majumdar, Suman Shirodkar, Meru Gokhale, Chiki Sarkar, David Blistein, Azra Raza, Chetna Chopra und Sujoy Bhattacharyya lasen erste Manuskripte und lieferten äußerst wertvolle Kommentare. Die Gespräche mit Lisa Yuskavage, Matvey Levenstein, Rachel Feinstein und John Currin waren von unschätzbarem Wert. Ein Teil dieses Buches erschien bereits in einem Essay über Yuskavages Werk (»Twins«) und ein weiterer in meinem Buch *Gesetze der Medizin* (2016). Brittany Rush stellte geduldig (und brillant) die über 800 Anmerkungen zusammen und erledigte die nervtötenden Aspekte der Herstellung; Daniel Loedel las und redigierte das Manuskript übers Wochenende, um zu beweisen, dass es möglich war. Mia Crowley-Hald und Anna-Sophia Watts übernahmen das ungemein wichtige Korrekturlesen, und Kate Lloyd machte eine außerordentlich gute Pressearbeit.

Nan Graham: Haben Sie wirklich alle 68 Entwürfe gelesen? Ja, das haben Sie – und Sie haben zusammen mit Stuart Williams und der unermüdlichen Sarah Chalfant, die dieses Projekt erstmals durch die Blende eines zwei Absätze umfassenden Exposés sahen, diesem Buch Form, Gestalt, Klarheit, Tiefe und Eindringlichkeit verliehen. Danke.

Glossar

Allel: eine variante oder alternative Form eines Gens. Gewöhnlich entstehen Allele durch Mutationen und können Unterschiede im Phänotyp bewirken. Ein Gen kann zahlreiche Allele haben.

Chromatin: das Material, aus dem Chromosomen sind. Der Name ist abgeleitet von dem griechischen Wort *chroma* (Farbe), da man es erstmals beim Einfärben von Zellen entdeckte. Chromatin kann aus DNA, RNA und Proteinen bestehen.

Chromosom: ein Gebilde in einer Zelle, das aus DNA und Proteinen besteht und Erbinformationen speichert.

DNA: Desoxyribonukleinsäure (deoxyribonucleic acid); diese Chemikalie ist bei allen zellularen Organismen Träger der Erbinformation. Gewöhnlich kommt sie in der Zelle als komplementärer Doppelstrang vor. Jeder Strang besteht aus einer Kette von vier Basen mit der Abkürzung A, C, T und G und enthält die Gene in Form eines genetischen »Codes«. Die DNA-Sequenz wird in RNA umgeschrieben (transkribiert) und anschließend in Proteine übersetzt.

Enzym: ein Protein, das eine biochemische Reaktion beschleunigt.

Epigenetik: Dieses Fachgebiet befasst sich mit phänotypischen Variationen, die nicht von Veränderungen der primären DNA-Sequenz (also A, C, T, G) verursacht werden, sondern von chemischen Abwandlungen der DNA (wie Methylierung) oder der Verpackung der DNA durch DNA-bindende Proteine (wie Histone). Manche dieser Abwandlungen sind vererbbar.

Gen: eine Erbeinheit, normalerweise bestehend aus einem DNA-Abschnitt, der ein Protein oder eine RNA-Kette codiert (in bestimmten Fällen können Gene in Form von RNA vorliegen).

Genom: die Gesamtheit aller genetischen Informationen eines Organismus. Ein Genom umfasst proteincodierende Gene, Gene, die keine Proteine codieren, regulatorische Genregionen sowie DNA-Sequenzen mit bislang unbekannter Funktion.

Genotyp: die Gesamtheit aller genetischen Informationen eines Organismus, die dessen physische, chemische, biologische und intellektuelle Merkmale bestimmen (siehe Phänotyp).

Merkmale, dominante und rezessive: physische oder biologische Merkmale eines Organismus, die in der Regel von Genen codiert werden. Ein einzelnes Merkmal kann von vielen Genen bestimmt sein, ein einzelnes Gen kann aber auch viele Merkmale codieren. Als dominant bezeichnet man ein Merkmal, das sich gewöhnlich ausprägt, wenn ein dominantes und ein rezessives Allel vorhanden sind, während ein rezessives Merkmal nur zur Ausprägung kommt, wenn beide Allele rezessiv sind. Gene können auch co-dominant sein: In diesem Fall führen ein dominantes und ein rezessives Allel zur Ausprägung eines Zwischenmerkmals.

Mutation: eine Veränderung in der chemischen Struktur der DNA. Mutationen können stumm, also ohne Auswirkungen auf die Funktion eines Organismus bleiben, oder zu einer Veränderung in Funktion oder Struktur eines Organismus führen.

Organelle: eine spezielle Untereinheit einer Zelle. In der Regel erfüllen Organellen eine spezielle Funktion und sind von einer eigenen Membran umhüllt. Mitochondrien sind Organellen, die zur Energieproduktion dienen.

Penetranz: der prozentuale Anteil der Organismen, bei denen eine bestimmte Genvariante zur Ausprägung des entsprechenden Merkmals oder Phänotyps führt. In der medizinischen Genetik bezieht sich die Penetranz auf den Anteil der Träger eines Genotyps, die Symptome einer damit verbundenen Krankheit manifestieren.

Phänotyp: die Gesamtheit aller biologischen, physischen und intellektuellen Merkmale eines Individuums wie Haut- oder Augenfarbe. Dazu können auch komplexe Merkmale wie Temperament oder Persönlichkeit gehören. Der Phänotyp wird von Genen, epigenetischen Prägungen, Umwelteinflüssen und Zufall bestimmt.

Protein: eine Chemikalie, die im Kern aus einer Aminosäurekette besteht und durch Translation eines Gens gebildet wird. Proteine führen einen Großteil der Zellfunktionen aus: Sie übermitteln Signale, stützen die Struktur und beschleunigen biochemische Reaktionen. In der Regel »wirken« Gene, indem sie die Blaupause für Proteine liefern. Durch Hinzufügen chemischer Stoffe wie Phosphate, Zucker oder Lipide lassen Proteine sich chemisch modifizieren.

Reverse Transkription: ein Prozess, bei dem ein Enzym (reverse Transkriptase) eine RNA-Kette als Vorlage für die Bildung einer DNA-Kette nutzt. Reverse Transkriptase ist in Retroviren zu finden.

Ribosom: eine Zellstruktur aus Proteinen und RNA, die für die Entschlüsselung der Boten-RNA und deren Umwandlung in Proteine verantwortlich ist.

RNA: Ribonukleinsäure (ribonucleic acid); eine Chemikalie, die in der Zelle diverse Funktionen erfüllt, unter anderem dient sie bei der Translation eines Gens in ein Protein als »Zwischenbote«. RNA besteht aus einer Kette von Basen – A, C, G und U – an einem Zucker-Phosphat-Rückgrat. In einer Zelle kommt die RNA meist als Einzelstrang vor (anders als die doppelsträngige DNA), obwohl sich unter bestimmten Bedingungen auch doppelsträngige RNA bilden kann. Bei manchen Organismen wie Retroviren ist die RNA Träger der Erbinformation.

Transformation: die horizontale Weitergabe von Genmaterial von einem Organismus an einen anderen. Gewöhnlich können Bakterien genetische Information ohne Reproduktion austauschen, indem sie Genmaterial an andere Organismen weitergeben.

Transkription: die Erzeugung einer RNA-Kopie eines Gens. Bei der Transkription wird der genetische Code der DNA (ATG-CAC-GGG) als Vorlage für eine RNA-Kopie (AUG-CAC-GGG) genutzt.

Translation (von Genen): die Umwandlung genetischer Information aus der Boten-RNA in ein Protein am Ribosom. Während der Translation wird ein Codon aus jeweils einem RNA-Basentriplett (wie AUG) genutzt, um einem Protein eine Aminosäure (wie Methionin) anzuheften. Eine RNA-Kette kann so eine Aminosäurekette codieren.

Zellkern: von einer Membran umschlossene Zellstruktur oder Organelle, die in Tier- und Pflanzenzellen, nicht aber in Bakterienzellen vorhanden ist. Sie enthält Chromosomen (und Gene). In Tierzellen befinden sich die meisten Gene im Zellkern, manche sind jedoch auch in den Mitochondrien zu finden.

Zentrales Dogma oder zentrale Theorie des Informationsflusses: Diese – mehrfach überarbeitete – Theorie besagt, dass biologische Information in den meisten Organismen von den Genen in der DNA zur Boten-RNA und von dort weiter in Proteine fließt. Retroviren enthalten Enzyme, die nach einer RNA-Vorlage DNA bilden können.

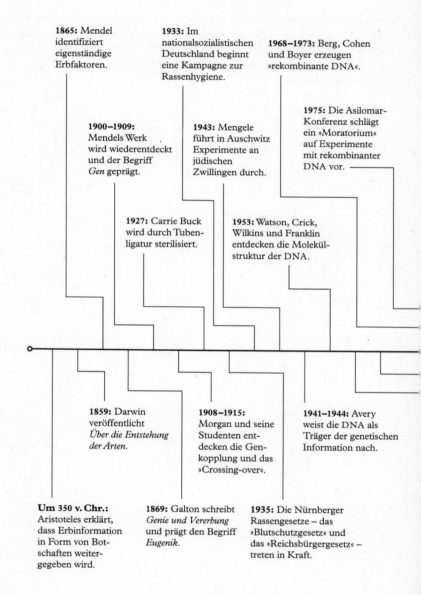

1865: Mendel identifiziert eigenständige Erbfaktoren.

1933: Im nationalsozialistischen Deutschland beginnt eine Kampagne zur Rassenhygiene.

1968–1973: Berg, Cohen und Boyer erzeugen »rekombinante DNA«.

1900–1909: Mendels Werk wird wiederentdeckt und der Begriff *Gen* geprägt.

1943: Mengele führt in Auschwitz Experimente an jüdischen Zwillingen durch.

1975: Die Asilomar-Konferenz schlägt ein »Moratorium« auf Experimente mit rekombinanter DNA vor.

1927: Carrie Buck wird durch Tubenligatur sterilisiert.

1953: Watson, Crick, Wilkins und Franklin entdecken die Molekülstruktur der DNA.

1859: Darwin veröffentlicht *Über die Entstehung der Arten*.

1908–1915: Morgan und seine Studenten entdecken die Genkopplung und das »Crossing-over«.

1941–1944: Avery weist die DNA als Träger der genetischen Information nach.

Um 350 v. Chr.: Aristoteles erklärt, dass Erbinformation in Form von Botschaften weitergegeben wird.

1869: Galton schreibt *Genie und Vererbung* und prägt den Begriff *Eugenik*.

1935: Die Nürnberger Rassengesetze – das »Blutschutzgesetz« und das »Reichsbürgergesetz« – treten in Kraft.

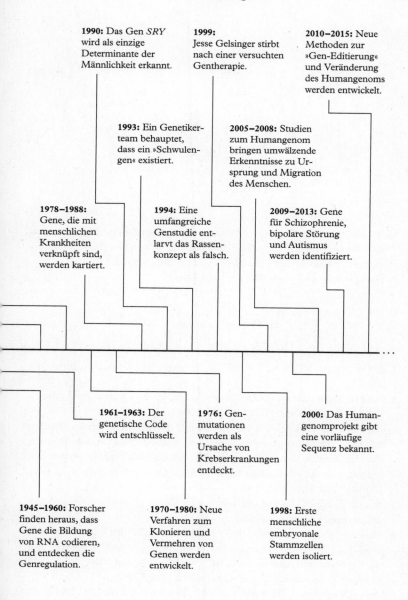

1990: Das Gen *SRY* wird als einzige Determinante der Männlichkeit erkannt.

1999: Jesse Gelsinger stirbt nach einer versuchten Gentherapie.

2010–2015: Neue Methoden zur »Gen-Editierung« und Veränderung des Humangenoms werden entwickelt.

1993: Ein Genetikerteam behauptet, dass ein »Schwulengen« existiert.

2005–2008: Studien zum Humangenom bringen umwälzende Erkenntnisse zu Ursprung und Migration des Menschen.

1978–1988: Gene, die mit menschlichen Krankheiten verknüpft sind, werden kartiert.

1994: Eine umfangreiche Genstudie entlarvt das Rassenkonzept als falsch.

2009–2013: Gene für Schizophrenie, bipolare Störung und Autismus werden identifiziert.

1961–1963: Der genetische Code wird entschlüsselt.

1976: Genmutationen werden als Ursache von Krebserkrankungen entdeckt.

2000: Das Humangenomprojekt gibt eine vorläufige Sequenz bekannt.

1945–1960: Forscher finden heraus, dass Gene die Bildung von RNA codieren, und entdecken die Genregulation.

1970–1980: Neue Verfahren zum Klonieren und Vermehren von Genen werden entwickelt.

1998: Erste menschliche embryonale Stammzellen werden isoliert.

Anmerkungen

Epigraph

1 William Bateson, »Problems of Heredity as a Subject for Horticultural Investigation«, in: Milo Keynes, A.W. F. Edwards und Robert Peel (Hg.), *A Century of Mendelism in Human Genetics*, Boca Raton, FL, 2004, S. 153.

2 Haruki Murakami, *1Q84*, Köln 2010, S. 379.

Prolog: Familien

1 Homer, *Odyssee*, 4.62f, Zürich 2011, S. 48.

2 Philip Larkin, »This Be The Verse«, in: ders., *High Windows*, New York 1974.

3 Saadat Hasan Manto, »Toba Tek Singh«, dt. in: ders., *Schwarze Notizen – Geschichten der Teilung*, Frankfurt a. M. 2006.

4 Maartje F. Aukes u. a., »Familial clustering of schizophrenia, bipolar disorder, and major depressive disorder«, *Genetics in Medicine*, 14/3 (2012), S. 338–341; Paul Lichtenstein u. a., »Common genetic determinants of schizophrenia and bipolar disorder in Swedish families: A population-based study«, *Lancet*, 373/9659 (2009), S. 234–239.

5 Martin W. Bauer, *Atoms, Bytes and Genes: Public Resistance and Techno-Scientific Responses*, New York 2015.

6 Helen Vendler, *Wallace Stevens: Words Chosen out of Desire*, Cambridge, MA, 1984, S. 21; zur dt. Übersetzung des Gedichts siehe: Stevens, Wallace, »Auf der Straße nach Hause« in: ders., *Teile einer Welt*, Salzburg 2014.

7 Hugo de Vries, *Intracellulare Pangenesis*, Jena 1889, S. 9.

8 Arthur W. Gilbert, »The Science of Genetics«, *Journal of Heredity*, 5/6 (1914), S. 239.

9 Thomas Hunt Morgan, *The Physical Basis of Heredity*, Philadelphia 1919; dt.: *Die stoffliche Grundlage der Vererbung*, Berlin 1921, S. 1.

10 Jeff Lyon und Peter Gorner, *Altered Fates: Gene Therapy and the Retooling of Human Life*, New York 1996, S. 9 f.

Teil I: Die »fehlende Vererbungslehre«

1 Herbert G. Wells, *Mankind in the Making*, Leipzig 1903, S. 33.

2 Oscar Wilde, *The Importance of Being Earnest*, London 1895; dt.: *Bunbury. Eine triviale Komödie für ernsthafte Leute*, Wien, Leipzig 1908, S. 81.

3 Gilbert K. Chesterton, *Eugenics and Other Evils*, London 1922; dt.: *Eugenik und andere Übel*, Berlin 2014, S. 132.

4 Gareth B. Matthews, *The Augustinian Tradition*, Berkeley 1999.

5 Zu Einzelheiten zu Mendels Leben und dem Augustinerkloster siehe u. a.: Gregor Mendel, Alain F. Corcos und Floyd V. Monaghan, *Gregor Mendel's Experiments on Plant Hybrids: A Guided Study*, New Brunswick, NJ, 1993; Edward Edelson, *Gregor Mendel, And the Roots of Genetics*, New York 1999; sowie Robin Marantz Henig, *Der Mönch im Garten: die Geschichte des Gregor Mendel und die Entdeckung der Genetik*, Berlin 2001.

6 Edward Berenson, *Populist Religion and Left-Wing Politics in France, 1830–1852*, Princeton, NJ, 1984.

7 Henig, *Der Mönch im Garten*, S. 52.

8 Ebd., S. 53.

9 Ebd., S. 68; siehe auch Harry Sootin, *Gregor Mendel: Father of the Science of Genetics*, New York 1959.

10 Henig, *Der Mönch im Garten*, S. 65 ff.

11 Ebd., S. 70.

12 Jagdish Mehra und Helmut Rechenberg, *The Historical Development of Quantum Theory*, New York 1982.

13 Kendall F. Haven, *100 Greatest Science Discoveries of All Time*, Westport, CT, 2007, S. 75 f.

14 Margaret J. Anderson, *Carl Linnaeus: Father of Classification*, Springfield, NJ, 1997.

15 Aischylos, *Die Eumeniden*, in: *Die Orestie*, Berlin 2016, S. 118.

16 Maor Eli, *The Pythagorean Theorem: A 4,000-Year History*, Princeton, NJ, 2007.

17 Platon, *Der Staat*, gr.-dt., Düsseldorf, Zürich 2000.

18 Ebd., S. 657.

19 Aristoteles, *Fünf Bücher von der Zeugung und Entwickelung der Thiere*, ders., *Werke*, Bd. 3, Leipzig 1860.

20 Aristoteles, *Naturgeschichte der Tiere*, Bd. 3 (Buch 6–8), Stuttgart 1866, Kap. 7, S. 108 f.

21 Aristoteles, *Fünf Bücher von der Zeugung und Entwickelung der Thiere*, 1, 36, S. 73.

22 Ebd., 1,98 f., S. 117.

23 Daniel Novotny und Lukás Novák, *Neo-Aristotelian Perspectives in Metaphysics*, New York 2014, S. 94.

24 Theophrastus Paracelsus, *De natura rerum*, in: ders., *Werke*, Bd. 5, *Pansophische, magische und gabalische Schriften*, Darmstadt 2010, S. 53–132.

25 Peter Hanns Reill, *Vitalizing Nature in the Enlightenment*, Berkeley 2005, S. 160.

26 Nicolas Hartsoeker, *Essay de dioptrique*, Paris 1694.

27 Matthew Cobb, »Reading and writing the book of nature: Jan Swammerdam«, *Endeavour*, 24/3 (2000), S. 122–128.

28 Caspar Friedrich Wolff, »De formatione intestinorum praecipue«, *Novi commentarii Academiae Scientiarum Imperialis Petropolitanae*, 12 (1768), S. 43–47. Wolff schrieb auch 1759 über die *vis essentialis corporis*: ders., *Theoria generationis*, Halle 1759, dt.: *Theorie von der Generation, in zwei Abhandlungen erklärt und bewiesen*, Berlin 1764.

29 Oscar Hertwig, *Präformation oder Epigenese?: Grundzüge einer Entwicklungstheorie der Organismen*, Jena 1894, S. 1.

30 Robert Frost, *The Robert Frost Reader: Poetry and Prose*, hg. von Edward Connery Lathem und Lawrence Thompson, New York 2002.

31 Charles Darwin, *The Autobiography of Charles Darwin*, hg. von Francis Darwin, Amherst, NY, 2000, S. 11; dt.: Charles Darwin, *Mein Leben. Die vollständige Autobiographie*, Frankfurt a. M. 2008, S. 88 f.

32 Ebd., S. 37; dt. S. 56 ff.; siehe auch Jacob Goldstein, »Charles Darwin, Medical School Dropout«, *Wall Street Journal*, 12. Februar 2009, http://blogs.wsj.com/health/2009/02/12/charles-darwin-medical-school-dropout/.

33 Adrian J. Desmond und James R. Moore, *Darwin*, New York 1991; dt.: *Darwin*, München, Leipzig 1992, S. 76.

34 Duane Isley, »John Stevens Henslow (1796–1861)«, in: dies., *One Hundred and One Botanists*, Ames 1994.

35 William Paley, *Natural Theology*, London 1802; dt.: *Natürliche Theologie*, Stuttgart, Tübingen 1837.

36 John F. W. Herschel, *A Preliminary Discourse on the Study of Natural Philosophy*, New York 1966; dt.: *Über das Studium der Naturwissenschaft*, Göttingen 1836.

37 John F. W. Herschel, *Über das Studium der Naturwissenschaft*, Göttingen 1836, S. 41.

38 Martin Gorst, *Measuring Eternity: The Search for the Beginning of Time*, New York 2002, S. 158.

39 Charles Darwin, *On the Origins of Species by Means of Natural Selection*, London 1859; dt.: »Über die Entstehung der Arten durch natürliche Zuchtwahl oder die Erhaltung der begünstigten Rassen im Kampfe ums Dasein«, in: ders., *Gesammelte Werke*, S. 347–692, hier S. 367.

40 Patrick Armstrong, »Introducing the English Parson-Naturalist«, in: ders., *The English Parson-Naturalist: A Companionship between Science and Religion*, Leominster, MA, 2000.

41 J. S. Henslow an Ch. Darwin, 24. August 1831, siehe Haslow, John, »Darwin Correspondence Project«, https://www.darwinproject.ac.uk/; dt.: Charles Darwin, *Leben und Briefe mit einem seine Autobiographie enthaltenden Capitel*, 3 Bde., Stuttgart 1887, hier Bd. 1, S. 175 f.

42 Charles Darwin, *Leben und Briefe*, Bd. 1, S. 175 f.

43 Ebd., S. 207 ff.

44 Charles Lyell, *Principles of Geology, Or, The Modern Changes of the Earth and Its Inhabitants Considered as Illustrative of Geology*, New York 1872; dt.: *Grundsätze der Geologie oder die neuen Veränderungen der Erde und ihrer Bewohner in Beziehung zu geologischen* Erläuterungen, 4 Bde., Weimar 1841–1849.

45 Lyell, *Grundsätze der Geologie*, Bd. 1, Kap. 12, »Verschiedenheit in der Textur älterer und neuerer Felsarten«, S. 385–397.

46 Charles Darwin, »Reise eines Naturforschers um die Welt«, in: ders., *Gesammelte Werke*, Frankfurt a. M. 2009, S. 68–94.

47 David Quammen, »Darwin's first clues«, *National Geographic*, 215/2 (2009), S. 34–53.

48 Adrian Desmond und James Moore, *Darwin*, dt., S. 151.

49 Darwin an J. S. Henslow, 12. August 1835, in: Charles Darwin, *Charles Darwin's Letters: A Selection, 1825–1859*, hg. von Frederick Burkhardt, Cambridge 1996, S. 46 f.

50 Adrian Desmond und James Moore, *Darwin*, dt., S. 195 f.

51 George T. Bettany und John Parker, *Life of Charles Darwin*, London 1887, S. 47.

52 Charles Darwin, »Reise eines Naturforschers um die Welt«, S. 262.

53 Duncan M. Porter und Peter W. Graham, *Darwin's Sciences*, Hoboken, NJ, 2015, S. 62 f.

54 Ebd., S. 62.

55 Timothy Shanahan, *The Evolution of Darwinism: Selection, Adaptation, and Progress in Evolutionary Biology*, Cambridge 2004, S. 296.

56 Barry G. Gale, »After Malthus: Darwin Working on His Species Theory, 1838–1859«, Diss., University of Chicago, 1980.

57 Thomas Robert Malthus, *An Essay on the Principle of Population*, New York 2007; dt.: *Das Bevölkerungsgesetz*, München 1977.

58 Thomas Robert Malthus, *Das Bevölkerungsgesetz*, S. 68

59 Charles Darwin, *Mein Leben. Die vollständige Autobiographie*, Frankfurt a. M. 2008, S. 129.

60 Gregory Claeys, »The ›Survival of the Fittest‹ and the Origins of Social Darwinism«, *Journal of the History of Ideas*, 61/2 (2000), S. 223–240.

61 Charles Darwin, »Essay of 1844«, in: ders., *The Foundations of the Origin of Species, Two Essays Written in 1842 and 1844*, hg. von Francis Darwin, Cambridge 1909; dt.: *Die Fundamente zur Entstehung der Arten. Zwei in den Jahren 1842 und 1844 verfaßte Essays*, Leipzig, Berlin 1911.

62 Alfred R. Wallace, »XVIII. – On the law which has regulated the introduction of new species«, *Annals and Magazin of Natural History*, 16/93 (1855), S. 184–196; dt.: »Über das Gesetz, das das Entstehen neuer Arten reguliert hat«, in: Charles Darwin und Alfred R. Wallace, *Dokumente zur Begründung der Abstammungslehre vor 100 Jahren: 1858/59 – 1958/59*, hg. von Gerhard Heberer, Frankfurt a. M. 1959.

63 Charles H. Smith und George Beccaloni, *Natural Selection and Beyond: The Intellectual Legacy of Alfred Russel Wallace*, Oxford 2008, S. 10.

64 Ebd., S. 69.

65 Ebd., S. 12.

66 Ebd., S. IX.

67 Benjamin Orange Flowers, »Alfred Russel Wallace«, *Arena* 36 (1906), S. 209.

68 Alfred Russel Wallace, *Alfred Russel Wallace: Letters and Reminiscences*, hg. von James Marchant, New York 1975, S. 118.

69 Charles Darwin an J. Murray, 25. Juli 1859, dt.: Charles Darwin, *Leben und Briefe: mit einem seine Autobiographie enthaltenden Capitel*, 3 Bde., Stuttgart 1887, hier Bd. 2, S. 121.

70 E. Janet Browne, *Charles Darwin: The Power of Place*, New York 2002, S. 42.

71 Darwin, *Leben und Briefe*, Bd. 2, S. 156.

72 Darwin, *Leben und Briefe*, Bd. 2, S. 228.

73 »Reviews: Darwin's Origin of Species«, *Saturday Review of Politics, Literature, Science and Art*, 8 (24. Dezember 1859), S. 775 f.

74 Darwin, »Über die Entstehung der Arten durch natürliche Zuchtwahl«, S. 690.

75 Richard Owen, »Darwin on the Origin of Species«, *Edinburgh Review*, 3 (1860), S. 487–532.

76 Ebd.; Darwins Zitat stammt aus seinem Brief an Asa Gray vom 5. September 1857, in: ders., *Leben und Briefe*, Bd. 2, S. 121.

77 Darwin an Asa Gray, 5. September 1857, in: ders., *Leben und Briefe*, Bd. 2, S. 121.

78 Alexander Wilford Hall, *The Problem of Human Life: Embracing the »Evolution of Sound« and »Evolution Evolved« with a Review of the Six Great Modern Scientists, Darwin, Huxley, Tyndall, Haeckel, Helmholtz, and Mayer*, London 1880, S. 441.

79 Monroe W. Strickberger, *Evolution*, Boston 1990, S. 24.

80 James Schwartz, *In Pursuit of the Gene: From Darwin to DNA*, Cambridge, MA, 2008, S. 2.

81 Ebd., S. 2 f.

82 Brian Charlesworth und Deborah Charlesworth, »Darwin and genetics«, *Genetics*, 183/3 (2009), S. 757–766.

83 Ebd., S. 759 f.

84 Charles Darwin, *The Variation of Animals and Plants under Domestication*, 2 Bde., London 1868; dt.: *Das Variieren der Thiere und Pflanzen im Zustande der Domestication*, 2 Bde., Stuttgart 1868.

85 Darwin an T. H. Huxley, 27. Mai (1857), in: Charles Darwin, *Leben und Briefe*, Bd. 3, S. 42.

86 Darwin an Asa Gray, 16. Oktober 1867, ebd., S. 72.

87 Fleeming Jenkin, »The Origin of Species«, *North British Review*, 47 (1867), S. 158.

88 Charles Darwin an J. D. Hooker, 16. Januar 1869, in: Charles Darwin, *More Letters of Charles Darwin. A Record of his Works in a Series of hitherto unpublished Letters*, hg. von Francis Darwin und A. C. Seward, 2 Bde., London 1903, hier Bd. 2, S. 379.

89 Fairerweise ist anzumerken, dass Darwin auch ohne Jenkins Einwand das Problem der »vermischten Erbanlagen« gesehen hatte. In seinen Notizen vermerkte er: »Wenn Varietäten sich ungehindert kreuzen können, werden solche Abänderungen ständig vernichtet ... und jede kleine Tendenz in ihnen zu variieren, wird fortwährend konterkariert.«

90 Gregor Mendel, »Versuche über Pflanzen-Hybriden«, *Verhandlungen des naturforschenden Vereins zu Brünn*, 4 (1866), S. 3–47.

91 Aus einem Gedicht über Mendel von Clemens Janetschek, geschrieben nach Mendels Tod, in: Hugo Iltis, *Gregor Johann Mendel: Leben, Werk und Wirkung*, Berlin, Heidelberg 1924, S. 197; siehe auch Edward Edelson, *Gregor Mendel and the Roots of Genetics*, New York 1999, S. 75.

92 Zit. nach Jiri Sekerak, »Gregor Mendel and the scientific milieu of his discovery«, in: Michal Kokowski (Hg.), *The Global and the Local: The History of Science and the Cultural Integration of Europe, Proceedings of the 2nd ICESHS*, Cracow, Poland, 6–9 September, 2006, S. 242.

93 Hugo de Vries, *Intracellulare Pangenesis*, Jena 1889, S. 9.

94 Robin Marantz Henig, *Der Mönch im Garten*, Berlin 2001, S. 83 f.

95 Gregor Mendel, »Versuche über Pflanzen-Hybriden«, *Verhandlungen des naturforschenden Vereins zu Brünn*, 4 (1866), S. 6.

96 Mehrere Vorläufer Mendels hatten Pflanzenhybriden ebenso eingehend erforscht, abgesehen vielleicht von der Tatsache, dass sie sich nicht so leidenschaftlich in Zahlen und Statistiken gestürzt hatten wie er. In den 1820er Jahren hatten englische Botaniker wie T. A. Knight, John Goss, Alexander Seton und William Herbert – in dem Bestreben, widerstandsfähigere Kulturpflanzen zu züchten – Experimente mit Pflanzenhybriden durchgeführt, die Mendels Versuchen erstaunlich ähnlich waren. Dasselbe galt für Augustine Sagerets Arbeit mit Melonenhybriden in Frankreich. Unmittelbar vor Mendel hatte der deutsche Botaniker Josef Kölreuter die intensivsten Forschungen über Pflanzenhybriden an *Nicotiana*-Züchtungen durchgeführt, gefolgt von Karl von Gärtner und Charles Naudin in Paris. Tatsächlich hatte Darwin Sagerets und Naudins Studien gelesen, die beide auf die teilchenförmige Beschaffenheit der Erbinformation hindeuteten, aber ihre Bedeutung war ihm wohl entgangen.

97 Mendel, »Versuche über Pflanzen-Hybriden«, S. 4.

98 Henig, *Der Mönch im Garten*, S. 111–125.

99 Ludwig Wittgenstein, *Vermischte Bemerkungen: eine Auswahl aus dem Nachlass*, Frankfurt a. M., 1977, S. 98.

100 Gregor Mendel an Carl Nägeli, 18. April 1867, Carl Correns und Ralph Stephan (Hg.), *Gregor Mendels Briefe an C. Nägeli 1866–1873*, Norderstedt 2008, S. 33.

101 G. Mendel, »Versuche über Pflanzen-Hybriden«, S. 10 f.

102 Ebd., S. 12–15; siehe auch Henig, *Der Mönch im Garten*, S. 172 f.

103 G. Mendel, »Versuche über Pflanzen-Hybriden«, S. 4.

104 Henig, *Der Mönch im Garten*, Kap. 11, S. 178–200.

105 David Galton, »Did Darwin read Mendel?«, *QJM: An International Journal of Medicine*, 102/8 (2009), S. 587 ff.

106 Leslie Clarence Dunn, *A Short History of Genetics: The Development of Some of the Main Lines of Thought, 1864–1939*, Ames, Iowa, 1991, S. 15.

107 C. Correns und R. Stephan (Hg.), *Gregor Mendels Briefe an C. Nägeli*, S. 9–21, Zitat S. 21.

108 Ebd., S. 17. Siehe auch Allan Franklin u. a. (Hg.), *Ending the Mendel-Fisher Controversy*, Pittsburgh, PA, 2008, S. 182.

109 G. Mendel an C. Nägeli, 18. November 1867, ebd., S. 85–94.

110 Ebd., S. 85.

111 Henig, *Der Mönch im Garten*, S. 227.

112   Aus einem Gedicht über Mendel von Clemens Janetschek, in: Hugo Iltis, *Gregor Johann Mendel*, S. 197.

113   Alle drei Zitate sind entnommen aus: Lucius Moody Bristol, *Social Adaptation: a Study in the Development of the Doctrine of Adaptation as a Theory of Social Progress*, Cambridge, MA, 1915, S. 70.

114   Peter W. van der Pas, »The correspondence of Hugo de Vries and Charles Darwin«, *Janus*, 57 (1970), S. 173–213.

115   Mathias Engan, *Multiple Precision Integer Arithmetic and Public Key Encryption*, M. Engan 2009, S. 16 f.

116   Charles Darwin, *Das Variieren der Thiere und Pflanzen im Zustande der Domestication*, Bd. 1, Stuttgart 1868, S. 5.

117   »Charles Darwin«, Famous Scientists, http://www.famousscientists.org/charles-darwin/

118   August Weismann, »Über die Hypothese einer Vererbung von Verletzungen«, in: ders., *Aufsätze über Vererbung und verwandte biologische Fragen*, Jena 1892, S. 505–546. Siehe auch James Schwartz, *In Pursuit of the Gene: From Darwin to DNA*, Cambridge, MA, 2008, »Pangenesis«.

119   August Weismann, *Das Keimplasma. Eine Theorie der Vererbung*, Jena 1892.

120   Hugo de Vries, »Onderzoekingen over variabiliteit en erfelijkheit: Erfelijke Monstrositeiten in den ruilhandel der botanische tuinen«, in: ders., *Opera e periodicis collata*, Bd. 6, Utrecht 1920, S. 1–29; siehe auch J. Schwartz, *In Pursuit of the Gene*, S. 83.

121   Hugo de Vries, *Intracellulare Pangenesis*, Jena 1889, Abschnitt IV; siehe auch Ida H. Stamhuis, Onno G. Meijer und Erik J. A. Zevenhuizen, »Hugo de Vries on heredity, 1889–1903: Statistics, Mendelian laws, pangenes, mutations«, *Isis*, 90 (1999), S. 238–267.

122   Iris Sandler und Laurence Sandler, »A conceptual ambiguity that contributed to the neglect of Mendel's paper«, *History and Philosophy of the Life Sciences*, 7/1 (1985), S. 9.

123   Edward J. Larson, *Evolution: The Remarkable History of a Scientific Theory*, New York 2004, S. 160.

124   Hans-Jörg Rheinberger, »Carl Correns und die Mendelsche Vererbung in Deutschland zwischen 1900–1910«, in: Astrid Schürmann, Burkhard Weiss und Hans-Werner Schütt (Hg.), *Chemie – Kultur – Geschichte: Festschrift für Hans-Werner Schütt anlässlich seines 65. Geburtstages*, Berlin 2002, S. 169–181.

125   Carl Correns, »G. Mendels Regel über das Verhalten der Nachkommenschaft der Rassenbastarde«, in: ders., *Gesammelte Abhandlungen zur Vererbungswissenschaft aus periodischen Schriften 1899–1924*, Berlin, Heidelberg 1924, S. 9–18, hier S. 9. Siehe auch Url Lanham, *Origins of Modern Biology*, New York 1968;

dt.: *Epochen der Biologie: die Geschichte einer modernen Wissenschaft*, München 1972, S. 183.

126 Correns, »G. Mendels Regel über das Verhalten der Nachkommenschaft der Rassenbastarde«, S. 10.

127 J. Schwartz, *In Pursuit of the Gene*, S. 111.

128 Hugo de Vries, *Die Mutationstheorie*, 2 Bde., Leipzig 1901–1903.

129 John Williams Malone, *It Doesn't Take a Rocket Scientist: Great Amateurs of Science*, Hoboken, NJ, 2002, S. 23.

130 J. Schwartz, *In Pursuit of the Gene*, S. 112.

131 Nicholas W. Gillham, »Sir Francis Galton and the birth of Eugenics«, *Annual Review of Genetics*, 35/1 (2001), S. 83–101.

132 Andere Wissenschaftler wie Reginald Punnett und Lucien Cuenot lieferten entscheidende experimentelle Bestätigungen der Mendel'schen Regeln. Punnett schrieb 1905 das Werk *Mendelism*, das als erstes Lehrbuch der modernen Genetik gilt.

133 Alan Cook und Donald R. Forsdyke, *Treasure Your Exceptions: The Science and Life of William Bateson*, Dordrecht 2008, S. 186.

134 Ebd., »Mendel's Bulldog (1902–1906)«, S. 221–264.

135 William Bateson, »Problems of heredity as a subject for horticultural investigation«, *Journal of the Royal Horticultural Society*, 25 (1900–1901), S. 54.

136 William Bateson und Beatrice (Durham) Bateson, *William Bateson, F.R.S., Naturalist: His Essays and Addresses, Together with a Short Account of His Life*, Cambridge 1928, S. 93.

137 J. Schwartz, *In Pursuit of the Gene*, S. 221.

138 W. und B. Bateson, *William Bateson, F.R.S.*, S. 456.

139 Herbert Eugene Walter, *Genetics: An Introduction to the Study of Heredity*, New York 1938, S. 4.

140 G. K. Chesterton, *Eugenik und andere Übel*, Berlin 2014, S. 81 f.

141 Francis Galton, *Inquiries into Human Faculty and Its Development*, London 1883.

142 Roswell H. Johnson, »Eugenics and So-Called Eugenics«, *American Journal of Sociology*, 20/1 (Juli 1914), S. 98–103; http://www.jstor.org/stable/2762976

143 Ebd., S. 99.

144 F. Galton, *Inquiries into Human Faculty and Its Development*, S. 44.

145 Dean Keith Simonton, *Origins of Genius: Darwinian Perspectives on Creativity*, New York 1999, S. 110.

146 Nicholas W. Gillham, *A Life of Sir Francis Galton: From African Exploration to the Birth of Eugenics*, New York 2001, S. 32 f.

147 Niall Ferguson, *Der Westen und der Rest der Welt*, Berlin 2011, S. 267.

148 F. Galton an Charles Darwin, 9. Dezember 1859, https://www.darwinproject. ac.uk/, Brief-Nr.: DCP-LETT-2573.

149 Daniel J. Fairbanks, *Relics of Eden: The Powerful Evidence of Evolution in Human DNA*, Amherst, NY, 2007, S. 219.

150 Adolphe Quetelet, *Über den Menschen und die Entwicklung seiner Fähigkeiten oder Versuch einer Physik der Gesellschaft*, Stuttgart 1838, S. 1.

151 Jerald Wallulis, *The New Insecurity: The End of the Standard Job and Family*, Albany 1998, S. 41.

152 Karl Pearson, *The Life, Letters and Labours of Francis Galton*, Cambridge 1914, S. 340.

153 Sam Goldstein, Jack A. Naglieri und Dana Princiotta, *Handbook of Intelligence: Evolutionary Theory, Historical Perspective, and Current Concepts*, New York 2015, S. 100.

154 Nicholas W. Gillham, *A Life of Sir Francis Galton*, S. 156.

155 Francis Galton, *Hereditary Genius*, London 1869; dt.: *Genie und Vererbung*, Leipzig 1910.

156 Charles Darwin, *More Letters of Charles Darwin*, Bd. 2, London 1903, S. 41.

157 John Simmons, *The Scientific 100: A Ranking of the Most Influential Scientists, Past and Present*, Secaucus, NJ, 1996, S. 441.

158 J. Schwartz, *In Pursuit of the Gene*, S. 61.

159 Ebd., S. 131.

160 N.W. Gillham, *A Life of Sir Francis Galton*, S. 303–323.

161 Karl Pearson, *Walter Frank Raphael Weldon, 1860–1906*, Cambridge 1906, S. 48 f.

162 J. Schwartz, *In Pursuit of the Gene*, S. 143.

163 William Bateson, *Mendel's Principles of Heredity: A Defence*, Cambridge 1902, S. V, 208 und IX.

164 Johan Henrik Wanscher, »The history of Wilhelm Johannsen's genetical terms and concepts from the period 1903 to 1926«, *Centaurus*, 19/2 (1975), S. 125–147.

165 Wilhelm Johannsen, »The genotype conception of heredity«, *International Journal of Epidemiology*, 13/4 (2014), S. 989–1000.

166 Wilhelm Johannsen, *Elemente der exakten Erblichkeitslehre*, Jena 1909, S. 124.

167 Arthur W. Gilbert, »The science of genetics«, *Journal of Heredity*, 5/6 (1914), S. 235–244; http://archive.org/stream/journalofheredit05amer/journalofhered 05amer_djvu.txt

168 Daniel J. Kevles, *In the Name of Eugenics: Genetics and the Uses of Human Heredity*, New York 1985, S. 3.

169 Francis Galton, »Eugenics: Its Definition, Scope, and Aims«, *American Journal of Sociology*, 10/1 (1904), S. 1–25.

170 Francis Galton, *Hereditary Genius: An Inquiry into its Laws and Consequences*, London 1869; dt.: *Genie und Vererbung*, Leipzig 1910.

171 *Problems in Eugenics: First International Eugenics Congress, 1912*, New York 1984, S. 483.

172 Paul B. Rich, *Race and Empire in British Politics*, Cambridge 1986, S. 234.

173 *Papers and Proceedings – First Annual Meeting – American Sociological Society*, Bd. 1, Chicago 1906, S. 128.

174 F. Galton, »Eugenics: Its Definition, Scope, and Aims«, *American Journal of Sociology*, 10/1 (1904), S. 1–25.

175 Andrew Norman, *Charles Darwin: Destroyer of Myths*, Barnsley, South Yorkshire, 2013, S. 242.

176 Kommentare von Maudsley zu Galtons »Eugenics«, doi: 10.1017/ s0364009400001161.

177 Ebd., S. 7.

178 Ebd., Kommentare von H. G. Wells; siehe auch H. G. Wells, *The War of the Worlds*, hg. von Patrick Parrinder, London 2006; dt.: *Krieg der Welten*, Zürich 2005.

179 George Eliot, *The Mill on the Floss*, New York 1960; dt.: *Die Mühle am Floß*, Paderborn 2013, S. 20.

180 Thomas Hobbes, *Leviathan*, Lanham 2013; dt.: *Leviathan*, Hamburg 1996, S. 105.

181 Lucy Bland und Laura L. Doan, *Sexology uncensored: The Documents of Sexual Science*, Chicago 1998, »The Problem of Race-Regeneration: Havelock Ellis (1911)«, S. 139 ff.

182 R. Pearl, »The First International Eugenics Congress«, *Science*, 36/926 (1912), S. 395 f., doi: 10.1126/science.36.926.395.

183 Charles Davenport, *Heredity in Relation to Eugenics*, New York 1911.

184 First International Eugenics Congress, *Problems in Eugenics*, 1912; Repr. London 2013, S. 464 f.

185 Ebd., S. 469.

186 Theodosius Grigorievich Dobzhansky, *Heredity and the Nature of Man*, New York 1966; dt.: *Vererbung und Menschenbild*, München 1966, S. 181 f.

187 Aristoteles, *Naturgeschichte der Thiere*, Bd. 3 (Buch 6–8), Buch 7,6, Stuttgart 1866, S. 108.

188 Viele Details über die Familiengeschichte der Bucks sind entnommen aus: J. David Smith, *The Sterilization of Carrie Buck*, Liberty Corner, NJ, 1989.

189 Viele Angaben dieses Kapitels stützen sich auf: Paul Lombardo, *Three Generations, No Imbeciles: Eugenics, the Supreme Court, and Buck v. Bell*, Baltimore 2008.

190 »*Buck v. Bell*«, Law Library, American Law and Legal Information, http://law. jrank.org/pages/2888/Buck-v-Bell-1927.html

191 *Mental Defectives and Epileptics in State Institutions: Admissions, Discharges, and Patient Population for State Institutions for Mental Defectives and Epileptics*, Bd. 3, Washington, DC, 1937.

192 »Carrie Buck Committed (January 23, 1924)«, *Encyclopedia Virginia*, http://www.encyclopediavirginia.org/Carrie_Buck_Committed_January_23_1924

193 Ebd.

194 Stephen Murdoch, *IQ: A Smart History of a Failed Idea*, Hoboken, NJ, 2007, S. 107.

195 Ebd., »Chapter 8: From Segregation to Sterilization«.

196 »Period during which sterilization occured«, Virginia Eugenics, DOI: www. uvm.edu/~lkaelber/eugenics/VA/VA.html

197 P. Lombardo, *Three Generations*, S. 107.

198 Madison Grant, *The Passing of the Great* Race, New York 1916; auch dt.: D*er Untergang der großen Rasse*, München 1925.

199 Carl Campbell Brigham und Robert M. Yerkes, *A Study of American Intelligence*, Princeton, NJ, 1923, Vorwort.

200 Alan G. Cock und Donald R. Forsdyke, *Treasure Your Exceptions: The Science and Life of William Bateson*, New York 2008, S. 437 f., Fn. 3.

201 Edgar Rice Burroughs, *Tarzan of the Apes*, 1912; dt.: »Tarzan bei den Affen«, in: *Tarzan*, München 2012, S. 134.

202 Jerry Menikoff, *Law and Bioethics: An Introduction*, Washington, DC, 2001, S. 41.

203 Ebd.

204 *Public Welfare in Indiana*, 68–75 (1907), S. 50. Bereits 1907 wurde in Indiana ein Gesetz verabschiedet und vom Gouverneur des Bundesstaates unterzeichnet, das eine Zwangssterilisation von »nachweislichen Kriminellen, Idioten, Schwachsinnigen und Vergewaltigern« ermöglichte. Es wurde zwar letztlich als verfassungswidrig eingestuft, gilt aber weithin als die weltweit erste gesetzliche Regelung zur eugenischen Sterilisation. Nach der 1927 geänderten Fassung dieses Gesetzes wurden bis zu seiner Aufhebung 1974 über 2300 der schutzlosesten Personen in diesem Bundesstaat zwangssterilisiert. Zudem schuf Indiana ein staatlich finanziertes Committee on Mental Defectives, das in über zwanzig Bezirken eugenische Familienstudien durchführte und mit einer Bewegung für »bessere Babys« eine wissenschaftlich fundierte Mutterschaft und Kinderhygiene aktiv als Wege zu einer Verbesserung der Menschheit förderte; siehe http://www.iupui.edu/~eugenics/

205 Laura L. Lovett, »Fitter Families for Future Firesides: Florence Sherbon and Popular Eugenics«, *Public Historian*, 29/3 (2007), S. 68–85.

206 Charles Davenport an Mary T. Watts, 17. Juni 1922, Charles Davenport Papers, American Philosophical Society Archives, Philadelphia, PA. Siehe auch Mary Watts, »Fitter Families for Future Firesides«, *Billboard*, 35/50 (15. Dezember 1923), S. 230 f.

207 Martin S. Pernick und Diane B. Paul, *The Black Stork: Eugenics and the Death of »Defective« Babies in American Medicine and Motion Pictures since 1915*, New York 1996.

Teil 2: »In der Summe der Teile gibt es nur die Teile«

1 Wallace Stevens, »On the Road Home«, in: *The Collected Poems of Wallace Stevens*, New York 2011; dt.: »Auf der Straße nach Hause« in: ders., *Teile einer Welt*, Salzburg 2014.

2 Thomas Hardy, »Heredity«, in: *The Collected Poems of Thomas Hardy*, Ware, Hertfordshire, 2002, S. 204 f.

3 William Bateson, »Facts limiting the theory of heredity«, *Proceedings of the Seventh International Congress of Zoology*, Bd. 7, Cambridge 1912.

4 J. Schwartz, *In Pursuit of the Gene*, S. 174.

5 Arthur Kornberg im Interview mit dem Autor, 1993.

6 Thomas Hunt Morgan, »Review: Mendelism up to date«, *Journal of Heredity*, 7/1 (1916), S. 17–23.

7 David Ellyard, *Who Discovered What When*, French Forest, New South Wales, 2005, »Walter Sutton and Theodore Boveri: Where Are the Genes?«

8 Stephen G. Brush, »Nettie M. Stevens and the Discovery of Sex Determination by Chromosome«, *Isis*, 69/2 (1978), S. 162–172.

9 Ronald William Clark, *The Survival of Charles Darwin: A Biography of a Man and an Idea*, New York 1984, S. 279; dt.: *Charles Darwin: Biographie eines Mannes und einer Idee*, Frankfurt a. M. 1990, S. 313 f.

10 Russ Hodge, *Genetic Engineering: Manipulating the Mechanisms of Life*, New York 2009, S. 42.

11 Thomas Hunt Morgan, *The Mechanisms of Mendelian Heredity*, New York 1915, Kapitel 3: »Linkage«.

12 Es war ein außerordentlicher Glücksfall, dass Morgan für seine Experimente Fruchtfliegen verwendete, die ungewöhnlich wenige Chromosomen haben: lediglich vier. Bei mehr Chromosomen hätte sich die Genkopplung wohl schwerer nachweisen lassen.

13 Thomas Hunt Morgan, »The Relation of Genetics to Physiology and Medicine«, Nobelvorlesung (4. Juni 1934), in: *Nobel Lectures, Physiology and Medicine, 1922–1941*, Amsterdam 1965, S. 315.

14 Daniel L. Hartl und Elizabeth W. Jones, *Essential Genetics: A Genomics Perspective*, Boston 2002, S. 96 f.

15 Helen Rappaport, *Queen Victoria: A Biographical Companion*, Santa Barbara, CA, 2003, »Hemophilia«.

16 Andrew Cook, *To Kill Rasputin: The Life and Death of Grigori Rasputin*, Stroud, Gloucestershire, 2005, »The End of the Road«.

17 »Alexei Romanov«, *History of Russia*, http://historyofrussia.org/alexei-romanov/

18 »DNA Testing Ends Mystery Surrounding Czar Nicholas II Children«, *Los Angeles Times*, 11. März 2009.

19 William Butler Yeats, *Easter 1916*, London 1916; dt.: »Ostern 1916« in: *Die Gedichte*, München 2005, S. 204.

20 Eric C. R. Reeve und Isobel Black, *Encyclopedia of Genetics*, London 2001, »Darwin and Mendel United: The Contributions of Fisher, Haldane and Wright up to 1932«.

21 Ronald A. Fisher, »The Correlation between Relatives on the Supposition of Mendelian Inheritance«, *Transactions of the Royal Society of Edinburgh*, 52 (1918), S. 399–433.

22 Hugo de Vries, *Die Mutationstheorie*, 2 Bde., Leipzig 1901–1903.

23 Robert E. Kohler, *Lords of the Fly:* Drosophila *Genetics and the Experimental Life*, Chicago 1994, »From Laboratory to Field: Evolutionary Genetics«.

24 Theodosius Dobzhansky, »Genetics of natural populations IX. Temporal changes in the composition of populations of *Drosophila pseudoobscura*«, *Genetics*, 28/2 (1943), S. 162.

25 Zu Einzelheiten seiner Experimente siehe Theodosius Dobzhansky, »Genetics of natural populations XIV. A response of certain gene arrangements in the third chromosome of *Drosophila pseudoobscura* to natural selection«, *Genetics*, 32/2 (1947), S. 142; sowie S. Wright und T. Dobzhansky, »Genetics of natural populations; experimental reproduction of some of the changes caused by natural selection in certain populations of *Drosophila pseudoobscura*«, *Genetics*, 31 (März 1946), S. 125–156. Siehe auch T. Dobzhansky, »Studies on Hybrid Sterility. II. Localization of Sterility Factors on Drosophila Pseudoobscura Hybrids«, *Genetics*, 21 (1936), S. 113–135.

26 Herman J. Muller, »The call of biology«, *AIBS Bulletin*, 3/4 (1953), Exemplar mit handschriftlichen Anmerkungen, http://libgallery.cshl.edu/items/show/96089

27 Trofim Lyssenko, »Über die zwei Richtungen in der Genetik«, in: ders., *Agrobiologie*, Berlin 1951, S. 160–195, hier S. 187. Siehe auch Peter Pringle, *The Murder of Nikolai Vavilov: The Story of Stalin's Persecution of One of the Great Scientists of the Twentieth Century*, New York 2008, S. 209.

28 Ernst Mayr und William B. Provine, *The Evolutionary Synthesis: Perspectives*

on the *Unification of Biology*, Cambridge, MA, 1980. Auch Sewall Wright, J.B.S. Haldane und andere Biologen haben zur »Großen Synthese« einen Beitrag geleistet; eine Nennung aller Wissenschaftler ginge über den Rahmen dieses Buches hinaus.

29 William K. Purves u.a., *Life, the Science of Biology*, Sunderland, MA, 2001, S. 214 f.; dt.: *Biologie*, München 2006, S. 256.

30 Werner Karl Maas, *Gene Action: A Historical Account*, Oxford 2001, S. 59 f.

31 Alvin Coburn an Joshua Lederberg, 19. November 1965, Rockefeller Archives, Sleepy Hollow, NY, http://www.rockarch.org/

32 Fred Griffith, »The significance of pneumococcal types«, *Journal of Hygiene*, 27/2 (1928), S. 113–159.

33 »Hermann J. Muller – biographical«, http://www.nobelprize.org/nobel_prizes/medicine/laureates/1946/muller-bio.html

34 Hermann J. Muller, »Artificial transmutation of the gene«, *Science*, 22 (1927), S. 84–87.

35 James F. Crow und Seymour Abrahamson, »Seventy years ago: Mutation becomes experimental«, *Genetics*, 147/4 (1997), S. 1491.

36 Jack B. Bresler, *Genetics and Society*, Reading, MA, 1973, S. 15.

37 Hermann J. Muller, »The measurement of gene mutation rate in *Drosophila*, its high variability and its dependance upon temperature«, *Genetics*, 13 (1928), S. 279–357.

38 Daniel J. Kevles, *In the Name of Eugenics*, New York 1985, S. 251–268.

39 Sam Kean, *The Violinist's Thumb: And Other Lost Tales of Love, War, and Genius, as Written by Our Genetic Code*, Boston 2012, S. 33; dt.: *Doppelhelix hält besser: Erstaunliches aus der Welt der Genetik*, Hamburg 2013, S. 53.

40 William DeJong-Lambert, *The Cold War Politics of Genetic Research: An Introduction to the Lysenko-Affair*, Dordrecht 2012, S. 30.

41 Mark Twain, »Berliner Eindrücke«, in: *Unterwegs und Daheim*, Bremen 2012, S. 64.

42 Adolf Hitler, *Mein Kampf*, München o.J., S. 447.

43 Robert Jay Lifton, *The Nazi Doctors: Medical Killing and the Psychology of Genocide*, New York 2000; dt.: *Ärzte im Dritten Reich*, Stuttgart 1988, S. 419.

44 Siehe Susan Bachrach, »In the name of public health – Nazi racial hygiene«, *New England Journal of Medicine*, 351 (2004), S. 417 ff., Abb. 2.

45 Erwin Baur, Eugen Fischer und Fritz Lenz, *Menschliche Auslese und Rassenhygiene*, Bd. 2, München 1932, S. 417. Diese Wendung benutzte auch Hitlers Stellvertreter Rudolf Hess, geprägt wurde sie jedoch von Fritz Lenz in seiner Rezension zu Hitlers, *Mein Kampf*. F. Lenz, »Die Stellung des Nationalsozialismus zur Rassenhygiene«, *Archiv für Rassen- und Gesellschaftsbiologie*, 25 (1931), S. 300–308.

46 Alfred Ploetz, *Grundlinien einer Rassenhygiene*, Berlin 1895; siehe auch Sheila Faith Weiss, »The race hygiene movement in Germany«, *Osiris*, 3 (1987), S. 193–236.

47 Heinrich Poll, »Über Vererbung beim Menschen«, *Die Grenzboten*, 73 (1914), S. 308, zit. nach Hendrik van den Bussche und Angelika Bottin, *Medizinische Wissenschaft im »Dritten Reich«: Kontinuität, Anpassung und Opposition an der Hamburger Medizinischen Fakultät*, Berlin 1989, S. 209.

48 Robert Wald Sussman, *The Myth of Race: The Troubling Persistence of an Unscientific Idea*, Cambridge, MA, 2014, »Funding of the Nazis by American Institutes and Business«, S. 138.

49 Harald Koenig, Dana King und Verna B. Carson, *Handbook of Religion and Health*, Oxford 2012, S. 294.

50 Zum Gesetzestext siehe: http://www.1000dokumente.de/index.html?c=doku ment_de&dokument=0136_ebn&object=translation&st=&l=de; siehe auch US Chief Counsel for the Prosecution of Axis Criminality, *Nazi Conspiracy and Aggression*, Bd. 5, Washington, D. C., 1946, Dok. 3067–PS, S. 880–883.

51 *Das Erbe*: »Nazi Propaganda: Racial Science«, USHMM Collections Search, http://collections.ushmm.org/search/catalog/fv3857. *Erbkrank*: »1936 – Rassenpolitisches Amt der NSDAP – Erbkrank«, Internet Archive, https://archive. org/details/1936-Rassenpolitisches-Amt-der-NSDAP-Erbkrank

52 *Olympia*, Regie: Leni Riefenstahl, 1936.

53 Zum Gesetzestext siehe http://alex.onb.ac.at/cgi-content/anno-plus?apm= 0&aid=dra&datum=19330004&seite=00000995&zoom=2

54 Zu den Gesetzestexten siehe http://alex.onb.ac.at/cgi-content/alex?aid=dra& datum=1935&page=1288&size=45 sowie http://alex.onb.ac.at/cgi-content/ alex?aid=dra&datum=1935&page=1388&size=45

55 »Forced sterilization«, US Holocaust Memorial Museum, http://www.ushmm. org/learn/students/learning-materials-and-resources/mentally-and-physi cally-handicapped-victims-of-the-nazi-era/forced-sterilization

56 Christopher R. Browning und Jürgen Matthäus, *The Origins of the Final Solution: The Evolution of Nazi Jewish Policy, September 1939 – March 1942*, Lincoln, NE, 2004, »Killing the Handicapped«; dt.: *Die Entfesselung der »Endlösung«: nationalsozialistische Judenpolitik 1939 – 1942*, Berlin 2006, »Die Ermordung der Behinderten«, S. 272–286, hier S. 274. Siehe auch Udo Benzenhöfer, *Der Fall Leipzig (alias Fall »Kind Knauer«) und die Planung der NS-»Kindereuthanasie«*, Münster 2008.

57 Ulf Schmidt, *Karl Brandt: The Nazi Doctor, Medicine, and Power in the Third Reich*, London 2007; dt.: *Hitlers Arzt Karl Brandt: Medizin und Macht im Dritten Reich*, Berlin 2009.

58 Götz Aly, »Medizin gegen Unbrauchbare«, in: *Beiträge zur nationalsozialisti-*

schen Gesundheits- und Sozialpolitik, Bd. 1, *Aussonderung und Tod: die klinische Hinrichtung der Unbrauchbaren*, Berlin 1985, S. 9–74.

59 Andreas Hechler, »Diagnosen von Gewicht: innerfamiliäre Folgen der Ermordung meiner als ›lebensunwert‹ diagnostizierten Großmutter«, in: Cora Schmechel, Fabian Dion, Kevin Dudek und Mäks Roßmüller (Hg.), *Gegendiagnose: Beiträge zur radikalen Kritik an Psychologie und Psychiatrie*, Münster 2015, S. 143–193.

60 Roderick Stackelberg, *The Routledge Companion to Nazi Germany*, New York 2007, S. 303.

61 Hannah Arendt, *Eichmann in Jerusalem: a Report on the Banality of Evil*, New York 1963; dt.: *Eichmann in Jerusalem: Ein Bericht von der Banalität des Bösen*, München 1964.

62 Otmar von Verschuer, »Rassenbiologie der Juden«, *Forschungen zur Judenfrage*, Bd. 3, Hamburg 1938, S. 137–151, hier S. 147 f.

63 Ebd., S. 148.

64 Zit. nach http://martin-niemoeller-stiftung.de/martin-niemoeller/als-sie-die-kommunisten-holten.

65 Jacob Darwin Hamblin, *Science in the Early Twentieth Century: An Encyclopedia*, Santa Barbara, CA, 2005, S. 188 f. Zum Zitat siehe: David Joravsky, *The Lysenko Affair*, Chicago 2010, S. 59. Siehe auch Zhores A. Medvedev, *The Rise and Fall of T.D. Lysenko*, S. 11–16; dt.: *Der Fall Lyssenko. Eine Wissenschaft kapituliert*, Hamburg 1971.

66 Trofim D. Lyssenko, *Agrobiologie. Arbeiten über Fragen der Genetik, der Züchtung und des Samenbaus*, Berlin 1951, S. 505 und 187.

67 »Trofim Denisovich Lysenko«, *Encyclopaedia Britannica Online*, http://www.britannica.com/biography/Trofim-Denisovich-Lysenko

68 Peter Pringle, *The Murder of Nikolai Vavilov: The Story of Stalin's Persecution of One of the Great Scientists of the Twentieth Century*, New York 2008. Einige Kollegen Wawilows wurden ebenfalls verhaftet, darunter Karpetschenko, Goworow, Lewitzky, Kowaljow und Flayksberger. Lyssenkos Einfluss säuberte praktisch die gesamte akademische Welt der Sowjetunion von Genetikern. Die Biologie verkümmerte in der Sowjetunion über Jahrzehnte hinweg.

69 James Tabery, *Beyond Versus: The Struggle to Understand the Interaction of Nature and Nurture*, Cambridge, MA, 2014, S. 2.

70 Hans-Walter Schmuhl, *Grenzüberschreitungen: das Kaiser-Wilhelm-Institut für Anthropologie, menschliche Erblehre und Eugenik 1927–1945*, Göttingen 2005, S. 258–263.

71 Zum Umfang von Mengeles Zwillingsversuchen siehe Gerald L. Posner und John Ware, *Mengele: The Complete Story*, New York 1986; dt.: *Mengele: die Jagd auf den Todesengel*, Berlin 1993.

72 Robert Jay Lifton, *Ärzte im Dritten Reich*, Stuttgart 1988, S. 409.

73 Wolfgang Benz, *Geschichte des Dritten Reiches*, München 2000, S. 28 und 137.

74 George Orwell, *In Front of Your Nose, 1946–1950*, hg. von Sonia Orwell und Ian Angus, Boston 2000, S. 11.

75 Erwin Schrödinger, *What is Life? The Physical Aspect of the Living Cell*, Cambridge 1945; dt.: *Was ist Leben?: die lebende Zelle mit den Augen des Physikers betrachtet*, Bern 1946.

76 Robert A. Heinlein, *Time Enough for Love*, New York 1973; dt.: *Die Leben des Lazarus Long*, Bergisch-Gladbach 2002, S. 380.

77 »The Oswald T. Avery Collection: Biographical information«, National Institutes of Health, http://profiles.nlm.nih.gov/ps/retrieve/Narrative/CC/p-nid/35

78 Robert C. Olby, *The Path to the Double Helix:The Discovery of DNA*, New York 1994, S. 107.

79 George P. Sakalosky, *Notio Nova:A New Idea*, Pittsburgh, PA, 2014, S. 58.

80 R. C. Olby, *The Path to the Double Helix*, S. 89.

81 Garland Allen und Roy M. MacLeod (Hg.), *Science, History and Social Activism:A Tribute to Everett Mendelsohn*, Bd. 228, Dordrecht 2013, S. 92.

82 R. C. Olby, *The Path to the Double Helix*, S. 107.

83 Richard Preston, *Panic in Level 4: Cannibals, KillerViruses, and Other Journeys to the Edge of Science*, New York 2009, S. 96.

84 Brief von Oswald T. Avery an Roy Avery, 26. Mai 1943, Oswald T Avery papers, Tennessee State Library and Archives (Hervorhebung von Avery).

85 Maclyn McCarty, *The Transforming Principle: Discovering That Genes Are Made of DNA*, New York 1985, S. 159.

86 Jeff Lyon und Peter Gorner, *Altered Fates: Gene Therapy and the Retooling of Human Life*, New York 1996, S. 42.

87 Oswald T. Avery, Colin M. MacLeod und Maclyn McCarty, »Studies on the chemical nature of the substance inducing transformation of pneumococcal types: Induction of transformation by a deoxyribonucleic acid fraction isolated from pneumococcus type III«, *Journal of Experimental Medicine*, 79/2 (1944), S. 137–158.

88 US Holocaust Memorial Museum, »Introduction to the Holocaust«, *Holocaust Encyclopedia*, http://www.ushmm.org/wlc/en/article.php?ModuleId=10005143

89 Ebd.

90 Steven A. Faber, »U.S. scientists' role in the eugenics movement (1907–1939): A contemporary biologist's perspective«, *Zebrafish*, 5/4 (2008), S. 243 ff.

91 James D. Watson, *The Double Helix:A Personal Account of the Discovery of the Structure of DNA*, London 1981, S. 13; dt.: *Die Doppel-Helix: ein persönlicher Bericht über die Entdeckung der DNS-Struktur*, Reinbek 1973, S. 37.

92 Francis Crick, *What Mad Pursuit: A Personal View of Scientific Discovery*, New York 1988, S. 67; dt.: *Ein irres Unternehmen. Die Doppelhelix und das Abenteuer Molekularbiologie*, München 1988, S. 98.

93 Donald W. Braben, *Pioneering Research: A Risk Worth Taking*, Hoboken, NJ, 2004, S. 85.

94 Siehe http://www.nobelprize.org/nomination/archive/show_people.php?id =574

95 Maurice Wilkins, *Maurice Wilkins: The Third Man of the Double Helix: An Autobiography*, Oxford 2003.

96 Richard Reeves, *A Force of Nature: The Frontier Genius of Ernest Rutherford*, New York 2008.

97 Martha Marquardt, *Paul Ehrlich*, Berlin, Göttingen 1951, S. 10.

98 Maurice Wilkins, Korrespondenz mit Raymond Gosling über die Anfänge der DNA-Forschung am King's College, 1976, Maurice Wilkins Papers, King's College London Archives.

99 Brief vom 12. Juni 1985, Bemerkungen zu Rosalind Franklin, Maurice Wilkins Papers, Nr. ad92d68f-4071–4415–8df2-dcfe041171fd.

100 Daniel M. Fox, Marcia Meldrum und Ira Rezak, *Nobel Laureates in Medicine of Physiology: A Biographical Dictionary*, New York 1990, S. 575.

101 James D. Watson, *The Annotated and Illustrated Double Helix*, hg. von Alexander Gann und J. A. Witkowski, New York 2012, Brief an Crick, S. 151.

102 Brenda Maddox, *Rosalind Franklin: The Dark Lady of DNA*, New York 2002; dt.: *Rosalind Franklin: die Entdeckung der DNA oder der Kampf einer Frau um wissenschaftliche Anerkennung*, Frankfurt a. M. 2003, S. 145.

103 Watson, *Annotated and Illustrated Double Helix*, Brief von Rosalind Franklin an Anne Sayre, 1. März 1952, S. 67.

104 Crick glaubte nie, dass Franklin sich von Sexismus beeindrucken ließ. Anders als Watson, der schließlich eine großzügige Schilderung über Franklins Schaffen schrieb und darin die Widrigkeiten ins Licht rückte, mit denen sie als Wissenschaftlerin zu kämpfen hatte, vertrat Crick, Franklin habe sich von der Atmosphäre am King's College nicht einschüchtern lassen. Franklin und Crick wurden Ende der 1950er Jahre gute Freunde; Crick und seine Frau halfen Franklin während ihrer langwierigen Erkrankung und in den Monaten vor ihrem allzu frühen Tod. Cricks Zuneigung zu Franklin wird in seinem Buch deutlich, siehe Crick, *Ein irres Unternehmen*, S. 98 ff.

105 »100 years ago: Marie Curie wins 2nd Nobel Prize«, *Scientific American*, 28. Oktober 2011, http://www.scientificamerican.com/article/curie-marie-sklodowska-greatest-woman-scientist/

106 »Dorothy Crowfoot Hogkin – biographical«, Nobelprize.org, http://www.nobelprize.org/nobel_prizes/chemistry/laureates/1964/hodgkin-bio.html, zum

»Hausfrau«-Zitat siehe Athene Donald, »Dorothy Hodgkin and the year of crystallography«, *Guardian*, 14. Januar 2014.

107 »The DNA riddle: King's College, London, 1951–1953«, Rosalind Franklin Papers, http://profiles.nlm.nih.gov/ps/retrieve/Narrative/KR/p-nid/187

108 J. D. Bernal, »Dr. Rosalind E. Franklin«, *Nature*, 182 (1958), S. 154.

109 Max F. Perutz, *I Wish I'd Made You Angry Earlier: Essays on Science, Scientists, and Humanity*, Cold Spring Harbor, NY, 1998, S. 70.

110 Watson Fuller, »For and against the helix«, Maurice Wilkins Papers, Nr. 00c0 a9ed-e951–4761–955c-7490e0474575.

111 J. Watson, *Die Doppelhelix*, S. 51.

112 »The Race for the Double Helix – Providence and Personalities«, *The Listener*, 11. Juli 1974, http://profiles.nlm.nih.gov/ps/access/SCBBKH.pdf

113 Watson, *Die Doppelhelix*«, S. 50.

114 Ebd., S. 42 ff.

115 Ebd., S. 52 f.

116 Ebd., S. 35.

117 Offiziell ging Watson nach Cambridge, um Perutz und seinem Kollegen John Kendrew bei ihrer Forschung zu dem Protein Myoglobin zu helfen. Dann wechselte er zur Erforschung der Struktur des sogenannten Tabakmosaik-virus (TMV). Die DNA interessierte ihn jedoch weitaus mehr, und bald gab er alle anderen Projekte auf, um sich auf die DNA zu konzentrieren. Watson, *Annotated and Illustrated Double Helix*, S. 127.

118 F. Crick, *What Mad Pursuit*, New York 1988, S. 64.

119 Linus Pauling, R. B. Corey und H. R. Branson, »The structure of proteins: Two hydrogen-bonded helical configurations of the polypetide chain«, *Proceedings of the National Academy of Sciences*, 37/4 (1951), S. 205–211.

120 Watson, *Die Doppelhelix*, S. 64.

121 Siehe »Crick, Francis«, http://www.diracdelta.co.uk.

122 F. Crick, *Ein irres Unternehmen*, S. 98 ff. Crick behauptete immer, Franklin sei die Bedeutung der Modellentwicklung vollauf klar gewesen.

123 Victor K. McElheny, *Watson and DNA: Making a Scientific Revolution*, Cambridge, MA, 2003, S. 38.

124 Watson, *Die Doppelhelix*, S. 79.

125 Alistair Moffat, *The British: A Genetic Journey*, Edinburgh 2014; sowie Rosalind Franklins Laboraufzeichnungen von 1951.

126 Watson, *Die Doppelhelix*, S. 86.

127 Ebd., S. 94 f.

128 Ebd., S. 95 f.

129 Bill Seeds und Bruce Fraser begleiteten sie.

130 James A. Watson, *The Annotated and Illustrated Double Helix*, S. 91.

131 J. Watson, *Die Doppelhelix*, S. 100.

132 Linus Pauling und Robert C. Corey, »A proposed structure for nucleic acids«, *Proceedings of the National Academy of Sciences*, 39/2 (1953), S. 84–97.

133 Watson, *Die Doppelhelix*, S. 148.

134 Ebd., S. 149.

135 Ebd., S. 152.

136 Siehe http://profiles.nlm.nih.gov/ps/access/KRBBJF.pdf

137 Anne Sayre, *Rosalind Franklin and DNA*, New York 2000.

138 Watson, *Die Doppelhelix*, S. 154.

139 Ebd., S. 156.

140 Anne Sayre, *Rosalind Franklin and DNA*, New York 1974, S. 152.

141 Watson, *Die Doppelhelix*, S. 174 f.

142 Ebd., S. 176.

143 Ebd., S. 177.

144 John Sulston und Georgina Ferry, *The Common Thread: A Story of Science, Politics, Ethics, and the Human genome*, Washington, D. C., 2002, S. 3.

145 Wahrscheinlich war das am 11. oder 12. März 1953. Crick informierte Delbrück am Donnerstag, dem 12. März, über das Modell. Siehe auch Watson Fuller, »Who said helix?« und zugehörige Unterlagen, Maurice Wilkins Papers, Nr. c065700f-b6d9–46cf-902a-b4f8e078338a

146 Watson, *Die Doppelhelix*, S. 185.

147 13. Juni 1996, Maurice Wilkins Papers.

148 Brief von Maurice Wilkins an Francis Crick, 18. März 1953, Wellcome Library, Brief Nr. 62b87535–040a-448c-9b73-ff3a3767db91; http://wellcomelibrary.org/player/b20047198#?asi=0&z=0.1215 %2CO.2046 %2C =.5569 %2C=.3498

149 Fuller, »Who said helix?« und zugehörige Unterlagen.

150 Watson, *Die Doppelhelix*, S. 187 f.

151 James D. Watson und Francis H. C. Crick, »Molecular Structure of Nucleic Acids: A Structure for Deoxyribose Nucleic Acid«, *Nature*, 171 (1953), S. 737 f.

152 Watson, *Die Doppelhelix*, S. 194.

153 Fuller, »Who said helix?« und zugehörige Unterlagen.

154 »1957: Francis H. C. Crick (1916–2004) sets out the agenda of molecular biology«, Genome News Network, http://www.genomenewsnetwork.org/resources/timeline/1957_Crick.php

155 »1941: George W. Beadle (1903–1989) and Edward L. Tatum (1909–1975) show how genes direct the synthesis of enzymes that control metabolic processes«, *Genome News Netbook*, http://www.genomenewsnetwork.org/resources/timeline/1941_Beadle_Tatum.php

156 Edward B. Lewis, »Thomas Hunt Morgan and his legacy«, Nobelprize.org, http://www.nobelprize.org/nobel_prizes/medicine/laureates/1933/morgan-article.html

157 Frank Moore Colby u.a., *The New International Year Book: A Compendium of the World's Progress, 1907–1965*, New York 1908–1966, S. 786.

158 George Beadle, »Genetics and metabolism in *Neurospora*«, *Physiological Reviews*, 25/4 (1945), S. 643–663.

159 James D. Watson, *Genes, Girls and Gamow: After the Double Helix*, New York 2002; dt.: *Gene, Girls und Gamow. Erinnerungen eines Genies*, München 2003, S. 52.

160 Siehe http://scarc.library.oregonstate.edu/coll/pauling/dna/corr/sci9.001.43-gamow-lp-19531022-transcript.html

161 Ted Everson, *The Gene: A Historical Perspective*, Westport, CT, 2007, S. 89 ff.

162 »Francis Crick, George Gamow, and the RNA Tie Club«, Web of Stories, http://www.webofstories.com/play/francis.crick/84

163 Sam Kean, *The Violinist's Thumb: And Other Lost Tales of Love, War, and Genius, as Written by Our Genetic Code*, New York 2012; dt.: *Doppelhelix hält besser: Erstaunliches aus der Welt der Genetik*, Hamburg 2013.

164 Eine Variante dieser Idee hatten auch Arthur Pardee und Monica Riley vertreten.

165 Cynthia Brantley Johnson, *The Scarlet Pimpernel*, New York 2004, S. 124.

166 Albert Lasker Award for Special Achievement in Medical Science: »Sydney Brenner«, Lasker Foundation, http://www.laskerfoundation.org/awards/2000special.htm

167 Elliot Volkin und Lazarus Astrachan hatten bereits 1956 einen RNA-Boten für Gene vermutet. Die beiden bahnbrechenden Artikel von Brenner/Jacob und Watson/Gilbert waren: F. Gros u.a., »Unstable ribonucleic acid revealed by pulse labeling of Escherichia coli«, *Nature*, 190 (13. Mai 1960), S. 581–585; und S. Brenner, F. Jacob und M. Meselson, »An unstable intermediate carrying information from genes to ribosomes for protein synthesis«, *Nature*, 190 (13. Mai 1960), S. 576–581.

168 James D. Watson und Francis H. C. Crick, »Genetical implications of the structure of deoxyribonucleic acid«, *Nature*, 171/4361 (1953), S. 965.

169 David P. Steensma, Robert A. Kyle und Marc A. Shampo, »Walter Clement Noel – first patient described with sickle cell disease, *Mayo Clinic Proceedings*, 85/10 (2010).

170 »Key participants: Harvey Itano«, *It's in the Blood! A Documentary History of Linus Pauling, Hemoglobin, and Sickle Cell Anemia*, http://scarc.library.oregonstate.edu/coll/pauling/blood/people/itano.html

171 Zitiert nach Sean Carroll, *Brave Genius: A Scientist, a Philosopher, and Their Daring Adventures from the French Resistance to the Nobel Prize*, New York 2013, S. 133.

172 Thomas Hunt Morgan, »The relation of genetics to physiology and medicine«, *Scientific Monthly*, 41/1 (1935), S. 315.

173 Agnes Ullmann, »Jacques Monod, 1910–1976: His life, his work and his commitments«, *Research in Microbiology*, 161/2 (2010), S. 68–73.

174 Arthur B. Pardee, François Jacob und Jacques Monod, »The genetic control and cytoplasmic expression of ›inducibility‹ in the synthesis of β=galactosidase by *E. coli*«, *Journal of Molecular Biology*, 1/2 (1959), S. 165–178.

175 François Jacob und Jacques Monod, »Genetic regulatory mechanisms in the synthesis of proteins«, *Journal of Molecular Biology*, 3/3 (1961), S. 318–356.

176 Watson, *Die Doppelhelix*, S. 194.

177 Arthur Kornberg, »Biologic synthesis of deoxyribonucleic acid«, *Science*, 131/3412 (1960), S. 1503–1508.

178 Ebd.

179 Richard Dawkins, *The Selfisch Gene*, Oxford 1989; dt.: *Das egoistische Gen*, Heidelberg 2007, S. 56.

180 Nicholas Marsh, *William Blake: The Poems*, Houndmills, Basingstoke, England, 2001, S. 56.

181 Viele dieser Mutanten hatten Alfred Sturtevant und Calvin Bridges ursprünglich gezüchtet. Details zu den Mutanten und den entsprechenden Genen finden sich in Ed Lewis' Nobelpreisvorlesung vom 8. Dezember 1995.

182 Friedrich Max Müller, *Deutsche Liebe. Aus den Papieren eines Fremdlings*, Leipzig 1857, S. 2.

183 Leo Lionni, *Inch by Inch*, New York 1960; dt.: Stück *für Stück*, Köln 1987.

184 James E. Crow und W. F. Dove, *Perspectives on Genetics: Anecdotal, Historical, and Critical Commentaries, 1987–1998*, Madison 2000, S. 176.

185 Interview des Autors mit Robert Horvitz, 2012.

186 Ralph Waldo Emerson, *The Journals and Miscellaneous Notebooks of Ralph Waldo Emerson*, Bd. 7, hg. von William H. Gilman, Cambridge, MA, 1960, S. 202.

187 Ning Yang und Ing Swie Goping, *Apoptosis*, San Rafael, CA, 2013.

188 John F. R. Kerr, Andrew H. Wyllie und Alastair R. Currie, »Apoptosis: A basic biological phenomenon with wide-ranging implications in tissue kinetics«, *British Journal of Cancer*, 26/4 (1972), S. 239.

189 Diese Mutante wurde ursprünglich von Ed Hedgecock identifiziert. Robert Horvitz im Interview mit dem Autor, 2013.

190 J. E. Sulston und H. R. Horvitz, »Post-embryonic cell lineages of the nematode,

Caenorhabditis elegans«, Development Biology, 56/1 (März 1977), S. 110–156. Siehe auch Judith Kimble und David Hirsh, »The postembryonic cell lineages of the hermaphrodite and male gonads in *Caenorhabditis elegans«, Developmental Biology*, 70/2 (1979), S. 396–417.

191 Judith Kimble, »Alterations in cell lineage following laser ablation of cells in the somatic gonad of *Caenorhabditis elegans«, Developmental Biology*, 87/2 (1981), S. 286–300.

192 Walter J. Gehring, *Master Control Genes in Development and Evolution: The Homeobox Story*, New Haven, CT, 1998; dt.: *Wie Gene die Entwicklung steuern. Die Geschichte der Homeobox*, Basel, Boston, Berlin 2001, S. 64.

193 Bei diesem Verfahren hatten John White und John Sulston Pionierarbeit geleistet. Robert Horvitz im Interview mit dem Autor, 2013.

194 Gary F. Marcus, *The Birth of the Mind: How a Tiny Number of Genes Creates the Complexities of Human Thought*, New York 2004; dt.: *Der Ursprung des Geistes. Wie Gene unser Denken prägen*, Düsseldorf/Zürich 2005, Kapitel 4: »Die treibende Kraft des Aristoteles«, hier S. 85.

195 Antoine Danchin, *La barque de Delphes*, Paris 1998; engl.: *The Delphic Boat. What Genomes Tell Us*, Cambridge, MA, 2002.

196 Richard Dawkins, *A Devil's Chaplain: Reflections on Hope, Lies, Science, and Love*, Boston 2003, S. 105.

197 National Institute of General Medical Sciences (U. S.), National Advisory Medical Sciences Council (Hg.), *Prospect for Designed Genetic Change: A Transcript Report*, National Institute of Health 1971, S. 29 und 31.

Teil 3: »Die Träume der Genetiker«

1 Sydney Brenner, »Life sentences: Detective Rummage investigates«, *Scientist – the Newspaper for the Science Professional*, 16/16 (2002), S. 15.

2 »DNA as the ›stuff of genes‹: The discovery of the transforming principle, 1940–1944«, Oswald T. Avery Collection, National Institutes of Health, http://profiles.nlm.nih.gov/ps/retrieve/Narrative/CC/p-nid/157

3 William Shakespeare, *Hamlet*, 2. Akt, 2. Szene, in: ders., *Sämtliche Werke in einem Band*, Eltville 1988, S. 811.

4 Angaben zu Ausbildung und Forschungsjahr stammen aus einem Interview des Autors mit Paul Berg, 2013, sowie aus »The Paul Berg papers«, Profiles in Science, National Library of Medicine, http://profiles.nlm.nih.gov/CD/

5 M. B. Oldstone, »Rous-Whipple Award Lecture. Viruses and diseases of the twenty-first century«, *American Journal of Pathology*, 143/5 (1993), S. 1241.

6 David A. Jackson, Robert H. Symons und Paul Berg, »Biochemical method

for inserting new genetic information into DNA of simian virus 40: circular SV40 DNA molecules containing lambda phage genes and the galactose operon of Escherichia coli«,ı Proceedings of the National Academy of Sciences, 69/10 (1972), S. 2904–2909.

7 Peter E. Lobban, »The generation of transducing phage in vitro«, Prüfungsarbeit, Stanford University, 6. November 1969.

8 Oswald T. Avery, Colin M. MacLeod und Maclyn McCarty, »Studies on the chemical nature of the substance inducing transformation of pneumococcal types: Induction of transformation by a desoxyribonucleic acid fraction isolated from pneumococcus type III«, Journal of Experimental Medicine, 79/2 (1944), S. 137–158.

9 Paul Berg und J. E. Mertz, »Personal reflections on the origins and emergence of recombinant DNA technology«, Genetics, 184/1 (2010), S. 9–17, doi:10.1534/genetics.109.112144.

10 Jackson, Symons und Berg, »Biochemical methods for inserting new genetic information into DNA of simian virus 40«, Proceedings of the National Academy of Sciences, 69/10 (1972), S. 2904–2909.

11 Kathi E. Hanna (Hg.), Biomedical Politics, Washington, D. C., 1991, S. 266.

12 Erwin Chargaff, »On the dangers of genetic medling«, Science, 192/4243 (1976), S. 938.

13 »Reaction to Outrage over Recombinant DNA, Paul Berg«, DNA Learning Denter, doi: https://www.dnalc.org/view/15017-Reaction-to-outrage-over-re combinant-DNA-Paul-Berg.html

14 Shane Crotty, Ahead of the Curve: David Baltimore's Life in Science, Berkeley, CA, 2001, S. 95.

15 Paul Berg im Interview mit dem Autor, 2013.

16 Ebd.

17 Einzelheiten zur Geschichte Boyers und Cohens sind entnommen aus: John Archibald, One Plus One Equals One: Symbiosis and the Evolution of Complex Life, Oxford 2014. Siehe auch Stanley N. Cohen u. a., »Construction of biologically functional bacterial plasmids in vitro«, Proceedings of the National Academy of Sciences, 70/11 (1973), S. 3240–3244.

18 Die Einzelheiten dieser Episode sind unter anderem entnommen aus: Stanley Falkow, »I'll Have the Chopped Liver Please, Or How I Learned to Love the Clone«, ASM News, 67/11 (2001); Interview des Autors mit Paul Berg, 2015; Jane Gitschier, »Wonderful life: An interview with Herb Boyer«, PLOS Genetics, (25. September 2009).

19 Crick, Francis. What Mad Pursuit, New York 1988, S. 74.

20 Richard Powers, Orfeo: A Novel, New York 2014, S. 330; dt.: Orfeo, Frankfurt a. M. 2014, S. 441.

21 Frederick Banting u.a., »The effects of insulin on experimental hyperglycemia in rabbits«, *American Journal of Physiology*, 62/3 (1922).

22 »The Nobel prize in Chemistry 1958«, Nobelprize.org, http://www.nobel prize.org/nobel_prizes/chemistry/laureates/1958/

23 Frederick Sanger, *Selected Papers of Frederick Sanger: With Commentaries*, Bd. 1, hg. von Margaret Dowding, Singapur 1996, S. 11 f.

24 George G. Brownlee, *Fred Sanger – Double Nobel Laureate: A Biography*, Cambridge 2014, S. 20.

25 Frederick Sanger u.a., »Nucleotide sequence of bacteriophage 0X174 DNA«, *Nature*, 265/5596 (1977), S. 685–695, doi: 10.1038/265687a0.

26 Ebd.

27 Sayeeda Zain u.a., »Nucleotide sequence analysis of the leader segments in a cloned copy of adenovirus 2 fiber mRNA«, *Cell*, 16/4 (1979), S. 851–856. Siehe auch »Physiology or Medicine 1993 – press release«, Nobelprize.org, http://www.nobelprize.org/nobel_prizes/medicine/laureates/1993/press.html

28 Walter Sullivan, »Genetic decoders plumbing the deepest secrets of life processes«, *New York Times*, 20. Juni 1977.

29 Peter B. Medawar und Jean S. Medawar, *Aristotle to Zoos: A Philosophical Dictionary of Biology*, Cambridge, MA, 1985; dt.: *Von Aristoteles bis Zufall: ein philosophisches Lexikon der Biologie*, München, Zürich, 1986, S. 54.

30 Paul Berg im Interview mit dem Autor, September 2015.

31 J.P.Allison, B.W. McIntyre und D.Bloch, »Tumor-specific antigen of murine T-Lymphoma defined with monoclonal antibody«, *Journal of Immunology*, 129 (1982), S. 2293–2300; K. Haskins u.a., »The major histocompatibility complex-restricted antigen receptor on T cells: I. Isolation with a monoclonal antibody«, *Journal of Experimental Medicine*, 157 (1983), S. 1149–1169.

32 »Physiology or Medicine 1975 – Press Release«, Nobelprize.org, Nobel Media AB 2014, 5. August 2015; http://www.nobelprize.org/nobel_prizes/medicine/laureates/1975/press.html

33 S.M. Hedrick u.a., »Isolation of cDNA clones encoding T cell-specific membrane-associated proteins«, *Nature*, 308 (1984), S. 149–153; Y. Yanagi u.a., »A human T cell-specific cDNA clone encodes a protein having extensive homology to immunoglobulin chains«, *Nature*, 308 (1984), S. 145–149.

34 Steve McKnight, »Pure genes, pure genius«, *Cell*, 150/6 (14. September 2012), S. 1100 ff.

35 William Shakespeare, *Julius Caesar*, 4. Akt, 3. Szene, *Sämtliche Werke*, S. 632.

36 Sydney Brenner, »The influence of the press at the Asilomar Conference, 1975«, Web of Stories, http://www.webofstories.com/play/sydney.brenner/182;jsesssionid=2c147f1c4222a58715e708eabd868e58

37 Shane Crotty, *Ahead of the Curve: David Baltimore's Life in Science*, Berkeley, CA, 2001, S. 93.

38 Herbert Gottweis, *Governing Molecules: The Discursive Politics of Genetic Engineering in Europe and the United States*, Cambridge, MA, 1998.

39 Einzelheiten zur Asilomar-Tagung stammen aus Gesprächen des Autors mit Paul Berg von 1993 und 2013; sowie aus Donald S. Fredrickson, »Asilomar and recombinant DNA: The end of the beginning«, in: Hanna (Hg.), *Biomedical Politics*, S. 258–292.

40 Alfred Hellman, Michael Neil Oxman und Robert Pollack, *Biohazards in Biological Research*, Cold Spring Harbor, NY, 1973.

41 Stanley N. Cohen u.a., »Construction of biologically functional bacterial plasmids in vitro«, S. 3240–3244.

42 Crotty, *Ahead of the Curve*, S. 99.

43 Ebd.

44 »The moratorium letter regarding risky experiments, Paul Berg«, DNA Learning Center, https://www.dnalc.org/view/15021-The-moratorium-letter-regarding-risky-experiments-Paul-Berg.html

45 Paul Berg u.a., »Potential biohazards of recombinant DNA molecules«, *Science*, 185 (1974), S. 3034. Siehe auch *Proceedings of the National Academy of Sciences*, 71 (Juli 1974), S. 2593 f.

46 Herbert Boyer im Interview mit Sally Smith Hughes, 1994, UCSF Oral history Program, Bancroft Library, University of California, Berkeley, http://content.cdlib.org/view?docId=kt5d5nb0zs&brand=calisphere&doc.view=entire_text

47 John F. Morrow u.a., »Replication and transcription of eukaryotic DNA in *Escherichia coli*«, *Proceedings of the National Academy of Sciences*, 71/5 (1974), S. 1743–1747.

48 Oscar Wilde, *The Picture of Dorian Gray*, Oxford 2005; dt.: *Das Bildnis des Dorian Gray*, Hamburg 2016, S. 9.

49 Paul Berg u.a., »Summary statement of the Asilomar Conference on recombinant DNA molecules«, *Proceedings of the National Academy of Sciences*, 72/6 (1975), S. 1981–1984.

50 Crotty, *Ahead of the Curve*, S. 107.

51 Brenner, »The influence of the press«.

52 Crotty, *Ahead of the Curve*, S. 108.

53 Gottweis, *Governing Molecules*, S. 88.

54 Berg u.a., »Summary statement of the Asilomar Conference«, S. 1981–1984.

55 Albert Einstein, »Letter to Roosevelt, August 2, 1939«, Albert Einstein's Letters to Franklin D. Roosevelt, http://hypertextbook.com/eworld/einstein.shtml

56 Diese Äußerung wird Alan T. Waterman zugeschrieben im Vorwort zu: Lewis Branscomb, *Science, Technology, and Society, a Prospective Look: Summary and Conclusions of the Bellagio Conference*, Washington, D. C., 1976.

57 F. A. Long, »President Nixon's 1973 Reorganization Plan No. 1«, *Science and Public Affairs*, 29/5 (1973), S. 5.

58 Paul Berg im Interview mit dem Autor, 2013.

59 Paul Berg, »Asilomar and recombinant DNA«, Nobelprize.org, http://www.nobelprize.org/nobel_prizes/chemistry/laureates/1980/berg-article.html

60 Ebd.

61 Herbert W. Boyer, »Recombinant DNA Research at UCSF and commercial application of Genentech: Oral history transcript, 2001«, Online Archive of California, 124, http://www.oac.cdlib.org/search?style=oac4;titlesAZ=r;idT=UCb11453293x

62 Arthur Charles Clarke, *Profiles of the Future: An Inquiry Into the Limits of the Possible*, New York 1973; dt.: *Profile der Zukunft: über die Grenzen des Möglichen*, München 1984, S. 37, Fn.

63 Doogab Yi, *The Recombinant University: Genetic Engineering and the Emergence of Stanford Biotechnology*, Chicago 2015, S. 2.

64 »Getting Bacteria to Manufacture Genes«, *San Francisco Chronicle*, 21. Mai 1974.

65 Roger Lewin, »A View of a Science Journalist«, in: Joan Morgan und W. J. Whelan (Hg.), *Recombinant DNA and Genetic Experimentation*, London 2013, S. 273.

66 »1972: First recombinant DNA«, Genome.gov, http://www.genome.gov/25520302

67 Paul Berg und J. E. Mertz, »Personal reflections on the origins and emergence of recombinant DNA technology«.

68 Sally Smith Hughes, *Genentech: The Beginning of Biotech*, Chicago, IL, 2011, »Prologue«.

69 Felda Hardymon und Tom Nicholas, »Kleiner-Perkins and Genentech: When venture capital met science«, Harvard Business School Case 813–102, Oktober 2012; http://www.hbs.edu/faculty/Pages/item.aspx?num=43569

70 A. Sakula, »Paul Langerhans (1847–1888): A centenary tribute«, *Journal of the Royal Society of Medicine*, 81/7 (1988), S. 414.

71 Josef von Mering und Oskar Minkowski, »Diabetes mellitus nach Pankreasexstirpation«, *Archiv für experimentelle Pathologie und Pharmakologie*, 26/22 (1890), S. 371–387.

72 Frederick G. Banting u. a., »Pancreatic extracts in the treatment of diabetes mellitus«, *Canadian Medical Association Journal*, 12/3 (1922), S. 141.

73 Frederick Sanger und E. O. P. Thompson, »The amino-acid sequence in the

glycyl chain of insulin. 1. The identification of lower peptides from partial hydrolysates«, *Biochemical Journal*, 53/3 (1953), S. 353.

74   Sally Smith Hughes, *Genentech*, S. 59–65.

75   »Fierce Competition to Synthesize Insulin, David Goeddel«, DNA Learning Center, https://www.dnalc.org/view/15085-Fierce-competition-to-synthesize-insulin-David-Goeddel.html

76   Sally Smith Hughes, *Genentech*, S. 93.

77   Ebd., S. 78.

78   »Introductory materials«, First Chief Financial Officer at Genentech, 1978–1984, http://content.cdlib.org/view?docId=kt8k40159r&doc.view= entire_text

79   Sally Smith Hughes, *Genentech*, S. 93.

80   Payne Templeton, »Harvard group produces insulin from bacteria«, *Harvard Crimson*, 18. Juli 1978.

81   Sally Smith Hughes, *Genentech*, S. 91.

82   »A history of firsts«, Genentech: Chronology, http://www.gene.com/media/ company-information/chronology

83   Luigi Palombi, *Gene Cartels: Biotech Patents in the Age of Free Trade*, London 2009, S. 264.

84   »History of AIDS up to 1986«, http://www.avert.org/history-aids-1986.htm

85   Gilbert C. White, »Hemophilia: An amazing 35-year journey from the depths of HIV to the threshold of cure«, *Transactions of the American Clinical and Climatological Association*, 121 (2010), S. 61.

86   »HIV/AIDS«, National Hemophilia Foundation, https://www.hemophilia.org/ Bleeding-Disorders/Blood-Safety/HIV/AIDS

87   John Overington, Bissan Al-Lazikani und Andrew Hopkins, »How many drug targets are there?«, *Nature Reviews Drug Discovery*, 5 (Dezember 2006), S. 993–996, »Table 1/Molecular targets of FDA-approved drugs«, http:// www.nature.com/nrd/journal/v5/n12/fig_tab/nrd2199_T1.html

88   »Genentech: Historical stock info«, Gene.com, http://www.gene.com/ about-us/investors/historical-stock-info

89   Harold Evans, Gail Buckland und David Lefer, *They Made America: From the Steam Engine to the Search Engine – Two Centuries of Innovators*, London 2009; »Herbert Boyer and Robert Swanson: The biotech industry«, S. 420–431.

Teil 4: »Der Mensch ist erstes Ziel der Wissenschaft«

1   Alexander Pope, *Essay on Man*, Oxford 1869; dt.: *Vom Menschen: Essay on Man*, engl.-dt., Hamburg 1993, S. 39.

2 William Shakespeare, »Der Sturm« 5. Akt, 1. Szene, in: *Sämtliche Werke*, S. 17.

3 William Shakespeare, »König Lear« 5. Akt, 3. Szene, in: *Sämtliche Werke*, S. 755.

4 Jeff Lyon und Peter Gorner, *Altered Fates*, S. 28.

5 John A. Osmundsen, »Biologist hopeful in solving secrets of heredity this year«, *New York Times*, 2. Februar 1962.

6 Thomas Morgan, »The relation of genetics to physiology and medicine«, Nobel Lecture, 4. Juni 1934, Nobelprize.org, http://www.nobelprize.org/nobel_prizes/medicine/laureates/1933/morgan-lecture.html

7 »From ›musical murmurs‹ to medical genetics, 1945–1960«, Victor A. McKusick Papers, NIH, http://profiles.nlm.nih.gov/ps/retrieve/narrative/jq/p-nid/305

8 Harold Jeghers, Victor A. McKusick und Kermit H. Katz, »Generalized intestinal polyposis and melanin spots of the oral mucosa, lips and digits«, *New England Journal of Medicine*, 241/5 (1949), S. 993–1005, doi: 10.1056/nejm194912222412501.

9 Archibald E. Garrod, »A contribution to the study of alkaptonuria«, *Medicochirurgical Transactions*, 82 (1899), S. 367.

10 Archibald E. Garrod, »The incidence of alkaptonuria: A study in chemical individuality«, *Lancet*, 160/4137 (1902), S. 1616–1620, doi: 10.1016/s0140–6736(01)41972–6.

11 Harold Schwartz, *Abraham Lincoln and the Marfan Syndrome*, Chicago 1964.

12 J. Amberger u. a., »McKusicks Online Mendelian Inheritance in Man«, *Nucleic Acids Research*, 37 (2009): (Datenbankausgabe) D793–D796, Abb. 1 und 2, doi: 10.1093/nar/gkn665.

13 »Beyond the clinic: Genetic studies of the Amish and little people, 1960–1980 s«, Victor A. McKusick Papers, NIH, http://profiles.nlm.nih.gov/ps/retrieve/narrative/jq/p-nid/307

14 Wallace Stevens, *The Collected Poems of Wallace Stevens*, New York 1954, »The Poems of Our Climate«, S. 193f; dt.: »Die Gedichte unseres Klimas« in: *Die Weitung alles Sichtbaren. Gedichte*, Heidelberg 2013.

15 *Fantastic Four#1* (New York 1961, http://marvel.com/comics/issue/12894// fantastic_four_1961_1; dt.: *Die Fantastischen Vier*, Hamburg 1974.

16 Stan Lee u. a., *Marvel Masterworks: The Amazing Spider-Man*, New York 2009, »The Secrets of Spider-Man«; siehe auch dt.: *Marvel History: Spider-Man*, Bd. 1, Nettetal-Kaldenkirchen 2009.

17 *Uncanny X-Men'1*, New York 1963, http://marvel.com/comics/issue/12413/ uncanny_x_men_1963_1; dt.: *Marvel History Nr. 1: Die X-Men*, Nettetal-Kaldenkirchen 2002.

18 Alexandra Stern, *Telling Genes: The Story of Genetic Counseling in America*, Baltimore 2012, S. 146.

19 Leo Sachs, David M. Serr und Mathilde Danon, »Analysis of amniotic fluid cells for diagnosis of foetal sex«, *British Medical Journal*, 2/4996 (1956), S. 795.

20 Carlo Valenti, »Cytogenetic diagnosis of Down's syndrome in utero«, *Journal of the American Medical Association*, 207/8 (1969), S. 1513, doi: 10.1001/jama.1969.03150210097018.

21 Einzelheiten über McCorveys Leben sind entnommen aus: Norma McCorvey und Andy Meisler, *I Am Roe: My Life*, Roe vs. Wade, *and Freedom of Choice*, New York 1994.

22 Ebd.

23 *Roe vs. Wade*, Legal Information Institute, https://www.law.cornell.edu/supremecourt/text/410/113

24 Alexander M. Bickel, *The Morality of Consent*, New Haven 1975, S. 28.

25 Jeffrey Toobin, »The people's choice«, *New Yorker*, 28. Januar 2013, S. 19 f.

26 H. Hansen, »Brief reports decline of Down's syndrome after abortion reform in New York State«, *American Journal of Mental Deficiency*, 83/2 (1978), S. 185–188.

27 Daniel J. Kevles, *In the Name of Eugenics: Genetics and the Uses of Human Heredity*, New York 1985, S. 257.

28 M. Susan Lindee, *Moments of Truth in Genetic Medicine*, Baltimore 2005, S. 24.

29 Ebd., S. 16.

30 Victor A. McKusick und R. Claiborne (Hg.), *Medical Genetics*, New York 1973.

31 Ebd., Joseph Dancis, »The prenatal detection of hereditary defects«, S. 247.

32 Mark Zhang, »*Park vs. Chessin* (1977)«, *The Embryo Project Encyclopedia*, 31. Januar 2014, https://embryo.asu.edu/pages/park-v-chessin-1977

33 Ebd.

34 Gerald Leach, »Breeding Better People«, *Observer*, 12. April 1970.

35 Michelle Morgante, »DNA scientist Francis Crick dies at 88«, *Miami Herald*, 29. Juli 2004.

36 Lily E. Kay, *The Molecular Vision of Life: Caltech, the Rockefeller Foundation, and the Rise of the New Biology*, New York 1993, S. 276.

37 David Plotz, »Darwin's Engineer«, *Los Angeles Times*, 5. Juni 2005, http://www.latimes.com/la-tm-spermbank23jun05-story.html

38 Joel N. Shurkin, *Broken Genius: The Rise and Fall of William Shockley, Creator of the Electronic Age*, London 2006, S. 256.

39 Daniel J. Kevles, *In the Name of Eugenics*, S. 263.

40 *Departments of Labor and Health, Education, and Welfare Appropriations for 1967,* Washington, D.C., 1966, S. 249.

41 Victor McKusick in: Max A. Rothstein (Hg.), *Legal and Ethical Issues Raised by the Human Genome Project: Proceedings of the Conference in Houston, Texas, March 7–9, 1991,* Houston 1991.

42 Matthew R. Walker und Ralph Rapley, *Route Maps in Gene Technology,* Oxford 1997, S. 144.

43 W.H. Gardener, *Gerard Manley Hopkins: Poem and Prose,* Taipei 1968, »Pied Beauty«; dt.: »Gescheckte Schönheit«, in: *Gedichte, Schriften, Briefe,* hg. von Hermann Rinn, München 1954.

44 George Huntington, »Recollections of Huntington's chorea as I saw it at East Hampton, Long Island, during my boyhood«, *Journal of Nervous and Mental Disease,* 37 (1910), S. 255 ff.

45 Robert M. Cook-Deegan, *The Gene Wars: Science, Politics, and the Human Genome,* New York 1994, S. 38.

46 Kerry Kravitz u. a., »Genetic linkage between hereditary hemochromatosis and HLA«, *American Journal of Human Genetics,* 31/5 (1979), S. 601.

47 Y. Wai Kan und Andree M. Dozy, »Polymorphism of DNA sequence adjacent to human beta-globin structural gene: Relationship to sickle mutation«, *Proceedings of the National Academy of Sciences,* 75/11 (1978), S. 5631–5635.

48 David Botstein u. a., »Construction of a genetic linkage map in man using restriction fragment length polymorphisms«, *American Journal of Human Genetics,* 32/3 (1980), S. 314.

49 Louis MacNeice, »Snow«, in: George Watson (Hg.), *The New Cambridge Bibliography of English Literature,* Bd. 3, Cambridge 1971.

50 Victor K. McElheny, *Drawing the Map of Life: Inside the Human Genome Project,* New York 2010, S. 29.

51 David Botstein, »Construction of a genetic linkage map«, S. 314.

52 Nancy Wexler, »Huntington's Disease: Advocacy Driving Science«, *Annual Review of Medicine,* 63 (2012), S. 1–22.

53 Nancy Wexler, »Genetic ›Russian Roulette‹: The Experience of Being At Risk for Huntington's Disease«, in: S. Kessler (Hg.), *Genetic Counseling: Psychological Dimensions,* New York 1979.

54 »New discovery in fight against Huntington's disease«, NUI Galway, 22. Februar 2012, http://www.nuigalway.ie/about-us/news-and-events/news-archive/2012/february2012/new-discovery-in-fight-against-huntingtons-disease-1.html

55 Gene Veritas, »At risk for Huntington's disease«, 21. September 2011, http://curehd.blogspot.com/2011_09_01_archive.html

56 Zu Einzelheiten über die Familiengeschichte der Wexlers siehe: Alice Wexler,

Mapping Fate: A Memoir of Family, Risk, and Genetic Research, Berkeley, CA, 1995; auch dt.: *Wenn Schicksal messbar wird: ein Bericht über Familie, Risiko und Genforschung*, Duisburg 2000; Lyon und Gorner, *Altered fates;* sowie »Makers profile: Nancy Wexler, Neuropsychologist and President, Hereditary Disease Foundation«, MAKERS: the Largest Video Collection of Women's Stories, http://www.makers.com/nancy-wexler

57 Alice Wexler, *Mapping Fate.*

58 »The Hereditary Disease Foundation History«, http://hdfoundation.org/our-history/

59 Nancy Wexler, »Life In The Lab«, *LA Times Magazine*, 10. Februar 1991.

60 Associated Press, »Milton Wexler; Promoted Huntington's Research«, *Washington Post*, 23. März 2007, http://www.washingtonpost.com/wp-dyn/content/article/2007/03/22/AR2007032202068.html

61 Alice Wexler, *Mapping Fate*, S. 177.

62 Ebd., S. 178.

63 Die Beschreibung von Barranquitas stützt sich auf »Nancy Wexler in Venezuela Huntington's disease«, BBC, 2010, YouTube, https://www.youtube.com/watch?v=D6LbkTW8fDU

64 M. S. Okun und N. Thommi, »Américo Negrette (1924 to 2003): Diagnosing Huntington disease in Venezuela«, *Neurology*, 63/2 (2004), S. 340–343, doi: 10.1212/01.wnl.0000129827.16522.78.

65 Siehe http://www.cmmt.ubc.ca/research/diseases/huntington/HD_Prevalence

66 Nancy Wexler, *Gene Hunter: The Story of Neuropsychologist Nancy Wexler*, Washington, D. C., 2006, S. 51.

67 Jerry E. Bishop und Michael Waldholz, *Genome: The Story of the Most Astonishing Scientific Adventure of Our Time*, New York 1990; dt.: *Landkarte der Gene: das Genom-Projekt*, München 1991, S. 97.

68 Dieser Stammbaum sollte letztendlich mehr als 18 000 Menschen und zehn Generationen umfassen. Alle ließen sich auf eine gemeinsame Urahnin, auf Maria Concepcion, zurückführen.

69 Im Gegensatz zur amerikanischen Familie war die venezolanische groß genug, um die Verbindung zu belegen. Mit Hilfe der Daten beider Fälle konnten Wissenschaftler die Existenz des DNA-Markers beweisen. James F. Gusella u. a., »A Polymorphic DNA Marker Genetically linked to Huntington's Disease«, *Nature*, 306/5940 (1983), S. 234–238.

70 Ebd.

71 Karl Kiebutz u. a., »Trinucleotide repeat length and progression of illness in Huntington's disease«, *Journal of Medical Genetics*, 31/11 (1994), S. 872 ff.

72 Lyon und Gorner, *Altered Fates*, S. 424.

73 Nancy S. Wexler, »Venezuelan kindreds reveal that genetic and environmental

factors modulate Huntington's disease age of onset«, *Proceedings of the National Academy of Sciences*, 101/10 (2004), S. 3498–3503.

74 Ernst Ludwig Rochholz, *Alemannisches Kinderlied und Kinderspiel aus der Schweiz*, Leipzig 1857, S. 280.

75 ›The History of Cystic Fibrosis«, cysticfibrosismedicine.com, http://www.cfmedicine.com/history/earlyyears.htm

76 Lap-Chee Tsui u. a., »Cystic fibrosis locus defined by a genetically linked polymorphic DNA marker«, *Science*, 230/4729 (1985), S. 1054–1057.

77 Wanda K. Lemna u. a., »Mutation analysis for heterozygote detection and the prenatal diagnosis of cystic fibrosis«, *New England Journal of Medicine*, 322/5 (1990), S. 291–296.

78 V. Scotel u. a., »Impact of public health strategies on the birth prevalence of cystic fibrosis in Britanny, France«, *Human Genetics*, 113/3 (2003), S. 280–285.

79 D. Kronn, V. Jansen und H. Ostrer, »Carrier screening for cystic fibrosis, Gaucher disease and Tay-Sachs-disease in the Ashkenazi Jewish population: The first 1,000 cases at New York University Medical Center, New York, NY«, *Archives of Internal Medicine*, 158/7 (1998), S. 777–781.

80 Evelyn Fox Keller, »Nature, Nurture, and the Human Genome Project«, in: Daniel J. Kevles und Leroy Hood (Hg.), *The Code of Codes: Scientific and Social Issues in the Human Genome Project*, Cambridge, MA, 1992, S. 281–299; dt.: »Erbanlage, Umwelt und das Genomprojekt«, in: Kevles und Hood, *Der Supercode. Die genetische Karte des Menschen*, Frankfurt a. M. 1995, S. 284–303, hier S. 291.

81 Ebd.

82 Robert L. Sinsheimer, »The prospect for designed genetic change«, *American Scientist*, 57/1 (1969), S. 134–142; Nachdruck in: Jay Katz, Alexander Morgan Capron und Eleanor Swift Glass, *Experimentation with Human Beings: The Authority of the Investigator, Subject, Professions, and State in the Human Experimentation Process*, New York 1972, S. 487 f.

83 Ebd.

84 John Burdon Sanderson Haldane, *Daedalus or Science and the future*, New York 1924, S. 48; auch dt.: *Daedalus oder Wissenschaft und Zukunft*, München 1925.

85 Sulston und Ferry, *Common Thread*, S. 264.

86 Cook-Deegan, *The Gene Wars*, S. 62.

87 »Organism View: Search organisms and genomes«, CoGe: OrganismView, https://genomevolution.org/coge/OrganismView.pl?gid=7029

88 Yoshio Miki u. a., »A strong candidate for the breast and ovarian cancer susceptibility gene *BRCA1*«, *Science*, 266/5182 (1994), S. 66–71.

89 F.Collins u.a., »Construction of a general human chromosome jumping library, with application to cystic fibrosis«, *Science*, 235/4792 (1987), S.1046–1049, doi: 10.1126/science.2950591.

90 Mark Henderson, »Sir John Sulston and the Human Genome Project«, Wellcome Trust, 3.Mai 2011, http://www2.mrc-lmb.cam.ac.uk/archive/articles/Sir_John_Sulston_Human_Genome_Project.pdf

91 *Departments of Labor, Health and Human Services, Education, and Related Agencies Appropriations for 1996: Hearings before a Subcommittee of the Committee on Appropriations, House of Representatives, One Hundred Fourth Congress, First Session,* Washington, D.C., Government Printing Office, 1995, http://catalog.hathitrust.org/Record/003483817

92 Alvaro N.A. Monteiro und Ricardo Waizbrot, »The accidental cancer geneticist: Hilário de Gouvêa and hereditary retinoblastoma«, *Cancer Biology and Therapy*, 6/5 (2007), S.811ff., doi: 10.4161/cbt.6.5.4420.

93 Bert Vogelstein und Kenneth W. Kinzler, »The multistep nature of cancer«, *Trends in Genetics*, 9/4 (1993), S.138–141.

94 Valrie Plaza, *American Mass Murderers*, Raleigh, NC, 2015, »Chapter 57: James Oliver Huberty«.

95 »Schizophrenia in the National Academy of Sciences-National Research Council Twin Registry: A 16-year update«, *American Journal of Psychiatry*, 140/12 (1983), S.1551–1563, doi: 10.1176/ajp.140.12.1551.

96 D.H. O'Rourke u.a., »Refutation of the general single-locus model for the etiology of schizophrenia«, *American Journal of Human Genetics*, 34/4 (1982), S.630.

97 Peter McGuffin u.a., »Twin concordance for operationally defined schizophrenia: Confirmation of familiarity and heritability«, *Archives of General Psychiatry*, 41/6 (1984), S.541–545.

98 James Q. Wilson und Richard J. Herrnstein, *Crime and Human Nature: The Definitive Study of the Causes of Crime,* New York 1985.

99 Matt DeLisi, »James Q.Wilson«, in: Keith Hayward, Jayne Mooney und Shadd Maruna (Hg.), *Fifty Key Thinkers in Criminology*, London 2010, S.192–196.

100 Doug Struck, »The Sun (1837–1988)«, *Baltimore Sun*, 2. Februar 1986, S.79.

101 Kary Mullis, »Nobel Lecture: The polymerase chain reaction«, 8. Dezember 1993, Nobelprize.org, http://www.nobelprize.org/nobel_prizes/chemistry/laureates/1993/mullis-lecture.html

102 Sharyl J. Nass und Bruce Stillman, *Large-Scale Biomedical Science: Exploring Strategies for Future Research,* Washington, D.C., 2003, S.33.

103 McElheny, *Drawing the Map of Life*, S.65.

104 »About NHGRI: A Brief History and Timeline«, Genome.gov, http://www.genome.gov/10001763

105 McElheny, *Drawing the Map of Life*, S. 89.

106 Ebd.

107 J. David Smith, »Carrie Elizabeth Buck (1906–1983)«, *Encyclopedia Virginia*, http://www.encyclopediavirginia.org/Buck_Carrie_Elizabeth_1906–1983

108 Ebd.

109 Jonathan Swift und Thomas Roscoe, *The Works of Jonathan Swift, DD: With Copious Notes and Additions and a Memoir of the Author*, Bd. 1, New York 1859, S. 247 f.

110 Justin Gillis, »Gene-mapping controversy escalates; Rockville firm says government officials seek to undercut its effort«, *Washington Post*, 7. März 2000.

111 L. Roberts, »Gambling on a Shortcut to Genome Sequencing«, *Science*, 52/5013 (1991), S. 1618 f.

112 Lisa Yount, *A to Z of Biologists*, New York 2003, S. 312.

113 J. Craig Venter, *A Life Decoded: My Genome, My Life*, New York 2007; dt.: *Entschlüsselt: mein Genom, mein Leben*, Frankfurt a. M. 2009, S. 158.

114 R. Cook-Deegan und C. Heaney, »Patents in genomics and human genetics«, *Annual Review of Genomics and Human Genetics*, 11 (2010), S. 382–425, doi: 10.1146/annurev-genom-082509-141811.

115 Edmund L. Andrews, »Patents; Unaddressed Question in Amgen Case«, *New York Times*, 9. März 1991.

116 Sulston und Ferry, *Common Thread*, S. 87.

117 Pamela R. Winnick, *A Jealous God: Science's Crusade against Religion*, Nashville, TN, 2005, S. 225.

118 Eric Lander im Interview mit dem Autor, 2015.

119 L. Roberts, »Genome Patent Fight Erupts«, *Science*, 254/5029 (1991), S. 184 ff.

120 C. Venter, *Entschlüsselt*, S. 242.

121 Hamilton O. Smith u. a., »Frequency and distribution of DNA uptake signal sequences in the *Haemophilus influenzae* RD genome«, *Science*, 269/5223 (1995), S. 538 ff.

122 C. Venter, *Entschlüsselt*, S. 307.

123 Ebd., S. 317.

124 Eric Lander im Interview mit dem Autor, Oktober 2015.

125 Ebd.

126 HGS wurde von William Haseltine gegründet, einem ehemaligen Harvard-Professor, der die Genomforschung für die Entwicklung neuartiger Arzneimittel zu nutzen hoffte.

127 »1998: Genome of roundworm *C. elegans* sequenced«, Genome.gov, http://www.genome.gov/25520394.

128 Borbála Tihanyi u. a., »The *C. elegans Hox* gene *ceh-13* regulates cell migration and fusion in a non-colinear way. Implications for the early evolution of *Hox* clusters«, *BMC Development Biology*, 10/78 (2010), doi: 10.1186/1471-213X-10-78.

129 *Science*, 282/5396 (1998), S. 1945-2140.

130 Mike Hunkapiller war mitverantwortlich für eine entscheidende technologische Entwicklung auf dem Gebiet der Genomsequenzierung: halbautomatische Sequenzierapparate, die Tausende DNA-Basen in kurzer Zeit sequenzieren konnten.

131 David Dickinson und Colin Macilwain, »It's a G‹: The one-billionth nucleotide«, *Nature*, 402/6760 (1999), S. 331.

132 Declan Butler, »Venter's *Drosophila* ›success‹ set to boost human genome efforts«, *Nature*, 401/6755 (1999), S. 729 f.

133 »The *Drosophila* genome«, *Science*, 287/5461 (2000), S. 2105-2364.

134 David N. Cooper, *Human Gene Evolution*, Oxford 1999, S. 21; William K. Purves, *Life: The Science of Biology*, Sunderland, MA, 2001; dt.: *Biologie*, Heidelberg 2011, S. 336.

135 Marsh, *William Blake*, S. 56.

136 Gerry Rubin, Leiter des Berkeley *Drosophila* Genome Project, zitiert in: Robert Sanders, »UC Berkeley collaboration with Celera Genomics concludes with publication of nearly complete sequence of the genome of the fruit fly«, Presseerklärung, UC Berkeley, 24. März 2000, http://www.berkeley.edu/news/media/releases/2000/03/03-24-2000.html

137 Richard Dawkins, *The Age of the Genome*, BBC Radio 4, http://bbc.co.uk/programmes/b00ss2rk

138 James Shreeve, *The Genome War: How Craig Venter Tried to Capture the Code of Life and Save the World*, New York 2004, S. 350.

139 Zu Einzelheiten dieser Geschichte siehe: ebd., sowie Venter, *Entschlüsselt*, S. 461 ff.

140 »June 2000 White House Event«, Genome.gov, https://www.genome.gov/10001356

141 »President Clinton, British Prime Minister Tony Blair deliver remarks on human genome milestone«, Transkript CNN.com, 26. Juni 2000.

142 C. Venter, *Entschlüsselt*, S. 477. In der von Venters Gruppe beschriebenen Sequenz waren Männer und Frauen aus diesen Bevölkerungsgruppen vertreten, aber von keiner dieser Personen hatte man das vollständige Genom sequenziert.

143 Shreeve, *Genome War*, S. 360.

144 McElheny, *Drawing the Map of Life*, S. 163.

145 Eric Lander im Interview mit dem Autor, Oktober 2015.

146 Shreeve, *Genome War*, S. 364.

147 William Shakespeare, »König Lear«, 3. Akt, 4. Szene, in: *Sämtliche Werke*, S. 745.

148 Einzelheiten zum Humangenomprojekt sind entnommen aus: »Human genome far more active than thought«, Wellcome Trust, Sanger Institute, 5. September 2012, http://www.sanger.ac.uk/news/view/2012-09-05-human-geno me-far-more-active-than-thought; Venter, *Entschlüsselt*; und Committee on Mapping and Sequencing the Human Genome, *Mapping and Sequencing the Human Genome*, Washington, D.C., 1998, http://www.nap.edu/read/1097

Teil 5: Hinter den Spiegeln

1 Lewis Carroll, *Through the Looking Glass*, London 2003; dt.: *Hinter den Spiegeln*, Frankfurt a.M. 1974, S. 21.

2 Kathryn Stockett, *The Help*, New York 2009; dt.: *Gute Geister*, München 2011, S. 273.

3 »Who is blacker Charles Barkley or Snoop Dogg«, YouTube, 19. Januar 2010, https://www.youtube.com/watch?v=yHfX-11ZHXM.

4 Franz Kafka, *Tagebücher 1910 – 1923*, Frankfurt a.M., 1992, 8. Januar 1914.

5 Everett Hughes, »The making of a physician: General statement of ideas and problems«, *Human Organization*, 14/4 (1955), S. 21–25.

6 Allen Verhey, *Nature and Altering It*, Grand Rapids, MI, 2010, S. 19. Siehe auch Matt Ridley, *Genome: The Autobiography of a Species in 23 Chapters*, New York 1999, S. 54.

7 Committee on Mapping and Sequencing the Human Genome, *Mapping and Sequencing the Human Genome*, Washington, D.C., 1998.

8 Louis Agassiz, »On the origins of species«, *American Journal of Science and Arts*, 30 (1860), S. 142–154.

9 Douglas Palmer, Paul Pettitt und Paul G. Bahn, *Unearthing the Past: The Great Archaeological Discoveries That Have Changed History*, Guilford, CT, 2005, S. 20.

10 *Popular Science Monthly*, 100 (1922).

11 Rebecca L. Cann, Mork Stoneking und Allan C. Wilson, »Mitochondrial DNA and human evolution«, *Nature*, 323 (1987), S. 31–36.

12 Siehe Chuan Ku u.a., »Endosymbiotic origin and differential loss of eukaryotic genes«, *Nature* 524 (2015), S. 427–432.

13 Thomas D. Kocher u.a., »Dynamics of mitochondrial DNA evolution in animals: Amplification and sequencing with conserved primers«, *Proceedings of the National Academy of Sciences*, 86/16 (1989), S. 6196–6200.

14 David M. Irwin, Thomas D. Kocher und Allan C. Wilson, »Evolution of the cytochrome-b gene of mammals«, *Journal of Molecular Evolution*, 32/2 (1991), S. 128–144; Linda Vigilant u. a., »African populations and the evolution of human mitochondrial DNA«, *Science*, 253/5027 (1991), S. 1503–1507; Anna Di Rienzo und Allan C. Wilson, »Branching pattern in the evolutionary tree for human mitochondrial DNA«, *Proceedings of the National Academy of Sciences*, 88/5 (1991), S. 1597–1601.

15 Jun Z. Li u. a., »Worldwide human relationships inferred from genome-wide patterns of variation«, *Science*, 319/5866 (2008), S. 1100–1104.

16 John Roach, »Massive genetic study supports ›out of Africa‹ theory«, *National Geographic News*, 21. Februar 2008.

17 Lev A. Zhivotovsky, Noah A. Rosenberg und Marcus W. Feldman, »Features of evolution and expansion of modern humans, inferred from genomewide microsatellite markers«, *American Journal of Human Genetics*, 72/5 (2003), S. 1171–1186.

18 Noah Rosenberg u. a., »Genetic structure of human populations«, *Science*, 298/5602 (2002), S. 2381–2385. Zu einer Karte menschlicher Migrationsrouten siehe L. L. Cavalli-Sforza und Marcus W. Feldman, »The application of molecular genetic approaches to the study of human evolution«, *Nature Genetics*, 33 (2003), S. 266–275.

19 Zum Ursprung des Menschen in Südafrika siehe Brenna M. Henn u. a., »Hunter-gatherer genomic diversity suggests a southern African origin for modern humans«, *Proceedings of the National Academy of Sciences*, 108/13 (2011), S. 5154–5162. Siehe auch Brenna M. Henn, L. L. Cavalli-Sforza und Marcus M. Feldman, »The great human expansion«, *Proceedings of the National Academy of Sciences*, 109/44 (2012), S. 17758–17764.

20 Philip Larkin, »Annus Mirabilis«, in: *High Windows*, 1974.

21 Christopher Stringer, »Rethinking ›out of Africa‹«, Leitartikel, *Edge*, 12. November 2011, http://edge.org/conversation/rethinking-out-of-africa

22 H. C. Harpending u. a., »Genetic traces of ancient demography«, *Proceedings of the National Academy of Sciences*, 95 (1998), S. 1961–1967; R. Gonser u. a., »Microsatellite mutations and inferences about human demography«, *Genetics*, 154 (2000), S. 1793–1807; A. M. Bowcock u. a., »High resolution of human evolutionary trees with polymorphic microsatellites«, *Nature*, 368 (1994), S. 455 ff.; sowie C. Dib u. a., »A comprehensive genetic map of the human genome based on 5,264 microsatellites«, *Nature*, 380 (1996), S. 152 ff.

23 Anthony P. Polednak, *Racial and Ethnic Differences in Disease*, Oxford 1989, S. 32 f.

24 M. W. Feldman und R. C. Lewontin, »Race, ancestry, and medicine«, in: Barbara A. Koenig, S. S. Lee und S. S. Richardson (Hg.), *Revisiting Race in a Ge-*

nomic Age, New Brunswick 2008; siehe auch Li u. a., »Worldwide human relationships inferred from genome-wide patterns of variation«, S. 1100–1104.

25 Luigi Cavalli-Sforza, Paola Menozzi und Alberto Piazza, *The History and Geography of Human Genes*, Princeton, NJ, 1994, S. 19.

26 Kathryn Stockett, *The Help*, New York 2009, S. 235; dt.: *Gute Geister*, München 2011, S. 273.

27 Richard Herrnstein und Charles Murray, *The Bell Curve*, New York 1994.

28 »The ›Bell Curve‹ agenda«, *New York Times*, 24. Oktober 1994.

29 James Q. Wilson und Richard Herrnstein, *Crime and Human Nature*, New York 1985.

30 Charles Spearman, »›General Intelligence‹, objectively determined and measured«, *American Journal of Psychology*, 15/2 (1904), S. 201–292.

31 Das Konzept des Intelligenzquotienten wurde ursprünglich von dem deutschen Psychologen William Stern entwickelt.

32 Louis Leon Thurstone, »The absolute zero in intelligence measurement«, *Psychological Review*, 35/3 (1928), S. 175; und L. Thurstone, »Some primary abilities in visual thinking«, *Proceedings of the American Philosophical Society* (1950), S. 517–521. Siehe auch Howard Gardner und Thomas Hatch, »Educational implications of the theory of multiple intelligences«, *Educational Researcher*, 18/8 (1989), S. 4–10.

33 Herrnstein und Murray, *The Bell Curve*, S. 284.

34 George A. Jervis, »The mental deficiencies«, *Annals of the American Academy of Political and Social Science* (1953), S. 25–33. Siehe auch Otis Dudley Duncan, »Is the intelligence of the general population declining?«, *American Sociological Review*, 17/4 (1952), S. 401–407.

35 Die von Murray und Herrnstein berücksichtigten Variablen verdienen Erwähnung. Sie fragten sich, ob bei Afroamerikanern eine tiefe Abneigung gegen Tests und Bewertungen herrsche, die bei ihnen zu einem Widerstreben gegen Intelligenztests führe. Aber ausgeklügelte Experimente, eine solche »Test-Abneigung« zu messen und auszuschalten, konnten den 15-Punkte-Unterschied nicht beseitigen. Sie zogen die Möglichkeit in Betracht, dass die Tests kulturell einseitig ausgerichtet seien (das wohl berüchtigtste Beispiel aus einem standardisierten US-amerikanischen Hochschuleignungstest fragt Schüler nach dem Zusammenhang von »Ruderer:Regatta«. Es bedarf wohl kaum eines Experten für Sprache und Kultur, um zu erkennen, dass die meisten Großstadtkinder, ob schwarz oder weiß, kaum wissen dürften, was eine Regatta ist, geschweige denn, was ein Ruderer dabei macht). Doch selbst nachdem sie solche kultur- und schichtspezifischen Fragen aus den Tests gestrichen hatten, blieb nach Murrays und Herrnsteins Angaben ein Unterschied von etwa 15 Punkten bestehen.

36 Eric Turkheimer, »Consensus and controversy about IQ«, *Contemporary Psychology*, 35/5 (1990), S. 428 ff. Siehe auch Eric Turkheimer u. a., »Socioeconomic status modifies herability of IQ in young children«, *Psychological Studies*, 14/6 (2003), S. 623–628.

37 Stephen Jay Gould, »Curve ball«, *New Yorker*, 28. November 1994, S. 139 f.

38 Orlando Patterson, »For Whom the Bell Curves«, in: Steven Fraser (Hg.), *The Bell Curve Wars: Race, Intelligence, and the Future of America*, New York 1995.

39 William Wright, *Born That Way: Genes, Behavior, Personality*, London 2013, S. 195.

40 Herrnstein und Murray, *The Bell Curve*, S. 300–305.

41 Sandra Scarr und Richard A. Weinberg, »Intellectual similarities within families of both adopted and biological children«, *Intelligence*, 1/2 (1977), S. 170–191.

42 Alison Gopnik, »To drug or not to drug«, *Slate*, 22. Februar 2010, http://www.slate.com/articles/arts/books/2010/02/to_drug_or_not_to_drug.2.html

43 Paul Brodwin, »Genetics, Identity, and the Anthropology of Essentialism«, *Anthropological Quarterly*, 75/2 (2002), S. 323–330.

44 William Shakespeare, »Die Komödie der Irrungen«, 5. Akt. 1. Szene, in: *Sämtliche Werke*, S. 297.

45 Galen zit. nach Nancy Tuana, »Der schwächere Samen«, in: Barbara Orland und Elvira Scheich (Hg.), *Das Geschlecht der Natur. Feministische Beiträge zur Geschichte und Theorie der Naturwissenschaften*, Frankfurt a. M. 1995, S. 203–223, hier S. 213.

46 »Aristotle's Masterpiece« in: *The Works of Aristotle, the Famous Philosopher*, New England 1828, S. 15.

47 Frederick Augustus Rhodes, *The Next Generation*, Boston 1915, S. 74.

48 Leitartikel, *American Journal of the American Medical Association*, 41 (1903), S. 1579.

49 Nettie Maria Stevens, *Studies in Spermatogenesis: A Comparative Study of the Heterochromosomes in Certain Species of Coleoptera, Hemiptera and Lepidoptera, with Especial Reference to the Sex Determination*, Baltimore 1906.

50 Kathleen M. Weston, *Blue Skies and Bench Space: Adventures in Cancer Research*, Cold Spring Harbor, NY, 2012, Kap. 8: »Walk This Way«.

51 Gerald I. M. Swyer, »Male pseudohermaphroditism: A hitherto undescribed form«, *British Medical Journal*, 2/4941 (1955), S. 709.

52 Ansbert Schneider-Gädicke u. a., »ZFX has a gene structure similar to ZFY, the putative human sex determinant, and escapes X inactivation«, *Cell*, 57/7 (1989), S. 1247–1258.

53 Philippe Berta u. a., »Genetic evidence equating SRY and the testis-determining factor«, *Nature*, 348/6300 (1990), S. 448 ff.

54 Ebd.; John Gubbay u.a., »A gene mapping to the sex-determining region of the mouse Y chromosome is a member of a novel family of embryonically expressed genes«, *Nature*, 346 (1990), S. 245–250; Ralf J. Jäger u.a., »A human XY female with a frame shift mutation in the candidate testis-determining gene *SRY* gene«, *Nature*, 348 (1990), S. 452 ff.; Peter Koopman u.a., »Expression of a candidate sex-determining gene during mouse testis differentiation«, *Nature*, 348 (1990), S. 450 ff.; Peter Koopman u.a., »Male development of chromosomally female mice transgenic for *SRY* gene«, *Nature*, 351 (1991), S. 117–121; und Andrew H. Sinclair u.a., »A gene from the human sex-determining region encodes protein with homology to a conserved DNA-binding motif«, *Nature*, 346 (1990), S. 240–244.

55 »IAmA young woman with Swyer syndrome (also called XY gonadal dysgenesis)«, Reddit, 2011, https://www.reddit.com/r/IAMA/comments/e792p/iama_young_woman_with_swyer_syndrome_also_called/

56 Einzelheiten zur Geschichte David Reimers sind entnommen aus John Colapinto, *As Nature Made Him: The Boy Who Was Raised as a Girl*, New York 2000; dt.: *Der Junge, der als Mädchen aufwuchs*, Düsseldorf, Zürich 2000.

57 John Money, *The First Person History of Pediatric Psychoendocrinology*, Dordrecht 2002, Kap. 6: »David and Goliath«.

58 Gerald N. Callahan, *Between XX and XY*, Chicago 2009, S. 129.

59 J. Michael Bostwick und Kari A. Martin, »A man's brain in an ambiguous body: A case of mistaken gender identity«, *American Journal of Psychiatry*, 164/10 (2007), S. 1499–1505.

60 Ebd.

61 Heino F.L. Meyer-Bahlburg, »Gender identity outcome in female-raised 46,XY persons with penile agenesis, cloacal exstrophy of the bladder or penile ablation«, *Archives of Sexual Behavior*, 34/4 (2005), S. 423–438.

62 Otto Weininger, *Geschlecht und Charakter. Eine prinzipielle Untersuchung*, Hamburg 2014 (Nachdruck der Originalausgabe von 1903), S. 7.

63 Carey Reed, »Brain ›gender‹ more flexible than once believed, study finds«, *PBS NewsHour*, 5. April 2015, http://www.pbs.org/newshour/rundown/brain-gender-flexible-believed-study-finds/; siehe auch Bridget M. Nugent u.a., »Brain feminization requires active repression of masculinization via DNA methylation«, *Nature Neuroscience*, 18 (2015), S. 690–697.

64 William Wright, *Born That Way*, S. 27.

65 Sándor Lorand und Michael Balint (Hg.), *Perversions: Psychodynamics and Therapy*, New York 1956, Repr. London 1965, S. 75.

66 Bernard J. Oliver jr., *Sexual Deviation in American Society*, New Haven, CT, 1967, S. 146.

67 Irving Bieber, *Homosexuality: A Psychoanalytic Study*, Lanham, MD, 1962, S. 52.

68 Jack Drescher, Ariel Shidlo und Michael Schroeder, *Sexual Conversion Therapy: Ethical, Clinical and Research Perspectives*, Boca Raton, FL, 2002, S. 33.

69 »The 1992 campaign: The vice president; Quayle contends homosexuality is a matter of choice, not biology«, *New York Times*, 14. September 1992, http://www.nytimes.com/1992/09/14/us/1992-campaign-vice-president-quayle-contends-homosexuality-matter-choice-not.html

70 David Miller, »Introducing the ›gay gene‹: Media and scientific representations«, *Public Understanding of Science*, 4/3 (1995), S. 269–284. http://www.academia.edu/3172354/Introducing_the_Gay_Gene_Media_and_Scientific_Representations

71 Carol Sarler, »Moral majority gets its genes all in a twist«, *People*, Juli 1993, S. 27.

72 Richard Lewontin, *Not in Our Genes: Biology, Ideology, and Human Nature*, New York 1984; dt.: *Die Gene sind es nicht …: Biologie, Ideologie und menschliche Natur*, München, Weinheim 1987.

73 Ebd., S. 214.

74 J. Michael Bailey und Richard C. Pillard, »A genetic study of male sexual orientation«, *Archives of General Psychiatry*, 48/12 (1991), S. 1089–1096.

75 Frederick L. Whitam, Milton Diamond und James Martin, »Homosexual orientation in twins: A report on 61 pairs and three triplet sets«, *Archives of Sexual Behavior*, 22/3 (1993), S. 187–206.

76 Dean Hamer, *Science of Desire: The Gay Gene and the Biology of Behavior*, New York 2011, S. 40.

77 Ebd., S. 91–104.

78 »The ›gay gene‹ debate«, *Frontline*, PBS, http://www.pbs.org/wgbh/pages/frontline/shows/assault/genetics/

79 Richard Horton, »Is homosexuality inherited?«, *Frontline*, PBS, http://www.pbs.org/wgbh/pages/frontline/shows/assault/genetics/nyreview.html

80 Timothy F. Murphy, *Gay Science: The Ethics of Sexual Orientation Research*, New York 1997, S. 144.

81 M. Philip, »A review of Xq28 and the effect on homosexuality«, *Interdisciplinary Journal of Health Science*, 1 (2010), S. 44–48.

82 Dean H. Hamer u. a., »A linkage between DNA markers on the X chromosome and male sexual orientation«, *Science*, 265/5119 (1993), S. 321–327.

83 Brian S. Mustanski u. a., »A genomewide scan of male sexual orientation«, *Human Genetics*, 116/4 (2005), S. 272–278.

84 A. R. Sanders, »Genome-wide scan demonstrates significant linkage for male sexual orientation«, *Psychological Medicine*, 45/7 (2015), S. 1379–1388.

85 Elizabeth M. Wilson, »Androgen receptor molecular biology and potential targets in prostrate cancer«, *Therapeutic Advances in Urology*, 2/3 (2010), S. 105 ff.

86 Macfarlane Burnet, *Genes, Dreams and Realities*, Dordrecht 1971, S. 170.

87 Nancy L. Segal, *Born Together – Reared Apart: The Landmark Minnesota Twin Study*, Cambridge 2012, S. 4.

88 Wright, *Born That Way*, S. VIII.

89 Ebd., S. VII.

90 Thomas J. Bouchard u. a., »Sources of human psychological differences: The Minnesota study of twins reared apart«, *Science*, 250/4978 (1990), S. 223–228.

91 Richard P. Ebstein u. a., »Genetics of human social behavior«, *Neuron*, 65/6 (2010), S. 831–844.

92 Wright, *Born That Way*, S. 52.

93 Ebd., S. 63–67.

94 Ebd., S. 28.

95 Ebd., S. 74.

96 Ebd., S. 70.

97 Ebd., S. 65.

98 Ebd., S. 80.

99 Richard P. Ebstein u. a., »Dopamine D4 receptor *(D4DR)* exon III polymorphism associated with the human personality trait of novelty seeking«, *Nature Genetics*, 12/1 (1996), S. 78 ff.

100 Luke J. Matthews und Paul M. Butler, »Novelty-seeking *DRD4* polymorphisms are associated with human migration distance out-of-Africa after controlling for neutral population gene structure«, *American Journal of Physical Anthropology*, 145/3 (2011), S. 382–389.

101 Lewis Carroll, *Hinter den Spiegeln*, Frankfurt a. M. 1974, S. 21.

102 Eric Turkheimer, »Three laws of behavior genetics and what they mean«, *Current Directions in Psychological Science*, 9/5 (2000), S. 160–164; sowie Eric Turkheimer und M. C. Waldron, »Nonshared environment: A theoretical, methodological, and quantitative review«, *Psychological Bulletin*, 126 (2000), S. 78–108.

103 Robert Plomin und Denise Daniels, »Why are children in the same family so different from one another?«, *Behavioral and Brain Sciences*, 10/1 (1987), S. 1–16.

104 William Shakespeare, »Der Sturm«, 4. Akt, 1. Szene, in: *Sämtliche Werke*, S. 15.

105 Nessa Carey, *The Epigenetics Revolution: How Modern Biology Is Rewriting Our Understanding of Genetics, Disease, and Inheritance*, New York 2012, S. 5.

106 Evelyn Fox Keller, *The Century of the Gene*, Cambridge, MA, 2000; dt.: *Das Jahrhundert des Gens*, Frankfurt a. M. 2001, S. 188 f.

107 Erich D. Jarvis u.a., »For whom the bird sings: Context-dependent gene expression«, *Neuron*, 21/4 (1998), S. 775–788.

108 Conrad Hal Waddington, *The Strategy of Genes: A Discussion of Some Aspects of Theoretical Biology*, London 1957, S. IX, 262.

109 Max Hastings, *Armageddon: The Battle for Germany, 1944–1945*, New York 2004, S. 414.

110 Bastiaan T. Heijmans u.a., »Persistent epigenetic differences associated with prenatal exposure to famine in humans«, *Proceedings of the National Academy of Sciences*, 105/44 (2008), S. 17046–17049.

111 John B. Gurdon, »Nuclear reprogramming in eggs«, *Nature Medicine*, 15/10 (2009), S. 1141–1144.

112 John B. Gurdon und H. R. Woodland, »The cytoplasmic control of nuclear activity in animal development«, *Biological Review*, 43/2 (1968), S. 233–267.

113 »Sir John B. Gurdon – facts«, Nobelprize.org, http://nobelprize.org/nobel_prizes/medicine/laureates/2012/gurdon-facts.html

114 John Maynard Smith, Interview in *Web of Stories*, www.webofstories.com/play/john.maynard.smith/78

115 Der japanische Wissenschaftler Susumu Ohno hatte bereits die Hypothese einer X-Inaktivierung aufgestellt, bevor dieses Phänomen entdeckt wurde.

116 K. Raghunathan u.a., »Epigenetic inheritance uncoupled from sequence-specific recruitment«, *Science*, 348 (3. April 2015), S. 6230.

117 Ein Masterregulatorgen kann seine Aktivitäten auf einem Zielgen weitgehend autonom durch einen Mechanismus, das sogenannte positive Feedback, aufrechterhalten.

118 Jorge Luis Borges, *Funes el memorioso*, 1942; dt.: »Das unerbittliche Gedächtnis«, in: ders., *Fiktionen*, Frankfurt a. M., 1993, S. 95–104.

119 K. Takahashi und S. Yamanaka, »Induction of pluripotent stem cells from mouse embryonic and adult fibroblast cultures by defined factors«, *Cell*, 126/4 (2006), S. 663–676. Siehe auch M. Nakagawa u.a., »Generation of induced pluripotent stem cells without Myc from mouse and human fibroblasts«, *Nature Biotechnology*, 26/1 (2008), S. 101–106.

120 James Gleick, *The Information: A History, a Theory, a Flood*, New York 2011; dt.: *Die Information: Geschichte, Theorie, Flut*, München 2011, S. 305.

121 Itay Budin und Jack W. Szostak, »Expanding roles for diverse physical phenomena during origin of life«, *Annual Review of Biophysics*, 39 (2010), S. 245–263; sowie Alonso Ricardo und Jack W. Szostak, »Origin of Life on Earth«, *Scientific American*, 301/3 (2009), S. 54–61.

122 Diese Experimente führte Miller gemeinsam mit Harold Urey an der University of Chicago durch; entscheidende Experimente machte auch John Sutherland in Manchester.

123 Alonso Ricardo und Jack W. Szostak, »Origin of Life on Earth«.
124 Jack W. Szostak, David P. Bartel und P. Luigi Luisi, »Synthesizing life«, *Nature*, 409/6818 (2001), S. 387–390. Siehe auch Martin M. Hanczyc, Shelly M. Fujikawa und Jack W. Szostak, »Experimental models of primitive cellular compartments: Encapsulation, growth and division«, *Science*, 302/5645 (2003), S. 618–622.
125 Alonso Ricardo und Jack W. Szostak, »Origin of Life on Earth«.

Teil 6: Post-Genom

1 Karl Popper, *Das Elend des Historizismus*, Tübingen 2003, S. X.
2 Tom Stoppard, *The Coast of Utopia*, New York 2007; dt.: *Die Küste Utopias*, Köln 2013, »Schiffbruch«, 2. Akt, August 1852, S. 207.
3 Gina Smith, *The Genomics Age: How DNA Technology Is Transforming the Way We Live and Who We Are*, New York 2004.
4 T. S. Eliot, *Murder in the Cathedral*, Boston 2014; dt.: »Mord im Dom«, in: ders., *Die Dramen*, Frankfurt a. M. 1988, S. 25–83, hier S. 75.
5 Rudolf Jaenisch und Beatrice Mintz, »Simian virus 40 DNA sequences in DNA of healthy adult mice derived from preimplantation blastocysts injected with viral DNA«, *Proceedings of the National Academy of Sciences*, 71/4 (1974), S. 1250–1254.
6 M. J. Evans und M. H. Kaufman, »Establishment in culture of pluripotential cells from mouse embryos«, *Nature*, 292 (1981), S. 154 ff.
7 Mario R. Capecchi, »The first transgenic mice: An interview with Mario Capecchi. Interview by Kristin Kain«, *Disease Models & Mechanisms*, 1/4–5 (2008), S. 197.
8 Mario R. Capecchi, »High efficiency transformation by direct microinjection of DNA into cultured mammalian cells«, *Cell*, 22 (1980), S. 479–488; K. R. Thomas und M. R. Capecchi, »Site-directed mutagenesis by gene targeting in mouse embryo-derived stem cells«, *Cell*, 51 (1987), S. 503–512.
9 O. Smithies u. a., »Insertion of DNA sequences into the human chromosomal β-globin locus by homologous recombination«, *Nature*, 317 (1985), S. 230–234.
10 Richard Dawkins, *Der blinde Uhrmacher*, München 1987.
11 Kiyohito Murai u. a., »Nuclear receptor TLX stimulates hippocampal neurogenesis and enhances learning and memory in a transgenic mouse model«, *Proceedings of the National Academy of Sciences*, 111/25 (2014), S. 9115–9120.
12 Karen Hopkin, »Ready, reset, go«, *The Scientist*, 11. März 2011, http://www.the-scientist.com/?articles.view/articleno/29550/title/ready-reset-go/
13 Einzelheiten zu Ashanti DeSilvas Geschichte sind entnommen aus: W. French

Anderson, »The best of times, the worst of times«, *Science*, 288/5466 (2000), S. 627; Jeff Lyon und Peter Gorner, *Altered Fates*; sowie Nelson A. Wivel und W. French Anderson, »24: Human gene therapy: Public policy and regulatory issues«, *Cold Spring Harbor Monograph Archive*, 36 (1999), S. 671–689.

14 Jeff Lyon und Peter Gorner, *Altered Fates*, S. 107.

15 »David Phillip Vetter (1971–1984)«, *American Experience*, PBS, http://www.pbs.org/wgbh/amex/bubble/peopleevents/p_vetter.html

16 Luigi Naldini u. a., »In vivo gene delivery and stable transduction of nondividing cells by a lentiviral vector«, *Science*, 272/5259 (1996), S. 263–267.

17 »Hope for gene therapy«, *Scientific American Frontiers*, PBS, http://www.pbs.org/saf/1202/features/genetherapy.htm

18 W. French Anderson u. a., »Gene transfer and expression in nonhuman primates using retroviral vectors«, *Cold Spring Harbor Symposia on Quantitative Biology*, 51 (1986), S. 1073–1081.

19 Jeff Lyon und Peter Gorner, *Altered Fates*, S. 124.

20 Lisa Yount, *Modern Genetics: Engineering Life*, New York 2006, S. 70.

21 Jeff Lyon und Peter Gorner, *Altered Fates*, S. 239.

22 Ebd., S. 240.

23 Ebd., S. 268.

24 Barbara Sibbald, »Death but one unintended consequence of gene-therapy trial«, *Canadian Medical Association Journal*, 164/11 (2001), S. 1612.

25 Zu Einzelheiten der Geschichte Jesse Gelsingers siehe: Evelyn B. Kelly, *Gene Therapy*, Westport, CT, 2007; Jeff Lyon und Peter Gorner, *Altered Fates*; sowie Sally Lehrman, »Virus treatment questioned after gene therapy death«, *Nature*, 401/6753 (1999), S. 517 f.

26 James M. Wilson, »Lessons learned from the gene therapy trial for ornithine transcarbamylase deficiency«, *Molecular Genetics and Metabolism*, 96/4 (2009), S. 151–157.

27 Gespräche des Autors mit Paul Gelsinger, November 2014 und April 2015.

28 Robin Fretwell Wilson, »Death of Jesse Gelsinger: New evidence of the influence of money and prestige in human research«, *American Journal of Law and Medicine*, 36 (2010), S. 295.

29 B. Sibbald, »Death but one unintended consequence of gene-therapy trial«.

30 Carl Zimmer, »Gene therapy emerges from disgrace to be the next big thing, again«, *Wired*, 13. August 2013.

31 Sheryl Gay Stolberg, »The biotech death of Jesse Gelsinger«, *New York Times*, 27. November 1999, http://www.nytimes.com/1999/11/28/magazine/the-biotech-death-of-jesse-gelsinger.html

32 Carl Zimmer, »Gene therapy emerges from disgrace to be the next big thing, again«, *Wired*, 13. August 2013.

33 William Butler Yeats, »Byzantium«, in: *The Collected Poems of W.B.Yeats*, Richard Finneran (Hg.), New York 1996; dt.: »Byzanz«, in: ders., *Die Gedichte*, München 2005, S. 279.

34 Jim Kozubek, »The birth of ›transhumans‹«, *Providence (RI) Journal*, 29. September 2013.

35 Interview des Autors mit Eric Topol, 2013.

36 Mary-Claire King, »Using pedigrees in the hunt for *BRCA1*«, DNA Learning Center, https://www.dnalc.org/view/15126-Using-pedigrees-in-the-hunt-for-BRCA1-Mary-Claire-King.html

37 Jeff M. Hall u.a., »Linkage of early-onset familial breast cancer to chromosome 17q21«, *Science*, 250/4988 (1990), S. 1684–1689.

38 Jane Gitschier, »Evidence is evidence: An interview with Mary-Claire King«, *PLOS*, 26. September 2013.

39 E. Richard Gold und Julia Carbone, »Myriad Genetics: In the eye of the policy storm«, *Genetics in Medicine*, 12 (2010), S. S39–S70.

40 Masha Gessen, *Blood Matters: From BRCA1 to Designer Babies. How the World and I Found Ourselves in the Future of the Gene*, Boston 2009, S. 8.

41 Eugen Bleuler und Carl Gustav Jung, »Komplexe und Krankheitsursachen bei Dementia praecox«, *Zentralblatt für Nervenheilkunde und Psychiatrie*, 31 (1908), S. 220–227.

42 Susan Folstein und Michael Rutte, »Infantile autism: A genetic study of 21 twin pairs«, *Journal of Child Psychology and Psychiatry*, 18/4 (1977), S. 297–321.

43 Silvano Arieti und Eugene B. Brody, *Adult Clinical Psychiatry*, New York 1974, S. 553.

44 »1975: *Interpretation of Schizophrenia* by Silvano Arieti«, National Book Award Winners: 1950–2014, National Book Foundation, http://www.nationalbook.org/nbawinners_category.html

45 Menachem Fromer u.a., »De novo mutations in schizophrenia implicate synaptic networks«, *Nature*, 506/7487 (2014), S. 179–184.

46 Schizophrenia Working Group of the Psychiatric Genomics Consortium, »Biological insights from 108 schizophrenia-associated genetic loci«, *Nature*, 511 (2014), S. 421–427.

47 Benjamin Neale, zit. nach Simon Makin, »Massive study reveals schizophrenia's genetic roots: The largest-ever genetic study of mental illness reveals a complex set of factors«, *Scientific American*, 1. November 2014.

48 Marguerite Blessington, »Conversations of Lord Byron with the Countess of Blessington«, in: *Carey's Library of Choice Literature*, Bd. 2, Philadelphia 1836, S. 458.

49 Kay Redfield Jamison, *Touched with Fire*, New York 1996.

50 Tony Attwood, *The Complete Guide to Asperger's Syndrome*, London 2006; dt.: *Ein ganzes Leben mit dem Asperger-Syndrom: alle Fragen – alle Antworten*, Stuttgart 2008.

51 Adrienne Sussman, »Mental illness and creativity: A neurological view of the ›tortured artist‹«, *Stanford Journal of Neuroscience*, 1/1 (2007), S. 21–24.

52 Susan Sontag, *Illness as Metaphor and AIDS and Its Metaphors*, New York 2001; dt.: *Krankheit als Metapher*, München 1980, S. 6.

53 Zu Einzelheiten dieser Tagung siehe »The future of genomic medicine VI«, Scripps Translational Science Institute, http://www.slideshare.net/mdcon ferencefinder/the-future-of-genomic-medicine-vi-23895019; Eryne Brown, »Gene mutation didn't slow down high school senior«, *Los Angeles Times*, 5. Juli 2015, http://www.latimes.com/local/california/la-me-lilly-grossman-update-20150702-story.html; sowie Konrad J. Karczewski, »The future of genomic medicine is here«, *Genome Biology*, 14/3 (2013), S. 304.

54 »Genome maps solve medical mystery for California twins«, Sendung des National Public Radio, 16. Juni 2011.

55 Matthew N. Bainbridge u. a., »Whole-genome sequencing for optimized patient management«, *Science Translational Medicine*, 3/87 (2011), S. 87re3.

56 Antonio M. Persico und Valerio Napolioni, »Autism genetics«, *Behavioural Brain Research*, 251 (2013), S. 95–112; und Guillaume Huguet, Elodie Ey und Thomas Bourgeron, »The genetic landscapes of autism spectrum disorders«, *Annual Review of Genomics and Human Genetics*, 14 (2013), S. 191–213.

57 Albert H. C. Wong, Irving I. Gottesman und Arturas Petronis, »Phenotypic differences in genetically identical organisms: The epigenetic perspective«, *Human Molecular Genetics*, 14/1 (2005), S. R11–R18. Siehe auch Nicholas J. Roberts u. a., »The predictive capacity of personal genome sequencing«, *Science Translational Medicine*, 4/133 (2012), 133ra58.

58 Alan H. Handyside u. a., »Pregnancies from biopsied human preimplantation embryos sexed by Y-specific DNA amplification«, *Nature*, 344/6268 (1990), S. 768 ff.

59 Desmond King, »The state of eugenics«, *New Statesman & Society*, 25 (1995), S. 25 f.

60 K. P. Lesch u. a., »Association of anxiety-related traits with a polymorphism in the serotonergic transporter gene regulatory region«, *Science*, 274 (1996), S. 1527–1531.

61 Douglas F. Levinson, »The genetics of depression: A review«, *Biological Psychiatry*, 60/2 (2006), S. 84–92.

62 »Strong African American Families Program«, Blueprints for Healthy Youth Development, http://http://www.blueprintsprograms.com/evaluation-abs tract/strong-african-american-families-program

63 Gene H. Brody u. a., »Prevention effects moderate the association of *5-HTTLPR* and youth risk behavior initiation: Gene x environment hypothesis tested via a randomized prevention design«, *Child Development,* 80/3 (2009), S. 645–661; sowie Gene H. Brody, Yi-fu Chen und Steven R. H. Beach, »Differential susceptibility to prevention: GABAergic, dopaminergic, and multilocus effects«, *Journal of Child Psychology and Psychiatry,* 54/8 (2013), S. 863–871.

64 Jay Belsky, »The downside of resilience«, *New York Times,* 28. November 2014.

65 Michel Foucault, *Les Anormaux. Cours aux Collège de France (1974– 75),* Paris 1999; dt.: *Die Anormalen. Vorlesungen am Collège de France 1974/75,* Frankfurt a. M. 2007, S. 82.

66 William Shakespeare, *Richard III,* 5. Akt, 3. Szene, in: *Sämtliche Werke,* S. 515.

67 »Biology's Big Bang«, *Economist,* 14. Juni 2007.

68 Jeff Lyon und Peter Gorner, *Altered Fates,* S. 537.

69 Sheryl Gay Stolberg, »The biotech death of Jesse Gelsinger«, S. 136–140.

70 Amit C. Nathwani u. a., »Long-term safety and efficacy of factor IX gene therapy in hemophilia B«, *New England Journal of Medicine,* 371/21 (2014), S. 1994–2004.

71 James A. Thomson u. a., »Embryonic stem cell lines derived from human blastocysts«, *Science,* 282/5391 (1998), S. 1145 ff.

72 Dorothy C. Wertz, »Embryo and stem cell research in the United States: History and politics«, *Gene Therapy,* 9/11 (2002), S. 674–678.

73 Martin Jinek u. a., »A programmable dual-RNA-guided DNA endonuclease in adaptive bacterial immunity«, *Science,* 337/6096 (2012), S. 816–821.

74 Entscheidende Beiträge zur Anwendung des CRISPR/Cas9-Verfahrens auf menschliche Zellen leisteten unter anderem Feng Zhang (MIT) und George Church (Harvard). Siehe beispielsweise L. Cong u. a., »Multiplex genome engineering using CRISPR/Cas systems«, *Science,* 339/6121 (2013), S. 819–823; und F. A. Ran, »Genome engineering using the CRISPR-Cas9 system«, *Nature Protocols,* 11 (2013), S. 2281–2308.

75 Walfred W. C. Tang u. a., »A unique gene regulatory network resets the human germline epigenome for development«, *Cell,* 161/6 (2015), S. 1453–1467; sowie »In a first, Weizmann Institute and Cambridge University scientists create human primordial germ cells«, Weizmann Institute of Science, 24. Dezember 2014, http://www.newswise.com/articles/in-a-first-weizmann-insti tuteand-cambridge-university-scientists-create-human-primordial-germ-cells

76 David Baltimore u. a., »A prudent path forward for genomic engineering and germline gene modification«, *Science,* 348/6230 (2015), S. 36 ff.; sowie Cormac Sheridan, »CRISPR germline editing reverberates through biotech industry«, *Nature Biotechnology,* 33/5 (2015), S. 431 f.

77 Nicholas Wade, »Scientists seek ban on method of editing the human genome«, *New York Times*, 19. März 2015.

78 Ebd.

79 Francis Collins, Brief an den Autor, Oktober 2015.

80 David Cyranoski und Sara Reardon, »Chinese scientists genetically modify human embryos«, *Nature*, 22. April 2015; dt.: »Forscher manipulieren Genom menschlicher Embryonen«, *Spektrum*, 23. April 2015, http://www.spectrum.de

81 Chris Gyngell und Julian Savulescu, »The moral imperative to research editing embryos: The need to modify nature and science«, Oxford University, 23. April 2015, blog.practicalethics.ox.ac.uk/2015/04/the-moral-imperative-to-research-editing-embryos-the-need-tomodify-nature-and-science/

82 Puping Liang u. a., »CRISPR/Cas9-mediated gene editing in human tripronuclear zygotes«, *Protein & Cell*, 6/5 (2015), S. 1–10.

83 David Cyranoski und Sara Reardon, »Forscher manipulieren Genom menschlicher Embryonen«.

84 Didi Kristen Tatlow, »A scientific ethical divide between China and West«, *New York Times*, 29. Juni 2015.

Epilog: *Bheda, Abheda*

1 Paul Berg im Interview mit dem Autor, 1993.

2 David Botstein, Brief an den Autor, Oktober 2015.

3 Eric Turkheimer, »Still missing«, *Research in Human Development*, 8/3–4 (2011), S. 227–241.

4 Peter Conrad, »A mirage of genes«, *Sociology of Health & Illness*, 21/2 (1999), S. 228–241.

5 Richard A. Friedman, »The feel-good gene«, *New York Times*, 6. März 2015.

6 Thomas Hunt Morgan, *Die stoffliche Grundlage der Vererbung*, Berlin 1921, S. 1.

Bibliographie

Agassiz, Louis, »On the origins of species«, *American Journal of Science and Arts*, 30 (1860), S. 142–154.

Aischylos, *Die Eumeniden*, in: *Die Orestie*, Berlin 2016.

Allen, Garland E., und Roy M. MacLeod (Hg.), *Science, History and Social Activism: A Tribute to Everett Mendelsohn*, Bd. 228, Dordrecht 2013.

Allison, J. P., B. W. McIntyre und D. Bloch, »Tumor-specific antigen of murine T-Lymphoma defined with monoclonal antibody«, *Journal of Immunology*, 129 (1982), S. 2293–2300.

Aly, Götz, »Medizin gegen Unbrauchbare«, in: *Beiträge zur nationalsozialistischen Gesundheits- und Sozialpolitik*, Bd. 1, *Aussonderung und Tod: die klinische Hinrichtung der Unbrauchbaren*, Berlin 1985, S. 9–74.

Amberger, J., u. a., »McKusicks Online Mendelian Inheritance in Man«, *Nucleic Acids Research*, 37 (2009): (Datenbankausgabe) D793–D796, Abb. 1 und 2, doi: 10.1093/nar/gkn665.

Anderson, Margaret J., *Carl Linnaeus: Father of Classification*, Springfield, NJ, 1997.

Anderson, W. French, »The best of times, the worst of times«, *Science*, 288/5466 (2000), S. 627.

Anderson, W. French u. a., »Gene transfer and expression in nonhuman primates using retroviral vectors«, *Cold Spring Harbor Symposia on Quantitative Biology*, 51 (1986), S. 1073–1081.

Andrews, Edmund L., »Patents; Unaddressed Question in Amgen Case«, *New York Times*, 9. März 1991.

Archibald, John, *One Plus One Equals One: Symbiosis and the Evolution of Complex Life*, Oxford 2014.

Arendt, Hannah, *Eichmann in Jerusalem: a Report on the Banality of Evil*, New York 1963; dt.: *Eichmann in Jerusalem: Ein Bericht von der Banalität des Bösen*, München 1964.

Arieti, Silvano, und Eugene B. Brody, *Adult Clinical Psychiatry*, New York 1974.

Aristoteles, »Aristotle's Masterpiece« in: *The Works of Aristotle, the Famous Philosopher*, New England 1828.

Aristoteles, *Fünf Bücher von der Zeugung und Entwickelung der Thiere*, ders., *Werke*, Bd. 3, Leipzig 1860.

Aristoteles, *Naturgeschichte der Tiere*, Bd. 3 (Buch 6–8), Stuttgart 1866.

Armstrong, Patrick, *The English Parson-Naturalist:A Companionship between Science and Religion*, Leominster, MA, 2000.

Attwood, Tony, *The Complete Guide to Asperger's Syndrome*, London 2006; dt.: *Ein ganzes Leben mit dem Asperger-Syndrom: alle Fragen – alle Antworten*, Stuttgart 2008.

Aukes, Maartje F. u.a., »Familial clustering of schizophrenia, bipolar disorder, and major depressive disorder«, *Genetics in Medicine*, 14/3 (2012), S. 338–341.

Avery, Oswald T., Colin M. MacLeod und Maclyn McCarty, »Studies on the chemical nature of the substance inducing transformation of pneumococcal types: Induction of transformation by a desoxyribonucleic acid fraction isolated from pneumococcus type III«, *Journal of Experimental Medicine*, 79/2 (1944), S. 137–158.

Bachrach, Susan, »In the name of public health – Nazi racial hygiene«, *New England Journal of Medicine*, 351 (2004), S. 417 ff.

Bailey, J. Michael und Richard C. Pillard, »A genetic study of male sexual orientation«, *Archives of General Psychiatry*, 48/12 (1991), S. 1089–1096.

Bainbridge, Matthew N. u.a., »Whole-genome sequencing for optimized patient management«, *Science Translational Medicine*, 3/87 (2011).

Baltimore, A.D. u.a., »A prudent path forward for genomic engineering and germline gene modification«, *Science*, 348/6230 (2015), S. 36 ff.

Banting, Frederick G. u.a., »Pancreatic extracts in the treatment of diabetes mellitus«, *Canadian Medical Association Journal*, 12/3 (1922).

Banting, Frederick u.a., »The effects of insulin on experimental hyperglycemia in rabbits«, *American Journal of Physiology*, 62/3 (1922).

Bateson, William, *Mendel's Principles of Heredity:A Defence*, Cambridge 1902.

Bateson, William, »Problems of Heredity as a Subject for Horticultural Investigation«, in: Milo Keynes, A.W.F. Edwards und Robert Peel (Hg.), *A Century of Mendelism in Human Genetics*, Boca Raton, FL, 2004.

Bateson, William, und Beatrice (Durham) Bateson, *William Bateson, F.R.S., Naturalist: His Essays and Addresses, Together with a Short Account of His Life*, Cambridge 1928.

Bauer, Martin W., *Atoms, Bytes and Genes: Public Resistance and Techno-Scientific Responses*, New York 2015.

Baur, Erwin, Eugen Fischer und Fritz Lenz, *Menschliche Auslese und Rassenhygiene*, Bd. 2, München 1932.

Beadle, George, »Genetics and metabolism in *Neurospora*«, *Physiological Reviews*, 25/4 (1945), S. 643–663.

Belsky, Jay, »The downside of resilience«, *New York Times*, 28. November 2014.

Benz, Wolfgang, *Geschichte des Dritten Reiches*, München 2000.

Benzenhöfer, Udo, *Der Fall Leipzig (alias Fall »Kind Knauer«) und die Planung der NS-»Kindereuthanasie«*, Münster 2008.

Berenson, Edward, *Populist Religion and Left-Wing Politics in France, 1830–1852*, Princeton, NJ, 1984.

Berg, Paul, *George Beadle, an Uncommon Farmer: The Emergence of Genetics in the 20th Century*, Cold Spring Harbor, NY, 2003.

Berg, Paul u.a., »Potential biohazards of recombinant DNA molecules«, *Science*, 185 (1974).

Berg, Paul u.a., »Summary statement of the Asilomar Conference on recombinant DNA molecules«, *Proceedings of the National Academy of Sciences*, 72/6 (1975), S. 1981–1984.

Berg, Paul, und J.E. Mertz, »Personal reflections on the origins and emergence of recombinant DNA technology«, *Genetics*, 184/1 (2010), S. 9–17, doi:10.1534/genetics.109.112144.

Berg, Paul, und Maxine Singer, *Dealing with Genes: The Language of Heredity*, Mill Valley, CA, 1992; dt.: *Die Sprache der Gene. Grundlagen der Molekulargenetik*, Heidelberg 1993.

Bernal, J.D., »Dr. Rosalind E. Franklin«, *Nature*, 182 (1958).

Berta, Philippe u.a., »Genetic evidence equating *SRY* and the testis-determining factor«, *Nature*, 348/6300 (1990), S. 448 ff.

Bickel, Alexander M., *The Morality of Consent*, New Haven 1975.

Bieber, Irving, *Homosexuality: A Psychoanalytic Study*, Lanham, MD, 1962.

Bishop, Jerry E., und Michael Waldholz, *Genome: The Story of the Most Astonishing Scientific Adventure of Our Time*, New York 1990; dt.: *Landkarte der Gene: das Genom-Projekt*, München 1991.

Bland, Lucy, und Laura L. Doan, *Sexology uncensored: The Documents of Sexual Science*, Chicago 1998.

Blessington, Marguerite, »Conversations of Lord Byron with the Countess of Blessington«, in: *Carey's Library of Choice Literature*, Bd. 2, Philadelphia 1836, S. 436–482.

Bleuler, Eugen, und Carl Gustav Jung, »Komplexe und Krankheitsursachen bei Dementia praecox«, *Zentralblatt für Nervenheilkunde und Psychiatrie*, 31 (1908), S. 220–227.

Bliss, Catherine, *Race Decoded: The Genomic Fight for Social Justice*, Palo Alto, CA, 2012.

Borges, Jorge Luis, *Funes el memorioso*, 1942; dt.: »Das unerbittliche Gedächtnis«, in: ders., *Fiktionen*, Frankfurt a.M., 1993, S. 95–104.

Bostwick, J. Michael, und Kari A. Martin, »A man's brain in an ambiguous body: A case of mistaken gender identity«, *American Journal of Psychiatry*, 164/10 (2007), S. 1499–1505.

Botstein, David u. a., »Construction of a genetic linkage map in man using restriction fragment length polymorphisms«, *American Journal of Human Genetics*, 32/3 (1980).

Bouchard, Thomas J. u. a., »Sources of human psychological differences: The Minnesota study of twins reared apart«, *Science*, 250/4978 (1990), S. 223–228.

Bowcock, A. M. u. a., »High resolution of human evolutionary trees with polymorphic microsatellites«, *Nature*, 368 (1994).

Braben, Donald W., *Pioneering Research: A Risk Worth Taking*, Hoboken, NJ, 2004.

Brenner, Sydney, »The influence of the press at the Asilomar Conference, 1975«, Web of Stories, http://www.webofstories.com/play/sydney.brenner/182;jsesssionid =2c147f1c4222a58715e708eabd868e58

Brenner, Sydney, F. Jacob und M. Meselson, »An unstable intermediate carrying information from genes to ribosomes for protein synthesis«, *Nature*, 190 (13. Mai 1960), S. 576–581.

Brenner, Sydney, »Life sentences: Detective Rummage investigates«, *Scientist – the Newspaper for the Science Professional*, 16/16 (2002).

Brigham, Carl Campbell, und Robert M. Yerkes, *A Study of American Intelligence*, Princeton, NJ, 1923.

Brodwin, Paul, »Genetics, Identity, and the Anthropology of Essentialism«, *Anthropological Quarterly*, 75/2 (2002), S. 323–330.

Brody, Gene H. u. a., »Prevention effects moderate the association of 5-HTTLRP and youth risk behavior initiation: Gene x environment hypothesis tested via a randomized prevention design«, *Child Development*, 80/3 (2009), S. 645–661.

Brody, Gene H., Yi-fu Chen und Steven R. H. Beach, »Differential susceptibility to prevention: GABAergic, dopaminergic, and multilocus effects«, *Journal of Child Psychology and Psychiatry*, 54/8 (2013), S. 863–871.

Brown, Eryne, »Gene mutation didn't slow down high school senior«, *Los Angeles Times*, 5. Juli 2015, http://www.latimes.com/local/california/la-me-lilly-grossman-update20150702-story.html

Browne, E. Janet, *Charles Darwin: A Biography*, New York 1995.

Browning, Christopher R., und Jürgen Matthäus, *The Origins of the Final Solution: The Evolution of Nazi Jewish Policy, September 1939 – March 1942*, Lincoln, NE, 2004; dt.: *Die Entfesselung der »Endlösung«: nationalsozialistische Judenpolitik 1939 – 1942*, Berlin 2006.

Brownlee, George G., *Fred Sanger – Double Nobel Laureate: A Biography*, Cambridge 2014.

Brush, Stephen G., »Nettie M. Stevens and the Discovery of Sex Determination by Chromosome«, *Isis*, 69/2 (1978), S. 162–172.

Budin, Itay, und Jack W. Szostak, »Expanding roles for diverse physical phenomena during origin of life«, *Annual Review of Biophysics*, 39 (2010), S. 245–263.

Burnet, Macfarlane, *Genes, Dreams and Realities*, Dordrecht 1971.

Butler, Declan, »Venter's *Drosophila* ›success‹ set to boost human genome efforts«, *Nature*, 401/6755 (1999).

Cairns, John, Gunther Siegmund Stent, und James D. Watson (Hg.), *Phage and the Origins of Molecular Biology*, Cold Spring Harbor, NY, 1968; dt.: *Phagen und die Entwicklung der Molekularbiologie*, Berlin 1972.

Callahan, Gerald N., *Between XX and XY*, Chicago 2009.

Cann, Rebecca L., Mork Stoneking und Allan C. Wilson, »Mitochondrial DNA and human evolution«, *Nature*, 323 (1987), S. 31–36.

Capecchi, Mario R., »High efficiency transformation by direct microinjection of DNA into cultured mammalian cells«, *Cell*, 22 (1980), S. 479–488.

Capecchi, Mario R., »The first transgenic mice: An interview with Mario Capecchi. Interview by Kristin Kain«, *Disease Models & Mechanisms*, 1/4–5 (2008).

Carey, Nessa, *The Epigenetics Revolution: How Modern Biology Is Rewriting Our Understanding of Genetics, Disease, and Inheritance*, New York 2012.

Carroll, Lewis, *Through the Looking* Glass, London 2003; dt.: *Hinter den Spiegeln*, Frankfurt a. M. 1974.

Cavalli-Sforza, Luigi L., Paola Menozzi und Alberto Piazza, *The History and Geography of Human Genes*, Princeton, NJ, 1994.

Cavalli-Sforza, Luigi L., und Marcus W. Feldman, »The application of molecular genetic approaches to the study of human evolution«, *Nature Genetics*, 33 (2003), S. 266–275.

Chargaff, Erwin, »On the dangers of genetic medling«, *Science*, 192/4243 (1976).

Charlesworth, Biran, und Deborah Charlesworth, »Darwin and genetics«, *Genetics*, 183/3 (2009), S. 757–766.

Chesterton, Gilbert K., *Eugenics and Other Evils*, London 1922; dt.: *Eugenik und andere Übel*, Berlin 2014.

Cimons, Marlene, »It's all in the family: As doctors study the mysteries of cancer and other deadly diseases, families may turn out to be the best laboratory«, *Los Angeles Times*, 10. Februar 1991.

Claeys, Gregory, »The ›Survival of the Fittest‹ and the Origins of Social Darwinism«, *Journal of the History of Ideas*, 61/2 (2000), S. 223–240.

Clark, Ronald William, *The Survival of Charles Darwin: A Biography of a Man and an Idea*, New York 1984; dt.: *Charles Darwin: Biographie eines Mannes und einer Idee*, Frankfurt a. M. 1990.

Clarke, Arthur Charles, *Profiles of the Future: An Inquiry Into the Limits of the Possible*, New York 1973; dt.: *Profile der Zukunft: über die Grenzen des Möglichen*, München 1984.

Cobb, Matthew, »Reading and writing the book of nature: Jan Swammerdam«, *Endeavour*, 24/3 (2000), S. 122–128.

Cobb, Matthew, *Generation: The Seventeenth-Century Scientists Who Unraveled the Secrets of Sex, Life, and Growth*. New York 2006.

Coc, Alan G., und Donald R. Forsdyke, *Treasure Your Exceptions: The Science and Life of William Bateson*, New York 2008.

Cohen, Stanley N. u. a., »Construction of biologically functional bacterial plasmids in vitro«, *Proceedings of the National Academy of Sciences*, 70/11 (1973), S. 3240–3244.

Colapinto, John, *As Nature Made Him: The Boy Who Was Raised as a Girl*, New York 2000; dt.: *Der Junge, der als Mädchen aufwuchs*, Düsseldorf, Zürich 2000.

Colby, Frank Moore u. a., *The New International Year Book: A Compendium of the World's Progress, 1907–1965*, New York 1908–1966.

Collins, F. u. a., »Construction of a general human chromosome jumping library, with application to cystic fibrosis«, *Science*, 235/4792 (1987), S. 1046–1049, doi: 10.1126/science.2950591.

Cong, L. u. a., »Multiplex genome engineering using CRISPR/Cas systems«, *Science*, 339/6121 (2013), S. 819–823.

Conrad, Peter, »A mirage of genes«, *Sociology of Health & Illness*, 21/2 (1999), S. 228–241.

Cook, Andrew, *To Kill Rasputin: The Life and Death of Grigori Rasputin*, Stroud, Gloucestershire, 2005.

Cook-Deegan, Robert M., *The Gene Wars: Science, Politics, and the Human Genome*, New York 1994.

Cook-Deegan, Robert, und C. Heaney, »Patents in genomics and human genetics«, *Annual Review of Genomics and Human Genetics*, 11 (2010), S. 382–425, doi: 10.1146/annurev-genom-082509-141811.

Cooper, David N., *Human Gene Evolution*, Oxford 1999.

Correns, Carl, »G. Mendels Regel über das Verhalten der Nachkommenschaft der Rassenbastarde«, in: ders., *Gesammelte Abhandlungen zur Vererbungswissenschaft aus periodischen Schriften 1899–1924*, Berlin, Heidelberg 1924, S. 9–18.

Correns, Carl und Ralph Stephan (Hg.), *Gregor Mendels Briefe an C. Nägeli 1866–1873*, Norderstedt 2008.

Crick, Francis, *What Mad Pursuit: A Personal View of Scientific Discovery*, New York 1988; dt.: *Ein irres Unternehmen. Die Doppelhelix und das Abenteuer Molekularbiologie*, München 1988.

Crotty, Shane, *Ahead of the Curve: David Baltimore's Life in Science*, Berkeley, CA, 2001.

Crow, James F., und Seymour Abrahamson, »Seventy years ago: Mutation becomes experimental«, *Genetics*, 147/4 (1997).

Crow, James F., und W. F. Dove, *Perspectives on Genetics: Anecdotal, Historical, and Critical Commentaries, 1987–1998*, Madison 2000.

Cyranoski, David, und Sara Reardon, »Chinese scientists genetically modify human embryos«, *Nature*, 22. April 2015; dt.: »Forscher manipulieren Genom menschlicher Embryonen«, *Spektrum*, 23.4.2015, http://www.spectrum.de

Danchin, Antoine, *La barque de Delphes*, Paris 1998; engl.: *The Delphic Boat. What Genomes Tell Us*, Cambridge, MA, 2002.

Darwin, Charles, »Reise eines Naturforschers um die Welt«, in: ders., *Gesammelte Werke*, Frankfurt a. M. 2009, S. 68–94.

Darwin, Charles, *Charles Darwin's Letters: A Selection, 1825–1859*, hg. von Frederick Burkhardt, Cambridge 1996.

Darwin, Charles, *More Letters of Charles Darwin. A Record of his Works in a Series of hitherto unpublished Letters*, hg. von Francis Darwin und A. C. Seward, 2 Bde., London 1903.

Darwin, Charles, *On the Origins of Species by Means of Natural Selection*, London 1859; dt.: »Über die Entstehung der Arten durch natürliche Zuchtwahl oder die Erhaltung der begünstigten Rassen im Kampfe ums Dasein«, in: ders., *Gesammelte Werke*, Frankfurt a. M. 2009, S. 347–692.

Darwin, Charles, *The Autobiography of Charles Darwin*, hg. von Francis Darwin, Amherst, NY, 2000; dt.: *Leben und Briefe mit einem seine Autobiographie enthaltenden Capitel*, 3 Bde., Stuttgart 1887; sowie *Mein Leben. Die vollständige Autobiographie*, Frankfurt a. M. 2008.

Darwin, Charles, *The Foundations of the Origin of Species, Two Essays Written in 1842 and 1844*, hg. von Francis Darwin, Cambridge 1909; dt.: *Die Fundamente zur Entstehung der Arten. Zwei in den Jahren 1842 und 1844 verfaßte Essays*, Leipzig, Berlin 1911.

Darwin, Charles, *The Variation of Animals and Plants under Domestication*, 2 Bde., London 1868; dt.: *Das Variieren der Thiere und Pflanzen im Zustande der Domestication*, 2 Bde., Stuttgart 1868.

Davenport, Charles, *Heredity in Relation to Eugenics*, New York 1911.

Dawkins, Richard, *A Devil's Chaplain: Reflections on Hope, Lies, Science, and Love*, Boston 2003.

Dawkins, Richard, *The Age of the Genome*, BBC Radio 4, http://bbc.co.uk/pro grammes/b00ss2rk

Dawkins, Richard, *The Blind Watchmaker: Why the Evidence of Evolution Reveals a Universe without Design*, New York 1986; dt.: *Der blinde Uhrmacher*, München 1987.

Dawkins, Richard, *The Selfish Gene*, Oxford, 1989; dt.: *Das egoistische Gen*, Reinbek 1996.

DeJong-Lambert, William, *The Cold War Politics of Genetic Research: An Introduction to the Lysenko-Affair*, Dordrecht 2012.

DeLisi, Matt, »James Q. Wilson«, in: Keith Hayward, Jayne Mooney und Shadd Maruna (Hg.), *Fifty Key Thinkers in Criminology*, London 2010, S. 192–196.

Desmond, Adrian, und James Moore, *Darwin*, New York 1991; dt.: *Darwin. Biographie*, München 1992.

Di Rienzo, Anna, und Allan C. Wilson, »Branching pattern in the evolutionary tree for human mitochondrial DNA«, *Proceedings of the National Academy of Sciences*, 88/5 (1991), S. 1597–1601.

Dib, C. u. a., »A comprehensive genetic map of the human genome based on 5,264 microsatellites«, *Nature*, 380 (1996), S. 152 ff.

Dickinson, David, und Colin Macilwain, »It's a G‹: The one-billionth nucleotide«, *Nature*, 402/6760 (1999).

Dobzhansky, Theodosius G., »Genetics of natural populations XIV. A response of certain gene arrangements in the third chromosome of *Drosophila pseudoobscura* to natural selection«, *Genetics*, 32/2 (1947).

Dobzhansky, Theodosius G., »Genetics of natural populations IX. Temporal changes in the composition of populations of *Drosophila pseudoobscura*«, *Genetics*, 28/2 (1943).

Dobzhansky, Theodosius G., *Genetics and the Origin of Species*. New York 1937; dt.: *Die genetischen Grundlagen der Artbildung*, Jena 1939.

Dobzhansky, Theodosius G., *Heredity and the Nature of Man*, New York 1966; dt.: *Vererbung und Menschenbild*, München 1966.

Drescher, Jack, Ariel Shidlo und Michael Schroeder, *Sexual Conversion Therapy: Ethical, Clinical and Research Perspectives*, Boca Raton, FL, 2002.

Duncan, Otis Dudley, »Is the intelligence of the general population declining?«, *American Sociological Review*, 17/4 (1952), S. 401–407.

Ebstein, Richard P. u. a., »Dopamine D4 receptor *(D4DR)* exon III polymorphism associated with the human personality trait of novelty seeking«, *Nature Genetics*, 12/1 (1996), S. 78 ff.

Ebstein, Richard P. u. a., »Genetics of human social behavior«, *Neuron*, 65/6 (2010), S. 831–844.

Edelson, Edward, *Gregor Mendel, and the Roots of Genetics*, New York 1999.

Eli, Maor, *The Pythagorean Theorem: A 4,000-Year History*, Princeton, NJ, 2007.

Eliot, George, *The Mill on the Floss*, New York 1960; dt.: *Die Mühle am Floß*, Paderborn 2013.

Eliot, T. S., *Murder in the Cathedral*, London 1982; dt.: *Mord im Dom*, in: ders., *Die Dramen*, Frankfurt a. M. 1966, S. 25–84.

Emerson, Ralph Waldo, *The Journals and Miscellaneous Notebooks of Ralph Waldo Emerson*, Bd. 7, hg. von William H. Gilman, Cambridge, MA, 1960.

Evans, Harold, Gail Buckland und David Lefer, *They Made America: From the Steam Engine to the Search Engine – Two Centuries of Innovators*, London 2009.

Evans, M.J., und M.H.Kaufman, »Establishment in culture of pluripotential cells from mouse embryos«, *Nature*, 292 (1981), S.154ff.

Everson,Ted, *The Gene:A Historical Perspective*,Westport, CT, 2007.

Faber, Steven A., »U.S. scientists' role in the eugenics movement (1907–1939): A contemporary biologist's perspective«, *Zebrafish*, 5/4 (2008).

Fairbanks, Daniel J., *Relics of Eden: The Powerful Evidence of Evolution in Human DNA*, Amherst, NY, 2007.

Feinstein, Adam, *A History of Autism: Conversations with the Pioneers*,West Sussex 2010.

Feldman, M.W., und R.C.Lewontin, »Race, ancestry, and medicine«, in: Barbara A. Koenig, S.S.Lee und S.S.Richardson (Hg.), *Revisiting Race in a Genomic Age*, New Brunswick 2008.

Ferguson, Niall, *Civilization: The West and the Rest*, Duisburg 2012; dt.: *Der Westen und der Rest der Welt: Die Geschichte vom Wettstreit der Kulturen*, Berlin 2011.

Fisher, Ronald A., »The Correlation between Relatives on the Supposition of Mendelian Inheritance«, *Transactions of the Royal Society of Edinburgh*, 52 (1918), S.399–433.

Flynn, James, *Intelligence and Human Progress: The Story of What Was Hidden in Our Genes*, Oxford 2013.

Folstein, Susan, und Michael Rutte, »Infantile autism: A genetic study of 21 twin pairs«, *Journal of Child Psychology and Psychiatry*, 18/4 (1977), S.297–321.

Foucault, Michel, *Les Anormaux. Cours aux Collège de France (1974–75)*, Paris 1999; dt.: *Die Anormalen.Vorlesungen am Collège de France 1974/75*, Frankfurt a.M. 2007.

Fox, Daniel M., Marcia Meldrum und Ira Rezak, *Nobel Laureates in Medicine of Physiology:A Biographical Dictionary*, NewYork 1990.

Fredrickson, Donald S., *The Recombinant DNA Controversy:A Memoir: Science, Politics, and the Public Interest 1974–1981*,Washington, D.C., 2001.

Friedberg, Errol C., *A Biography of Paul Berg:The Recombinant DNA Controversy Revisited*, Singapur 2014.

Friedman, Richard A., »The feel-good gene«, *NewYork Times*, 6. März 2015.

Fromer, Menachem u.a., »De novo mutations in schizophrenia implicate synaptic networks«, *Nature*, 506/7487 (2014), S.179–184.

Frost, Robert, *The Robert Frost Reader: Poetry and Prose*, hg. von Edward Connery Lathem und Lawrence Thompson, NewYork 2002.

Galton, Francis, »Eugenics: Its Definition, Scope, and Aims«, *American Journal of Sociology*, 10/1 (1904).

Galton, Francis, *Hereditary Genius:An Inquiry into its Laws and Consequences*, London 1869; dt.: *Genie undVererbung*, Leipzig 1910.

Galton, Francis, *Inquiries into Human Faculty and Its Development*, London 1883.

Gardner, Howard E., *Frames of Mind: The Theory of Multiple Intelligences*, New York 2011; dt.: *Abschied vom IQ: die Rahmentheorie der vielfachen Intelligenzen*, Stuttgart 1994.

Gardner, Howard E., *Intelligence Reframed: Multiple Intelligences for the 21st Century*. New York 2000; dt.: *Intelligenzen: die Vielfalt des menschlichen Geistes*, Stuttgart 2013.

Gardner, Howard, und Thomas Hatch, »Educational implications of the theory of multiple intelligences«, *Educational Researcher*, 18/8 (1989), S. 4–10.

Garrod, Archibald E., »A contribution to the study of alkaptonuria«, *Medico-chirurgical Transactions*, 82 (1899), S. 367.

Garrod, Archibald E., »The incidence of alkaptonuria: A study in chemical individuality«, *Lancet*, 160/4137 (1902), S. 1616–1620, doi: 10.1016/s0140–6736(01)41972–6.

Gehring, Walter J., *Master Control Genes in Development and Evolution: The Homeobox Story*, New Haven, CT, 1998; dt.: *Wie Gene die Entwicklung steuern. Die Geschichte der Homeobox*, Basel, Boston, Berlin 2001.

Gessen, Masha, *Blood Matters: From BRCA1 to Designer Babies. How the World and I Found Ourselves in the Future of the Gene*, Boston 2009.

Gilbert, Arthur W., »The Science of Genetics«, *Journal of Heredity*, 5/6 (1914), S. 235–244; http://archive.org/stream/journalofheredit05amer/journalofhered05amer_djvu.txt

Gillham, Nicholas W., *A Life of Sir Francis Galton: From African Exploration to the Birth of Eugenics*, New York 2001.

Gillis, Justin, »Gene-mapping controversy escalates; Rockville firm says government officials seek to undercut its effort«, *Washington Post*, 7. März 2000.

Gitschier, Jane, »Evidence is evidence: An interview with Mary-Claire King«, *PLOS*, 26. September 2013.

Gleick, James, *Information: A History, a Theory, a Flood*, New York 2011; dt.: *Information: Geschichte, Theorie, Flut*, München 2011.

Glimm, Adele, *Gene Hunter: The Story of Neuropsychologist Nancy Wexler*, New York 2005.

Gold, E. Richard, und Julia Carbone, »Myriad Genetics: In the eye of the policy storm«, *Genetics in Medicine*, 12 (2010), S. S39–S70.

Goldstein, Sam, Jack A. Naglieri und Dana Princiotta, *Handbook of Intelligence: Evolutionary Theory, Historical Perspective, and Current Concepts*, New York 2015.

Gonser, R. u. a., »Microsatellite mutations and inferences about human demography«, *Genetics*, 154 (2000), S. 1793–1807.

Gopnik, Alison, »To drug or not to drug«, *Slate*, 22. Februar 2010, http://www.slate.com/articles/arts/books/2010/02/to_drug_or_not_to_drug.2.html

Gorst, Martin, *Measuring Eternity: The Search for the Beginning of Time*, New York 2002.

Gottweis, Herbert, *Governing Molecules: The Discursive Politics of Genetic Enginee-ring in Europe and the United States*, Cambridge, MA, 1998.

Gould, Stephen Jay, »Curve ball«, *New Yorker*, 28. November 1994, S. 139 f.

Grant, Madison, *The Passing of the Great Race*, New York 1916; dt.: *Der Untergang der großen Rasse*, München 1925.

Griffith, Fred, »The significance of pneumococcal types«, *Journal of Hygiene*, 27/2 (1928), S. 113–159.

Gros, F. u. a., »Unstable ribonucleic acid revealed by pulse labeling of Escherichia coli«, *Nature*, 190 (13. Mai 1960), S. 581–585.

Gubbay, John u. a., »A Gene mapping to the sex-determining region of the mouse Y chromosome is a member of a novel family of embryonically expressed ge-nes«, *Nature*, 346 (1990), S. 245–250.

Gurdon, John B., und H. R. Woodland, »The cytoplasmic control of nuclear activity in animal development«, *Biological Review*, 43/2 (1968), S. 233–267.

Gurdon, John, »Nuclear reprogramming in eggs«, *Nature Medicine*, 15/10 (2009), S. 1141–1144.

Gusella, James F. u. a., »A polymorphic DNA marker genetically linked to Hun-tington's disease«, *Nature*, 306/5940 (1983), S. 234–238, doi: 10.1038/306234a0.

Gyngell, Chris, und Julian Savulescu, »The moral imperative to research editing embryos: The need to modify nature and science«, Oxford University, 23. April 2015, blog.practicalethics.ox.ac.uk/2015/04/the-moral-imperative-to-research-editing-embryos-the-needto-modify-nature-and-science

Haldane, John Burdon Sanderson, *Daedalus or Science and the future*, New York 1924; dt.: *Daedalus oder Wissenschaft und Zukunft*, München 1925.

Hall, Alexander Wilford, *The Problem of Human Life: Embracing the »Evolution of Sound« and »Evolution Evolved« with a Review of the Six Great Modern Scientists, Darwin, Huxley, Tyndall, Haeckel, Helmholtz, and Mayer*, London 1880.

Hall, Jeff M. u. a., »Linkage of early-onset familial breast cancer to chromosome 17q21«, *Science*, 250/4988 (1990), S. 1684–1689.

Hamblin, Jacob Darwin, *Science in the Early Twentieth Century: An Encyclopedia*, Santa Barbara, CA, 2005.

Hamer, Dean H. u. a., »A linkage between DNA markers on the X chromosome and male sexual orientation«, *Science*, 265/5119 (1993), S. 321–327.

Hamer, Dean, *Science of Desire: The Gay Gene and the Biology of Behavior*, New York 2011.

Hanczyc, Martin M., Shelly M. Fujikawa und Jack W. Szostak, »Experimental mo-dels of primitive cellular compartments: Encapsulation, growth and division«, *Science*, 302/5645 (2003), S. 618–622.

Handyside, Alan H. u.a., »Pregnancies from biopsied human preimplantation embryos sexed by Y-specific DNA amplification«, *Nature*, 344/6268 (1990), S. 768ff.

Hanna, Kathi E. (Hg.), *Biomedical Politics*, Washington, D.C., 1991.

Hansen, H., »Brief reports decline of Down's syndrome after abortion reform in New York State«, *American Journal of Mental Deficiency*, 83/2 (1978), S. 185–188.

Happe, Kelly E., *The Material Gene: Gender, Race, and Heredity after the Human Genome Project*, New York 2013.

Harpending, H.C. u.a., »Genetic traces of ancient demography«, *Proceedings of the National Academy of Sciences*, 95 (1998), S. 1961–1967.

Harper, Peter S., *A Short History of Medical Genetics*, Oxford 2008.

Hartl, Daniel L., und Elizabeth W. Jones, *Essential Genetics: A Genomics Perspective*, Boston 2002.

Hartsoeker, Nicolas, *Essay de dioptrique*, Paris 1694.

Haskins, K. u.a., »The major histocompatibility complex-restricted antigen receptor on T cells: I. Isolation with a monoclonal antibody«, *Journal of Experimental Medicine*, 157 (1983), S. 1149–1169.

Hastings, Max, *Armageddon: The Battle for Germany, 1944–1945*, New York 2004.

Hausmann, Rudolf. »... und wollten versuchen das Leben zu verstehen ...: Betrachtungen zur Geschichte der Molekularbiologie*, Darmstadt 1995.

Haven, Kendall F., *100 Greatest Science Discoveries of All Time*, Westport, CT, 2007.

Hechler, Andreas, »Diagnosen von Gewicht: innerfamiliäre Folgen der Ermordung meiner als ›lebensunwert‹ diagnostizierten Großmutter«, in: Cora Schmechel, Fabian Dion, Kevin Dudek und Mäks Roßmüller (Hg.), *Gegendiagnose: Beiträge zur radikalen Kritik an Psychologie und Psychiatrie*, Münster 2015, S. 143–193. www.euthanasiegeschädigte-zwangssterilisierte.de/hechler-diagnosen-von-gewicht.pdf

Hedrick, S.M. u.a., »Isolation of cDNA clones encoding T cell-specific membrane-associated proteins«, *Nature*, 308 (1984), S. 149–153.

Heijmans, Bastiaan T. u.a., »Persistent epigenetic differences associated with prenatal exposure to famine in humans«, *Proceedings of the National Academy of Sciences*, 105/44 (2008), S. 17046–17049.

Heinlein, Robert A., *Time Enough for Love*, New York 1973; dt.: *Die Leben des Lazarus Long*, Bergisch-Gladbach 2002.

Hellman, Alfred, Michael Neil Oxman und Robert Pollack, *Biohazards in Biological Research*, Cold Spring Harbor, NY, 1973.

Henig, Robin Marantz, *The Monk in the Garden: The Lost and Found Genius of Gregor Mendel, the Father of Genetics*, Boston 2000; dt.: *Der Mönch im Garten: die Geschichte des Gregor Mendel und die Entdeckung der Genetik*, Berlin 2001.

Henn, Brenna M., L.L. Cavalli-Sforza und Marcus M. Feldman, »The great human expansion«, *Proceedings of the National Academy of Sciences*, 109/44 (2012), S. 17758–17764.

Henn, Brenna M. u. a., »Hunter-gatherer genomic diversity suggests a southern African origin for modern humans«, *Proceedings of the National Academy of Sciences*, 108/13 (2011), S. 5154–5162.

Herring, Mark Youngblood, *Genetic Engineering*, Westport, CT, 2006.

Herrnstein, Richard, und Charles Murray, *The Bell Curve*, New York 1994.

Herschel, John F. W., *A Preliminary Discourse on the Study of Natural Philosophy*, Nachdr. der Ausgabe von 1830, New York 1966; dt.: *Über das Studium der Naturwissenschaft*, Göttingen 1836.

Hertwig, Oscar, *Präformation oder Epigenese?: Grundzüge einer Entwicklungstheorie der Organismen*, Jena 1894.

Hitler, Adolf, *Mein Kampf*, München o. J

Hobbes, Thomas, *Leviathan*, Lanham 2013; dt.: *Leviathan*, Hamburg 1996.

Hodge, Russ, *Genetic Engineering: Manipulating the Mechanisms of Life*, New York 2009.

Hodge, Russ, *The Future of Genetics: Beyond the Human Genome Project*, New York 2010.

Homer, *Odyssee*, Zürich 2011.

Hopkin, Karen, »Ready, reset, go«, *The Scientist*, 11. März 2011, http://www.the-scientist.com/?articles.view/articleno/29550/title/ready-reset-go/

Hopkins, Gerard Manley, *Gerard Manley Hopkins: Poem and Prose*, hg. von W. H. Gardener, Taipei 1968, »Pied Beauty«; dt.: »Gescheckte Schönheit«, in: *Gedichte, Schriften, Briefe*, hg. von Hermann Rinn, München 1954.

Hughes, Everett, »The making of a physician: General statement of ideas and problems«, *Human Organization*, 14/4 (1955), S. 21–25.

Hughes, Sally Smith, *Genentech: The Beginnings of Biotech*, Chicago 2011.

Huguet, Guillaume, Elodie Ey und Thomas Bourgeron, »The genetic landscapes of autism spectrum disorders«, *Annual Review of Genomics and Human Genetics*, 14 (2013), S. 191–213.

Huntington, George, »Recollections of Huntington's chorea as I saw it at East Hampton, Long Island, during my boyhood«, *Journal of Nervous and Mental Disease*, 37 (1910), S. 255 ff.

Iltis, Hugo, *Gregor Johann Mendel: Leben, Werk und Wirkung*, Berlin, Heidelberg 1924.

Irwin, David M., Thomas D. Kocher und Allan C. Wilson, »Evolution of the cytochrome-b gene of mammals«, *Journal of Molecular Evolution*, 32/2 (1991), S. 128–144.

Jackson, David A., Robert H. Symons und Paul Berg, »Biochemical method for inserting new genetic information into DNA of simian virus 40: circular SV40

DNA molecules containing lambda phage genes and the galactose operon of Escherichia coli«, *Proceedings of the National Academy of Sciences*, 69/10 (1972), S. 2904–2909.

Jacob, François, und Jacques Monod, »Genetic regulatory mechanisms in the synthesis of proteins«, *Journal of Molecular Biology*, 3/3 (1961), S. 318–356.

Jaenisch, Rudolf, und Beatrice Mintz, »Simian virus 40 DNA sequences in DNA of healthy adult mice derived from preimplantation blastocysts injected with viral DNA«, *Proceedings of the National Academy of Sciences*, 71/4 (1974), S. 1250–1254.

Jäger, Ralf J. u. a., »A human XY female with a frame shift mutation in the candidate testis-determining gene *SRY* gene«, *Nature*, 348 (1990).

Jamison, Kay Redfield, *Touched with Fire*, New York 1996.

Jarvis, Erich D. u. a., »For whom the bird sings: Context-dependent gene expression«, *Neuron*, 21/4 (1998), S. 775–788.

Jeghers, Harold, Victor A. McKusick und Kermit H. Katz, »Generalized intestinal polyposis and melanin spots of the oral mucosa, lips and digits«, *New England Journal of Medicine*, 241/5 (1949), S. 993–1005, doi: 10.1056/nejm 194912222412501.

Jenkin, Fleeming, »The Origin of Species«, *North British Review*, 47 (1867).

Jervis, George A., »The mental deficiencies«, *Annals of the American Academy of Political and Social Science* (1953), S. 25–33.

Jinek, Martin u. a., »A programmable dual-RNA-guided DNA endonuclease in adaptive bacterial immunity«, *Science*, 337/6096 (2012), S. 816–821.

Johannsen, Wilhelm, »The genotype conception of heredity«, *International Journal of Epidemiology*, 13/4 (2014), S. 989–1000.

Johannsen, Wilhelm, *Elemente der exakten Erblichkeitslehre*, Jena 1909.

Johnson, Cynthia Brantley, *The Scarlet Pimpernel*, New York 2004.

Johnson, Roswell H., »Eugenics and So-Called Eugenics«, *American Journal of Sociology*, 20/1 (Juli 1914), S. 98–103; http://www.jstor.org/stable/2762976

Joravsky, David, *The Lysenko Affair*, Chicago 2010.

Judson, Horace Freeland, *The Eighth Day of Creation*, New York 1979; dt.: *Der 8. Tag der Schöpfung: Sternstunden der neuen Biologie*, Wien, München 1980.

Judson, Horace Freeland, *The Search for Solutions*, New York 1980; dt.: *Fahrplan für die Zukunft: die Wissenschaft auf der Suche nach Lösungen*, München 1981.

Kafka, Franz, *Tagebücher 1910 – 1923*, Frankfurt a. M., 1992.

Kan, Y. Wai, und Andree M. Dozy, »Polymorphism of DNA sequence adjacent to human beta-globin structural gene: Relationship to sickle mutation«, *Proceedings of the National Academy of Sciences*, 75/11 (1978), S. 5631–5635.

Karczewski, Konrad J., »The future of genomic medicine is here«, *Genome Biology*, 14/3 (2013).

Katz, Jay, Alexander Morgan Capron und Eleanor Swift Glass, *Experimentation with Human Beings: The Authority of the Investigator, Subject, Professions, and State in the Human Experimentation Process*, New York 1972.

Kay, Lily E., *The Molecular Vision of Life: Caltech, the Rockefeller Foundation, and the Rise of the New Biology*, New York 1993.

Kean, Sam, *The Violinist's Thumb: And Other Lost Tales of Love, War, and Genius, as Written by Our Genetic Code*, New York 2012; dt.: *Doppelhelix hält besser: Erstaunliches aus der Welt der Genetik*, Hamburg 2013.

Keller, Evelyn Fox, »Nature, Nurture, and the Human Genome Project«, in: Daniel J. Kevles und Leroy Hood (Hg.), *The Code of Codes: Scientific and Social Issues in the Human Genome Project*, Cambridge, MA, 1992, S. 281–299; dt.: »Erbanlage, Umwelt und das Genomprojekt«, in: *Der Supercode. Die genetische Karte des Menschen*, Frankfurt a. M. 1995, S. 284–303.

Keller, Evelyn Fox, *The Century of the Gene*, Cambridge, MA, 2000; dt.: *Das Jahrhundert des Gens*, Frankfurt a. M. 2001.

Kelly, Evelyn B., *Gene Therapy*, Westport, CT, 2007.

Kerr, John F. R., Andrew H. Wyllie und Alastair R. Currie, »Apoptosis: A basic biological phenomenon with wide-ranging implications in tissue kinetics«, *British Journal of Cancer*, 26/4 (1972).

Kevles, Daniel J., *In the Name of Eugenics: Genetics and the Uses of Human Heredity*, New York 1985.

Kiebutz, Karl u. a., »Trinucleotide repeat length and progression of illness in Huntington's disease«, *Journal of Medical Genetics*, 31/11 (1994).

Kimble, Judith, »Alterations in cell lineage following laser ablation of cells in the somatic gonad of *Caenorhabditis elegans*«, *Developmental Biology*, 87/2 (1981), S. 286–300.

Kimble, Judith, und David Hirsh, »The postembryonic cell lineages of the hermaphrodite and male gonads in *Caenorhabditis elegans*«, *Developmental Biology*, 70/2 (1979), S. 396–417.

King, Desmond, »The state of eugenics«, *New Statesman & Society*, 25 (1995).

King, Mary-Claire, »Using pedigrees in the hunt for *BRCA1*«, DNA Learning Center, https://www.dnalc.org/view/15126-Using-pedigrees-in-the-hunt-for-BRCA1-Mary-Claire_king.html

Kocher, Thomas D. u. a., »Dynamics of mitochondrial DNA Evolution in animals: Amplification and sequencing with conserved primers«, *Proceedings of the National Academy of Sciences*, 86/16 (1989), S. 6196–6200.

Kohler, Robert E., *Lords of the Fly: Drosophila Genetics and the Experimental Life*, Chicago 1994.

Koopman, Peter u. a., »Expression of a candidate sex-determining gene during mouse testis differentiation«, *Nature*, 348 (1990), S. 450 ff.

Koopman, Peter u. a., »Male development of chromosomally female mice transgenic for *SRY* gene«, *Nature*, 351 (1991), S. 117–121.

Kornberg, Arthur, »Biologic synthesis of deoxyribonucleic acid«, *Science*, 131/3412 (1960), S. 1503–1508.

Kornberg, Arthur, Adam Alaniz, und Roberto Kolter, *Germ Stories*, Sausalito, CA, 2007.

Kornberg, Arthur, *For the Love of Enzymes: The Odyssey of a Biochemist*, Cambridge, MA, 1991.

Kornberg, Arthur, *The Golden Helix: Inside Biotech Ventures*, Sausalito, CA, 2002.

Kornberg, Arthur, und Tania A. Baker, *DNA Replication*, San Francisco, CA, 1980.

Kozubek, Jim, »The birth of ›transhumans‹«, *Providence (RI) Journal*, 29. September 2013.

Kravitz, Kerry u. a., »Genetic linkage between hereditary hemochromatosis and HLA«, *American Journal of Human Genetics*, 31/5 (1979).

Krimsky, Sheldon, *Genetic Alchemy: The Social History of the Recombinant DNA Controversy*, Cambridge, MA, 1982.

Krimsky, Sheldon, *Race and the Genetic Revolution: Science, Myth, and Culture*, New York 2011.

Kronn, D., V. Jansen und H. Ostrer, »Carrier screening for cystic fibrosis, Gaucher disease and Tay-Sachs-disease in the Ashkenazi Jewish population: The first 1,000 cases at New York University Medical Center, New York, NY«, *Archives of Internal Medicine*, 158/7 (1998), S. 777–781.

Ku, Chuan u. a., »Endosymbiotic origin and differential loss of eukaryotic genes«, *Nature* 524 (2015), S. 427–432.

Kush, Joseph C. (Hg.), *Intelligence Quotient: Testing, Role of Genetics and the Environment and Social Outcomes*, New York 2013.

Lanham, Url, *Origins of Modern Biology*, New York 1968; dt.: *Epochen der Biologie: die Geschichte einer modernen Wissenschaft*, München 1972.

Larkin, Philip, *High Windows*, New York 1974.

Larson, Edward John, *Evolution: The Remarkable History of a Scientific Theory*, Bd. 17, New York 2004.

Leach, Gerald, »Breeding Better People«, *Observer*, 12. April 1970.

Lehrman, Sally, »Virus treatment questioned after gene therapy death«, *Nature*, 401/6753 (1999), S. 517f.

Lemna, Wanda K. u. a., »Mutation analysis for heterozygote detection and the prenatal diagnosis of cystic fibrosis«, *New England Journal of Medicine*, 322/5 (1990), S. 291–296.

Lenz, Fritz, »Die Stellung des Nationalsozialismus zur Rassenhygiene«, *Archiv für Rassen- und Gesellschaftsbiologie*, 25 (1931), S. 300–308.

Lesch, K. P. u. a., »Association of anxiety-related traits with a polymorphism in the serotonergic transporter gene regulatory region«, *Science*, 274 (1996), S. 1527–1531.

Levinson, Douglas F., »The genetics of depression: A review«, *Biological Psychiatry*, 60/2 (2006), S. 84–92.

Lewin, Roger, »A View of a Science Journalist«, in: Joan Morgan und W.J.Whelan (Hg.), *Recombinant DNA and Genetic Experimentation*, London 2013.

Lewontin, Richard, *Not in Our Genes: Biology, Ideology, and Human Nature*, New York 1984; dt.: *Die Gene sind es nicht …: Biologie, Ideologie und menschliche Natur*, München, Weinheim 1987.

Li, Jun Z. u.a., »Worldwide human relationships inferred from genome-wide patterns of variation«, *Science*, 319/5866 (2008), S. 1100–1104.

Liang, Puping u.a., »CRISPR/Cas9-mediated gene editing in human tripronuclear zygotes«, *Protein & Cell*, 6/5 (2015), S. 1–10.

Lichtenstein, Paul u.a., »Common genetic determinants of schizophrenia and bipolar disorder in Swedish families: A population-based study«, *Lancet*, 373/9659 (2009), S. 234–239.

Lifton, Robert Jay, *The Nazi Doctors: Medical Killing and the Psychology of Genocide*, New York 2000; dt.: *Ärzte im Dritten Reich*, Stuttgart 1988.

Lindee, M. Susan, *Moments of Truth in Genetic Medicine*, Baltimore 2005.

Lionni, Leo, *Inch by Inch*, New York 1960; dt.: *Stück für Stück*, Köln 1987.

Lobban, Peter E., »The Generation of transducing phage in vitro«, Prüfungsarbeit, Stanford University, 6. November 1969.

Lombardo, Paul A., *Three Generations, No Imbeciles: Eugenics, the Supreme Court, and Buck v. Bell*, Baltimore 2008.

Long, F.A., »President Nixon's 1973 Reorganization Plan No. 1«, *Science and Public Affairs*, 29/5 (1973).

Lorand, Sándor, und Michael Balint (Hg.), *Perversions: Psychodynamics and Therapy*, New York 1956, Repr. London 1965.

Lyell, Charles, *Principles of Geology: Or, The Modern Changes of the Earth and Its Inhabitants Considered as Illustrative of Geology*, New York 1872; dt.: *Grundsätze der Geologie oder die neuen Veränderungen der Erde und ihrer Bewohner in Beziehung zu geologischen* Erläuterungen, 4 Bde., Weimar 1841–1849.

Lyon, Jeff, und Peter Gorner, *Altered Fates: Gene Therapy and the Retooling of Human Life*, New York 1996.

Lyssenko, Trofim D., *Agrobiologie. Arbeiten über Fragen der Genetik, der Züchtung und des Samenbaus*, Berlin 1951.

Maas, Werner Karl, *Gene Action: A Historical Account*, Oxford 2001.

MacNeice, Louis, »Snow«, in: George Watson (Hg.), *The New Cambridge Bibliography of English Literature*, Bd. 3, Cambridge 1971.

Maddox, Brenda, *Rosalind Franklin: The Dark Lady of DNA*, New York 2002;

dt.: *Rosalind Franklin: die Entdeckung der DNA oder der Kampf einer Frau um wissenschaftliche Anerkennung*, Frankfurt a.M. 2003.

Makin, Simon, »Massive study reveals schizophrenia's genetic roots: The largest-ever genetic study of mental illness reveals a complex set of factors«, *Scientific American*, 1. November 2014.

Malthus, Thomas Robert, *An Essay on the Principle of Population*, Chicago 2007; dt.: *Das Bevölkerungsgesetz*, München 1977.

Manto, Saadat Hasan, »Toba Tek Singh«, dt. in: ders., *Schwarze Notizen – Geschichten der Teilung*, Frankfurt a.M. 2006.

Marcus, Gary F., *The Birth of the Mind: How a Tiny Number of Genes Creates the Complexities of Human Thought*, New York 2004; dt.: *Der Ursprung des Geistes. Wie Gene unser Denken prägen*, Düsseldorf, Zürich 2005.

Marsh, Nicholas, *William Blake: The Poems*, Houndmills, Basingstoke, England, 2001.

Matthews, Luke J., und Paul M. Butler, »Novelty-seeking *DRD4* polymorphisms are associated with human migration distance out-of-Africa after controlling for neutral population gene structure«, *American Journal of Physical Anthropology*, 145/3 (2011), S. 382–389.

McCabe, Linda L., und Edward R.B. McCabe, *DNA: Promise and Peril*, Berkeley 2008.

McCorvey, Norma, und Andy Meisler, *I Am Roe: My Life, Roe v. Wade, and Freedom of Choice*, New York 1994.

McElheny, Victor K., *Drawing the Map of Life: Inside the Human Genome Project*, New York 2012.

McElheny, Victor K., *Watson and DNA: Making a Scientific Revolution*, Cambridge, MA, 2003.

McGuffin, Peter u.a., »Twin concordance for operationally defined schizophrenia: Confirmation of familiarity and heritability«, *Archives of General Psychiatry*, 41/6 (1984), S. 541–545.

McKusick, Victor A., und R. Claiborne (Hg.), *Medical Genetics*, New York 1973.

Medvedev, Zhores A., *The Rise and Fall of T.D. Lysenko*, New York 1961; dt.: *Der Fall Lyssenko. Eine Wissenschaft kapituliert*, Hamburg 1971.

Medwara, Peter B., und Jean S. Medawar, *Aristotle to Zoos: A Philosophical Dictionary of Biology*, Cambridge, MA, 1985; dt.: *Von Aristoteles bis Zufall: ein philosophisches Lexikon der Biologie*, München, Zürich, 1986.

Mehra, Jagdish, und Helmut Rechenberg, *The Historical Development of Quantum Theory*, New York 1982.

Mendel, Gregor, »Versuche über Pflanzen-Hybriden«, *Verhandlungen des naturforschenden Vereins zu Brünn*, 4 (1866), S. 3–47.

Mendel, Gregor, Alain F. Corcos und Floyd V. Monaghan, *Gregor Mendel's Experiments on Plant Hybrids: A Guided Study*, New Brunswick, NJ, 1993.

Menikoff, Jerry, *Law and Bioethics: An Introduction*, Washington, D.C., 2001.

Mering, Josef von, und Oskar Minkowski, »Diabetes mellitus nach Pankreasexstirpation«, *Archiv für experimentelle Pathologie und Pharmakologie*, 26/22 (1890), S. 371–387.

Meyer-Bahlburg, Heino F.L., »Gender identity outcome in female-raised 46,XY persons with penile agenesis, cloacal exstrophy of the bladder or penile ablation«, *Archives of Sexual Behavior*, 34/4 (2005), S. 423–438.

Miki, Yoshio u. a., »A strong candidate for the breast and ovarian cancer susceptibility gene *BRCA1*«, *Science*, 266/5182 (1994), S. 66–71.

Miller, David, »Introducing the ›gay gene‹: Media and scientific representations«, *Public Understanding of Science*, 4/3 (1995), S. 269–284. http://www.academia.edu/3172354/Introducing_the_Gay_Gene_Media_and_Scientific_Representations

Moffat, Alistair, *The British: A Genetic Journey*, Edinburgh 2014.

Money, John, *The First Person History of Pediatric Psychoendocrinology*, Dordrecht 2002.

Monteiro, Alvaro N.A., und Ricardo Waizbrot, »The accidental cancer geneticist: Hilário de Gouvêa and hereditary retinoblastoma«, *Cancer Biology and Therapy*, 6/5 (2007), S. 811 ff.; doi: 10.4161/cbt.6.5.4420.

Morange, Michel, *Histoire de la biologie moléculaire*, Paris 1994; engl.: A *History of Molecular Biology*, Cambridge, MA, 1998.

Morgan, Thomas Hunt, »Review: Mendelism up to date«, *Journal of Heredity*, 7/1 (1916), S. 17–23.

Morgan, Thomas Hunt, »The Relation of Genetics to Physiology and Medicine«, Nobelvorlesung (4. Juni 1934), in: *Nobel Lectures, Physiology and Medicine, 1922–1941*, Amsterdam 1965.

Morgan, Thomas Hunt, »The relation of genetics to physiology and medicine«, *Scientific Monthly*, 41/1 (1935), S. 315.

Morgan, Thomas Hunt, *The Mechanism of Mendelian Heredity*, New York 1915.

Morgan, Thomas Hunt, *The Physical Basis of Heredity*, Philadelphia 1919; dt.: *Die stoffliche Grundlage der Vererbung*, Berlin 1921.

Morgante, Michelle, »DNA scientist Francis Crick dies at 88«, *Miami Herald*, 29. Juli 2004.

Morrow, John F. u. a., »Replication and transcription of eukaryotic DNA in *Escherichia coli*«, *Proceedings of the National Academy of Sciences*, 71/5 (1974), S. 1743–1747.

Müller, Friedrich Max, *Deutsche Liebe. Aus den Papieren eines Fremdlings*, Leipzig 1857.

Muller, Hermann J., »The call of biology«, *AIBS Bulletin*, 3/4 (1953).

Muller, Hermann J., »The measurement of gene mutation rate in *Drosophila*, its high variability and its dependence upon temperature«, *Genetics*, 13 (1928), S. 279–357.

Muller, Hermann J., »Artificial transmutation of the gene«, *Science*, 22 (1927), S. 84–87.

Müller-Wille, Staffan, und Hans-Jörg Rheinberger, *Vererbung: Geschichte und Kultur eines biologischen Konzepts*, Frankfurt a. M. 2009.

Murai, Kiyohito u. a., »Nuclear receptor TLX stimulates hippocampal neurogenesis and enhances learning and memory in a transgenic mouse model«, *Proceedings of the National Academy of Sciences*, 111/25 (2014), S. 9115–9120.

Murakami, Haruki, *1Q84*, Köln 2010.

Murdoch, Stephen, *IQ: A Smart History of a Failed Idea*, Hoboken, NJ, 2007.

Murphy, Timothy F., *Gay Science: The Ethics of Sexual Orientation Research*, New York 1997.

Mustanski, Brian S. u. a., »A genomewide scan of male sexual orientation«, *Human Genetics*, 116/4 (2005), S. 272–278.

Nakagawa, M. u. a., »Generation of induced pluripotent stem cells without *Myc* from mouse and human fibroblasts«, *Nature Biotechnology*, 26/1 (2008), S. 101–106.

Naldini, Luigi u. a., »In vivo gene delivery and stable transduction of nondividing cells by a lentiviral vector«, *Science*, 272/5259 (1996), S. 263–267.

Nass, Sharyl J., und Bruce Stillman, *Large-Scale Biomedical Science: Exploring Strategies for Future Research*, Washington, D. C., 2003.

Nathwani, Amit C. u. a., »Long-term safety and efficacy of factor IX gene therapy in hemophilia B«, *New England Journal of Medicine*, 371/21 (2014), S. 1994–2004.

Norman, Andrew, *Charles Darwin: Destroyer of Myths*, Barnsley, South Yorkshire, 2013.

Novotny, Daniel, und Lukás Novák, *Neo-Aristotelian Perspectives in Metaphysics*, New York 2014.

Nugent, Bridget M. u. a., »Brain feminization requires active repression of masculinization via DNA methylation«, *Nature Neuroscience*, 18 (2015), S. 690–697.

O'Rourke, D. H. u. a., »Refutation of the general single-locus model for the etiology of schizophrenia«, *American Journal of Human Genetics*, 34/4 (1982).

Olby, Robert C., *The Path to the Double Helix: The Discovery of DNA*, New York 1994.

Oldstone, M. B., »Rous-Whipple Award Lecture. Viruses and diseases of the twenty-first century«, *American Journal of Pathology*, 143/5 (1993).

Oliver, Bernard J. jr., *Sexual Deviation in American Society*, New Haven, CT, 1967.

Orwell, George, *In Front of Your Nose, 1946–1950*, hg. von Sonia Orwell und Ian Angus, Boston 2000.

Osmundsen, John A., »Biologist hopeful in solving secrets of heredity this year«, *New York Times*, 2. Februar 1962.

Overington, John, Bissan Al-Lazikani und Andrew Hopkins, »How many drug targets are there?«, *Nature Reviews Drug Discovery*, 5 (Dezember 2006), S. 993–996, http://www.nature.com/nrd/journal/v5/n12/fig_tab/nrd2199_T1.html

Paley, William, *Natural Theology*, London 1802; dt.: *Natürliche Theologie*, Stuttgart, Tübingen 1837.

Palmer, Douglas, Paul Pettitt und Paul G. Bahn, *Unearthing the Past: The Great Archaeological Discoveries That Have Changed History*, Guilford, CT, 2005.

Palombi, Luigi, *Gene Cartels: Biotech Patents in the Age of Free Trade*, London 2009.

Paracelsus, Theophrastus, *De natura rerum*, in: ders., *Werke*, Bd. 5, *Pansophische, magische und gabalische Schriften*, Darmstadt 2010, S. 53–132.

Pardee, Arthur B., François Jacob und Jacques Monod, »The genetic control and cytoplasmic expression of ›inducibility‹ in the synthesis of β-=galactosidase by *E. coli*«, *Journal of Molecular Biology*, 1/2 (1959), S. 165–178.

Patterson, Orlando, »For Whom the Bell Curves«, in: Steven Fraser (Hg.), *The Bell Curve Wars: Race, Intelligence, and the Future of America*, New York 1995.

Patterson, Paul H., *The Origins of Schizophrenia*, New York 2013.

Pauling, Linus, R. B. Corey und H. R. Branson, »The structure of proteins: Two hydrogen-bonded helical configurations of the polypetide chain«, *Proceedings of the National Academy of Sciences*, 37/4 (1951), S. 205–211.

Pauling, Linus, und Robert C. Corey, »A proposed structure for nucleic acids«, *Proceedings of the National Academy of Sciences*, 39/2 (1953), S. 84–97.

Pearl, R., »The First International Eugenics Congress«, *Science*, 36/926 (1912), S. 395 f.; doi: 10.1126/science.36.926.395.

Pearson, Karl, *Walter Frank Raphael Weldon, 1860–1906*, Cambridge 1906.

Pernick, Martin S., und Diane B. Paul, *The Black Stork: Eugenics and the Death of »Defective« Babies in American Medicine and Motion Pictures since 1915*, New York 1996.

Persico, Antonio M., und Valerio Napolioni, »Autism genetics«, *Behavioural Brain Research*, 251 (2013), S. 95–112.

Perutz, Max F., *I Wish I'd Made You Angry Earlier: Essays on Science, Scientists, and Humanity*, Cold Spring Harbor, NY, 1998.

Philip, M., »A review of Xq28 and the effect on homosexuality«, *Interdisciplinary Journal of Health Science*, 1 (2010), S. 44–48.

Platon, *Der Staat*, gr.-dt., Düsseldorf, Zürich 2000.

Plaza, Valrie, *American Mass Murderers*, Raleigh, NC, 2015.

Ploetz, Alfred, *Grundlinien einer Rassenhygiene*, Berlin 1895.

Plomin, Robert, und Denise Daniels, »Why are children in the same family so different from one another?«, *Behavioral and Brain Sciences*, 10/1 (1987), S. 1–16.

Polednak, Anthony P., *Racial and Ethnic Differences in Disease*, Oxford 1989.

Poll, Heinrich, »Über Vererbung beim Menschen«, *Die Grenzboten*, 73 (1914), zit. nach Hendrik van den Bussche und Angelika Bottin, *Medizinische Wissenschaft im »Dritten Reich«: Kontinuität, Anpassung und Opposition an der Hamburger Medizinischen Fakultät*, Berlin 1989.

Pope, Alexander, *Vom Menschen: Essay on Man*, engl.-dt., Hamburg 1993.

Porter, Duncan M., und Peter W. Graham, *Darwin's Sciences*, Hoboken, NJ, 2015.

Portugal, Franklin H., und Jack S. Cohen, *A Century of DNA: A History of the Discovery of the Structure and Function of the Genetic Substance*, Cambridge, MA, 1977.

Posner, Gerald L., und John Ware, *Mengele: The Complete Story*. New York 1986; dt.: *Mengele: die Jagd auf den Todesengel*, Berlin 1993.

Preston, Richard, *Panic in Level 4: Cannibals, Killer Viruses, and Other Journeys to the Edge of Science*, New York 2009.

Pringle, Peter, *The Murder of Nikolai Vavilov: The Story of Stalin's Persecution of One of the Great Scientists of the Twentieth Century*, New York 2008.

Purves, William K., *Life: The Science of Biology*, Sunderland, MA, 2001; dt.: *Biologie*, Heidelberg 2011.

Quetelet, Adolphe, *Sur l'homme et le développement de ces facultés ou Essai de physique sociale*, Paris 1835; dt.: *Über den Menschen und die Entwicklung seiner Fähigkeiten oder Versuch einer Physik der Gesellschaft*, Stuttgart 1838.

Raghunathan, K. u.a., »Epigenetic inheritance uncoupled from sequence-specific recruitment«, *Science*, 348 (3. April 2015).

Raj, Arjun u.a., »Variability in gene expression underlies incomplete penetrance«, *Nature*, 463/7283 (2010), S. 913–918.

Ran, F.A., »Genome engineering using the CRISPR-Cas9 system«, *Nature Protocols*, 11 (2013), S. 2281–2308.

Rappaport, Helen, *Queen Victoria: A Biographical Companion*, Santa Barbara, CA, 2003.

Reed, Carey, »Brain ›gender‹ more flexible than once believed, study finds«, *PBS NewsHour*, 5. April 2015, http://www.pbs.org/newshour/rundown/brain-gender-flexible-believed-study-finds/

Reeve, Eric C.R., und Isobel Black, *Encyclopedia of Genetics*, London 2001.

Reeves, Richard, *A Force of Nature: The Frontier Genius of Ernest Rutherford*, New York 2008.

Reill, Peter Hanns, *Vitalizing Nature in the Enlightenment*, Berkeley 2005.

Rheinberger, Hans-Jörg, »Carl Correns und die Mendelsche Vererbung in Deutschland zwischen 1900–1910«, in: Astrid Schürmann, Burkhard Weiss und Hans-Werner Schütt (Hg.), *Chemie – Kultur – Geschichte: Festschrift für Hans-Werner Schütt anlässlich seines 65. Geburtstages*, Berlin 2002, S. 169–181.

Rhodes, Frederick Augustus, *The Next Generation*, Boston 1915.

Ricardo, Alonso, Jack W. Szostak, »Origin of Life on Earth«, *Scientific American*, 301/3 (2009), S. 54–61.

Rich, Paul B., *Race and Empire in British Politics*, Cambridge 1986.

Ridley, Matt, *Genome: The Autobiography of a Species in 23 Chapters*, New York 1999; dt.: *Alphabet des Lebens: die Geschichte des menschlichen Genoms*, München 2000.

Roach, John, »Massive genetic study supports ›out of Africa‹ theory«, *National Geographic News*, 21. Februar 2008.

Roberts, L., »Genome Patent Fight Erupts«, *Science*, 254/5029 (1991).

Roberts, Nicholas J. u. a., »The predictive capacity of personal genome sequencing«, *Science Translational Medicine*, 4/133 (2012), 133ra58.

Roberts, L., »Gambling on a Shortcut to Genome Sequencing«, *Science*, 52/5013 (1991).

Rochholz, Ernst Ludwig, *Alemannisches Kinderlied und Kinderspiel aus der Schweiz*, Leipzig 1857.

Rosenberg, Noah u. a., »Genetic structure of human populations«, *Science*, 298/5602 (2002), S. 2381–2385.

Rothstein, Max A. (Hg.), *Legal and Ethical Issues Raised by the Human Genome Project: Proceedings of the Conference in Houston, Texas, March 7–9, 1991*, Houston 1991.

Sachs, Leo, David M. Serr und Mathilde Danon, »Analysis of amniotic fluid cells for diagnosis of foetal sex«, *British Medical Journal*, 2/4996 (1956).

Sakalosky, George P., *Notio Nova: A New Idea*, Pittsburgh, PA, 2014.

Sakula, A., »Paul Langerhans (1847–1888): A centenary tribute«, *Journal of the Royal Society of Medicine*, 81/7 (1988).

Sambrook, Joseph, Edward F. Fritsch, und Tom Maniatis, *Molecular Cloning*, Bd. 2, Cold Spring Harbor, NY, 1989.

Sanders, A. R., »Genome-wide scan demonstrates significant linkage for male sexual orientation«, *Psychological Medicine*, 45/7 (2015), S. 1379–1388.

Sandler, Iris, und Laurence Sandler, »A conceptual ambiguity that contributed to the neglect of Mendel's paper«, *History and Philosophy of the Life Sciences*, 7/1 (1985).

Sanger, Frederick, *Selected Papers of Frederick Sanger: With Commentaries*, Bd. 1, hg. von Margaret Dowding, Singapur 1996.

Sanger, Frederick, und E. O. P. Thompson, »The amino-acid sequence in the glycyl chain of insulin. 1. The identification of lower peptides from partial hydrolysates«, *Biochemical Journal*, 53/3 (1953).

Sarler, C., »Moral majority gets its genes all in a twist«, *People*, Juli 1993.

Sayre, Anne, *Rosalind Franklin and DNA*, New York 2000.

Scarr, Sandra, und Richard A. Weinberg, »Intellectual similarities within families of both adopted and biological children«, *Intelligence*, 1/2 (1977), S. 170–191.

Schizophrenia Working Group of the Psychiatric Genomics Consortium, »Biological insights from 108 schizophrenia-associated genetic loci«, *Nature*, 511 (2014), S. 421–427.

Schmidt, Ulf, *Karl Brandt: The Nazi Doctor, Medicine, and Power in the Third Reich*, London 2007; dt.: *Hitlers Arzt Karl Brandt: Medizin und Macht im Dritten Reich*, Berlin 2009.

Schmuhl, Hans-Walter, *Grenzüberschreitungen: das Kaiser-Wilhelm-Institut für Anthropologie, menschliche Erblehre und Eugenik 1927–1945*, Göttingen 2005.

Schneider-Gädicke, Ansbert u. a., »ZFX has a gene structure similar to ZFY, the putative human sex determinant, and escapes X inactivation«, *Cell*, 57/7 (1989), S. 1247–1258.

Schrödinger, Erwin, *What is Life? The Physical Aspect of the Living Cell*, Cambridge 1945; dt.: *Was ist Leben?: die lebende Zelle mit den Augen des Physikers betrachtet*, Bern 1946.

Schwartz, Harold, *Abraham Lincoln and the Marfan Syndrome*, Chicago 1964.

Schwartz, James, *In Pursuit of the Gene: From Darwin to DNA*, Cambridge, MA, 2008.

Scotel, V. u. a., »Impact of public health strategies on the birth prevalence of cystic fibrosis in Britanny, France«, *Human Genetics*, 113/3 (2003), S. 280–285.

Seedhouse, Erik, *Beyond Human: Engineering Our Future Evolution*, New York 2014.

Segal, Nancy L., *Born Together – Reared Apart: The Landmark Minnesota Twin Study*, Cambridge 2012.

Sekar, Aswin u. a., »Schizophrenia risk from complex variation of complement component 4«, *Nature*, 530, S. 177–183.

Shakespeare, William, *Sämtliche Werke in einem Band*, Eltville 1988.

Shanahan, Timothy, *The Evolution of Darwinism: Selection, Adaptation, and Progress in Evolutionary Biology*, Cambridge 2004.

Shapshay, Sandra, *Bioethics at the Movies*, Baltimore, MD, 2009.

Sheridan, Cormac, »CRISPR germline editing reverberates through biotech industry«, *Nature Biotechnology*, 33/5 (2015), S. 431 f.

Shreeve, James, *The Genome War: How Craig Venter Tried to Capture the Code of Life and Save the World*, New York 2004.

Shurkin, Joel N., *Broken Genius: The Rise and Fall of William Shockley, Creator of the Electronic Age*, London 2006.

Sibbald, Barbara, »Death but one unintended consequence of gene-therapy trial«, *Canadian Medical Association Journal*, 164/11 (2001).

Simmons, John, *The Scientific 100: A Ranking of the Most Influential Scientists, Past and Present*, Secaucus, NJ, 1996.

Simonton, Dean Keith, *Origins of Genius: Darwinian Perspectives on Creativity*, New York 1999.

Sinclair, Andrew H. u. a., »A gene from the human sex-determining region encodes protein with homology to a conserved DNA-binding motif«, *Nature*, 346 (1990), S. 240–244.

Singer, Maxine, und Paul Berg, *Genes & Genomes: a Changing Perspective*, Sausalito, CA, 1991; dt.: *Gene und Genome*, Heidelberg 1992.

Sinsheimer, Robert L., »The prospect for designed genetic change«, *American Scientist*, 57/1 (1969), S. 134–142.

Smith, Charles H., und George Beccaloni, *Natural Selection and Beyond: The Intellectual Legacy of Alfred Russel Wallace*, Oxford 2008.

Smith, Hamilton O. u. a., »Frequency and distribution of DNA uptake signal sequences in the *Haemophilus influenzae* RD genome«, *Science*, 269/5223 (1995).

Smith, J. David, *The Sterilization of Carrie Buck*, Liberty Corner, NJ, 1989.

Smithies, O. u. a., »Insertion of DNA sequences into the human chromosomal-globin locus by homologous re-combination«, *Nature*, 317 (1985), S. 230–234.

Sontag, Susan, *Illness as Metaphor and AIDS and Its Metaphors*, New York 2001; dt.: *Krankheit als Metapher*, München 1980.

Spearman, Charles, »›General Intelligence‹, objectively determined and measured«, *American Journal of Psychology*, 15/2 (1904), S. 201–292.

Stacey, Jackie, *The Cinematic Life of the Gene*, Durham, NC 2010.

Steensma, David P., Robert A. Kyle und Marc A. Shampo, »Walter Clement Noel – first patient described with sickle cell disease, *Mayo Clinic Proceedings*, 85/10 (2010).

Stehelin, Dominique. u. a., »DNA related to the transforming genes of avian sarcoma viruses is present in normal DNA«, *Nature*, 260/5547 (1976), S. 170–173.

Stern, Alexandra, *Telling Genes: The Story of Genetic Counseling in America*, Baltimore 2012.

Stevens, Nettie Maria, *Studies in Spermatogenesis: A Comparative Study of the Heterochromosomes in Certain Species of Coleoptera, Hemiptera and Lepidoptera, with Especial Reference to the Sex Determination*, Baltimore 1906.

Stevens, Wallace, »On the Road Home«, in: *The Collected Poems of Wallace Stevens*, New York 2011; dt.: »Auf der Straße nach Hause« in: ders., *Teile einer Welt*, Salzburg 2014.

Stevens, Wallace, »The Poems of Our Climate«, in: *The Collected Poems of Wallace Stevens*, New York 1954, S. 193f; dt.: »Die Gedichte unseres Klimas« in: *Die Weitung alles Sichtbaren. Gedichte*, Heidelberg 2013.

Stockett, Kathryn, *The Help*, New York 2009; dt.: *Gute Geister*, München 2011.

Stolberg, Sheryl Gay, »The biotech death of Jesse Gelsinger«, *New York Times*, 27. November 1999, http://www.nytimes.com/1999/11/28/magazine/the-biotech-death-of-jesse-gelsinger.html

Stoppard, Tom, *The Coast of Utopia*, New York 2007; dt.: *Die Küste Utopias*, Köln 2013.

Strickberger, Monroe W., *Evolution*, Boston 1990.

Stringer, Christopher, »Rethinking ›out of Africa‹«, Leitartikel, *Edge*, 12. November 2011, http://edge.org/conversation/rethinking-out-of-africa.

Struck, Doug, »The Sun (1837–1988)«, *Baltimore Sun*, 2. Februar 1986.

Sturtevant, Alfred H., *A History of Genetics*, New York 1965.

Sulston, J. E., und H. R. Horvitz, »Post-embryonic cell lineages of the nematode, *Caenorhabditis elegans*«, *Development Biology*, 56/1 (März 1977), S. 110–156.

Sulston, John, und Georgina Ferry, *The Common Thread: A Story of Science, Politics, Ethics, and the Human Genome*, Washington, D. C., 2002.

Sussman, Adrienne, »Mental illness and creativity: A neurological view of the ›tortured artist‹«, *Stanford Journal of Neuroscience*, 1/1 (2007), S. 21–24.

Sussman, Robert Wald, *The Myth of Race: The Troubling Persistence of an Unscientific Idea*, Cambridge, MA, 2014.

Swift, Jonathan, und Thomas Roscoe, *The Works of Jonathan Swift, DD: With Copious Notes and Additions and a Memoir of the Author*, Bd. 1, New York 1859.

Swyer, Gerald I. M., »Male pseudohermaphroditism: A hitherto undescribed form«, *British Medical Journal*, 2/4941 (1955).

Szostak, Jack W., David P. Bartel und P. Luigi Luisi, »Synthesizing life«, *Nature*, 409/6818 (2001), S. 387–390.

Takahashi, K., und S. Yamanaka, »Induction of pluripotent stem cells from mouse embryonic and adult fibroblast cultures by defined factors«, *Cell*, 126/4 (2006), S. 663–676.

Tang, Walfred W. C. u. a., »A unique gene regulatory network resets the human germline epigenome for development«, *Cell*, 161/6 (2015), S. 1453–1467.

Tatlow, Didi Kristen, »A scientific ethical divide between China and West«, *New York Times*, 29. Juni 2015.

Templeton, Payne, »Harvard group produces insulin from bacteria«, *Harvard Crimson*, 18. Juli 1978.

Thomas, K. R., und M. R. Capecchi, »Site-directed mutagenesis by gene targeting in mouse embryo-derived stem cells«, *Cell*, 51 (1987), S. 503–512.

Thomson, James A. u. a., »Embryonic stem cell lines derived from human blastocysts«, *Science*, 282/5391 (1998), S. 1145 ff.

Thurstone, Louis L., »Some primary abilities in visual thinking«, *Proceedings of the American Philosophical Society* (1950), S. 517–521.

Thurstone, Louis L., »The absolute zero in intelligence measurement«, *Psychological Review*, 35/3 (1928).

Thurstone, Louis L., *Learning Curve Equation*, Princeton, NJ, 1919.

Thurstone, Louis L., *Multiple-Factor Analysis: A Development & Expansion of the Vectors of Mind*, Chicago 1947.

Thurstone, Louis L., *The Nature of Intelligence*, London 1924.

Tihanyi, Borbála u.a., »The *C. elegans Hox* gene *ceh-13* regulates cell migration and fusion in a non-colinear way. Implications for the early evolution of *Hox* clusters«, *BMC Development Biology*, 10/78 (2010), doi: 10.1186/1471-213X-10-78.

Toobin, Jeffrey, »The people's choice«, *New Yorker*, 28. Januar 2013, S. 19f.

Tsui, Lap-Chee u.a., »Cystic fibrosis locus defined by a genetically linked polymorphic DNA marker«, *Science*, 230/4729 (1985), S. 1054-1057.

Tuana, Nancy, »Der schwächere Samen«, in: Barbara Orland und Elvira Scheich (Hg.), *Das Geschlecht der Natur. Feministische Beiträge zur Geschichte und Theorie der Naturwissenschaften*, Frankfurt a. M., 1995.

Turkheimer, Eric, »Consensus and controversy about IQ«, *Contemporary Psychology*, 35/5 (1990), S. 428ff.

Turkheimer, Eric, »Still missing«, *Research in Human Development*, 8/3-4 (2011), S. 227-241.

Turkheimer, Eric, »Three laws of behavior genetics and what they mean«, *Current Directions in Psychological Science*, 9/5 (2000), S. 160-164.

Turkheimer, Eric u.a., »Socioeconomic status modifies herability of IQ in young children«, *Psychological Studies*, 14/6 (2003), S. 623-628.

Turkheimer, Eric, und M.C.Waldron, »Nonshared environment: A theoretical, methodological, and quantitative review«, *Psychological Bulletin*, 126 (2000), S. 78-108.

Twain, Mark, »Berliner Eindrücke«, in: *Unterwegs und Daheim*, Bremen 2012.

Ullmann, Agnes, »Jacques Monod, 1910-1976: His life, his work and his commitments«, *Research in Microbiology*, 161/2 (2010), S. 68-73.

Valenti, Carlos, »Cytogenetic diagnosis of Down's syndrome in utero«, *Journal of the American Medical Association*, 207/8 (1969), S. 1513, doi: 10.1001/jama.1969.03150210097018.

Vendler, Helen, *Wallace Stevens: Words Chosen out of Desire*, Cambridge, MA, 1984.

Venter, J. Craig, *A Life Decoded: My Genome, My Life*, New York 2007; dt.: *Entschlüsselt: mein Genom, mein Leben*, Frankfurt a. M. 2009.

Verhey, Allen, *Nature and Altering It*, Grand Rapids, MI, 2010.

Verschuer, Otmar von, »Rassenbiologie der Juden«, *Forschungen zur Judenfrage*, Bd. 3, Hamburg 1938, S. 137-151.

Vigilant, Linda u.a., »African populations and the evolution of human mitochondrial DNA«, *Science*, 253/5027 (1991), S. 1503-1507.

Vogelstein, Bert, und Kenneth W. Kinzler, »The multistep nature of cancer«, *Trends in Genetics*, 9/4 (1993), S. 138-141.

Vries, Hugo de, »Onderzoekingen over variabiliteit en erfelijkheit: Erfelijke Monstrositeiten in den ruilhandel der botanische tuinen«, in: ders., *Opera e periodicis collata*, Bd. 6, Utrecht 1920, S. 1–29.

Vries, Hugo de, *Die Mutationstheorie*, 2 Bde., Leipzig 1901–1903.

Vries, Hugo de, *Intracellulare Pangenesis*, Jena 1889.

Waddington, Conrad Hal, *The Strategy of Genes: A Discussion of Some Aspects of Theoretical Biology*, London 1957.

Wade, Nicholas, »Scientists seek ban on method of editing the human genome«, *New York Times*, 19. März 2015.

Wade, Nicholas, *Before the Dawn: Recovering the Lost History of Our Ancestors*, New York 2006.

Wailoo, Keith, Alondra Nelson, und Catherine Lee (Hg.), *Genetics and the Unsettled Past: The Collision of DNA, Race, and History*, New Brunswick, NJ, 2012.

Walker, Matthew R., und Ralph Rapley, *Route Maps in Gene Technology*, Oxford 1997.

Wallace, Alfred R., »XVIII. On the law which has regulated the introduction of new species«, *Annals and Magazin of Natural History*, 16/93 (1855); dt.: »Über das Gesetz, das das Entstehen neuer Arten reguliert hat«, in: Charles Darwin und Alfred R. Wallace, *Dokumente zur Begründung der Abstammungslehre vor 100 Jahren: 1858/59 – 1958/59*, hg. von Gerhard Heberer, Frankfurt a. M. 1959.

Walter, Herbert Eugene, *Genetics: An Introduction to the Study of Heredity*, New York 1938.

Wanscher, Johan Henrik, »The history of Wilhelm Johannsen's genetical terms and concepts from the period 1903 to 1926«, *Centaurus*, 19/2 (1975), S. 125–147.

Watson, James D., *Genes, Girls and Gamow: After the Double Helix*, New York 2002; dt.: *Gene, Girls und Gamow. Erinnerungen eines Genies*, München 2003.

Watson, James D., *Recombinant DNA: Genes and Genomes: A Short Course*, New York 2007; dt.: *Rekombinierte DNA*, Heidelberg 1993.

Watson, James D., *The Annotated and Illustrated Double Helix*, hg. von Alexander Gann und J. A. Witkowski, New York 2012.

Watson, James D., *The Double Helix: A Personal Account of the Discovery of the Structure of DNA*, London 1981; dt.: *Die Doppel-Helix: ein persönlicher Bericht über die Entdeckung der DNS-Struktur*, Reinbek 1997.

Watson, James D., und Francis H. C. Crick, »Molecular Structure of Nucleic Acids: A Structure for Deoxyribose Nucleic Acid«, *Nature*, 171 (1953), S. 737 f.

Watson, James D., und John Tooze, *The DNA Story: A Documentary History of Gene Cloning*, San Francisco, CA, 1981.

Weininger, Otto, *Geschlecht und Charakter. Eine prinzipielle Untersuchung*, Hamburg 2014 (Nachdruck der Originalausgabe von 1903).

Weismann, August, »Über die Hypothese einer Vererbung von Verletzungen«, in: ders., *Aufsätze über Vererbung und verwandte biologische Fragen*, Jena 1892, S. 505–546.

Weismann, August, *Das Keimplasma. Eine Theorie der Vererbung*, Jena 1892.

Weiss, Sheila Faith, »The race hygiene movement in Germany«, *Osiris*, 3 (1987), S. 193–236.

Wells, Herbert G., *Mankind in the Making*, Leipzig 1903.

Wells, Herbert G., *The War of the Worlds*, hg. von Patrick Parrinder, London 2006; dt.: *Krieg der Welten*, Zürich 2005.

Wells, Spencer, und Mark Read, *The Journey of Man: A Genetic Odyssey*, Princeton, NJ 2002; dt.: *Die Wege der Menschheit: eine Reise auf den Spuren der genetischen Evolution*, Frankfurt a.M. 2003.

Wertz, Dorothy C., »Embryo and stem cell research in the United States: History and politics«, *Gene Therapy*, 9/11 (2002), S. 674–678.

Wexler, Alice, *Mapping Fate: A Memoir of Family, Risk, and Genetic Research*, Berkeley, CA, 1995; dt.: *Wenn Schicksal messbar wird: ein Bericht über Familie, Risiko und Genforschung*, Duisburg 2000.

Wexler, Nancy S., »Venezuelan kindreds reveal that genetic and environmental factors modulate Huntington's disease age of onset«, *Proceedings of the National Academy of Sciences*, 101/10 (2004), S. 3498–3503.

Wheeler, John Archibald, *At Home in the Universe*, Bd. 9, New York 1994.

Whitam, Frederick L., Milton Diamond und James Martin, »Homosexual orientation in twins: A report on 61 pairs and three triplet sets«, *Archives of Sexual Behavior*, 22/3 (1993), S. 187–206.

White, Gilbert C., »Hemophilia: An amazing 35-year journey from the depths of HIV to the threshold of cure«, *Transactions of the American Clinical and Climatological Association*, 121 (2010).

Wilde, Oscar, *The Importance of Being Earnest*, London 1895; dt.: *Bunbury. Eine triviale Komödie für ernsthafte Leute*, Wien, Leipzig 1908.

Wilkins, Maurice, *Maurice Wilkins: The Third Man of the Double Helix: An Autobiography*, Oxford 2003.

Wilson, Elizabeth M., »Androgen receptor molecular biology and potential targets in prostate cancer«, *Therapeutic Advances in Urology*, 2/3 (2010), S. 105 ff.

Wilson, James M., »Lessons learned from the gene therapy trial for ornithine transcarbamylase deficiency«, *Molecular Genetics and Metabolism*, 96/4 (2009), S. 151–157.

Wilson, James Q., und Richard Herrnstein, *Crime and Human Nature*, New York 1985.

Wilson, Robin Fretwell, »Death of Jesse Gelsinger: New evidence of the influence of money and prestige in human research«, *American Journal of Law and Medicine*, 36 (2010), S. 295.

Wittgenstein, Ludwig, *Vermischte Bemerkungen: eine Auswahl aus dem Nachlass*, Frankfurt a.M. 1977.

Wivel, Nelson A., und W. French Anderson, »24: Human gene therapy: Public policy and regulatory issues«, *Cold Spring Harbor Monograph Archive*, 36 (1999), S. 671–689.

Wolff, Caspar Friedrich, »De formatione intestinorum praecipue«, *Novi commentarii Academiae Scientiarum Imperialis Petropolitanae*, 12 (1768), S. 43–47.

Wolff, Caspar Friedrich, *Theoria generationis*, Halle 1759, dt.: *Theorie von der Generation, in zwei Abhandlungen erklärt und bewiesen*, Berlin 1764.

Wong, Albert H.C., Irving I. Gottesman und Arturas Petronis, »Phenotypic differences in genetically identical organisms: The epigenetic perspective«, *Human Molecular Genetics*, 14/1 (2005), S. R11–R18.

Wright, S., und T. Dobzhansky, »Genetics of natural populations; experimental reproduction of some of the changes caused by natural selection in certain populations of *Drosophila pseudoobscura*«, *Genetics*, 31 (März 1946), S. 125–156.

Wright, William, *Born That Way: Genes, Behavior, Personality*, London 2013.

Yanagi, Y. u.a., »A human T cell-specific cDNA clone encodes a protein having extensive homology to immunoglobulin chains«, *Nature*, 308 (1984), S. 145–149.

Yeats, William Butler, »Byzantium«, in: *The Collected Poem of W.B. Yeats*, Richard Finneran (Hg.), New York 1996; dt.: »Byzanz«, in: ders., *Die Gedichte*, München 2005, S. 279.

Yeats, William Butler, *Easter 1916*, London 1916; dt. »Ostern 1916«, in: *Die Gedichte*, München 2005.

Yi, Doogab, *The Recombinant University: Genetic Engineering and the Emergence of Stanford Biotechnology*, Chicago 2015.

Yount, Lisa, *A to Z of Biologists*, New York 2003.

Yount, Lisa, *Modern Genetics: Engineering Life*, New York 2006.

Zain, Sayeeda u.a., »Nucleotide sequence analysis of the leader segments in a cloned copy of adenovirus 2 fiber mRNA«, *Cell*, 16/4 (1979), S. 851–856.

Zhivotovsky, Lev A., Noah A. Rosenberg und Marcus W. Feldman, »Features of evolution and expansion of modern humans, inferred from genomewide microsatellite markers«, *American Journal of Human Genetics*, 72/5 (2003), S. 1171–1186.

Zimmer, Carl, »Gene therapy emerges from disgrace to be the next big thing, again«, *Wired*, 13. August 2013.

Register